O CREPÚSCULO
E A AURORA

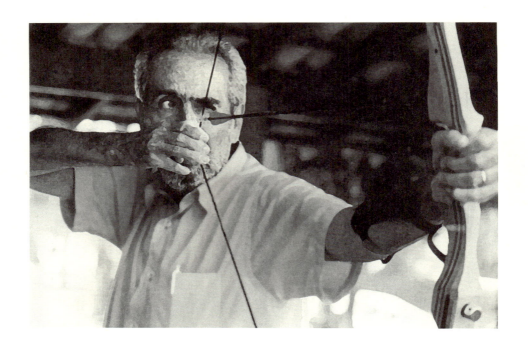

O Arqueiro

GERALDO JORDÃO PEREIRA (1938-2008) começou sua carreira aos 17 anos, quando foi trabalhar com seu pai, o célebre editor José Olympio, publicando obras marcantes como *O menino do dedo verde*, de Maurice Druon, e *Minha vida*, de Charles Chaplin.

Em 1976, fundou a Editora Salamandra com o propósito de formar uma nova geração de leitores e acabou criando um dos catálogos infantis mais premiados do Brasil. Em 1992, fugindo de sua linha editorial, lançou *Muitas vidas, muitos mestres*, de Brian Weiss, livro que deu origem à Editora Sextante.

Fã de histórias de suspense, Geraldo descobriu *O Código Da Vinci* antes mesmo de ele ser lançado nos Estados Unidos. A aposta em ficção, que não era o foco da Sextante, foi certeira: o título se transformou em um dos maiores fenômenos editoriais de todos os tempos.

Mas não foi só aos livros que se dedicou. Com seu desejo de ajudar o próximo, Geraldo desenvolveu diversos projetos sociais que se tornaram sua grande paixão.

Com a missão de publicar histórias empolgantes, tornar os livros cada vez mais acessíveis e despertar o amor pela leitura, a Editora Arqueiro é uma homenagem a esta figura extraordinária, capaz de enxergar mais além, mirar nas coisas verdadeiramente importantes e não perder o idealismo e a esperança diante dos desafios e contratempos da vida.

KEN FOLLETT

O CREPÚSCULO E A AURORA

Título original: *The Evening and the Morning*

Copyright © 2020 por Ken Follett
Copyright da tradução © 2020 por Editora Arqueiro Ltda.

Todos os direitos reservados. Nenhuma parte deste livro
pode ser utilizada ou reproduzida sob quaisquer meios existentes
sem autorização por escrito dos editores.

tradução: Fernanda Abreu
preparo de originais: Juliana Souza
revisão: Luis Américo Costa e Taís Monteiro
diagramação: Valéria Teixeira
capa: Francesco Botti
adaptação de capa: Ana Paula Daudt Brandão
imagens de capa: Luca Tarlazzi (1ª capa) / Darren Cook (guardas)
impressão e acabamento: Lis Gráfica e Editora Ltda.

CIP-BRASIL. CATALOGAÇÃO NA PUBLICAÇÃO
SINDICATO NACIONAL DOS EDITORES DE LIVROS, RJ

F724c	Follett, Ken, 1949-
	O crepúsculo e a aurora / Ken Follett; tradução
	Fernanda Abreu. São Paulo: Arqueiro, 2020.
	704 p.; 16 x 23 cm.
	Tradução de: The evening and the morning
	ISBN 978-65-5565-018-1
	1. Ficção americana. I. Abreu, Fernanda. II. Título.
	CDD 813
20-65572	CDU 82-3(73)

Todos os direitos reservados, no Brasil, por
Editora Arqueiro Ltda.
Rua Funchal, 538 – conjuntos 52 e 54 – Vila Olímpia
04551-060 – São Paulo – SP
Tel.: (11) 3868-4492 – Fax: (11) 3862-5818
E-mail: atendimento@editoraarqueiro.com.br
www.editoraarqueiro.com.br

IN MEMORIAM, E.F.

Com o declínio do Império Romano, a Grã-Bretanha retrocedeu. Enquanto as *villas* desmoronavam, as pessoas construíam casas de um cômodo, sem chaminé. A tecnologia da cerâmica romana – importante para armazenar alimentos – praticamente se perdeu. A alfabetização se deteriorou.

Esse período costuma ser chamado de Idade das Trevas, e durante quinhentos anos o progresso foi dolorosamente lento.

Então as coisas enfim começaram a mudar...

← Glastonbury ✝
ᚷᛚᚫᛋᛏᚩᚾᛒᚢᚱᛁ

ᛏᚱᛖᚾᚳᚺ Trench   ᚹᛁᚷᛚᛖᛁᚷᚺ
                          Wigleigh   ᛒᚫᛏᚺᚠᚩᚱᛞ
                                            Bathford

                                                    Travessia de Dr
                                                    ᛏᚱᚫᚾᛋᛋᛁᛁᚪ ᛞᛖᛗ ᛞᚱᛗᛖᚾ

Shiring   Outhenham
ᛋᚺᛁᚱᛁᛏᚷ   ᚠᚢᛏᚺᛖᚾᚺᚪᛗ

                                                    Curral de Ovelhas de
      ✝   ᚲᚢᚱᚱᚪ
      🏰
← Exeter
ᛖᚷᛖᛏᛖᚱ

Gloucester

xwood

Lordsborough

Saint John

Longmede

Mudeford

recht

Portsmouth

Combe

Cherbourg

PARTE I

O CASAMENTO

997 d.C.

CAPÍTULO 1

Quinta-feira, 17 de junho de 997

té mesmo na noite mais importante da sua vida era difícil passar a noite inteira acordado, constatou Edgar.

Ele havia estendido sua capa sobre os juncos que cobriam o chão e estava deitado em cima dela, com a túnica de lã marrom que vestia dia e noite durante o verão na altura dos joelhos. No inverno, ele se enrolava na capa e ia se deitar perto do fogo. Mas agora fazia calor: faltava uma semana para o solstício de verão.

Edgar sempre sabia as datas. A maioria das pessoas precisava perguntar aos padres, que tinham calendários. Erman, seu irmão mais velho, certo dia lhe perguntara "Como você sabe quando é a Páscoa?" e ele respondera: "Cai sempre no primeiro domingo depois da primeira lua cheia depois do dia 21 de março, óbvio." Fora um erro acrescentar o "óbvio", porque Erman acabou lhe dando um soco no estômago pelo sarcasmo. Isso acontecera muito tempo antes, quando Edgar ainda era pequeno. Agora ele era um homem feito. Faria 18 anos três dias depois do solstício. Os irmãos nem batiam mais nele.

Balançou a cabeça. Pensamentos aleatórios o faziam cochilar. Para se manter acordado, tentou adotar uma posição desconfortável deitando-se sobre os punhos fechados.

Perguntou-se quanto tempo mais teria que esperar.

Olhou ao seu redor, à luz do fogo. Sua casa se parecia com quase todas as outras da cidadezinha de Combe: paredes de tábuas de carvalho, telhado de sapê, chão de terra batida parcialmente coberto por juncos de um rio próximo. Não havia janelas. No meio do único cômodo havia um quadrado de pedras sobre o qual se acendia o fogo. Acima do fogo ficava um tripé em que se podia pendurar panelas, cuja sombra na parte interna do telhado parecia formar uma aranha. Espalhados por todas as paredes havia pregos de madeira para pendurar roupas, utensílios de cozinha e ferramentas usadas na construção de barcos.

Edgar não tinha certeza de quanto da noite já havia transcorrido, porque talvez tivesse cochilado, possivelmente mais de uma vez. Mais cedo, ficara escutando os ruídos da cidade se preparando para a noite: dois bêbados cantando uma música obscena, as amargas acusações de uma briga entre marido e mulher numa das casas vizinhas, uma porta batendo e um cão latindo, e uma mulher soluçando em algum lugar próximo. Agora tudo que havia era o acalanto suave das ondas numa praia protegida. Olhou para a porta à procura de luz que lhe desse alguma informação, mas tudo que viu foi escuridão. Isso significava ou que a lua tinha se posto, ou seja, que a noite estava bem avançada, ou que o céu estava nublado, o que não lhe informava nada.

A família se espalhava pelo cômodo, dormindo perto das paredes, onde a quantidade de fumaça era menor. Pa e Ma estavam de costas um para o outro. Às vezes eles acordavam no meio da noite, se abraçavam e começavam a sussurrar e a se mover juntos até relaxarem outra vez, ofegantes. Agora, porém, estavam num sono profundo e Pa roncava. Erman, aos 20 anos o irmão mais velho, estava deitado ao lado de Edgar, e Eadbald, o irmão do meio, no canto. Edgar podia ouvir sua respiração regular e tranquila.

Por fim, o sino da igreja badalou.

Do outro lado da cidade havia um mosteiro. Os monges tinham um jeito próprio de contar as horas à noite: fabricavam grandes velas graduadas que iam medindo o tempo conforme se consumiam. Uma hora antes do amanhecer, eles tocavam o sino e acordavam para entoar seu cântico de matinas.

Edgar se demorou mais um pouco deitado. O sino podia ter incomodado Ma, que tinha o sono leve. Ele lhe deu tempo para voltar a seu sono profundo, então, por fim, levantou-se.

Em silêncio, pegou sua capa, seus sapatos e seu cinto, onde prendia a adaga embainhada. Descalço, atravessou a casa se desviando da mobília: uma mesa, dois banquinhos e um banco mais comprido. A porta se abriu sem fazer barulho: ele engraxara as dobradiças de madeira na véspera com uma quantidade generosa de sebo de carneiro.

Se alguém da família acordasse e falasse com ele, Edgar diria que estava saindo para urinar, torcendo para que ninguém reparasse que estava levando os sapatos.

Eadbald grunhiu. Edgar gelou. Teria o irmão acordado ou apenas feito um barulho inconsciente? Não soube dizer. Mas Eadbald era o mais passivo, sempre disposto a evitar conflitos, como Pa. Não criaria problemas.

Edgar saiu e fechou a porta atrás de si com cuidado.

A lua havia se posto, mas o céu estava claro e as estrelas iluminavam a praia. Entre a casa e a linha da maré alta ficava um estaleiro. Pa construía barcos, e os três filhos trabalhavam com ele. Como ele era um bom artesão mas um mau comerciante, quem tomava todas as decisões financeiras era Ma, principalmente quando se tratava de fazer o difícil cálculo de que preço cobrar por algo tão complexo quanto um barco ou navio. Se algum comprador tentava barganhar, Pa se mostrava disposto a ceder, mas Ma o obrigava a se manter firme.

Edgar ficou olhando para o estaleiro enquanto amarrava o cadarço dos sapatos e afivelava o cinto. Havia apenas uma embarcação sendo construída, um barco pequeno para subir o rio a remo. Ao seu lado estava empilhado um valioso estoque de madeira. Havia troncos partidos ao meio e em quartos, prontos para serem moldados nas diferentes partes de um barco. Mais ou menos uma vez por mês, a família inteira entrava na floresta e derrubava um carvalho maduro. Pa e Edgar brandiam alternadamente dois machados de cabo longo e começavam cortando um V preciso no tronco. Então descansavam, e Erman e Eadbald assumiam. Quando a árvore vinha ao chão, eles aparavam os galhos menores e faziam o tronco flutuar rio abaixo até Combe. Tinham que pagar, claro: a floresta estava sob os cuidados de Wigelm, o senhor feudal para quem a maioria da população da cidade pagava aluguel, e ele cobrava 12 *pennies* de prata por árvore.

Além da pilha de madeira, havia um barril de piche, uma corda enrolada e uma pedra de amolar. Tudo era protegido por um mastim preto e de focinho cinza chamado Grendel, que ficava acorrentado e estava velho demais para causar grandes danos a algum ladrão, mas ainda era capaz de latir para dar o alarme. O cão agora estava calado e, sem o menor indício de curiosidade e com a cabeça apoiada nas patas dianteiras, observava Edgar. Ele se ajoelhou e afagou sua cabeça.

– Adeus, cachorro velho – murmurou, e Grendel abanou o rabo sem se levantar.

No estaleiro havia também uma embarcação que Edgar considerava de sua propriedade. Ele mesmo a construíra com base num projeto original inspirado em um navio viking. Na verdade nunca tinha visto um viking – os vikings não atacaram Combe depois que ele nascera –, mas dois anos antes uma embarcação desse povo havia encalhado na praia, vazia e escurecida pelo fogo, com o dragão da figura de proa parcialmente destruído sem dúvida após alguma batalha. Aquela beleza mutilada o tinha deixado fascinado: as curvas graciosas, a proa comprida e sinuosa, o casco estreito. O que mais o impressionara havia sido a grande quilha protuberante que percorria o barco de ponta a ponta e que – conforme ele concluíra após pensar um pouco – proporcionava a estabilidade que permitia aos vikings cruzar os mares. O barco de Edgar era uma versão menor, com dois remos e uma pequena vela quadrada.

Ele sabia que tinha talento. Já era um construtor de barcos melhor do que os irmãos mais velhos e em pouco tempo superaria Pa. Compreendia intuitivamente como as partes se encaixavam para formar uma estrutura estável. Anos antes, ouvira Pa dizer a Ma: "Erman aprende devagar e Eadbald aprende depressa, mas

Edgar parece aprender antes de as palavras saírem da minha boca." Era verdade. Alguns homens podiam pegar um instrumento que nunca haviam tocado, uma flauta ou uma lira, e em poucos minutos extrair dele uma melodia. Edgar tinha esse tipo de instinto em relação a embarcações – e a casas também. Ele costumava dizer: "Esse barco vai puxar para estibordo" ou então "Esse telhado vai acabar ficando com goteiras", e sempre tinha razão.

Desamarrou o barco e o empurrou praia abaixo. O barulho do casco arrastando na areia foi abafado pelo murmúrio das ondas quebrando na praia.

Levou um susto quando ouviu uma risada feminina. À luz das estrelas, viu uma mulher nua deitada na areia, e por cima dela um homem. Edgar provavelmente os conhecia, mas, como não dava para ver claramente o rosto deles, desviou os olhos depressa, sem querer reconhecê-los. Imaginou que os tivesse flagrado num encontro ilícito. A mulher parecia jovem e o homem talvez fosse casado. O clero pregava contra esse tipo de relação, mas as pessoas nem sempre seguiam as regras. Ele ignorou o casal e empurrou seu barco para dentro da água.

Olhou para trás em direção à casa e sentiu uma pontada de arrependimento, se perguntando se um dia tornaria a vê-la. Era o único lar de que tinha lembrança. Sabia por terem lhe contado que ele nascera em outra cidade, Exeter, onde seu pai trabalhava para um mestre construtor de barcos. Depois, quando Edgar ainda era bebê, a família tinha se mudado e ido morar em Combe, onde Pa abrira o próprio negócio a partir da encomenda de um barco a remo. Mas ele não se lembrava de nada disso. Aquele era o único lar que conhecia, e o estava abandonando para sempre.

Tivera a sorte de ter conseguido trabalho em outro lugar. Os negócios haviam sofrido uma queda desde a retomada dos ataques vikings ao sul da Inglaterra, quando ele estava com 9 anos. Com os invasores tão próximos, era perigoso praticar o comércio e a pesca. Só os corajosos compravam barcos.

Havia três naus no porto agora, viu ele à luz das estrelas: dois barcos de pescar arenque e um navio mercante franco. Na praia havia algumas embarcações menores, tanto fluviais quanto costeiras. Edgar tinha ajudado a construir um dos pesqueiros, mas ainda se recordava de uma época em que sempre havia uma dúzia de embarcações no porto ou mais.

Sentiu uma leve brisa soprar do sudoeste, o vento predominante ali. Seu barco tinha uma vela – pequena, pois velas custavam caro: uma mulher demorava quatro anos para fabricar a vela inteiriça de uma nau capaz de navegar no mar. Não valia a pena desfraldá-la para o curto trajeto até o outro lado da baía. Edgar começou a remar, algo que quase não o deixava cansado. Era muito musculoso, como um ferreiro. O pai e os irmãos também. Os quatro passavam o dia inteiro, seis dias por semana, manejando o machado, a enxó e a broca para moldar as placas de madeira que formariam os cascos das embarcações. Um trabalho duro, que fortalecia os homens.

Edgar se animou. Conseguira partir. E estava indo ao encontro da mulher que amava. As estrelas brilhavam, a praia branca reluzia e, quando seus remos rompiam a superfície do mar, a espuma que se encrespava parecia os cabelos dela a cair pelos ombros.

Seu nome era Sungifu, geralmente abreviado para Sunni, e ela era excepcional sob todos os aspectos.

Ele podia ver as construções à beira-mar, a maioria oficinas de pescadores e comerciantes: a oficina de um funileiro que fabricava objetos à prova de ferrugem para embarcações; o pátio comprido onde um cordoeiro tecia suas cordas; e a imensa fornalha de um fabricante de piche que assava toras de pinheiro para produzir o líquido pegajoso com o qual os construtores de barcos calafetavam suas naus. A cidade sempre parecia maior quando vista do mar: tinha centenas de moradores, e a maioria tirava seu sustento, direta ou indiretamente, do mar.

Olhou para o seu destino do outro lado da baía. No escuro, não teria conseguido ver Sunni nem se ela estivesse na praia, e ele sabia que não estava, já que os dois tinham combinado se encontrar ao raiar do dia. Mas não conseguiu evitar olhar para o ponto onde em breve ela o esperaria.

Sunni tinha 21 anos, praticamente três anos mais velha do que Edgar. Havia chamado a sua atenção certo dia em que ele estava sentado na praia observando o barco viking naufragado. Já a conhecia de vista, claro – conhecia todos os moradores da pequena cidade –, mas nunca a observara especificamente, nem recordava qualquer coisa relacionada à sua família. "Você naufragou na praia junto com o barco?", perguntara ela. "Estava sentado tão imóvel que pensei que fossem destroços de madeira." Ela devia ter muita imaginação, ele logo percebeu, para dizer uma coisa dessas assim, de forma tão espontânea. Ele então lhe explicara que o desenho da embarcação o deixava fascinado, sentindo que ela entenderia. Os dois passaram uma hora conversando, e ele acabou se apaixonando.

Foi quando ela contou que era casada, mas já era tarde demais.

Seu marido Cyneric tinha 30 anos. Ela se casara com ele aos 14. Ele tinha um pequeno rebanho de vacas leiteiras e Sunni administrava a leiteria. Era astuta e ganhava muito dinheiro para o marido. O casal não tinha filhos.

Edgar logo descobriu que Sunni detestava Cyneric. Todas as noites, depois da ordenha da tarde, ele ia a uma taberna chamada Os Marinheiros se embebedar. Enquanto estava lá, Sunni podia ir à floresta encontrar Edgar.

Entretanto, de agora em diante eles não se esconderiam mais. Nesse dia eles fugiriam juntos ou, para ser mais exato, zarpariam juntos. Edgar tinha recebido uma proposta de emprego e moradia numa aldeia de pescadores naquele mesmo litoral, a 80 quilômetros de distância. Tivera sorte de encontrar um construtor de barcos que estava contratando. Edgar não tinha dinheiro – nunca tivera, Ma dizia que ele não precisava –, mas guardara suas ferramentas num compartimento interno do barco. Eles começariam uma vida nova.

Assim que todos se dessem conta da fuga, Cyneric se consideraria livre para tornar a se casar. Na prática, uma esposa que ia embora com outro homem estava se divorciando: a Igreja podia não gostar, mas esse era o costume. Dali a poucas semanas, disse Sunni, Cyneric iria até o interior e encontraria uma família paupérrima com uma filha bonita de 14 anos. Edgar perguntou por que o homem precisava tanto de uma esposa, já que, segundo Sunni, ele pouco se interessava por sexo. "Ele gosta de ter alguém em quem mandar", respondera ela. "O problema é que agora eu tenho idade suficiente para menosprezá-lo."

Cyneric não iria atrás deles nem se descobrisse onde estavam, o que era improvável, pelo menos por algum tempo. "E, se estivermos errados e Cyneric nos encontrar, eu dou uma surra nele", dissera Edgar. Sunni fez uma expressão informando a ele que considerava uma tolice se gabar assim, e ele sabia que ela estava certa. "Mas provavelmente não vou precisar fazer isso", acrescentara ele às pressas.

Ao chegar ao outro lado da baía, ele puxou o barco pela areia e o amarrou num rochedo.

Podia escutar os cânticos das preces dos monges. O mosteiro ficava ali perto, e a casa de Cyneric e Sunni poucas centenas de metros depois.

Sentou-se na areia e ficou olhando para o mar escuro e para o céu da noite, pensando nela. Será que Sunni conseguiria sair de casa com a mesma facilidade que ele teve? E se Cyneric acordasse e a impedisse? Talvez houvesse uma briga e ela apanhasse. Teve a súbita tentação de mudar o plano, levantar-se e ir até a casa de Sunni para buscá-la.

Edgar se esforçou para reprimir o impulso. Ela se sairia melhor sozinha. Cyneric estaria dormindo um sono de bêbado e Sunni se moveria como um gato. Planejara ir para a cama usando em volta do pescoço a única joia que possuía, um medalhão de prata intricadamente esculpido pendurado num cordão de couro. No bolso do cinto levaria agulha e linha, sempre úteis, e a faixa de linho bordado que usava nos cabelos em ocasiões especiais. Assim como Edgar, poderia sair da casa em poucos silenciosos segundos.

Em breve ela estaria ali, os olhos luzindo de animação, o corpo ágil ávido pelo seu. Os dois se abraçariam, se apertariam com força e se beijariam com paixão.

Então ela subiria no barco e eles ganhariam o mar em direção à liberdade. Edgar remaria um pouco, pensou, depois a beijaria outra vez. Em quanto tempo poderiam dormir juntos? Sunni devia estar tão impaciente quanto ele. Ele poderia remar até rodear o cabo, depois lançar a pedra amarrada numa corda que usava como âncora, e os dois se deitariam no barco, debaixo dos bancos. Seria um pouco desconfortável, mas o que importava? O barco se balançaria suavemente ao sabor das ondas e eles sentiriam o calor do sol nascente sobre a pele nua.

Mas talvez fosse mais sensato desfraldar a vela e se distanciar mais da cidade antes de se arriscar a parar. Quando o sol nascesse, ele queria estar bem longe. Seria difícil resistir à tentação com ela tão perto, olhando para ele e sorrindo feliz. No entanto, garantir o seu futuro era mais importante.

Quando chegassem à nova casa contariam a todos que já eram casados, decidiram. Até então nunca haviam passado uma noite na cama. Daquele dia em diante, sempre jantariam juntos, passariam a noite inteira um nos braços do outro e trocariam um sorriso cúmplice pela manhã.

Edgar viu uma luz tremeluzir no horizonte. A aurora estava prestes a irromper. Ela chegaria a qualquer momento.

Só se sentia triste ao pensar na família. Conseguiria viver feliz sem os irmãos, que ainda o tratavam feito um menino bobo e fingiam que ele não tinha crescido e ficado mais inteligente do que eles. Sentiria falta de Pa, que durante toda sua vida tinha lhe dito coisas que ele jamais esqueceria, como: "Por mais que você una bem duas tábuas, a emenda vai ser sempre a parte mais fraca." E pensar em deixar Ma o deixava com lágrimas nos olhos. Ela era uma mulher forte. Quando as coisas davam errado, não perdia tempo se lamentando sobre a falta de sorte, e sim tomava providências para consertar a situação. Três anos antes, Pa caíra doente com uma febre e quase morrera. Ma assumiu o controle dos negócios até ele se recuperar – dizia aos três rapazes o que fazer, cobrava dívidas, garantia que os clientes não cancelassem encomendas. Ma era uma líder, e não só da família. Pa era um dos doze membros do conselho de Combe, mas fora Ma quem havia liderado os protestos dos moradores quando Wigelm, o senhor feudal, tentara aumentar o preço dos aluguéis.

Pensar em ir embora seria insuportável não fosse a feliz perspectiva de um futuro com Sunni.

Sob a luz fraca, Edgar viu algo estranho na água. Tinha uma boa visão e estava acostumado a identificar embarcações ao longe, a distinguir o formato de um casco do de uma onda gigante ou de uma nuvem baixa, mas agora não tinha certeza do que estava vendo. Esforçou-se para escutar qualquer ruído distante, mas tudo que captou foi o barulho das ondas quebrando bem na sua frente.

Após alguns instantes, teve a impressão de ver a cabeça de um monstro e um arrepio de pavor o percorreu. Diante da iminente claridade do céu, pensou ver orelhas pontudas, uma imensa mandíbula e um pescoço comprido.

Um momento depois, deu-se conta de que estava encarando algo ainda pior do que um monstro: um navio viking, com uma cabeça de dragão na ponta da longa proa curva.

Então um segundo navio surgiu, e um terceiro e logo um quarto. As velas estavam retesadas pelo vento sudoeste que ia ganhando força e as embarcações leves avançavam depressa pelas ondas. Edgar se pôs de pé com um pulo.

Os vikings eram ladrões, estupradores e assassinos. Atacavam no litoral e nas margens dos rios. Incendiavam cidades, roubavam tudo que conseguiam carregar e matavam todo mundo, exceto homens e mulheres jovens, que capturavam para vender como escravos.

Edgar ainda hesitou mais um pouco.

Agora podia ver dez navios. Isso significava no mínimo quinhentos vikings.

Eram mesmo navios vikings? Outros construtores haviam adotado suas inovações e copiado seus projetos, como o próprio Edgar fizera. No entanto, ele conseguia enxergar a diferença: nas embarcações escandinavas havia uma ameaça contida que nenhum imitador seria capaz de reproduzir.

De toda forma, quem mais se aproximaria com um contingente assim ao raiar do dia? Não, não restava dúvida.

O inferno estava chegando a Combe.

Ele precisava alertar Sunni. Se conseguisse alcançá-la a tempo, os dois ainda poderiam fugir.

Culpado, percebeu que seus pensamentos foram primeiro para ela, e não para a família. Precisava avisá-los também, mas eles estavam do outro lado da cidade. Iria encontrar Sunni primeiro.

Virou-se e começou a correr ao longo da praia, estreitando os olhos para o caminho à frente em busca de obstáculos ocultos. Um minuto depois, parou e olhou para a baía. Ficou horrorizado ao ver como os vikings se aproximavam depressa. Já se avistavam tochas acesas, algumas refletidas no mar agitado, outras obviamente sendo transportadas pela areia. Eles já estavam desembarcando!

Só que eram silenciosos. Edgar ainda ouvia a prece dos monges, alheios ao destino que iriam ter. Precisava avisá-los também, mas não conseguiria falar com todo mundo ao mesmo tempo!

Ou talvez conseguisse. Olhou para a torre da igreja dos monges em destaque contra o céu que já clareava e pensou em um jeito de alertar Sunni, a família, os monges e a cidade inteira.

Fez uma curva fechada em direção ao mosteiro. Uma cerca baixa surgiu no caminho e ele pulou por cima dela sem diminuir a velocidade. Aterrissou, titubeou, recuperou o equilíbrio e continuou a correr.

Chegou à porta da igreja e olhou para trás. O mosteiro ficava no alto de um leve aclive, de onde podia ver toda a cidade e a baía. Centenas de vikings chapinhavam pelo mar raso até a praia e dali para Combe. Edgar viu a palha dura e ressecada pelo verão de um telhado de sapê se abrasar, depois outra, e logo mais outra. Conhecia todas as casas e seus donos, mas à luz fraca não sabia ao certo qual era qual. Perguntou-se apreensivo se a sua estaria em chamas.

Abriu a porta da igreja. A nave estava iluminada pela luz tremeluzente das velas. O cântico dos monges falhou quando alguns deles o viram correndo até a base da torre do campanário. Ele viu a corda pendurada, agarrou-a e puxou-a. Para seu desalento, o sino não produziu som.

Um dos monges se afastou do grupo e veio a passos largos na sua direção. Seu cocuruto raspado era rodeado por cachos brancos e Edgar reconheceu o prior Ulfric.

– Saia daqui, seu menino tolo – disse o prior, indignado.

Edgar não podia se dar ao luxo de perder tempo com explicações.

– Preciso tocar o sino! – bradou, desesperado. – Por que não está fazendo barulho?

A missa tinha sido interrompida e agora todos os monges o observavam. Um segundo homem se aproximou: o despenseiro Maerwynn, um homem mais jovem e não tão pomposo quanto Ulfric.

– Edgar, o que está acontecendo? – perguntou ele.

– Os vikings estão aqui! – gritou Edgar, tornando a puxar a corda.

Nunca havia tentado tocar um sino de igreja e ficou espantado com seu peso.

– Ah, não! – gemeu o prior Ulfric, e foi perceptível a mudança em sua expressão: a reprovação deu lugar ao medo. – Que Deus nos proteja!

– Tem certeza, Edgar? – indagou Maerwynn.

– Eu os vi da praia!

Maerwynn foi até a porta e olhou para fora. Voltou pálido.

– É verdade – atestou o despenseiro.

– Corram, todos vocês! – berrou Ulfric.

– Esperem! – disse Maerwynn. – Edgar, continue puxando a corda. É preciso puxar algumas vezes até soar. Tire os pés do chão e se pendure. Vocês, os outros, ainda temos alguns minutos antes que eles cheguem. Peguem o seguinte antes de fugir: primeiro, os relicários com os restos mortais dos santos, depois os ornamentos incrustados de pedras preciosas e os livros... e fujam para a floresta.

Segurando a corda, Edgar ergueu o corpo do chão e um instante depois ouviu ecoar o estrondo do imenso sino.

Ulfric segurou com força uma cruz de prata e saiu correndo, e os outros monges começaram a segui-lo, alguns procurando calmamente objetos preciosos, outros tomados pelo pânico, aos berros.

O sino se balançava e soou várias vezes. Edgar puxava a corda freneticamente, usando todo o peso do corpo. Queria que todos entendessem que aquilo não era apenas para despertar os monges, mas um aviso para a cidade inteira.

Passado um minuto, teve certeza de ter feito o bastante. Deixou a corda pendurada e saiu correndo da igreja.

O cheiro acre de sapê queimado fez cócegas nas suas narinas: o vento sudoeste vigoroso estava espalhando as chamas a uma velocidade terrível. Ao mesmo tempo, o dia já clareava. Na cidade, pessoas fugiam de casa agarradas a bebês, crianças e o que mais tivessem de precioso: ferramentas, galinhas, bolsas de couro cheias de moedas. Os mais rápidos já estavam atravessando os campos em direção à floresta. Alguns conseguiriam escapar graças ao sino, pensou Edgar.

Seguiu contra a maré, esquivando-se de amigos e vizinhos, em direção à casa de Sunni. Viu o padeiro, que devia estar assando pães desde cedo e agora fugia com um saco de farinha nas costas. A taberna Os Marinheiros ainda estava silenciosa e seus ocupantes estavam com dificuldade para despertar mesmo depois do sino. O joalheiro Wyn passou montado em seu cavalo com um baú amarrado nas costas. O animal em pânico corria em disparada e o homem se segurava desesperado com os dois braços em seu pescoço. Um escravo chamado Griff estava carregando uma senhora, sua dona. Edgar examinou cada rosto que viu passar para o caso de um deles ser de Sunni, mas não a encontrou.

Foi então que topou com os vikings.

A vanguarda dos invasores era composta por uma dúzia de homens grandes e duas mulheres de aspecto aterrorizante, todos trajando coletes de couro justos e armados com lanças e machados. Não usavam capacete, Edgar percebeu, e, com o medo lhe subindo pela garganta como se fosse vômito, deu-se conta de que eles não precisavam de muita coisa para se proteger dos fracos moradores de Combe. Alguns já carregavam butins: uma espada com o cabo incrustado de pedras preciosas, obviamente fabricada para ser exposta mais do que para lutar; uma bolsa de moedas; vestes de pele de animal; uma sela cara com arreios de bronze dourado. Um deles conduzia um cavalo branco que Edgar reconheceu como pertencente ao dono de um pesqueiro de arenque; outro carregava uma garota nos ombros. Edgar notou aliviado que não era Sunni.

Ele recuou, mas os vikings continuaram avançando, e ele não podia fugir porque precisava encontrar Sunni.

Alguns moradores valentes resistiam. Como estavam de costas para Edgar, ele não conseguia ver quem eram. Uns usavam machados e adagas, outro, um arco e flecha. Durante vários segundos Edgar ficou apenas assistindo, paralisado pela visão de lâminas afiadas cortando carne humana, pelo som de homens feridos uivando de dor feito animais, pelo cheiro da cidade em chamas. A única violência que presenciara até então fora trocas de socos entre meninos agressivos ou homens embriagados. Aquilo era algo novo: sangue esguichando, vísceras se derramando, gritos de agonia e terror. Ele congelou de tanto medo.

Os comerciantes e os pescadores de Combe não eram páreo para aqueles agressores que ganhavam a vida usando a violência. Os moradores foram abatidos em segundos e mais vikings avançaram no encalço dos líderes.

Edgar recuperou os sentidos e se escondeu atrás de uma casa. Precisava fugir dos vikings, mas não estava tão assustado a ponto de esquecer Sunni.

Os invasores avançavam pela rua principal, perseguindo as pessoas que fugiam por ali. No entanto, não havia vikings atrás das casas; cada uma tinha cerca de 2 mil metros quadrados de terreno. A maioria dos moradores plantava árvores frutíferas e uma horta, e os mais ricos tinham um galinheiro ou um chiqueiro. Edgar atravessou vários quintais até chegar ao de Sunni.

Sunni e Cyneric moravam numa casa igual a todas as outras a não ser pela leiteria, uma extensão anexa feita de areia, pedra, barro e palha, com telhado de lajotas de pedra fina, tudo com o objetivo de manter o ambiente fresco. A construção ficava no limite de uma pequena campina onde as vacas pastavam.

Edgar abriu a porta da casa, exaltado, e entrou.

Viu Cyneric no chão, um homem baixo e pesado, de cabelos pretos. Os juncos à sua volta estavam empapados de sangue e ele não se movia. Um ferimento aberto entre o pescoço e o ombro já não vertia sangue, e Edgar não teve dúvida de que ele estava morto.

Malhada, a cadela marrom e branca de Sunni, tremia e ofegava num canto como fazem os cães quando estão apavorados.

Mas onde estava Sunni?

Nos fundos da casa havia uma porta que dava para a leiteria. Estava escancarada. Enquanto Edgar andava até lá, ouviu Sunni gritar.

Entrou na leiteria. Viu as costas de um viking alto de cabelos louros. Uma briga estava em curso: um balde de leite tinha se derramado no chão de pedra e a comprida manjedoura onde as vacas comiam estava emborcada.

Uma fração de segundo depois, Edgar percebeu que a oponente do viking era

Sunni. Seu rosto bronzeado estava sombrio de raiva, a boca muito aberta expunha os dentes brancos, os cabelos escuros soltos balançavam. O viking segurava um machado numa das mãos, mas não o estava usando. Com a outra, tentava derrubar Sunni no chão enquanto ela o atacava com uma grande faca de cozinha. Ele obviamente queria capturá-la em vez de matá-la, pois uma jovem saudável rendia um bom dinheiro como escrava.

Nenhum dos dois viu Edgar.

Antes de Edgar conseguir se mexer, Sunni esfaqueou o viking no rosto e o homem urrou de dor enquanto o sangue esguichava do corte na bochecha. Enfurecido, soltou o machado, agarrou-a pelos dois ombros e a jogou no chão. Ela caiu com força e Edgar ouviu um baque nauseante quando a cabeça dela bateu no degrau de pedra da soleira. Para seu horror, Sunni pareceu perder os sentidos. O viking se abaixou sobre um dos joelhos, enfiou a mão no colete e sacou uma tira de couro com a evidente intenção de amarrá-la.

Ao virar a cabeça de leve, ele viu Edgar.

Seu rosto exibiu uma expressão de alerta e ele estendeu a mão em direção à arma caída, mas era tarde demais. Edgar se apoderou do machado um segundo antes de o viking conseguir pegá-lo. Era uma arma muito parecida com a ferramenta que usava para derrubar árvores. Ele segurou o cabo, e num canto escuro da mente reparou que o cabo e a cabeça eram bem equilibrados. Deu um passo para trás de modo a sair do alcance do viking. O homem começou a se levantar.

Edgar brandiu o machado num grande círculo.

Tornou a puxá-lo para trás de si, então o suspendeu acima da cabeça e finalmente desferiu um golpe, rápido e com força, numa curva perfeita. A lâmina afiada mergulhou no topo da cabeça do sujeito. Fendeu os cabelos, a pele e o crânio e cravou-se profundamente, de modo que os miolos saltaram.

Para horror de Edgar, o viking não caiu morto de imediato e pareceu lutar para permanecer de pé. Então a vida se esvaiu de dentro dele como a luz de uma vela se extingue depois de assoprada e ele desabou no chão feito um saco de carne inerte.

Edgar largou o machado e foi se ajoelhar ao lado de Sunni. Os olhos dela estavam abertos e fixos. Ele chamou seu nome.

– Fale comigo – pediu, segurando a mão e erguendo o braço dela.

Estava flácido. Beijou-a na boca e percebeu que não havia respiração. Sentiu seu coração logo abaixo da curva suave do seio que tanto adorava. Manteve a mão ali, torcendo desesperadamente para sentir um batimento, e soluçou ao constatar que não havia nada. Sunni tinha ido embora e seu coração não tornaria a bater.

Ele ficou olhando para a cena sem acreditar durante alguns instantes e então, com uma ternura infinita, tocou suas pálpebras com a ponta dos dedos – delicadamente, como se temesse machucá-la – e fechou os olhos dela.

Bem devagar, caiu para a frente até descansar a cabeça sobre o peito dela, e suas lágrimas encharcaram o vestido de lã marrom feito em casa que ela estava usando.

No minuto seguinte, foi tomado por uma fúria enlouquecida dirigida ao homem que tirara a vida de Sunni. Levantou-se de um pulo, empunhou o machado e começou a golpear o rosto do viking morto, esmigalhando a testa, furando os olhos, partindo o queixo ao meio.

O acesso durou apenas alguns minutos antes de ele se dar conta da inutilidade abominável do que estava fazendo. Quando parou, ouviu gritos do lado de fora numa língua parecida com a que ele falava, mas não exatamente igual. Isso logo o trouxe de volta ao perigo que estava correndo. Ele talvez estivesse prestes a morrer.

Não me importo, vou morrer, refletiu. Mas esse pensamento durou apenas alguns segundos. Se encontrasse outro viking, poderia rachar sua cabeça como fez com o homem a seus pés. Por maior que fosse sua dor, a perspectiva de ser retalhado até a morte ainda o apavorava.

O que ele poderia fazer? Tinha medo de ser encontrado dentro da leiteria, com o corpo do viking clamando por vingança, mas se saísse com certeza seria capturado e morto. Olhou em volta desnorteado: onde poderia se esconder? Seu olhar recaiu sobre a manjedoura emborcada, uma estrutura de madeira tosca. Virada de cabeça para baixo, ela parecia grande o suficiente para escondê-lo.

Ele se deitou no chão de pedra e puxou a manjedoura por cima de si. Na última hora, ergueu a borda, pegou o machado e o deixou junto consigo.

Um feixe de luz entrava pelas ranhuras entre as tábuas da manjedoura. Ele ficou imóvel e apurou os ouvidos. A madeira abafava um pouco os sons, mas podia ouvir vários uivos e gritos lá fora. Aguardou, apavorado. A qualquer momento um viking poderia entrar e ficar curioso o suficiente para olhar debaixo da manjedoura. Caso isso acontecesse, Edgar decidiu, tentaria matá-lo na hora com o machado, só que estaria numa posição de forte desvantagem, deitado no chão com o inimigo em pé acima dele.

Ouviu um cachorro ganir e compreendeu que Malhada devia estar ao lado da manjedoura virada.

– Vá embora – sibilou, mas acabou encorajando a cadela, que ganiu mais alto.

Edgar soltou um palavrão, então levantou a borda da manjedoura, esticou a mão para fora e puxou a cadela para junto de si. Malhada se deitou e ficou quieta.

Edgar aguardou, atento aos barulhos terríveis de morte e destruição.

Malhada começou a lamber os miolos do viking da lâmina do machado.

Não teve noção de quanto tempo permaneceu ali. Começou a sentir calor e supôs que o sol devesse estar a pino. Depois de algum tempo, o barulho de fora pareceu diminuir, mas, como não podia ter certeza de que os vikings já tinham ido embora, toda vez que cogitava olhar para fora decidia não arriscar a vida. Então pensava em Sunni e recomeçava a chorar.

Malhada cochilava ao seu lado e de vez em quando choramingava e tremia durante o sono. Ele se perguntou se cães teriam pesadelos.

Edgar às vezes tinha sonhos ruins: estava num barco afundando ou na frente de uma árvore que estava caindo ou fugindo de uma floresta em chamas. Quando acordava de um sonho desses, sentia um alívio tão grande que lhe dava vontade de chorar. Agora não parava de pensar que o ataque viking talvez fosse um pesadelo do qual iria acordar a qualquer momento para então encontrar Sunni ainda viva. Mas não foi o que aconteceu.

Por fim, ouviu vozes falando anglo-saxão genuíno. Mesmo assim hesitou. As pessoas pareciam perturbadas, mas não apavoradas; mais tristes do que temerosas pela própria vida. Isso certamente devia significar que os vikings tinham ido embora, raciocinou.

Quantos de seus amigos eles teriam levado para vender como escravos? Quantos vizinhos eles teriam matado? Será que ainda tinha família?

Malhada emitiu um grunhido esperançoso e tentou se levantar. Não conseguia ficar de pé naquele espaço confinado, mas claramente sentia que era seguro se mexer.

Edgar ergueu a manjedoura. Malhada saiu na mesma hora. Ele rolou de baixo da estrutura com o machado viking na mão e a baixou de volta. Levantou-se e sentiu as pernas e os braços doloridos por terem ficado tanto tempo imóveis. Prendeu o machado no cinto.

Então olhou pela porta da leiteria.

A cidade tinha sumido.

Por um instante, ficou apenas aturdido. Como Combe podia ter desaparecido? Mas ele sabia como, claro. Quase todas as casas tinham sido consumidas pelo fogo. Umas poucas ainda fumegavam. Aqui e ali as estruturas de pedra continuavam de pé, e ele demorou um pouco a identificá-las. O mosteiro tinha duas construções de pedra: a igreja e um prédio de dois andares com um refeitório e um dormitório. Havia duas outras igrejas de pedra. Ele levou mais tempo para identificar a casa do joalheiro Wyn, que precisava ser de alvenaria para se proteger dos ladrões.

As vacas de Cyneric tinham sobrevivido e se aglomeravam temerosas no meio de seu pasto cercado; vacas valiam dinheiro, raciocinou Edgar, mas eram grandes e turronas demais para serem transportadas em navios – como todos os ladrões, os vikings preferiam dinheiro vivo ou objetos pequenos e caros, como joias.

Em meio às ruínas, os aldeões atarantados mal falavam, limitando-se a balbuciar monossílabos de tristeza, horror e desorientação.

As mesmas embarcações continuavam ancoradas na baía, mas os navios vikings tinham sumido.

Por fim ele se permitiu olhar para os cadáveres na leiteria. Praticamente não dava para saber que o viking já tinha sido um ser humano. Edgar sentiu-se estranho ao pensar que tinha feito aquilo. Quase não dava para acreditar.

Sunni estava com um aspecto surpreendentemente tranquilo. Não havia sinais visíveis do ferimento na cabeça que fora a causa de sua morte. Seus olhos estavam entreabertos, e Edgar tornou a fechá-los. Ajoelhou-se e procurou outra vez os batimentos do coração sabendo que era uma tolice. O corpo dela já estava frio.

O que ele deveria fazer? Talvez pudesse ajudar a alma de Sunni a ir para o céu. O mosteiro continuava de pé. Precisava levá-la para lá.

Pegou-a no colo. Erguê-la foi mais difícil do que ele imaginava. Ela era esbelta e ele, forte, mas o corpo inerte da moça o desequilibrou e, no esforço para se levantar, Edgar teve que apertá-la contra o peito com mais força do que desejava. O fato de segurá-la num abraço tão violento e de saber que ela não sentia nenhuma dor acentuou a ciência de que Sunni estava morta, e ele chorou outra vez.

Ele atravessou a casa, passou pelo corpo de Cyneric e saiu.

Malhada foi atrás.

Parecia ser o meio da tarde, embora fosse difícil saber ao certo: o ar estava tomado por cinzas, juntamente com a fumaça das brasas e um cheiro repulsivo de carne humana queimada. Os sobreviventes olhavam em volta perplexos, como se não conseguissem absorver o acontecido. Outros voltavam da floresta, alguns tocando animais.

Edgar foi caminhando em direção ao mosteiro. O peso de Sunni começou a fazer seus braços doerem, mas perversamente ele apreciou aquela dor. Só que os olhos dela não permaneciam fechados, e isso por algum motivo o incomodou. Queria que ela parecesse estar dormindo.

Ninguém lhe deu muita atenção. Cada um tinha a própria tragédia. Ele chegou à igreja e entrou.

Não tinha sido o único a ter aquela ideia. Corpos jaziam espalhados por toda a nave, ladeados por pessoas ajoelhadas ou em pé. O prior Ulfric foi até Edgar com um ar angustiado e perguntou num tom resoluto:

– Morta ou viva?

– É Sungifu, ela está morta – respondeu Edgar.

– Mortos no canto leste – disse Ulfric, ocupado demais para ser delicado. – Feridos na nave.

– Poderia rezar pela alma dela, por favor?

– Ela será tratada como todos os outros.

– Eu dei o alarme – protestou Edgar. – Talvez tenha salvado a sua vida. Por favor, reze por ela.

Ulfric se afastou depressa sem falar mais nada.

Edgar viu que frei Maerwynn estava cuidando de um ferido, enfaixando-lhe a perna enquanto o paciente gemia de dor. Quando o religioso enfim se levantou, Edgar lhe pediu:

– Poderia rezar pela alma de Sunni, por favor?

– Sim, claro – respondeu Maerwynn, e fez o sinal da cruz na testa da moça.

– Obrigado.

– Por enquanto deixe-a no canto leste da igreja.

Edgar avançou pela nave e passou pelo altar. Nos fundos da igreja estavam vinte ou trinta cadáveres estendidos em fileiras organizadas, com parentes enlutados os fitando. Edgar deitou Sunni no chão com toda a delicadeza. Esticou suas pernas e cruzou os braços por cima do peito, então arrumou seus cabelos com os dedos. Desejou ser padre para poder cuidar ele próprio da alma de Sunni.

Ficou ajoelhado por muito tempo observando aquele rosto imóvel, lutando para entender que ela nunca mais o olharia de volta com um sorriso.

Passado um momento voltou seus pensamentos para os vivos. Seus pais ainda estariam vivos? Seus irmãos teriam sido escravizados? Poucas horas antes, ele estivera a ponto de abandoná-los para sempre. Agora precisava deles. Sem a família estaria sozinho no mundo.

Permaneceu mais um minuto com Sunni, então saiu da igreja seguido por Malhada.

Lá fora, perguntou-se por onde começar. Decidiu ir até sua casa. O lugar não devia mais existir, claro, mas talvez ele conseguisse encontrar a família ou alguma pista do que havia acontecido com ela.

O caminho mais rápido era pela praia. Enquanto andava em direção ao mar, torceu para encontrar seu barco. Ele o deixara um pouco distante das casas mais próximas, de modo que havia uma boa chance de não ter sido queimado.

Antes de alcançar o mar, cruzou com a mãe chegando à cidade vinda da floresta. A visão de seus traços fortes e resolutos e de seu passo vigoroso o deixou tão fraco de alívio que ele quase caiu no chão. Ela vinha carregando uma panela de bronze, talvez tudo que conseguira salvar. Estava com o rosto extenuado de tristeza, mas sua boca formava uma linha de sombria determinação.

Quando viu Edgar, a expressão da mulher mudou para dar lugar à alegria. Ela o abraçou e pressionou o rosto no peito dele enquanto soluçava:

– Meu menino, ah, meu Eddie, graças a Deus.

Ele a abraçou com os olhos fechados, mais grato pela sua existência do que jamais havia se sentido.

Alguns instantes depois, olhou por cima do ombro dela e viu Erman, moreno como Ma, porém mais teimoso do que decidido, e Eadbald, que era louro e sardento, mas não viu o pai.

– Onde está Pa? – indagou.

– Ele nos mandou fugir – respondeu Erman. – Ficou lá para salvar o estaleiro.

A vontade de Edgar foi dizer *E vocês o deixaram lá?*, mas não era hora para recriminações – até porque Edgar também o tinha abandonado.

Ma o soltou.

– Estamos voltando para casa – afirmou ela. – Para o que deve ter sobrado dela.

Eles seguiram em direção à praia. Ma caminhava depressa, impaciente para saber o saldo final de toda aquela invasão, fosse ele bom ou ruim.

Erman disse em tom de acusação:

– Você foi embora depressa, irmãozinho... Por que não nos acordou?

– Acordei, sim – rebateu Edgar. – Eu toquei o sino do mosteiro.

– Tocou nada.

Era típico de Erman tentar começar um bate-boca numa hora daquelas. Edgar desviou os olhos e não falou mais nada. Pouco lhe importava o que Erman achasse.

Quando chegaram à praia, Edgar viu que seu barco tinha sumido. Os vikings o levaram, claro. Sabiam reconhecer uma boa embarcação. E teria sido fácil transportá-lo: podem simplesmente ter amarrado o barco na popa de um dos seus e o rebocado.

Era uma grande perda, mas ele não sentiu por isso: comparada à provocada pela morte de Sunni, a dor era trivial.

Ao percorrer a praia, eles encontraram o corpo da mãe de um rapaz da idade de Edgar e ele se perguntou se ela teria morrido tentando impedir que os vikings capturassem o filho como escravo.

Havia outro cadáver alguns metros à frente, e outros mais adiante. Edgar verificou cada rosto: eram todos amigos e vizinhos, mas Pa não estava entre eles, e ele começou a torcer cautelosamente para que o pai tivesse sobrevivido.

Eles chegaram à casa. Tudo que restava era a lareira, ainda encimada pelo tripé de ferro.

Num dos lados das ruínas estava o corpo de Pa. Ma deu um grito de horror e dor e caiu de joelhos. Edgar se ajoelhou ao seu lado e passou o braço ao redor de seus ombros, que tremiam.

O braço direito de Pa tinha sido decepado próximo ao ombro, provavelmente pelo fio de um machado, e ele parecia ter morrido de hemorragia. Edgar se lembrou da força e da habilidade do braço do pai, e chorou de raiva pelo desperdício e pela perda.

Ouviu Eadbald dizer:

– Olhem o estaleiro.

Edgar se levantou e enxugou as lágrimas. De início não soube ao certo o que estava vendo e tornou a esfregar os olhos.

O estaleiro havia pegado fogo. O barco em construção e o estoque de madeira tinham se transformado em pilhas de cinzas, assim como o piche e as cordas. Tudo que restava era a pedra de amolar que eles usavam para afiar suas ferramentas. Entre as cinzas, Edgar identificou ossos calcinados pequenos demais para serem humanos e imaginou que o velho Grendel tivesse morrido queimado preso à sua corrente, coitado.

Toda a riqueza da família estava naquele estaleiro.

Eles não tinham perdido apenas o estaleiro, entendeu Edgar, perderam seu meio de sustento. Mesmo que um cliente se mostrasse disposto a encomendar um barco de três aprendizes, não tinham madeira para construí-lo, ferramentas para cortar a madeira nem dinheiro para comprar qualquer uma das coisas de que precisavam.

Ma devia ter alguns *pennies* de prata na bolsa, mas a família nunca tivera muito dinheiro sobrando e Pa sempre investia o lucro na compra de mais madeira. Boa madeira era melhor do que ouro, ele costumava dizer, porque era mais difícil de roubar.

– Não temos mais nada, nem como ganhar a vida! – exclamou Edgar. – Que diabo nós vamos fazer?

CAPÍTULO 2

Sábado, 19 de junho de 997

 bispo Wynstan de Shiring puxou as rédeas de seu cavalo no alto de uma encosta e olhou para Combe lá embaixo. Não havia sobrado grande coisa da cidade: o sol de verão brilhava sobre um descampado cinza.

– É pior do que eu imaginava – murmurou.

O único sinal de esperança eram alguns navios e barcos intactos no porto.

Seu irmão Wigelm parou ao seu lado e disse:

– Todos os vikings deviam ser assados vivos. – Ele era senhor feudal, um membro da elite. Aos 30 anos, cinco a menos do que Wynstan, tinha o pavio curto.

Dessa vez Wynstan foi obrigado a concordar:

– Em fogo lento.

O meio-irmão mais velho deles escutou a conversa. Como de costume, os três tinham nomes com sonoridades parecidas. O mais velho se chamava Wilwulf, apelidado de Wilf, e tinha 40 anos. Ele era o senhor de Shiring e governava uma parte do oeste da Inglaterra que incluía Combe.

– Vocês nunca viram uma cidade depois de um ataque viking. É assim que elas ficam.

Eles entraram na cidade destruída seguidos por uma pequena comitiva de homens armados. Wynstan sabia que constituíam uma visão imponente: três homens altos trajando roupas caras montados em belos cavalos. Wilf usava uma túnica azul na altura dos joelhos e botas de couro; Wigelm vestia uma roupa parecida, só que vermelha. Wynstan usava uma batina comprida preta sem adornos, como cabia a um homem religioso, mas o tecido era de qualidade. Uma grande cruz de prata numa correia de couro pendia de seu pescoço. Todos os três irmãos tinham fartos bigodes louros, mas não barba, como ditava a moda entre os ingleses ricos. Wilf e Wigelm tinham bastas cabeleiras louras, enquanto Wynstan tinha passado pela tonsura, a raspagem do topo da cabeça, como todos os padres. Eles pareciam ser ricos e importantes, o que de fato eram.

Os aldeões se moviam desconsolados entre as ruínas, procurando, cavando e formando pequenas pilhas com os pertences que conseguiam recuperar: pedaços deformados de utensílios de cozinha de ferro, pentes de osso enegrecidos pelo fogo, panelas rachadas e ferramentas estragadas. Galinhas ciscavam e porcos farejavam em busca de qualquer coisa que pudessem comer. Um cheiro desagradável de fumaça pairava no ar, e Wynstan percebeu que estava respirando superficialmente.

Conforme os irmãos iam se aproximando, os aldeões erguiam os olhos para os três e a esperança iluminava a expressão deles. Muitos os conheciam de vista, e aqueles que nunca os tinham visto podiam notar pela aparência que eram homens poderosos. Alguns gritaram cumprimentos, outros deram vivas e bateram palmas. Todos pararam o que estavam fazendo para segui-los. Os aldeões transmitiam no olhar que sabiam que aqueles homens os salvariam de algum modo.

Os irmãos puxaram as rédeas num trecho aberto entre a igreja e o mosteiro. Meninos competiram para segurar seus cavalos enquanto eles apeavam. O prior Ulfric apareceu para cumprimentá-los. Seus cabelos brancos estavam sujos de fuligem.

– Milordes, a cidade precisa desesperadamente da sua ajuda – disse ele. – As pessoas...

– Espere! – interrompeu Wynstan num tom de voz alto o suficiente para que todos em volta pudessem escutar.

Seus irmãos não se espantaram: o bispo tinha avisado o que pretendia fazer.

Os aldeões fizeram silêncio.

Wynstan tirou a cruz do pescoço e a segurou bem alto acima da cabeça, então se virou e pôs-se a andar em direção à igreja a passos lentos e cerimoniosos.

Wigelm e Wilf foram atrás dele e as outras pessoas os seguiram.

O bispo adentrou a igreja e percorreu a nave devagar, reparando nas fileiras de feridos no chão, mas sem virar a cabeça. Os que conseguiam baixavam a cabeça ou se ajoelhavam quando ele passava, ainda com a cruz erguida bem alto. Ele viu que havia outros corpos nos fundos da igreja, mas esses estavam sem vida.

Chegando ao altar, prostrou-se e ficou deitado, completamente imóvel, com o rosto encostado no chão de pedra e o braço direito estendido em direção ao altar, ainda mantendo a cruz em posição vertical.

Ficou ali por algum tempo, enquanto as pessoas observavam caladas. Então ele se ajoelhou. Abriu os braços num gesto de súplica e disse em voz alta:

– O que foi que nós fizemos?

Ouviu-se na multidão um som semelhante a um suspiro coletivo.

– Onde foi que nós pecamos? – continuou ele. – O que fizemos para merecer isso? Podemos ser perdoados?

Ele prosseguiu na mesma linha. Foi um misto de prece e sermão. Precisava explicar às pessoas que o que tinha acontecido era a vontade de Deus. O ataque dos vikings tinha que ser visto como uma punição pelos pecados.

Mas havia tarefas práticas a cumprir e aquilo era apenas a cerimônia preliminar, de modo que ele foi breve.

– Ao iniciar o trabalho de reconstrução da nossa cidade, juramos redobrar nossos esforços para sermos cristãos devotos, humildes e tementes a Deus, em nome de Nosso Senhor Jesus Cristo – concluiu ele. – Amém.

– Amém – responderam os fiéis.

Ele se levantou e se virou para mostrar seu rosto banhado em lágrimas. Tornou a pendurar a cruz no pescoço.

– E agora, diante de Deus, conclamo meu irmão Wilwulf, senhor de Shiring, a conceder uma audiência.

Wynstan e Wilf percorreram a nave lado a lado, seguidos por Wigelm e Ulfric. Eles saíram da igreja e os aldeões foram atrás.

Wilf olhou em volta.

– Vou receber as pessoas aqui mesmo.

– Muito bem, milorde – disse Ulfric, estalando os dedos para outro monge. – Traga a cadeira grande. – Virou-se para Wilf. – Vai precisar de tinta e pergaminho, senhor?

Wilf sabia ler, mas não escrever. Wynstan sabia ler e escrever, como a maioria dos membros mais graduados do clero. Wigelm era analfabeto.

– Duvido que seja necessário anotar alguma coisa – retrucou Wilf.

Wynstan foi distraído por uma mulher alta de cerca de 30 anos usando um vestido vermelho rasgado. Apesar das bochechas sujas de fuligem, era bonita. Ela falou baixo, mas mesmo assim ele pôde notar o desespero em sua voz:

– Senhor meu bispo, precisa me ajudar, eu lhe imploro.

– Não fale comigo, sua vadia estúpida! – exclamou Wynstan.

Ele a conhecia. Seu nome era Meagenswith, conhecida como Mags. Ela morava numa casa grande com dez ou doze meninas – algumas escravas, outras voluntárias. Todas faziam sexo com homens em troca de dinheiro. Sem olhar para ela, Wynstan prosseguiu, falando baixo, porém com urgência:

– Você não pode ser a primeira pessoa em Combe de quem me compadecerei.

– Mas os vikings levaram todas as minhas meninas, além de todo o meu dinheiro!

São todas escravas agora, pensou Wynstan.

– Converso com você sobre isso mais tarde – murmurou ele e em seguida levantou a voz para ser ouvido pelas outras pessoas: – Suma da minha frente, sua fornicadora imunda!

Ela recuou na mesma hora.

Dois monges trouxeram uma grande cadeira de carvalho e a puseram no meio do espaço aberto. Wilf sentou-se. Wigelm se postou à sua esquerda e Wynstan à sua direita.

Enquanto os aldeões se reuniam, os irmãos tiveram uma conversa preocupada em voz baixa. Os três recebiam rendimentos de Combe. A cidade era a segunda mais importante nos domínios de Wilf, depois de Shiring. Todos pagavam aluguel a Wigelm, que dividia os lucros com Wilf. O povo também pagava o dízimo às igrejas, que o dividiam com o bispo Wynstan. Wilf recolhia tarifas alfandegárias sobre as importações e exportações que passavam pelo porto. Wynstan recebia dinheiro do mosteiro. Wigelm vendia a madeira da floresta. Dois dias antes, todas essas fontes de riqueza haviam secado.

– Vai demorar muito tempo até alguém daqui poder pagar alguma coisa – começou Wynstan, desanimado.

Ele seria obrigado a reduzir seus gastos. Shiring não era uma diocese rica. Mas, pensou ele, se eu fosse o arcebispo de Canterbury, nunca precisaria me preocupar: toda a riqueza da Igreja no sul da Inglaterra estaria sob o meu comando. Já como bispo de Shiring ele tinha limitações. Ficou se perguntando o que teria que cortar. Detestava renunciar a seus prazeres.

Wigelm se mostrou desdenhoso:

– Toda essa gente tem dinheiro. É só abrir suas barrigas para encontrá-lo.

Wilf balançou a cabeça.

– Não seja burro. – Era algo que sempre dizia a Wigelm. – A maioria perdeu tudo. Eles não têm comida, nem dinheiro para comprar comida, nem meios de ganhar dinheiro. Quando o inverno chegar serão obrigados a catar bolotas de carvalho para fazer sopa. Aqueles que sobreviveram ao ataque viking serão enfraquecidos pela fome. As crianças pegarão doenças e morrerão; os velhos cairão e quebrarão os ossos; os jovens e fortes irão embora.

Wigelm adotou uma expressão petulante.

– Então o que podemos fazer?

– Seria sensato reduzirmos nossas demandas.

– Não podemos deixá-los morar sem pagar aluguel!

– Mortos não pagam aluguel, seu tolo. Se uns poucos sobreviventes conseguirem voltar a pescar, fabricar coisas e fazer comércio, eles talvez consigam recomeçar a pagar na primavera que vem.

Wynstan concordou. Wigelm não, mas não falou mais nada. Wilf era o mais velho e mandava nele.

Quando todos ficaram prontos, Wilf disse:

– Agora conte o que aconteceu, prior Ulfric.

Estava aberta a audiência do senhor da cidade.

– Os vikings apareceram dois dias atrás ao raiar do dia, quando todos estavam dormindo – falou Ulfric.

– Por que não lutaram contra eles, seus covardes? – perguntou Wigelm.

Wilf ergueu uma das mãos para pedir silêncio.

– Uma coisa de cada vez – pediu, virando-se para Ulfric. – Pelo que me recordo, essa é a primeira vez que os vikings atacam Combe, Ulfric. Sabe de onde veio esse grupo específico?

– Não sei, milorde. Talvez um dos pescadores tenha visto a frota viking numa de suas viagens.

Um homem forte de barba grisalha informou:

– Nunca os tínhamos visto, milorde.

Wigelm, que conhecia os aldeões melhor do que os irmãos, interveio:

– Esse é Maccus. Ele tem o maior barco de pesca da cidade.

– Nós achamos que os vikings aportam seus navios do outro lado do canal, na Normandia – continuou Maccus. – Dizem que eles adquirem mantimentos lá, depois vêm saquear do outro lado e voltam para vender o butim para os normandos. Que Deus amaldiçoe suas almas imortais.

– Isso é plausível, mas não ajuda muito – disse Wilf. – O litoral da Normandia é extenso. Seria Cherbourg o porto mais próximo?

– Creio que sim – comentou Maccus. – Ouvi dizer que fica num promontório bem longo que se estende mar adentro. Eu mesmo nunca estive lá.

– Nem eu – retrucou Wilf. – Alguém de Combe já esteve lá?

– Tempos atrás, talvez – respondeu Maccus. – Não costumamos mais nos aventurar a ir tão longe. Queremos evitar os vikings, não encontrá-los.

Wigelm estava impaciente com a conversa.

– Deveríamos reunir uma frota, ir até Cherbourg e queimar o lugar do mesmo jeito que eles queimaram Combe! – exclamou.

Alguns dos homens mais jovens na multidão gritaram palavras de incentivo.

– Qualquer um que queira atacar os normandos não sabe nada sobre eles – rebateu Wilf. – Lembrem-se de que eles são descendentes dos vikings. Podem ser civilizados agora, mas nem por isso são menos durões. Por que vocês acham que os vikings atacaram Combe em vez dos normandos?

Wigelm fez cara de derrotado.

– Eu gostaria de saber mais sobre Cherbourg – falou Wilf.

Um rapaz na multidão tomou a palavra:

– Estive em Cherbourg uma vez.

Wynstan olhou para ele interessado.

– Quem é você?

– Edgar, filho do construtor de barcos, senhor meu bispo.

Wynstan estudou o rapaz. Edgar tinha estatura mediana e era musculoso, como os construtores de barcos em geral eram. Os cabelos eram castanho-claros e sua barba mal passava de uma penugem. Ele falava com educação e sem medo, obviamente nada intimidado pelo status elevado dos homens a quem estava se dirigindo.

– Por que precisou ir a Cherbourg? – perguntou Wynstan.

– Meu pai me levou. Ele foi entregar um barco que nós tínhamos construído, mas isso faz cinco anos. A cidade talvez tenha mudado.

– Qualquer informação é melhor do que nada – comentou Wilf. – Do que se lembra?

– Cherbourg tem um porto bom, grande, com espaço para muitos navios e barcos. Era governada pelo conde Hubert... talvez ainda seja, ele não era velho.

– Algo mais?

– Eu me lembro de Ragna, filha do conde. Uma ruiva.

– Lembrança típica de um garoto – brincou Wilf.

Todos riram e Edgar corou.

O rapaz se pronunciou mais alto do que as risadas:

– E havia uma torre de pedra.

– Não falei? – disse Wilf para Wigelm. – Não é fácil atacar uma cidade com fortificações de pedra.

– Eu poderia dar uma sugestão? – indagou Wynstan.

– Claro – respondeu seu irmão.

– Será que não podemos travar amizade com o conde Hubert? Ele talvez se deixe convencer de que cristãos normandos e cristãos ingleses deveriam unir forças para derrotar os vikings assassinos adoradores de Odin. – Wynstan sabia que grande parte dos vikings que haviam se fixado no norte e no leste da Inglaterra tinha se convertido ao cristianismo, mas os que percorriam os mares ainda se aferravam a seus deuses pagãos. – Você consegue ser persuasivo quando quer alguma coisa, Wilf – argumentou Wynstan com um sorriso.

Era verdade: Wilf tinha charme.

– Não tenho certeza quanto a isso – disse Wilf.

– Eu sei o que está pensando – interveio Wynstan depressa, baixando a voz para comentar temas que ultrapassavam a compreensão dos aldeões: – Está se perguntando o que o rei Ethelred iria pensar a respeito. A diplomacia internacional é uma prerrogativa real.

– Exato.

– Deixe isso comigo. Eu acerto as coisas com o rei.

– Preciso fazer alguma coisa antes que esses vikings levem meus domínios à ruína – falou Wilf. – E essa é a primeira sugestão prática que escuto.

As pessoas se remexeram e sussurraram. Wynstan sentiu que a sugestão de se aproximar dos normandos era um tanto teórica. A população de Combe precisava de ajuda imediata e estava esperando que os três irmãos providenciassem isso. A nobreza tinha o dever de proteger o povo – essa era a justificativa para seu status elevado e sua riqueza – e eles não tinham conseguido garantir sua segurança. Agora era esperado que tomassem alguma providência.

Wilf captou a mesma vibração.

– Vamos às questões práticas – anunciou. – Prior Ulfric, as pessoas estão se alimentando?

– Sim, graças aos estoques do mosteiro, que não foram saqueados – respondeu o religioso. – Os vikings desprezaram o peixe e o feijão dos monges e preferiram roubar ouro e prata.

– E onde as pessoas estão dormindo?

– Na nave da igreja, onde estão os feridos.

– E os mortos?

– Estão no extremo leste da igreja.

– Posso falar, Wilf? – pediu Wynstan.

Seu irmão aquiesceu.

– Obrigado. – Wynstan ergueu a voz para que todos pudessem ouvir: – Hoje, antes do pôr do sol, rezarei uma missa coletiva pelas almas dos mortos e autorizarei uma vala comum. Com este calor os cadáveres podem causar um surto de doença, então quero todos eles debaixo da terra antes do fim do dia de amanhã.

– Muito bem, senhor meu bispo – concordou Ulfric.

Olhando para as pessoas reunidas, Wilf franziu o cenho e disse:

– Deve haver umas mil pessoas aqui. Metade da população da cidade sobreviveu. Como tantos conseguiram escapar dos vikings?

– Um rapaz que acordou cedo e os viu chegando correu até o mosteiro para nos avisar e tocar o sino – explicou Ulfric.

– Muito esperto – comentou Wilf. – Que rapaz?

– Edgar, o mesmo que acabou de falar sobre Cherbourg. O caçula do construtor de barcos.

Rapaz inteligente, pensou Wynstan.

– Você agiu bem, Edgar – elogiou o senhor da cidade.

– Obrigado.

– O que vai fazer agora?

Edgar tentou parecer valente, mas Wynstan pôde ver que o garoto estava com medo do futuro.

– Ainda não sabemos – respondeu ele. – Meu pai foi morto e perdemos nossas ferramentas e nosso estoque de madeira.

Impaciente, Wigelm falou:

– Não podemos começar a debater os problemas de cada família. Precisamos decidir o que vai acontecer com a cidade inteira.

Wilf concordou com um meneio de cabeça e disse:

– As pessoas precisam tentar reconstruir suas casas antes que o inverno chegue. Wigelm, você vai dar por pagos os aluguéis devidos no solstício de verão. – Os aluguéis geralmente eram pagos quatro vezes por ano, no início de cada trimestre: no solstício de verão, por volta do dia 21 de junho; no dia de São Miguel, 29 de setembro; no Natal, 25 de dezembro; e no dia da Anunciação de Nossa Senhora, 25 de março.

Wynstan olhou para Wigelm. Seu irmão parecia contrariado, mas não falou nada. Era estúpido por se irritar em relação àquilo: aquela gente não tinha como pagar seus aluguéis, então Wilf não estava renunciando a nada.

Uma mulher no meio da multidão gritou:

– E os aluguéis do dia de São Miguel, milorde, por favor.

Wynstan a encarou. Era uma mulher baixa e de aspecto duro, com cerca de 40 anos.

– Vamos ver como vocês estarão até lá – comentou Wilf, astuto.

– Precisamos de madeira para reconstruir nossas casas... mas não temos como pagar – continuou a mulher.

– Quem é ela? – perguntou Wilf reservadamente a Wigelm.

– Mildred, esposa do construtor de barcos – respondeu seu irmão. – Gosta de criar caso.

Um pensamento atravessou a mente de Wynstan.

– Talvez eu consiga livrá-lo dela, irmão – murmurou.

– Ela pode criar caso, mas não sem razão – falou Wilf em voz baixa. – Wigelm vai ter que ceder madeira para eles.

– Muito bem – disse Wigelm com relutância, erguendo a voz para se dirigir à multidão: – Madeira de graça, mas só para os moradores de Combe, só para reconstruir as casas, e só até o dia de São Miguel.

Wilf se levantou.

– Por enquanto isso é tudo que podemos fazer – concluiu, então virou-se para Wigelm. – Fale com aquele tal de Maccus. Descubra se ele estaria disposto a me levar até Cherbourg, quanto cobraria por isso, quanto tempo a viagem deve durar e assim por diante.

A multidão resmungava, insatisfeita. Todos estavam decepcionados. Era essa a desvantagem do poder, pensou Wynstan: as pessoas esperavam milagres. Algumas se adiantaram para exigir algum tratamento especial. Os guardas se posicionaram para manter a ordem.

Wynstan se afastou. Na porta da igreja, tornou a esbarrar com Mags. Ela decidira mudar o tom, substituindo o desespero pela persuasão.

– Quer que eu chupe seu pau atrás da igreja? – perguntou. – Você sempre diz que eu chupo melhor do que as meninas novas.

– Não seja tola – respondeu Wynstan.

Um marinheiro ou um pescador talvez não se importassem em ser vistos com uma cortesã, mas um bispo precisava ser discreto.

– Vá direto ao assunto – falou. – De quanto está precisando?

– Como assim?

– Para substituir as meninas – disse Wynstan. Já tinha se divertido na casa de Mags e pretendia voltar a fazê-lo. – Quanto dinheiro precisa que eu lhe empreste?

Mags, que tinha experiência em se adaptar às mudanças de humor masculinas, tornou a ajustar sua atitude e adotou um tom profissional:

– Se forem jovens e viçosas, escravas custam cerca de 1 libra cada no mercado de Bristol.

Wynstan aquiesceu. Havia um grande mercado de escravos em Bristol, a vários dias de viagem dali. Raciocinou rápido, como sempre.

– Se eu lhe emprestar 10 libras hoje, consegue me pagar 20 daqui a um ano?

Os olhos dela brilharam, mas ela fingiu hesitar.

– Não sei se os negócios vão retomar o fôlego tão depressa.

– Sempre vai haver marinheiros de passagem. E meninas novas atraem mais homens. Na sua profissão nunca faltam clientes.

– Me dê um ano e meio.

– Pode me pagar 25 libras no Natal do ano que vem.

Apesar de parecer preocupada, Mags concordou:

– Está bem.

Wynstan chamou Cnebba, um grandalhão de capacete de ferro que cuidava do dinheiro do bispo.

– Dê 10 libras a ela – ordenou.

– O cofre está no mosteiro – avisou Cnebba a Mags. – Venha comigo.

– E não a engane – disse Wynstan. – Pode trepar com ela se quiser, mas dê-lhe as 10 libras.

– Que Deus o abençoe, senhor meu bispo – agradeceu Mags.

Wynstan levou um dedo aos lábios dela.

– Pode me agradecer depois, quando escurecer.

Ela segurou sua mão e lambeu o dedo do bispo com lascívia.

– Mal posso esperar.

Wynstan se afastou antes que alguém pudesse notá-los.

Correu os olhos pelas pessoas ali reunidas. Estavam todas desconsoladas e ressentidas, mas não havia nada a fazer. O filho do construtor de barcos cruzou olhares com ele e Wynstan o chamou com um aceno. Edgar foi até a porta da igreja seguido pela cadela marrom e branca.

– Traga sua mãe – pediu o bispo. – E seus irmãos. Talvez eu possa ajudá-los.

– Obrigado, milorde! – exclamou Edgar com grande animação. – Quer um barco para o senhor?

– Não.

A expressão de Edgar murchou.

– O quê, então?

– Vá chamar sua mãe e eu direi.

– Pois não, milorde.

Edgar se afastou e voltou acompanhado por Mildred, que olhava para Wynstan desconfiada, e dois rapazes, que obviamente eram seus irmãos, ambos maiores do que ele mas sem seu ar de curiosidade e interesse. Três rapazes fortes e uma mãe durona: uma boa combinação para o que Wynstan tinha em mente. Estaria fazendo um favor a Wigelm livrando-o da rebelde Mildred.

– Sei de uma fazenda vazia – começou.

Edgar adotou uma expressão consternada.

– Não somos agricultores, somos construtores de barcos!

– Cale a boca, Edgar – ordenou Mildred.

– Viúva, a senhora sabe administrar uma fazenda? – perguntou o bispo.

– Eu nasci em uma.

– A fazenda fica junto de um rio.

– Qual é o tamanho?

– Doze hectares. Geralmente é o suficiente para alimentar uma família.

– Depende do solo.

– E da família.

Ela não o deixaria se esquivar.

– Como é o solo?

– Mais ou menos como se poderia esperar: um pouco pantanoso junto ao rio, leve e com bastante húmus mais para cima. E tem uma safra de aveia que acabou de brotar. Tudo que vocês precisam fazer é colhê-la e estarão garantidos para o inverno.

– Algum boi?

– Não, mas vocês não vão precisar. O solo não necessita um arado pesado.

Ela estreitou os olhos.

– Por que a fazenda está desocupada?

Foi uma pergunta astuciosa. O último arrendatário não conseguira cultivar o bastante para alimentar a família naquele solo ruim. A esposa e os três filhos pequenos tinham morrido, e o homem, fugido. Já aquela família era diferente, com três bons trabalhadores e apenas quatro bocas para alimentar. Ainda assim seria um desafio, mas Wynstan tinha a sensação de que eles dariam conta. Apesar disso, não ia lhes contar a verdade.

– O arrendatário morreu de febre e a esposa voltou a morar com a mãe – mentiu.

– Então o lugar é insalubre.

– Nem um pouco. Fica perto de um pequeno povoado onde há uma colegiada. Uma colegiada é uma igreja onde uma comunidade de cônegos vive junta e...

– Eu sei o que é uma colegiada. É como um mosteiro, só que menos rigoroso.

– Meu primo Degbert é o deão da colegiada, além de ser dono do povoado e da fazenda.

– A fazenda tem alguma estrutura?

– Uma casa e um celeiro. E o último arrendatário deixou as ferramentas.

– Quanto é o aluguel?

– Vocês devem dar a Degbert quatro leitões gordos no dia de São Miguel, para o toucinho dos padres. Só isso!

– Por que o aluguel é tão baixo?

Wynstan sorriu. Aquela megera era desconfiada.

– Porque meu primo é um homem bom.

Mildred deu um muxoxo cético.

Fez-se silêncio. Wynstan a observou. Podia ver que ela não queria a fazenda; não confiava nele. Mas havia desespero em seus olhos, pois ela não tinha mais a quem recorrer. Iria aceitar. Tinha que aceitar.

– Onde fica esse lugar? – perguntou ela.

– A um dia e meio de viagem rio acima.

– E como se chama?

– Travessia de Dreng.

CAPÍTULO 3

Fim de junho de 997

Eles passaram um dia e meio caminhando por uma trilha quase invisível junto ao rio sinuoso: três rapazes, a mãe e a cadela marrom e branca.

Edgar sentia-se desorientado e aflito. Planejara uma vida nova para si, mas não aquela. O destino seguira um curso totalmente inesperado e ele não tivera tempo para se preparar. Em todo caso, a família ainda sabia muito pouco sobre o que estava por vir. Não conheciam quase nada do lugar chamado Travessia de Dreng. Como seria? Será que as pessoas ficariam desconfiadas dos recém-chegados ou os receberiam bem? E a fazenda? Será que o solo era mesmo leve e fácil de cultivar ou todo barro duro e pesado? Será que haveria pereiras, gansos selvagens a grasnar, cervos tímidos? A família de Edgar acreditava em planos. Seu pai costumava dizer que era preciso construir o barco inteiro na mente antes de pegar no primeiro pedaço de madeira.

Daria muito trabalho revigorar aquela fazenda abandonada, então Edgar estava achando difícil se entusiasmar. A situação enterrava sua esperança de vez. Ele jamais teria o próprio estaleiro, jamais construiria barcos. Tinha certeza de que nunca se casaria.

Tentou se interessar pela paisagem ao longo do percurso. Nunca caminhara até tão longe. Certa vez percorrera muitos quilômetros por mar, indo para Cherbourg e voltando de lá, mas durante a viagem não vira nada exceto água. Agora estava descobrindo a Inglaterra pela primeira vez.

Havia muitas florestas, bem parecidas com aquela em que a sua família derrubava árvores desde que ele conseguia se lembrar. A mata continha povoados e algumas grandes propriedades. Conforme eles foram avançando para o interior, a paisagem se tornou mais sinuosa. A floresta ficou densa, mas ainda havia moradias: um pavilhão de caça, uma vala de cal, uma mina de estanho, a cabana de um apanhador de cavalos, uma pequena família de carvoeiros, um vinhedo numa encosta virada para o sul, um rebanho de ovelhas pastando no alto de uma colina.

Eles cruzaram com alguns viajantes: um padre gordo montado num cavalo magro, um ourives bem-vestido com quatro seguranças de cara amarrada, um fazendeiro corpulento tocando uma grande porca preta em direção ao mercado e uma velha corcunda vendendo ovos vermelhos. Pararam e conversaram com cada um para conseguir notícias e informações sobre a estrada mais adiante.

Avisavam a todos sobre o ataque viking a Combe – era assim que as pessoas recebiam as notícias, por meio dos viajantes. Na maioria das vezes Ma contava uma versão curta do ocorrido, mas se sentava para contar a história inteira quando deparava com aglomerações e os quatro recebiam em troca comida e bebida.

Eles acenavam para os barcos que passavam no rio. Não havia pontes, e sim um único vau, num lugar chamado Vau de Mudeford. Poderiam ter pernoitado numa taberna ali, mas o tempo estava favorável e Ma decidiu que conseguiriam dormir ao relento e assim economizar dinheiro. Mesmo assim, eles fizeram suas camas bem perto da construção.

A floresta podia ser perigosa, disse Ma, e avisou aos filhos que ficassem alertas, o que fez Edgar ficar com uma sensação ainda maior de que estava em um mundo subitamente desprovido de regras. Delinquentes viviam ali e assaltavam os viajantes. Naquela época do ano, era muito fácil alguém se esconder nas folhagens e surgir de modo inesperado.

Edgar e os irmãos podiam se defender, pensou ele. Ainda levava consigo o machado do viking que havia matado Sunni. E eles tinham a cadela. Malhada não serviria de nada numa briga, conforme demonstrado durante o ataque viking, mas poderia farejar um ladrão entre os arbustos e latir para avisá-los. O mais importante era que os quatro evidentemente possuíam pouca coisa que valesse a pena roubar: não tinham animais, nem espadas de boa qualidade, nem cofres de ferro com dinheiro. Ninguém rouba de um pobre, pensou Edgar. Mas nem disso tinha certeza.

Quem ditava o ritmo da caminhada era Ma. Poucas mulheres chegavam à sua idade, 40 anos. A maioria morria na fase mais fértil, entre o casamento e a casa dos 30. Com os homens era diferente. Pa tinha 45 anos, e havia muitos outros ainda mais velhos.

Ma aparentava normalidade ao lidar com problemas práticos, tomar decisões e dar conselhos, mas, nos longos quilômetros de caminhada silenciosa, Edgar percebeu que ela estava dominada pelo pesar. Quando achava que ninguém estava olhando, ela baixava a guarda e seu rosto ficava tomado de tristeza. Passara mais da metade da vida com Pa. Edgar achava difícil imaginar que os dois um dia tivessem experimentado a tormenta de paixão que ele e Sunni viveram, mas supunha que devia ter sido assim. Juntos geraram e criaram três filhos. E depois de tantos anos ainda acordavam no meio da noite para se abraçar.

Ele jamais conheceria um relacionamento assim com Sunni. Enquanto Ma lamentava o que havia perdido, Edgar chorava pelo que nunca teria. Nunca se casaria com Sunni nem geraria filhos com ela, nem acordaria no meio da noite para fazer sexo quando já estivessem na meia-idade. Nunca haveria tempo para ele e Sunni se acostumarem um com o outro, criarem rotinas, pararem de prestar atenção um no outro, e isso o deixava tão triste que ele mal podia suportar. Edgar encontrara um tesouro enterrado, algo mais valioso do que todo o ouro do mundo, e depois o tinha perdido. A vida se estendia vazia à sua frente.

Durante a longa caminhada, enquanto Ma ficava mergulhada em seu luto, Edgar era atormentado por clarões de lembranças violentas. A profusão de folhas de carvalho e choupo ao seu redor parecia desaparecer. Em vez disso, ele via o talho no pescoço de Cyneric, como algo que poderia estar no balcão de um açougueiro, sentia o cadáver frio de Sunni e ficava mortificado ao visualizar o que tinha feito com o viking, o rosto nórdico de barba loura embebido em sangue, desfigurado pelo próprio Edgar durante um acesso de ódio insano e descontrolado. Via o campo de cinzas onde antes houvera uma cidade, os ossos calcinados do velho mastim Grendel, o braço cortado de seu pai na praia parecendo os destroços de um naufrágio. Pensou em Sunni agora numa vala comum no cemitério de Combe. Embora soubesse que a alma dela estava com Deus, ainda assim era horrível pensar que o corpo que amava estava enterrado na terra fria, amontoado junto a centenas de outros.

No segundo dia, quando por acaso Edgar e Ma caminhavam uns 50 metros à frente dos outros dois, sua mãe comentou com um ar pensativo:

– Você obviamente estava longe de casa quando viu os navios vikings.

Ele já esperava por isso. Erman tinha ficado intrigado e fazendo perguntas, e Eadbald tinha certeza de que havia algo mal contado nessa história, mas Edgar não era obrigado a lhes dar explicações. No caso de Ma, contudo, era diferente.

Mesmo assim, não sabia por onde começar, então respondeu apenas:

– Sim.

– Suponho que estivesse indo encontrar alguma moça.

Ele ficou envergonhado.

– Não teria outro motivo para sair de fininho de casa no meio da noite – continuou Ma.

Ele deu de ombros. Sempre fora difícil esconder as coisas da mãe.

– Por que o mistério? – perguntou ela, prosseguindo com a sondagem. – Você já tem idade para cortejar uma moça. Não há motivo para sentir vergonha. – Ela fez uma pausa. – A menos que ela já seja casada.

Edgar ficou calado, mas sentiu as bochechas arderem de tão ruborizadas.

– É para ficar vermelho mesmo – disse Ma. – Você merece sentir vergonha.

Sua mãe era rígida, assim como Pa. Ambos acreditavam em obedecer às regras da Igreja e do rei. Edgar também acreditava nisso, mas convencera a si mesmo de que o seu caso com Sunni era excepcional.

– Ela odiava Cyneric – defendeu-se.

Ma não aceitaria esse argumento.

– Então você acha que o mandamento é: "Não cobiçarás a mulher do teu próximo, a menos que a esposa odeie o marido."

– Eu sei o que o mandamento diz. Eu o violei.

Foi como se Edgard não tivesse falado nada. Ma seguiu com sua linha de raciocínio:

– Imagino que a mulher tenha morrido no ataque – concluiu. – Senão você não teria vindo conosco.

Edgar aquiesceu.

– Devia ser a esposa do leiteiro. Qual era o nome dela? Sungifu, acho.

Sua mãe tinha adivinhado tudo. Edgar se sentiu tolo, como uma criança pega em flagrante.

– Vocês tinham planejado fugir naquela noite? – perguntou Ma.

– Sim.

Ma o segurou pelo braço e sua voz ficou mais suave:

– Bom, uma coisa eu reconheço: você escolheu bem. Eu gostava de Sunni. Ela era inteligente e trabalhadora. Sinto muito por ela ter morrido.

– Obrigado, Ma.

– Ela era uma boa mulher. – Ma soltou o braço dele e tornou a mudar de tom: – Mas era a mulher de outro homem.

– Eu sei.

Ela não falou mais nada. A própria consciência de Edgar o julgaria, e a mãe sabia disso.

Eles pararam junto a um regato para beber água fria e descansar. Fazia horas que não se alimentavam, mas não tinham o que comer.

Erman, o irmão mais velho, estava tão deprimido quanto Edgar, mas não teve a sensatez de se manter calado.

– Eu sou um artesão, não um camponês ignorante – resmungou quando a família retomou a caminhada. – Não sei por que estou indo para essa fazenda.

Ma tinha pouca paciência para reclamações.

– Quais opções você tinha? – disparou ela, interrompendo as lamentações do filho. – O que você teria feito se eu não o tivesse obrigado a vir nesta viagem?

Erman não tinha uma resposta para essa pergunta, claro. Resmungou que teria esperado para ver o que aconteceria.

– Eu vou lhe dizer o que teria acontecido – comentou Ma. – A escravidão. Era essa sua opção. É o que acontece com as pessoas quando elas passam fome.

Ela dirigia suas palavras a Erman, mas foi Edgar quem ficou mais chocado. Não lhe ocorrera que pudesse ter que encarar a possibilidade de virar escravo. Era um pensamento perturbador. Que destino aguardava a família se eles não conseguissem revitalizar a fazenda?

– Ninguém me escravizaria – retrucou Erman, petulante.

– Não – rebateu Ma. – Você é que se ofereceria para ser escravo.

Edgar já tinha ouvido falar de pessoas que pediam para se tornar escravas, mas não conhecia ninguém que de fato tivesse feito isso. Havia muitos escravos em Combe, claro: cerca de um em cada dez pessoas. Meninas e meninos bonitos viravam brinquedos de homens ricos. Os outros puxavam arado, apanhavam de chicote quando ficavam cansados e passavam as noites acorrentados como cães. A maioria era bretã, gente vinda dos extremos ocidentais selvagens do mundo civilizado: Gales, Cornualha, Irlanda. De vez em quando eles atacavam os ingleses mais ricos para roubar gado, galinhas e armas, e os ingleses revidavam incendiando seus vilarejos e os escravizando.

A escravidão voluntária era outra coisa. Havia um ritual consagrado, e Ma o descreveu para Erman com desdém.

– Você se ajoelharia com a cabeça curvada em súplica diante de um homem ou uma mulher nobre – explicou. – O nobre poderia rejeitá-lo, claro, mas, se pusesse as mãos na sua cabeça, você se tornaria um escravo pelo resto da vida.

– Eu preferiria morrer de fome – disse Erman, tentando se mostrar desafiador.

– Não preferiria, não – rebateu Ma. – Você nunca passou fome nem por um dia sequer. Seu pai se certificou de que isso não acontecesse, mesmo quando ele e eu precisamos nos privar para alimentar vocês. Você não sabe o que é passar uma semana sem ter o que comer. Vai abaixar a cabeça bem depressa em troca desse primeiro prato de comida. Depois vai ter que trabalhar o resto da vida em troca de nada além do seu sustento.

Edgar não sabia se acreditava em Ma. Achava que talvez preferisse morrer de fome.

– As pessoas podem sair da escravidão – argumentou Erman num tom emburrado e desafiador.

– Sim, mas você sabe quanto isso é difícil? É verdade que você poderia comprar a própria liberdade, mas onde arrumaria o dinheiro? As pessoas às vezes dão gorjetas aos escravos, mas isso não é frequente e as quantias não são altas. Como escravo, sua única esperança é ter um dono bondoso que talvez coloque sua liberdade no testamento. E, nesse caso, você volta à estaca zero, sem casa e sem dinheiro, além de vinte anos mais velho. Era essa a opção que você tinha, seu burro. Agora me diga que não quer ser fazendeiro.

Eadbald, o irmão do meio, parou de repente, franziu a testa cheia de sardas e disse:

– Acho que chegamos.

Edgar olhou para o outro lado do rio. Na margem norte havia uma construção que parecia uma taberna: mais comprida do que uma moradia normal, com uma mesa e bancos do lado de fora e um grande terreno verde onde pastavam uma vaca e duas cabras. Uma embarcação grosseira estava amarrada ali perto. Uma trilha muito pisada subia a encosta junto à taberna. À esquerda dessa trilha havia cinco outras casas de madeira. À direita, uma pequena igreja de pedra, outra casa grande e um ou dois anexos que podiam ser estábulos ou celeiros. Depois disso, a trilha desaparecia floresta adentro.

– Um barco para atravessar o rio, uma taberna e uma igreja – falou Edgar, mais animado. – Acho que Eadbald tem razão.

– Vamos descobrir – falou Ma. – Dê um grito para chamar alguém.

Eadbald tinha a voz potente. Levou as mãos em concha à boca e seu grito ribombou por cima do rio:

– Ei! Ei! Tem alguém aí? Olá! Olá!

Eles esperaram uma resposta.

Edgar observou a correnteza e viu que o rio se dividia quando encontrava uma ilha que parecia ter uns 400 metros de comprimento. A ilha era coberta por uma densa vegetação, mas ele pôde ver por entre as árvores o que parecia ser parte de uma construção de pedra. Imaginou o que poderia ser, animado e curioso.

– Grite outra vez – ordenou Ma.

Eadbald repetiu os chamados.

A porta da taberna se abriu e uma mulher apareceu. Espiando por cima do rio, Edgar avaliou que ela mal passava de uma menina, devia ser uns quatro ou cinco anos mais nova do que ele. Carregava um balde de madeira na mão e caminhou sem pressa até a beira do rio, esvaziou o balde, enxaguou-o e então tornou a entrar na taberna.

– Vamos ter que atravessar a nado – disse Erman.

– Eu não sei nadar – retrucou Ma.

– A menina nos mandou um recado – argumentou Edgar. – Ela quer que saibamos que é uma pessoa superior, não uma criada. Vai trazer o barco quando lhe der vontade e vai esperar que fiquemos gratos por isso.

Edgar tinha razão. A menina tornou a sair da taberna. Dessa vez caminhou com o mesmo passo lento até o local onde o barco estava amarrado. Desamarrou a corda, pegou um único remo, entrou no barco e o empurrou para longe da margem. Usando o remo em lados alternados, adentrou a correnteza do rio. Ela já tinha a prática do movimento e parecia não fazer esforço algum.

Edgar estudou a embarcação, consternado. Era um tronco oco, altamente instável, embora a menina estivesse evidentemente acostumada.

Ele a examinou conforme ela se aproximava. Tinha uma aparência feiosa, com cabelos castanhos e a pele marcada por espinhas. Ele não pôde deixar de reparar que o corpo dela era roliço e revisou sua estimativa inicial da idade da moça para 15 anos.

A moça remou até a margem sul e, experiente, conseguiu imobilizar a canoa a poucos metros da terra firme.

– O que querem? – indagou.

Ma respondeu com outra pergunta:

– Que lugar é este?

– As pessoas chamam de Travessia de Dreng.

Então este é o nosso novo lar, pensou Edgar.

– Você é Dreng? – questionou Ma.

– Dreng é meu pai. Meu nome é Cwenburg. – Ela olhou interessada para os três rapazes. – E vocês, quem são?

– Os novos arrendatários da fazenda – comentou Ma. – O bispo de Shiring nos mandou.

Cwenburg não se deixou impressionar.

– É mesmo?

– Pode nos atravessar?

– Custa 1 *farthing* cada um, e nada de barganhar.

A única moeda cunhada pelo rei era o *penny* de prata. Edgar sabia, porque se interessava por esse tipo de coisa, que 1 *penny* pesava a vigésima parte de 1 onça. Como 1 libra equivalia a 16 onças, então era o mesmo que 240 *pennies*. O metal não era puro: 37 partes em cada quarenta eram prata, o resto era cobre. Com 1 *penny* era possível comprar meia dúzia de galinhas ou um quarto de ovelha. Para objetos mais baratos, era preciso cortá-lo em dois meios *pennies* ou quatro *farthings*. A divisão exata era motivo de brigas constantes.

– Aqui está 1 *penny* – disse Ma.

Cwenburg ignorou a moeda oferecida.

– Vocês são cinco, com o cachorro.

– O cachorro pode atravessar a nado.

– Alguns cachorros não sabem nadar.

Ma se irritou.

– Nesse caso, ela pode escolher entre ficar na margem e morrer de fome ou pular no rio e se afogar. Eu não vou pagar para um cachorro atravessar de barco.

Cwenburg deu de ombros, aproximou o barco da beira do rio e pegou a moeda.

Edgar foi o primeiro a embarcar, segurando os dois lados da canoa para estabilizá-la. Reparou que o velho tronco tinha algumas minúsculas ranhuras e havia água empoçada no fundo.

– Onde conseguiu esse machado? – perguntou-lhe Cwenburg. – Parece caro.

– Peguei de um viking.

– Sério? E o que ele achou disso?

– Não deu para ele achar muita coisa, porque eu o usei para rachar a cabeça dele ao meio. – Edgar sentiu certa satisfação ao dizer isso.

Os outros embarcaram e Cwenburg começou a remar. Malhada pulou no rio sem hesitação e saiu nadando atrás da canoa. Fora da sombra da mata, o sol bateu quente na cabeça de Edgar.

– O que tem naquela ilha? – perguntou ele à menina.

– Um convento.

Edgar assentiu. Devia ser a construção de pedra que tinha visto entre a mata.

– Lá também tem um monte de leprosos – acrescentou Cwenburg. – Eles vivem em abrigos feitos de galhos. As freiras lhes dão comida. Chamamos aquilo de Ilha dos Leprosos.

Edgar estremeceu. Perguntou-se como as freiras sobreviviam. Diziam que se você tocasse num leproso podia pegar a doença – apesar de ele nunca ter ouvido falar de alguém que de fato tivesse feito isso.

Eles chegaram à margem norte e Edgar ajudou Ma a saltar da canoa. Sentiu o cheiro forte e acastanhado de cerveja fermentando.

– Tem alguém fabricando cerveja por aqui.

– Minha mãe fabrica uma ótima cerveja – disse Cwenburg. – Vocês deveriam entrar e experimentar. É refrescante.

– Não, obrigada – retrucou Ma na hora.

Cwenburg insistiu:

– Talvez queiram ficar por aqui enquanto consertam as estruturas da fazenda. Meu pai lhes dará o almoço e o desjejum por meio *penny* cada um. É barato.

– Então as estruturas da fazenda estão em mau estado? – indagou Ma.

– Da última vez que passei por lá havia buracos no telhado.

– E o celeiro?

– O chiqueiro, você quer dizer.

Edgar franziu o cenho. Ele não estava achando aquilo nada bom. De qualquer forma, eram 12 hectares. Eles deveriam conseguir fazer alguma coisa com isso.

– Veremos – disse Ma. – Onde mora o deão da colegiada?

– Degbert Cabeça Calva? Ele é meu tio. – Cwenburg apontou. – Ele vive naquela casa grande ao lado da igreja. Todos os religiosos moram juntos lá.

Eles deixaram Cwenburg e percorreram a curta distância ladeira acima.

– Esse deão da colegiada é o nosso novo senhorio – informou Ma. – Sejam agradáveis e simpáticos. Eu serei firme com ele se necessário, mas não queremos que ele fique contra nós por um motivo qualquer.

A pequena igreja parecia quase uma ruína, pensou Edgar. O arco da entrada estava desabando e só não caía graças ao apoio de um grosso tronco de árvore posicionado no meio do vão. Ao lado da igreja ficava um barracão de lenha com o dobro do tamanho das outras construções, como a taberna. Eles pararam em frente à porta educadamente e Ma chamou:

– Tem alguém em casa?

A mulher que veio atender trazia um bebê apoiado no quadril e estava esperando outro, enquanto uma criança mais velha se escondia atrás de sua saia. Seus cabelos estavam sujos e os seios eram pesados. Talvez já tivesse sido bonita, pois tinha as maçãs do rosto proeminentes e um nariz reto, mas agora parecia tão cansada que mal conseguia ficar de pé. Era esse o aspecto de muitas mulheres aos 20 e poucos anos. Não é de espantar que elas morram jovens, pensou Edgar.

– O deão Degbert está? – perguntou Ma.

– O que você quer com o meu marido? – perguntou a mulher.

Este obviamente não é o tipo mais rigoroso de comunidade religiosa, pensou Edgar. Em princípio, a Igreja preferia que os sacerdotes praticassem o celibato, mas era mais frequente quebrarem a regra do que segui-la, e bispos casados não eram raridade.

– O bispo de Shiring nos mandou – respondeu Ma.

A mulher gritou por cima do ombro:

– Degsy! Visitas!

Ela ainda os encarou por alguns segundos, então desapareceu dentro da casa.

O homem que veio ao encontro deles tinha cerca de 35 anos, mas sua cabeça era semelhante a um ovo e não tinha sequer uma franja de monge. Talvez a calvície se devesse a alguma doença.

– Sou eu o deão – disse ele com a boca cheia de comida. – O que vocês querem?

Ma tornou a explicar.

– Vão ter que esperar – determinou Degbert. – Estou no meio do meu almoço.

Ma sorriu e se manteve calada, e os três irmãos seguiram seu exemplo.

Degbert pareceu se dar conta de estar sendo pouco hospitaleiro. Mesmo assim, não os convidou para comerem juntos.

– Vão à taberna de Dreng. Bebam alguma coisa – falou.

– Não temos dinheiro para comprar cerveja – retrucou Ma. – Estamos na miséria. Os vikings atacaram Combe, onde nós morávamos.

– Esperem aqui, então.

– Poderia só nos dizer onde fica a fazenda? – sugeriu Ma num tom agradável. – Tenho certeza de que conseguimos encontrar.

Degbert hesitou, então disse num tom irritado:

– Acho que vou ter que levá-los. – Olhou para trás. – Edith! Deixe meu almoço junto do fogo. Vou demorar uma hora. – Ele saiu. – Venham comigo.

Eles desceram o morro.

– O que vocês faziam em Combe? – indagou Degbert. – Suponho que não eram agricultores lá.

– Meu marido construía barcos – respondeu Ma. – Os vikings o mataram.

Degbert se benzeu de modo automático.

– Bom, aqui não precisamos de barcos. Meu irmão Dreng tem uma canoa e não há espaço para duas.

– Dreng precisa de uma embarcação nova – argumentou Edgar. – Aquela canoa está rachando. Algum dia desses vai afundar.

– Pode ser.

– Agora somos agricultores – afirmou Ma.

– Bom, seu terreno começa aqui. – Degbert parou após passar pela taberna. – Da beira do rio até a linha das árvores é tudo seu.

A fazenda era uma faixa de uns 200 metros de largura rente ao rio. Edgar estudou o solo. Como o bispo Wynstan não tinha informado quão estreito o terreno era, não imaginara que uma proporção tão grande fosse pantanosa. A terra melhorava à medida que se afastava do rio, transformando-se num solo arenoso com bastante húmus onde brotos verdes despontavam.

– O terreno se estende na direção oeste por uns 640 metros, depois vira floresta outra vez – mencionou Degbert.

Ma começou a andar entre a margem alagada e o terreno inclinado, e os outros foram atrás.

– Como vocês podem ver, uma bela safra de aveia está brotando – continuou o deão.

Edgar não sabia distinguir aveia de qualquer outro grão e pensara que os brotos fossem de capim comum.

– Tem tanto mato quanto aveia aqui – retrucou Ma.

Eles andaram menos de 800 metros e chegaram a um par de construções no topo de um aclive. Atrás delas, o terreno limpo terminava e a floresta descia até a margem do rio.

– Há um pomar bem útil ali – disse Degbert.

Não era um pomar de fato. Havia algumas macieiras pequenas e um grupo de arbustos de nêsperas. A nêspera era um fruto que amadurecia no inverno e quase não era comestível para os humanos, às vezes servindo de comida para os porcos. A polpa era ácida e dura, embora amolecesse caso fosse resfriada ou então quando passava do ponto.

– O aluguel custa quatro leitões gordos no dia de São Miguel – avisou Degbert.

Era isso, entendeu Edgar; eles tinham visto a fazenda toda.

– Tem 12 hectares, de fato, mas são muito ruins – disse Ma.

– Por isso o preço é baixo.

Ma estava negociando, percebeu Edgar. Já a vira fazer isso muitas vezes com clientes e fornecedores. Ela era boa, mas aquilo era um desafio. O que tinha a oferecer? É claro que Degbert preferiria que a fazenda ficasse ocupada e talvez quisesse agradar ao primo bispo. Por outro lado, não fazia muita questão daquele pequeno aluguel e seria fácil dizer a Wynstan que Ma havia se recusado a assumir um lugar tão pouco promissor. Ela estava numa posição ruim para negociar.

Eles inspecionaram a casa. Edgar reparou que era feita de postes de madeira fincados no chão e unidos por paredes de pau a pique. Os juncos estavam mofados e fediam. Cwenburg tinha razão: havia goteiras no telhado de sapê, mas seria possível remendá-las.

– Este lugar está um lixo – falou Ma.

– Uns poucos reparos simples.

– Parece que vai dar muito trabalho. Vamos ter que pegar madeira na floresta.

– Sim, sim – assentiu Degbert, impaciente.

Apesar do tom irritadiço, o deão acabou fazendo uma concessão importante: eles poderiam derrubar árvores, e não houve qualquer menção a pagamento. Madeira de graça valia muito.

A construção menor estava pior do que a casa.

– O celeiro está praticamente ruindo – atestou Ma.

– Vocês não precisam de um celeiro – retrucou Degbert. – Não têm nada para guardar aqui.

– Tem razão, estamos sem nada – concordou Ma. – De modo que não vamos poder pagar o aluguel no próximo dia de São Miguel.

Degbert ficou com cara de bobo. Não havia como discutir.

– Vocês podem ficar me devendo – falou. – Cinco leitões no dia de São Miguel do ano que vem.

– Como vou comprar uma porca? Essa aveia mal vai dar para alimentar meus filhos neste inverno. Não terei nada para trocar.

– Está se recusando a assumir a fazenda?

– Não, estou dizendo que, se o senhor quiser que a fazenda se torne produtiva, vai ter que me ajudar. Preciso ser dispensada do aluguel e também de uma porca. E que me venda fiado um saco de farinha... Estamos sem comida.

Era um conjunto audacioso de exigências. Senhorios esperavam receber, não desembolsar. Mas às vezes eles precisavam ajudar os arrendatários no começo, e Degbert devia saber disso.

Apesar de parecer frustrado, ele cedeu:

– Está bem, vou emprestar a farinha. E não cobrarei o aluguel este ano. Posso conseguir uma leitoa, mas vocês ficarão me devendo um filhote da primeira ninhada. Além do aluguel!

– Acho que vou ter que aceitar – disse Ma, com aparente relutância, mas Edgar teve quase certeza de que a mãe havia conseguido um ótimo acordo.

– E eu vou voltar para o meu almoço – retrucou Degbert mal-humorado, com a sensação de ter sofrido uma derrota.

O deão afastou-se na direção do povoado.

– Quando teremos a leitoa? – gritou Ma.

– Em breve – respondeu ele sem olhar para trás.

Edgar examinou seu novo lar. Era deplorável, mas ele se sentiu surpreendentemente bem. Eles tinham um grande desafio pela frente, o que era bem melhor do que o desespero de antes.

– Erman, vá até a floresta catar lenha para o fogo – ordenou Ma. – Eadbald, vá até a taberna e implore por um pedaço de madeira em brasa do fogo deles... Jogue seu charme para cima da menina da canoa. Edgar, veja se consegue remendar os buracos do telhado... Não temos tempo para consertar direito o sapê. Depressa, meninos. Amanhã já começaremos a tirar as ervas daninhas da plantação.

Passados uns dias, Degbert ainda não tinha levado a leitoa para a fazenda.

Ma não tocou no assunto. Removeu as ervas daninhas da aveia com Erman e Eadbald, os três completamente curvados na plantação comprida e estreita, enquanto Edgar consertava a casa e o celeiro com a madeira da floresta usando o machado viking e algumas ferramentas deixadas pelo arrendatário anterior.

Edgar estava preocupado. Degbert não era mais confiável do que o bispo Wynstan, seu primo. Ele temia que, caso percebesse que estavam conseguindo tocar a fazenda, o deão decidisse que agora estavam comprometidos e voltasse atrás na sua palavra. A família então teria dificuldades para pagar o aluguel – e, com a dívida, seria extremamente difícil pôr os pagamentos em dia. Edgar já vira isso acontecer com vizinhos imprudentes em Combe.

– Não se preocupe – disse Ma quando Edgar expressou sua preocupação. – Degbert não tem como fugir de mim. Até o pior dos padres precisa ir à igreja mais cedo ou mais tarde.

Edgar torceu para ela estar certa.

Ao ouvirem o sino da igreja no domingo de manhã, eles percorreram toda a extensão de seu terreno até o povoado. Edgar imaginou que seriam os últimos a chegar, pois precisavam andar mais que todos os outros.

A igreja não passava de uma torre quadrada anexa a uma construção de apenas um andar situada a leste. Edgar viu que a estrutura inteira estava inclinada em direção ao pé do morro; um dia iria tombar.

Para entrar, eles tiveram que usar um acesso lateral parcialmente interditado pelo tronco que sustentava o arco. Edgar viu por que o arco estava ruindo. As emendas de argamassa entre as pedras de um arco formavam linhas que deveriam apontar para o centro de um círculo imaginário, como os raios de uma roda de carroça, mas ali elas estavam em direções totalmente aleatórias. Isso tornava a estrutura mais fraca, além de feia.

A nave ficava no térreo da torre. O pé-direito alto fazia o espaço parecer ainda mais atravancado. Cerca de uma dezena de adultos e algumas crianças pequenas aguardavam a missa começar. Edgar acenou para Cwenburg e Edith, as únicas que ele conhecia.

Uma das pedras que formavam a parede tinha uma inscrição gravada. Edgar não sabia ler, mas supôs que alguém estivesse enterrado ali, talvez o nobre que construiu a igreja para ser o lugar do seu descanso final.

Um arco estreito na parede leste conduzia à capela-mor. Edgar espiou pela brecha e viu um altar com uma cruz de madeira e um afresco de Jesus na parede ao fundo. Degbert estava ali dentro com outros clérigos.

Os membros da congregação estavam mais interessados nos recém-chegados do que nos religiosos. As crianças encaravam Edgar e sua família, enquanto os pais lançavam olhares furtivos para em seguida se virarem e cochicharem em voz baixa sobre o que haviam observado.

Degbert rezou a missa depressa. Tão rápido que pareceu quase um sacrilégio, pensou Edgar, e ele nem era uma pessoa particularmente devota. Talvez não fizesse diferença, já que os fiéis não compreendiam as palavras em latim, mas em Combe Edgar havia se acostumado com um ritmo mais lento. De toda forma, aquilo não era problema seu, contanto que os seus pecados fossem perdoados.

Ele não se preocupava muito com sentimentos religiosos. Quando as pessoas debatiam sobre como os mortos passavam o tempo no céu ou se o diabo tinha rabo ou não, Edgar ficava impaciente, pois acreditava que ninguém jamais saberia a verdade sobre esse tipo de coisa. Gostava de perguntas que tinham respostas definidas, como qual devia ser a altura do mastro de um navio.

Cwenburg, em pé ao seu lado, sorriu. Pelo visto tinha decidido ser simpática.

– Você deveria ir à minha casa uma noite dessas – comentou ela.

– Não tenho dinheiro para cerveja.

– Ainda assim pode visitar os vizinhos.

– Quem sabe... – Edgar não queria ser antipático, mas não tinha a menor vontade de passar uma noite na companhia de Cwenburg.

Ao final da missa, Ma saiu da igreja decidida atrás dos clérigos. Edgar foi com ela e Cwenburg os seguiu. Ma abordou Degbert antes de ele conseguir escapar.

– Preciso da leitoa que o senhor me prometeu – pediu ela.

Edgar tinha orgulho da mãe. Ela era determinada e destemida. E escolhera o momento com perfeição. O deão não iria querer ser acusado de voltar atrás numa promessa na frente do povoado inteiro.

– Fale com Bebbe Gorda – retrucou ele apenas, e continuou andando.

Edgar se virou para Cwenburg.

– Quem é Bebbe?

Cwenburg apontou para uma mulher gorda que se espremia para passar pelo tronco de árvore.

– Ela abastece a colegiada com ovos, carne e outros produtos da sua propriedade.

Edgar indicou a mulher para Ma, que foi abordá-la.

– O deão pediu que eu falasse com a senhora sobre uma leitoa – disse ela.

Bebbe tinha o rosto vermelho e era simpática.

– Ah, sim – falou. – Devo lhe dar uma leitoa desmamada. Venha comigo e poderá escolher.

Ma foi atrás de Bebbe e os três rapazes a seguiram.

– Como vocês estão sobrevivendo? – perguntou a mulher, gentil. – Espero que a casa não esteja tão ruim.

– Está ruim, mas estamos fazendo alguns reparos – respondeu Ma.

As duas têm mais ou menos a mesma idade, pensou Edgar. Pelo visto podem se dar bem. Torceu para que estivesse certo: Ma precisava de uma amiga.

Bebbe tinha uma casa pequena num terreno grande. Atrás da casa havia um pequeno lago de patos, um galinheiro e uma vaca e um bezerro amarrados. Anexo à casa, um curral cercado abrigava uma porca grande com uma ninhada de oito leitões. Bebbe era rica, embora provavelmente dependesse da colegiada.

Ma passou alguns minutos examinando atentamente os leitões antes de apontar para um deles, pequeno e cheio de energia.

– Boa escolha – falou Bebbe, pegando então o pequeno animal com um movimento rápido, de quem tinha experiência naquilo.

O filhote guinchou de medo. Bebbe tirou da bolsinha presa ao cinto um punhado de tiras de couro e amarrou as quatro patas da leitoa. – Quem vai carregá-la?

– Eu – respondeu Edgar.

– Ponha o braço debaixo da barriga, e cuidado para ela não morder você.

Edgar assim o fez. A leitoa estava imunda, claro.

Ma agradeceu a Bebbe.

– Vou precisar dessa correia de volta assim que for possível – avisou a mulher.

Qualquer coisa que servisse para amarrar era valiosa, fosse uma tira de couro, de tendão ou até um fio.

– Claro – concordou Ma.

Eles foram embora. A leitoa guinchou e se contorceu desesperadamente ao ser levada para longe da mãe. Edgar fechou a mandíbula dela com a mão para pôr fim ao barulho. Como se estivesse retaliando, a leitoa fez um cocô fedido e líquido que emporcalhou a frente da sua túnica.

Eles pararam na taberna e suplicaram a Cwenburg que lhes desse sobras de comida para alimentar a leitoa. A menina trouxe um tanto de cascas de queijo, rabos de peixe, miolos de maçã, entre outros restos.

– Você está fedendo – falou para Edgar.

Ele sabia.

– Vou ter que mergulhar no rio – disse ele.

Eles voltaram para a fazenda. Edgar pôs a leitoa no celeiro. Como já tinha consertado o buraco na parede, o pequeno animal não teria como escapar. Colocaria Malhada no celeiro à noite para vigiá-la.

Ma esquentou água no fogo e ali jogou os restos para fazer uma papa. Edgar estava feliz por eles terem uma porca, mas o animal era mais uma boca faminta. Não podiam comê-la: precisavam alimentá-la até que ela crescesse e depois fazê-la dar cria. Durante algum tempo, ela apenas esgotaria ainda mais os parcos recursos da família.

– Em breve ela vai começar a se alimentar dos frutos da floresta, principalmente quando as bolotas de carvalho começarem a cair – comentou Ma. – Só que precisamos treiná-la para voltar para casa à noite, senão ela vai ser roubada por bandidos ou devorada por lobos.

– Como treinavam seus porcos na fazenda quando era pequena? – perguntou Edgar.

– Eu não sei... Eles sempre vinham quando minha mãe chamava. Acho que sabiam que ela lhes daria algo para comer. Não apareciam quando nós crianças os chamávamos.

– Nossa leitoa poderia aprender a reagir à sua voz, mas nesse caso não viria com mais ninguém. Precisamos de um sino.

Ma deu um suspiro cético. Sinos custavam caro.

– Eu preciso de um broche de ouro e de um cavalo branco, mas nem por isso vou ter – disse ela.

– Nunca se sabe o que se pode conseguir – retrucou Edgar.

Ele foi até o celeiro. Tinha se lembrado de algo que vira lá dentro: uma foice velha, com o cabo podre e a lâmina curva enferrujada e rachada ao meio. Jogara aquilo num canto junto com outras quinquilharias. Pegou então a ponta da lâmina quebrada, uma meia-lua de ferro com 30 centímetros de comprimento sem qualquer serventia aparente.

Achou uma pedra lisa, sentou-se ao sol da manhã e começou a esfregar a lâmina para remover a ferrugem. Era uma tarefa árdua e tediosa, mas ele estava acostumado a trabalhar duro e continuou até o metal ficar limpo o suficiente para refletir o sol. Não amolou o fio. Não ia cortar nada com ele.

Usando um ramo maleável como corda, suspendeu a lâmina num galho, então bateu nela com a pedra. O metal retiniu bastante alto, não como um sino, mas como algo estridente e nada musical.

Mostrou para Ma.

– Se a senhora bater aqui todo dia antes de dar comida à leitoa, ela vai aprender a atender ao som – explicou.

– Muito bem – disse Ma. – De quanto tempo você precisa para fazer o broche de ouro? – Ela falou num tom bem-humorado, mas também com certo orgulho. Achava que Edgar tinha herdado a sua inteligência, e provavelmente estava certa.

A refeição do meio-dia estava pronta, mas era apenas pão ázimo com cebola selvagem, e Edgar queria se limpar antes de comer. Seguiu pela margem do rio até chegar a uma prainha de lama. Tirou a túnica e a lavou na água rasa, esfregando e torcendo o tecido de lã para livrá-lo do mau cheiro. Então estendeu a roupa sobre uma pedra para secar ao sol.

Mergulhou na água do rio, molhando a cabeça para lavar os cabelos. Diziam que tomar banho fazia mal à saúde e ele nunca se banhava no inverno, mas quem nunca se limpava passava a vida inteira fedendo. Ma e Pa tinham ensinado os filhos a se manterem limpos tomando banho no mínimo uma vez por ano.

Edgar fora criado à beira do mar e sabia nadar desde que aprendera a dar os primeiros passos. Então resolveu atravessar o rio, só por diversão.

A correnteza era moderada e era fácil nadar. Ele saboreou a sensação da água fria sobre a pele nua. Chegando ao outro lado, deu meia-volta e retornou. Perto da margem, seu pé tocou no fundo e ele ficou de pé. A água batia na altura dos joelhos e pingava do seu corpo. O sol em breve iria secá-lo.

Foi nessa hora que ele percebeu que não estava sozinho.

Cwenburg estava sentada na margem do rio olhando para ele.

– Você é bonito – comentou ela.

Edgar se sentiu constrangido. Envergonhado, pediu:

– Poderia ir embora, por favor?

– Por que eu iria embora? Qualquer um pode andar pela margem do rio.

– Por favor.

Ela se levantou e lhe deu as costas.

– Obrigado – disse Edgar.

Mas ele não tinha entendido o que ela faria em seguida. Em vez de ir embora, Cwenburg puxou o vestido por cima da cabeça com um movimento rápido. Sua pele nua era pálida.

– Não, não! – exclamou Edgar.

Ela se virou.

Edgar a encarou horrorizado. Não havia nada de errado com a aparência dela – na verdade, parte de sua mente captou que ela possuía um corpo jeitoso e roliço –, mas Cwenburg era a mulher errada. Seu coração estava tomado por Sunni, e nenhum outro corpo seria capaz de lhe causar qualquer efeito.

A menina entrou no rio.

– Seus pelos aí embaixo têm uma cor diferente – disse ela, com um sorriso malicioso que ele não havia solicitado. – São meio ruivos.

– Fique longe de mim – ordenou ele.

– O seu negócio está murcho por causa da água fria... Quer que eu o aqueça?

Ela estendeu as mãos para tocá-lo.

Edgar lhe deu um empurrão. Tenso e envergonhado, acabou empurrando-a com mais força do que o necessário. Cwenburg perdeu o equilíbrio e caiu sentada no rio. Enquanto ela se recuperava, ele passou por ela e chegou à praia.

Atrás dele, Cwenburg falou:

– Qual é o seu problema? É um efeminado que gosta de homens?

Ele pegou a túnica. Ainda estava molhada, mas a vestiu mesmo assim. Sentindo-se menos vulnerável, virou-se para ela.

– Sim, é isso – confirmou. – Eu sou um efeminado.

Ela o encarava com raiva.

– Não é, não – retrucou. – Você está inventando.

– É, estou inventando. – O autocontrole de Edgar começou a falhar. – A verdade é que eu não gosto de você. Agora será que poderia me deixar sozinho?

Ela saiu da água.

– Seu porco! – xingou. – Tomara que morra de fome naquela fazenda estéril. – Ela colocou o vestido. – E depois tomara que vá para o inferno! – exclamou, e afastou-se andando.

Edgar ficou aliviado por se livrar de Cwenburg. Então, um segundo depois, arrependeu-se por ter sido grosseiro. A culpa era em parte dela por ter insistido, mas ele poderia ter sido mais delicado. Muitas vezes se arrependia dos próprios impulsos e desejava ter mais autodisciplina.

Às vezes é difícil fazer a coisa certa, pensou.

O interior era um lugar silencioso.

Em Combe havia sempre algum ruído: as risadas roucas das gaivotas comendo arenques, as batidas dos martelos em pregos, o burburinho das pessoas ou um grito solitário. Mesmo à noite, havia o rangido das embarcações que flutuavam com o movimento das ondas. Mas o interior muitas vezes ficava totalmente mergulhado no silêncio. Quando havia vento, as árvores sussurravam contrariadas, caso contrário o silêncio era igual ao de uma tumba.

Por isso Edgar acordou depressa quando Malhada latiu no meio da noite.

Levantou-se na hora e pegou seu machado do prego da parede. Seu coração batia forte e sua respiração estava curta.

– Cuidado – disse Ma na penumbra.

Malhada estava no celeiro e seus latidos soavam distantes, mas alarmados. Edgar a pusera lá para vigiar a leitoa e algo a alertara de um perigo.

Edgar foi até a porta, mas Ma chegou lá antes. Ele viu a luz do fogo reluzir ameaçadora na faca que sua mãe segurava. Ele próprio a havia limpado e amolado para lhe poupar o esforço, então sabia que estava mortalmente afiada.

– Afaste-se da porta – sibilou ela. – Um deles pode estar de tocaia.

Edgar fez o que a mãe mandou. Seus irmãos estavam logo atrás. Torceu para que eles também tivessem pegado algum tipo de arma.

Com cuidado, quase sem fazer barulho, Ma ergueu a barra que trancava a porta. Então escancarou-a.

Na mesma hora, uma silhueta surgiu no vão. Ma tivera razão em alertar Edgar: os ladrões previram que a família fosse acordar e um deles estava pronto para surpreendê-los caso saíssem correndo de casa sem tomar cuidado. A lua brilhava forte e Edgar pôde ver com clareza a adaga comprida na mão direita do ladrão. O homem golpeou às cegas o vão escuro da porta, mas não acertou em nada.

Edgar ergueu o machado, mas Ma foi mais rápida. Sua faca lampejou e o ladrão urrou de dor e caiu ajoelhado. Ela chegou mais perto e sua lâmina brilhou na garganta do sujeito.

Edgar passou pelos dois. Ao sair para a noite enluarada, ouviu a leitoa guinchar. Instantes depois, outras duas figuras saíram do celeiro. Uma delas usava uma espécie de adereço de cabeça que lhe cobria parcialmente o rosto. Carregava a leitoa, que se contorcia.

Eles viram Edgar e começaram a correr.

Edgar ficou indignado. A leitoa era preciosa. Se a perdessem não conseguiriam outra; as pessoas diriam que eles não sabiam cuidar de seus animais. Num instante de extrema aflição, Edgar agiu sem pensar. Suspendeu o machado por cima da cabeça e o arremessou nas costas do ladrão que segurava a leitoa.

Pensou que fosse errar e grunhiu desolado, mas a lâmina afiada acertou a parte superior do braço do fugitivo. O homem soltou um grito agudo, desgarrou-se do animal, caiu ajoelhado e ficou segurando o braço ferido.

O segundo homem o ajudou a se levantar.

Edgar partiu à toda na direção deles.

Os ladrões continuaram a correr, deixando a leitoa para trás.

Por uma fração de segundo, Edgar hesitou. Queria capturar os ladrões. Só que, se deixasse a leitoa de lado, ela poderia correr até muito longe de tanto pavor e talvez ele nunca mais a encontrasse novamente. Desistiu de ir atrás dos homens e foi caçar a leitoa. O animal era jovem e tinha as patas curtas, e num minuto ele a alcançou, atirou-se em cima dela e agarrou-lhe uma das patas com as duas mãos. A leitoa se debateu, mas não conseguiu se soltar.

Segurando bem o pequeno animal, ele se levantou e andou de volta até a casa.

Guardou a leitoa no celeiro. Demorou-se alguns instantes parabenizando Malhada, que abanou o rabo, orgulhosa. Pegou o machado caído e passou a lâmina no capim para limpar o sangue do ladrão. Por fim, foi encontrar a família.

Os três estavam parados junto ao outro ladrão.

– Ele está morto – comentou Eadbald.

– Vamos jogá-lo no rio – determinou Erman.

– Não – disse Ma. – Quero que outros ladrões saibam que nós o matamos. – Ela não corria perigo nenhum em relação à lei: era ponto pacífico que um ladrão pego em flagrante podia ser morto no ato. – Venham comigo, meninos. Tragam o cadáver.

Erman e Eadbald recolheram o corpo do chão. Ma os conduziu até a floresta e avançou por 100 metros, por uma trilha que mal se podia distinguir entre a vegetação rasteira, até chegar a um ponto onde havia um cruzamento com outra trilha quase imperceptível. Qualquer pessoa que chegasse à fazenda pela floresta teria que passar por ali.

Ela olhou para as árvores em volta à luz da lua e apontou para uma cujos galhos eram baixos e compridos.

– Quero pendurar o corpo naquela árvore – afirmou.

– Para quê? – perguntou Erman.

– Para mostrar às pessoas o que acontece com quem tenta nos roubar.

A atitude impressionou Edgar. Ele nunca tinha visto a mãe ser tão dura. Mas a situação agora era outra.

– Não temos corda – disse Erman.

– Edgar vai pensar em alguma coisa – retrucou Ma.

Edgar assentiu. Apontou para uma forquilha a uns 2,5 metros do chão.

– Apoiem-no ali, com um galho debaixo de cada axila – falou.

Enquanto os irmãos suspendiam o corpo até os galhos da árvore, Edgar encontrou um graveto com 30 centímetros de comprimento e 2,5 de diâmetro e afiou uma das pontas com a lâmina do machado.

Seus irmãos posicionaram o corpo.

– Agora unam os braços até as mãos ficarem cruzadas na frente.

Enquanto os irmãos seguravam os braços do ladrão morto, Edgar pegou uma das mãos dele e cravou o graveto no pulso. Teve que bater com a cabeça do machado para fazê-lo entrar. Saiu muito pouco sangue; o coração do homem já tinha parado de bater fazia algum tempo.

Edgar alinhou o outro pulso e cravou o graveto ali também. Agora as mãos estavam unidas e o cadáver pendurado com firmeza na árvore.

Ficará aí até apodrecer, pensou ele.

Mas os outros ladrões devem ter voltado, pois pela manhã o cadáver tinha sumido.

—╼╾—

Alguns dias depois, Ma despachou Edgar até o povoado com a incumbência de pedir emprestado um pedaço de cordão grosso para amarrar seus sapatos.

Empréstimos eram corriqueiros entre vizinhos, mas ninguém nunca tinha cordões suficientes. No entanto, Ma contara a história do ataque viking duas vezes, a primeira na casa dos cônegos e a segunda na taberna. Embora camponeses nunca aceitassem recém-chegados logo de cara, os moradores da Travessia de Dreng tinham se compadecido de Ma ao escutar sua tragédia.

Era início da noite. Um pequeno grupo estava sentado nos bancos em frente à taberna de Dreng, bebendo em canecas de madeira enquanto o sol se punha. Edgar ainda não tinha provado a cerveja, mas os clientes pareciam gostar.

Agora já havia conhecido todos os habitantes do povoado, e reconheceu os membros do grupo. O deão Degbert conversava com seu irmão Dreng. Cwenburg e Bebbe Gorda, que tinha o rosto vermelho, escutavam. Havia três outras mulheres presentes: Leofgifu, chamada de Leaf por todos, era a mãe de Cwenburg; Ethel, uma mulher mais nova, era a segunda esposa de Dreng ou talvez sua concubina; e Blod, que enchia as canecas de uma jarra, era uma escrava.

Quando Edgar se aproximou, a escrava ergueu os olhos e perguntou num anglo-saxão capenga:

– Quer cerveja?

Ele fez que não com a cabeça.

– Não tenho dinheiro.

Os outros o encararam.

– O que veio fazer numa taberna se não pode comprar uma caneca de cerveja? – indagou Cwenburg com sarcasmo.

Ela ainda estava irritada por Edgar ter rejeitado suas investidas. Ele havia feito dela uma inimiga e deu um grunhido por dentro.

Dirigindo-se ao grupo todo em vez de somente a Cwenburg, falou com humildade:

– Minha mãe gostaria de pegar emprestado um pedaço de cordão resistente para consertar seu sapato.

– Diga a ela para fabricar o próprio cordão – rebateu Cwenburg.

Os outros ficaram observando sem dizer nada.

Apesar de constrangido, Edgar se manteve firme.

– O empréstimo seria uma gentileza – falou por entre os dentes cerrados. – Vamos retribuir quando nos reerguermos.

– Se isso algum dia acontecer – disse Cwenburg.

Leaf emitiu um ruído impaciente. Parecia ter cerca de 30 anos, de modo que devia ter 15 quando deu à luz Cwenburg. Já fora uma mulher bonita, avaliou Edgar, mas agora parecia beber demais da cerveja forte que ela mesma fabricava. Porém estava sóbria o suficiente para ficar encabulada com a grosseria da filha.

– Não seja uma vizinha tão ruim – repreendeu.

– Deixe-a em paz – interveio Dreng, zangado. – Ela é uma boa menina.

Ele era um pai indulgente, notou Edgar, e isso talvez explicasse o comportamento da filha.

Leaf se levantou.

– Entre – disse ela para Edgar em tom educado. – Vou ver o que consigo encontrar.

Ele a seguiu casa adentro. Ela encheu uma caneca de cerveja dentro de um barril e ofereceu a ele.

– De graça.

– Obrigado. – Ele tomou um gole. A bebida fazia jus à reputação que tinha: era saborosa e o animou na hora. Edgar esvaziou a caneca. – Muito boa – elogiou.

Leaf sorriu.

Passou-lhe pela cabeça que ela talvez tivesse alguma pretensão semelhante à da filha em relação a ele. Edgar não era um rapaz vaidoso nem acreditava que todas as mulheres deveriam se sentir atraídas por ele, mas supunha que num lugar pequeno qualquer homem novo devesse interessar às mulheres.

Então Leaf lhe deu as costas e pôs-se a revirar um baú. Instantes depois, encontrou 1 metro de barbante.

– Aqui está.

Edgar percebeu que ela estava apenas sendo gentil.

– É muita gentileza sua – agradeceu ele.

Ela pegou sua caneca vazia.

– Transmita meus votos de solidariedade à sua mãe. Ela é uma mulher de coragem.

Edgar saiu. Relaxado por causa da cerveja, Degbert estava tagarelando.

– Segundo os calendários, nós estamos no 997º ano de Nosso Senhor – dizia ele. – Jesus está com 997 anos de idade. Daqui a três anos será o milênio.

Edgar entendia de números e não podia deixar aquilo passar.

– Jesus não nasceu no ano 1? – perguntou.

– Sim – respondeu Degbert. – Todo homem que estudou sabe disso – acrescentou, com desdém.

– Então ele deve ter completado 1 ano no ano 2.

Degbert começou a parecer menos seguro de si.

– No ano 3 ele completou 2 anos, e assim por diante. Então este ano, 997, ele completa 996.

– Você não sabe do que está falando, seu pirralho arrogante – disparou Degbert, agressivo.

Uma vozinha no fundo da mente de Edgar aconselhou-o a não discutir, mas foi suplantada por seu desejo de corrigir um erro de aritmética.

– Não, não – disse ele. – Na verdade o aniversário de Jesus será no dia do Natal, então por enquanto ele ainda tem só 995 anos e meio.

Leaf, que observava da porta, sorriu e falou:

– Nessa ele pegou você, Degsy.

Degbert estava lívido.

– Como se atreve a falar assim com um clérigo? – recriminou ele. – Quem você pensa que é? Nem ler você sabe!

– Não, mas eu sei contar – retrucou Edgar com teimosia.

– Pegue seu cordão e vá logo embora. Volte só quando tiver aprendido a respeitar os mais velhos, que sabem mais do que você – ordenou Dreng.

– São só números – argumentou Edgar, voltando atrás quando já era tarde. – Não foi minha intenção faltar com o respeito.

– Suma da minha frente – disse Degbert.

– Fora daqui – emendou Dreng.

Edgar se virou e voltou desanimado andando pela margem do rio. Sua família precisava de toda a ajuda com que pudesse contar, mas ele agora tinha feito dois inimigos.

Por que tinha feito a tolice de abrir a boca?

CAPÍTULO 4

Início de julho de 997

ady Ragnhild, filha do conde Hubert de Cherbourg, estava sentada entre um monge inglês e um padre francês. Ragna, como costumava ser chamada, achava o monge interessante e o padre pomposo – mas era o padre que precisava ser seduzido com seu charme.

Era hora da refeição do meio-dia no castelo de Cherbourg. A imponente fortaleza de pedra ficava no alto do morro acima do porto. O pai de Ragna tinha orgulho do castelo. Era uma estrutura inovadora e incomum.

Na verdade, o conde Hubert tinha orgulho de muitas coisas. Valorizava imensamente sua herança guerreira viking, mas ficava mais satisfeito ainda com a maneira como os vikings tinham se tornado normandos, com a própria versão do idioma francês. Acima de tudo, valorizava o modo como eles haviam adotado o cristianismo e restaurado as igrejas e os mosteiros saqueados por seus ancestrais. Em cem anos, os antigos piratas criaram uma civilização que respeitava as leis equivalente a qualquer outra na Europa.

A longa mesa apoiada sobre cavaletes estava montada no salão nobre, no primeiro andar do castelo. Toalhas de linho branco a cobriam e desciam até o chão. Os pais de Ragna ocupavam a cabeceira. Sua mãe se chamava Ginnlaug, mas para agradar ao marido havia mudado seu nome para Geneviève, que soava mais francês.

O conde, a condessa e seus convidados mais importantes comiam em tigelas de bronze, bebiam em canecas de cerejeira com bordas de prata e contavam com o auxílio de facas e colheres parcialmente folheadas a ouro. Eram itens de mesa caros, mas não extravagantes.

O monge inglês, frei Aldred, era tão bonito que parecia um milagre. Fazia Ragna pensar numa antiga escultura romana de mármore que vira certa vez em Rouen, a cabeça de um homem de cabelos curtos encaracolados, manchada pela idade e sem a ponta do nariz, mas obviamente parte do que antes fora a estátua de um deus.

Aldred chegara na tarde da véspera, segurando junto ao peito uma caixa de livros comprada na grande abadia normanda de Jumièges.

– O *scriptorium* de lá é dos melhores do mundo! – entusiasmou-se ele. – Um exército de monges copiando e decorando manuscritos para alcançarem total esclarecimento sobre a raça humana. – As grandes paixões de Aldred eram os livros e o conhecimento que eles podiam proporcionar.

Na opinião de Ragna, essa paixão substituíra o que em outra situação poderia ter sido um amor romântico, que era proibido pela sua fé. Ele se mostrava encantador com ela, mas uma expressão diferente e mais faminta estampava seu rosto quando ele olhava para Richard, irmão de Ragna, um rapaz alto de 14 anos com lábios finos.

Aldred agora estava esperando um vento favorável que lhe permitisse atravessar o canal e retornar à Inglaterra.

– Mal posso esperar para chegar a Shiring, minha cidade, e mostrar a meus irmãos como os monges de Jumièges ornam seus manuscritos – disse ele.

O frei falava um francês misturado com algumas palavras latinas e anglo-saxãs. Ragna sabia latim e tinha aprendido um pouco de anglo-saxão com uma ama-seca inglesa que desposara um marinheiro normando e fora morar em Cherbourg.

– E dois dos livros que comprei são obras das quais eu nunca tinha ouvido falar! – prosseguiu ele.

– O senhor é prior de Shiring? – perguntou Ragna. – Parece bastante jovem.

– Tenho 33 anos, e não, não sou o prior – respondeu ele sorrindo. – Eu sou o *armarius*, o responsável pelo *scriptorium* e pela biblioteca.

– A biblioteca de lá é grande?

– Temos oito livros, mas quando eu voltar teremos dezesseis. E o *scriptorium* é formado por mim e um assistente, frei Tatwine. É ele quem colore as letras capitulares. Eu escrevo o texto principal... Tenho mais interesse por palavras do que por cores.

O padre interrompeu a conversa, fazendo Ragna se lembrar do seu dever de causar boa impressão.

– Diga-me, lady Ragnhild, a senhorita sabe ler? – indagou o padre Louis.

– É claro que sim.

Ele arqueou uma das sobrancelhas num espanto fingido. Não havia nada de "claro" naquilo. Nem de longe todas as nobres sabiam ler.

Ragna se deu conta de que acabara de fazer o tipo de comentário que lhe valia a fama de arrogante. Em um tom mais amável, acrescentou:

– Meu pai me ensinou a ler quando eu era pequena, antes de meu irmão nascer.

Quando o padre Louis havia chegado, uma semana antes, a mãe de Ragna a levara até os aposentos privativos do conde e da condessa e perguntara:

– Por que acha que ele está aqui?

Ragna havia enrugado a testa.

– Eu não sei.

– Ele é um homem importante, secretário do conde de Reims e membro do capítulo da catedral. – Geneviève era uma mulher alta e vistosa, mas, apesar da aparência imponente, se deixava assombrar com facilidade.

– O que o trouxe a Cherbourg, então?

– Você – respondera Geneviève.

Ragna finalmente tinha começado a entender.

– O conde de Reims tem um filho, Guillaume, da sua idade e solteiro – continuara sua mãe. – O conde está procurando uma esposa para ele. E o padre Louis está aqui para ver se você seria adequada.

Ragna sentiu uma pontada de estranheza. Era uma transação normal, mas ainda assim a fazia se sentir uma vaca sendo avaliada por um potencial comprador. Reprimiu a indignação que sentia.

– Como Guillaume é?

– Ele é sobrinho do rei Robert.

Robert II, de 25 anos, era o rei da França. Para Geneviève, o maior trunfo que um homem podia possuir era um vínculo com a realeza.

Já Ragna tinha outras prioridades. Estava impaciente para saber como era o rapaz, independentemente do seu status social.

– Mais alguma coisa? – indagara, num tom de voz que percebeu na hora ter sido um tanto ríspido.

– Não seja sarcástica. É justamente esse tipo de coisa que faz os homens se afastarem de você.

O tiro acertou o alvo. Ragna já afugentara vários pretendentes perfeitamente adequados. Por algum motivo metia-lhes medo. Ser tão alta não ajudava – ela havia herdado o físico da mãe –, mas não era só por isso.

– Guillaume não tem nenhuma doença, não é louco nem depravado – continuara Geneviève.

– Parece o sonho de qualquer moça.

– Lá vem você outra vez.

– Desculpe. Vou tratar o padre Louis bem, eu juro.

Ragna tinha 20 anos e não podia continuar solteira para sempre. Não queria acabar num convento.

Sua mãe parecera estar ficando aflita.

– Você quer uma grande paixão, um romance para a vida inteira, mas isso só existe nos poemas – afirmara Geneviève. – Na vida real, nós mulheres devemos nos contentar com o que conseguirmos obter.

Ragna sabia que a mãe estava certa.

Provavelmente iria se casar com Guillaume, contanto que ele não fosse repugnante; no entanto, queria fazer isso segundo suas regras. Queria que Louis a aprovasse e que entendesse que tipo de esposa ela seria. Não planejava ser apenas uma peça decorativa, como uma linda tapeçaria que o marido teria orgulho de exibir para os convidados; tampouco seria uma mera anfitriã encarregada de organizar banquetes e receber visitas ilustres. Ela seria a parceira do marido na administração da sua propriedade. Não era incomum que esposas desempenhassem esse papel: sempre que um nobre partia para a guerra, precisava deixar alguém responsável pelas terras e pela fortuna. Às vezes o representante era um irmão ou um filho adulto, mas frequentemente era a esposa.

Então, enquanto saboreava um prato de peixe fresco cozido em sidra, Louis começou a testar as capacidades intelectuais da moça. Com um toque perceptível de ceticismo, perguntou:

– E que tipo de coisa a senhorita lê, milady?

Seu tom dava a entender que ele não acreditava que uma jovem atraente pudesse compreender literatura.

Se ela tivesse gostado mais dele, teria achado mais fácil impressioná-lo.

– Gosto de poemas que contam histórias – falou.

– Por exemplo...?

Ele obviamente achava que ela seria incapaz de citar uma obra de literatura, mas estava enganado.

– A história de Santa Eulália é muito comovente – disse ela. – No fim a alma dela vai para o céu em forma de pomba.

– Vai, sim – confirmou Louis, cuja voz sugeria que ela não conseguiria lhe contar nada sobre santos que ele já não soubesse.

– E existe um poema inglês chamado "Lamento da esposa". – Ela se virou para Aldred. – O senhor conhece?

– Sim, embora não saiba se foi escrito originalmente em inglês. Os poetas viajam bastante. Eles divertem a corte de um nobre por um ano ou dois, depois seguem outro rumo quando seus poemas perdem a graça. Ou podem também conquistar a estima de um patrono mais rico e ser atraídos para outro lugar. Conforme passam de um local para outro, os admiradores traduzem suas obras para outras línguas.

Ragna ficou fascinada. Gostava de Aldred. Ele era inteligente e conseguia compartilhar seu conhecimento sem se mostrar superior.

Ciente da sua missão, tornou a se virar para Louis.

– Não acha isso fascinante, padre Louis? O senhor é de Reims, que fica perto das terras onde se fala alemão.

– Sim – respondeu ele. – A senhorita é culta, milady.

Ragna teve a sensação de ter passado num teste. Pensou se a atitude condescendente do padre teria sido uma tentativa proposital de provocá-la. Ficou contente por não ter mordido a isca.

– O senhor é muito gentil – elogiou, insincera. – Meu irmão tem um preceptor e eu tenho permissão para assistir às aulas, contanto que fique calada.

– Muito bem. Não são muitas as moças que têm tanto conhecimento. Eu, por minha parte, leio sobretudo as santas escrituras.

– Naturalmente.

Ragna conquistara alguma aprovação. A esposa de Guillaume teria que ser culta e capaz de manter uma conversa, e ela havia se mostrado capaz nesse quesito. Torceu para que isso compensasse sua arrogância inicial.

Um soldado chamado Bern, o Gigante se aproximou e falou em voz baixa com o conde Hubert. Bern tinha a barba ruiva e uma barriga grande.

Após uma conversa breve, o conde se levantou da mesa. O pai de Ragna era um homem de baixa estatura e, ao lado de Bern, parecia ainda menor. Apesar dos 45 anos, tinha o ar de menino travesso. A parte de trás de sua cabeça era raspada, no estilo em voga entre os normandos. Ele foi até o lado de Ragna.

– Um imprevisto me obriga a ir a Valognes – disse ele. – Eu tinha planos de ir investigar uma disputa no vilarejo de Saint-Martin hoje, mas agora não vou mais poder. Pode assumir meu lugar?

– Com prazer – respondeu ela.

– Parece que um servo chamado Gaston está se recusando a pagar o aluguel, aparentemente em protesto.

– Eu resolvo isso, não se preocupe.

– Obrigado.

O conde se retirou com Bern.

– Seu pai gosta da senhorita – comentou Louis.

Ragna sorriu.

– E eu dele.

– A senhorita o representa com frequência?

– O vilarejo de Saint-Martin é especial para mim. Todo esse distrito será parte do meu dote de casamento. Mas sim, eu represento meu pai com frequência, lá e em outros lugares.

– O mais usual seria que a condessa o representasse.

– É verdade.

– Seu pai gosta de fazer as coisas de um jeito diferente. – Ele abriu os braços para indicar o castelo. – Esta construção, por exemplo.

Ragna não soube dizer se Louis estava reprovando a atitude do pai ou apenas intrigado.

– Minha mãe não aprecia as atribuições incluídas no ato de governar, mas eu sou fascinada por esse ofício.

– As mulheres às vezes são boas nisso – interveio Aldred. – O rei Alfred da Inglaterra tinha uma filha chamada Ethelfled que governou a grande região da Mércia depois que o marido morreu. Ela fortificou cidades e venceu batalhas.

Ocorreu a Ragna que aquilo era uma oportunidade para impressionar Louis. Poderia convidá-lo para ver como ela lidava com o povo comum. Isso fazia parte dos deveres de uma nobre, e ela sabia que se saía bem.

– Gostaria de me acompanhar até Saint-Martin, padre?

– Muito me agradaria – respondeu ele de imediato.

– No caminho, talvez o senhor possa me falar um pouco sobre a família do conde de Reims. Creio que ele tem um filho da minha idade.

– Sim, de fato.

Agora que o seu convite tinha sido aceito, ela constatou que não estava animada para passar um dia inteiro conversando com Louis, então se virou para Aldred.

– O senhor quer vir também? – convidou. – Estará de volta a tempo da maré do fim do dia, de modo que, se o vento mudar daqui até lá, ainda pode partir esta noite.

– Eu ficaria encantado.

Todos se levantaram da mesa.

A criada pessoal de Ragna era uma moça de cabelos negros da sua idade chamada Cat. Cat tinha um nariz arrebitado. Suas narinas pareciam as pontas de duas penas de escrever dispostas lado a lado. Apesar disso, ela era bonita: tinha um ar viçoso e uma centelha de travessura nos olhos.

Cat ajudou Ragna a descalçar as sapatilhas de seda e as guardou no baú. A criada então pegou um par de perneiras de linho para proteger os tornozelos da patroa durante a cavalgada e substituiu suas sapatilhas por botas de couro. Por fim, entregou-lhe um chicote de montaria.

A mãe de Ragna foi até ela.

– Seja boazinha com o padre Louis – pediu a condessa. – Não tente parecer ser mais inteligente do que ele... Os homens odeiam isso.

– Sim, mãe – disse Ragna, dócil.

Sabia perfeitamente que as mulheres não deviam parecer inteligentes, mas já havia quebrado essa regra com tanta frequência que a mãe tinha o direito de lembrá-la.

Ela saiu da torre de menagem e se encaminhou para os estábulos. Quatro soldados liderados por Bern, o Gigante aguardavam para fazer sua escolta; o conde devia tê-los avisado. Cavalariços já tinham arreado a montaria preferida dela, uma égua cinza chamada Astrid.

Enquanto prendia uma manta de couro no lombo do seu cavalo, frei Aldred olhou admirado para a sela de madeira com arremates em bronze sobre a qual Ragna estava sentada.

– O aspecto é bonito, mas não fere o animal?

– Não – respondeu Ragna com firmeza. – A madeira distribui o peso, enquanto uma sela mole deixa o cavalo com dor nas costas.

– Veja só isso, Dimas – disse Aldred para seu cavalo. – Não gostaria de algo tão luxuoso assim?

Ragna reparou que Dimas tinha uma mancha branca na testa mais ou menos no formato de uma cruz. Isso pareceu apropriado para a montaria de um frei.

– Dimas? – repetiu Louis.

– É o nome de um dos ladrões que foram crucificados com Jesus – esclareceu Ragna.

– Eu sei – disse Louis, sério, e Ragna lembrou a si mesma para não se mostrar tão inteligente.

– Este Dimas daqui também rouba, especialmente comida – riu Aldred.

– Hum... – Louis achava que um nome desses não deveria ser usado de brincadeira, mas não falou mais nada e se virou para selar seu capão.

Eles saíram do complexo do castelo. Enquanto desciam o morro, Ragna lançou um olhar de especialista em direção aos navios e ao porto. Fora criada num porto e sabia identificar os diferentes tipos de embarcação. Nesse dia os barcos de pesca e embarcações costeiras dominavam, mas nas docas ela observou um navio mercante inglês que devia ser aquele no qual Aldred planejava viajar. Além disso, ninguém podia deixar de identificar o contorno ameaçador dos navios de guerra vikings ancorados mais para dentro do mar.

Eles viraram em direção ao sul e alguns minutos depois as casas da pequena cidade já estavam para trás. A paisagem plana era varrida pela brisa do mar. Ragna foi seguindo um caminho conhecido que margeava pastos de vacas e pomares de macieiras.

– Agora que conheceu nosso país, frei Aldred, o que acha dele? – perguntou.

– Reparei que os nobres aqui parecem ter apenas uma esposa e nenhuma concubina, ao menos oficialmente. Na Inglaterra, o concubinato e até mesmo a poligamia são tolerados, apesar dos ensinamentos claros da Igreja.

– Essas coisas podem ser escondidas – argumentou Ragna. – Os nobres normandos não são santos.

– Tenho certeza de que não são, mas pelo menos o povo daqui sabe o que é pecado e o que não é. A outra coisa é que não vi escravos em lugar nenhum da Normandia.

– Há um mercado de escravos em Rouen, mas os compradores são estrangeiros. A escravidão foi abolida quase por completo aqui. Nosso clero condena essa prática, sobretudo porque muitos escravos são usados para a fornicação e a sodomia.

Louis emitiu um ruído de espanto. Talvez não estivesse acostumado a ouvir donzelas falando de fornicação e sodomia. Chateada, Ragna percebeu que havia cometido mais um erro.

Aldred não ficou chocado. Continuou a conversa sem hesitação.

– Por outro lado, seus camponeses são servos e precisam da autorização do senhor da cidade para se casar, trocar de profissão ou se mudar para outro vilarejo – disse ele. – Os camponeses ingleses, por sua vez, são livres.

Ragna refletiu a respeito. Nunca lhe ocorrera que o sistema normando não fosse universal.

Eles chegaram a um povoado chamado Les Chênes. Ragna viu que o capim estava alto nas campinas. Os aldeões iriam ceifá-lo dali a uma ou duas semanas, calculou, e fazer feno para alimentar os animais durante o inverno.

Os homens e mulheres que trabalhavam nos campos pararam o que estavam fazendo para acenar.

– Débora! – gritaram. – Débora!

Ragna acenou de volta.

– Eles chamaram a senhorita de Débora? – indagou Louis.

– Sim. É um apelido.

– De onde vem?

Ragna sorriu.

– O senhor vai ver.

O galope de sete cavalos fez as pessoas saírem de suas casas. Ragna reconheceu uma mulher e puxou as rédeas.

– Você é Ellen, a padeira.

– Sim, milady. Folgo em vê-la feliz e com saúde.

– O que aconteceu com seu menininho que caiu da árvore?

– Ele morreu, milady.

– Sinto muito.

– Dizem que eu não deveria me lamentar, pois tenho outros três filhos homens.

– Nesse caso eles são tolos, sejam quem forem – retrucou Ragna. – A perda de um filho é uma tristeza terrível para qualquer mãe, e não faz diferença quantos outros se tem.

Lágrimas rolaram pelas faces de Ellen, que o vento havia enrubescido, e ela estendeu uma das mãos. Ragna a segurou e a apertou com toda a delicadeza. Ellen beijou a mão de Ragna e disse:

– A senhorita compreende.

– Talvez compreenda, sim, um pouco – disse Ragna. – Até logo, Ellen.

Eles prosseguiram.

– Pobre mulher – falou Aldred.

– Uma coisa eu tenho de reconhecer, lady Ragna – comentou Louis. – Essa mulher vai idolatrá-la pelo resto da vida.

Ragna se sentiu ofendida. Louis acreditava que ela só tinha sido gentil para ganhar popularidade. Quis perguntar ao padre se ninguém podia sentir uma compaixão genuína. Mas recordou seu dever e ficou calada.

– Ainda não entendi por que eles a chamam de Débora – retomou Louis.

Ragna lhe lançou um sorriso enigmático. Ele que descubra sozinho, pensou.

– Reparei que muita gente por aqui tem os mesmos cabelos ruivos maravilhosos que a senhorita tem, lady Ragna – observou Aldred.

Ragna era dona de uma gloriosa cabeleira de cachos ruivos dourados.

– É o sangue viking – esclareceu. – Por aqui tem gente que ainda fala nórdico antigo.

– Os normandos são diferentes de nós, no restante das terras francas – reparou Louis.

Isso talvez tivesse sido um elogio, mas Ragna achou que não.

Uma hora depois, eles chegaram a Saint-Martin. Ragna parou nos arredores do povoado. Vários homens e mulheres se encontravam ocupados num pomar cheio de folhas, e entre eles ela viu Gerbert, o chefe do vilarejo. Apeou e atravessou um pasto para ir falar com ele, e seus acompanhantes a seguiram.

Gerbert a recebeu com uma mesura. Era uma figura de aspecto esquisito, nariz adunco e dentes tão tortos que sequer conseguia fechar completamente a boca. O conde Hubert o havia nomeado chefe porque ele era inteligente, mas Ragna não tinha certeza se confiava nele.

Todos pararam o que estavam fazendo e se aglomeraram ao redor de Ragna e Gerbert.

– Que trabalho vocês estão fazendo aqui hoje, Gerbert?

– Colhendo algumas das maçãs menores, milady, para que as outras fiquem maiores e mais suculentas – respondeu ele.

– Assim vocês podem fabricar uma boa sidra.

– A sidra de Saint-Martin é mais forte do que a maioria, com a graça de Deus e das boas práticas agrícolas.

Metade dos vilarejos da Normandia alegava fabricar a sidra mais forte, mas Ragna não falou isso.

– O que fazem com as maçãs ainda verdes?

– Damos às cabras para que seu queijo fique doce.

– Quem faz o melhor queijo do vilarejo?

– Renée – respondeu Gerbert de pronto. – Ela usa leite de ovelha.

Alguns dos outros balançaram a cabeça. Ragna se virou para eles.

– E vocês, o que acham?

Duas ou três pessoas responderam:

– Torquil.

– Venham comigo então, todos vocês, e vou provar os dois queijos.

Os servos a seguiram alegremente. Em geral apreciavam qualquer mudança na monotonia de seus dias e raramente relutavam em interromper o trabalho.

Com um quê de irritação, Louis falou:

– A senhorita não percorreu esse caminho todo para provar queijo, certo? Não veio aqui resolver a disputa?

– Sim. Esse é o meu jeito. Seja paciente.

Louis grunhiu, mal-humorado.

Ragna não tornou a montar, portanto entrou no vilarejo a pé, por uma trilha de terra batida entre campos dourados de cereais. Dessa forma era mais fácil ir conversando com as pessoas pelo caminho. Ela prestava atenção especial nas mulheres, capazes de lhe fornecer um misto de informação e fofoca com o qual um homem talvez não se importasse. Durante a caminhada, ficou sabendo que Renée era esposa de Gerbert; que o irmão dela, Bernard, tinha um rebanho de ovelhas; e que Bernard estava envolvido numa disputa com Gaston, o tal que vinha se recusando a pagar aluguel.

Sempre tentava recordar os nomes de todos. Isso os fazia se sentirem bem cuidados. Toda vez que escutava um nome numa conversa casual, ela fazia uma anotação mental.

À medida que eles caminhavam, mais pessoas foram se juntando. Chegando ao vilarejo, encontraram outras à espera. Ragna sabia que uma comunicação misteriosa ocorria pelos campos: ela nunca conseguia entender, mas homens e mulheres que estavam trabalhando a 2 quilômetros de distância ou mais pareciam saber quando visitas estavam se aproximando.

O vilarejo tinha uma igreja pequena e elegante, com janelas de arco redondo dispostas em fileiras precisas. Ragna sabia que o padre, Odo, atendia àquele e a outros três vilarejos, indo a um diferente a cada domingo. Nesse dia, no entanto, ele estava em Saint-Martin – a mesma comunicação rural mágica outra vez.

Aldred foi imediatamente falar com o padre Odo. Louis não; talvez considerasse abaixo do seu nível travar diálogo com um cura de vilarejo.

Ragna provou o queijo de Renée e o de Torquil e afirmou que ambos eram tão bons que não podia escolher um vencedor. Comprou então um exemplar de cada, deixando todo mundo contente.

Percorreu o vilarejo, entrou em cada casa e em cada celeiro, e certificou-se de dizer algumas palavras a cada adulto e a muitas das crianças. Quando teve certeza de tê-los tranquilizado quanto às suas boas intenções, julgou-se pronta para a sua audiência.

Boa parte da estratégia de Ragna vinha do pai. Ele gostava de encontrar pessoas e tinha talento para torná-las suas amigas. Mais tarde algumas talvez se tornassem inimigas – nenhum governante conseguia agradar a todos o tempo todo –, mas era com relutância que lhe faziam oposição. O conde havia ensinado muito a Ragna, e ela aprendera ainda mais simplesmente observando o pai.

Gerbert trouxe uma cadeira e a dispôs em frente à fachada oeste da igreja. Ragna se sentou, enquanto os outros se posicionavam em pé à sua volta. Gerbert então apresentou Gaston, um camponês grande e forte de seus 30 anos, dono de uma cabeleira negra desgrenhada. Seu rosto exibia indignação, mas ela imaginou que ele tivesse um temperamento amigável em condições normais.

– Gaston – começou –, chegou a hora de contar por que você está se recusando a pagar o aluguel.

– Milady, apresento-me aqui diante...

– Espere. – Ragna ergueu a mão para interrompê-lo. – Lembre-se de que este não é o tribunal do rei dos francos. – Os aldeões deram risadinhas. – Não precisamos de um discurso formal com frases rebuscadas. – A probabilidade de Gaston conseguir fazer um discurso desses era pequena, mas ele provavelmente tentaria caso não recebesse uma orientação clara. – Imagine que está bebendo sidra com um grupo de amigos e que eles lhe perguntaram por que você está tão bravo.

– Sim, milady. Eu não paguei o aluguel porque não tenho como.

– Mentira – retrucou Gerbert.

Ragna franziu o cenho para o chefe do vilarejo.

– Espere a sua vez – falou, incisiva.

– Sim, milady.

– Gaston, quanto é o seu aluguel?

– Eu crio gado de corte, milady, e devo pagar ao seu nobre pai dois novilhos de 1 ano a cada solstício de verão.

– E está querendo dizer que não tem os animais?

Gerbert tornou a intervir:

– Ele tem, sim.

– Gerbert!

– Desculpe, milady.

– Meu pasto foi invadido – continuou Gaston. – Todo o capim foi comido pelas ovelhas de Bernard. Minhas vacas tiveram que comer feno velho, então o leite secou e dois de meus bezerros morreram.

Ragna olhou em volta, tentando lembrar qual deles era Bernard. Seu olhar se fixou num homem pequeno e magro cujos cabelos pareciam palha. Sem ter certeza, ergueu os olhos e falou:

– Vamos ouvir o que Bernard tem a dizer.

Ela estava certa. O homem magro pigarreou e disse:

– Gaston me deve um bezerro.

Ragna viu que aquele seria um debate complexo com um longo histórico.

– Espere um instante – interveio Ragna. – É verdade que as suas ovelhas comeram o pasto de Gaston?

– Sim, mas ele está me devendo.

– Vamos chegar lá. Você deixou suas ovelhas entrarem no pasto dele.

– Eu tinha um bom motivo.

– Mas foi por isso que os bezerros de Gaston morreram.

O chefe Gerbert se meteu:

– Só os bezerros recém-nascidos deste ano morreram. Ele ainda tem os do *ano passado*. Tem dois novilhos de 1 ano que pode fornecer ao conde para saldar o aluguel.

– Se eu entregá-los, ano que vem não terei nenhum novilho – argumentou Gaston.

Ragna começou a ter a sensação de tontura que sempre a acometia quando ela tentava entender uma rusga entre camponeses.

– Silêncio, todos vocês – ordenou. – Até agora estabelecemos que Bernard invadiu o pasto de Gaston... Talvez com razão, veremos quanto a isso... E consequentemente Gaston se considera, com razão ou não, pobre demais para pagar o aluguel deste ano. Então, Gaston, é verdade que você deve um bezerro a Bernard? Responda sim ou não.

– Sim.

– E por que não pagou?

– Eu vou pagar. Só ainda não tive como.

– Não se pode adiar para sempre o pagamento de uma dívida! – exclamou Gerbert, indignado.

Ragna ouviu com paciência Gaston explicar por que havia pedido um empréstimo a Bernard e as dificuldades que vinha tendo para pagar. No decurso dessa explicação, diversas questões de relevância quase nula foram levantadas: pretensas ofensas de parte a parte, ofensas de esposas a outras esposas, controvérsias sobre quais palavras tinham sido ditas e em qual tom de voz. Ragna deixou o debate correr. Eles precisavam extravasar sua raiva. Finalmente, contudo, mandou-os parar.

– Já ouvi o suficiente – falou. – Minha decisão é a seguinte: primeiro, Gaston deve ao conde meu pai dois novilhos de 1 ano. Sem desculpas. Ele cometeu um erro ao não pagar. Não será punido pela transgressão porque foi provocado, mas o que é devido, devido é.

A reação dos aldeões ao ouvirem isso foi mista. Alguns deram resmungos de reprovação, outros assentiram. O rosto de Gaston era uma máscara de inocência ferida.

– Segundo, Bernard é responsável pela morte de dois dos bezerros de Gaston. A dívida de Gaston não redime a transgressão de Bernard. Portanto, Bernard deve dois bezerros a Gaston. No entanto, Gaston já devia um bezerro a Bernard, portanto resta apenas um bezerro a ser pago.

Bernard agora exibia um ar chocado. Ragna estava sendo mais dura do que as pessoas esperavam. Mas ninguém protestou: as decisões dela eram lei.

– Por fim, essa disputa não deveria ter se prolongado tanto, e o culpado disso é Gerbert.

– Milady, posso ter a palavra? – protestou Gerbert, indignado.

– É claro que não – disse Ragna. – Você já teve a sua oportunidade. Agora é a minha vez. Silêncio.

Gerbert ficou quieto.

– Gerbert é o chefe e deveria ter resolvido essa questão há muito tempo – explicou ela. – Acredito que quem o convenceu a não fazer isso foi sua esposa Renée, que queria que ele favorecesse seu irmão Bernard.

Renée contorceu o rosto.

– Como tudo isso é em parte culpa de Gerbert, ele vai pagar um bezerro – prosseguiu Ragna. – Sei que ele tem um, eu o vi no quintal. Ele vai dar o bezerro a Bernard, que vai dá-lo a Gaston. Assim as dívidas serão saldadas e os transgressores punidos.

Ragna percebeu na hora que os aldeões haviam aprovado sua decisão. Ela insistira para que as regras fossem obedecidas, e o fizera de modo inteligente. Viu-os assentindo uns para os outros, alguns sorrindo, e nenhum fez qualquer objeção.

– E agora... – disse ela, levantando-se. – Agora vocês podem me dar um copo da famosa sidra, e Gaston e Bernard podem beber juntos e fazer as pazes.

O burburinho das conversas foi aumentando à medida que todos falavam sobre o que havia acabado de acontecer. Padre Louis se aproximou de Ragna e afirmou:

– Débora foi um dos juízes de Israel. Por isso o seu apelido.

– Correto.

– A única juíza mulher.

– Por enquanto.

Ele aquiesceu.

– Milady se saiu bem.

Finalmente consegui impressioná-lo, pensou Ragna.

Eles beberam a sidra e se despediram. No trajeto de volta para Cherbourg, Ragna perguntou a Louis sobre Guillaume.

– Ele é alto – informou Louis.

Pode ser que isso ajude, considerou ela para si mesma.

– O que faz Guillaume ficar com raiva?

O olhar do padre informou a Ragna que ele reconhecia a astúcia da sua pergunta.

– Pouca coisa. Guillaume em geral tem uma atitude tranquila em relação à vida. Ele pode se irritar quando um criado é desleixado: comida malfeita, sela frouxa, roupa de cama amarrotada.

Ele parece fútil, pensou Ragna.

– Ele é muito bem-conceituado em Orléans – continuou Louis.

Orléans era a sede principal da corte francesa.

– O rei, tio de Guillaume, gosta dele.

– E ele é ambicioso?

– Não mais do que de costume para um jovem nobre.

Resposta cautelosa, ponderou Ragna para si mesma. Das duas, uma: ou Guillaume era ambicioso, ou não era nada.

– Pelo que ele se interessa? Caçar? Criar cavalos? Música?

– Ele adora coisas bonitas. Coleciona broches esmaltados e ponteiras decoradas. O rapaz tem bom gosto. Mas a senhorita não fez aquela que eu achava que seria a primeira pergunta de uma jovem.

– Qual?

– Se ele é bonito.

– Ah... – murmurou Ragna. – Isso eu devo julgar por mim mesma.

Quando eles entraram em Cherbourg, Ragna notou que o vento tinha mudado.

– Seu navio vai zarpar hoje à noite – disse ela para Aldred. – O senhor tem uma hora antes de a maré virar, mas é melhor subir a bordo.

Eles voltaram para o castelo. Aldred foi buscar sua caixa de livros. Louis e Ragna o acompanharam quando ele desceu até o porto montado em Dimas.

– Foi um prazer conhecê-la, lady Ragna. Se eu soubesse que existem moças como a senhorita, talvez não tivesse virado monge.

Era o primeiro comentário em tom de flerte que ele lhe dirigia e ela soube na hora que ele estava apenas sendo educado.

– Obrigada pelo elogio – agradeceu ela. – Acho que o senhor teria virado monge mesmo assim.

Ele abriu um sorriso pesaroso, claramente entendendo o que ela estava pensando.

É provável que nunca mais torne a vê-lo, uma pena, refletiu Ragna.

Outra embarcação vinha chegando junto com a maré. Ela achou que parecia um pesqueiro inglês. A tripulação recolheu as velas e o barco flutuou em direção a terra firme.

Aldred subiu a bordo de seu navio junto com o cavalo. A tripulação já estava soltando as cordas e levantando a âncora. Enquanto isso, o pesqueiro inglês fazia o contrário.

Aldred acenou para Ragna e Louis quando o navio começou a flutuar para longe do porto com a maré que começava a virar. Ao mesmo tempo, um pequeno grupo de homens desembarcou da nau recém-chegada. Ragna os observou curiosa. Eles tinham grandes bigodes mas não usavam barba, o que os caracterizava como ingleses.

Seu olhar foi atraído para o mais alto. Com cerca de 40 anos, ele tinha uma farta juba de cabelos louros. Uma capa azul agora encrespada pelo vento estava presa ao redor de seus ombros por um alfinete de prata rebuscado; seu cinto tinha a fivela de prata e a ponteira muito decoradas; e o cabo da sua espada era cravejado de pedras preciosas. Os joalheiros ingleses eram os melhores da Cristandade, segundo ela ouvira dizer.

O inglês andava com um passo confiante e seus companheiros se apressavam para acompanhar seu ritmo. Ele rumou diretamente para Ragna e Louis, sem dúvida supondo, pelos seus trajes, que eles fossem pessoas importantes.

– Bem-vindo a Cherbourg, inglês – comentou Ragna. – O que o traz aqui?

O homem a ignorou e fez uma mesura para Louis.

– Bom dia, padre – disse ele em um francês ruim. – Vim falar com o conde Hubert. Sou Wilwulf, senhor de Shiring.

Wilwulf não era belo como Aldred. O senhor de Shiring tinha um nariz grande e um maxilar que mais parecia uma pá, e seus braços e mãos eram cheios de cicatrizes. Apesar disso, todas as criadas do castelo enrubesciam e davam risadinhas quando ele passava. Um estrangeiro era sempre intrigante, mas a atração exercida por Wilwulf era acima do normal. Devia ser por causa de seu tamanho, de seu jeito de andar cadenciado e da intensidade do seu olhar. Mais do que tudo, ele possuía a autoconfiança de quem parecia capaz de tudo. Moças tinham a impressão de que a qualquer momento ele poderia erguê-las do chão sem qualquer esforço e levá-las embora.

Ragna estava intrigada com Wilwulf, mas ele parecia totalmente alheio a ela ou a qualquer das outras mulheres. Ele falava com o pai dela e com os nobres normandos em visita ao castelo, e conversava com seus soldados num anglo-saxão veloz e gutural que Ragna não conseguia entender, mas quase nunca se dirigia a mulheres. Ragna se sentiu desprezada: não tinha o costume de se sentir assim. A indiferença dele se mostrou um desafio. Ela sentiu que precisava chamar sua atenção.

Seu pai pareceu menos encantado. Não estava inclinado a tomar o partido dos ingleses contra os vikings, que eram seus conterrâneos menos civilizados. Wilwulf estava perdendo tempo ali.

Ragna queria ajudá-lo. Tinha pouca afinidade com os vikings e simpatizava com suas vítimas. E se ela o ajudasse ele talvez parasse de ignorá-la.

Embora o conde Hubert tivesse pouco interesse em Wilwulf, um nobre normando tinha o dever de se mostrar hospitaleiro, de modo que ele organizou uma caçada a javalis. Ragna se animou. Adorava caçar, e talvez aquilo se revelasse uma oportunidade para conhecer Wilwulf melhor.

O grupo se reuniu perto dos estábulos assim que o dia raiou e de pé mesmo todos fizeram um desjejum que consistiu em costeletas de cordeiro e sidra forte. Cada um escolheu suas armas. Podiam usar qualquer uma, mas a preferida era uma lança pesada especial de lâmina comprida e cabo do mesmo tamanho, com uma trave entre as duas metades. Todos montaram, Ragna em Astrid, e partiram a cavalo com uma matilha de cães histéricos de tão animados.

O pai de Ragna foi na frente. O conde Hubert resistia à tentação de montar um cavalo grande, prática adotada por muitos homens para compensar o fato de serem baixos. Sua montaria preferida era um cavalo negro robusto chamado Thor. Na mata, ele era tão veloz quanto um animal maior, porém mais ágil.

Wilwulf montava bem, reparou Ragna. O conde tinha dado ao inglês um garanhão tordilho cheio de energia chamado Golias. Wilwulf não tivera dificuldade alguma para dominar o cavalo e estava sentado na sela tão à vontade quanto se aquilo fosse uma cadeira.

Um cavalo de carga seguia o grupo da caçada com cestos repletos de pão e sidra da cozinha do castelo.

Eles foram até Les Chênes e entraram no Bois des Chênes, a maior área de floresta remanescente na península, onde se podiam encontrar inúmeros animais selvagens. Seguiram uma trilha por entre as árvores enquanto os cachorros farejavam o chão freneticamente, procurando na vegetação rasteira o cheiro forte de porco selvagem.

Astrid pisava de leve, apreciando a sensação de trotar pela floresta no ar matinal. Ragna sentiu a expectativa aumentar. A animação era intensificada pelo perigo. Javalis eram imponentes, tinham dentes grandes e mandíbulas poderosas. Um javali adulto era capaz de derrubar um cavalo e matar um homem. Eles atacavam mesmo quando feridos, principalmente quando encurralados. A lança de caçar javalis tinha uma trave no meio porque sem ela um animal empalado podia subir aflito pela arma e atacar o caçador mesmo estando mortalmente ferido. Caçar javalis exigia cabeça fria e nervos de aço.

Um dos cães encontrou um rastro, deu um latido triunfante e partiu correndo. Os outros o seguiram em bando e os cavaleiros foram atrás. Astrid se esquivava dos arbustos com passo certeiro. Richard, irmão mais novo de Ragna, passou por ela cavalgando de modo excessivamente confiante, como era típico dos meninos adolescentes.

Ragna ouviu o *gu-gu-gu* de um javali guinchando assustado. Os cães ficaram enlouquecidos e os cavalos apressaram o passo. A perseguição havia começado, e o coração de Ragna pôs-se a bater mais depressa.

Javalis sabiam correr. Em terreno aberto não eram tão rápidos quanto cavalos, mas na mata, ziguezagueando por entre a vegetação, era difícil capturá-los.

Ragna viu um grupo de presas atravessar uma clareira: uma fêmea grande com 1,5 metro do focinho até a ponta do rabo, certamente mais pesada do que a própria Ragna, e outras duas ou três fêmeas menores com um punhado de pequenos filhotes listrados capazes de correr surpreendentemente depressa com suas patas curtas. Os grupos familiares dos javalis eram matriarcais: os machos viviam separados, exceto na temporada do cio, no inverno.

Os cavalos adoravam a emoção da perseguição, principalmente ao correr depressa junto com os cães. Precipitavam-se pela vegetação rasteira, pisoteando os arbustos e árvores pequenas. Ragna cavalgava segurando as rédeas com a mão esquerda, enquanto usava a direita para manter a lança em riste. Abaixou a cabeça até o pescoço de Astrid para evitar os galhos mais baixos, que podiam ser mais mortais do que um javali para um cavaleiro descuidado. No entanto, embora cavalgasse com prudência, sentia-se tão destemida quanto Skadi, uma deusa nórdica associada à caça, todo-poderosa e invulnerável, como se nada de ruim pudesse lhe acontecer naquele estado de êxtase.

Os caçadores irromperam da mata para um pasto. Vacas se espalharam mugindo de pavor. Os cavalos alcançaram os javalis em segundos. O conde Hubert traspassou com a lança uma das fêmeas menores e a matou. Ragna foi atrás de um esquivo filhote, alcançou-o, abaixou-se na sela e o acertou no traseiro.

A fêmea mais velha se virou perigosamente, pronta para revidar. O jovem Richard a atacou sem medo, mas seu golpe foi desferido de qualquer maneira e ele cravou a lança no lombo denso, atingindo algum músculo. A lâmina penetrou apenas uns cinco centímetros e se partiu. Richard perdeu o equilíbrio, caiu do cavalo e aterrissou no chão com um baque. A fêmea mais velha partiu para cima dele e Ragna gritou, temendo pela vida do irmão.

Wilwulf então veio por trás, veloz e com a lança em riste. Fez seu cavalo pular por cima de Richard, então se arriscou em inclinar-se para empalar o javali. O ferro traspassou o animal do pescoço até o peito. A ponta deve ter atingido o coração, pois o animal caiu morto na hora.

Os caçadores puxaram as rédeas e desmontaram, ofegantes e felizes, congratulando-se mutuamente. Richard no início estava pálido por ter escapado por tão pouco, mas os jovens elogiaram sua valentia e em pouco tempo ele estava se comportando como se fosse o herói da caçada. Os criados evisceraram as carcaças e os cães se precipitaram famintos sobre as entranhas despejadas no chão. Um forte cheiro de sangue e fezes pairava no ar. Um camponês apareceu, calado e furioso, e tocou suas vacas assustadas em direção a um campo vizinho.

O cavalo de carga com os cestos chegou e os caçadores beberam com gosto e começaram a devorar os pães.

Wilwulf sentou-se no chão com uma caneca de madeira numa das mãos e um naco de pão na outra. Ragna viu uma oportunidade de conversar e sentou-se ao seu lado.

Ele não pareceu particularmente satisfeito.

Ragna estava acostumada a impressionar os homens e aquela falta de interesse feriu seu orgulho. Quem ele pensava que era? Mas ela não se conformava facilmente, e agora queria mais do que nunca fazê-lo sucumbir aos seus encantos.

Falou num anglo-saxão hesitante:

– O senhor salvou meu irmão. Obrigada.

Ele respondeu com razoável afabilidade:

– Meninos da idade dele precisam correr riscos. Ele vai ter tempo de sobra para ser cauteloso quando for mais velho.

– Se viver até lá.

Wilwulf deu de ombros.

– Um nobre cauteloso não inspira respeito.

Ragna resolveu não discutir.

– O senhor era inconsequente quando jovem?

A boca dele se contraiu, como se achasse graça das lembranças.

– Sem qualquer noção do perigo – disse ele, mas foi menos uma confissão do que uma afirmativa orgulhosa.

– Hoje em dia o senhor é mais sensato, naturalmente.

Ele sorriu.

– Há quem não concorde com isso.

Ela sentiu que estava conseguindo vencer a reserva dele. Mudou de assunto:

– Está se entendendo bem com meu pai?

A expressão dele mudou.

– Ele é um anfitrião generoso, mas não está inclinado a me dar o que vim buscar.

– Que é...?

– Quero que ele pare de abrigar vikings no seu porto.

Ela assentiu. Seu pai já tinha lhe contado. Mas ela queria ouvir de Wilwulf.

– De que maneira isso afeta o senhor?

– Eles zarpam daqui, atravessam o canal e atacam minhas cidades e meus vilarejos.

– Faz um século que os vikings não incomodam o litoral daqui. E não é porque somos seus descendentes. Eles não atacam mais a Bretanha, nem as terras dos francos ou os Países Baixos. Por que escolhem a Inglaterra?

Ele pareceu espantado, como se não esperasse que uma donzela fizesse uma pergunta estratégica. Mas ela notadamente havia abordado um assunto que lhe era caro, pois ele respondeu com fervor:

– Nós somos ricos, principalmente nossos mosteiros e igrejas, mas não temos capacidade para nos defender. Já conversei sobre a nossa história com homens eruditos, bispos e abades. O grande rei Alfred expulsou os vikings, mas foi o único monarca a conseguir resistir de maneira eficaz. A Inglaterra é uma velha senhora rica com um baú cheio de dinheiro sem ninguém para protegê-lo. É claro que eles nos roubam.

– O que meu pai disse em relação ao seu pedido?

– Imaginei que, como cristão, ele fosse concordar imediatamente com um pedido desses... mas não.

Ela já sabia, e havia pensado a respeito.

– Meu pai não quer tomar partido numa briga que não lhe diz respeito – falou.

– Foi o que entendi.

– Quer saber o que eu faria?

Ele hesitou, encarando-a com uma expressão que misturava ceticismo e esperança. Receber conselhos de uma mulher obviamente não era algo fácil para ele, mas ela ficou contente ao ver que a mente dele não estava inteiramente fechada para isso. Aguardou, pois não queria forçar suas opiniões para cima dele. Por fim, ele perguntou:

– O que a senhorita faria?

Ela estava com a resposta na ponta da língua:

– Ofereceria a ele algo em troca.

– Ele é tão mercenário assim? Pensei que fosse nos ajudar por espírito de irmandade.

Ela deu de ombros.

– Vocês estão numa negociação. A maioria dos tratados envolve uma troca de benefícios.

Ele já se mostrava interessado no assunto.

– Talvez eu devesse pensar nisso... dar ao seu pai algum incentivo para fazer o que estou pedindo.

– Vale a pena tentar.

– Eu me pergunto o que ele poderia querer.

– Posso dar uma sugestão.

– Continue.

– Os comerciantes aqui de Cherbourg vendem mercadorias em Combe, sobretudo barris de sidra, queijos e tecidos de linho de qualidade.

Ele aquiesceu.

– Quase sempre de alta qualidade.

– Mas constantemente as autoridades de Combe obstruem nossas atividades.

Ele franziu o cenho, incomodado.

– Eu sou a autoridade de Combe.

Ragna insistiu:

– Mas pelo visto os seus funcionários podem agir como bem entendem. Os atrasos são constantes. Eles cobram propinas. E não há como saber que taxa vai ser cobrada. Portanto, quando possível, os comerciantes evitam vender mercadorias em Combe.

– É preciso cobrar taxas. Eu tenho direito de fazer isso.

– Mas o valor deveria ser fixo. E não acho justo haver atrasos nem propinas.

– Isso criaria dificuldades.

– Mais do que um ataque viking?

– Bom argumento. – Wilwulf pareceu refletir. – Está querendo dizer que é isso que o seu pai quer?

– Não. Eu não perguntei a ele nem o estou representando. Ele vai falar por si. Estou apenas lhe dando um conselho com base no que conheço dele, que não é pouco.

Os caçadores estavam se preparando para partir.

– Vamos voltar pela pedreira! – bradou o conde Hubert. – Com certeza haverá mais javalis por lá.

– Vou pensar no assunto – disse Wilwulf a Ragna.

Eles montaram e partiram. Wilwulf seguiu ao seu lado sem dizer nada, perdido em pensamentos. Ela estava satisfeita com a conversa. Finalmente tinha conseguido despertar seu interesse.

O tempo esquentou. Sabendo que estavam a caminho de casa, os cavalos começaram a andar mais depressa. Ragna estava quase certa de que a caçada tinha terminado quando viu um trecho de solo revirado onde javalis haviam cavado em busca de raízes e toupeiras, duas coisas que gostavam de comer. Dito e feito: os cães farejaram seu rastro.

Eles partiram novamente para o ataque, os cavalos atrás dos cães, e Ragna não demorou a ver as presas: quatro machos dessa vez. Os animais atravessaram correndo um arvoredo de carvalhos e bétulas e então se separaram: três seguiram por um caminho estreito e o quarto entrou em um arbusto. O grupo principal da caçada seguiu os três, mas Wilwulf foi atrás do quarto, e Ragna fez o mesmo.

Era um animal adulto, com longos caninos que se curvavam para fora da boca, e, apesar de estar correndo perigo, perspicazmente não produzia ruído algum. Wilwulf e Ragna deram a volta nos arbustos e avistaram o javali mais adiante. O inglês fez seu cavalo pular por cima de uma árvore caída. Decidida a não ficar para trás, Ragna foi atrás dele e Astrid conseguiu dar o salto por um triz.

O javali era forte. Os cavalos mantiveram o ritmo, mas não conseguiram alcançá-lo. Toda vez que Ragna pensava que ela ou Wilwulf estavam perto quase o suficiente para desferir o golpe, o animal mudava subitamente de direção.

Ragna teve a vaga consciência de que não conseguia mais escutar o resto dos caçadores.

O javali chegou a uma clareira na qual não havia onde se esconder e os cavalos deram uma arrancada, passando a correr ainda mais depressa. Wilwulf se aproximou do animal pela esquerda, Ragna pela direita.

O inglês emparelhou com o javali e atacou. O animal se esquivou no último segundo. A ponta da lança atingiu sua corcova, ferindo-o, mas sem diminuir sua velocidade. O javali fez uma curva abrupta e partiu para cima de Ragna. Ela se inclinou para a esquerda e puxou as rédeas, e Astrid se virou de frente para o javali, firme sobre as patas apesar da velocidade. Ragna avançou direto para cima do animal com a lança apontada para baixo. O animal tentou se esquivar outra vez, mas já era tarde, e Ragna cravou a arma bem dentro da boca aberta do javali. Ela empunhou o cabo com força, empurrou até a resistência ameaçar tirá-la da sela e então soltou. Wilwulf esporeou seu cavalo e tornou a golpear, enfiando a lança no grosso pescoço do javali, e o animal tombou.

Os dois desmontaram, corados e ofegantes.

– Muito bem! – disse Ragna.

– Eu que o diga! – retribuiu Wilwulf, e então a beijou.

O que começou como um exuberante porém leve beijo de celebração logo se modificou. Ragna percebeu o desejo repentino de Wilwulf. Sentiu seu bigode quando a boca dele se moveu com avidez sobre os seus lábios. Ela estava mais do que impelida pelo desejo e abriu a boca com avidez para receber a língua dele. Então ambos ouviram os outros caçadores vindo na sua direção e se afastaram.

Minutos depois, foram cercados pelos outros. Tiveram que explicar que o abate tinha sido uma operação conjunta. O javali era o maior do dia, e eles foram parabenizados várias vezes.

Ragna estava atordoada com a animação da caçada, e mais ainda com o beijo. Ficou feliz quando todos montaram e tomaram o rumo de casa. Seguiu um pouco afastada do resto para poder pensar. O que aquele beijo tinha significado para Wilwulf, se é que tinha significado alguma coisa?

Ela não sabia muito sobre os homens, mas tinha noção de que eles ficavam felizes em roubar um beijo aleatório de uma mulher bonita a quase qualquer momento. Eram também capazes de esquecê-lo bem depressa. Tinha sentido o interesse de Wilwulf por ela aumentar, mas talvez ele a tivesse saboreado como teria saboreado uma fruta, sem pensar mais no assunto depois. E ela, como se sentia em relação ao beijo? Embora não tivesse durado muito, aquilo a deixara abalada. Ela já tinha beijado meninos, mas não muitas vezes, e nunca daquele jeito.

Lembrava-se de tomar banho de mar quando criança. Sempre adorou água e nadava bem, mas certa vez, quando pequena, fora derrubada por uma onda imensa. Tinha dado gritinhos, depois tornado a ficar de pé, e por fim se atirado de volta para dentro da onda. Lembrava-se da sensação de total impotência para se proteger de algo ao mesmo tempo delicioso e um pouco assustador.

Por que o beijo fora tão intenso? Talvez por causa do que acontecera antes. Eles haviam conversado sobre o problema de Wilwulf de igual para igual e ele a havia escutado. Isso apesar da impressão que ele dava de ser um nobre tipicamente agressivo e másculo, sem tempo para mulheres. E depois tinham matado juntos um javali, ajudando um ao outro como se formassem uma equipe de caça há anos. Tudo isso, pensou Ragna durante sua reflexão, havia lhe proporcionado um grau de confiança nele que permitiu que ela o beijasse e sentisse prazer.

Queria beijá-lo de novo; quanto a isso não tinha dúvida. Queria beijá-lo por mais tempo da próxima vez. Mas será que ela queria mais alguma coisa dele? Não sabia. Iria esperar para ver.

Decidiu não mudar a forma de lidar com ele em público. Iria se comportar de modo calmo e digno. Qualquer outra atitude despertaria a atenção. Mulheres conseguiam captar esse tipo de coisa do mesmo jeito que cães farejavam javalis. Não queria que as criadas do castelo ficassem fofocando a seu respeito.

Mas a sós seria diferente – e ela estava decidida a conseguir ficar a sós com ele pelo menos mais uma vez antes da partida dele. Infelizmente, ninguém além do conde e da condessa tinha qualquer privacidade. Era difícil fazer qualquer coisa em segredo num castelo. Os camponeses tinham mais sorte, pensou: podiam se esgueirar mata adentro ou então se deitar em meio a um grande campo de trigo sem que ninguém os visse. Como ela conseguiria ter um encontro clandestino com Wilwulf?

Chegou ao castelo de Cherbourg sem uma resposta.

Deixou Astrid aos cuidados do cavalariço e entrou na torre de menagem. Com um gesto, sua mãe a convocou a seus aposentos particulares. Geneviève não estava interessada em saber sobre a caçada.

– Boas notícias! – disse ela, com os olhos brilhando. – Conversei com o padre Louis. Ele volta para Reims amanhã, mas me disse que aprovou você!

– Fico muito feliz – afirmou Ragna, sem saber ao certo se estava sendo sincera.

– Ele falou que você é um pouco atrevida... como se nós não soubéssemos. Mas acredita que isso vá se amenizar com a maturidade. E ele acha que você vai ser um apoio firme para Guillaume quando ele se tornar conde de Reims. Ao que parece, você foi hábil na resolução do problema em Saint-Martin.

– Louis acha que Guillaume precisa de apoio? – indagou Ragna, desconfiada. – Ele é fraco?

– Ah, não seja tão negativa – reclamou a mãe. – Pode ser que você tenha conseguido um marido... fique feliz!

– Eu estou feliz – repetiu Ragna.

Ela encontrou um lugar onde os dois poderiam se beijar.

Além do castelo, o perímetro cercado por toras de madeira abrigava muitas outras estruturas: estábulos e celeiros para os animais; uma padaria, uma cervejaria e uma cozinha; moradias para famílias; e depósitos para carne e peixe defumados, farinha, sidra e feno. O depósito de feno não era usado no mês de julho, quando havia capim fresco em abundância para o pasto do gado.

Na primeira vez, Ragna o levou até lá sob o pretexto de lhe mostrar um lugar onde seus homens poderiam guardar temporariamente suas armas e armaduras. Ele a beijou assim que ela fechou a porta, e o beijo foi ainda mais provocante do que da primeira vez. O local logo se tornou um ponto de encontro regular. Quando a noite caía – bem tarde naquela época do ano –, os dois saíam da torre de menagem, como fazia a maioria das pessoas logo antes do horário de se recolher, e iam separadamente até o depósito de feno. O lugar tinha cheiro de mofo, mas eles não se importavam. A cada dia que passava, suas carícias se tornavam mais íntimas. Ragna então as interrompia, ofegante, e ia embora depressa.

Eles foram escrupulosamente discretos, mas não conseguiram enganar Geneviève. A condessa não sabia sobre o depósito de feno, mas percebeu que havia certa paixão entre sua filha e o visitante. No entanto, tentou tocar no assunto de maneira indireta, como sempre preferia fazer.

– A Inglaterra é um lugar desconfortável – disse ela certo dia, como quem joga conversa fora.

– Quando a senhora esteve lá? – perguntou Ragna.

Tinha perguntado por perguntar, pois já sabia a resposta.

– Nunca – reconheceu Geneviève. – Mas ouvi dizer que lá faz frio e chove sem parar.

– Então que bom que eu não preciso ir lá.

Sua mãe não se deixaria derrotar tão facilmente assim.

– Não dá para confiar nos ingleses – continuou ela.

– Ah, não?

Wilwulf era inteligente e supreendentemente romântico. Durante seus encontros no depósito de feno, mostrava-se carinhoso e delicado. Não era um homem dominador, mas sua sensualidade era irresistível. Certa noite, contou-lhe, tinha sonhado que estava amarrado com uma corda feita com os cabelos ruivos de Ragna e acabou acordando com uma ereção. Pensar nisso a deixava muito excitada. Será que podia confiar nele? Ela achava que sim, mas sua mãe obviamente discordava.

– Por que a senhora diz isso? – continuou Ragna.

– Os ingleses só cumprem promessas quando lhes é conveniente, do contrário não.

– E a senhora acha que os homens normandos nunca agem assim?

Geneviève suspirou.

– Ragna, você é inteligente, mas não tanto quanto pensa.

Isso se aplica a muita gente, pensou Ragna, desde o padre Louis até minha costureira Agnès; por que não deveria se aplicar a mim?

– Talvez a senhora tenha razão – falou.

Geneviève aproveitou essa brecha:

– Seu pai a mimou lhe ensinando a arte do governo. Mas uma mulher nunca pode governar.

– Não é verdade – retrucou Ragna, mais exaltada do que pretendia parecer. – Uma mulher pode ser rainha, condessa, abadessa ou prioresa.

– Sempre sob a autoridade de um homem.

– Em teoria sim, mas muita coisa depende do temperamento da mulher em questão.

– Quer dizer que você vai ser rainha?

– Eu não sei o que vou ser, mas gostaria de governar junto com meu marido, e de conversar com ele de igual para igual sobre o que precisamos fazer para tornar nosso território um lugar feliz e próspero.

Geneviève balançou a cabeça com tristeza.

– Sonhos – falou. – Todos nós já os tivemos.

E não disse mais nada.

Enquanto isso, as negociações de Wilwulf com o conde Hubert prosseguiam. A ideia de facilitar a passagem das exportações normandas pelo porto de Combe agradava a Hubert, já que ele cobrava uma taxa de todos os navios que entravam e saíam de Cherbourg. As discussões foram detalhadas: Wilwulf relutou em reduzir as taxas alfandegárias e Hubert teria preferido que não houvesse taxas, mas ambos concordaram que era importante fixar os valores.

Hubert quis saber se o rei Ethelred da Inglaterra aprovava o acordo que estava em discussão. O inglês reconheceu que não tinha pedido autorização prévia e disse de modo um tanto vago que certamente pediria ao rei para ratificar o acordo, mas que estava certo de que isso seria uma mera formalidade. Em particular, Hubert confessou a Ragna que na realidade não estava muito contente com o trato, mas achava que tinha pouco a perder.

Ragna se perguntou por que Wilwulf não trouxera consigo um de seus conselheiros mais importantes para ajudá-lo, mas acabou se dando conta de que ele não tinha conselheiros. Tomava muitas decisões no tribunal do condado, na presença dos seus vassalos, e às vezes aceitava conselhos de um irmão bispo, mas na maior parte do tempo governava sozinho.

Por fim, Hubert e Wilwulf chegaram a um acordo e o escrivão de Hubert redigiu o tratado. As testemunhas foram o bispo de Bayeux e diversos cavaleiros e clérigos normandos que se encontravam no castelo na ocasião.

Wilwulf então estava pronto para voltar para casa.

Ragna ficou esperando que ele falasse sobre o futuro. Queria revê-lo, mas como isso seria possível? Eles moravam em países diferentes.

Será que ele considerava seu romance apenas algo passageiro? Certamente não. O mundo estava cheio de camponesas que não hesitariam em passar a noite com um nobre, sem falar nas escravas que não tinham escolha em relação a isso. Wilwulf devia ter visto algo especial nela para aceitar encontrá-la em segredo todo dia somente para trocar beijos e carícias.

Ela poderia ter sido direta e lhe perguntado quais eram suas intenções, mas hesitou. Não era bom para uma moça parecer carente. Além do mais, era muito orgulhosa. Se ele a quisesse, teria que pedir. Se não pedisse, era porque não a queria o bastante.

Quando os dois se encontraram no depósito de feno pela última vez, o navio de Wilwulf o estava aguardando, o vento estava favorável e ele planejava zarpar na manhã seguinte.

O fato de ele estar indo embora e de ela não saber se algum dia tornaria a vê-lo poderia ter diminuído o ardor de Ragna, mas na realidade aconteceu o contrário. Ela se agarrou a ele com força como se assim fosse conseguir mantê-lo em Cherbourg. Quando ele tocou seus seios, ficou tão excitada que sentiu uma umidade escorrer pelo lado interno da coxa.

Encostou bem o corpo no dele para poder sentir sua ereção através das roupas e os dois se moveram no mesmo ritmo como num coito. Para senti-lo melhor, ergueu até a cintura a comprida saia do vestido, o que só fez tornar o desejo mais forte. Em algum recanto profundo da sua mente sabia que estava perdendo o controle, mas não conseguiu se importar com isso.

Wilwulf também estava vestido, só que sua túnica batia nos joelhos, e de algum modo o pano foi levantado e empurrado para um lado. Nenhum dos dois estava usando roupa de baixo – essas peças só eram usadas em ocasiões especiais, como por exemplo para aumentar o conforto ao montar a cavalo – e com um arrepio ela sentiu a pele nua dele encostar na sua.

Instantes depois, ele estava dentro dela.

Ela o escutou vagamente dizer algo como:

– Tem certeza...?

– Mais fundo, mais fundo! – respondeu.

Sentiu uma súbita fisgada de dor, mas só por alguns segundos, e então restou apenas prazer. Quis que a sensação durasse para sempre, mas ele começou a se mover mais depressa e de repente os dois estremeceram de êxtase e ela sentiu o fluido quente dentro de si e teve a impressão de que o mundo estava acabando.

Agarrou-se nele, sentindo que as pernas poderiam fraquejar a qualquer instante. Ele a manteve junto de si por muito tempo, então por fim se afastou um pouco para encará-la.
– Minha nossa – falou ele.
Pela expressão de seu rosto, via-se que algo o havia surpreendido.
Quando finalmente recuperou a voz, ela perguntou:
– É sempre assim?
– Ah, não – respondeu ele. – Quase nunca.

Os criados dormiam no chão, mas Ragna, seu irmão Richard e mais uns poucos altos funcionários tinham camas: bancos largos posicionados rente às paredes, encimados por colchões de linho recheados com palha. Ela se cobria com um lençol de linho no verão e com um cobertor de lã quando fazia frio. Nessa noite, depois do apagar das velas, aninhou-se debaixo do lençol e ficou lembrando.

Tinha perdido a virgindade com o homem que amava, e a sensação era maravilhosa. Num gesto furtivo, enfiou um dedo lá dentro e o retirou pegajoso com o fluido de Wilwulf. Sentiu o cheiro que lembrava peixe, então levou o dedo à boca e achou o gosto levemente salgado.

Sabia ter feito algo que mudaria sua vida. Um padre diria que ela agora estava casada aos olhos de Deus, e ela sentiu a verdade que havia nessa afirmação. E isso a alegrou. A emoção que a havia dominado no depósito de feno era a expressão física da proximidade que havia crescido tão depressa entre os dois. Ele era o homem certo para ela, tinha certeza disso.

Também estava comprometida com Wilwulf de um modo mais prático. Uma nobre precisava ser virgem para o marido. Agora ela não poderia se casar com ninguém que não fosse Wilwulf, não sem uma farsa que poderia prejudicar o casamento.

Além disso, também poderia estar grávida.

Pensou no que aconteceria de manhã. O que Wilwulf faria? Ele teria de falar alguma coisa: sabia tão bem quanto ela que tudo tinha mudado depois do ocorrido. Ele precisava falar com seu pai sobre o casamento. Haveria um acordo financeiro. Tanto Wilwulf quanto Ragna pertenciam à nobreza, e certamente haveria consequências políticas a discutir. Wilwulf talvez precisasse da permissão do rei Ethelred.

Além de tudo, ele precisava conversar com Ragna. Os dois tinham que resolver onde iriam se casar, e quando, e como seria a cerimônia. Pensar nisso a deixou muito animada.

Ela estava feliz, e todas essas questões podiam ser resolvidas. Eles amavam um ao outro, e os dois seriam parceiros por toda a vida.

Pensou que não pregaria o olho a noite inteira, mas não demorou a pegar num sono pesado, e só acordou com o dia já claro e os criados batendo com tigelas em cima da mesa e trazendo os imensos pães da padaria.

Pulou da cama e olhou em volta. Os soldados de Wilwulf estavam arrumando seus poucos pertences em caixas e sacolas de couro, prontos para partir. Ele não estava no salão: devia ter ido se lavar.

Os pais de Ragna saíram de seus aposentos e foram se sentar à cabeceira da mesa. Geneviève não ficaria feliz com a notícia daquela manhã. Hubert se mostraria menos taxativo, mas mesmo assim não daria sua permissão de imediato. Ambos tinham outros planos para a filha. Se necessário fosse, porém, ela lhes diria que já tinha perdido a virgindade com Wilwulf e eles seriam obrigados a ceder.

Ela pegou um pedaço de pão, passou nele um tipo de geleia feita de frutas vermelhas e vinho e comeu vorazmente.

Wilwulf chegou e foi ocupar seu lugar à mesa.

– Falei com o capitão – disse ele a todos. – Vamos zarpar daqui a uma hora.

Agora, pensou Ragna, é agora que ele vai contar a todos. Porém o inglês sacou sua faca, cortou uma grossa fatia de uma peça de presunto e começou a comer. Ele vai falar depois do desjejum, ponderou ela.

De repente, ficou tensa demais para conseguir comer. O pão pareceu colar na sua goela e ela teve de tomar um gole de sidra para conseguir engolir. Wilwulf conversava com seu pai sobre o clima no canal e o tempo que eles levariam para chegar a Combe, e aquilo foi como um diálogo surreal, com palavras que não faziam sentido. A refeição terminou muito rápido.

O conde e a condessa decidiram descer até o porto para se despedirem de Wilwulf, e Ragna os acompanhou sentindo-se uma alma penada, sem dizer nada e seguindo a multidão, ignorada por todos. A filha do prefeito, uma moça da sua idade, viu-a e falou:

– Que dia lindo!

Ragna não fez nenhum comentário.

Na beira da água, os homens de Wilwulf suspenderam as túnicas e se prepararam para andar até a embarcação. Wilwulf se virou e sorriu para a família reunida. Agora ele com certeza diria: "Eu quero me casar com Ragna."

O inglês fez uma mesura formal para Hubert, para Geneviève, para Richard e, por fim, para Ragna. Segurou-lhe as duas mãos e falou, num francês capenga:

– Obrigado pela gentileza.

Então, de modo inacreditável, virou as costas, caminhou pela água rasa e subiu a bordo do navio.

Ragna não conseguiu dizer nada.

Os marinheiros desataram as cordas. Ela não acreditava no que estava vendo. Aquilo só podia ser um pesadelo do qual em breve iria acordar, não? A tripulação desfraldou a vela. O pano estalou por alguns instantes, então capturou o vento e enfunou. O navio ganhou velocidade.

Debruçado na amurada, Wilwulf acenou uma única vez e virou as costas.

CAPÍTULO 5

Final de julho de 997

nquanto cavalgava pela mata numa tarde de verão, observando os desenhos formados pela luz do sol se moverem no chão da trilha de terra batida, frei Aldred ia cantando hinos a plenos pulmões. Entre um e outro conversava com seu cavalo Dimas e perguntava ao animal se ele havia apreciado o último hino e o que gostaria de ouvir em seguida.

Aldred estava a uns dois dias de distância de Shiring e sentia que aquele seria um retorno triunfal. Tinha por missão de vida levar conhecimento e compreensão a lugares onde antes havia apenas ignorância cega. Os oito livros novos agora presos à garupa de Dimas, escritos em pergaminho e com lindas ilustrações, seriam o modesto alicerce de um projeto grandioso. O sonho de Aldred era transformar a abadia de Shiring num grande centro de ensino e estudos, num *scriptorium* equivalente ao de Jumièges, numa biblioteca importante e numa escola que ensinasse os filhos dos nobres a ler, contar e temer a Deus.

A abadia hoje estava muito distante desse ideal. Os superiores de Aldred não compartilhavam suas ambições. O abade Osmund era agradável e preguiçoso. Tinha se mostrado bom com Aldred e o promovido quando o monge ainda era jovem, mas isso se devera sobretudo ao fato de saber que, após lhe confiar uma tarefa, podia considerá-la feita e não precisaria mais despender esforço algum. Osmund concordava com qualquer proposta que não lhe exigisse trabalho. Uma oposição mais obstinada viria de Hildred, o tesoureiro, que era contrário a qualquer proposta que exigisse gastos, como se a missão do mosteiro fosse poupar dinheiro, e não levar conhecimento ao mundo.

Talvez Osmund e Hildred tivessem sido enviados por Deus para ensinar Aldred a ter paciência.

Aldred não estava totalmente sozinho em seus anseios. Entre os monges em geral havia um movimento antigo em prol de reformar velhas instituições que haviam sucumbido ao ócio e aos excessos. Muitos lindos manuscritos estavam sendo produzidos em Winchester, Worcester e Canterbury, mas a vontade de progresso ainda não chegara à abadia de Shiring.

Aldred cantou:

Agora devemos honrar o guardião do céu.
A obra do glorioso pai...

Parou de repente ao ver um homem surgir na sua frente na trilha.

Sequer vira de onde ele tinha saído. Seus pés imundos estavam descalços, ele vestia andrajos e um capacete de batalha de ferro todo enferrujado escondia a maior parte do seu rosto. Um trapo sujo de sangue amarrado na parte superior do braço denunciava um ferimento recente. O homem ficou parado no meio do caminho, impedindo Aldred de passar. Poderia ser um mendigo pobre e sem-teto, mas parecia mais um fora da lei.

Aldred sentiu o coração pesar. Não deveria ter assumido o risco de viajar sozinho, mas não havia ninguém naquela manhã no Vau de Mudeford que estivesse indo na sua direção. Assim, ele se deixara vencer pela impaciência e partira, em vez de esperar mais um dia ou dois para poder seguir em grupo com outros viajantes.

Puxou as rédeas de Dimas. Era importante não parecer assustado, como no caso de se deparar com um cão bravo. Tentando manter a calma, falou:

– Que Deus o abençoe, filho.

O homem respondeu com uma voz rouca, e passou pela cabeça de Aldred que ele talvez a estivesse disfarçando.

– Que tipo de padre o senhor é?

O corte de cabelo de Aldred, com um círculo raspado no alto da cabeça, indicava que ele era um religioso, mas isso podia significar que ele era qualquer coisa, de um reles assistente para cima.

– Sou monge na abadia de Shiring.

– E está viajando sozinho? Não tem medo de ser roubado?

Aldred tinha medo era de ser morto.

– Ninguém tem como me roubar – falou, com uma falsa autoconfiança. – Eu não tenho nada.

– A não ser essa caixa.

– A caixa não é minha. Ela pertence a Deus. Um tolo pode roubar Deus, claro, e condenar a própria alma à danação eterna.

Aldred notou outro homem meio escondido atrás de um arbusto. Mesmo que tivesse inclinação para reagir, não daria conta de dois ladrões.

– O que tem dentro da caixa? – perguntou o bandido.

– Oito livros sacros.

– Devem ser valiosos, então.

Aldred imaginou o homem batendo à porta de um mosteiro com um livro para vender. Seria açoitado pela sua ousadia e o livro seria confiscado.

– Talvez sejam valiosos para alguém que os possa vender sem levantar suspeita – falou o monge. – Você está com fome, meu filho? Quer pão?

O homem pareceu hesitar, então respondeu em tom de desafio:

– Não preciso de pão, preciso de dinheiro.

A hesitação informou a Aldred que o homem estava com fome. Talvez comida pudesse satisfazê-lo.

– Eu não tenho dinheiro para lhe dar.

Era verdade, tecnicamente falando: o dinheiro na sua bolsa pertencia à abadia de Shiring.

O ladrão ficou sem palavras e não soube como reagir ao rumo inesperado que a conversa havia tomado. Após uma pausa, ele disse:

– Seria mais fácil para um homem vender um cavalo do que uma caixa de livros.

– Exato – concordou Aldred. – Mas alguém poderia dizer: "Frei Aldred tinha um cavalo com uma cruz branca na testa igualzinha a essa... Onde conseguiu esse animal, amigo?" E o que o ladrão responderia?

– O senhor é inteligente.

– E você é audaz. Mas não é burro, certo? Não vai matar um monge por causa de oito livros e um cavalo que não vai conseguir vender.

Aldred decidiu que estava na hora de encerrar a interação. Com o coração na boca, fez Dimas avançar.

O fora da lei ficou parado por um ou dois segundos e então deu um passo para o lado, enfraquecido pela indecisão. Aldred passou por ele fingindo indiferença.

Quando o ladrão ficou para trás, sentiu-se tentado a fazer Dimas trotar, mas isso teria denunciado seu medo, de modo que se forçou a deixar o cavalo se afastar lentamente. Percebeu que estava tremendo.

O delinquente então falou:

– Eu queria um pouco de pão.

Era um pedido que um monge não podia ignorar. O santo dever de Aldred era dar de comer a quem tivesse fome. O próprio Jesus dissera: "Cuide dos meus cordeiros." Mesmo correndo risco de vida, Aldred era obrigado a obedecer. Puxou as rédeas.

Em seu alforje havia meio pão e um naco de queijo. Ele pegou o pão e o entregou ao homem, que na mesma hora arrancou um pedaço e o enfiou na boca, fazendo-o passar pelo buraco do capacete decrépito. Estava claramente faminto.

– Divida com o seu amigo – sugeriu Aldred.

O outro homem saiu do meio dos arbustos com o capuz abaixado sobre metade do rosto, de modo que Aldred mal conseguiu vê-lo.

O primeiro homem pareceu relutar, mas acabou dividindo o pão.

O outro resmungou por trás da mão:

– Obrigado.

– Não agradeça a mim, agradeça a Deus, que me enviou.

– Amém.

Aldred lhe entregou o queijo.

– Dividam isso também.

Enquanto eles dividiam o queijo, Aldred foi embora.

Um minuto mais tarde, olhou para trás e não viu nem sinal dos fora da lei. Pelo visto estava seguro. Enviou uma prece de agradecimento em direção ao céu.

Talvez precisasse passar fome naquela noite, mas isso ele podia suportar, grato pelo fato de, naquele dia, Deus ter lhe pedido para sacrificar o jantar, não a vida.

A tarde foi se transformando em noite. Depois de algum tempo ele viu, do outro lado do rio, um povoado com meia dúzia de casas e uma igreja. A oeste das casas havia um campo cultivado que se estendia ao longo da margem norte do rio.

Do outro lado estava amarrado algum tipo de embarcação. Aldred nunca havia passado pela Travessia de Dreng – tinha seguido por outro caminho na viagem de ida –, mas imaginou que fosse ali. Apeou e gritou para além do rio.

Em pouco tempo uma garota apareceu. Desamarrou a embarcação e começou a atravessar com um remo. Quando ela se aproximou, Aldred viu que era bem alimentada, mas também feiosa, e exibia uma expressão mal-humorada. Quando ela chegou perto o suficiente, ele disse:

– Sou o frei Aldred da abadia de Shiring.

– Eu me chamo Cwenburg. Esta travessia pertence ao meu pai, Dreng. A taberna também.

Então Aldred estava no lugar certo.

– Custa um *farthing* para atravessar – avisou ela. – Mas eu não consigo levar um cavalo.

Isso Aldred podia ver. A embarcação rudimentar facilmente viraria.

– Não se preocupe, Dimas vai nadando – falou.

Ele pagou o *farthing*. Descarregou o cavalo e pôs a caixa de livros e a sela com o alforje na canoa. Segurando as rédeas, embarcou e sentou-se, então puxou de leve para incentivar Dimas a entrar no rio. O animal hesitou por um momento, como se fosse resistir.

– Vamos – chamou Aldred em tom tranquilizador, e ao mesmo tempo Cwenburg afastou a canoa da margem. Dimas então entrou na água. Assim que não deu mais pé, começou a nadar. Aldred continuou segurando as rédeas. Não achava que o cavalo fosse tentar fugir, mas não tinha por que correr o risco.

Quando eles estavam atravessando o rio, perguntou para Cwenburg:

– Qual a distância daqui até Shiring?

– Dois dias.

Ele olhou para o céu. O sol estava baixo. Um longo final de dia se estendia à sua frente, mas ele talvez não conseguisse encontrar outro lugar para ficar antes de escurecer. Era melhor pernoitar ali.

Eles chegaram à outra margem e Aldred sentiu o cheiro característico de cerveja.

Dimas tornou a conseguir ficar em pé na água. Aldred soltou as rédeas e o cavalo subiu a margem do rio, sacudiu-se vigorosamente para se livrar da água que encharcava seu pelo e então começou a pastar o capim de verão.

Outra garota saiu da taberna. Tinha cerca de 14 anos, cabelos negros e olhos azuis, e apesar da pouca idade estava grávida. Podia até ser bonita, mas não sorriu. Aldred ficou chocado ao ver que ela não usava nenhum tipo de adereço de cabeça. Uma mulher que exibia os cabelos em geral era prostituta.

– Essa é Blod – apresentou Cwenburg. – Nossa escrava. – Blod não disse nada. – Ela fala galês.

Aldred tirou sua caixa da canoa e a pousou na margem do rio, então fez o mesmo com a sela e o alforje.

Blod, prestativa, pegou a caixa do chão. Ele a ficou observando. A menina estava pouco à vontade, mas simplesmente carregou a caixa para dentro da taberna.

Uma voz de homem falou:

– Pode trepar com ela por um *farthing*.

Aldred se virou. O recém-chegado tinha emergido de uma pequena construção que provavelmente era onde se fabricava a cerveja e de onde vinha o cheiro forte. Com 30 e poucos anos, tinha idade para ser o pai de Cwenburg. Era alto e tinha ombros largos. Aldred notou uma vaga semelhança com Wynstan, o bispo de Shiring, e achou que já tinha ouvido dizer que Dreng era primo de Wynstan. O cervejeiro, porém, andava mancando.

Ele encarou Aldred com um ar inquisitivo, os dois olhos bem próximos um do outro logo acima de um nariz comprido. Deu um sorriso forçado.

– Um *farthing* é barato – acrescentou. – Quando estava fresca ela valia um *penny*.

– Não vou querer – disse Aldred.

– Ninguém a quer. É porque está grávida, essa vaca estúpida.

Isso Aldred não conseguiu deixar passar.

– Imagino que ela esteja grávida porque o senhor a prostitui, violando as leis de Deus.

– Ela gosta, o problema dela é esse. As mulheres só engravidam quando gostam.

– É mesmo?

– Todo mundo sabe disso.

– Eu não.

– O senhor não sabe muito sobre esse tipo de coisa, não é mesmo? É um monge.

Aldred tentou engolir a ofensa do modo que caberia a um cristão.

– Verdade – falou, e abaixou a cabeça.

Mostrar-se humilde diante dos insultos às vezes tinha por efeito tornar quem estava insultando envergonhado demais para prosseguir, mas Dreng parecia imune à vergonha.

– Antes eu tinha um garoto... talvez o senhor se interessasse por ele – disse o taberneiro. – Mas ele morreu.

Aldred desviou os olhos. Era sensível a essa acusação, pois na juventude tinha sofrido justamente esse tipo de tentação. Quando era noviço na abadia de Glastonbury, tivera uma grande paixão por um jovem monge chamado frei Leofric. Os dois só faziam bobagens infantis, na opinião de Aldred, mas tinham sido pegos em flagrante e houvera um enorme alvoroço. Aldred fora transferido para ficar longe do amante, e foi assim que acabou parando em Shiring.

Nunca mais tinha acontecido algo do tipo: apesar de ainda ter pensamentos perturbadores, o monge conseguia resistir.

Blod tornou a sair da taberna e Dreng lhe disse com gestos para pegar a sela e o alforje de Aldred.

– Não posso carregar peso, tenho problema nas costas – falou Dreng. – Um viking me derrubou do cavalo na batalha de Watchet.

Aldred deu uma olhada em Dimas, que lhe pareceu tranquilo no pasto, então entrou na taberna. O lugar era bem parecido com uma casa normal, a não ser pelo tamanho. Tinha muitos móveis, mesas, banquinhos, baús e itens decorativos pendurados na parede. Havia outros sinais de riqueza material: um grande salmão pendurado no teto que estava sendo defumado, um barril com uma rolha em cima de um banco, galinhas ciscando nos juncos do chão e um caldeirão borbulhante no fogo do qual emanava um irresistível aroma de cordeiro.

Dreng apontou para uma jovem magra que mexia o caldeirão. Aldred reparou que ela estava usando um cordão de couro com um pingente que era um disco de prata com algo gravado.

– Essa é minha esposa Ethel – falou Dreng.

A mulher olhou para Aldred sem dizer nada. Dreng vive cercado de mulheres, pensou ele, e todas parecem infelizes.

– O senhor recebe muitos viajantes de passagem por aqui? – perguntou ele.

O grau de prosperidade era surpreendente para um povoado tão pequeno, e passou-lhe pela cabeça que aquilo talvez fosse bancado por roubos.

– O suficiente – respondeu Dreng, sucinto.

– Não muito longe daqui encontrei dois homens que pareciam delinquentes. – Ele ficou observando o semblante de Dreng e continuou: – Um deles usava um velho capacete de ferro.

– Nós o chamamos de Cara de Ferro – disse Dreng. – Ele é mentiroso e assassino. Assalta os viajantes na margem sul do rio, onde a maior parte da trilha é por dentro da floresta.

– Por que ninguém o prendeu?

– Nós tentamos, acredite. Offa, o chefe do vilarejo de Mudeford, ofereceu duas libras de prata para quem o pegasse. Ele obviamente tem um esconderijo em algum lugar da mata, mas não conseguimos encontrar. Já mandamos chamar os homens do xerife e tudo.

Era uma história razoavelmente plausível, pensou Aldred, mas mesmo assim continuou desconfiado. Com a perna coxa, Dreng não podia ser o Cara de Ferro – a menos que estivesse se fingindo de manco –, mas poderia estar lucrando de alguma forma com os roubos. Talvez soubesse onde ficava o esconderijo e estivesse sendo pago pelo seu silêncio.

– Ele tem uma voz estranha – comentou Aldred, para testá-lo.

– Deve ser irlandês, viking ou algo assim. Ninguém sabe. – Dreng mudou de assunto: – O senhor deveria tomar uma jarra de cerveja para se revigorar depois da viagem. Minha esposa faz uma cerveja muito boa.

– Mais tarde, talvez – falou Aldred. Não gastava o dinheiro do mosteiro em tabernas se pudesse evitar. Dirigiu-se a Ethel: – Qual o segredo para se fabricar uma boa cerveja?

– Ela não – corrigiu Dreng. – Quem fabrica a cerveja é minha outra esposa, a Leaf. Ela está no barracão de fabricar cerveja agora.

Esse tipo de coisa era um problema para a Igreja. A maioria dos homens com dinheiro suficiente para tanto tinha mais de uma esposa, ou então uma esposa e uma ou várias concubinas, além de jovens escravas. A Igreja não tinha jurisdição sobre o matrimônio. Se duas pessoas trocassem votos diante de testemunhas, estavam casadas. Um padre podia dar a bênção, mas não era essencial. Nada era registrado por escrito, a menos que o casal fosse rico, e nesse caso podia haver um contrato relacionado a alguma troca de bens.

As objeções de Aldred em relação a isso não eram somente morais. Quando um homem como Dreng morria, muitas vezes se sucedia uma rancorosa disputa por herança baseada na legitimidade dos filhos. A informalidade dos casamentos deixava espaço para disputas capazes de gerar verdadeiras rupturas nas famílias.

Sendo assim, a família de Dreng não tinha nada de excepcional. Mas era surpreendente encontrar aquilo num pequeno povoado situado ao lado de uma colegiada.

– Os clérigos da igreja ficariam perturbados se soubessem do seu arranjo doméstico – afirmou Aldred, severo.

Dreng riu alto.

– É mesmo?

– Tenho certeza que sim.

– Bem, o senhor está errado. Todos eles sabem. O deão Degbert é meu irmão.

– Isso não deveria fazer diferença!

– Quem acha isso é o senhor.

Aldred estava nervoso demais para continuar a conversa. Achava Dreng um homem desprezível. Para evitar perder a paciência, saiu da taberna. Foi caminhando ao longo da margem do rio para tentar se acalmar.

Onde o terreno cultivado acabava havia uma casa de fazenda e um celeiro, ambos velhos e já cheios de reparos. Ele viu um grupo sentado em frente à casa: três rapazes e uma mulher mais velha – uma família sem pai, supôs. Hesitou antes de abordá-los por medo de que todos os moradores da Travessia de Dreng fossem iguais a Dreng. Estava prestes a dar meia-volta e retornar quando um deles lhe acenou alegremente.

Se interagiam com desconhecidos, talvez fossem boa gente.

Subiu um aclive para chegar à casa. A família pelo visto não tinha móveis, pois estava fazendo a refeição da noite sentada no chão. Os três rapazes não eram altos, mas tinham ombros largos e peitoral avantajado. A mãe era uma mulher cansada com um ar decidido. O rosto de todos os quatro era magro, como se eles não comessem muito. Sentada com eles havia uma cadela marrom e branca que também era magra.

A primeira a falar foi a mulher:

– Sente-se conosco e descanse as pernas, se assim o desejar. Meu nome é Mildred. – Ela apontou para os rapazes, do mais velho para o mais novo. – Esses são meus filhos Erman, Eadbald e Edgar. Nossa ceia não é farta, mas sinta-se à vontade para partilhar dela conosco.

A refeição com certeza não era farta. Havia pão e uma panela grande com um ensopado ralo feito de vegetais, provavelmente alface, cebola, salsa e alho-silvestre. Não havia carne à vista. Não era de espantar que eles não fossem gordos. Aldred estava com fome, mas não podia aceitar comida de pessoas tão desesperadamente pobres. Recusou com educação.

– O cheiro está tentador, mas não estou com fome, e os monges devem evitar o pecado da gula. Mas vou me sentar com vocês, e obrigado pelo acolhimento.

Ele se sentou no chão, algo que, apesar dos votos, os monges não faziam com frequência. Uma coisa era a pobreza, pensou Aldred, outra era a pobreza de verdade.

Para puxar assunto, falou:

– O capim parece quase pronto para ser ceifado. Daqui a alguns dias vocês vão ter uma bela safra de feno.

– Na verdade eu nem tinha certeza se conseguiríamos feno. O terreno na beira do rio é bastante pantanoso, mas secou com o tempo quente – comentou Mildred. – Espero que aconteça o mesmo todo ano.

– Quer dizer que vocês são novos por aqui?

– Sim – disse ela. – Viemos de Combe.

Aldred entendeu na hora por que eles tinham ido embora de lá.

– Vocês devem ter sofrido com o ataque viking. Eu vi a devastação anteontem quando passei pela cidade.

Edgar, o mais novo dos irmãos, tomou a palavra. Do alto de seus 18 anos, exibia no queixo apenas os pelos claros e macios de um adolescente.

– Nós perdemos tudo – contou o rapaz. – Meu pai construía barcos... eles o mataram. Nosso estoque de madeira foi queimado, e nossas ferramentas, destruídas. Então tivemos de recomeçar do zero.

Aldred o estudou com interesse. Edgar podia não ser bonito, mas havia algo de atraente nele. Embora a conversa fosse informal, suas frases eram claras e lógicas. Aldred constatou que estava se sentindo atraído pelo rapaz. Controle-se, pensou. Para ele, era mais difícil evitar o pecado da luxúria do que o da gula.

– E como estão se virando na nova vida? – perguntou a Edgar.

– Contanto que não chova nos próximos dias, nós vamos conseguir vender o feno e então finalmente ter algum dinheiro. Temos aveia amadurecendo no alto do terreno. E também uma leitoa e um cordeiro. Devemos conseguir passar o inverno.

Todos os camponeses viviam numa grande insegurança e nunca tinham como saber se a safra do ano bastaria para fazê-los sobreviver até o ano seguinte. A situação da família de Mildred até que não era das piores.

– Talvez vocês tenham tido sorte por conseguir este lugar.

– Veremos – disse Mildred, seca.

– Como vieram parar na Travessia de Dreng? – perguntou Aldred.

– O bispo de Shiring nos ofereceu esta fazenda.

– Wynstan?

Aldred conhecia o bispo, claro, e não o tinha em alta conta.

– Nosso senhorio é Degbert Cabeça Calva, o deão da colegiada, que é primo do bispo.

– Fascinante.

Aldred estava começando a entender a Travessia de Dreng. Degbert e Dreng eram irmãos e Wynstan era seu primo. Os três formavam um trio sinistro.

– Wynstan vem aqui de vez em quando? – continuou o monge.

– Ele fez uma visita logo depois do solstício de verão.

– Deu um cordeiro a cada casa do povoado – acrescentou Mildred. – Foi assim que conseguimos o nosso.

– Que bispo mais generoso... – refletiu Aldred.

Mildred foi rápida em captar sua ironia.

– O senhor me soa cético – comentou. – Não acredita na generosidade dele?

– Nunca soube de ele ter feito uma boa ação sem um motivo por trás. A senhora não está diante de um admirador de Wynstan.

Mildred sorriu.

– Não sou eu que vou discutir.

Outro dos rapazes entrou na conversa. Era Eadbald, o filho do meio, o sardento. Tinha uma voz grave e ressonante.

– Edgar matou um viking – falou.

– Diz que matou – emendou Erman, o mais velho.

– Você matou um viking? – perguntou Aldred a Edgar.

– Eu cheguei por trás dele – explicou Edgar. – Ele estava lutando com... com uma mulher. Só me viu quando já era tarde.

– E a mulher?

Aldred tinha reparado na hesitação de Edgar e imaginou que ela fosse alguém especial.

– O viking a derrubou no chão logo antes de eu acertá-lo. Ela bateu com a cabeça num degrau de pedra. Foi tarde para salvá-la. Ela morreu.

Os lindos olhos cor de avelã de Edgar ficaram marejados.

– Qual era o nome dela?

– Sungifu – respondeu Edgar num sussurro.

– Vou rezar por sua alma.

– Obrigado.

Ficou claro que Edgar a amava. Aldred sentiu pena dele. Sentiu também alívio: um rapaz capaz de amar assim uma mulher tinha pouca probabilidade de pecar com outro homem. O monge até podia se sentir tentado, mas Edgar não se sentiria. Podia parar de se preocupar.

Eadbald, o sardento, tornou a falar:

– O deão odeia Edgar.

– Por quê? – quis saber Aldred.

– Eu bati boca com ele – disse Edgar.

– E ganhou o bate-boca, imagino, portanto deixando-o irritado.

– Ele disse que estamos no ano 997, o que significa que Jesus tem 997 anos. Eu comentei que, se Jesus nasceu no ano 1, seu primeiro aniversário cairia no ano 2 e então ele completaria 996 anos no próximo Natal. É simples. Mas Degbert me chamou de pirralho arrogante.

Aldred riu.

– Degbert estava errado, embora seja um erro que muita gente cometeu.

– Não se discute com padres, mesmo quando eles estão errados – disse Mildred em tom reprovador.

– Muito menos quando estão errados. – Aldred se levantou. – Está escurecendo. É melhor eu ir para a colegiada enquanto ainda resta alguma luz ou poderei cair no rio no meio do caminho. Gostei de conhecer vocês.

Ele se despediu e começou a voltar pela margem do rio. Estava aliviado por ter encontrado pessoas agradáveis naquele lugar desagradável.

Passaria a noite na colegiada. Entrou na taberna para pegar sua caixa e sua sela com o alforje. Falou educadamente com Dreng, mas não se demorou jogando conversa fora. Então conduziu Dimas morro acima.

A primeira casa a que chegou era uma construção pequena num terreno grande. A porta estava aberta, como as portas em geral ficavam nessa época do ano, e Aldred espiou lá dentro. Uma mulher gorda de seus 40 anos estava sentada perto da porta de entrada com um quadrado de couro no colo, costurando um sapato à luz da janela. Ela ergueu os olhos e perguntou:

– Quem é o senhor?

– Aldred, um monge da abadia de Shiring. Estou procurando o deão Degbert.

– Degbert Cabeça Calva mora do outro lado da igreja.

– Como a senhora se chama?

– Bebbe.

Assim como a taberna, aquela casa possuía sinais de prosperidade. Bebbe tinha um compartimento para guardar queijos: uma caixa com laterais de musselina para permitir a entrada do ar e impedir que os camundongos tenham acesso. Numa mesa ao seu lado havia uma caneca de madeira e uma pequena jarra de cerâmica que parecia conter vinho. Um pesado cobertor de lã pendia de um gancho.

– Este povoado parece próspero – comentou Aldred.

– Não é muito – respondeu Bebbe depressa. Após refletir por alguns segundos, arrematou: – Mas a colegiada distribui um pouco a sua riqueza.

– E de onde vem a riqueza da colegiada?

– O senhor é curioso, hein? Quem o mandou aqui para nos espionar?

– Espionar? – repetiu ele, espantado. – Quem se daria ao trabalho de espionar um pequeno povoado no meio do nada?

– Bem, nesse caso o senhor não deveria ser tão enxerido.

– Recomendação anotada.

Aldred a deixou.

Subiu o morro até a igreja e viu, do lado leste, uma casa grande que devia ser onde moravam os clérigos. Reparou que uma oficina fora construída atrás da casa, encostada na parede dos fundos. A porta estava aberta e havia fogo aceso lá dentro. Parecia a oficina de um ferreiro, mas era pequena demais: um ferreiro precisaria de mais espaço.

Curioso, ele foi até a porta e olhou para dentro. Viu carvão ardendo sobre uma plataforma de pedra elevada, com um par de foles ao lado para atiçar o fogo. Um bloco de ferro preso com firmeza a um imenso pedaço de tronco de árvore formava uma bigorna que batia mais ou menos na cintura. Curvado acima dela, um clérigo munido de um martelo e de um cinzel estreito moldava um disco feito de algo que parecia ser prata. Acima da bigorna, um lampião iluminava seu trabalho. Havia também um balde d'água, sem dúvida para resfriar metal quente, e uma enorme tesoura pesada, certamente usada para cortar chapas de metal. Atrás do homem, uma porta que devia conduzir à casa principal.

O homem é joalheiro, supôs Aldred. Possuía uma fileira de ferramentas específicas e bem-arrumadas: sovelas, alicates, pesadas facas para aparar e cortadores de lâmina curta e cabo comprido. O homenzinho roliço com uma papada no queixo parecia ter cerca de 30 anos e estava muito concentrado.

Sem querer assustá-lo, Aldred tossiu.

De nada adiantou esse cuidado. O homem se sobressaltou, deixou caírem as ferramentas e disse:

– Ai, meu Deus!

– Não tive a intenção de assustá-lo – falou Aldred. – Peço-lhe desculpas.

– O que o senhor quer?

– Absolutamente nada – respondeu Aldred no seu tom mais tranquilizador. – Vi a luz e fiquei com medo de algo estar pegando fogo. – Ele estava falando qualquer coisa. Não queria parecer enxerido. – Sou o frei Aldred, da abadia de Shiring.

– Eu sou Cuthbert, membro aqui da colegiada. Mas os visitantes não têm permissão para entrar na minha oficina.

Aldred franziu o cenho.

– O que o está deixando tão nervoso?

Cuthbert hesitou.

– Pensei que o senhor fosse um ladrão.

– Imagino que tenha metais preciosos aqui.

Cuthbert olhou involuntariamente por cima do ombro. Aldred acompanhou seu olhar até um baú com arremates em metal junto à porta que devia dar acesso à casa. Aquele deve ser o cofre de Cuthbert, onde ele guarda o ouro, a prata e o cobre que usa, supôs.

Muitos padres praticavam diferentes artes: música, poesia, afrescos. Não havia nada de estranho no fato de Cuthbert ser joalheiro. Ele devia fabricar ornamentos para a igreja e talvez conseguisse um bom lucro complementar vendendo joias. Ganhar dinheiro não era vergonha alguma para um clérigo. Então por que ele estava se comportando como se fosse culpado?

– O senhor deve ter bons olhos para realizar um trabalho tão detalhista. – Aldred olhou para o que estava em cima da bancada. Cuthbert parecia estar gravando um desenho complexo de estranhos animais no disco de prata. – O que está fabricando?

– Um broche.

– Por que diabo está metendo o nariz aqui? – perguntou uma terceira voz.

O homem que se dirigia a Aldred não era parcialmente careca da maneira habitual, mas sim completamente calvo. Devia ser Degbert Cabeça Calva, o deão.

– Minha nossa, vocês são mesmo inflamados – disse Aldred, calmo. – A porta estava aberta e eu vim olhar. Mas qual é o problema, afinal? Parece até que têm algo a esconder.

– Não seja ridículo – disse Degbert. – Cuthbert precisa de silêncio e privacidade para executar um trabalho altamente delicado, só isso. Por favor, deixe-o em paz.

– Não foi essa a história que ele contou. Ele falou que tem medo de ladrões.

– As duas coisas. – Degbert esticou o braço pela frente de Aldred e puxou a porta até batê-la com força, deixando os dois do lado de fora da oficina. – Quem é o senhor?

– O *armarius* da abadia de Shiring. Meu nome é Aldred.

– Um monge – afirmou Degbert. – Suponho que espere que lhe ofereçamos o jantar.

– E um lugar para dormir hoje à noite. Estou numa longa viagem.

Apesar de claramente relutante, Degbert não podia negar hospitalidade a um colega do clero, não sem um forte motivo.

– Bem, tente apenas guardar suas perguntas para si – pediu ele, então se afastou e entrou na casa pela porta principal.

Aldred passou alguns instantes parado refletindo, mas não conseguiu conceber razão alguma para ter sido recebido com tanta hostilidade.

Desistiu de tentar entender e entrou na casa atrás de Degbert.

Não era o que ele esperava.

Ali tinha que haver um crucifixo grande num lugar de destaque, para indicar que o local era dedicado ao serviço de Deus. Uma colegiada devia ter sempre um atril com um livro sagrado, de modo que trechos pudessem ser lidos em voz alta para os religiosos enquanto estes faziam suas refeições frugais. Qualquer adorno nas paredes devia exibir cenas bíblicas que lhes lembrassem as leis de Deus.

Aquele lugar não tinha nem crucifixo, nem atril, e uma tapeçaria na parede exibia uma cena de caça. A maioria dos homens ali presentes tinha passado pela tonsura, a raspagem de um círculo no alto da cabeça, mas havia também mulheres e crianças que pareciam em casa. O lugar passava a impressão de ser uma moradia familiar grande e abastada.

– Isto aqui é uma colegiada? – indagou ele, incrédulo.

Degbert o escutou.

– Quem o senhor pensa que é para chegar aqui com essa atitude?

Aldred não se espantou com essa reação. Padres negligentes com frequência se mostravam hostis com os monges mais rígidos, pois pensavam – às vezes com razão – que estes se comportavam como donos da verdade. A colegiada estava começando a parecer o tipo de lugar que o movimento reformista gostaria de atingir. Mesmo assim, Aldred parou de fazer julgamentos. Degbert e os colegas talvez estivessem tocando de modo impecável todas as missas exigidas, e isso era o mais importante.

Ele encostou na parede sua caixa e sua sela com o alforje. Pegou dentro do alforje alguns grãos, saiu e os deu para Dimas comer. Em seguida amarrou as patas traseiras do cavalo de modo a impedi-lo de se afastar demais durante a noite. Então tornou a entrar.

Vinha torcendo para que a colegiada fosse um oásis de calma e contemplação em meio a um mundo agitado. Imaginara-se passando a noite entretido em conversas com homens cujos interesses se assemelhassem aos seus. Eles poderiam debater sobre alguma questão bíblica, como por exemplo a autenticidade da *Epístola de Barnabé*. Poderiam discorrer sobre as agruras do atormentado rei inglês Ethelred, o Despreparado, ou mesmo sobre questões de política internacional, tais como a guerra entre a Ibéria muçulmana e o norte cristão da Espanha. Torcera para que eles se mostrassem ávidos por ouvi-lo falar a respeito da Normandia, em especial sobre a abadia de Jumièges.

Mas aqueles homens não estavam levando esse tipo de vida. Estavam conversando com as esposas e brincando com os filhos enquanto bebiam cerveja e sidra. Um deles prendia uma fivela de ferro num cinto de couro, outro cortava os cabelos de um menininho. Ninguém estava lendo ou rezando.

Não havia nada de errado com a vida doméstica, claro. Era dever de um homem cuidar da esposa e dos filhos, mas um membro do clero tinha também outros deveres.

O sino da igreja tocou. Sem pressa, os homens interromperam o que estavam fazendo e se prepararam para a missa do final do dia. Após alguns minutos, saíram num passo vagaroso e Aldred foi atrás. As mulheres e crianças ficaram no salão e ninguém veio do vilarejo.

A igreja estava tão mal conservada que Aldred ficou chocado. Um tronco de árvore sustentava o arco da entrada e a construção inteira parecia um pouco fora de prumo. Era para Degbert ter gastado seu dinheiro na manutenção da igreja. Mas um homem casado, é claro, colocava a família em primeiro lugar. Por isso padres precisavam ser solteiros.

Eles entraram.

Aldred notou uma inscrição gravada na parede. Apesar das letras gastas pelo tempo, conseguiu decifrar a mensagem. Segundo a inscrição, lorde Begmund, de Northwood, construíra a igreja e fora enterrado ali, e ele havia registrado em testamento que parte de seu dinheiro seria para pagar os padres que rezariam pela sua alma.

Aldred tinha ficado consternado com o estilo de vida na casa, mas a missa o deixou estarrecido. Os hinos não passavam de um cântico monótono, as orações eram mal articuladas e dois diáconos passaram o culto inteiro debatendo se um gato selvagem conseguia matar um cão de caça. Quando o último amém foi dito, Aldred estava soltando fumaça.

Não era de espantar que Dreng não demonstrasse a menor vergonha por ter duas esposas e uma escrava prostituta. Não existia liderança moral naquele povoado. Como o deão Degbert poderia repreender algum homem por desafiar os ensinamentos da Igreja em relação ao matrimônio quando ele próprio era igualmente relapso?

Aldred tinha ficado com nojo de Dreng, mas Degbert o deixava com raiva. Aqueles homens não estavam servindo nem a Deus, nem à sua comunidade. Os membros do clero tiravam dinheiro de camponeses pobres e levavam uma vida confortável. O mínimo que podiam fazer em troca era celebrar as missas de maneira cuidadosa e rezar pelas almas daqueles que os sustentavam. Mas aqueles homens estavam apenas pegando o dinheiro da Igreja e o usando para bancar uma vida de ócio. Eles eram piores do que ladrões. Aquilo era uma blasfêmia.

Mas de nada adianta dizer essas coisas a Degbert e provocar uma briga, pensou.

Agora só estava muito curioso. Degbert cometia sua transgressão sem medo algum, certamente por gozar da proteção de um bispo poderoso... mas não era só isso. Em geral os aldeões não hesitavam em reclamar de padres preguiçosos ou pecadores. As pessoas gostavam que os líderes morais tivessem a credibilidade conferida pela obediência às próprias regras. Mas ninguém com quem Aldred falara naquele dia havia criticado Degbert ou a colegiada. Na verdade, a maioria das pessoas tinha se mostrado relutante em responder a perguntas. Apenas Mildred e seus filhos tinham sido simpáticos e receptivos. Aldred sabia que não tinha o dom de lidar bem com as pessoas – desejava ser como lady Ragna de Cherbourg e transformar todo mundo em seu amigo –, mas não achava que os seus modos fossem ruins o suficiente para explicar o comportamento taciturno dos moradores da Travessia de Dreng. Alguma outra coisa estava acontecendo ali.

Ele estava decidido a descobrir o que era.

CAPÍTULO 6

Início de agosto de 997

As velhas ferramentas enferrujadas deixadas pelo antigo arrendatário da fazenda incluíam uma foice, o utensílio de ceifar com cabo longo que permitia à pessoa colher a safra sem precisar se abaixar. Edgar limpara o ferro, afiara a lâmina e pregara um cabo de madeira novo. Os irmãos se revezavam para ceifar o capim. Não chovera e o capim se transformara no feno que Ma dera para Bebbe em troca de um porco gordo, um barril de enguias, um galo e seis galinhas.

Eles então ceifaram a aveia e depois foi preciso debulhar. Edgar fabricou um malho usando um par de galhos, um cabo comprido e um mangual curto, unidos por uma tira de couro que não tinha devolvido para Bebbe. Num dia ventoso, experimentou-o enquanto a cadela Malhada o observava. Espalhou algumas espigas de aveia num trecho plano de solo seco e pôs-se a golpeá-las. Não era agricultor e estava improvisando tudo na hora com a ajuda de Ma. Mas o malho parecia estar servindo ao seu propósito: as nutritivas sementes se separaram das cascas inúteis, que foram sopradas pelo vento.

Os grãos remanescentes eram pequenos e pareciam ressecados.

Edgar descansou alguns instantes. O sol brilhava e ele estava se sentindo bem. A carne de enguia no ensopado da família o deixara mais forte. Ma defumava a maioria dos bichos usando as vigas do telhado. Quando a enguia defumada acabasse, eles talvez tivessem que matar o porco e fazer toucinho. E deveriam conseguir alguns ovos das galinhas antes de precisar comê-las. Não era grande coisa para sustentar quatro adultos durante um inverno inteiro, mas, com a aveia, eles provavelmente não morreriam de fome.

Agora a casa estava habitável. Edgar havia tapado todos os buracos das paredes e do telhado. Os juncos do chão estavam frescos e havia uma lareira de pedra e uma pilha de madeira podre da floresta para servir de lenha. Não queria passar a vida assim, mas estava começando a sentir que ele e sua família tinham conseguido sobreviver ao pior.

Ma apareceu.

– Vi Cwenburg faz uns minutos – disse ela. – Estava procurando você?

Edgar ficou encabulado.

– Certamente não.

– Você parece ter muita certeza. Tive a impressão de que ela estava... bem, de que estava interessada em você.

– Ela estava, e tive que lhe dizer com toda a franqueza que eu não sentia o mesmo. Infelizmente ela se ofendeu.

– Que bom. Tive medo que você fizesse alguma besteira depois de perder Sungifu.

– Eu sequer fiquei com vontade. Cwenburg não é bonita nem tem boa índole, mas mesmo se ela fosse um anjo eu não me apaixonaria por ela.

Ma aquiesceu se solidarizando.

– Seu pai era igualzinho... um homem de uma mulher só – falou. – A mãe dele me disse que ele nunca tinha demonstrado interesse por moça nenhuma a não ser por mim. Continuou assim depois de nos casarmos, o que é ainda mais raro. Mas você é jovem. Não pode continuar o resto da vida apaixonado por uma moça que morreu.

Edgar achava que poderia, sim, mas não quis debater a questão com a mãe.

– Verdade – falou.

– Um dia vai surgir outra pessoa – insistiu ela. – Provavelmente vai pegar você de surpresa. Você vai achar que ainda está apaixonado pela antiga e de repente vai perceber que o tempo inteiro estava pensando em outra.

Edgar lhe devolveu a pergunta mudando o foco da questão:

– A senhora vai se casar de novo?

– Ah, esperto, você. Não vou, não.

– Por que não?

Ela passou um bom tempo calada. Edgar se perguntou se a teria ofendido. Mas não: ela estava só pensando. Por fim, respondeu:

– Seu pai era uma rocha. Sempre falava sério e cumpria o que prometia. Ele me amava, e amava vocês três, e isso não mudou em mais de vinte anos. Não era um homem bonito, e às vezes sequer tinha um temperamento bom, mas eu confiava nele cegamente e ele nunca me deixou na mão. – Ela ficou com lágrimas nos olhos. – Não quero um segundo marido, mas, mesmo se quisesse, não encontraria outro igual. – Ela vinha falando de modo cuidadoso e contido, mas no final seus sentimentos vieram à tona. Ergueu os olhos para o céu de verão e concluiu: – Sinto tanto a sua falta, amado meu.

Edgar sentiu vontade de chorar. Eles passaram um minuto parados sem dizer nada. Por fim, Ma engoliu em seco, enxugou os olhos e disse:

– Chega disso.

Edgar aproveitou a deixa e mudou de assunto:

– Estou malhando a aveia direito?

– Está, sim. E o malho funciona bem. Mas estou vendo que os grãos estão um pouco mirrados. Vamos passar fome no inverno.

– Fizemos alguma coisa errada?

– Não. É o terreno.

– Mas você acha que nós vamos sobreviver.

– Acho, embora esteja aliviada por você não estar apaixonado por Cwenburg. Aquela moça parece comer muito. Esta fazenda não teria como alimentar um quinto adulto, quanto mais qualquer criança que pudesse chegar. Todos morreríamos de fome.

– Talvez no ano que vem melhore.

– Vamos adubar com esterco antes de arar outra vez e isso deve ajudar, mas no fim das contas não há como tirar boas safras de um solo ruim.

Ma continuava tão astuta e enérgica quanto sempre fora, mas Edgar estava preocupado com ela. Sua mãe havia mudado desde a morte de Pa. Apesar de toda a disposição, ela já não parecia invulnerável. Sempre fora uma mulher forte, mas agora ele se via correndo para ajudá-la a levantar um pedaço de lenha grande para o fogo ou um balde cheio de água do rio. Não dividia com a mãe essas preocupações. Ela não gostaria que dessem a entender que estava fraca. Nesse aspecto se parecia mais com um homem. Mas ele não conseguia deixar de pensar na perspectiva desalentadora de uma vida sem ela.

De repente, Malhada latiu ansiosa. Edgar franziu o cenho: a cadela com frequência dava o alarme antes de os humanos perceberem que havia algo errado. Instantes depois, ele escutou gritos – não apenas um diálogo em voz alta, mas gritos agressivos e enfurecidos e uns rosnados. Eram seus irmãos, e ele estava escutando ambas as vozes: eles deviam estar brigando.

Correu em direção ao barulho, que parecia estar vindo de perto do celeiro, do outro lado da casa. Malhada correu junto com ele sem parar de latir. Com o canto do olho, ele viu Ma se abaixar para recolher a aveia debulhada e salvá-la dos pássaros.

Erman e Eadbald rolavam pelo chão em frente ao celeiro trocando socos e mordidas e berrando de raiva. O nariz sardento de Eadbald sangrava e Erman exibia uma ferida ensanguentada na testa.

– Parem com isso, vocês dois! – gritou Edgar.

Eles o ignoraram. Que tolos, pensou ele. Precisamos de toda a nossa força para tocar esta maldita roça.

O motivo da briga se fez ver no mesmo instante. Em pé à porta do celeiro, Cwenburg os observava, rindo de prazer. Estava nua. Ao vê-la, Edgar sentiu ódio.

Erman rolou por cima de Eadbald e suspendeu o grande punho para lhe desferir um soco na cara. Edgar aproveitou a chance, agarrou Erman pelas costas, segurou-o pelos dois braços e o puxou para trás. Desequilibrado, seu irmão não conseguiu manter o equilíbrio e desabou no chão, soltando Eadbald.

Eadbald se levantou num pulo e deu um chute em Erman. Edgar segurou seu pé e o levantou, derrubando o irmão de costas no chão. Já de pé outra vez, Erman empurrou Edgar para um lado para alcançar Eadbald. Cwenburg bateu palmas de tanta animação.

Então ouviu-se a voz da autoridade.

– Parem com isso agora mesmo, seus idiotas – disse Ma, aparecendo pela quina da casa. Erman e Eadbald ficaram imóveis na hora.

– A senhora estragou a diversão! – protestou Cwenburg.

– Ponha esse vestido de volta, sua despudorada – falou Ma.

Por um instante Cwenburg pareceu disposta a desafiar Ma e mandá-la para o inferno, mas não teve coragem. Virou as costas, deu um passo para dentro do celeiro e se abaixou para pegar o vestido. Fez isso devagar, para se certificar de que todos vissem bem o seu traseiro. Então tornou a se virar e pôs o vestido por cima da cabeça, erguendo os braços de modo a ressaltar os seios. Edgar não conseguiu evitar olhar e reparou que ela havia ganhado peso desde que a tinha visto nua no rio.

Por fim, ela vestiu a roupa. Para arrematar, remexeu-se dentro do vestido até ficar confortável.

– Que os céus nos protejam – murmurou Ma.

Edgar se dirigiu aos irmãos:

– Suponho que um de vocês estivesse trepando com ela e o outro tenha se oposto.

– Erman a forçou! – exclamou Eadbald, indignado.

– Não forcei, não – disse Erman.

– Deve ter forçado, sim... Ela me ama! – argumentou Eadbald.

– Eu não a forcei – repetiu Erman. – Ela me queria.

– Não queria, não.

– Cwenburg, Erman forçou você? – perguntou Edgar.

Ela adotou um ar atrevido.

– Ele foi muito competente.

Ela estava gostando daquilo.

– Bem, Eadbald falou que você o ama – disse Edgar. – É verdade?

– Ah, sim. – Ela fez uma pausa. – Eu amo Eadbald... e Erman.

Ma emitiu um ruído de repulsa.

– Quer dizer que se deitou com os dois?

– Sim.

Cwenburg parecia satisfeita consigo mesma.

– Muitas vezes?

– Sim.

– Há quanto tempo?

– Desde que vocês chegaram aqui.

Ma balançou a cabeça com nojo.

– Graças a Deus nunca tive filhas.

– Eu não fiz isso sozinha! – protestou Cwenburg.

Ma deu um suspiro.

– Não. São necessárias duas pessoas.

– Eu sou o mais velho, deveria ser o primeiro a me casar – falou Erman.

Eadbald deu uma risada zombeteira.

– Quem lhe disse que isso é uma regra? Eu vou me casar quando eu quiser, não quando você disser que eu posso.

– Mas eu tenho como bancar uma esposa, e você, não. Você não tem nada. Eu vou herdar esta fazenda um dia.

Eadbald sentiu-se ultrajado.

– Ma tem três filhos. A fazenda vai ser dividida entre nós três quando ela morrer, o que não vai acontecer em muitos anos, assim espero.

– Não seja burro, Eadbald – falou Edgar. – Esta fazenda mal sustenta nossa família agora. Se cada um de nós três tentasse formar uma família num terço da terra, todos morreríamos de fome.

– Como de costume, Edgar é o único sensato entre vocês três – disse Ma.

Eadbald pareceu genuinamente magoado.

– Quer dizer que a senhora vai me mandar embora, Ma?

– Eu nunca faria uma coisa dessas. Você sabe que não.

– Vamos ter que aderir ao celibato, como num mosteiro de monges?

– Espero que não.

– Então o que vamos fazer?

A resposta de Ma pegou Edgar de surpresa:

– Falar com os pais de Cwenburg. Venham.

Edgar não tinha certeza de que aquilo fosse ajudar. Dreng não era um homem razoável e talvez apenas tentasse intimidá-los. Leaf, além de mais bondosa, era mais inteligente. Mas Ma tinha alguma carta na manga, e ele não conseguiu adivinhar qual poderia ser.

113

Eles seguiram margeando o rio. O mato já estava crescendo novamente onde haviam ceifado o feno. Banhado pelo sol de agosto, o povoado estava em silêncio, exceto pelo murmúrio onipresente do rio.

Na taberna, eles encontraram Ethel, a esposa mais nova, e a escrava Blod. Ethel sorriu para Edgar. Parecia gostar dele. Disse que Dreng estava na colegiada do irmão e Cwenburg foi chamá-lo. Edgar encontrou Leaf no barracão de fabricar cerveja, mexendo a mistura com um ancinho. Ela ficou contente em fazer uma pausa no trabalho. Encheu uma jarra de cerveja e a levou até o banco em frente à taberna. Cwenburg voltou acompanhada pelo pai.

Todos se sentaram ao sol, refrescados pela brisa do rio. Blod serviu uma caneca de cerveja para cada um e Ma apresentou o problema em poucas palavras.

Edgar estudou os rostos à sua volta. Erman e Eadbald estavam começando a se dar conta de quanto pareciam tolos, cada um achando que tinha enganado o outro, quando na verdade ambos tinham sido enganados por uma terceira pessoa. Cwenburg apenas sentia orgulho do poder que exercia sobre os dois. Seus pais não pareceram surpresos com o que ela havia feito. Talvez não fosse a primeira vez que algo do tipo tivesse acontecido. Qualquer menção de crítica à sua filha fazia Dreng se empertigar. Leaf parecia apenas cansada. Quem estava no comando, confiante, era Ma. No final das contas, pensou Edgar, era ela quem iria decidir o que seria feito.

Quando Ma terminou de falar, Leaf disse:

– Cwenburg precisa se casar logo. Senão vai engravidar de algum viajante qualquer que vai sumir e nos deixar com seu filho bastardo para criar.

Edgar teve vontade de dizer: esse bastardo seria seu neto. Mas guardou o pensamento para si.

– Não fale assim da minha filha – ordenou Dreng.

– Ela é minha filha também.

– Você é dura demais com ela. Ela pode ter lá os seus defeitos...

Ma os interrompeu:

– Todos nós queremos que ela se case, mas como ela vai viver? Com o que minha fazenda produz não dá para alimentar mais uma boca... que dirá duas.

– Eu não vou deixá-la se casar com um marido que não pode sustentá-la – afirmou Dreng. – Sou primo do senhor de Shiring. Minha filha pode se casar com um nobre.

Leaf deu uma risada zombeteira.

Dreng prosseguiu:

– Além do mais, eu não posso abrir mão dela. Há trabalho demais a ser feito por aqui. Preciso de alguém jovem e forte para remar na travessia. Blod está com a gravidez muito avançada e eu não posso fazer isso sozinho... tenho problema nas costas. Um viking me derrubou do cavalo...

– Sim, sim, na batalha de Watchet – interveio Leaf, impaciente. – Ouvi dizer que você estava bêbado e que caiu de cima de uma puta, não de um cavalo.

– Em relação a isso, Dreng, quando Cwenburg for embora você pode contratar Edgar – falou Ma.

Bem, pensou Edgar, por essa eu não esperava.

– Ele é jovem e forte, e além disso pode construir um barco novo para substituir aquele tronco de árvore velho que vai afundar a qualquer momento.

Edgar não soube ao certo o que pensar daquilo. Adoraria construir outro barco, mas detestava Dreng.

– Empregar esse pirralho arrogante? – perguntou Dreng com desprezo. – Ninguém quer um cão que ladra para o dono, assim como eu não quero Edgar.

Ma o ignorou.

– Você pode pagar a ele meio *penny* por dia. Nunca vai conseguir um barco mais barato.

Uma expressão calculista tomou conta do semblante de Dreng conforme ia compreendendo que Ma tinha razão. Mas ele disse:

– Não, eu não gosto dessa ideia.

– Precisamos fazer alguma coisa – afirmou Leaf.

Dreng exibia uma expressão de teimosia.

– Eu sou o pai dela, quem decide sou eu.

– Há uma outra possibilidade – continuou Ma.

Lá vem, pensou Edgar. Que plano será que ela bolou?

– Vamos, fale logo – pediu Dreng.

Ele estava tentando assumir o controle da situação, mas não conseguia convencer mais ninguém a respeito de sua posição dominante.

Ma passou um longo tempo calada, então continuou:

– Cwenburg deve se casar com Erman e com Eadbald.

Por essa Edgar tampouco esperava.

Dreng ficou enfurecido.

– E ela teria dois maridos?

– Bem, muitos homens têm duas esposas – pontuou Leaf, direta.

Dreng pareceu indignado, mas por ora não conseguiu encontrar palavras para expressar exatamente em que ponto Leaf estava errada.

– Eu já ouvi falar nesse tipo de casamento – prosseguiu Ma com calma. – Acontece quando dois ou três irmãos herdam uma fazenda pequena demais para mais de uma família.

– Mas como funciona, quero dizer... e à noite? – perguntou Eadbald.

– Os irmãos se revezam para se deitarem com sua esposa – respondeu Ma.

Edgar tinha certeza de que não queria participar daquilo, mas por enquanto se manteve calado, pois não queria desabonar Ma. Daria sua opinião mais tarde. Pensando bem, Ma já devia saber o que ele pensava disso tudo.

– Eu já conheci uma família assim – falou Leaf. – Quando era pequena, às vezes brincava com uma menina que tinha uma mãe e dois pais. – Edgar se perguntou se deveria acreditar nela. Porém observou seu rosto com atenção e ela de fato parecia estar recorrendo às próprias lembranças. – O nome dela era Margaret – acrescentou ela.

– É assim que deveria ser – disse Ma. – Quando uma criança nasce, ninguém sabe qual irmão é o pai e qual é o tio. E, se eles forem sensatos, ninguém liga. Eles apenas criam todos os filhos como se fossem seus.

– E o casamento? – perguntou Eadbald.

– Vocês farão os votos habituais na frente de umas poucas testemunhas... Sugiro que sejam apenas os membros das duas famílias.

– Nenhum padre abençoaria um casamento desses – falou Erman.

– Felizmente não precisamos de padre – disse Ma.

– Mas, se precisássemos, o irmão de Dreng com certeza faria isso para nós – rebateu Leaf, ácida. – O próprio Degbert tem duas mulheres.

– Uma esposa e uma concubina – corrigiu Dreng, na defensiva.

– Embora ninguém saiba qual é qual.

– Muito bem – interveio Ma. – Cwenburg, você tem algo a contar para o seu pai?

A moça pareceu confusa.

– Acho que não.

– Eu acho que tem.

E agora, pensou Edgar, o que será que está por vir?

Cwenburg franziu o cenho.

– Não.

– Seu sangue mensal não desce desde que chegamos à Travessia de Dreng, não é?

É a terceira vez que Ma me surpreende, pensou Edgar.

– Como você sabe? – perguntou Cwenburg.

– Eu sei porque o seu formato mudou. Sua barriga e seus seios estão maiores. Imagino que os mamilos estejam doloridos.

Cwenburg se mostrou assustada e empalideceu.

– Como sabe tudo isso? Você deve ser uma bruxa!

Leaf entendeu aonde Ma estava querendo chegar.

– Ai, ai – reagiu ela. – Eu deveria ter percebido os sinais.

Sua visão está embaçada de tanta cerveja, pensou Edgar.

– Do que vocês estão falando? – perguntou Cwenburg.

Ma falou com uma voz suave:

– Você vai ter um bebê. Quando seu sangue mensal para de vir é porque está grávida.

– É?

Edgar se perguntou como uma moça podia chegar aos 15 anos sem saber isso.

Dreng ficou uma fera.

– Estão querendo dizer que ela já está esperando um filho?

– Sim – disse Ma. – Eu soube quando a vi nua. E ela não sabe se o pai é Erman ou Eadbald.

Dreng a encarou com um ar maléfico.

– Está dizendo que ela não passa de uma puta!

– Calma, Dreng – interveio Leaf. – Você trepa com duas mulheres... isso faz de você um prostituto?

– Faz algum tempo que não trepo com você.

– Uma bênção pela qual eu agradeço aos céus diariamente.

– Dreng, alguém precisa ajudar Cwenburg a criar o bebê – continuou Ma. – E só existem duas possibilidades. Uma é que ela fique aqui com você e você ajude a criar seu neto.

– Uma criança precisa do pai. – Dreng estava sendo decente de uma forma que não costumava ser. Edgar já havia reparado que ele ficava mais calmo quando Cwenburg estava por perto.

– A outra é que Erman e Eadbald se casem com Cwenburg, e os três criem a criança juntos – disse Ma. – E, se isso acontecer, Edgar precisa vir morar aqui e receber meio *penny* por dia, além da comida.

– Eu não gosto de nenhuma das duas opções.

– Então sugira outra.

Dreng abriu a boca, mas nenhuma palavra saiu.

– O que você acha, Cwenburg? – perguntou Leaf. – Quer se casar com Erman e Eadbald?

– Quero – respondeu ela. – Eu gosto dos dois.

– Quando será o casamento? – perguntou Leaf.

– Amanhã – determinou Ma. – Ao meio-dia.

– Onde? Aqui?

– Todos do povoado serão convidados.

– Não quero dar cerveja de graça a todos eles – disse Dreng, ranzinza.

– Eu também não gostaria de ter que explicar o casamento dez vezes para cada idiota da Travessia de Dreng – emendou Ma.

– Então o evento será na fazenda, pronto – disse Edgar. – Eles podem ficar sabendo depois.

– Eu levo um pequeno barril de cerveja – falou Leaf.

Ma olhou com um ar inquisitivo para Ethel, que ainda não tinha dito nada.

– Vou fazer bolos de mel – pronunciou-se ela.

– Ah, que bom – disse Cwenburg. – Eu adoro bolos de mel.

Edgar a encarou sem acreditar. Ela havia acabado de aceitar se casar com dois homens e ainda conseguia se empolgar com bolos de mel.

– E então, Dreng? – perguntou Ma.

– Eu pagarei a Edgar um *farthing* por dia.

– Feito – disse Ma. Ela se levantou. – Então esperamos vocês todos amanhã ao meio-dia.

Seus três filhos se levantaram e a seguiram quando ela se afastou da taberna.

Não sou mais agricultor, pensou Edgar.

CAPÍTULO 7

Final de agosto de 997

agna não estava grávida.

Ficara angustiada de tanta apreensão nas duas semanas depois da partida de Wilwulf. Ser abandonada grávida era a derradeira humilhação, especialmente para uma donzela nobre. Uma filha de camponês que tivesse o mesmo destino também seria alvo de zombaria e desdém, mas acabaria encontrando alguém para desposá-la e assumir a criação do filho de outro. Uma dama seria rejeitada por todos os homens da sua classe.

Mas ela havia conseguido escapar desse destino. A chegada do seu sangue mensal fora tão bem-vinda quanto o nascer do sol.

Depois disso deveria ter passado a odiar Wilwulf, mas percebeu-se incapaz disso. Ele a havia traído, mas ainda assim ela ansiava por ele. Era uma tola, sabia. De toda forma, aquilo pouco importava, pois provavelmente jamais tornaria a vê-lo.

O padre Louis tinha voltado para sua casa em Reims sem notar os sinais do romance de Ragna com Wilwulf, e pelo visto reportara que ela seria a esposa adequada para o jovem visconde Guillaume, pois o próprio havia chegado a Cherbourg para tomar a decisão final.

Guillaume achou Ragna perfeita.

Não parava de lhe repetir isso. Ficava analisando a moça e às vezes tocava seu queixo para mover seu rosto um pouco para um lado ou para outro, para cima ou para baixo, de modo a fazê-lo captar a luz. "Perfeita", dizia. "Os olhos, verdes como o mar, de um tom que eu nunca vi antes. O nariz tão reto, tão belo. As maçãs do rosto perfeitamente idênticas. A pele alva. E, mais do que tudo, os cabelos." Ragna mantinha os cabelos quase sempre cobertos, como faziam todas as mulheres respeitáveis, mas algumas mechas cuidadosamente escolhidas podiam escapar. "Que dourado brilhante... As asas dos anjos devem ser dessa cor."

Ela ficava lisonjeada, mas não deixava de ter a sensação de que ele a admirava da mesma forma que admiraria um broche esmaltado, o mais valioso da sua coleção. Wilwulf nunca tinha lhe dito que ela era perfeita. Ele dizia: "Por Deus, não consigo tirar as mãos de você."

119

O próprio Guillaume era muito bonito. Quando os dois ficavam de pé no alto parapeito do castelo de Cherbourg olhando os navios na baía, a brisa desarrumava seus cabelos longos e lustrosos, castanho-escuros com reflexos arruivados. Ele tinha olhos castanhos e traços harmônicos. Era muito mais bonito do que Wilwulf, mas mesmo assim as criadas do castelo nunca enrubesciam nem davam risinhos quando ele passava. Wilwulf exercia um magnetismo másculo que Guillaume simplesmente não possuía.

Ele acabara de dar um presente para Ragna, um xale de seda bordado pela mãe. Ragna o desdobrou e examinou o desenho, que retratava folhagens e aves monstruosas entrelaçadas.

– É lindo – falou. – Ela deve ter levado um ano para terminar o trabalho.

– Ela tem bom gosto.

– Como ela é?

– Absolutamente maravilhosa. – Guillaume sorriu. – Imagino que todo menino ache a mãe maravilhosa.

Ragna não tinha certeza sobre isso, mas guardou esse pensamento para si.

– Eu acho que uma nobre deve ser uma autoridade completa em relação a tudo que tenha a ver com tecidos – disse ele, e Ragna sentiu que estava prestes a escutar um discurso ensaiado. – Fiar, tecer, tingir, costurar, bordar e lavar, claro. Uma mulher deve reinar neste mundo da mesma forma que o seu marido reina sobre seus domínios.

Ele falou como se estivesse fazendo uma generosa concessão.

– Eu detesto tudo isso – opinou Ragna sem energia.

Guillaume se espantou.

– A senhorita não borda?

Ragna resistiu à tentação de ser evasiva. Não queria que ele tivesse nenhuma impressão errada. Eu sou o que sou, pensou ela.

– Meu Deus, não.

Ele ficou perplexo.

– Por quê?

– Adoro roupas bonitas como a maioria das pessoas, mas não quero fabricá-las. Isso me dá tédio.

Ele pareceu decepcionado.

– Tédio?

Talvez estivesse na hora de soar mais positiva.

– O senhor não acha que uma nobre também deve ter outros deveres? E quando o marido dela vai para a guerra? Alguém precisa se certificar de que os aluguéis sejam pagos e a justiça seja feita.

– Ora, sim, claro. Numa emergência.

Ragna decidiu que já tinha sido clara o bastante. Cedeu um pouco, na esperança de acalmar os ânimos.

– Foi isso que eu quis dizer – falou, falsamente. – Numa emergência.

Ele pareceu aliviado e mudou de assunto:

– Que vista esplêndida.

O castelo tinha vista para os campos em volta, de modo que os exércitos inimigos pudessem ser avistados de longe, a tempo para os preparativos de defesa... ou para uma fuga. O castelo de Cherbourg também tinha vista para o mar pelo mesmo motivo. Mas Guillaume estava observando a cidade. O rio Divette serpenteava mansamente por entre as casas de madeira e sapê antes de desaguar no porto. As ruas estavam repletas de carroças indo e vindo dessa direção e suas rodas de madeira levantavam poeira nas vias ressecadas pelo sol. Os vikings não atracavam mais ali, como o conde Hubert tinha prometido a Wilwulf, mas havia diversos navios de outras nações amarrados no cais e outros ancorados mais para dentro do mar. Uma embarcação francesa vinha chegando muito afundada na água, talvez carregada com ferro ou pedra. Atrás dela, ao longe, um navio inglês se aproximava.

– Uma cidade comercial – comentou Guillaume.

Ragna detectou um viés de reprovação.

– Que tipo de cidade é Reims? – perguntou.

– É um lugar sagrado – respondeu ele na hora. – Clóvis, rei dos francos, foi batizado lá pelo bispo Remi muito tempo atrás. Nessa ocasião, uma pomba branca apareceu com uma garrafa chamada Santa Ampulla, cheia de um óleo santo que desde então vem sendo usado em muitas coroações.

Ragna pensou que em Reims, além de milagres e coroações, também havia compra e venda de mercadorias, mas novamente se conteve. Parecia estar sempre se contendo quando conversava com Guillaume.

Sua paciência estava se esgotando. Ela disse a si mesma que já tinha cumprido seu dever.

– Vamos descer? – sugeriu. – Mal posso esperar para mostrar este lindo xale à minha mãe – acrescentou, de forma forçada.

Eles desceram os degraus de madeira e adentraram o salão nobre. Geneviève não estava à vista, o que deu a Ragna uma desculpa para deixar Guillaume e entrar nos aposentos particulares do conde e da condessa. Encontrou a mãe vasculhando sua caixa de joias, escolhendo um broche para o vestido.

– Olá, querida – disse a condessa. – Como está indo com Guillaume? Ele parece encantador.

– Ele gosta muito da mãe.

– Que bom.

Ragna lhe mostrou o xale.

– Ela bordou isto para mim.

Geneviève pegou o xale e o admirou.

– Muito gentil da parte dela.

Ragna não conseguiu mais se conter:

– Ah, mãe, eu não gosto dele.

Geneviève emitiu um ruído de exasperação.

– Dê uma chance a ele, sim?

– Eu já dei, dei mesmo.

– O que há de errado com ele, por Deus?

– Ele quer que eu cuide dos tecidos.

– Bom, nada mais natural quando se é uma condessa. Não acha que ele deveria fabricar as próprias roupas, ou acha?

– Ele é afetado.

– Não é, não. Você está imaginando coisas. Não tem absolutamente nada de errado com ele.

– Eu queria estar morta.

– Você precisa parar de se lamentar por aquele inglês grandalhão. Ele era totalmente inadequado... e de toda forma foi embora.

– Uma pena.

Geneviève se virou de frente para a filha.

– Escute aqui. Você não pode continuar solteira por muito mais tempo. Isso vai começar a parecer definitivo.

– Talvez seja mesmo.

– Nunca diga uma coisa dessas. Não existe lugar para uma nobre solteira. Ela não serve para nada, mas mesmo assim continua exigindo vestidos, joias, cavalos e criados, e o pai dela acaba se cansando de pagar por isso sem receber nada em troca. Além do mais, é alvo do ódio das mulheres casadas, pois acham que ela quer lhes roubar o marido.

– Eu poderia virar freira.

– Duvido. Você nunca foi especialmente religiosa.

– Freiras cantam, leem e tomam conta dos doentes.

– E às vezes se envolvem afetivamente com outras freiras, mas não acho que você tenha essa inclinação. Lembro-me daquela menina terrível de Paris, Constance, mas você não gostava dela de verdade.

Ragna corou. Não fazia a menor ideia de que a mãe soubesse sobre ela e

Constance. As duas haviam se beijado, tocado os seios uma da outra e olhado a outra se masturbar, mas Ragna de fato não tinha ficado envolvida, e Constance acabara transferindo suas atenções para outra menina. Quanto Geneviève saberia dessa história?

De toda forma, o instinto de sua mãe estava certo: um caso de amor com uma mulher jamais faria Ragna feliz.

– Portanto – retomou Geneviève –, Guillaume provavelmente é uma escolha vantajosa neste momento.

Uma escolha vantajosa, pensou Ragna. Eu queria uma história de amor que fizesse meu coração vibrar, mas tudo que consegui foi uma escolha vantajosa.

Mesmo assim, achava que teria de se casar com ele.

Deixara a mãe desgostosa. Atravessou o salão nobre com ela e saiu para o sol lá fora na esperança de que isso a revigorasse.

No portão do complexo do castelo havia um pequeno grupo de visitantes, certamente desembarcados de um dos dois navios que ela vira se aproximando mais cedo. No meio do grupo havia um nobre que parecia inglês. Tinha bigode, porém sem barba, e, por um instante fez o coração de Ragna parar de bater. Pensou que fosse Wilwulf. O homem era alto e louro, tinha nariz grande e maxilar quadrado, e na sua mente se formou uma fantasia completa de que Wilwulf tinha voltado para desposá-la e levá-la embora. Segundos depois, porém, percebeu que aquele homem tinha uma tonsura no alto da cabeça e que trajava as longas vestes de um membro do clero. Quando ele chegou mais perto, Ragna viu que os olhos eram muito próximos um do outro, as orelhas imensas, e, embora ele parecesse ser mais novo do que Wilwulf, já tinha o rosto cheio de rugas. O andar também era diferente: enquanto Wilwulf era confiante, aquele homem ali era arrogante.

Como o pai de Ragna não estava por perto, e tampouco nenhum de seus altos funcionários, coube a ela receber o visitante. Foi até ele e disse:

– Bom dia, senhor. Bem-vindo a Cherbourg. Sou Ragna, filha do conde Hubert.

A reação dele a espantou. Ele a encarou intensamente e um sorriso zombeteiro ameaçou surgir abaixo do bigode.

– Ah, é? – fez ele, como que fascinado. – É mesmo?

Falava um bom francês com sotaque.

Ela não soube o que dizer em resposta, mas o seu silêncio não pareceu incomodar o visitante. Ele a olhou de cima a baixo como se estivesse examinando um cavalo, verificando todas as características importantes. Seu olhar começou a parecer grosseiro.

Ele então tornou a falar:

– Eu sou o bispo de Shiring. Meu nome é Wynstan. Sou irmão do senhor Wilwulf.

Ragna ficou insuportavelmente inquieta. A simples presença de Wynstan a deixara eufórica. Ele era irmão de Wilwulf! Toda vez que olhava para o bispo, ela pensava em como ele era próximo do homem que amava. Os dois tinham sido criados juntos. Wynstan devia conhecer Wilwulf intimamente, admirar suas qualidades, compreender suas fraquezas e reconhecer seus estados de espírito muito melhor do que Ragna conseguiria. E até se parecia um pouco com Wilwulf.

Ragna disse à sua espevitada criada pessoal Cat para flertar com um dos guarda-costas de Wynstan, um grandalhão chamado Cnebba. Como os guarda-costas falavam apenas inglês, a comunicação era difícil, mas Cat pensava ter entendido um pouco sobre a estrutura da família. O bispo Wynstan era na realidade meio-irmão do senhor Wilwulf. A mãe de Wilwulf tinha morrido, seu pai tornara a se casar e a segunda esposa dera à luz Wynstan e um irmão caçula, Wigelm. Os três formavam um trio poderoso no oeste da Inglaterra: um era senhor da cidade, o outro, bispo, e o terceiro, vassalo. Eles eram ricos, embora a sua prosperidade estivesse ameaçada pelos ataques dos vikings.

Mas o que trazia Wynstan a Cherbourg? Se os guarda-costas sabiam, não estavam dizendo.

O mais provável era que a visita tivesse a ver com a implementação do tratado acordado entre Wilwulf e Hubert. Wynstan devia estar ali para verificar se Hubert estava cumprindo o prometido, ou seja, impedindo os vikings de atracar no porto de Cherbourg. Ou talvez a visita tivesse algo a ver com Ragna.

Naquela noite, ela soube.

Depois do jantar, quando o conde Hubert estava indo se recolher, Wynstan o encurralou e lhe falou em voz baixa. Ragna se esforçou para escutar, mas não conseguiu distinguir as palavras. Hubert respondeu numa voz igualmente baixa, em seguida assentiu e continuou em direção a seus aposentos particulares, seguido pela esposa.

Pouco depois, Geneviève mandou chamar a filha.

– O que aconteceu? – indagou Ragna, ofegante, assim que entrou no recinto. – O que Wynstan falou?

Sua mãe exibia um ar irritadíssimo.

– Pergunte ao seu pai – respondeu ela.

– O bispo Wynstan trouxe um pedido de casamento do senhor Wilwulf para você – contou Hubert.

Ragna foi incapaz de esconder sua alegria.

– Eu mal me atrevia a esperar por isso! – falou. Teve de se conter para não dar pulinhos como uma criança. – Pensei que ele tivesse vindo falar sobre os vikings!

– Por favor, não pense nem por um instante sequer que nós vamos dar nosso consentimento – disse Geneviève.

Ragna mal a escutou. Conseguiria escapar de Guillaume... e casar com o homem que amava.

– Ele me ama, afinal!

– Seu pai aceitou ouvir a proposta, só isso.

– Eu tenho de ouvir – rebateu Hubert. – Não fazê-lo seria sugerir de forma grosseira que ele é inaceitável sejam quais forem os termos.

– Mas ele é! – exclamou Geneviève.

– Provavelmente sim – falou Hubert. – No entanto, isso é o tipo de coisa que não se diz, apenas se pensa. Nós não queremos ofender.

– Depois de escutar os termos, seu pai vai recusar educadamente – avisou Geneviève.

– O senhor vai me dizer qual é a proposta antes de recusar, não vai, pai? – pediu Ragna.

Hubert hesitou. Nunca gostava de fechar portas.

– É claro que vou.

Geneviève emitiu um ruído de repulsa.

Ragna abusou da sorte:

– Permite que eu vá ao seu encontro com Wynstan?

– Vai conseguir ficar calada o tempo todo? – perguntou ele.

– Sim.

– Promete?

– Eu juro.

– Está bem.

– Vá para a cama – ordenou Geneviève à filha. – Conversamos sobre isso de manhã.

Ragna os deixou e foi se deitar no salão, encolhida em sua cama junto à parede. Achou difícil ficar quieta, tamanha sua empolgação. Ele a *amava*, então!

Quando as velas de sebo foram apagadas e o recinto escureceu, seus batimentos cardíacos desaceleraram e seu corpo relaxou. Ao mesmo tempo, ela começou a pensar com mais clareza. Se ele a amava, por que fora embora sem explicação? Será que Wynstan apresentaria uma justificativa para isso? Caso contrário, ela mesma pediria uma, decidiu.

Esse pensamento mais pé no chão a trouxe de volta ao mundo real e ela adormeceu.

Acordou com o dia raiando, e a primeira coisa em que pensou foi Wilwulf. Qual seria a proposta dele? Em geral era preciso garantir a uma noiva aristocrática renda suficiente para sustentá-la caso ficasse viúva. Se os filhos estivessem incluídos no testamento para herdar dinheiro ou títulos, era possível que, para ter direito, precisassem ser criados apenas no país do pai, mesmo que este morresse. Às vezes a proposta era condicionada à aprovação do rei. Um noivado podia ser tão enfadonho quanto um contrato comercial.

A principal preocupação de Ragna era que a proposta de Wilwulf contivesse algo que justificasse a oposição de seus pais.

Uma vez vestida, ela desejou ter dormido até mais tarde. Os serviçais da cozinha e os cavalariços sempre acordavam cedo, mas todos os outros ainda estavam num sono profundo, inclusive Wynstan. Ela teve de resistir à tentação de ir pegá-lo pelo ombro, sacudi-lo até acordá-lo e enchê-lo de perguntas.

Foi até a cozinha, onde tomou uma caneca de sidra e comeu um pedaço de pão de panela mergulhado em mel. Pegou uma maçã ainda verde, foi até os estábulos e a deu para sua égua Astrid, que a tocou com o focinho, agradecida.

– Você nunca conheceu o amor – murmurou Ragna no ouvido da égua.

Mas isso não era de todo verdade: havia ocasiões, em geral no verão, em que Astrid levantava o rabo e tinha que ser amarrada com firmeza para que não fosse ao encontro dos garanhões.

A palha no chão do estábulo estava úmida e malcheirosa. Os cavalariços tinham preguiça de trocá-la. Ragna lhes ordenou que trouxessem palha limpa o mais rápido possível.

O complexo do castelo começou a acordar. Homens foram ao poço para beber água, mulheres, para lavar o rosto. Criados levaram pão e sidra até o salão nobre. Cães latiam pedindo restos e gatos permaneciam deitados à espera de camundongos. O conde e a condessa saíram de seus aposentos e foram se sentar à mesa, e o desjejum começou.

Assim que a refeição terminou, o conde chamou Wynstan para os aposentos particulares. Geneviève e Ragna foram atrás e todos se sentaram no vestíbulo.

A mensagem de Wynstan foi simples:

– Quando o senhor Wilwulf esteve aqui, seis semanas atrás, ele se apaixonou por lady Ragna. Voltou para casa e sentiu que sem ela sua vida está incompleta. Conde, condessa, ele implora sua permissão para pedi-la em casamento.

– Que garantias ele daria para a segurança financeira dela? – indagou Hubert.

– No dia de seu casamento, ele lhe dará o vale de Outhen. Trata-se de um vale fértil com cinco povoados de bom tamanho que juntos reúnem cerca de mil pessoas, todas as quais pagarão aluguel a ela em dinheiro ou doações. O vale tem também uma pedreira de pedra calcária. Posso perguntar, conde Hubert, o que lady Ragna traria para o casamento?

– Algo equivalente: o vilarejo de Saint-Martin e outros oito povoados próximos que juntos reúnem uma quantidade similar de habitantes, pouco mais de mil pessoas.

Wynstan assentiu, mas não comentou nada, e Ragna se perguntou se ele ainda não estaria satisfeito.

– A renda de ambas as propriedades será dela? – indagou Hubert.

– Sim – respondeu Wynstan.

– E essas propriedades serão dela de direito até a morte, legando-as depois disso a quem bem entender?

– Sim – repetiu Wynstan. – Mas e quanto a um dote em dinheiro?

– Pensei que Saint-Martin fosse suficiente.

– Posso sugerir 20 libras de prata?

– Vou ter que pensar. O rei Ethelred da Inglaterra aprovaria o casamento?

Era comum pedir permissão real para matrimônios aristocráticos.

– Tomei a precaução de solicitar o seu consentimento antecipadamente – disse Wynstan. Ele dirigiu a Ragna um sorriso escorregadio. – Disse-lhe que ela é uma moça linda e bem-criada que trará uma grande contribuição para o meu irmão, para Shiring e para a Inglaterra. O rei deu seu aval na hora.

Geneviève se manifestou pela primeira vez:

– Seu irmão mora numa casa como esta?

Ela ergueu as mãos indicando as pedras do castelo.

– Minha senhora, ninguém na Inglaterra mora numa construção como esta, e creio que mesmo na Normandia e nas terras francas haja poucas iguais.

– É verdade – disse Hubert com orgulho. – Só existe uma construção como esta na Normandia, em Ivry.

– Na Inglaterra não existe nenhuma.

– Talvez por isso vocês ingleses sejam tão incapazes de se proteger dos vikings – comentou Geneviève.

– Não, milady. Shiring é uma cidade murada, fortemente protegida.

– Mas pelo visto não tem um castelo de pedra nem uma torre de menagem.

– De fato não tem.

– Diga-me mais uma coisa, se puder.

– Claro, o que quiser.

– Seu irmão tem 30 e poucos anos?

– Bem conservados 40, milady.

– Por que ele continua solteiro nessa idade?

– Ele já foi casado. Na verdade, foi por isso que não propôs casamento quando esteve aqui em Cherbourg. Infelizmente, porém, a esposa dele não está mais entre nós.

– Ah...

Então era isso, pensou Ragna. Ele não pudera fazer o pedido em julho porque estava casado.

Pensamentos lhe encheram a mente. Por que ele havia traído a esposa? Talvez ela já estivesse doente e sua morte fosse esperada. A doença deve ter piorado aos poucos, tornando-a incapaz de desempenhar seus deveres de esposa – isso explicaria por que Wilwulf estava tão sedento de amor. Ragna tinha inúmeras perguntas, mas, como prometera ficar calada, contraiu o maxilar de frustração.

– Posso levar para casa uma resposta afirmativa? – indagou Wynstan.

– Nós o avisaremos – respondeu Hubert. – Precisamos refletir com muito critério sobre o que o senhor nos disse.

– Naturalmente.

Ragna tentou ler a expressão de Wynstan. Tinha a sensação de que ele não estava muito empolgado com a escolha do irmão. Perguntou-se a que se deveria essa aparente falta de convicção. Ele com certeza desejava ter sucesso na missão que o importante irmão havia lhe confiado, mas algo ainda o devia desagradar. Talvez ele tivesse uma outra candidata: casamentos aristocráticos eram altamente políticos. Ou apenas não gostasse de Ragna, mas ela sabia que isso seria incomum num homem de sangue quente. Fosse qual fosse o motivo, ele não pareceu particularmente decepcionado com o desânimo de Hubert.

O bispo se levantou e pediu licença para se retirar. Assim que a porta se fechou atrás dele, Geneviève falou:

– Que absurdo! Ele quer levá-la para morar numa casa de madeira e ficar à mercê dos vikings. Ela pode acabar no mercado de escravos de Rouen!

– Acho que está exagerando um pouco, querida – disse o conde.

– Bem, não resta dúvida de que Guillaume é melhor.

– Eu não amo Guillaume! – disparou Ragna.

– Você não sabe o que é amor – rebateu sua mãe. – É jovem demais.

– E nunca esteve na Inglaterra – completou o pai. – Lá não é como aqui, sabe? É frio e úmido.

Ragna tinha certeza de que poderia aguentar chuvas se fosse para estar com o homem que amava.

– Eu quero me casar com Wilwulf!

– Você parece uma camponesa falando – ralhou a mãe. – Só que é uma filha de nobres, e não tem o direito de se casar com qualquer um que escolher.

– Eu não vou me casar com Guillaume!

– Vai, sim, se o seu pai e eu mandarmos.

– Durante seus 20 anos você nunca soube o que é passar frio ou fome – falou Hubert. – Mas há um preço a pagar por essa vida de privilégios.

Isso fez Ragna se calar. O argumento de seu pai era mais eficaz do que as ameaças da mãe. Ela nunca havia considerado a própria vida sob aquele viés. Sentiu-se uma boba.

Mas ainda assim queria se casar com Wilwulf.

– Precisamos ocupar Wynstan de alguma maneira – disse Geneviève. – Leve-o para andar a cavalo. Mostre-lhe a região.

Ragna desconfiou que a mãe estivesse torcendo para Wynstan dizer ou fazer alguma coisa que levasse a filha a desistir de ir para a Inglaterra. O que Ragna queria mesmo era ficar sozinha para pensar, mas iria ciceronear Wynstan e descobrir mais sobre Wilwulf e Shiring.

– Com prazer – falou, e saiu.

Wynstan aceitou a ideia na hora e os dois foram juntos até os estábulos, acompanhados por Cnebba e Cat. No caminho, Ragna lhe disse em voz baixa:

– Eu amo o seu irmão. Espero que ele saiba disso.

– Ele temia que o modo como partiu de Cherbourg pudesse ter azedado quaisquer sentimentos que a senhorita nutrisse por ele.

– O certo era que eu o odiasse, mas não consegui.

– Irei assegurá-lo disso assim que eu chegar em casa.

Ragna tinha muito mais coisas a dizer ao bispo, mas foi interrompida pelo barulho de uma pequena e animada multidão. Alguns metros depois dos estábulos, dois cães estavam brigando: um cão de caça preto de patas curtas e um mastim cinza. Os cavalariços tinham saído de seus postos para assistir. Gritavam incentivos para os cachorros e apostavam em qual dos dois iria ganhar.

Irritada, Ragna entrou em um estábulo para ver se havia alguém para ajudar a selar os cavalos. Viu que os cavalariços tinham trazido palha seca conforme ela mandara, mas todos haviam abandonado seus postos para assistir à rinha de cães e a maior parte da palha estava empilhada bem ao lado da porta.

Estava prestes a arrancar um ou dois deles da diversão quando sentiu coceira nas narinas. Farejou e sentiu cheiro de queimado. Todos os seus sentidos se puseram em alerta. Ela avistou um filete de fumaça.

Imaginou que alguém tivesse trazido um tição da cozinha para acender um lampião em algum canto escuro e então desistira e o largara com descuido quando a rinha havia começado. Fosse qual fosse a explicação, parte da palha nova fumegava.

Ragna olhou em volta e viu um barril de água para os cavalos, com um balde de madeira emborcado no chão ali perto. Pegou o balde depressa, encheu-o d'água e despejou sobre a palha fumegante.

Viu na mesma hora que isso não bastaria. Nos poucos segundos que tinha levado para jogar a água, o fogo havia aumentado, e então ela viu mais chamas subirem da palha. Passou o balde para Cat.

– Jogue mais água! – ordenou. – Nós vamos até o poço.

Ela saiu do estábulo às pressas. Wynstan e Cnebba foram atrás. Enquanto corria, ela gritou:

– Fogo no estábulo! Tragam baldes e panelas!

No poço, disse a Cnebba para acionar a manivela: ele parecia forte o suficiente para fazer isso sem esforço. Cnebba não entendeu o que ela disse, claro, mas Wynstan traduziu rapidamente o pedido para o idioma inglês gutural. Várias pessoas pegaram recipientes por perto e Cnebba começou a enchê-los.

Os cavalariços estavam tão entretidos na rinha de cães que nenhum deles ainda havia percebido a emergência. Ragna gritou para eles, mas não conseguiu chamar a atenção de ninguém. Correu para o meio do grupo, empurrando os homens com violência até chegar aos cachorros que estavam brigando. Segurou o preto pelas patas traseiras e o tirou do chão. Isso encerrou a rinha.

– Fogo no estábulo! – berrou. – Formem uma fila até o poço e vão passando a água!

Houve um caos inicial, mas num tempo relativamente curto os cavalariços formaram uma fila para os baldes.

Ragna tornou a entrar no estábulo. A palha nova estava em chamas e o fogo tinha se espalhado. Os cavalos relinchavam de medo, davam coices e tentavam romper as cordas que os prendiam no lugar. Ragna foi até Astrid, tentou acalmá-la, desamarrou-a e a deixou sair.

Viu Guillaume observando a movimentação.

– Não fique aí parado – falou. – Faça algo para ajudar!

Ele pareceu espantado.

– Eu não sei o que fazer – respondeu, vago.

Como ele podia ser tão inútil? Irritada, ela continuou:

– Se não consegue pensar em mais nada, mije em cima e pronto, seu idiota!

Guillaume fez cara de ofendido e se afastou pisando firme.

Ragna entregou a corda de Astrid para uma menina pequena e correu outra vez para dentro do estábulo. Desamarrou todos os cavalos e os deixou sair, torcendo para que, apesar de apavorados, eles não machucassem ninguém. Durante alguns segundos os animais atrapalharam o combate ao fogo, mas sua saída abriu espaço de manobra lá dentro e dali a mais alguns minutos as chamas foram apagadas.

O telhado de sapê não tinha pegado fogo, o estábulo tinha sido salvo e vários cavalos caros tinham sido poupados da morte.

Ragna foi desfazer a fila dos baldes.

– Bom trabalho, todos vocês – falou. – Conseguimos detectar o incêndio a tempo. Não houve nenhum grande dano nem pessoas ou cavalos feridos.

– Graças à senhorita, lady Ragna! – gritou um dos homens.

Vários outros concordaram ruidosamente e então todos se puseram a aplaudir. Ela cruzou olhares com Wynstan. Ele a encarava com algo semelhante a respeito. Olhou em volta à procura de Guillaume. Não o viu em lugar nenhum.

Alguém devia ter escutado o que ela dissera a Guillaume, pois na hora do jantar todos no castelo já pareciam estar sabendo. Cat lhe contou que não se falava em outra coisa e depois disso Ragna reparou que, quando cruzavam olhares com ela, as pessoas sorriam e então cochichavam umas com as outras e riam como quem recorda o desfecho de uma piada. Em duas ocasiões, ouviu alguém dizer: "Se não consegue pensar em mais nada, mije em cima e pronto, seu idiota!"

Guillaume partiu para Reims na manhã seguinte. Tinha sido ofendido e agora era motivo de piada. Sua dignidade não, conseguiu suportar. A partida foi discreta e sem cerimônia. Ragna não quisera humilhá-lo, mas não pôde evitar se alegrar ao vê-lo partir em seu cavalo.

A resistência de seus pais ruiu. Wynstan foi informado de que o pedido de seu irmão estava aceito, inclusive o dote de 20 libras, e o casamento foi marcado para o dia de Todos os Santos, 1º de novembro. Wynstan voltou para a Inglaterra com a boa-nova. Ragna passaria algumas semanas se preparando e então seguiria para lá.

– Você conseguiu o que queria, como em tantas outras vezes – disse-lhe Geneviève. – Guillaume não a quer, eu não tenho energia para procurar mais um nobre francês e pelo menos esse inglês vai tirá-la das minhas mãos.

Hubert foi mais elegante.

– O amor vence no final – falou. – Igualzinho àquelas velhas histórias que você tanto adora.

– Sim – concordou Geneviève. – Só que essas histórias geralmente acabam em tragédia.

CAPÍTULO 8

Início de setembro de 997

Edgar estava decidido a construir um barco que agradasse a Dreng.

Era difícil gostar de Dreng, e poucas pessoas conseguiam. Ele era um homem mau e mesquinho. Depois de se mudar para a taberna, Edgar rapidamente passou a conhecer bem a família. Leaf, a esposa mais velha, mostrava-se indiferente e fria com o marido na maior parte do tempo. A mais jovem, Ethel, parecia temê-lo. Era ela quem comprava e preparava a comida, e chorava quando ele reclamava do custo. Edgar se perguntou se alguma das duas um dia havia amado Dreng e concluiu que não: ambas vinham de famílias camponesas pobres e provavelmente tinham se casado para ter segurança financeira.

A escrava Blod odiava Dreng. Quando ela não estava atendendo a desconhecidos de passagem à procura de sexo, Dreng a mantinha ocupada limpando a casa e as estruturas anexas, cuidando de porcos e galinhas e trocando os juncos do chão. Sempre se dirigia a ela com rispidez, e ela, por sua vez, vivia emburrada e ressentida. Ganharia mais dinheiro para ele se não fosse tão infeliz, mas ele parecia não entender isso.

As mulheres gostaram de Malhada, a cadela de Edgar, que conquistou o afeto de todas espantando raposas do galinheiro. Dreng nunca mexia com ela, e ela reagia agindo como se ele não existisse.

Mas Dreng parecia amar a filha, Cwenburg, assim como ela amava o pai. Ao vê-la, ele sorria, enquanto cumprimentava a maioria das pessoas com um sorriso de desdém ou, no melhor dos casos, de ironia. Por Cwenburg, Dreng sempre interrompia o que estava fazendo e os dois se sentavam e conversavam em voz baixa, às vezes por uma hora.

Isso mostrava que era possível ter um relacionamento humano normal com Dreng, e Edgar estava decidido a tentar. Seu objetivo não era conseguir seu afeto, mas apenas ter uma relação prática e superficial, sem rancores.

Ele montou uma oficina ao ar livre na margem do rio e por sorte o sol quente de agosto adentrou um setembro ameno. Sentia-se feliz por estar construindo algo outra vez, afiando sua lâmina, sentindo o cheiro da madeira cortada, imaginando formas e encaixes para então transformá-los em algo maior e utilizável.

Após fabricar todas as peças de madeira, ele as dispôs no chão e foi possível discernir os contornos do barco.

Dreng olhou aquilo e disse, em tom de acusação:

– Em geral as tábuas de um barco ficam sobrepostas.

Edgar já previra perguntas e tinha respostas prontas, mas procedeu com cautela. Precisava ganhar a confiança de Dreng sem parecer um sabichão, o que seria difícil para ele, sabia bem.

– Esse tipo de casco se chama casco trincado. Mas esse barco terá o fundo chato, então vai ter um casco liso, com as tábuas colocadas uma ao lado da outra. Aliás, nós as chamamos de chapas, não de tábuas.

– Tábuas, chapas, pouco me importa. Mas por que o fundo vai ser chato?

– Principalmente para as pessoas e os animais conseguirem ficar em pé, e para cestos e sacos poderem ser acomodados com segurança. Além disso, a embarcação não balançará tanto, o que ajuda a manter os passageiros calmos.

– Se essa ideia é tão boa, por que todos os barcos não são construídos assim?

– Porque a maioria precisa atravessar as ondas e correntezas com velocidade. Isso não se aplica a travessias de rio. Aqui não há ondas, a correnteza é perene mas não é forte e a velocidade não é o principal fator num percurso de 50 metros.

Dreng grunhiu e apontou para as chapas que formavam as laterais da embarcação.

– Imagino que as amuradas vão ser mais altas do que isso.

– Não. Como não há ondas, o barco não precisa de amuradas altas.

– Os barcos em geral têm a proa pontuda. Este daqui parece que vai ter as duas pontas chatas.

– Pelo mesmo motivo: ele não precisa cortar as águas depressa. E as pontas quadradas facilitam o embarque e desembarque. Esse também é o motivo das rampas. Até animais podem subir neste barco.

– Ele precisa ser tão largo?

– Para transportar uma carroça, sim. – Tentando conquistar alguma aprovação, Edgar ainda acrescentou: – A embarcação que faz a travessia do estuário em Combe cobra um *farthing* por roda, um *farthing* por um carrinho de mão, meio *penny* por uma carreta e um *penny* por uma carroça puxada a boi.

Um ar de ganância atravessou o semblante de Dreng, mas ele disse:

– Não aparecem muitas carroças por aqui.

– Todas elas atravessam no Vau de Mudeford porque o seu antigo barco não consegue transportá-las. Você vai ver mais carroças quando passar a usar este barco aqui, espere só.

– Duvido – disse Dreng. – E ele vai ficar bem pesado para remar.

– O barco não vai ter remos. – Edgar apontou para duas varas compridas. – Como o rio tem no máximo 1,9 metro de profundidade, o barco pode ser movido a varas. Um homem forte consegue dar conta.

– Eu não, tenho problema nas costas.

– Duas mulheres juntas conseguem. Por isso fabriquei duas varas.

Alguns moradores do povoado tinham descido até o rio para observar, curiosos. Um deles era Cuthbert, o joalheiro da colegiada. Apesar de habilidoso e instruído, ele era um homem tímido, antissocial, maltratado por seu superior Degbert. Edgar muitas vezes tentava puxar conversa, mas só recebia monossílabos em resposta, a não ser quando o assunto era a fabricação de barcos. Cuthbert então falou:

– Você fez tudo isso com um machado viking?

– É a única coisa que eu tenho – respondeu Edgar. – A parte de trás da cabeça me serve de martelo. E eu mantenho a lâmina afiada, que é o principal.

Cuthbert pareceu impressionado.

– Como vai prender as chapas umas nas outras pelas bordas?

– Vou usar rebites para afixá-las a um esqueleto de madeira.

– Rebites de ferro?

Edgar fez que não com a cabeça.

– Vou usar pregos de árvore. – Um prego de árvore era um rebite de madeira com a ponta bifurcada. Ele era inserido num orifício e então martelavam-se cunhas no centro da extremidade bifurcada, alargando o rebite até este ficar bem apertado. Depois disso, as pontas que sobravam para fora eram aparadas no mesmo nível das chapas para criar uma superfície lisa.

– Vai dar certo – disse Cuthbert. – Mas você vai ter de calafetar as fendas.

– Terei de ir a Combe comprar um barril de piche e um saco de lã crua.

Dreng escutou isso e fez cara de indignação.

– Mais dinheiro? Ninguém constrói barcos com lã.

– As fendas entre as chapas precisam ser preenchidas com lã embebida em piche para ficarem estanques.

Dreng pareceu decepcionado.

– Você tem sempre uma resposta inteligente, isso eu reconheço – disse ele.

Foi quase um elogio.

Quando o barco ficou pronto, Edgar o empurrou para dentro do rio.

Aquele era sempre um momento especial. Quando Pa era vivo, a família inteira se reunia para assistir e em geral muitos moradores da cidade se juntavam a eles. Mas dessa vez Edgar estava sozinho. Não temia que o barco afundasse, apenas não queria parecer vitorioso. Como recém-chegado, estava tentando se encaixar, não se destacar.

Com o barco amarrado a uma árvore para não sair flutuando, afastou-o da margem e examinou o modo como ele assentava na água. Estava reto e nivelado, constatou satisfeito. Água nenhuma entrava pelas fendas. Ele desamarrou a corda e pisou na rampa. Seu peso deslocou um pouquinho o nível da embarcação, como devia ser.

Malhada o observava ansiosa, mas ele não queria a cadela a bordo naquele trajeto. Queria avaliar o desempenho do barco sem passageiros.

– Fique aqui – falou, e ela se deitou com o focinho entre as patas e ficou olhando.

As duas varas compridas repousavam em suportes de madeira, uma fileira de três de cada lado. Ele retirou uma das varas, mergulhou a ponta na água, afundou-a até tocar o leito do rio e fez força. Foi mais fácil do que imaginava e o barco avançou sem dificuldade.

Ele andou até a popa e pôs a vara dentro d'água do lado oposto ao da correnteza, orientando o barco ligeiramente a favor do curso do rio para diminuir a resistência. Constatou que uma mulher forte ou um homem com força mediana conseguiria manejar o barco com tranquilidade – Blod ou Cwenburg estariam aptas e Leaf e Ethel facilmente dariam conta em dupla, sobretudo se ele lhes desse uma aula.

Quando estava atravessando o rio, ele olhou para a exuberante folhagem de verão na outra margem e viu uma ovelha. Várias outras emergiram da mata, pastoreadas por dois cães. Por fim surgiu o pastor, um rapaz de cabelos compridos e barba desgrenhada.

Edgar tinha seus primeiros passageiros.

De repente, sentiu-se nervoso. Havia projetado a embarcação para ser usada por animais, mas sabia muito sobre barcos e nada sobre ovelhas. Será que elas fariam o que ele esperava que fizessem? Ou será que entrariam em pânico e ficariam desembestadas? Ovelhas desembestavam? Nem isso ele sabia.

Talvez estivesse prestes a descobrir.

Chegando à margem, saltou e amarrou o barco numa árvore.

Pelo cheiro, parecia que o pastor não tomava banho havia anos. Ele passou algum tempo encarando Edgar atentamente, então disse:

– Você é novo aqui.

Pareceu satisfeito com a própria perspicácia.

– Sim. Meu nome é Edgar.

– Ah. E tem um barco novo.

– Lindo, não é?

– Diferente do antigo.

A cada frase completada, o pastor fazia uma pausa para saborear a satisfação da conquista, e Edgar pensou se seria porque ele em geral não tinha com quem falar.

– Muito diferente – falou.

– Eu sou Saemar, geralmente me chamam de Sam.

– Espero que esteja bem, Sam.

– Estou levando estes borregos para o mercado.

– Imaginei. – Edgar sabia que borregos eram carneiros de até 1 ano de idade. – A travessia custa um *farthing* por cada homem ou animal.

– Eu sei.

– Para vinte carneiros, dois cães e você, serão cinco *pennies* e três *farthings*.

– Eu sei. – Saemar abriu uma bolsinha de couro presa ao cinto. – Se eu lhe der seis *pennies* de prata, você ficará me devendo um *farthing*.

Edgar não estava preparado para transações financeiras. Não tinha onde guardar o dinheiro, não tinha troco e não tinha alicate para cortar as moedas em metades ou quartos.

– Você pode pagar para Dreng – disse Edgar. – Acho que conseguimos atravessar o rebanho de uma vez só.

– No barco antigo era preciso levar os animais de dois em dois. Levava a manhã inteira. E mesmo assim um ou dois bichos idiotas sempre caíam no rio ou então entravam em pânico, pulavam no rio e tinham que ser resgatados. Você sabe nadar?

– Sei.

– Ah. Eu não.

– Acho que nenhuma das suas ovelhas vai cair deste barco.

– Se houver algum jeito de se machucar, as ovelhas certamente vão descobrir.

Sam pegou um dos borregos e o carregou até dentro da embarcação. Seus cães o seguiram a bordo e, animados, puseram-se a explorar o barco, farejando a madeira nova. Sam então deu um assobio trinado característico. Os cães reagiram na mesma hora. Pularam do barco, reuniram os animais e os conduziram até a margem do rio.

Aquele era o momento mais difícil.

O borrego da frente hesitou, desnecessariamente intimidado pelo pequeno trecho de água entre a terra firme e a extremidade do barco. Olhou de um lado para outro à procura de uma alternativa, mas os cães o impediram de fugir. O animal pareceu prestes a desistir do passo seguinte. Então um dos cães rosnou baixinho, um som vindo do fundo da garganta, e o borrego saltou.

Aterrissou com firmeza na rampa interna e trotou todo contente até o fundo chato da embarcação.

O restante do rebanho foi atrás e Edgar sorriu satisfeito.

Os cães pularam a bordo atrás dos borregos e se postaram feito sentinelas de um lado e de outro. Sam embarcou por último. Edgar desamarrou a corda, pulou a bordo e pegou uma vara.

Quando eles entraram na correnteza, Sam comentou:

– Este barco é melhor do que o antigo. – Meneou a cabeça com ar sábio. Cada trivialidade que dizia era proferida como se fosse uma pérola de sabedoria.

– Que bom que você gostou – disse Edgar. – É meu primeiro passageiro.

– Antes era uma garota... Cwenburg.

– Ela se casou.

– Ah. Elas costumam fazer isso.

O barco chegou à margem norte e Edgar saltou. Enquanto estava amarrando a corda, os borregos começaram a desembarcar. Fizeram-no com mais alarde do que ao embarcar.

– Eles viram o pasto – explicou Sam.

Dito e feito: os animais começaram a pastar na beira do rio.

Deixando o rebanho aos cuidados dos cães, Edgar e Sam entraram na taberna. Ethel estava preparando o almoço observada por Leaf e Dreng. Um segundo depois, Blod entrou com uma braçada de lenha.

– Sam ainda não pagou – disse Edgar para Dreng. – Está devendo cinco *pennies* e três *farthings*, mas eu não tinha um *farthing* para lhe dar de troco.

– Por seis *pennies* você pode comer a escrava – propôs Dreng a Sam.

Sam encarou Blod com um olhar ávido.

Leaf se manifestou:

– Ela está adiantada demais.

Blod estava com quase nove meses de gravidez. Já fazia três ou quatro semanas que ninguém queria fazer sexo com ela.

Mas Sam se mostrou disposto.

– Eu não me importo com isso – falou.

– Não é com você que eu estou preocupada – disse Leaf em tom de desdém. Sam nem percebeu o sarcasmo. – A esta altura da gravidez pode prejudicar o bebê.

– E daí? – interveio Dreng. – Ninguém quer o bastardo de uma escrava.

Com um gesto de desprezo, ele pediu para Blod se abaixar.

Edgar não entendeu como Sam conseguiria se deitar por cima da protuberância da gravidez de Blod. Mas ela ficou de quatro no chão e ergueu a parte de trás do vestido encardido. Sam na mesma hora se ajoelhou por trás dela e levantou a túnica.

Edgar saiu.

Foi até o rio e fingiu estar verificando a amarração do barco, embora soubesse perfeitamente bem que havia dado um nó firme. Estava enojado. Nunca tinha entendido os homens que pagavam por sexo na casa de Mags em Combe. O conceito daquilo lhe parecia triste. Seu irmão Erman tinha dito: "Quando você precisa de sexo, precisa de sexo", mas ele próprio nunca tinha sentido essa necessidade aleatória. Com Sunni, os dois sentiam um prazer equivalente, e, na opinião de Edgar, qualquer coisa diferente disso não valia a pena.

O que Sam estava fazendo era pior do que triste, claro.

Edgar ficou sentado na margem do rio e olhou para o outro lado da água calma e cinza, torcendo para que aparecessem outros passageiros que o distraíssem do que estava acontecendo dentro da taberna. Malhada sentou-se ao seu lado e ficou esperando pacientemente o que ele faria em seguida. Depois de alguns minutos, a cadela adormeceu.

Não demorou muito para o pastor sair da taberna e tocar seu rebanho de borregos morro acima por entre as casas em direção à estrada que seguia para oeste. Edgar não lhe acenou. Blod desceu até o rio.

– Sinto muito pelo que aconteceu com você – disse Edgar.

Blod não olhou para ele. Entrou na água rasa e se lavou entre as pernas.

Edgar desviou os olhos.

– É muito cruel – falou ele.

Desconfiava que Blod entendesse inglês. Ela fingia que não: sempre que alguma coisa dava errado, praguejava no fluido idioma galês. Dreng lhe dava ordens com gestos e rosnados. Porém às vezes Edgar tinha a sensação de que ela estava acompanhando a conversa na taberna, ainda que de modo furtivo.

Ela então confirmou que Edgar estava certo.

– Não é nada – falou.

Apesar do forte sotaque, seu inglês era distinto, a voz, melodiosa.

– Você não é nada – disse ele.

Ela terminou de se lavar e saiu do rio. Ele a encarou. Ela exibia uma expressão desconfiada e hostil.

– Por que tão gentil? – indagou. – Acha que vai trepar de graça?

Ele tornou a desviar os olhos e fitou por cima do rio as árvores do outro lado, sem responder. Pensou que Blod iria embora, mas ela continuou onde estava, esperando uma resposta.

Por fim, ele disse:
– Esta cadela pertencia a uma mulher que eu amei.
Malhada abriu um dos olhos. Que estranho, pensou ele, como os cachorros sabem quando estamos falando deles?
– A mulher era um pouco mais velha do que eu, e casada – disse ele a Blod. Ela não demonstrou emoção alguma, mas parecia estar escutando com atenção. – Quando o marido ficava bêbado, ela me encontrava na mata e fazíamos amor sobre o capim mesmo.
– Faziam amor – repetiu ela, como se não soubesse ao certo o que aquilo significava.
– Resolvemos fugir juntos. – Para sua surpresa, ele se pegou à beira das lágrimas e se deu conta de que era a primeira vez que falava em Sunni desde a conversa com Ma na viagem partindo de Combe. – Tinham me prometido trabalho e uma casa em outra cidade. – Estava contando a Blod coisas que nem sua família sabia. – Ela era linda, inteligente e boa. – Começou a engasgar, mas agora que tinha começado a contar queria prosseguir. – Eu acho que teríamos sido muito felizes.
– O que aconteceu?
– No dia em tínhamos planejado fugir, os vikings chegaram.
– Eles a levaram?
Edgar fez que não com a cabeça.
– Ela lutou com eles e foi morta.
– Ela teve sorte – disse Blod. – Acredite.
Pensando no que Blod tinha acabado de passar com Sam, Edgar quase concordou.
– O nome dela... – Ele teve dificuldade para dizer. – O nome dela era Sunni.
– Quando?
– Uma semana antes do solstício de verão.
– Eu sinto muito, Edgar.
– Obrigado.
– Você ainda a ama.
– Ah, sim. Vou amá-la para sempre.

O tempo virou. Uma noite, na segunda semana de setembro, houve um terrível temporal. Edgar pensou que a torre da igreja fosse vir abaixo. No entanto, todas as construções do povoado sobreviveram, com exceção de uma, a mais mambembe de todas: o barracão de fabricar cerveja de Leaf.

Ela perdeu mais do que a estrutura. Um imenso caldeirão que estava no fogo acabou sendo derrubado, apagando o fogo e entornando toda a cerveja lá de dentro. Pior ainda, barris de cerveja recém-fabricada tinham sido esmagados pelas vigas que caíram e sacos de cevada maltada foram encharcados e inutilizados pela chuva torrencial.

Na manhã seguinte, na calmaria que sucedeu a tempestade, eles saíram para avaliar o estrago e alguns dos aldeões – curiosos como sempre – se aglomeraram ao redor das ruínas.

Dreng ficou uma fera e esbravejou com Leaf.

– Esse barraco mal se aguentava em pé antes do temporal... Você deveria ter guardado a cerveja e a cevada em algum lugar mais seguro!

Leaf não se deixou abalar pelo chilique de Dreng.

– Você mesmo poderia ter tirado essas coisas daqui ou então pedido a Edgar – falou. – Não venha me culpar.

Ele se mostrou imune ao argumento dela.

– Agora vou ter de comprar cerveja em Shiring e pagar para que transportem a mercadoria de carroça até aqui – continuou.

– As pessoas vão valorizar mais a minha cerveja depois de serem obrigadas a beber a de Shiring por algumas semanas – disse Leaf, calma.

Sua falta de preocupação fez Dreng enlouquecer.

– E não é a primeira vez! – vociferou ele. – Você já tocou fogo no barracão duas vezes. Da última, desmaiou de tanto beber e quase morreu queimada.

Edgar teve uma ideia genial:

– Vocês deveriam construir uma cervejaria de pedra.

– Não diga bobagem – falou Dreng sem olhar para ele. – Não se constrói um palácio para fabricar cerveja.

Cuthbert, o joalheiro roliço, estava entre os presentes e Edgar reparou que ele balançava a cabeça, discordando de Dreng.

– O que acha, Cuthbert? – perguntou-lhe.

– Edgar tem razão – disse o religioso. – Vai ser a terceira vez em cinco anos que você reconstrói o barracão, Dreng. Uma construção de pedra resistiria a tempestades e não pegaria fogo. A longo prazo, você pouparia dinheiro.

– E quem vai construí-la, Cuthbert? Você?

– Não, eu sou joalheiro.

– Não se pode fabricar cerveja dentro de um broche.

Edgar tinha a resposta:

– Eu posso construir.

Dreng deu um resmungo desdenhoso.

– O que sabe sobre construção com pedra?

Edgar não sabia nada sobre construção com pedra, mas sentia-se capaz de se dedicar a quase qualquer tipo de construção. E estava ansioso por uma oportunidade de mostrar do que era capaz. Exibindo mais confiança do que de fato sentia, falou:

– Pedra é igual a madeira, só que um pouco mais dura.

A reação padrão de Dreng era o desprezo, mas nesse momento ele hesitou. Olhou de relance para a margem do rio e o sólido barco amarrado ali, tão capaz de fazer dinheiro. Virou-se para Cuthbert:

– Quanto custaria isso?

Edgar ficou esperançoso. Pa sempre dizia: "Quando alguém pergunta o preço, está a meio caminho de comprar o barco."

Cuthbert pensou por algum tempo, depois disse:

– Da última vez que fizeram reparos na igreja, as pedras vieram da pedreira de calcário em Outhenham.

– Onde fica isso? – indagou Edgar.

– A um dia de viagem rio acima.

– Onde vocês conseguiram a areia?

– Há uma vala de areia na floresta a cerca de 1,5 quilômetro daqui. É só cavar e trazer.

– E a cal para a argamassa?

– Isso é difícil de fazer, então compramos em Shiring.

– Quando custaria isso? – repetiu Dreng.

– As pedras brutas padrão custam um *penny* cada uma na pedreira, se bem me lembro – respondeu Cuthbert. – E eles nos cobraram mais um *penny* por pedra para entregar.

– Vou desenhar uma planta e calcular o valor exato, mas eu provavelmente precisaria de umas duzentas pedras – disse Edgar.

Dreng se fingiu de chocado.

– Ora, mas são quase duas libras de prata!

– Sairia mais barato do que reconstruir várias vezes com madeira e sapê.

Edgar prendeu a respiração.

– Calcule o valor exato – ordenou Dreng.

Edgar partiu rumo a Outhenham ao raiar de uma manhã fresca em que a brisa gelada de setembro soprava sobre o rio. Dreng havia concordado em pagar por uma cervejaria de pedra. Agora Edgar precisava fazer jus ao prometido e construí-la bem.

Levou consigo na viagem o machado viking. Teria preferido ir acompanhado de um dos irmãos, mas, como ambos estavam ocupados na fazenda, precisou correr o risco de viajar sozinho. Por outro lado, já tinha encontrado o fora da lei Cara de Ferro, que levara a pior no confronto e talvez hesitasse em atacá-lo outra vez. Mesmo assim, caminhou com o machado em riste e ficou contente por ter Malhada consigo para avisá-lo com antecedência de qualquer perigo.

As árvores e os arbustos na margem do rio estavam exuberantes depois de um belo verão e muitas vezes ficava difícil avançar. Mais ou menos no meio da manhã, ele chegou a um lugar onde teve de fazer um desvio mais para o interior. Por sorte, como o céu estava quase sem nuvens, ele em geral conseguia ver o sol e isso o ajudou a se situar, de modo que após algum tempo ele encontrou o caminho de volta até o rio.

De tantos em tantos quilômetros passava por um povoado grande ou pequeno, as mesmas casinhas de madeira e sapê aglomeradas na margem do rio ou então mais para o interior em volta de uma encruzilhada, uma lagoa ou uma igreja. Pendurava o machado no cinto ao se aproximar, para passar uma impressão pacífica, mas tornava a sacá-lo assim que se via sozinho outra vez. Teria gostado de parar para descansar, tomar uma caneca de cerveja e comer alguma coisa, mas, como não tinha dinheiro, só trocava umas poucas palavras com os habitantes, confirmava se estava na estrada certa e seguia viagem.

Pensara que seguir o rio fosse ser simples. No entanto, vários riachos desaguavam nele e Edgar nem sempre conseguia ter certeza de qual era o rio principal e qual era o afluente. Uma vez fez a escolha errada e só ficou sabendo que precisava voltar por onde tinha vindo quando chegou ao povoado seguinte – um vilarejo chamado Bathford.

No caminho, ficou pensando na cervejaria que construiria para Leaf. Talvez o local devesse ter dois cômodos, como a nave e a capela de uma igreja, assim os valiosos estoques poderiam ser armazenados longe do fogo. A base onde se acenderia o fogo deveria ser feita de pedras cortadas unidas por argamassa, para suportar com facilidade o peso do caldeirão e ficar menos propensa a desabar.

Esperava conseguir chegar a Outhenham no meio da tarde, mas, como seus desvios o haviam atrasado, o sol já estava baixo no céu a oeste quando ele pensou estar chegando ao fim da viagem.

Estava num fértil vale de solo pesado e barrento que pensou ser o vale de

Outhen. Nos campos ao redor, camponeses ceifavam cevada, trabalhando até tarde para aproveitar ao máximo o bom tempo. Num lugar onde um afluente desaguava no rio, ele avistou um grande vilarejo com mais de cem casas.

Estava do lado errado da água e não havia ponte nem barco, mas nadou sem dificuldade até lá segurando a túnica acima da cabeça e usando apenas uma das mãos para se impulsionar. A água estava fria e ele ficou tremendo ao sair.

Na entrada do povoado havia um pequeno pomar onde um homem de cabelos grisalhos colhia frutos. Edgar se aproximou dele com certa apreensão, pois temia ser informado de que estava longe do seu destino.

– Bom dia, amigo – falou. – Aqui é Outhenham?

– Sim – respondeu o homem, simpático.

Era um sujeito de uns 50 anos e olhos vivos, que parecia inteligente e tinha um sorriso amigável.

– Graças aos céus – disse Edgar.

– De onde está vindo?

– Da Travessia de Dreng.

– Um lugar blasfemo, pelo que ouço dizer.

Edgar se espantou com o fato de a falta de caráter de Degbert ser conhecida assim tão longe. Não soube ao certo como reagir ao comentário, então disse:

– Meu nome é Edgar.

– O meu é Seric.

– Eu vim comprar pedra.

– Seguindo para o leste até o final do povoado você vai ver uma trilha gasta. A pedreira fica a pouco menos de um quilômetro na direção oposta à do rio. Lá você vai encontrar Gaberth, conhecido como Gab, e sua família. Ele é o responsável pela pedreira.

– Obrigado.

– Está com fome?

– Muita.

Seric lhe deu um punhado de pequenas peras. Edgar lhe agradeceu e seguiu seu caminho. Comeu as frutas na mesma hora, com miolo e tudo.

Era um povoado relativamente próspero, com casas e anexos bem construídos. No centro havia uma igreja de pedra e uma taberna separadas por uma pequena área onde vacas pastavam.

Um homem alto de uns 30 e poucos anos saiu da taberna, viu Edgar e adotou uma postura de confronto.

– Quem diabo é você? – perguntou quando Edgar chegou perto. Ele era pesado, estava com os olhos vermelhos, e falava arrastado.

Edgar parou e disse:

– Bom dia, amigo. Sou Edgar, da Travessia de Dreng.

– E para onde pensa que está indo?

– Para a pedreira – respondeu Edgar com calma. Não queria briga.

Mas o homem se mostrou beligerante:

– Quem disse que podia ir lá?

A paciência de Edgar começou a se esgotar.

– Não acho que eu precise de permissão.

– Você precisa da minha permissão para fazer qualquer coisa em Outhenham, pois eu sou Dudda, o chefe do vilarejo. Por que está indo à pedreira?

– Vou comprar peixe.

Dudda pareceu não entender, então se deu conta de que Edgar estava zombando dele e ficou vermelho. Edgar percebeu que tinha sido espertinho demais – outra vez – e se arrependeu da brincadeira.

– Seu cachorro atrevido – disse Dudda.

Então brandiu um punho enorme em direção ao rosto de Edgar.

Com agilidade, Edgar deu um passo para trás.

Dudda errou o soco, perdeu o equilíbrio, cambaleou e caiu no chão.

Edgar se perguntou que diabo faria agora. Não tinha a menor dúvida de que derrotaria Dudda numa briga, mas de que lhe adiantaria? Se desse a entender que estava contra as pessoas dali, elas talvez se recusassem a lhe vender pedra e o seu projeto de construção estaria ameaçado quando mal havia começado.

Ficou aliviado ao ouvir atrás de si a voz calma de Seric:

– Vamos, Dudda, deixe-me ajudá-lo a voltar para casa. Talvez você queira se deitar por uma horinha.

Ele segurou o braço do outro homem e o ajudou a se levantar.

– Esse rapaz me bateu! – disse Dudda.

– Não bateu, não. Você caiu porque outra vez tomou cerveja demais no almoço. – Seric fez um gesto com a cabeça na direção de Edgar indicando que ele deveria sair dali e conduziu Dudda para longe. Edgar entendeu o pedido.

Encontrou a pedreira sem dificuldade. Havia quatro pessoas trabalhando lá: um homem mais velho, obviamente no comando e que portanto devia ser Gab, dois outros que talvez fossem seus filhos e um menino que era ou um filho temporão, ou um escravo. A pedreira ecoava com o barulho de martelos pontuado de quando em quando por uma tosse seca vinda de Gab. Havia uma casa de madeira, certamente onde moravam, e uma mulher em pé no vão da porta observando o sol se pôr. A poeira das pedras pairava no ar feito uma névoa e suas partículas reluziam douradas à luz do fim do dia.

Havia outro cliente na frente de Edgar. Uma robusta carroça de quatro rodas estava parada no meio da clareira. Dois homens botavam cuidadosamente as pedras cortadas dentro da carroça enquanto dois bois – provavelmente encarregados de puxar a carroça – pastavam ali perto, sacudindo o rabo para espantar as moscas.

O menino varria lascas de pedra que provavelmente seriam vendidas como cascalho. Ele abordou Edgar e falou com um sotaque estrangeiro que fez Edgar tomá-lo por escravo.

– Veio comprar pedra?

– Sim. Preciso do suficiente para uma cervejaria. Mas não há pressa.

Edgar sentou-se numa pedra plana, passou alguns minutos observando Gab e entendeu rapidamente como ele trabalhava. Ele inseria uma cunha de carvalho numa pequena rachadura da pedra, martelava para fazê-la penetrar mais fundo, alargando a rachadura até transformá-la numa fenda e um pedaço de pedra se desprender. Quando não dispunha da praticidade de uma rachadura natural, Gab criava uma com seu cinzel de ferro. Edgar imaginou que o responsável por uma pedreira devesse ter aprendido por experiência a localizar os pontos fracos da pedra que facilitariam o trabalho.

Gab partia as pedras maiores em dois, às vezes três pedaços, só para torná-las mais fáceis de transportar.

Edgar voltou a atenção para os compradores. Eles puseram dez pedras na carroça, então pararam. Devia ser o máximo de peso que os bois conseguiam puxar. Começaram a posicionar os animais sob as cangas, prestes a partir.

Gab terminou o que estava fazendo, tossiu, olhou para o céu e pareceu decidir que estava na hora de parar de trabalhar. Foi até a carroça, passou alguns minutos confabulando com os dois compradores, então um deles lhe entregou dinheiro.

Depois um dos clientes estalou o chicote e se foram.

Edgar foi até Gab. O responsável pela pedreira havia pegado um galho sem arestas numa pilha e nele gravado com todo o cuidado uma fileira certinha de marcas. Era assim que artesãos e comerciantes mantinham seus registros: não tinham como comprar pergaminho e, ainda que tivessem, não saberiam como escrever nele. Edgar imaginou que Gab tivesse que pagar taxas ao senhor daquelas terras, talvez o preço de uma pedra a cada cinco, portanto precisava controlar quantas tinha vendido.

– Sou Edgar, da Travessia de Dreng – apresentou-se. – Dez anos atrás, o senhor nos vendeu pedras para reformar a igreja.

– Estou lembrado – disse Gab, guardando no bolso o graveto com as marcações. Edgar reparou que, embora tivesse vendido dez pedras, ele só tinha feito cinco marcações. Talvez fosse terminar depois. – Não me lembro de você, mas você devia ser pequeno na época.

Edgar analisou Gab. O homem tinha as mãos cobertas de cicatrizes, sem dúvida causadas pelo trabalho. Provavelmente devia estar pensando em como poderia explorar aquele jovem ignorante. Edgar falou com firmeza:

– O preço foi dois *pennies* por cada pedra entregue.

– Foi mesmo? – indagou Gab com um ceticismo forçado.

– Se ainda for o mesmo preço, queremos umas duzentas pedras.

– Não sei se podemos fazer pelo mesmo valor. As coisas mudaram.

– Nesse caso eu preciso voltar e falar com meu patrão.

Edgar não queria fazer isso. Estava decidido a voltar e relatar que tivera sucesso, mas não podia deixar Gab lhe cobrar a mais. Não confiava no homem. Talvez ele estivesse apenas negociando, mas Edgar tinha a sensação de que Gab poderia ser desonesto.

Gab tossiu.

– Da última vez eu tratei com Degbert Cabeça Calva, o deão. Ele não gostava de gastar dinheiro.

– Meu patrão Dreng também não gosta. Eles são irmãos.

– A pedra é para quê?

– Vou construir uma cervejaria para Dreng. A esposa dele é quem fabrica a cerveja e suas construções de madeira sempre pegam fogo.

– É você quem vai construir?

Edgar ergueu o queixo.

– Sim.

– Você é bem jovem. Mas imagino que tenha sido escolhido porque Dreng quer um construtor barato.

– Ele quer pedra barata também.

– Você trouxe o dinheiro?

Eu posso ser jovem, pensou Edgar, mas burro eu não sou.

– Dreng vai pagar quando as pedras chegarem.

– É melhor que pague mesmo.

Edgar imaginou que os operários da pedreira carregariam as pedras ou então as transportariam de carroça até o rio e lá as colocariam numa jangada para descer a correnteza até a Travessia de Dreng. Seriam necessárias várias viagens, dependendo do tamanho da jangada.

– Onde vai passar a noite? – perguntou Gab. – Na taberna?

– Como já dei a entender, não tenho dinheiro.

– Então vai ter que dormir aqui.

– Obrigado – disse Edgar.

A esposa de Gab se chamava Beaduhild, mas ele a chamava de Bee. Ela se mostrou mais hospitaleira do que o marido e convidou Edgar para se juntar à família na refeição da noite. Assim que esvaziou sua tigela, ele se deu conta de quanto estava cansado após caminhar tanto e, ao se deitar no chão, pegou no sono na mesma hora.

Pela manhã, disse a Gab:

– Vou precisar de um martelo e um cinzel iguais aos seus, para poder esculpir as pedras conforme as minhas necessidades.

– Vai mesmo – concordou Gab.

– Posso ver suas ferramentas?

Gab deu de ombros.

Edgar pegou o martelo de madeira e o sopesou. Era grande e pesado, mas, em contrapartida, simples e grosseiro, e ele acharia fácil fabricar um igual. O martelo menor, de cabeça de ferro, tinha sido fabricado de forma mais cuidadosa e o cabo, encaixado com firmeza na cabeça. O melhor de tudo era o cinzel de ferro, de lâmina larga e não afiada, com o topo do cabo de um formato que lembrava uma margarida. Edgar poderia fabricar uma cópia na oficina de Cuthbert. Talvez ele não gostasse de dividir seu espaço de trabalho, mas Dreng faria Degbert insistir e Cuthbert não teria escolha.

Havia diversos gravetos com entalhes pendurados em pregos junto às ferramentas.

– Imagino que você tenha um controle para cada cliente.

– E isso lá é da sua conta?

– Desculpe.

Edgar não queria ter dado uma de enxerido. No entanto, não pôde deixar de reparar que o graveto mais novo tinha apenas cinco marcações. Será que Gab anotava só metade das pedras que vendia? Isso lhe pouparia muito em taxas.

Mas, se Gab estava trapaceando o senhor da cidade, isso não era problema seu. O vale de Outhen fazia parte do território de Shiring e o senhor Wilwulf já era rico o suficiente.

Edgar fez um desjejum farto, agradeceu a Bee e partiu a caminho de casa.

Pensou que fosse conseguir encontrar o caminho com facilidade, uma vez que já tinha feito a viagem no sentido oposto, mas, para seu desconsolo, tornou a se perder. Por causa da demora, já estava quase escuro quando chegou em casa, com sede, com fome e exausto.

Todos na taberna já estavam se preparando para ir dormir. Ethel lhe sorriu, Leaf lhe balbuciou umas boas-vindas arrastadas e Dreng o ignorou. Blod estava empilhando lenha. Parou o que estava fazendo, empertigou-se, levou a mão esquerda à parte de trás do quadril e esticou o corpo como quem tenta aliviar uma dor. Quando ela se virou, Edgar viu que estava com um olho roxo.

– O que houve com você? – perguntou ele.

Ela fingiu não ter entendido e não respondeu. Mas Edgar podia adivinhar que tinha levado um soco. Dreng vinha se mostrando cada vez mais irritado com ela nas últimas semanas, conforme a hora do parto se aproximava. Não havia nada de incomum no fato de um homem ser violento com a família, é claro, e Edgar já tinha visto Dreng chutar o traseiro de Leaf e dar um tapa na cara de Ethel, mas ele era especialmente bruto com Blod.

– Sobrou algo do jantar? – perguntou Edgar.

– Não – respondeu Dreng.

– Mas eu andei o dia inteiro.

– Assim aprende a não chegar tarde.

– Eu estava fazendo um trabalho para você!

– E recebe por isso, e não sobrou nada, então cale a boca.

Edgar foi dormir com fome.

Blod foi a primeira a acordar pela manhã. Foi até o rio buscar água, a sua primeira tarefa de todo dia. O balde era feito de madeira com rebites de ferro e mesmo vazio já era pesado. Edgar estava calçando os sapatos quando ela voltou. Viu que ela estava tendo dificuldade e fez um movimento para pegar o balde da sua mão, mas antes de conseguir fazê-lo ela tropeçou em Dreng, que estava deitado ainda meio dormindo, e caiu um pouco de água no rosto dele.

– Sua vaca burra! – rugiu Dreng.

Ele se levantou de um pulo. Blod se encolheu. Dreng ergueu o punho. Edgar então se interpôs entre os dois e disse:

– Me dê o balde, Blod.

Os olhos de Dreng estavam cheios de ódio. Por um instante, Edgar pensou que o homem fosse dar um soco nele em vez de em Blod. Apesar do problema nas costas que mencionava com tanta frequência, Dreng era forte, alto e tinha ombros largos. Mesmo assim, numa fração de segundo Edgar tomou a decisão de revidar caso fosse atacado. Sem dúvida seria punido, mas teria tido a satisfação de derrubar Dreng no chão.

Como a maioria dos homens violentos, porém, Dreng era um covarde quando se via diante de alguém mais forte. A raiva cedeu lugar ao medo e ele abaixou a mão.

Blod sumiu de vista.

Edgar passou o balde para Ethel. Ela despejou água numa panela, pendurou a panela acima do fogo, acrescentou aveia à água e começou a mexer a mistura com um graveto de madeira.

Dreng encarou Edgar com um ar maléfico. Edgar supôs que jamais fosse ser perdoado por ter se intrometido entre Dreng e sua escrava, mas não conseguiu se arrepender do que tinha feito, muito embora provavelmente fosse pagar por isso.

Quando o mingau ficou pronto, Ethel o distribuiu em cinco tigelas. Picou um pouco de presunto, acrescentou-o a uma das tigelas e a entregou para Dreng. Então entregou as outras tigelas.

Eles comeram em silêncio.

Edgar terminou seu mingau em poucos segundos. Olhou para a panela, em seguida para Ethel. Ela não disse nada, mas discretamente fez que não com a cabeça. Não havia mais nada.

Era domingo e depois do desjejum todos foram à igreja.

Ma estava lá com Erman, Eadbald e Cwenburg, a esposa compartilhada pelos dois. Todos os cerca de vinte e cinco moradores do povoado a essa altura sabiam sobre o casamento poliândrico, mas ninguém comentava grande coisa a respeito. Pelos comentários que entreouvira, Edgar tinha entendido que aquilo era considerado incomum, mas não absurdo. Ouvira Bebbe dizer a mesma coisa que Leaf: "Se um homem pode ter duas esposas, uma mulher pode ter dois maridos."

Ao ver Cwenburg de pé entre Erman e Eadbald, Edgar ficou impressionado com a diferença entre suas roupas. As túnicas na altura do joelho de fabricação caseira que os irmãos usavam, da mesma cor acastanhada de lã crua, estavam velhas, gastas e remendadas, iguaizinhas à sua. Cwenburg, porém, estava usando um vestido de tecido de trama bem fechada, descolorido e depois tingido de um vermelho rosado. Seu pai era avarento com todo mundo, menos com ela.

Edgar foi ficar ao lado de Ma. Ela nunca fora muito religiosa, mas ultimamente parecia levar a missa mais a sério, abaixando a cabeça e fechando os olhos enquanto Degbert e os outros clérigos executavam seu rito, sem se mostrar menos devota por causa do desleixo e da pressa dos celebrantes.

– A senhora ficou mais religiosa – comentou com ela quando a missa terminou.

Ela o encarou de modo especulativo, como se estivesse pensando se deveria fazer uma confidência a ele, e pareceu decidir que ele entenderia.

– Eu fico pensando no seu pai – falou. – Acredito que ele esteja com os anjos lá em cima.

Edgar na verdade não entendeu.

– A senhora pode pensar nele sempre que quiser.

– Mas aqui parece que tenho o melhor lugar e o melhor momento. Aqui sinto que não estou tão distante assim dele. Então durante a semana, quando sinto falta dele, posso me consolar pensando que o domingo vai chegar logo.

Edgar assentiu. Aquilo, sim, fez sentido para ele.

– E você? – perguntou-lhe Ma. – Pensa nele?

– Quando estou trabalhando e tenho um problema para resolver, uma fenda que não fecha ou uma lâmina que se recusa a ficar afiada, sim, eu penso: "Vou perguntar para Pa." Então lembro que não posso. Acontece quase todo dia.

– E o que você faz então?

Edgar hesitou. Tinha medo de dar a entender que estava tendo experiências milagrosas. Pessoas que tinham visões às vezes eram reverenciadas, mas podiam com a mesma facilidade ser apedrejadas como agentes do diabo. Mas Ma entenderia.

– Pergunto a ele assim mesmo – respondeu. – Digo na minha cabeça: "Pa, o que devo fazer em relação a isso?" Mas não vejo nenhuma aparição nem nada desse tipo – arrematou depressa.

Ela assentiu com calma, nada espantada.

– E depois?

– Em geral a resposta vem.

Ela não disse nada.

Um pouco nervoso, ele perguntou:

– Isso soa estranho?

– Nem um pouco – disse ela. – É assim que os espíritos funcionam.

Ela se virou e começou a falar com Bebbe sobre ovos.

Edgar ficou intrigado. É assim que os espíritos funcionam. Aquilo dava o que pensar.

Só que as suas reflexões foram interrompidas. Erman se aproximou e disse:

– Nós vamos construir um arado.

– Hoje?

– É.

Edgar foi arrancado na mesma hora do misticismo e voltou às questões práticas do dia a dia. Imaginou que os irmãos tivessem resolvido fazer isso num fim de semana para que ele estivesse disponível. Nenhum dos dois tinha fabricado um arado antes, mas Edgar era capaz de construir qualquer coisa.

– Quer que eu vá ajudar? – ofereceu.

– Se você quiser.

Erman não gostava de reconhecer que precisava de ajuda.

– Já está com a madeira pronta?

– Sim.

Pelo visto, qualquer um podia pegar madeira na floresta. Em Combe, o senhor feudal Wigelm cobrava de Pa toda vez que ele abatia um carvalho. Mas lá era mais fácil vigiar os desmatadores, refletiu Edgar, pois eles tinham que passar com a madeira na frente de todo mundo na cidade. Ali não estava claro se a floresta pertencia a Degbert Cabeça Calva ou ao chefe do vilarejo de Mudeford, Offa, e nenhum dos dois exigia pagamento. Sem dúvida isso demandaria muito monitoramento em troca de pouca recompensa. Na prática, a madeira era gratuita para qualquer um disposto a abater as árvores.

Todos já estavam saindo da pequena igreja.

– É melhor começarmos logo – disse Erman.

Eles foram andando juntos até a fazenda: Ma, os três irmãos e Cwenburg. Edgar reparou que a relação entre Erman e Eadbald parecia não ter mudado: os dois conviviam basicamente em harmonia, apesar de um nível contínuo de pequenas e poucas desavenças. Seu casamento fora do comum pelo visto estava dando certo.

Cwenburg não parava de lançar para Edgar olhares de triunfo. Sua expressão parecia dizer algo como "Você me rejeitou, mas olhe só o que eu consegui no seu lugar!", mas Edgar não se importava. Ela estava feliz, e seus dois irmãos também.

O próprio Edgar em si não estava infeliz, aliás. Tinha construído um barco e estava construindo uma cervejaria. A remuneração que recebia era tão baixa que parecia quase um roubo, mas ele conseguira escapar de ser agricultor.

Bom, quase.

Olhou para a madeira que os irmãos haviam empilhado em frente ao celeiro e visualizou um arado. Até mesmo quem morava em cidades sabia que aspecto tinha um arado. O implemento precisava ter uma peça vertical pontuda para romper o solo e uma aiveca oblíqua para abrir o sulco e revolver a terra. Ambos tinham de estar presos a uma estrutura que pudesse ser puxada pela frente e guiada por trás.

– Eadbald e eu vamos puxar o arado e Ma vai guiá-lo – disse Erman.

Edgar assentiu. O solo arenoso dali era macio o suficiente para permitir um arado de tração humana. O solo barrento de um lugar como Outhenham exigiria a força de bois.

Edgar sacou sua faca do cinto, ajoelhou-se e começou a marcar as peças de madeira para Erman e Eadbald cortarem. Apesar de o irmão caçula estar assumindo o comando, os outros dois não protestaram. Ambos reconheciam a capacidade superior de Edgar, ainda que nunca admitissem isso em voz alta.

Enquanto seus irmãos começavam a trabalhar na madeira, Edgar pôs-se a fabricar a relha, uma lâmina afixada na frente da aiveca para facilitar o revolvimento do solo. Os outros tinham encontrado no celeiro uma pá de ferro enferrujada. Edgar a aqueceu no fogo dentro da casa, então a moldou com uma pedra.

O resultado ficou meio grosseiro. Ele teria conseguido algo melhor com um martelo de ferro e uma bigorna.

Afiou a lâmina com uma pedra.

Quando eles ficaram com sede, desceram até o rio e beberam nas mãos em concha. Não tinham cerveja nem canecas.

Estavam quase prontos para unir as peças com rebites quando Ma os chamou para a refeição do meio-dia.

Ela havia preparado enguia defumada com cebolas-silvestres e pão de panela. Edgar salivou tão violentamente que sentiu uma pontada de dor no maxilar.

Cwenburg sussurrou algo para Erman. Ma franziu o cenho – cochichar na frente dos outros era falta de educação –, mas não disse nada.

Quando Edgar estendeu a mão para um terceiro pedaço de pão, Erman reclamou:

– Calma lá!

– Estou com fome!

– Não temos muita comida sobrando.

Edgar ficou indignado.

– Eu gastei meu dia de repouso para ajudar vocês a construírem seu arado e vocês ficam mesquinhando um pedaço de pão!

Os ânimos logo se exaltaram, como sempre havia acontecido entre os irmãos.

– Você não pode acabar com toda a nossa comida! – exclamou Erman, exaltado.

– Eu não jantei ontem, e hoje de manhã só comi uma tigela pequena de mingau... Estou faminto.

– Não posso fazer nada.

– Então não peça a minha ajuda, seu cachorro ingrato.

– O arado está quase pronto. Você deveria ter ido almoçar na taberna.

– Lá não me dão quase nada para comer.

Eadbald era mais ponderado do que Erman.

– A questão é que Cwenburg precisa comer mais porque está grávida – explicou.

Edgar viu Cwenburg reprimir um sorrisinho de sarcasmo, o que o deixou ainda mais irritado.

– Então coma menos você, Eadbald, e deixe o meu almoço para mim. Não fui eu que a engravidei. – E ainda arrematou em voz mais baixa: – Graças aos céus.

Erman, Eadbald e Cwenburg começaram a gritar todos ao mesmo tempo. Ma bateu palmas e todos se calaram.

– Edgar, como assim não lhe dão quase nada para comer na taberna? Com certeza Dreng tem dinheiro para comprar muita comida.

– Ele pode ser rico, mas é muito sovina.

– Mas você comeu alguma coisa hoje no desjejum.
– Uma pequena tigela de mingau. Ele come algum tipo de carne junto com o dele, mas o restante de nós, não.
– E o jantar de ontem?
– Nada. Vim a pé de Outhenham e cheguei tarde. Ele disse que a comida tinha acabado.

Ma pareceu irritada.
– Então coma quanto quiser aqui – ordenou. – Quanto ao resto de vocês, calem a boca e tentem lembrar que a minha família sempre vai ter o que comer na minha casa.

Edgar comeu seu terceiro pedaço de pão.
Erman fechou a cara. Eadbald falou:
– Com que frequência vamos ter que alimentar Edgar, então, se Dreng não cuida disso?
– Não se preocupe – disse Ma entre dentes. – Eu cuido de Dreng.

Edgar passou o resto do dia pensando em como Ma cumpriria sua promessa de "cuidar" de Dreng. Ela era astuta e corajosa, mas Dreng tinha poder. Edgar não temia sofrer violência do patrão – Dreng batia em mulheres, não em homens –, mas ele mandava em todo mundo dentro da sua casa: era marido de Leaf e de Ethel, dono de Blod e patrão de Edgar. Era o segundo homem mais importante daquele pequeno povoado, e o primeiro era o irmão dele. Ele podia fazer praticamente o que quisesse. Não era sensato contrariá-lo.

A segunda-feira começou como qualquer outro dia de semana. Blod foi buscar água no rio e Ethel preparou mingau. Quando Edgar estava indo se sentar para fazer seu desjejum insuficiente, Cwenburg entrou bufando, indignada e enfurecida. Apontando um dedo acusador para Edgar, falou:
– Sua mãe é uma bruxa velha!

Edgar teve a sensação de que receberia uma boa notícia.
– Também já tive essa impressão muitas vezes – falou, bem-humorado. – Mas o que ela fez com você?
– Ela quer que eu morra de fome! Diz que eu só posso comer uma tigela de mingau!

Edgar adivinhou a direção que aquilo tomaria e reprimiu um sorriso.
Dreng falou no tom confiante dos poderosos:
– Ela não pode fazer isso com a minha filha.

– Mas acabou de fazer!

– Ela deu algum motivo?

– Disse que não vai me dar mais comida do que o senhor dá para Edgar.

Dreng ficou perplexo. Obviamente não estava esperando nada desse tipo. Parecia atônito e passou alguns segundos sem dizer nada. Então se virou para Edgar.

– Quer dizer que você foi chorar para sua mãe, é? – zombou.

Foi um ataque fraco e Edgar não se abalou.

– É para isso que servem as mães, não?

– Certo, está bem, já ouvi o suficiente – falou Dreng. – Saia daqui, vá para casa.

Mas Cwenburg não aceitaria isso.

– O senhor não pode mandá-lo de volta – disse ela para o pai. – Ele é mais uma boca, e já quase não temos comida suficiente do jeito que está.

– Então venha comer aqui.

Dreng se portava como se estivesse no controle da situação, mas aparentava certo desespero.

– Não – rebateu Cwenburg. – Eu estou casada e feliz assim. E meu bebê precisa de um pai.

Dreng percebeu que estava encurralado e ficou lívido.

– É só dar mais comida para Edgar – continuou Cwenburg. – O senhor tem dinheiro para isso.

Dreng se virou para Edgar com um olhar cheio de maldade.

– Você é um rato traiçoeiro, não é?

– A ideia não foi minha – afirmou Edgar. – Às vezes eu queria ser tão inteligente quanto a minha mãe.

– Você vai se arrepender da inteligência dela, isso eu lhe prometo.

– Eu gosto de acrescentar algo saboroso ao meu mingau – disse Cwenburg. Ela abriu o baú onde Ethel guardava a comida e pegou um vidro de manteiga. Usando a faca do cinto, raspou uma generosa quantidade e a colocou dentro da tigela de Edgar.

Dreng assistiu sem poder fazer nada.

– Conte para a sua mãe que eu fiz isso – pediu Cwenburg para Edgar.

– Está bem – disse ele.

Comeu depressa o mingau com manteiga, antes que alguém pudesse impedi-lo. A comida o fez se sentir bem. Mas a frase de Dreng ficou ecoando em sua mente: *Você vai se arrepender da inteligência dela, isso eu lhe prometo.*

Provavelmente era verdade.

CAPÍTULO 9

Meados de setembro de 997

agna partiu de Cherbourg com o coração repleto de felicidade e expectativa. Havia levado a melhor sobre os pais e estava a caminho da Inglaterra para casar com o homem que amava.

A cidade inteira foi ao porto lhe desejar boa viagem. Seu navio, o *Anjo*, tinha um mastro único equipado com uma grande vela multicolorida, além de dezesseis pares de remos. A figura de proa era um anjo esculpido tocando uma trombeta e na popa uma grande cauda se curvava para cima e para fora até culminar numa cabeça de leão. O capitão era um homem esguio de barba grisalha chamado Guy, que já havia atravessado o canal até a Inglaterra muitas vezes.

Ragna só andara de navio uma vez: três anos antes, acompanhara o pai a Fécamp, uma viagem de quase 150 quilômetros pela baía do Sena, nunca muito distante de terra firme. As condições climáticas eram boas, o mar estava calmo e a tripulação se mostrara encantada por ter a bordo uma linda jovem nobre. A viagem tinha sido prazerosa e sem sobressaltos.

Desse modo, ela estava aguardando ansiosamente aquela dali, a primeira de muitas novas aventuras. Em teoria, sabia que qualquer viagem por mar era arriscada, mas não podia evitar sentir certa empolgação: era da sua natureza. Preocupação demais podia estragar qualquer coisa.

Ela viajava acompanhada por Cat, sua criada pessoal; Agnès, sua melhor costureira; três outras criadas; e, além delas, Bern, o Gigante, mais seis outros soldados para garantir sua proteção. Ela e Bern levavam cavalos – o seu era Astrid, sua égua preferida – e o grupo tinha quatro cavalos para carregar as bagagens. Ragna estava levando quatro vestidos novos e seis novos pares de sapatos. Levava também um pequeno presente de casamento pessoal para Wilwulf: um cinto de couro macio com fivela e ponteira de prata embalado numa caixa especial.

Os animais foram amarrados a bordo sobre um leito de palha, para terem uma proteção caso o balanço do mar os fizesse tombar. Somando a isso uma tripulação de vinte homens, o navio estava abarrotado.

Geneviève chorou quando a embarcação levantou âncora.

Eles partiram sob um sol cálido, com um sudoeste forte que prometia levá-los até Combe em dois dias. Então, pela primeira vez, Ragna se viu ansiosa. Wilwulf a amava, mas ele podia estar diferente. Ela mal podia esperar para travar amizade com seus parentes e súditos, mas será que eles iriam gostar dela? Será que ela conseguiria conquistar o afeto de todos? Ou será que eles iriam desdenhar seus modos estrangeiros, ou até mesmo sentir despeito por sua riqueza e sua beleza? Será que ela iria gostar da Inglaterra?

Para espantar essas preocupações, ela e as criadas ficaram treinando falar anglo-saxão. Ragna vinha tendo aulas diárias com uma inglesa cujo marido era de Cherbourg. Fez as outras rirem lhes ensinando as palavras que designavam as diversas partes do corpo do homem e da mulher.

Então, quase sem aviso, a brisa de verão se transformou num temporal de outono e uma chuva fria pôs-se a açoitar o navio e todos os seus ocupantes.

Não havia onde se abrigar. Ragna certa vez tinha visto uma barcaça fluvial pintada em cores alegres com um toldo para proteger as senhoras do calor do sol, mas tirando isso nunca havia cruzado com nenhuma embarcação que possuísse qualquer tipo de cabine ou telhado para proteção. Quando chovia, os passageiros, tripulantes e cargas ficavam molhados. Ragna e suas criadas se amontoaram e puxaram o capuz das capas sobre a cabeça enquanto tentavam não pisar nas poças que se formavam no piso do navio.

Mas aquilo foi só o começo. Elas pararam de sorrir quando o vento ganhou uma força impetuosa. Apesar da calma aparente, o capitão Guy baixou a vela por medo de emborcar. O navio então começou a se mover ao sabor do vento. As estrelas estavam escondidas atrás de nuvens e nem mesmo a tripulação sabia em que direção estavam indo. Ragna começou a ficar com medo.

A tripulação jogou por cima da amurada uma âncora de mar, um saco grande que se enche de água e funciona como um lastro, moderando a velocidade do navio e mantendo a popa virada de frente para o vento. Mas o mar ficou ainda mais revolto. O navio balançava violentamente: o anjo soava sua trombeta em direção ao céu negro e um instante depois apontava para as profundezas turbulentas. Os cavalos não conseguiram mais se equilibrar e caíram de joelhos, relinchando de pavor. Os soldados tentaram acalmá-los, sem sucesso. A água se derramava por cima das amuradas. Alguns dos tripulantes se puseram a rezar.

Ragna começou a pensar que jamais chegaria à Inglaterra. Talvez o seu destino não fosse casar com Wilwulf e ser mãe dos seus filhos. Ela poderia morrer e ir para o inferno como punição por ter cometido o pecado de fazer amor com ele antes de se tornar sua esposa.

Cometeu o erro de imaginar como seria morrer afogada. Recordou uma brincadeira de criança na qual prendia a respiração para ver quanto tempo conseguia aguentar e sentiu o pânico que se apoderava dela depois de um minuto ou dois. Imaginou o terror que seria ficar tão desesperada para respirar a ponto de inspirar jorros de água. Quanto tempo será que levaria para morrer? Esse pensamento a deixou enjoada e ela vomitou o almoço que havia saboreado poucas horas antes ao sol. Vomitar não acalmou seu estômago, mas o enjoo acabou com seu medo, pois agora ela estava pouco ligando se iria viver ou morrer.

Teve a sensação de que aquilo duraria para sempre. Quando não conseguiu mais ver a chuva caindo, percebeu que havia anoitecido. A temperatura caiu e ela ficou tremendo dentro das roupas ensopadas.

Quando a tempestade cessou, Ragna não teve ideia de quanto tempo havia durado. A chuvarada se transformou em garoa e o vento perdeu força. O navio ficou à deriva no escuro: havia lampiões e um vidro de óleo num baú à prova d'água, mas não havia fogo para acendê-los. O capitão Guy disse que içaria a vela se tivesse certeza de que eles estavam longe da costa, mas, sem saber a posição do navio e sem luz para avistar os sinais de que a terra estava próxima, era perigoso demais. Eles precisavam aguardar o dia amanhecer para recuperar a visão.

Quando o dia raiou, Ragna viu que a cautela do capitão fora sensata: havia penhascos à vista. O céu estava nublado, mas as nuvens se mostravam mais claras em uma direção, que portanto devia ser o leste. A costa situada ao norte de onde eles estavam era a Inglaterra.

Apesar da chuva que ainda caía, os tripulantes lançaram-se ao trabalho: primeiro içaram a vela, depois distribuíram sidra e pão para o desjejum, então começaram a retirar a água do piso do navio.

Ragna ficou estarrecida com a capacidade deles de retomar suas tarefas como se nada tivesse acontecido. Todos tinham quase morrido. Como conseguiam agir em clima de normalidade? Ela mal conseguia pensar em outra coisa além do fato de ainda estar milagrosamente viva.

Eles margearam a costa até avistarem um pequeno porto com algumas embarcações. O capitão não conhecia aquele lugar, mas calculou que devesse estar entre 60 e 80 quilômetros a leste de Combe. Virou o navio em direção à terra e entrou no porto.

De repente, Ragna ansiou pela sensação de ter um chão firme sob os pés.

O navio foi conduzido até águas rasas e Ragna então foi carregada pelo mar até uma praia de seixos. Com suas criadas e seus guarda-costas, subiu a encosta até o povoado situado na beira da praia e entrou numa taberna. Estava torcendo para encontrar um fogo aceso e um desjejum quentinho, mas ainda era cedo demais.

O fogo estava baixo e a atendente da taberna, descabelada e de mau humor, esfregava os olhos sonolentos enquanto atirava gravetos numa chama fraca.

Ragna se sentou, trêmula de frio, e aguardou sua bagagem ser desembarcada para poder vestir roupas secas. A atendente lhe trouxe pão dormido e cerveja aguada.

– Bem-vinda à Inglaterra – disse-lhe ela.

A autoconfiança de Ragna tinha sido abalada. Nunca, em toda sua vida, ela havia sentido tanto medo durante tanto tempo. Quando o capitão Guy falou que eles precisavam esperar o tempo mudar para só então navegar pela costa inglesa na direção oeste até Combe, recusou com firmeza. Nunca mais queria pisar num navio. Talvez viesse a ter outros choques violentos, mas nesse caso queria enfrentá-los em terra firme.

Três dias mais tarde, já não tinha mais certeza se essa fora a melhor decisão. A chuva não tinha dado trégua. Todas as estradas tinham virado verdadeiros pântanos. Chapinhar pela lama exauria os cavalos, e ficar molhado e com frio por muito tempo deixava todo mundo de mau humor. As tabernas em que eles paravam para comer e beber, escuras e lúgubres, proporcionavam um parco alívio para o desconforto do ambiente externo e as pessoas, ao ouvirem seu sotaque estrangeiro, gritavam com ela como se isso fosse facilitar sua compreensão do idioma. Uma noite, o grupo foi recebido na confortável residência de um membro da pequena nobreza, Thurstan de Lordsborough, mas nas outras duas foi obrigado a pernoitar em mosteiros, que eram limpos, porém frios e melancólicos.

Na estrada, enrolada em sua capa, Ragna era balançada conforme Astrid avançava com passos cansados, lembrando a si mesma que no fim daquela viagem o homem mais maravilhoso do mundo a estaria aguardando.

Na tarde do terceiro dia, um dos cavalos de carga escorregou numa encosta. Caiu de joelhos e a carga escorregou para um dos lados. O animal tentou se levantar, mas a carga torta o fez perder outra vez o equilíbrio. Ele escorregou num barranco de lama, relinchando enlouquecido, e caiu dentro de um riacho. Ragna gritou:

– Ah, pobre coitado! Soldados, salvem o animal!

Vários soldados pularam na água, que tinha mais ou menos 1 metro de profundidade, mas não conseguiram pôr o animal de pé.

– Tirem as bagagens do lombo dele! – exclamou Ragna.

Deu certo. Um dos homens segurou a cabeça do cavalo para tentar impedi-lo de se debater e dois outros desataram as correias. Eles pegaram as bolsas e os baús e os passaram para os outros, que aguardavam. Uma vez livre da carga, o cavalo se levantou sem auxílio.

Ao olhar para as bagagens empilhadas na margem do curso d'água, Ragna perguntou:

– Onde está a pequena caixa com o presente de Wilwulf?

Todos olharam em volta, mas ninguém viu nada.

Ragna ficou desolada.

– Não podemos ter perdido a caixa... é o presente de casamento dele!

Como a joalheria inglesa era famosa e Wilwulf certamente tinha padrões altos, ela havia mandado fabricar a fivela e a ponteira no melhor joalheiro de Rouen.

Os homens que haviam se molhado para resgatar o cavalo tornaram a entrar no riacho e puseram-se a vasculhar o leito em busca do embrulho. Mas quem o encontrou com seu olhar aguçado foi Cat.

– Ali! – exclamou ela, e apontou.

Ragna viu a caixa a uns 100 metros de distância, flutuando correnteza abaixo.

De repente, uma silhueta surgiu do meio dos arbustos. Ragna viu de relance uma cabeça coberta por algum tipo de capacete quando o homem deu um passo para dentro d'água e pegou a caixa.

– Ah, muito bem! – gritou ela.

Por uma fração de segundo, o homem se virou e olhou na sua direção, e ela pôde ver perfeitamente um velho e enferrujado capacete de batalha com buracos para os olhos e a boca. O homem então saltou de volta para terra firme e desapareceu no meio da vegetação.

Ragna percebeu que tinha sido roubada.

– Vão atrás dele! – berrou.

Os soldados partiram no encalço do ladrão. Ragna os ouviu chamando uns aos outros dentro da mata, então seus gritos foram abafados pelas árvores e pela chuva. Depois de algum tempo os soldados foram retornando um a um. A floresta era densa demais para que eles ganhassem velocidade, disseram. Ragna começou a ficar desanimada. Quando o último homem apareceu, Bern disse:

– Ele conseguiu escapar.

Ragna tentou não se abalar.

– Vamos em frente – falou de modo abrupto. – O que se perdeu, perdido está.

Eles voltaram a avançar com dificuldade pelo terreno encharcado.

Mas a perda do presente, somada à tempestade no mar e a três dias de chuva e acomodações deploráveis, foi demais para Ragna suportar. Seus pais tinham razão nos seus severos alertas: aquele era um país horrível e ela havia amaldiçoado a si mesma quando decidira viver lá. Não conseguiu segurar as lágrimas, que escorreram por seu rosto misturando-se à chuva fria. Puxou o capuz para a frente e baixou o rosto na esperança de que ninguém a visse naquela situação.

Uma hora depois da perda do presente, o grupo chegou à margem de um rio e viu um povoado na outra margem. Estreitando os olhos em meio ao mau tempo, Ragna pôde distinguir umas poucas casas e uma igreja de pedra. Do outro lado estava atracada uma embarcação razoavelmente grande. Segundo os habitantes do último vilarejo pelo qual eles tinham passado, o povoado da travessia ficava a dois dias de Shiring. Mais dois dias de sofrimento, pensou ela com pesar.

Os homens gritaram para além do rio e bem depressa um rapaz apareceu e desamarrou o barco. Uma cadela marrom e branca veio atrás dele e pulou a bordo, mas o rapaz disse alguma coisa e o animal pulou de volta para fora.

Parecendo não se importar com a chuva, ele ficou em pé na proa da embarcação e atravessou com o auxílio de uma vara. Ragna ouviu a costureira Agnès murmurar:

– Rapaz forte.

O barco bateu na outra margem.

– Esperem eu amarrá-lo antes de embarcarem – pediu o jovem barqueiro. – É mais seguro assim.

Ele era simpático e educado, mas estava se sentindo intimidado pela chegada de uma nobre com uma comitiva grande. Olhou diretamente para Ragna e sorriu como se a reconhecesse, mas ela não se lembrava de tê-lo visto antes.

Depois de amarrar o barco, ele falou:

– É um *farthing* por pessoa ou animal. Estou vendo treze pessoas e seis animais, de modo que são quatro *pennies* e três *farthings* no total, por gentileza.

Ragna meneou a cabeça para Cat, que levava no cinto uma bolsinha com uma pequena quantia em dinheiro para despesas incidentais. Um dos cavalos carregava um baú com arremates em ferro, trancado, que continha a maior parte do dinheiro de Ragna, mas este só era aberto em ambiente particular. Cat entregou ao barqueiro cinco *pennies* ingleses pequenos e leves, e ele lhe devolveu como troco um minúsculo quarto de disco em prata.

– Se tomarem cuidado, vocês podem subir a bordo montados – disse ele. – Mas, se estiverem nervosos, é melhor desmontar e conduzir os cavalos. A propósito, meu nome é Edgar.

– E esta é lady Ragna de Cherbourg – falou Cat.

– Eu sei. – Ele fez uma mesura para Ragna. – É uma honra, milady.

Ragna subiu a bordo e os outros foram atrás.

A embarcação tinha uma firmeza excepcional e parecia bem-feita, com as chapas bem fixadas umas nas outras. Não havia água no piso.

– Belo barco – comentou Ragna.

Não acrescentou *para um fim de mundo como este*, mas isso ficou implícito, e por alguns instantes ela se perguntou se teria sido ofensiva.

Mas Edgar não deu mostras de haver notado.

– A senhorita é muito gentil – disse ele. – Fui eu que o construí.

– Sozinho? – indagou ela, cética.

Mais uma vez ele poderia ter se ofendido. Ragna percebeu que estava esquecendo a sua decisão de travar amizade com os ingleses. Aquele não era o seu comportamento típico: ela em geral era rápida para criar laços com desconhecidos. As dificuldades da viagem e a estranheza do país novo a tinham deixado sem paciência. Ela resolveu ser simpática.

Mas Edgar pelo visto não se sentiu diminuído. Sorriu e disse:

– Não existem dois construtores de barcos neste lugar tão pequeno.

– Fico surpresa por existir um.

– Até eu fico um pouco.

Ragna riu. Aquele rapaz tinha o raciocínio rápido e não se levava muito a sério. Isso lhe agradou.

Edgar supervisionou o embarque das pessoas e dos animais, então desamarrou o barco novamente e iniciou a travessia. Ragna achou graça ao ver a costureira Agnès puxando assunto com ele num anglo-saxão capenga:

– Minha patroa está indo se casar com o senhor de Shiring.

– Com Wilwulf? – reagiu Edgar. – Pensei que ele já fosse casado.

– Era, mas a esposa dele morreu.

– Então sua patroa vai ser a patroa de todo mundo.

– A menos que todos nos afoguemos na chuva a caminho de Shiring.

– Lá em Cherbourg nunca chove?

– Não desse jeito.

Ragna sorriu. Agnès era solteira e estava ansiosa para se casar. Aquele jovem e habilidoso inglês não seria de todo mau. Não seria surpresa alguma se uma ou mais criadas de Ragna encontrassem um marido ali: em grupos pequenos de mulheres, o matrimônio era contagioso.

Ela olhou para a frente. A igreja no alto do morro era feita de pedra, mas apesar disso era pequena e tinha um aspecto malcuidado. As minúsculas janelas, cada uma de um formato diferente, estavam posicionadas aleatoriamente nas paredes grossas. Numa igreja normanda as janelas também eram pequenas, mas tinham de modo geral o mesmo formato e eram dispostas em fileiras alinhadas. Essa regularidade remetia com mais veemência ao Deus organizado responsável pela criação do mundo hierarquizado das plantas, dos peixes, dos animais e das pessoas.

O barco chegou à margem norte. Mais uma vez Edgar saltou e o amarrou, depois disse aos passageiros que eles já podiam desembarcar. Novamente Ragna foi na frente e sua égua passou segurança aos outros animais.

Ela apeou em frente à porta da taberna. O homem que saiu de lá a fez lembrar momentaneamente de Wilwulf por um momento. Tinha a mesma estatura e o mesmo tipo físico, mas o rosto era diferente.

– Não consigo acomodar toda essa gente – disse ele em tom de pesar. – Como vou alimentar todo mundo?

– Qual a distância até o próximo povoado? – perguntou Ragna.

– A senhora é estrangeira? – perguntou ele ao reparar no seu sotaque. – Vocês não chegariam hoje, e é um lugar chamado Wigleigh.

Ele decerto estava só fazendo rodeios antes de tentar cobrar preços extorsivos. Ragna se irritou.

– Bem, o que o senhor sugere então?

Edgar se intrometeu:

– Dreng, esta é lady Ragna de Cherbourg. Ela vai se casar com o senhor Wilwulf.

Na mesma hora Dreng passou a se mostrar servil.

– Queira me perdoar, milady, eu não tinha ideia – falou. – Por favor, entre e seja bem-vinda. Talvez a senhora não saiba, mas vamos ser primos por afinidade.

Ragna ficou desconcertada ao saber que viraria parente daquele taberneiro. Não aceitou de pronto o seu convite para entrar.

– Não, eu não sabia – falou.

– Ah, então. O senhor Wilwulf é meu primo. Depois de se casar, a senhora vai virar minha parente.

Aquilo não deixou Ragna contente. Dreng continuou:

– Meu irmão e eu administramos este pequeno povoado... com autorização de Wilwulf, claro. Meu irmão, Degbert, é o deão da colegiada lá do alto do morro.

– Aquela igrejinha é uma colegiada?

– Bem pequena, só abriga uma meia dúzia de clérigos. Mas entre, por favor.

Ele passou o braço em volta dos ombros de Ragna.

Aquilo tinha sido demais. Mesmo que ela tivesse simpatizado com Dreng, não teria permitido que ele a tocasse. Com um movimento deliberado, afastou o braço.

– Meu marido não iria querer que o primo dele tocasse em mim – falou, fria. Então entrou na casa antes dele.

Dreng foi atrás dizendo:

– Ah, o nosso Wilf não se importaria. – Mas não voltou a tocá-la.

Ragna correu os olhos pelo interior da taberna com uma sensação que estava se tornando conhecida. Como a maioria das tabernas inglesas, aquela dali era escura, malcheirosa e enfumaçada. Havia duas mesas e um punhado de bancos compridos e banquinhos espalhados.

Cat a seguiu de perto. Colocou um banquinho perto do fogo para a patroa, então a ajudou a tirar a capa encharcada. Ragna sentou-se e estendeu as mãos para aquecê-las.

Viu que havia três mulheres na taberna. A mais velha devia ser a esposa de Dreng. A mais jovem, uma moça grávida de semblante contraído, não usava adereço de cabeça, o que em geral indicava uma prostituta. Ragna supôs que fosse uma escrava. A terceira mulher tinha mais ou menos a sua idade e talvez fosse a concubina de Dreng.

As criadas e os guarda-costas de Ragna lotaram o recinto.

– Poderia servir um pouco de cerveja aos meus criados? – pediu ela a Dreng.

– Minha esposa vai providenciar agora mesmo, milady. – Ele se dirigiu às duas mulheres: – Leaf, sirva cerveja para eles. Ethel, comece a preparar o jantar.

Leaf abriu um baú cheio de tigelas e canecas de madeira e começou a enchê-las num barril situado no canto sobre um suporte. Ethel pendurou um caldeirão de ferro acima do fogo, despejou água nele, então pegou um enorme pernil de carneiro e o pôs lá dentro.

A jovem grávida entrou trazendo uma braçada de lenha. Ragna ficou surpresa ao vê-la fazendo serviço pesado com a gestação nitidamente tão avançada. Não era de espantar que exibisse um aspecto tão cansado e carrancudo.

Edgar se ajoelhou junto ao fogo e foi acrescentando um graveto de cada vez para alimentá-lo. Em pouco tempo o fogo aumentou, esquentando Ragna e secando suas roupas.

Ela lhe disse:

– No barco, quando minha criada Cat lhe disse quem eu era, você respondeu "Eu sei". Como sabia quem eu era?

Edgar sorriu.

– A senhorita não vai se lembrar, mas nós já nos encontramos.

Ragna não se desculpou por não reconhecê-lo. Uma nobre encontrava centenas de pessoas, e não havia como esperar que recordasse todas elas.

– Quando foi isso? – perguntou ela.

– Cinco anos atrás. Eu tinha só 13 anos. – Edgar tirou a faca do cinto e a pôs sobre a pedra do fogo de modo que a lâmina ficasse entre as chamas.

– Então eu tinha 15. Como é a primeira vez que venho à Inglaterra, você deve ter ido à Normandia.

– Meu falecido pai era construtor de barcos em Combe. Nós fomos a Cherbourg entregar um barco. Foi quando a encontrei.

– Nós conversamos?

– Sim.

Ele pareceu encabulado.

– Espere um instante. – Ragna sorriu. – Recordo vagamente um inglesinho atrevido que entrou no castelo sem ser convidado.

– Parece algo que eu faria.

– Ele disse em um francês ruim que eu era bonita.

Edgar teve a elegância de enrubescer.

– Peço perdão pela minha insolência. E pelo meu francês. – Ele então sorriu. – Mas não pelo meu gosto.

– Eu respondi algo? Não me lembro.

– A senhorita falou comigo num anglo-saxão bastante bom.

– O que eu disse?

– Que eu era encantador.

– Ah, sim! Então você disse que iria se casar com alguém como eu.

– Não sei como posso ter sido tão desrespeitoso.

– Eu não me importei, posso lhe garantir. Mas acho que talvez eu tenha decidido que a brincadeira já tinha ido longe demais.

– De fato. A senhorita me mandou voltar para a Inglaterra antes de arrumar problemas de verdade. – Ele se levantou, talvez pensando que estava chegando ao limite da impertinência, como tinha feito cinco anos antes. – Gostaria de um pouco de cerveja morna?

– Adoraria.

Edgar pegou uma caneca de cerveja da mão da mulher chamada Leaf. Usando a manga da roupa como luva, pegou sua faca do fogo e mergulhou a lâmina dentro da caneca. O líquido chiou e espumou. Ele o mexeu e lhe passou a caneca.

– Acho que não vai estar quente demais – falou.

Ela levou a caneca aos lábios e tomou apenas um gole.

– Está perfeita – falou, dessa vez sorvendo um grande gole.

Aquilo lhe aqueceu a barriga. Ela estava se sentindo mais alegre.

– Devo deixá-la – falou Edgar. – Imagino que o meu patrão queira lhe falar.

– Ah, não, por favor – pediu Ragna depressa. – Eu não o suporto. Fique aqui. Sente-se. Converse comigo.

Ele aproximou um banquinho, pensou por alguns instantes, então falou:

– Deve ser difícil começar uma vida nova num país desconhecido.

Você não faz ideia, pensou ela. Mas não quis parecer pessimista.

– É uma aventura – falou, animada.

– Mas é tudo diferente. Naquele dia em Cherbourg, eu estava atordoado:

outro idioma, roupas estranhas, até os prédios pareciam esquisitos. E eu passei só um dia lá.

– É um desafio – reconheceu ela.

– Reparei que as pessoas nem sempre são gentis com os estrangeiros. Quando eu morava em Combe, nós víamos muitos estrangeiros. Alguns moradores da cidade gostavam de rir dos erros cometidos pelos visitantes franceses ou flamengos.

Ragna aquiesceu.

– Homens ignorantes acham que estrangeiros são burros... sem perceber que eles próprios pareceriam igualmente inadequados se viajassem para fora.

– Deve ser difícil de aturar. Eu admiro a sua coragem.

Ele era a primeira pessoa na Inglaterra a demonstrar alguma empatia com aquilo que ela estava passando. Por ironia, a compaixão do rapaz fez ruir a fachada de estoicismo e determinação de Ragna. Para o próprio desalento, ela começou a chorar.

– Me desculpe! – disse ele. – O que foi que eu fiz?

– Você foi gentil – ela conseguiu responder. – Ninguém mais me tratou assim desde que eu desembarquei neste país.

Ele tornou a ficar encabulado.

– Não tive a intenção de deixá-la abalada.

– Você não tem culpa de nada, não mesmo. – Ela não queria reclamar de quanto a Inglaterra era horrível. Concentrou-se no fora da lei. – Eu perdi uma coisa preciosa hoje.

– Sinto muito. O que foi?

– Um presente para o meu futuro marido, um cinto com fivela de prata. Não via a hora de lhe dar o presente.

– Que pena.

– Foi um homem de capacete quem o roubou.

– O Cara de Ferro, pelo que a senhorita diz. Ele é um fora da lei. Tentou roubar a leitoa da minha família, mas a minha cadela deu o alerta.

Um homem de cabeça calva entrou no recinto e foi até Ragna. Assim como Dreng, guardava uma leve semelhança com Wilwulf.

– Bem-vinda à Travessia de Dreng, milady – disse ele. – Sou Degbert, deão da colegiada e líder do povoado. – Ele se dirigiu a Edgar em voz mais baixa: – Chegue para lá, garoto.

Edgar se levantou e foi embora.

Sem ser convidado, Degbert sentou-se no banquinho liberado por Edgar.

– Seu noivo é meu primo – falou.

– Prazer em conhecê-lo – disse Ragna com educação.

– Estamos honrados em recebê-la aqui.

– O prazer é meu – mentiu ela.

Perguntou-se quanto tempo demoraria para conseguir ir dormir.

Passou alguns minutos maçantes conversando amenidades com Degbert, então Edgar voltou acompanhado por um homenzinho atarracado em trajes religiosos. Este carregava um baú. Degbert ergueu os olhos para eles e perguntou com irritação:

– O que foi?

– Pedi a Cuthbert que trouxesse algumas das suas joias para mostrar a lady Ragna – respondeu Edgar. – Ela perdeu algo precioso hoje, roubado por Cara de Ferro, e talvez queira substituí-lo.

Degbert hesitou. Estava obviamente apreciando o fato de estar monopolizando a atenção da visita ilustre. Apesar disso, decidiu assentir graciosamente.

– Nós aqui na colegiada temos orgulho das habilidades de Cuthbert – falou. – Espero que milady encontre algo do seu agrado.

Ragna duvidou que fosse encontrar. As melhores peças da joalheria inglesa eram esplêndidas e valorizadas em toda a Europa, mas isso não queria dizer que tudo produzido pelos ingleses fosse bom. E parecia-lhe improvável que coisas de qualidade fossem fabricadas naquele pequeno povoado. Mas ela ficou aliviada por se livrar de Degbert.

Cuthbert exibia um semblante tímido. Nervoso, perguntou:

– Posso abrir a caixa, milady? Não quero ser intrometido, mas Edgar disse que a senhorita poderia se interessar.

– Mas claro – disse Ragna. – Eu adoraria ver.

– Não precisa comprar nada, não se preocupe.

Cuthbert estendeu um pano azul no chão e abriu o baú, que estava cheio de objetos envoltos em tecido de lã. Foi pegando as peças uma a uma, desembalou-as com todo o cuidado e as dispôs na frente de Ragna, sem nunca deixar de observá-la com um ar ansioso. Ela ficou satisfeita em constatar que os produtos eram de alta qualidade. Ele havia confeccionado broches, fivelas, fechos, braçadeiras e anéis, a maioria de prata, todos gravados com desenhos elaborados e muitas vezes incrustados com uma substância negra que Ragna supôs ser nielo, uma mistura de metais.

Seu olhar recaiu sobre uma pesada braçadeira de aspecto masculino. Ela a pegou e constatou que era agradavelmente pesada. A peça era de prata e nela se via gravado o desenho de duas serpentes entrelaçadas, e Ragna a visualizou no braço musculoso de Wilwulf.

– A senhorita pegou minha melhor peça, milady – disse Cuthbert, astuto.

Ela estudou a joia. Teve certeza de que Wilwulf iria gostar da braçadeira e usá-la com orgulho.

– Quanto custa? – perguntou.

– Há muita prata nela.

– A prata é pura?

– Um vinte avos do peso é de cobre, para reforçar – respondeu ele. – Como as nossas moedas de prata.

– Ótimo. Quanto?

– Seria para o senhor Wilwulf?

Ragna sorriu. Cuthbert só daria o preço no momento certo. Estava tentando descobrir quanto ela estaria disposta a pagar. Ele pode ser tímido, pensou, mas também é esperto.

– Sim – respondeu. – Um presente de casamento.

– Nesse caso, devo deixá-la ficar com a peça pela mesma quantia que ela me custou, como um modo de honrar as celebrações das suas bodas.

– O senhor é muito gentil. Quanto?

Cuthbert suspirou.

– Uma libra – falou.

Era muito dinheiro: 240 *pennies* de prata. Mas a braçadeira continha cerca de 250 gramas de prata; era um preço razoável. E quanto mais ela fitava a joia, mais a desejava. Imaginou-se passando-a pela mão de Wilwulf e fazendo-a subir pelo seu braço, em seguida erguendo o olhar para vê-lo sorrir.

Decidiu não pechinchar. Não seria digno da parte dela. Ela não era uma camponesa comprando uma concha de sopa. Mesmo assim, em nome das aparências, fingiu hesitar.

– Não me faça vender por menos do que ela me custou, milady – falou Cuthbert.

– Está bem – disse ela. – Uma libra.

– O senhor Wilwulf vai ficar encantado. Isto aqui ficará maravilhoso no braço forte dele.

Cat havia acompanhado o diálogo e Ragna então a viu se afastar em silêncio até onde sua bagagem estava guardada e destrancar discretamente o baú com arremates em ferro.

Ragna pôs a braçadeira no próprio braço. Era grande demais para ela, claro, mas o desenho gravado lhe agradou.

Cuthbert reembalou suas outras peças e as guardou com cuidado.

Cat voltou com uma bolsinha de couro. Meticulosamente, foi contando os *pennies* de doze em doze. Cuthbert conferiu cada dúzia. Por fim, o religioso guardou o dinheiro em seu baú, fechou a caixa e se retirou, não sem ter desejado a Ragna bodas esplêndidas e muitos anos de um matrimônio feliz.

O jantar foi servido nas duas mesas. Os visitantes comeram primeiro. Não havia

pratos. Em vez disso, grossas fatias de pão foram dispostas sobre a mesa e o ensopado de carneiro com cebolas de Ethel foi derramado por cima com uma concha.
Todos aguardaram Ragna começar. Ela espetou um pedaço de carne com a faca e
o levou à boca, e então todos se puseram a comer. Apesar de simples, o ensopado
estava saboroso.

A comida, a cerveja e o prazer de comprar um presente para o homem amado,
tudo isso alegrou Ragna.

A noite caiu enquanto eles comiam e os lampiões do recinto foram acesos pela
escrava grávida.

Assim que terminou de comer, Ragna disse:

– Agora estou cansada. Onde vou dormir?

– Onde quiser, milady – respondeu Dreng em tom animado.

– Mas onde fica a minha cama?

– Infelizmente não temos camas, milady.

– Não há camas?

– Eu sinto muito.

Eles realmente esperavam que ela fosse se enrolar na capa e se deitar por cima
da palha junto com todo mundo? O repulsivo Dreng decerto tentaria se deitar ao
seu lado. Nos mosteiros ingleses tinham lhe providenciado uma cama de madeira
simples com colchão e Thurstan de Lordsborough lhe dera uma espécie de caixa
forrada com folhas.

– Nem mesmo uma caixa-cama? – perguntou ela.

– Ninguém na Travessia de Dreng tem qualquer tipo de cama.

Edgar se manifestou:

– Exceto as freiras.

Ragna se espantou.

– Ninguém me falou sobre nenhuma freira.

– Na ilha – continuou Edgar. – Há um pequeno convento.

Dreng pareceu irritado.

– Milady, a senhorita não pode ir para lá. Elas cuidam de leprosos e coisas assim. Por isso aquilo lá se chama Ilha dos Leprosos.

Ragna não deu muito crédito a esse argumento. Muitas freiras cuidavam de
doentes e raramente pegavam as infecções de seus pacientes. Dreng queria apenas
o prestígio de hospedá-la durante a noite.

– Os leprosos não têm permissão para entrar no convento – falou Edgar.

– Você não sabe nada – disse Dreng, irritado. – Faz só três meses que mora aqui,
cale essa boca. – Então dirigiu a Ragna um sorriso untuoso. – Eu não poderia
deixá-la arriscar a vida, milady.

– Não estou pedindo sua permissão – retrucou ela com frieza. – Eu mesma decidirei. – Ela se virou para Edgar. – Como são as acomodações para dormir no convento?

– Só estive lá uma vez, para consertar o telhado, mas acho que são dois quartos, um para a madre superiora e sua auxiliar, e outro maior para as outras cinco ou seis freiras. Todas elas dormem em camas de madeira com colchões e cobertores.

– Parece perfeito. Você me levaria até lá?

– Claro, milady.

– Cat e Agnès vão comigo. O restante de meus criados ficará aqui. Se por algum motivo o convento não for adequado, eu voltarei na mesma hora.

Cat pegou a bolsa de couro com os poucos objetos de que Ragna precisaria à noite, como um pente e um pedaço de sabão espanhol. Ela tinha descoberto que na Inglaterra só havia sabão líquido.

Edgar pegou um lampião na parede e Cat, outro. Se Dreng tinha alguma objeção, não se atreveu a manifestá-la.

Ragna cruzou olhares com Bern e o encarou com firmeza. Ele aquiesceu. Tinha entendido: ficaria responsável pelo baú com o dinheiro.

Ela saiu atrás de Edgar e Cat e Agnès a seguiram. As três se encaminharam até o rio e subiram no barco enquanto o rapaz desamarrava a corda. A cadela dele embarcou. Edgar empunhou uma vara e o barco se afastou da margem.

Ragna torceu para que o convento fosse conforme o anunciado. Estava muito necessitada de um quarto limpo, de uma cama macia e de um cobertor quente. Sentia-se uma pessoa sedenta cuja garganta arde de desejo diante da visão de uma jarra de sidra gelada.

– O convento é abastado, Edgar? – quis saber.

– Moderadamente – respondeu ele. Manejava o barco sem dificuldade com a vara e não estava ofegante ao falar. – Possui terras em Northwood e Saint John in the Forest.

– Você é casado com uma daquelas senhoras da taberna, Edgar? – indagou Agnès.

Ragna sorriu. A costureira estava claramente sentindo atração pelo rapaz. Ele riu.

– Não. Duas delas são esposas de Dreng e a moça grávida é escrava.

– Os homens na Inglaterra podem ter duas esposas?

– Na verdade, não, mas os padres não têm como impedir.

– Você é o pai do bebê da escrava?

Mais uma pergunta carregada de significado, pensou Ragna.

Edgar se mostrou ligeiramente ofendido.

– Certamente não.

– Quem é?

– Ninguém sabe.

– Na Normandia não temos escravos – falou Cat.

Continuava chovendo. Não se podia ver nem a lua nem as estrelas. Ragna conseguia ver muito pouco à frente. Mas Edgar conhecia o caminho e logo o barco tocou uma margem arenosa. À luz dos lampiões, Ragna distinguiu um pequeno bote a remo amarrado a um poste. Edgar amarrou seu barco.

– A margem é íngreme – disse ele às mulheres. – Querem que eu as carregue? São só dois passos, mas seus vestidos vão ficar molhados.

Quem respondeu foi Cat.

– Carregue milady, por favor – disse ela, despachada. – Agnès e eu nos viramos sozinhas.

Agnès emitiu um som de decepção, mas não ousou contrariar Cat.

Edgar ficou em pé no rio junto à embarcação, que lhe batia nas coxas. Ragna se sentou na amurada, de costas para ele, então virou o corpo, pôs um dos braços em volta do seu pescoço e por fim passou as pernas para o outro lado. Ele sustentou seu peso com os dois braços e não precisou fazer esforço para carregá-la.

Ela se pegou apreciando aquele colo. Sentiu vergonha: estava apaixonada por outro homem, prestes a se casar com ele – não tinha nada que estar se aconchegando a outro! Tinha uma boa desculpa, porém, e tudo acabou num instante. Edgar deu dois passos pela água e a pousou na margem do rio.

Eles subiram uma trilha pelo barranco. Ao final do caminho havia uma grande construção de pedra. Os contornos não estavam distintos à luz dos lampiões, mas Ragna teve a impressão de ver dois beirais e imaginou que um fosse da igreja e o outro do convento. Ao lado deste último se erguia uma pequena torre.

Edgar bateu à porta de madeira.

Depois de algum tempo, eles escutaram uma voz:

– Quem está batendo a esta hora da noite?

Freiras iam para a cama cedo, lembrou Ragna.

– Edgar, o construtor – disse ele. – Eu trouxe comigo lady Ragna de Cherbourg, que solicita sua hospitalidade.

A porta foi aberta por uma mulher magra com cerca de 40 anos de idade e olhos azuis. Alguns fios grisalhos lhe escapavam da touca. Ela ergueu um lampião e examinou os visitantes. Ao ver Ragna, arregalou os olhos e abriu a boca. Aquilo acontecia muito, Ragna já estava acostumada.

A freira recuou para dar passagem às três mulheres. Ragna falou para Edgar:

– Espere alguns minutos, por favor, só por garantia.

A freira fechou a porta.

Ragna viu um recinto sustentado por colunas. Estava vazio, mas devia ser o lugar em que as freiras conviviam quando não estavam rezando na igreja. Distinguiu as silhuetas escuras de duas mesas de escrever e concluiu que, além de cuidarem de leprosos, aquelas religiosas copiavam e quem sabe também ilustravam manuscritos.

A que tinha atendido a porta falou:

– Sou madre Agatha, abadessa daqui.

– Batizada em homenagem à santa padroeira das enfermeiras, suponho? – disse Ragna, simpática.

– E das vítimas de estupro.

Ragna imaginou que isso remetesse a alguma história dali, mas não queria escutá-la nessa noite.

– Estas são minhas criadas Cat e Agnès.

– Fico feliz em recebê-las aqui. Já jantaram?

– Sim, obrigada, e estamos muito cansadas. A senhora teria camas disponíveis?

– Claro. Me acompanhem, por favor.

Ela as fez subir uma escada de madeira. Aquela era a primeira construção com um segundo andar que Ragna via na Inglaterra. Lá no alto, madre Agatha entrou em um quarto pequeno iluminado por uma única vela de sebo. Havia duas camas. Uma estava vazia e na outra uma freira mais ou menos da mesma idade que Agatha, só que mais roliça, estava sentada com uma cara de surpresa.

– Essa é irmã Frith, minha auxiliar.

Frith encarou Ragna como se mal conseguisse acreditar nos próprios olhos. Algo na sua expressão fez Ragna se lembrar do modo como os homens às vezes a olhavam.

– Levante-se, Frith – disse Agatha. – Vamos ceder nossas camas para as hóspedes.

Frith saiu da cama apressada.

– Lady Ragna, por favor, fique com a minha – falou Agatha. – E suas criadas podem dividir a de Frith.

– A senhora é muito gentil – falou Ragna.

– Deus é amor – retrucou Agatha.

– Mas onde vocês duas vão dormir?

– No dormitório anexo, junto com as outras freiras. Há espaço de sobra.

Para profunda satisfação de Ragna, o quarto era impecável. O piso de tábuas cruas estava limpo. Sobre uma mesa havia uma moringa d'água e uma tigela, sem dúvida para a toalete: freiras lavavam as mãos com frequência. Havia também um atril com um livro aberto. Aquele era claramente um convento em que prezavam os estudos. Não havia baús; freiras não possuíam nenhum bem.

– Que maravilha – falou. – Diga-me, madre Agatha, como é que surgiu um convento aqui nesta ilha?

– É uma história de amor – respondeu Agatha. – Ele foi construído por Nothgyth, viúva de lorde Begmund. Quando ele morreu e foi enterrado na colegiada, Nothgyth não quis se casar de novo, pois ele era o amor da sua vida. Ela quis virar freira e passar o resto da vida morando perto dos restos mortais dele, para que eles pudessem renascer juntos no dia do Juízo Final.

– Que romântico... – comentou Ragna.

– Não é?

– A senhora avisaria ao jovem Edgar que ele pode voltar para casa?

– Claro. Por favor, fiquem à vontade. Voltarei para ver se precisam de mais alguma coisa.

As duas freiras se retiraram. Ragna tirou a capa e subiu na cama de Agatha. Cat pendurou a capa da patroa num gancho na parede. Da bolsa de couro que havia trazido tirou um pequeno frasco de azeite. Ragna estendeu as mãos e a criada pingou uma gota em cada uma. Ragna esfregou as mãos uma na outra.

Acomodou-se na cama. O colchão era de linho e preenchido com palha. O único ruído que se escutava era o do rio banhando as margens da ilha.

– Que bom que descobrimos este lugar – falou.

– O construtor Edgar foi um presente dos deuses – comentou Agnès. – Ele atiçou o fogo, serviu-lhe cerveja morna, foi buscar aquele joalheiro baixote e por fim nos trouxe para cá.

– Você gostou de Edgar, não foi?

– Ele é um amor. Eu me casaria com ele num piscar de olhos.

As três mulheres riram.

Cat e Agnès subiram na cama que compartilhariam.

Madre Agatha voltou.

– Está tudo bem? – perguntou.

Ragna se espreguiçou com languidez.

– Tudo perfeito – respondeu. – A senhora é mesmo muito gentil.

Agatha se curvou acima dela e a beijou suavemente na boca. Foi mais do que um simples encostar de lábios, mas não durou tempo suficiente para fazer jus a uma objeção. A madre então se levantou, foi até a porta e tornou a se virar.

– Deus é amor – repetiu.

CAPÍTULO 10

Final de setembro de 997

 único patrão que Edgar tivera em seus primeiros dezoito anos de vida fora o pai, que podia ser duro, mas nunca cruel. Depois dele, Dreng fora um choque. Edgar nunca havia conhecido a maldade pura e sem motivo. Mas Sunni sim, a do marido. Edgar pensava muito no modo como Sunni lidava com Cyneric. Na maior parte do tempo, ela o deixava fazer o que quisesse, mas nas raras ocasiões em que se opunha a ele se mostrava corajosa e turrona. Edgar tentava encarar Dreng de modo semelhante. Evitava confrontos e aturava perseguições mesquinhas e pequenas injustiças, mas, quando não podia evitar uma briga, lutava para vencer.

Já tinha impedido Dreng de bater em Blod pelo menos uma vez. Havia conduzido Ragna até o convento contra a vontade do patrão, que obviamente desejava que a nobre dama pernoitasse na taberna. E, com a ajuda da mãe, havia forçado Dreng a alimentá-lo de forma decente.

O taberneiro sem dúvida gostaria de se livrar dele, só que havia dois empecilhos. Um deles era sua filha, Cwenburg, agora parte da família de Edgar. Ma ensinara a Dreng uma boa lição: se ele ferisse Edgar, isso automaticamente repercutiria em Cwenburg. O outro problema era que Dreng jamais conseguiria encontrar outro construtor competente por apenas um *farthing* por dia. Um bom artesão exigiria três ou quatro vezes isso como pagamento. E a avareza de Dreng é ainda maior do que a sua maldade, pensou Edgar.

Ele sabia que estava se equilibrando numa corda bamba. No fundo Dreng não era inteiramente racional e algum dia poderia agir sem se importar com as consequências. Mas não havia um jeito seguro de lidar com ele a não ser se deixar pisotear como os juncos do chão, e isso Edgar não conseguia fazer.

De modo que seguia alternadamente agradando e desafiando Dreng, ao mesmo tempo que se mantinha atento aos sinais de uma tempestade iminente.

Um dia depois de Ragna seguir viagem, Blod veio falar com ele:

– Quer ficar comigo de graça? Estou barriguda demais para trepar, mas posso lhe dar uma boa chupada.

– Não! – respondeu ele, e então, envergonhado, arrematou: – Obrigado.

– Por que não? Eu sou feia?

– Eu lhe contei sobre a minha Sunni, que morreu.

– Então por que é tão bom comigo?

– Eu não sou bom com você. Mas sou diferente de Dreng.

– Você é bom comigo.

Ele mudou de assunto:

– Já escolheu o nome do seu bebê?

– Não sei se vão me deixar dar um nome a ele, ou ela.

– Você deveria escolher um nome galês. Como se chamam seus pais?

– O nome do meu pai é Brioc.

– Gostei. Tem uma sonoridade forte.

– É o nome de um santo celta.

– E o da sua mãe?

– Eleri.

– Bonito nome.

Os olhos dela ficaram marejados.

– Sinto muita saudade deles.

– Eu deixei você triste. Me desculpe.

– Você é a única pessoa inglesa que já me perguntou sobre a minha família.

Um grito ecoou dentro da taberna:

– Blod! Venha aqui!

Blod entrou e Edgar continuou seu trabalho.

O primeiro carregamento de pedras descera o rio desde Outhenham numa jangada guiada por um dos filhos de Gab e fora descarregado e estocado perto das ruínas do antigo barracão de fabricar cerveja. Edgar já havia cavado o alicerce da nova construção, uma vala preenchida até a metade com pedras soltas.

Teve que fazer uma estimativa da profundidade do alicerce. Havia verificado o da igreja cavando um pequeno buraco junto à parede da capela e descobriu que era quase inexistente. Isso talvez explicasse por que a igreja estava vindo abaixo.

Ele despejou argamassa por cima das pedras e então se deparou com outro problema: como garantir que a superfície da argamassa ficasse nivelada? Seu olho era bom, mas isso não bastava. Já tinha visto construtores trabalhando e desejou tê-los observado com mais atenção. No fim das contas, acabou inventando um mecanismo. Fabricou um bastão fino e plano com 1 metro de comprimento e escavou a parte interna para criar um canal liso. O resultado foi uma versão em miniatura da canoa feita de tronco que Dreng costumava usar na travessia. Pediu a Cuthbert para fabricar em sua forja uma pequena bola de ferro polida. Colocou o bastão em cima da argamassa, pôs a bola no canal e deu uma batida no bastão. Se a bola rolasse em direção a uma das extremidades, queria dizer que a argamassa não estava nivelada e que a superfície precisava ser ajustada.

Era um processo demorado e Dreng estava impaciente. Ele saiu da taberna, postou-se com as mãos nos quadris e passou alguns minutos observando Edgar. Por fim, falou:

– Faz uma semana que está trabalhando nisso e não estou vendo nenhuma parede subir.

– Preciso nivelar o alicerce – explicou Edgar.

– Pouco me importa se está nivelado – falou Dreng. – É uma cervejaria, não uma catedral.

– Se não estiver nivelada, ela vai desabar.

Dreng olhou para Edgar sem saber se acreditava nele, mas sem querer revelar a própria ignorância. Afastou-se dizendo:

– Preciso que Leaf volte a fabricar cerveja o quanto antes. Estou perdendo dinheiro comprando em Shiring. Seja mais rápido!

Enquanto trabalhava, Edgar se pegou pensando com frequência em Ragna. Ela havia aparecido na Travessia de Dreng como uma visita vinda do paraíso. Era tão alta, imponente e linda que quando se olhava para ela era difícil acreditar que pertencesse à raça humana. No entanto, assim que abria a boca para falar ela se revelava encantadoramente humana: prática, de uma empatia calorosa e capaz de chorar por causa de um cinto perdido. Wilwulf de Shiring era um homem de sorte. Os dois formariam um lindo casal. Aonde quer que fossem, seriam alvo de todos os olhares, o belo senhor da cidade e sua formosa consorte.

Edgar se sentia lisonjeado por ela ter conversado com ele, muito embora ela tivesse lhe dito com franqueza que a intenção era manter Dreng afastado. Estava extremamente satisfeito por ter conseguido lhe encontrar um lugar para dormir mais adequado do que a taberna. Compreendia o seu desejo de não querer se deitar no chão junto com todos os outros. Em tabernas, até mesmo as mulheres mais feiosas corriam o risco de ser importunadas pelos homens.

Na manhã seguinte, ele tinha ido buscá-la de barco na Ilha dos Leprosos. Madre Agatha havia descido até a beira do rio para acompanhar Ragna, Cat e Agnès, e daquela curta distância ele pudera ver com clareza que a madre superiora também estava encantada por Ragna, cujas palavras parecia escutar com fascínio e de quem não conseguia desgrudar os olhos. A freira ficara acenando na beira do rio até o barco chegar à outra margem e Ragna entrar na taberna.

Antes de o grupo partir, Agnès disse a Edgar que torcia para revê-lo em breve. Passou pela cabeça do rapaz que o interesse da costureira por ele pudesse ser romântico. Nesse caso, ele teria que lhe confessar que não conseguia se apaixonar e explicar sobre Sunni. Perguntou-se quantas vezes precisaria contar a mesma história.

Já no final do dia, levou um susto ao ouvir um grito de dor vindo da taberna. Parecia ter sido de Blod, e Edgar pensou que Dreng estava batendo nela. Largou as ferramentas e entrou correndo.

Mas ninguém estava apanhando. Sentado diante da mesa, Dreng exibia um ar irritado. Blod estava sentada no chão com as costas apoiadas na parede. Seus cabelos negros estavam molhados de suor. Leaf e Ethel a observavam em pé. Quando Edgar chegou, a escrava deu outro grito de dor.

– Que Deus nos proteja – falou Edgar. – Aconteceu alguma coisa horrível?

– Qual é o seu problema, seu garoto idiota? – zombou Dreng. – Nunca viu uma mulher parir?

Edgar nunca tinha visto. Já presenciara animais dando à luz, mas isso era diferente. Por ser o mais novo da família, ainda não era nascido quando os irmãos tinham vindo ao mundo. Sabia em teoria como nasciam os humanos, então sabia que podia doer, e, pensando bem, às vezes já tinha escutado gritos de dor vindos das casas vizinhas, e recordava a mãe dizendo: "A hora dela chegou." Mas nunca tinha testemunhado um parto de perto.

A única coisa que sabia com certeza era que a mãe muitas vezes morria.

Achava angustiante ver uma moça sentir dor sem poder ajudá-la.

– Será que deveríamos dar um pouco de cerveja para ela beber? – indagou, desesperado.

Bebidas fortes em geral faziam bem a quem estava com dor.

– Podemos tentar – falou Leaf.

Ela encheu uma caneca até a metade e a passou para Edgar. Ele se ajoelhou junto a Blod e suspendeu a caneca até sua boca. A escrava tomou a cerveja de um gole só e então tornou a fazer uma careta de dor.

– Foi o pecado original que causou isso – disse Dreng. – No jardim do Éden.

– Meu marido, o padre – comentou Leaf com sarcasmo.

– É verdade – falou Dreng. – Eva desobedeceu. É por isso que Deus pune todas as mulheres.

– Imagino que o marido de Eva tenha aprontado alguma para deixá-la enlouquecida – disse Leaf.

Edgar não sabia o que mais poderia fazer e os outros pareciam estar na mesma. Talvez estivesse tudo nas mãos de Deus. Ele tornou a sair e retomou seu trabalho.

Perguntou-se como teria sido o parto de Sunni. Com certeza o fato de eles fazerem amor teria provocado uma gravidez, mas Edgar nunca tinha pensado muito nisso. Percebeu agora que teria achado insuportável vê-la sentir tanta dor. Já era ruim o suficiente ver Blod, que não passava de uma conhecida.

Concluiu a argamassa do alicerce quando estava começando a escurecer. Verificaria o nivelamento outra vez pela manhã, mas, se estivesse tudo certo, assentaria a primeira fileira de pedras no dia seguinte.

Entrou na taberna. Deitada no chão, Blod parecia cochilar. Ethel serviu o jantar, um ensopado feito com carne de porco e cenouras. Era a época do ano em que todos precisavam decidir que animais passariam o inverno vivos e quais deviam ser abatidos. Parte da carne era consumida fresca, e o resto, defumado ou salgado para o inverno.

Edgar comeu com gosto. Dreng lançou olhares mal-humorados na sua direção, mas não disse nada. Leaf bebeu mais cerveja. Estava começando a ficar um pouco bêbada.

Quando estavam terminando a refeição, Blod voltou a gemer e as dores pareceram estar vindo com mais frequência.

– Agora falta pouco – disse Leaf. Suas palavras saíram arrastadas como muitas vezes acontecia àquela hora da noite, mas ainda era possível entender o que ela falava. – Edgar, vá até o rio e pegue água limpa para lavar o bebê.

Edgar ficou espantado.

– É preciso lavar um bebê?

Leaf riu.

– Claro... Espere e você vai ver.

Ele pegou o balde e foi até o rio. Apesar de escuro, o céu estava limpo e uma meia-lua brilhava intensamente. Malhada o seguiu na esperança de que eles fossem sair de barco. Edgar mergulhou o balde no rio e o levou de volta para dentro da taberna. Outra vez lá dentro, viu que Leaf havia estendido trapos limpos no chão.

– Ponha o balde perto do fogo para a água esquentar um pouco – disse ela.

Os gritos de Blod agora estavam mais angustiados. Edgar viu que os juncos sob seus quadris estavam ensopados com algum tipo de líquido. Aquilo não podia ser normal, podia?

– Devo pedir a madre Agatha para vir? – perguntou ele.

A freira em geral era chamada nas emergências médicas.

– Não tenho dinheiro para pagá-la – falou Dreng.

– Ela não cobra! – exclamou Edgar, indignado.

– Oficialmente não, mas espera uma doação, a menos que a pessoa seja pobre. Iria querer dinheiro de mim. As pessoas acham que sou um homem rico.

– Não se preocupe, Edgar – falou Leaf. – Blod vai ficar bem.

– Está querendo dizer que isso é normal?

– É, sim.

Blod tentou se levantar. Ethel a ajudou.

– Ela não deveria ficar deitada? – perguntou Edgar.

– Agora não – respondeu Leaf.

Ela abriu um baú. Tirou lá de dentro duas finas correias de couro. Então jogou no fogo um punhado de centeio seco. Dizia-se que o centeio queimado afastava os maus espíritos. Por fim, pegou um pano limpo grande e o pendurou no ombro.

Edgar entendeu que não sabia nada sobre aquele ritual.

Blod ficou em pé com as pernas afastadas e se inclinou para a frente. Ethel se posicionou junto à sua cabeça e Blod lhe pôs os braços em volta da cintura fina para se apoiar. Leaf se ajoelhou atrás de Blod e levantou o vestido dela.

– O bebê está vindo – falou.

– Ah, que nojo – disse Dreng.

Ele se levantou, vestiu a capa, pegou sua caneca e saiu mancando da taberna.

Blod começou a emitir ruídos arquejantes como se estivesse sofrendo para conseguir levantar um peso muito grande. Edgar a fitou com um misto de fascínio e horror: como é que algo tão grande quanto um bebê poderia sair lá de dentro? Mas a abertura foi se alargando. Algum objeto parecia estar passando por ali.

– O que é isso? – perguntou Edgar.

– A cabeça do bebê – respondeu Leaf.

Edgar ficou perplexo.

– Que Deus ajude Blod.

O bebê não saiu num único movimento fluido. Em vez disso, foi como se o crânio começasse a sair, alargando a abertura, e depois de alguns segundos parasse, como para descansar. A cada movimento, Blod gritava de dor.

– Ele tem cabelos – disse Edgar.

– Em geral eles vêm assim – falou Leaf.

Então, como em um milagre, a cabeça do bebê ficou inteira para fora.

Edgar foi dominado por uma emoção potente que não conseguiu definir. O que estava vendo o deixou assombrado. Sua garganta se fechou como se ele fosse chorar, mesmo sem estar triste. Na verdade, sentia-se tomado de alegria.

Leaf tirou o pano do ombro e o posicionou entre as pernas de Blod para segurar a cabeça do bebê com as duas mãos. Os pequenos ombros apareceram e então a barriguinha, com algo preso nela que Edgar entendeu na mesma hora ser o cordão. O corpo inteiro estava coberto por uma substância gosmenta. Por fim, as pernas apareceram. Edgar viu que era um menino.

– Estou me sentindo estranha – falou Ethel.

Leaf olhou para ela e disse:

– Ela vai desmaiar... Segure-a, Edgar.

Ethel revirou os olhos e ficou inerte. Bem a tempo, Edgar a segurou pelas axilas e a depositou com cuidado no chão.

O bebê abriu a boca e chorou.

Bem devagar, Blod se abaixou de quatro no chão. Leaf embrulhou o minúsculo bebê no pano e o depositou delicadamente sobre os juncos do chão. Então sacou as misteriosas correias de couro. Amarrou ambas com firmeza ao redor do cordão, uma próxima à barriga do menino e outra a alguns centímetros de distância. Por fim, sacou a faca do cinto e cortou o cordão.

Ela então mergulhou um trapo limpo no balde e lavou a criança, limpando suavemente o sangue e o muco de seu rosto e sua cabeça, em seguida o resto do corpo. O contato com a água fez o menino chorar outra vez. Ela o secou sem esfregar e tornou a embrulhá-lo no pano.

Blod deu um grunhido de esforço, como se estivesse dando à luz novamente, e por um instante Edgar pensou que poderiam vir gêmeos. O que saiu, porém, foi uma massa disforme, e, quando ele franziu o cenho, sem entender, Leaf explicou:

– A placenta.

Blod rolou de lado e sentou-se com as costas apoiadas na parede. Sua habitual expressão defensiva e de hostilidade havia sumido e ela estava apenas pálida e exausta. Leaf lhe entregou o bebê e sua expressão voltou a mudar, tornando-se ao mesmo tempo mais suave e mais radiante. Ela fitou o corpinho minúsculo nos braços com uma expressão cheia de amor. O bebê virou a cabeça para ela e ficou com o rosto encostado em seu peito. Ela abaixou a frente do vestido e o colocou sobre o seio. Pelo visto ele sabia o que fazer: sua boca se fechou avidamente ao redor do mamilo e ele começou a sugar.

Blod fechou os olhos com um ar satisfeito. Edgar nunca a tinha visto assim antes.

Leaf se serviu de mais uma caneca de cerveja e a virou de um gole só.

Malhada encarava o bebê com fascínio. Um pezinho miúdo se esticou para fora do rolinho e a cadela o lambeu.

Em geral, jogar fora a palha suja era trabalho de Blod, e Edgar resolveu que agora era melhor ele se encarregar disso. Recolheu toda a sujeira do lugar onde ela estava, inclusive a placenta, e levou para fora.

Dreng estava sentado num banco ao luar.

– O bebê nasceu – falou Edgar.

Dreng levou sua caneca à boca e bebeu.

– É menino – disse Edgar.

Dreng ficou em silêncio.

Edgar jogou a palha ao lado da pilha de esterco. Quando secasse, iria queimá-la.

Lá dentro, Blod e o bebê pareciam dormir. Leaf estava deitada de olhos fechados, exausta, embriagada ou as duas coisas. Ethel continuava desmaiada.

Dreng entrou. Blod abriu os olhos e o encarou desconfiada, mas ele apenas foi até o barril e encheu de novo a caneca. Blod fechou os olhos outra vez.

Dreng tomou um longo gole de cerveja e pousou a caneca na mesa. Então, com um movimento rápido e certeiro, abaixou-se até junto de Blod e pegou o bebê. O pano caiu no chão e ele disse:

– É menino mesmo, o bastardinho.

– Me dê ele aqui! – pediu Blod.

– Ah, quer dizer que você fala inglês! – exclamou Dreng.

– Me dê o meu bebê.

Ethel nem se mexeu, mas Leaf falou:

– Dreng, dê o bebê para ela.

– Acho que ele está precisando de ar puro – disse Dreng. – Aqui dentro está enfumaçado demais para um bebê.

– Por favor – pediu Blod.

Dreng levou o bebê para fora.

Leaf saiu atrás dele. Blod tentou se levantar, mas tornou a cair sentada. Edgar foi atrás de Leaf.

– Dreng, o que está fazendo? – perguntou Leaf, apavorada.

– Pronto – disse Dreng para o bebê. – Sinta o ar limpo do rio. Não é melhor assim?

Ele desceu o declive até a beira da água.

O ar puro deve mesmo ser melhor para o bebê, pensou Edgar, mas o que está realmente se passando pela cabeça de Dreng? Edgar nunca o tinha visto ser gentil com ninguém exceto Cwenburg. Teria o drama do parto o feito lembrar de quando sua filha viera ao mundo? Edgar o seguiu de longe e ficou observando.

Dreng se virou de frente para Edgar e Leaf. O luar branco iluminou o corpo minúsculo do bebê. O verão tinha se transformado em outono e o ar frio sobre sua pele nua acordou o menino e o fez chorar.

– Mantenha o bebê aquecido! – disse Leaf bem alto.

Dreng pegou o bebê pelo tornozelo e o segurou de cabeça para baixo. O choro ficou urgente. Edgar não sabia o que estava acontecendo, mas teve certeza de que era algo ruim, e com um medo repentino disparou para cima de Dreng.

Com um movimento rápido e vigoroso, Dreng suspendeu o bebê para trás e em seguida o arremessou dentro do rio.

Leaf gritou.

O choro do bebê silenciou de modo abrupto quando ele caiu no rio.

Edgar se jogou em cima de Dreng e os dois desabaram na água rasa.

Edgar se levantou na mesma hora. Tirou os sapatos aos trancos e puxou a túnica por cima da cabeça.

Cuspindo água, Dreng bradou:

– Seu louco, você tentou me afogar!

Nu, Edgar saiu nadando.

O corpinho já estava no meio da correnteza: Dreng era um homem grande e as costas ruins das quais vivia reclamando não afetavam tanto a sua capacidade de arremesso. Edgar nadou depressa em direção ao ponto em que pensava que o bebê tivesse caído. Não havia nuvens e o brilho da lua estava intenso, mas ao olhar para a frente ele percebeu, desolado, que não havia nada na superfície do rio. O bebê com certeza flutuaria, não? Corpos de pessoas em geral não afundavam, não é? Mesmo assim, pessoas morriam afogadas.

Ele alcançou e passou pelo que pensava ser o ponto sem ver nada. Agitou os braços debaixo d'água na esperança de tocar alguma coisa, mas não sentiu nada.

A ânsia de salvar o menino era avassaladora. Ele estava desesperado. Aquilo tinha algo a ver com Sunni, não soube ao certo de que modo – e não deixou esse pensamento o distrair. Continuou nadando e traçou um círculo enquanto estreitava os olhos para ver melhor, desejando que a luz ficasse mais forte.

A correnteza sempre levava os detritos rio abaixo. Ele nadou nessa direção o mais depressa que conseguiu enquanto vasculhava a superfície à esquerda e à direita. Malhada veio nadando ao seu lado, se esforçando para acompanhar. Talvez a cadela farejasse o bebê antes de Edgar vê-lo.

A correnteza o levou em direção ao lado norte da Ilha dos Leprosos e ele supôs que o mesmo teria acontecido ao bebê. Os dejetos do povoado às vezes iam parar em frente à ilha, e Edgar decidiu que sua melhor aposta era procurar o bebê lá. Nadou até a margem. A beira do rio ali não era muito definida: um terreno pantanoso, cheio de poças, que fazia parte da fazenda mas não era produtivo. Ele seguiu nadando com os olhos estreitados ao luar. Viu vários detritos: pedaços de madeira, cascas de castanhas, ossos de animais, um gato morto. Se o bebê estivesse ali, com certeza seu corpo branco ficaria evidente. No entanto, Edgar ficou desapontado.

Cada vez mais tomado pelo pânico, desistiu daquele trecho e atravessou o rio a nado até a Ilha dos Leprosos. A margem ali era ocupada por uma vegetação alta e não era fácil ver o chão. Ele saiu da água e foi andando pela margem em direção ao convento, vasculhando a beira do rio da melhor forma que conseguiu. Malhada rosnou e ele escutou um movimento ali perto. Imaginou que os leprosos o estivessem observando: eles eram famosos pela timidez, pois talvez relutassem em deixar os outros verem suas feridas. Mas ele decidiu falar.

– Ei, você aí! – disse bem alto. O farfalhar cessou de modo abrupto. – Um bebê caiu no rio – continuou ele. – Você viu alguma coisa?

O silêncio perdurou por alguns instantes, então uma forma humana surgiu de trás de uma árvore. O homem trajava andrajos mas não parecia desfigurado. Talvez os boatos fossem exagerados.

– Ninguém viu um bebê – respondeu o homem.

– Pode me ajudar a procurar? – pediu Edgar.

O homem hesitou, então aquiesceu.

– Talvez ele tenha ido parar em algum lugar na margem – falou Edgar.

Como ninguém respondeu, ele apenas se virou e retomou a busca. Aos poucos, foi tomando consciência de estar acompanhado. Alguém se movia pela vegetação ao seu lado e outra pessoa caminhava pela água rasa atrás dele. Pensou ter percebido um movimento à frente também. Sentiu-se grato pelos olhos sobressalentes: de outra maneira, seria fácil deixar passar algo pequeno.

Quando começou a voltar na direção da taberna, porém, fechando o círculo, ele achou difícil manter as esperanças. Estava exausto e tremia; em que condição estaria um bebê nu? Se o menino não tivesse morrido afogado, àquela altura poderia ter morrido de frio.

Ele chegou na altura do convento. Havia luzes nas janelas e do lado de fora, e ele viu movimentos apressados. Uma freira se aproximou e ele reconheceu madre Agatha. Lembrou que estava nu em pelo, mas ela pareceu não notar.

A madre trazia um pacote nos braços. Edgar recobrou as esperanças. Será que as freiras tinham encontrado o bebê?

Agatha deve ter visto a ânsia no seu semblante, pois balançou a cabeça com tristeza, e Edgar ficou tomado de expectativa.

A madre se aproximou e lhe mostrou o que estava segurando. Era o bebê de Blod, enrolado num cobertor de lã branco. Estava com os olhos fechados e não respirava.

– Nós o encontramos na margem do rio – falou Agatha.

– Ele estava...?

– Se estava morto ou vivo? Eu não sei. Nós o levamos para um lugar quente, mas já era tarde. Nós o batizamos, porém, então ele agora está com os anjos.

Edgar foi dominado pela tristeza. Começou a chorar e a tremer ao mesmo tempo e as lágrimas embaçaram sua visão.

– Eu o vi nascer – disse ele entre um soluço e outro. – Foi como um milagre.

– Eu sei – falou Agatha.

– E depois o vi ser assassinado.

Agatha abriu o cobertor e lhe entregou o minúsculo bebê. Edgar levou o corpo frio ao peito nu e continuou a chorar.

CAPÍTULO 11

Início de outubro de 997

Conforme foi chegando perto de Shiring, Ragna sentiu o coração se encher de apreensão.

Estava animada quando embarcara naquela aventura, impaciente para desfrutar dos prazeres do casamento com o homem que amava, alheia aos riscos. Os atrasos devido ao mau tempo tinham sido frustrantes. Agora, cada quilômetro que percorria aumentava sua consciência de que na verdade não sabia em que tinha se metido. Todo o curto tempo que ela e Wilwulf haviam passado juntos fora na sua casa, onde ele era um forasteiro tentando se adaptar. Ela nunca o tinha visto na casa dele, nunca o tinha visto em meio ao próprio povo, nunca o tinha ouvido falar com seus parentes, vizinhos ou súditos. Ela mal o conhecia.

Quando finalmente pôde ver a cidade dele, parou para observar com atenção.

Era um lugar grande, com várias centenas de casas reunidas no sopé de um morro, uma bruma úmida a pairar acima dos telhados de sapê. Uma muralha de terra cercava o local, sem dúvida para servir de defesa contra os vikings. Duas igrejas grandes de pedra clara e telhas molhadas se destacavam em meio a um ambiente repleto de madeira marrom. Uma delas fazia parte de um grupo de construções monásticas rodeado por um fosso e uma cerca, e devia ser a abadia onde o belo frei Aldred era o responsável pelo *scriptorium*. Ela estava animada para revê-lo.

A outra igreja devia ser a catedral, pois ao seu lado ficava uma casa de dois andares que parecia ser a residência do bispo Wynstan, irmão de Wilwulf e seu futuro cunhado. Torceu para que ele se tornasse uma espécie de irmão mais velho para ela.

Uma construção de pedra sem campanário devia ser a casa de um cunhador e conter um estoque de prata que precisava ser protegido de ladrões. Ela havia aprendido que a moeda inglesa era um dinheiro no qual as pessoas confiavam: a pureza de seus *pence* de prata era cuidadosamente regulamentada pelo rei, que impunha punições brutais para a falsificação.

Devia haver mais igrejas numa cidade daquele tamanho, mas elas provavelmente eram feitas de madeira, como as casas.

No alto do morro, dominando a cidade, ficava um complexo murado, vinte ou trinta construções variadas rodeadas por uma cerca grossa. Aquilo devia ser a sede administrativa, a residência do senhor da cidade, o lar de Wilwulf.

E meu lar agora também, pensou Ragna nervosa.

No complexo não havia construções de pedra. Isso não a espantou: só recentemente os normandos haviam começado a construir torres de menagem e portões de pedra, e a maioria era mais simples e mais grosseira do que o castelo de seu pai em Cherbourg. Ela sem dúvida estaria um pouco menos segura ali.

Já sabia antes da viagem que os ingleses eram fracos. Os vikings tinham atacado o país pela primeira vez dois séculos antes e os ingleses ainda não haviam conseguido impedir isso de modo permanente. As pessoas ali tinham mais talento para a joalheria e o bordado do que para o combate.

Ela mandou Cat e Bern na frente para avisar que estava chegando. Seguiu-os devagar, de modo a dar tempo para Wilwulf lhe preparar as boas-vindas. Teve que reprimir o impulso de cravar os calcanhares em Astrid e fazer a égua trotar mais rápido. Queria desesperadamente abraçá-lo, e esperar qualquer segundo a mais era um suplício, mas fazia questão de ter uma chegada digna.

Apesar da garoa fria, o comércio da cidade estava movimentado: pessoas compravam pão e cerveja, cavalos e carroças entregavam sacos e barris, pedintes e prostitutas percorriam as ruas enlameadas. Porém a atividade cessou quando Ragna e sua comitiva se aproximaram. Eles formavam um grupo grande, ricamente vestido, e todos os seus soldados exibiam o corte de cabelo severo que os distinguia como normandos. As pessoas olhavam e apontavam. Deviam ter adivinhado quem era Ragna. O futuro casamento certamente era do conhecimento de todos na cidade e as pessoas já deviam estar esperando há muito tempo a sua chegada.

Os transeuntes exibiam um ar de cautela, e Ragna imaginou que ninguém soubesse ao certo como reagir. Seria ela uma usurpadora estrangeira que tinha vindo roubar o solteiro mais cobiçado do oeste da Inglaterra das moças mais merecedoras da região?

Reparou que seus homens tinham formado instintivamente um cordão de proteção ao seu redor. Percebeu que isso era um erro. O povo de Shiring precisava ver sua princesa.

– Estamos com um aspecto defensivo demais – disse ela a Bern. – Assim não está bom. Você e Odo, sigam dez passos na frente só para abrir caminho. Digam aos outros para irem atrás. Deixem o povo da cidade me ver.

Bern pareceu preocupado, mas modificou a formação conforme as suas instruções.

Ragna começou a interagir com as pessoas. Cruzou olhares com uma ou outra e lhes sorriu. A maioria tinha dificuldade para não retribuir o sorriso, mas ela sentiu certa relutância. Uma das mulheres acenou com hesitação e Ragna acenou de volta. Alguns trabalhadores que estavam instalando o telhado de sapê de uma casa interromperam o trabalho e lhe gritaram alguma coisa. Como falavam um inglês com sotaque carregado que ela não compreendeu, não soube dizer se os comentários gritados eram de entusiasmo ou de zombaria, mas lhes soprou um beijo. Alguns espectadores aprovaram com sorrisos. Um pequeno grupo de homens que bebia em frente a uma taberna agitou suas boinas no ar e deu vivas. Outros na rua os imitaram.

– Assim está melhor – disse Ragna, sentindo a ansiedade diminuir um pouco.

O barulho fez as pessoas saírem de suas casas e das lojas para ver o que estava acontecendo, e a multidão à frente se adensou. Todos começaram a seguir a comitiva e, conforme Ragna subia o morro em direção ao complexo, o zum-zum se transformou em rugido. Ela foi contagiada pelo entusiasmo da população. Quanto mais sorria, mais o povo a saudava, e quanto mais o povo a saudava, mais feliz ela ficava.

A cerca de madeira tinha um portão duplo bem grande e as duas metades estavam abertas de par em par. Passado o portão, logo havia outra multidão reunida, decerto os criados e agregados de Wilwulf. Quando Ragna apareceu, eles aplaudiram.

Tirando a falta de um castelo, o complexo não era muito diferente do de Cherbourg. Havia casas, estábulos e depósitos. As cozinhas eram abertas nas laterais. Uma das casas tinha o dobro do tamanho das demais e pequenas janelas nas duas extremidades: devia ser o salão nobre, onde o senhor da cidade fazia reuniões e promovia banquetes. As outras casas deviam ser moradias de homens importantes e suas famílias.

As pessoas formaram duas filas: obviamente esperavam que Ragna passasse entre as duas a caminho do salão nobre. Ela avançou devagar, demorando-se para olhar e sorrir para cada pessoa. Quase todas as expressões se mostravam felizes e acolhedoras; apenas umas poucas pareciam neutras e fechadas, como se estivessem cautelosamente suspendendo seu julgamento à espera de mais provas de que ela era uma boa pessoa.

Em frente à porta da casa maior estava Wilwulf.

Era igualzinho à lembrança que Ragna tinha dele: alto, com os braços e pernas compridos, uma farta cabeleira e bigode sem barba. Estava usando uma capa vermelha presa por um broche esmaltado. Exibia um sorriso largo, mas relaxado, como se eles tivessem se separado na véspera, e não dois meses antes. Estava parado na chuva sem chapéu, sem se importar em ficar molhado. Abriu bem os braços num gesto de boas-vindas.

Ragna não conseguiu mais se conter. Pulou do lombo de Astrid e correu até ele. Essa exibição de entusiasmo incontido levou os espectadores à loucura. O sorriso dele se alargou. Ela se jogou nos seus braços e o beijou com paixão. Os aplausos ficaram estrondosos. Ela o enlaçou pelo pescoço e pulou com as pernas ao redor da sua cintura, e a multidão ficou ensandecida.

Beijou-o com intensidade, mas não por muito tempo, e tornou a pôr os pés no chão. Um pouco de vulgaridade já surtia um grande efeito.

Os dois ficaram sorrindo um para o outro. Ragna estava pensando em fazer amor com ele, e sentiu que ele sabia o que estava lhe passando pela cabeça.

Eles deixaram as pessoas aplaudirem por alguns minutos, então Wilwulf a pegou pela mão e eles adentraram o salão nobre lado a lado.

Um grupo menor de pessoas os aguardava ali e houve novos aplausos. Conforme os olhos de Ragna se adaptaram à luz mais fraca, ela distinguiu cerca de uma dúzia de pessoas mais ricamente vestidas do que as do lado de fora e supôs que fossem os parentes de Wilwulf.

Uma delas deu um passo à frente e ela reconheceu as grandes orelhas e os olhos muito juntos.

– Bispo Wynstan – falou –, é um prazer revê-lo.

Ele beijou sua mão.

– Estou feliz com a sua presença e sinto orgulho do modesto papel que desempenhei para organizar isso.

– Eu lhe agradeço.

– A senhorita teve uma longa viagem.

– Com certeza foi possível conhecer meu novo país.

– E o que achou dele?

– Um pouco chuvoso.

Todos riram, o que agradou a Ragna, mas ela sabia que aquele não era o momento de ser franca e acrescentou uma mentira deslavada:

– O povo inglês se mostrou simpático e gentil. Estou apaixonada pelos ingleses.

– Fico feliz – respondeu Wynstan, pelo visto acreditando nela.

Ragna quase enrubesceu. Estava infeliz desde que pusera os pés na Inglaterra. As tabernas eram sujas, o povo, antipático, a cerveja era um péssimo substituto para a sidra e ela fora roubada. Mas não, pensou, nem tudo vinha sendo ruim. Madre Agatha a havia acolhido e o rapaz que conduzia o barco da travessia tinha se mostrado prestativo e atencioso. Os ingleses deviam ser um misto de bom e ruim, assim como os normandos.

E os normandos não tinham ninguém como Wilwulf. Enquanto ela conversava banalidades com seus parentes, fazendo pausas frequentes para buscar na memória a palavra correta em anglo-saxão, olhava de relance para ele em toda oportunidade que tinha e sentia uma fisgada de prazer sempre que reconhecia um traço familiar: o maxilar pronunciado, os olhos azuis esverdeados, o bigode louro que ela ansiava por tornar a beijar. Sempre que olhava constatava que ele a estava observando, ostentando um sorriso orgulhoso com uma pitada de luxúria impaciente por trás. Aquilo a fez se sentir bem.

Wilwulf lhe apresentou outro homem alto com um farto bigode louro.

– Permita-me lhe apresentar meu meio-irmão mais novo, Wigelm, senhor de Combe.

Wigelm a olhou de cima a baixo.

– Ora, seja bem-vinda – falou. As palavras foram gentis, mas o sorriso largo deixou Ragna pouco à vontade, muito embora ela estivesse acostumada a homens examinando seu corpo. Wigelm confirmou a antipatia dela ao arrematar:

– Estou certo de que Wilf lhe explicou que nós três irmãos dividimos tudo, inclusive nossas mulheres.

A piada fez os homens rirem com gosto. As mulheres presentes não acharam tanta graça. Ragna decidiu ignorar o comentário.

– E esta é minha madrasta, Gytha – falou Wilwulf.

Ragna viu uma mulher imponente com cerca de 50 anos. Era de baixa estatura – os filhos deviam ter herdado o porte do falecido pai, supôs. Seus cabelos grisalhos compridos emolduravam um rosto bonito de sobrancelhas grossas. Ragna ficou com a impressão de que ela era astuta e tinha um temperamento forte. Pressentiu que aquela mulher seria uma força na sua vida, para o bem ou para o mal. Ofereceu-lhe um elogio rasgado:

– A senhora deve se sentir muito orgulhosa por ter dado à Inglaterra esses três homens notáveis.

– A senhorita é muito gentil – retrucou Gytha, mas sem sorrir, e Ragna previu que ela demoraria a sucumbir ao seu charme.

– Gytha vai lhe mostrar o complexo e em seguida vamos almoçar – falou Wilwulf.

– Perfeito – disse Ragna.

Gytha foi na frente. As criadas de Ragna aguardavam do lado de fora.

– Cat, venha comigo – chamou ela. – Vocês esperam aqui.

– Não se preocupe, nós cuidaremos de tudo – falou Gytha.

Ragna não queria abrir mão de estar no controle.

– Onde estão os homens? – perguntou a Cat.

– Nos estábulos, cuidando dos cavalos.

– Diga a Bern para ficar com a bagagem até eu mandar chamá-lo.

– Sim, milady.

Gytha levou Ragna para conhecer o complexo. Pela deferência que lhe demonstravam, ficou claro que ela era a patroa ali e que a vida doméstica de Wilwulf era responsabilidade dela. Isso teria que mudar, pensou Ragna. Ela não estava ali para receber ordens da madrasta do marido.

Eles passaram pelo lugar onde viviam os escravos e entraram em um estábulo. O recinto estava lotado, mas Ragna reparou que os cavalariços ingleses não estavam conversando com os normandos. Aquilo não podia ficar assim. Passou o braço em volta de Bern. Ergueu a voz e disse:

– Ingleses, este é meu amigo Bern, o Gigante. Ele é muito delicado com os cavalos... – Ela segurou a mão dele e a ergueu. – ... e com as mulheres. – Ouviu-se um leve burburinho quando os homens riram. Eles sempre brincavam sobre o tamanho do pênis, que dizia-se estar ligado ao tamanho da mão, e as de Bern eram imensas. – Ele é delicado com as mulheres... – repetiu ela, e os homens agora sorriam, pois sabiam que algo estava por vir. Com um olhar malicioso, ela arrematou: – ... porque precisa ser.

Todos riram e o gelo foi quebrado.

– Quando meus homens cometerem erros falando a sua língua, sejam gentis, e quem sabe eles lhes ensinarão algumas palavras de francês normando. Vocês então saberão o que dizer para qualquer moça francesa que porventura encontrarem...

Os homens tornaram a rir e ela soube que havia criado um vínculo. Retirou-se antes de as risadas silenciarem.

Gytha lhe mostrou uma construção de tamanho duplo que servia de caserna para os soldados.

– Não vou entrar – disse Ragna.

Aquilo era um dormitório masculino e entrar ali podia ser uma atitude excessivamente ousada. Havia uma linha tênue entre uma mulher encantadoramente sedutora e uma rameira digna de desprezo, e uma estrangeira precisava tomar um cuidado especial para não ultrapassá-la.

Ela reparou, no entanto, que havia vários homens reunidos em frente à caserna e lembrou que os estábulos estavam lotados.

– Quantos soldados... – comentou com Gytha. – Está acontecendo alguma coisa?

– Sim. Wilf está reunindo um exército. – Era a terceira vez que Ragna escutava alguém chamá-lo de "Wilf". Aquele era obviamente o seu apelido íntimo. – Os galeses do sul fizeram incursões na fronteira – prosseguiu Gytha. – Eles às vezes fazem isso nesta época do ano... depois da colheita, quando os nossos celeiros estão abastecidos. Mas não se preocupe, Wilf só vai partir depois do casamento.

Ragna sentiu um arrepio de medo. Seu marido partiria para o combate logo depois de eles se casarem. Aquilo era normal, claro. Ela já tinha visto o pai partir em campanha muitas vezes, armado até os dentes, para matar ou morrer. Mas nunca havia se acostumado com isso. Ficava com medo quando o conde Hubert partia para a guerra, e ficaria com medo quando Wilwulf fizesse o mesmo. Tentou afastar esse pensamento. Tinha mais em que pensar.

O salão nobre ocupava o centro do complexo. Num dos lados ficavam diversas estruturas domésticas: a cozinha, a padaria, a cervejaria e vários depósitos. No outro ficavam moradias individuais.

Ragna entrou na cozinha. Como em geral acontecia, os cozinheiros eram homens, mas meia dúzia de mulheres e meninas os auxiliavam. Ela cumprimentou os homens com educação, mas ficou mais interessada nas presenças femininas. Uma mulher grande e bonita de uns 30 anos lhe pareceu uma líder em potencial. Ragna lhe disse:

– O almoço está com um cheiro bom!

A mulher lhe abriu um sorriso simpático.

– Como você se chama? – perguntou Ragna.

– Gildathryth, milady. Me chamam de Gilda, para abreviar.

Ao lado de Gilda, uma menina limpava a lama de uma imensa pilha de pequenas cenouras arroxeadas. Ela lembrava um pouco Gilda, e Ragna perguntou:

– Essa menina bonita é sua parente?

Foi um palpite bastante certeiro: numa comunidade pequena, a maioria das pessoas tinha algum tipo de parentesco entre si.

– Esta é minha filha Wilnod – disse Gilda com orgulho. – Ela está com 12 anos.

– Olá, Wilnod. Quando crescer você vai preparar almoços deliciosos como a sua mãe?

Apesar de tímida demais para responder, Wilnod assentiu.

– Bem, obrigada por lavar as cenouras – falou Ragna. – Quando eu comer uma vou pensar em você.

O rosto da menina se iluminou de prazer.

Ragna saiu da cozinha.

Ao longo dos dias seguintes, falaria com todo mundo que morava ou trabalhava no complexo. Seria difícil recordar todos os nomes, mas ela daria o melhor de si. Perguntaria sobre seus filhos e netos, doenças e superstições, suas casas e roupas. Não precisaria fingir interesse: sempre fora curiosa em relação à vida cotidiana das pessoas ao seu redor.

Cat descobriria ainda mais, sobretudo à medida que o seu inglês fosse ficando mais fluente. Assim como Ragna, ela era rápida para travar amizades e em breve as criadas estariam lhe transmitindo as fofocas: qual das lavadeiras tinha um amante, que cavalariço gostava de se deitar com homens, quem estava roubando da cozinha, qual soldado tinha medo do escuro.

Ragna e Gytha foram em direção às moradias. A maioria tinha metade do tamanho do salão nobre, mas nem todas eram da mesma qualidade. Todas tinham os pilares feitos de madeira sólida e os telhados eram de sapê. A maioria tinha paredes de pau a pique, feitas com galhos verticais entrelaçados a gravetos na horizontal e preenchidas com uma mistura de lama e palha. As três melhores casas ficavam imediatamente atrás do salão nobre. Tinham paredes feitas de tábuas verticais cuidadosamente unidas nas bordas e fincadas numa pesada viga de madeira horizontal.

– Qual é a de Wilwulf? – perguntou Ragna.

Gytha apontou para a construção central. Ragna foi até a entrada.

– Talvez a senhorita devesse esperar um convite – falou Gytha.

Ragna sorriu e entrou.

Cat foi atrás dela e Gytha, relutante, entrou por último.

Ragna ficou satisfeita ao ver uma cama baixa, larga o suficiente para duas pessoas, com um colchão grande e uma convidativa pilha de cobertores tingidos em cores vivas. Tirando isso, o recinto tinha um aspecto militar, com armas afiadas e armaduras reluzentes penduradas nas paredes – talvez a postos para o confronto iminente de Wilwulf com os galeses do sul. Os outros pertences ficavam guardados em alguns baús de madeira grandes. Uma bem tramada tapeçaria de parede exibia uma cena de caça. Não avistou nenhum material de escrita ou de leitura.

Ragna tornou a sair e virou-se para os fundos da casa de Wilwulf. Mais atrás erguia-se outra boa casa. Quando ela tomou essa direção, Gytha falou:

– Talvez eu devesse lhe mostrar a sua casa.

Ragna não estava disposta a deixar Gytha lhe dizer o que fazer e sentiu necessidade de deixar isso claro logo, e não mais tarde. Sem se deter, indagou:

– E essa casa, de quem é?

– Essa é minha. A senhorita não pode entrar.

Ragna se virou para ela.

– Nenhum recinto deste complexo está fechado para mim – falou, em voz baixa porém firme. – Estou prestes a me casar com o senhor daqui. Somente ele manda em mim. Eu serei a patroa deste lugar.

Ela entrou na casa.

Gytha entrou atrás.

O lugar era ricamente mobiliado. Havia uma cadeira estofada confortável, como as usadas pelos reis. Em cima de uma mesa havia um cesto com peras e um pequeno barril do tipo que em geral continha vinho. Vestidos e capas de lã caros pendiam de ganchos nas paredes.

– Que agradável... – comentou Ragna. – Seu enteado a trata bem.

– E por que não deveria tratar? – perguntou Gytha em tom defensivo.

– De fato.

Ragna saiu.

Gytha tinha dito *Talvez eu devesse lhe mostrar a sua casa*, o que sugeria que Ragna teria uma residência separada da de Wilwulf. Não era um arranjo incomum, mas por algum motivo ela não previra aquilo. A esposa de um nobre rico em geral tinha uma segunda casa próxima para os bebês, as crianças e suas amas. Nesse caso, ela passaria algumas noites lá e outras com o marido. Mas Ragna não esperava passar nenhuma noite separada de Wilwulf antes que um bebê tornasse isso necessário. Pareceu-lhe prematuro ter uma casa separada. Preferia que Wilwulf tivesse conversado sobre o assunto com ela. Mas os dois não tinham tido oportunidade de falar sobre nada.

Ela se sentiu incomodada, ainda mais porque Gytha é quem tinha lhe contado aquilo. Sabia que mães podiam demonstrar uma hostilidade irracional em relação às mulheres dos filhos, e isso devia se aplicar às madrastas também. Recordava um incidente com o irmão Richard, que fora pego aos abraços com uma lavadeira nas muralhas do castelo em Cherbourg. Sua mãe Geneviève quisera mandar açoitar a menina. Era natural que ela não quisesse uma criada grávida do seu filho, mas Richard estava só acariciando a moça entre as pernas, e Ragna tinha certeza de que todos os meninos adolescentes faziam isso sempre que tinham oportunidade. Era óbvio que a raiva de Geneviève se devera a mais do que uma simples prudência. Poderia uma mãe, ou mesmo uma madrasta, sentir ciúme das parceiras do filho? Estaria Gytha sendo antipática com ela porque as duas competiam pelo afeto de Wilwulf?

Ragna estava cautelosa em relação a isso, mas, em última instância, não excessivamente aflita. Sabia o que Wilwulf sentia por ela e sentia-se confiante de que conseguiria conquistar e manter seu amor. Se quisesse passar todas as noites na cama dele, assim o faria, e se certificaria de que ele ficasse feliz com o arranjo.

Caminhou em direção à última das três casas.

– Essa é a casa de Wigelm – disse Gytha, mas dessa vez não tentou impedi-la de entrar.

O interior da casa de Wigelm tinha um aspecto mais provisório, e Ragna imaginou que ele passasse bastante tempo em Combe, cidade da qual era senhor.

Mas no momento ele estava ali, sentado com três outros rapazes ao redor de uma jarra de cerveja, jogando dados e apostando *pennies* de prata. Levantou-se ao ver Ragna.

– Entre, entre – falou. – De repente a casa parece mais quente.

Na mesma hora ela se arrependeu de ter entrado, mas não estava disposta a recuar apressadamente, como se estivesse com medo. Fazia questão de exercer seu direito de ir aonde quisesse. Ignorou o gracejo de Wigelm e perguntou:

– O senhor não é casado?

– Minha esposa está em Combe supervisionando a reconstrução da nossa casa lá depois do ataque viking. Mas ela virá para o seu casamento.

– Como ela se chama?

– Mildburg, ou Milly, para abreviar.

– Estou ansiosa para conhecê-la.

Wigelm chegou mais perto e baixou a voz até um tom mais íntimo:

– Quer se sentar e tomar uma caneca de cerveja comigo? Podemos lhe ensinar a jogar dados, se quiser.

– Hoje não.

Casualmente, ele levou as mãos aos seus seios e apertou.

– Ora, eles são grandes mesmo, não?

Cat emitiu um ruído de indignação.

Ragna deu um passo para trás e empurrou as mãos de Wigelm.

– Mas não são para o senhor – falou.

– Estou só conferindo a mercadoria antes de o meu irmão comprar.

Ele lançou um olhar de zombaria para os amigos e estes aproveitaram a deixa e se puseram a gargalhar.

Ragna olhou para Gytha e viu esboçado em seus lábios um sorriso malicioso. Falou:

– Da próxima vez que os vikings atacarem, espero que vocês, homens valentes, estejam lá para recebê-los.

Wigelm ficou sem resposta. Não conseguiu entender se aquilo era um elogio ou uma maldição.

Ragna aproveitou a oportunidade para se retirar.

Um homem podia ser obrigado a pagar uma multa por tocar os seios de uma mulher, mas Ragna não levaria aquele incidente ao tribunal. Mesmo assim, jurou encontrar um jeito de punir Wigelm.

Do lado de fora, virou-se para Gytha e perguntou:

– Quer dizer que Wilf preparou uma casa para mim?

A formulação da frase foi proposital. A responsabilidade pelo seu conforto era de Wilwulf. Ele provavelmente havia deixado as providências a cargo de Gytha, mas era com ele que Ragna reclamaria se ficasse insatisfeita, e queria que a outra mulher ficasse ciente disso desde o início.

– Por aqui – falou Gytha.

Ao lado da residência de Wigelm havia uma casa mais pobre, com paredes de pau a pique mal isoladas. Gytha entrou lá e Ragna a seguiu.

A casa estava adequadamente mobiliada: uma cama, uma mesa com bancos compridos, vários baús e numerosas canecas e tigelas de madeira. Junto à plataforma onde seria aceso o fogo havia uma pilha de lenha e um barril que devia conter cerveja. Não havia qualquer indício de luxo no recinto.

Uma acolhida sofrível, pensou Ragna.

Gytha percebeu sua reação e falou, hesitante:

– A senhorita sem dúvida trouxe as próprias tapeçarias de parede e coisas assim.

Não tinha sido o caso. Ragna havia previsto que tudo fosse ser providenciado. Tinha dinheiro para comprar qualquer coisa de que necessitasse, mas a questão não era essa.

– Cobertores? – perguntou.

Gytha deu de ombros.

– Para que precisa de cobertores? A maioria das pessoas dorme vestida com suas capas.

– Reparei que Wilf tem vários cobertores na casa dele.

Gytha não respondeu.

Ragna correu os olhos pelas paredes.

– Não há ganchos suficientes – falou. – A senhora não pensou que uma noiva poderia ter muitas roupas para pendurar?

– A senhorita pode colocar mais ganchos.

– Terei que pedir um martelo emprestado.

Gytha fez cara de quem não tinha entendido, então se deu conta de que Ragna estava sendo sarcástica.

– Chamarei um carpinteiro.

– A casa é pequena demais. Eu tenho cinco criadas e sete soldados.

– Os homens podem ficar acomodados na cidade.

– Prefiro que eles fiquem perto de mim.

– Talvez isso não seja possível.

– Veremos. – Ragna estava com raiva e magoada. No entanto, precisava pensar e planejar antes de agir. Virou-se para Cat. – Vá chamar as outras e diga aos homens para trazerem as bagagens.

Cat se retirou.

Gytha tentou retomar o assunto. Adotou um tom de autoridade e disse:

– É aqui que a senhorita vai morar, e quando Wilf quiser passar a noite na sua companhia virá aqui ou então a convidará para ir à casa dele. Nunca deve ir à cama dele sem ser convidada.

Ragna a ignorou. Ela e Wilf combinariam essas coisas sem a intervenção da madrasta dele. Resistiu à tentação de dizer isso.

Estava farta de Gytha.

– Obrigada por ter me mostrado tudo – falou, num tom de dispensa.

Gytha hesitou.

– Espero que esteja tudo bem.

A mulher provavelmente esperava uma jovem estrangeira assustada que se deixasse ser pressionada. Ragna achava que agora a madrasta do futuro marido estava reavaliando aflita a própria opinião.

– Veremos – respondeu Ragna, concisa.

Gytha tornou a tentar:

– O que vai dizer a Wilf sobre as suas acomodações?

– Veremos – repetiu Ragna.

Devia estar óbvio que ela desejava que Gytha partisse, mas a outra mulher estava ignorando seus sinais. Era a mulher mais importante daquele lugar há anos e talvez achasse que nenhuma outra pudesse lhe dar ordens. Ragna precisava ser mais direta.

– Não preciso mais da senhora por enquanto, sogra-madrasta – falou, e, como Gytha mesmo assim não saiu, levantou a voz e arrematou: – Pode ir.

Gytha ficou vermelha de vergonha e raiva, mas por fim se retirou.

Cat voltou com os outros. Os homens vinham carregando baús e bolsas. Foram empilhando a bagagem junto às paredes.

– Isto aqui vai ficar apertado com todos nós dentro – opinou Cat.

– Os homens vão ter que dormir em outro lugar – disse Ragna.

– Onde?

– Em algum lugar na cidade. Mas não desfaça as malas. Pegue apenas aquilo de que necessitamos para uma noite.

O bispo Wynstan entrou pela porta aberta.

– Ora, vejam só – falou, olhando em volta. – Esta é sua nova casa.

– Assim parece – respondeu Ragna.

– Não é satisfatória?

– Vou conversar com Wilf a respeito.

– Boa ideia. Ele não quer nada além da sua felicidade.

– Fico feliz.

194

– Vim buscar seu dote.
– É mesmo?
Wynstan franziu o cenho com um ar severo.
– A senhorita o trouxe?
– Claro.
– Vinte libras de prata. Foi o que combinei com seu pai.
– Sim.
– Então talvez possa me entregar.
Ragna não confiava em Wynstan, e aquele pedido aguçou ainda mais suas reservas.
– Vou entregá-lo para Wilf quando estivermos casados. Foi *isso* que o senhor combinou com meu pai.
– Mas eu preciso contar.
Ragna não queria que Wynstan soubesse sequer em que caixa estava o dinheiro.
– Poderá contar na manhã do casamento. Então, uma vez feitos os votos, o dinheiro será entregue... para o meu marido.
Wynstan a encarou com um olhar que misturava desagrado e respeito.
– Como preferir, é claro – disse ele, e retirou-se.

No dia seguinte, Ragna acordou antes do amanhecer.
Ponderou cuidadosamente sobre o que vestir. Na véspera havia chegado com um vestido acastanhado e uma capa vermelha, um traje vistoso, mas as roupas estavam molhadas e sujas de lama, e Ragna não exibira o seu melhor aspecto. Nesse dia queria parecer uma flor que havia desabrochado ao despontar da aurora. Escolheu um vestido de seda amarelo bordado na gola, nos punhos e na barra. Cat limpou os cantos de seus olhos e escovou sua basta cabeleira ruiva, então amarrou um lenço verde na sua cabeça.
Enquanto ainda estava escuro, Ragna comeu um pouco de pão embebido em cerveja e se concentrou no que estava prestes a fazer. Havia passado boa parte da noite refletindo sobre a sua estratégia. Wigelm precisava ser punido, mas isso era uma questão secundária. Sua principal tarefa era provar que agora ela, e não Gytha, era responsável pela vida doméstica de Wilf. Não desejava arrumar briga, mas não podia deixar o domínio de Gytha durar nem mais um dia, porque a enfraqueceria a cada instante que ela aparentasse aceitá-lo. Ela precisava tomar uma atitude imediatamente.
Só que isso era arriscado. Talvez ela desagradasse ao futuro marido, o que já

seria ruim. Pior ainda, porém, é que talvez perdesse a batalha, e uma vitória de Gytha naquele estágio seria definitiva.

Cat lhe entregou a braçadeira que ela havia comprado de Cuthbert na Travessia de Dreng e ela a guardou na bolsinha de couro presa ao cinto.

Saiu da casa. O horizonte leste exibia uma débil claridade prateada. Tinha chovido durante a noite e o chão estava enlameado, mas o dia prometia ser bonito. Lá embaixo, na cidade escura, o sino do mosteiro tocou anunciando a missa prima matinal. O complexo mal começava a despertar: ela viu um menino escravo de túnica esfarrapada passar carregando uma pilha de lenha, em seguida uma criada de braços fortes com um balde de leite fresco que fumegava no ar da manhã. Ninguém mais estava à vista, todos decerto ainda no quentinho da cama, com os olhos bem fechados, fingindo que o dia ainda não tinha raiado.

Ragna atravessou o complexo até a casa de Wilf.

Havia uma outra pessoa à vista. Uma moça bocejava em pé encostada na parede junto à porta da casa de Gytha. Ao ver Ragna, ela se empertigou.

Ragna sorriu. Gytha tinha mandado a moça ficar de vigia para não correr o risco de deixar algo passar despercebido. Por acaso, nesse dia isso convinha aos seus planos.

Ela seguiu até a porta de Wilf observada pela criada.

De repente lhe ocorreu que Wilf talvez trancasse sua porta à noite. Havia quem preferisse fazer assim. Isso poderia estragar seu plano.

Mas, quando levantou a tranca, a porta se abriu e ela relaxou. Talvez Wilf achasse que trancar a porta à noite o faria parecer medroso aos olhos de seus homens.

Com o canto do olho, ela viu a criada encarregada de vigiá-la entrar correndo na casa de Gytha.

Wilf tinha outro motivo para se sentir confiante. Ao entrar, Ragna escutou um rosnado grave. Ele tinha um cão para alertá-lo caso houvesse algum intruso.

Ragna olhou para onde sabia ficar a cama. As brasas do fogo ainda ardiam e uma luz fraca entrava pelas janelas pequeninas. Ela viu uma silhueta se sentar na cama e estender a mão para pegar uma arma.

– Quem está aí? – perguntou Wilf.

– Bom dia, meu senhor – disse Ragna baixinho.

Ela o ouviu dar uma risadinha.

– O dia ficou bom agora que está aqui.

Ele tornou a se deitar.

Algo se movimentou no chão e ela viu um mastim grande retomar sua posição deitado junto ao fogo.

Sentou-se na beira da cama. Aquele era um momento delicado. Sua mãe havia insistido para que ela só se deitasse com Wilf depois da cerimônia. Ele ia querer que a noiva procedesse dessa maneira, dissera Geneviève, e Ragna sabia que a mãe também. Portanto, estava decidida a resistir à tentação. Não era capaz de explicar exatamente por que isso era tão importante, principalmente visto que eles já tinham ficado juntos uma vez. Sua sensação tinha a ver com a felicidade que ambos sentiriam em relação ao casamento quando pudessem enfim ceder aos seus desejos sem culpa nem medo.

Mesmo assim, ela o beijou.

Debruçou-se por cima do seu peito largo. Segurou a barra do cobertor com as duas mãos e a manteve assim como uma barreira adicional entre seus corpos. Então, bem devagar, abaixou a cabeça até encostar os lábios nos dele.

Ele emitiu um ruído baixo de satisfação.

Ela moveu a língua dentro da sua boca, sentindo os lábios macios e os pelos eriçados do bigode. Ele enterrou uma das grandes mãos no volume dos seus cabelos, tirando o lenço do lugar. Quando a outra mão se estendeu para lhe tocar o seio, porém, ela se afastou.

– Eu trouxe um presente para você – falou.

– Você trouxe vários – disse ele com a voz embargada de desejo.

– Eu teria lhe trazido um cinto de Rouen com uma linda fivela de prata, mas ele foi roubado durante a viagem.

– Onde? – perguntou ele. – Onde você foi roubada?

Ragna sabia que era ele o responsável pela lei e pela ordem, e qualquer roubo refletia nele.

– Entre Mudeford e a Travessia de Dreng. O ladrão estava usando um capacete velho.

– Cara de Ferro – disse ele com raiva. – O chefe de Mudeford já o procurou na floresta, mas não consegue encontrar seu esconderijo. Vou dizer a ele para procurar outra vez.

Ela não tivera a intenção de reclamar e lamentou ter provocado a raiva dele. Apressou-se em resgatar o clima de romance.

– Eu lhe trouxe outra coisa, uma coisa melhor – falou.

Levantou-se, olhou em volta e viu o branco de uma vela. Acendeu-a no fogo e a pousou em cima de um banco junto à cabeceira da cama. Então pegou a braçadeira que havia comprado de Cuthbert.

– O que é isso? – perguntou ele.

Ela aproximou um pouco mais a vela para ele poder examinar a joia. Wilwulf correu um dos dedos pelas linhas em relevo do intricado desenho gravado na prata e realçado com nielo.

– Um trabalho delicado, mas mesmo assim com um aspecto ousado e másculo – comentou ele. Pôs a braçadeira no braço esquerdo, acima do cotovelo. O adorno se encaixou com perfeição sobre os músculos do seu braço. – Que bom gosto você tem!

Ragna ficou radiante.

– Está magnífico.

– Todos na Inglaterra vão me invejar.

Não era exatamente o que Ragna queria escutar. Ela não queria que fosse um símbolo de grandeza, como um cavalo branco ou uma espada cara.

– Quero passar o dia inteiro beijando você – falou ele.

Aquilo lhe agradou mais e ela tornou a se debruçar por cima dele. Dessa vez ele se mostrou mais decidido e, quando lhe agarrou o seio e ela tentou se esquivar, ele ignorou sua resistência e a puxou para si. Ragna ficou um pouco nervosa. Ainda tinha a vantagem física enquanto ele estivesse deitado, mas, se chegasse a uma luta de verdade, não teria como lhe resistir.

Então veio a interrupção que ela estava esperando. O cachorro rosnou, a porta rangeu e a voz de Gytha soou:

– Bom dia, meu filho.

Ragna não se apressou para interromper o abraço: queria que Gytha visse quanto Wilf a desejava.

– Ah! Ragna! Não sabia que você estava aqui – disse a mulher.

Mentirosa, pensou Ragna. A criada tinha lhe avisado que Ragna havia entrado na casa de Wilf e Gytha tinha se vestido às pressas para ir ver o que estava acontecendo.

Ragna se virou devagar. Tinha o direito de beijar seu noivo e se esforçou para não parecer culpada.

– Sogra – falou –, bom dia.

Foi educada, mas permitiu que um viés de irritação transparecesse na voz. A intrusa ali era Gytha, que havia se aventurado onde não tinha o direito de ir.

– Quer que eu mande chamar o rapaz para barbear seu queixo, Wilf? – perguntou Gytha.

– Hoje não – respondeu ele com um quê de impaciência. – Vou me barbear na manhã do casamento.

Ele falou como se ela já devesse saber disso, e ficou evidente que ela só havia perguntado porque precisava de um pretexto para estar ali.

Ragna tornou a arrumar o lenço de cabeça, demorando-se mais do que o necessário de modo a salientar o fato de que Gytha havia interrompido um momento íntimo. Enquanto amarrava o lenço, falou:

– Mostre seu presente para Gytha, Wilf.

Wilf apontou para a braçadeira que estava usando. O adorno cintilou à luz do fogo.

– Muito bonito – disse Gytha sem animação. – Prata sempre tem um bom valor.

Era mais barata do que ouro, foi o que ela quis dizer.

Ragna ignorou a provocação e falou:

– Agora preciso lhe pedir uma coisa, Wilf.

– Qualquer coisa, minha amada.

– Você me pôs numa casa muito ruim.

Ele ficou espantado.

– Foi mesmo?

Sua surpresa confirmou a desconfiança de Ragna: ele havia deixado aquilo ao encargo de Gytha.

– Não há janelas e as paredes deixam o ar frio entrar à noite – falou Ragna.

Wilf olhou para Gytha.

– É verdade?

– Não é tão ruim assim – disse Gytha.

A resposta deixou Wilf com raiva.

– Minha noiva merece o melhor de tudo! – exclamou ele.

– É a única casa disponível – protestou Gytha.

– Não exatamente – retrucou Ragna.

– Não há nenhuma outra casa vazia – insistiu Gytha.

– Mas Wigelm, a bem da verdade, não precisa de uma casa para si e seus soldados – disse Ragna num tom suave e sensato. – A esposa dele nem sequer está aqui. A casa deles fica em Combe.

– Wigelm é irmão do senhor de Shiring! – pontuou Gytha.

– E eu sou a noiva do senhor de Shiring. – Ragna estava se esforçando muito para conter a raiva que sentia. – Wigelm é homem, tem as necessidades simples de um homem, mas eu sou uma noiva me preparando para o dia das minhas bodas. – Ela olhou para Wilf. – Qual de nós dois você prefere favorecer?

Só havia uma resposta possível que um noivo podia dar.

– Você, claro – respondeu ele.

– E depois do casamento vou estar mais perto de você à noite, pois a casa de Wigelm fica bem aqui do lado – continuou ela, fitando-o nos olhos.

Ele sorriu.

– Então está decidido.

Wilf já tinha tomado sua decisão e Gytha desistiu. Era sensata demais para discutir quando já tinha perdido.

– Está bem – falou a sogra-madrasta. – Vou trocar Ragna e Wigelm de lugar. – Não conseguiu resistir e arrematou: – Wigelm não vai gostar.

– Se ele reclamar, apenas lhe lembre qual dos dois irmãos manda na cidade – respondeu Wilf, seco.

Gytha abaixou a cabeça.

– Claro.

Ragna tinha ganhado e Wilf estava contrariado com Gytha. A noiva decidiu abusar da sorte:

– Me perdoe, Wilf, mas eu preciso das duas casas.

– Precisa por quê? – rebateu Gytha. – Ninguém tem duas casas.

– Quero meus homens perto de mim. No momento eles estão alojados na cidade.

– Por que precisa de soldados? – perguntou Gytha.

Ragna a encarou com um olhar de superioridade.

– Eu prefiro assim – falou. – E estou prestes a me tornar esposa do senhor desta cidade.

Ela se virou de frente para Wilf.

Agora ele estava perdendo a paciência.

– Gytha, dê-lhe o que ela quer e chega de discussão.

– Está bem – falou Gytha.

– Obrigada, meu amor – agradeceu Ragna, e tornou a beijá-lo.

CAPÍTULO 12

Meados de outubro de 997

No dia do tribunal da comarca, Edgar estava nervoso, mas decidido.

A comarca da Travessia de Dreng era formada por cinco pequenos povoados distantes uns dos outros. O maior de todos era Bathford, mas a Travessia de Dreng era o centro administrativo e quem tradicionalmente presidia a sessão era o deão da colegiada.

O tribunal se reunia a cada quatro semanas. O encontro acontecia sempre ao ar livre, não importava o tempo, mas nesse dia por acaso fazia sol, apesar do frio. A grande cadeira de madeira foi posicionada em frente à fachada oeste da igreja e ao seu lado foi disposta uma pequena mesa. Frei Deorwin, o clérigo mais velho da colegiada, trouxe a píxide de baixo do altar. Produzida por Cuthbert, consistia num vaso de prata redondo com tampa articulada e imagens da crucificação gravadas nas laterais. Continha uma hóstia consagrada na santa missa, que nesse dia seria usada nos juramentos.

Vieram homens e mulheres de todos os cinco povoados, inclusive crianças e escravos, alguns a cavalo, mas a maioria a pé. Todos que podiam compareciam, pois o tribunal tomava decisões que afetavam sua vida cotidiana. Até a madre Agatha apareceu, embora nenhuma das outras freiras tenha ido. As mulheres não podiam servir de testemunhas, ao menos em teoria, mas as de temperamento forte, como a mãe de Edgar, muitas vezes davam sua opinião.

Edgar já havia assistido a muitas sessões do tribunal em Combe. Em várias ocasiões seu pai tinha sido obrigado a processar pessoas que não pagavam suas contas. Seu irmão Eadbald passara por uma fase de pequenos delitos e duas vezes fora acusado de brigar na rua. Assim, Edgar já tinha certa familiaridade com a lei e os procedimentos jurídicos.

Nesse dia a movimentação estava mais intensa do que o normal, pois seria ouvida uma acusação de assassinato.

Os irmãos de Edgar tinham tentado convencê-lo a não fazer a acusação. Não queriam problemas.

– Dreng é nosso sogro – tinha dito Eadbald enquanto observava Edgar talhar uma pedra bruta num formato alongado perfeito usando seu martelo e seu cinzel novos.

A raiva fortaleceu o braço de Edgar conforme ele tirava lascas da pedra.

– Isso não quer dizer que ele pode agir contra a lei.

– Não, mas quer dizer que o meu irmão não pode ser o seu acusador.

Eadbald era o mais inteligente dos dois irmãos de Edgar, capaz de argumentar de forma racional e persuasiva.

Edgar havia largado as ferramentas para dedicar toda sua atenção a ele.

– Como eu posso ficar calado? – respondera. – Um assassinato foi cometido aqui no nosso povoado. Não podemos fingir que nada aconteceu.

– Não vejo por que não – retrucara Eadbald. – Nós estamos nos adaptando aqui. As pessoas estão começando a nos aceitar. Por que você precisa criar problemas?

– Assassinato é errado! – tinha dito Edgar. – Esse motivo não é suficiente?

Eadbald fizera um ruído de frustração e se afastara.

Erman, o irmão mais velho, tinha abordado Edgar naquela noite em frente à taberna. Havia tentado uma tática diferente.

– Quem preside o tribunal é o Degbert Cabeça Calva – dissera. – Ele vai se certificar de que o irmão não seja condenado.

– Talvez ele não consiga fazer isso – retrucara Edgar. – Lei é lei.

– E Degbert é o deão, além de nosso senhorio.

Edgar sabia que Erman tinha razão, mas não fazia diferença.

– Degbert pode fazer o que quiser e responder por isso no dia do Juízo Final, mas eu não vou compactuar com o assassinato de uma criança.

– Você não está com medo? Degbert representa o poder aqui.

– Estou – respondera Edgar. – Estou com medo, sim.

Cuthbert também havia tentado dissuadi-lo. Edgar fabricara suas ferramentas novas na oficina do frade, que possuía a única forja da Travessia de Dreng. Tinha constatado que ali se compartilhava mais do que na cidade de Combe: num lugar pequeno, os recursos eram limitados e todos mais cedo ou mais tarde precisavam de ajuda. Quando Edgar estava forjando suas ferramentas novas na bigorna de Cuthbert, este tinha dito:

– Degbert está uma fera com você.

Edgar supôs que tivessem instruído Cuthbert a dizer isso. Ele era um homem tímido demais para algum dia se atrever a fazer um comentário desses por iniciativa própria.

– Não posso fazer nada – respondera ele.

– Não é bom ter aquele homem como inimigo.

Era possível detectar na voz de Cuthbert um medo genuíno. Ele evidentemente tinha pavor do deão.

– Não duvido.

– E ele pertence a uma família poderosa. Wilwulf, senhor de Shiring, é primo dele.

Edgar sabia disso tudo. Irritado, dissera:

– Cuthbert, você é um homem de Deus. Consegue se manter calado quando um assassinato é cometido?

Cuthbert conseguia, claro. Era fraco. Mas a pergunta de Edgar o ofendera.

– Eu nunca vi assassinato nenhum – retrucara ele, melindrado, antes de se afastar.

Enquanto as pessoas iam chegando, o frei Deorwin ia falando com as mais importantes, principalmente os líderes de cada povoado. Como já tinha ido a tribunais da comarca, Edgar sabia que o religioso estava lhes perguntando se eles tinham alguma questão que precisassem apresentar à corte e fazendo uma lista mental que passaria a Degbert.

Por fim, Degbert saiu da casa dos religiosos e se acomodou na cadeira.

Em princípio, o que acontecia num tribunal desses era que os habitantes das redondezas tomavam uma decisão coletiva. Na prática, em geral a corte era presidida por um nobre rico ou por um clérigo graduado que podia tomar a frente das deliberações. Contudo, era preciso algum grau de consenso, pois dificilmente um lado conseguia dominar o outro. Um nobre podia dificultar a vida dos camponeses de inúmeras maneiras, mas os camponeses podiam simplesmente se recusar a lhe obedecer. Além do consenso geral, não havia nenhum mecanismo que impusesse a aplicação das decisões do tribunal. Assim, as sessões muitas vezes consistiam num embate de poder entre duas forças mais ou menos equivalentes, como quando um marinheiro constata que o vento está soprando seu barco numa direção enquanto a maré o leva em outra.

Degbert anunciou que a corte debateria primeiro a partilha da junta de bois.

Lei nenhuma dizia que ele tinha o direito de ditar a pauta. Em alguns lugares, esse papel era assumido pelo chefe do maior povoado. Mas Degbert tinha tomado esse privilégio para si havia muito tempo.

A partilha da junta de bois era uma controvérsia que nunca tinha fim. A Travessia de Dreng não tinha nenhum terreno que precisasse ser lavrado por um arado pesado, mas os quatro outros povoados tinham solo argiloso e dividiam uma junta de oito bois que no inverno, quando se arava o solo, precisavam ser levados de um lugar para outro. A época ideal era quando esfriava tanto que até as ervas daninhas paravam de brotar, mas chovia o suficiente para amaciar o solo após a secura do verão. Só que todos queriam a junta de bois primeiro, pois os povoados que arassem mais tarde poderiam ter que enfrentar um solo encharcado e escorregadio.

Nesse dia o chefe de Bathford, um homem sábio de barba grisalha chamado Nothelm, conseguiu chegar a um meio-termo razoável e Degbert, que não tinha o menor interesse na aração do solo, não fez nenhuma objeção.

Ele então passou a palavra para Offa, chefe de Mudeford. Este recebera do senhor de Shiring a ordem de procurar – outra vez – o esconderijo do Cara de Ferro, que tinha cometido a temeridade de roubar sua noiva. Offa era um homem grandalhão com cerca de 30 anos e nariz torto, provavelmente devido a alguma batalha. Ele disse:

– Eu vasculhei a margem sul daqui até Mudeford e interroguei todos que encontrei, inclusive Saemar, o pastor fedorento. – Ouviram-se risadinhas dos presentes. Todos conheciam Sam. – Achamos que Cara de Ferro deve morar na margem sul, pois ele sempre assalta por ali, mas mesmo assim eu vasculhei a margem norte. Como sempre, não há sinal nenhum dele.

Ninguém se espantou. Cara de Ferro vinha fugindo da lei havia anos.

Por fim, chegou a vez de Edgar ser ouvido. Primeiro Degbert o convocou para prestar um juramento. Edgar pôs a mão sobre a píxide de prata e falou:

– Por Deus Todo-poderoso, eu juro que doze dias atrás o barqueiro Dreng assassinou um menino sem nome, nascido da escrava Blod, jogando o bebê recém-nascido no rio. Vi isso com meus próprios olhos e escutei com meus próprios ouvidos. Amém.

Houve um murmúrio de repulsa entre as pessoas reunidas. Todas já sabiam qual seria a acusação, mas talvez não estivessem a par dos detalhes. Ou então estivessem, mas tenham ficado horrorizadas ao ouvi-los serem pronunciados em alto e bom som pela voz límpida de Edgar. Fosse qual fosse o motivo, o rapaz se alegrou ao ver que elas ficaram chocadas. Deveriam ficar mesmo. E quem sabe a indignação de todos deixasse Degbert com vergonha e o fizesse concordar em exigir algum tipo de punição.

Então, antes de o caso ser levado adiante, Edgar disse:

– Deão Degbert, o senhor não pode presidir este julgamento. O acusado é seu irmão.

Degbert se fez de ofendido.

– Está sugerindo que o meu julgamento pode ser influenciado? Você pode ser punido por isso.

Edgar já tinha previsto essa reação e estava com a resposta pronta:

– Não, deão, mas não se deve pedir a um homem que condene o próprio irmão.

Viu algumas das pessoas concordarem com meneios de cabeça. Os aldeões defendiam os próprios direitos e se ressentiam da tendência dos nobres de dominar os tribunais locais.

– Eu sou padre, deão da colegiada e chefe deste povoado – retrucou Degbert. – Continuarei a presidir este tribunal.

Edgar insistiu, não porque achasse que poderia ganhar a discussão, mas para enfatizar mais ainda para os moradores quanto Degbert era parcial.

– Nothelm, chefe de Bathford, poderia perfeitamente presidir.

– Não há necessidade.

Edgar admitiu a derrota com um meneio de cabeça. Tinha dado seu recado.

– Deseja chamar alguém para confirmar seu juramento? – indagou Degbert.

Cada acusador podia chamar uma pessoa para jurar que ele estava dizendo a verdade ou simplesmente que era uma pessoa honesta. O peso do juramento era maior se o convidado tivesse status elevado.

– Eu chamo Blod – disse Edgar.

– Escravos não podem testemunhar – rebateu Degbert.

Edgar já tinha visto escravos testemunharem em Combe, embora não com frequência.

– Não é o que diz a lei.

– Quem estabelece o que diz ou não a lei sou eu – falou Degbert. – Você nem sabe ler.

Ele tinha razão, e Edgar teve que ceder.

– Nesse caso eu chamo minha mãe, Mildred.

Mildred pousou a mão sobre a píxide e disse:

– Em nome do Senhor, o juramento que Edgar fez é puro e não tem falsidade.

– Mais alguém? – perguntou Degbert.

Edgar fez que não com a cabeça. Tinha pedido aos irmãos, mas tanto Erman quanto Eadbald tinham se recusado a prestar juramento contra o sogro. Sequer se dera ao trabalho de pedir a Leaf ou Ethel, que não podiam testemunhar contra o marido.

– O que Dreng diz sobre a acusação? – indagou Degbert.

Dreng deu um passo à frente e pousou a mão na píxide.

Será que ele vai arriscar sua alma imortal?, pensou Edgar.

– Eu juro pelo Senhor que sou inocente tanto do ato quanto da instigação do crime do qual Edgar me acusa.

Edgar soltou um arquejo. Aquilo era perjúrio, e a mão de Dreng estava tocando um objeto sagrado. Mas o homem parecia alheio ao risco de danação que corria.

– Alguém para confirmar o juramento?

Dreng chamou Leaf, Ethel, Cwenburg, Edith e todos os religiosos da colegiada. O grupo formado por eles impressionava pelo status, mas todos de uma forma ou de outra dependiam de Dreng ou de Degbert. Será que os aldeões presentes no tribunal dariam crédito aos seus juramentos? Edgar não tinha como saber.

– Algo mais a acrescentar? – perguntou-lhe Degbert.

Edgar percebeu que sim.

– Três meses atrás, os vikings mataram meu pai e a moça que eu amava – falou. Por essa as pessoas não esperavam e todos se calaram à espera do que estava por vir. – Não houve justiça, porque os vikings são selvagens. Eles veneram deuses falsos e os deuses deles riem ao vê-los cometerem assassinato, estuprarem mulheres e roubarem de famílias honestas.

Houve um murmúrio de concordância. Parte dos presentes sabia por experiência própria como eram os vikings e a maioria dos outros decerto conhecia quem tivesse sofrido pelas mãos deles. Todos odiavam os vikings.

– Mas nós não somos assim, não é? – continuou Edgar. – Nós conhecemos o Deus verdadeiro e obedecemos às suas leis. E Ele nos diz: não matarás. Peço a este tribunal que puna o assassino conforme a vontade de Deus e prove que não somos selvagens.

– É a primeira vez que um construtor de barcos de 18 anos me faz um sermão sobre a vontade de Deus – disse Degbert rapidamente.

Foi uma resposta inteligente, mas o horror do caso tinha deixado os espectadores com uma disposição solene e ninguém estava com ânimo para rir de tiradas espirituosas. Edgar sentiu que tinha conseguido conquistar apoio. As pessoas o encaravam com um ar de aprovação.

Mas será que desafiariam Degbert?

O deão passou a palavra para Dreng.

– Eu não sou culpado. O bebê nasceu morto. Estava morto quando o peguei. Foi por isso que eu o joguei no rio.

Edgar ficou ultrajado com a mentira deslavada.

– Ele não estava morto!

– Estava, sim. Eu tentei dizer isso na hora, mas ninguém quis escutar: Leaf estava se esgoelando de tanto gritar e você pulou na mesma hora dentro do rio.

O tom seguro de Dreng deixou Edgar com mais raiva ainda.

– Ele estava chorando quando você o jogou... eu ouvi! E então parou de chorar quando caiu no dentro da água fria.

Uma mulher entre os presentes murmurou: "Ah, pobrezinho!" Edgar viu que era Ebba, a lavadeira da colegiada. Até mesmo aqueles que dependiam financeiramente de Degbert estavam chocados. Mas será que isso bastaria?

Dreng prosseguiu no mesmo tom desdenhoso:

– Como você pôde ter escutado o bebê chorar se Leaf estava gritando?

Por um instante, a pergunta deixou Edgar sem palavras. Como ele podia ter escutado? Então a resposta lhe ocorreu:

– Do mesmo jeito que se ouve duas pessoas falando. As vozes são diferentes.

– Não, rapaz. – Dreng balançou a cabeça. – Você se enganou. Pensou ter visto um assassinato quando não viu. Agora seu orgulho não o deixa admitir que estava errado.

A voz de Dreng era desagradável e sua atitude, arrogante, mas sua história era enfurecedora de tão plausível, e Edgar temeu que as pessoas acreditassem nele.

– Irmã Agatha, quando a senhora encontrou o bebê na água, ele estava vivo ou morto? – perguntou Degbert.

– Quase morto, mas ainda vivo – respondeu a madre.

Uma voz se ergueu entre os presentes e Edgar reconheceu Theodberht Pé Boto, um pastor de ovelhas que tinha pastos alguns quilômetros rio abaixo.

– Dreng tocou no corpo? – perguntou ele. – Depois de resgatado, quero dizer?

Edgar sabia o motivo da pergunta. As pessoas acreditavam que, se um assassino tocasse o cadáver, este voltaria a sangrar. Não sabia se era verdade.

– Não tocou, não! – gritou Blod. – Eu mantive o corpo do meu bebê longe desse monstro.

– Qual é a sua resposta, Dreng? – indagou Degbert.

– Não sei se eu toquei ou não – disse Dreng. – Teria tocado se fosse necessário, mas não achei que tivesse motivo.

A questão permaneceu inconclusiva.

Degbert se virou para Leaf.

– Você era a única outra pessoa presente quando Dreng jogou a criança, tirando ele próprio e o acusador. – Era verdade: Ethel estava desmaiada na taberna. – Você gritou, mas agora tem certeza de que ele estava vivo? Seria possível ter cometido um erro?

Tudo que Edgar queria era que Leaf contasse a verdade. Mas será que ela teria coragem?

– O bebê nasceu vivo – disse ela em tom de desafio.

– Mas morreu antes de Dreng jogar o corpo no rio – insistiu Degbert. – Só que na ocasião você achou que ele ainda estivesse vivo. Seu erro foi esse, não foi?

Degbert a estava pressionando acintosamente, mas ninguém podia impedi-lo.

Com uma expressão de pânico, Leaf olhou para Degbert, depois para Edgar, depois para Dreng. Ela então olhou para o chão. Passou vários instantes calada e quando falou foi quase num sussurro:

– Eu acho...

As pessoas se calaram, todas se esforçando para ouvir o que ela dizia.

– Acho que eu posso ter me enganado.

Edgar entrou em desespero. Era óbvio que Leaf era uma mulher apavorada prestando um depoimento falso sob pressão. No entanto, ela acabara de dizer o que Dreng precisava que dissesse.

Degbert encarou os presentes.

– As provas são claras – declarou ele. – O bebê nasceu morto. A acusação de Edgar não foi provada.

Edgar encarou os presentes. Todos pareciam descontentes, mas ele percebeu que não estavam com raiva suficiente para contrariar os dois homens mais poderosos das redondezas. Sentiu-se enjoado. Dreng ia conseguir se safar. A justiça não tinha sido feita.

Degbert continuou:

– Dreng é culpado do crime de enterro inadequado.

Que esperteza, pensou Edgar com amargura. O bebê agora estava enterrado no cemitério, mas na ocasião, como o próprio Dreng admitira, ele havia descartado o corpo de forma ilícita. Mais importante ainda, ele agora seria punido por uma infração menor, o que faria com que os aldeões achassem um pouco mais fácil aceitar que Dreng conseguira se safar do crime mais grave.

– A multa é de seis *pence* – sentenciou Degbert.

Era muito pouco e as pessoas resmungaram, mas foi mais por descontentamento do que por revolta.

Então Blod reclamou:

– Seis *pence*?

A multidão se calou. Todos olharam para ela.

Lágrimas escorriam por seu rosto.

– Seis *pence* pelo meu bebê?

A escrava virou as costas para Degbert de modo decidido. Saiu andando a passos largos, mas após alguns segundos parou e virou-se.

– Vocês, ingleses – disse ela com uma voz engasgada de tristeza e raiva.

Cuspiu no chão.

Então se afastou.

Dreng tinha vencido, mas algo no povoado mudou. Enquanto fazia sua refeição do meio-dia na taberna, Edgar ficou refletindo que as atitudes em relação a ele não eram mais as mesmas. Pessoas como Edith, esposa de Degbert, e Bebbe, que fornecia alimentos para a colegiada, antes teriam parado para conversar com Dreng ao cruzarem seu caminho, mas agora diziam apenas algo breve e se afastavam apressadamente. A taberna passava a maioria das noites vazia. Degbert às vezes aparecia para beber a cerveja forte de Leaf, mas os outros mantinham distância. As pessoas tratavam Degbert e Dreng com uma educação que beirava a deferência, mas não havia calor humano. Era como se os moradores estivessem tentando se redimir por não terem insistido para que a justiça fosse feita. Na opinião de Edgar, Deus não consideraria isso suficiente.

Quando aqueles que haviam testemunhado a favor de Dreng passavam por Edgar enquanto ele trabalhava na construção da nova cervejaria, pareciam envergonhados e viravam o rosto. Certo dia, na Ilha dos Leprosos, quando ele foi entregar um barril de cerveja para as freiras, madre Agatha fez questão de lhe falar e dizer que ele tinha agido certo.

– A justiça será feita na próxima vida – dissera ela.

Edgar sentira-se grato pelo apoio, mas queria justiça naquela vida ali também.

Na taberna, Dreng estava mais mal-humorado do que nunca. Estapeava Leaf quando ela lhe servia uma caneca de cerveja com borra, socava a barriga de Ethel quando seu mingau estava frio e jogava Blod no chão com um sopapo na cabeça sem motivo algum. Agia sempre depressa, sem dar chance nenhuma para Edgar intervir. Então, uma vez o golpe dado, lançava-lhe um olhar de enfrentamento, desafiando-o a tomar alguma providência. Como não conseguia impedir o que já tinha sido feito, Edgar simplesmente desviava os olhos.

Dreng nunca batia nele. Isso o deixava aliviado. Ele carregava dentro de si uma raiva acumulada tão grande que, se uma briga começasse, talvez só acabasse com Dreng morto. E Dreng parecia sentir isso, então se controlava.

Blod se mostrava estranhamente calma. Fazia o seu trabalho e obedecia às ordens sem reclamar. Dreng continuava a tratá-la com desprezo. Quando ela o encarava, porém, seus olhos ardiam de ódio, e com o passar dos dias Edgar pôde ver que Dreng a temia. Talvez tivesse medo de que ela o matasse. Talvez ela realmente o fizesse.

Enquanto Edgar comia, Malhada latiu para dar o alerta. Um desconhecido vinha se aproximando. Como devia ser algum passageiro para fazer a travessia, Edgar se levantou da mesa e foi até lá fora. Dois homens malvestidos conduzindo um cavalo de carga chegavam do norte. Sobre o lombo do cavalo havia uma pilha alta de peles curtidas.

Edgar os cumprimentou e perguntou:

– Querem atravessar o rio?

– Sim – respondeu o mais velho. – Vamos a Combe vender nosso couro para um exportador.

Edgar assentiu. Os ingleses matavam muitas vacas e o couro com frequência era vendido para a França. Entretanto, algo naqueles homens o fez se perguntar se eles haviam adquirido o couro de forma honesta.

– A tarifa é um *farthing* por pessoa ou animal – falou, sem saber ao certo se eles poderiam pagar.

– Está bem, mas primeiro vamos comer alguma coisa e beber uma jarra de cerveja, se isto aqui for uma taberna.

– É, sim.

Eles descarregaram o cavalo para deixá-lo descansar e o puseram para pastar enquanto permanecessem na taberna. Edgar voltou ao seu almoço e Leaf deu cerveja aos viajantes enquanto Ethel os servia do panelão de ensopado. Dreng lhes perguntou as novidades.

– A noiva do senhor de Shiring chegou da Normandia – contou o mais velho.

– Isso nós sabemos. Lady Ragna passou uma noite aqui no caminho – falou Dreng com orgulho.

– Quando vai ser o casamento? – indagou Edgar.

– No dia de Todos os Santos.

– Falta pouco!

– Wilwulf está impaciente.

Dreng deu um risinho de desdém.

– Não me espanta. Ela é linda.

– Tem isso também, mas ele precisa partir para combater os invasores galeses e não quer ir antes de se casar.

– Eu não o julgo – falou Dreng. – Seria uma pena morrer e deixá-la virgem.

– Os galeses se aproveitaram dessa demora.

– Tenho certeza, aqueles bárbaros.

Edgar quase riu. Quis perguntar se os galeses eram bárbaros a ponto de assassinar recém-nascidos, mas segurou a língua. Lançou um olhar para Blod, mas ela parecia alheia à conversa ofensiva sobre o seu povo.

O viajante mais velho prosseguiu:

– Eles já penetraram mais longe do que qualquer um consegue se lembrar. As pessoas estão insatisfeitas. Alguns dizem que é obrigação do senhor de terras primeiro proteger o povo e depois se casar.

– Isso não é da conta deles – retrucou Dreng. Não gostava de ouvir as pessoas criticarem a nobreza. – Não sei quem essa gente pensa que é.

– Ouvimos dizer que os galeses chegaram a Trench.

Edgar ficou chocado, assim como Dreng.

– Isso fica só a uns dois dias daqui! – exclamou Dreng.

– Eu sei. Que bom que estamos indo com nosso carregamento caro na direção contrária.

Edgar terminou de comer e voltou ao trabalho. A cervejaria estava ficando pronta depressa, uma fileira de pedras sobre outra. Em breve ele precisaria cortar madeiras para o telhado.

A Travessia de Dreng não tem defesa de qualquer tipo contra uma incursão galesa, refletiu. E, aliás, tampouco contra uma invasão dos vikings, se eles algum dia conseguirem subir o rio tanto assim. Por outro lado, os invasores talvez pensassem que não haveria muita coisa para roubar num lugarejo como aquele – a menos que soubessem sobre a oficina de joalheria de Cuthbert. A Inglaterra é um lugar perigoso, pensou Edgar, com os vikings a leste, os galeses a oeste e homens como Dreng no meio.

Uma hora depois, os viajantes recarregaram seu cavalo e Edgar os conduziu até o outro lado do rio.

Ao voltar, encontrou Blod escondida dentro da cervejaria inacabada. Ela estava chorando e havia sangue em seu vestido.

– O que houve? – perguntou ele.

– Aqueles dois pagaram para trepar comigo – respondeu ela.

Edgar ficou chocado.

– Mas não faz nem duas semanas que você teve o bebê!

Não sabia ao certo por quanto tempo as mulheres precisavam se resguardar, mas com certeza seria preciso um mês, ou dois, para se recuperar do que ele vira Blod enfrentar.

– Por isso doeu tanto – disse ela. – Aí o segundo não quis pagar o valor todo porque disse que eu chorei e estraguei tudo. Então agora Dreng vai me bater.

– Ah, Jesus misericordioso – falou Edgar. – O que você vai fazer?

– Matá-lo antes que ele me mate.

Edgar achou difícil que ela fizesse isso, mas fez uma pergunta prática:

– Como?

Assim como todo mundo a partir dos 5 anos mais ou menos, Blod tinha uma faca, mas a sua era pequena como a de uma criança e ela não tinha permissão para mantê-la muito afiada. Não conseguiria matar ninguém com aquilo.

– Vou acordar durante a noite, tirar seu machado do gancho e cravar a lâmina no coração dele – contou ela.

– Você vai ser executada.

– Mas vou morrer satisfeita.

– Eu tenho uma ideia melhor – falou Edgar. – Por que você não foge? Pode sair de fininho quando todos estiverem dormindo... Quando a noite cai, eles em geral estão bêbados mesmo, não vão acordar. Agora é uma boa época: os invasores galeses estão a apenas dois dias daqui. Viaje à noite e passe o dia escondida. Você pode até encontrar seu próprio povo.

– E se ele der o alarme?

Edgar aquiesceu. Era por meio desse alarme que os infratores eram presos. Todos os homens tinham por lei a obrigação de perseguir qualquer um que cometesse um crime dentro dos limites da comarca. Caso se recusassem a fazer isso, incorriam no custo dos danos causados pelo crime, em geral o valor de bens roubados. Os homens raramente se negavam: capturar criminosos era do seu interesse e, de toda forma, a perseguição era empolgante. Se Blod fugisse, Dreng daria o alarme e ela muito provavelmente seria recapturada.

Mas Edgar tinha pensado nisso.

– Depois que você sair, eu levo o barco da travessia mais para baixo do rio e o deixo encalhado na margem, então volto a pé. Quando virem que o barco sumiu, vão pensar que você o usou para fugir e supor que desceu o rio, para viajar mais depressa e abrir o máximo de distância possível em relação a eles, de modo que vão procurá-la na direção leste ao longo do rio. Enquanto isso, você estará seguindo na direção contrária.

O rosto contraído de Blod se iluminou de esperança.

– Acha mesmo que eu conseguiria fugir?

– Eu não sei – respondeu Edgar.

Só depois Edgar se deu conta do que tinha feito.

Se ajudasse Blod a fugir, estaria cometendo um crime. Apenas alguns dias antes, tinha se levantado no tribunal da comarca e insistido que a lei fosse obedecida. Agora estava prestes a agir contra ela. Se fosse descoberto, seus vizinhos não seriam nada piedosos e o chamariam de hipócrita. Ele seria condenado a pagar a Dreng o preço de um novo escravo. Passaria anos endividado. Talvez ele mesmo virasse escravo.

Mas não podia voltar atrás na sua palavra. Nem queria fazer isso. O jeito como Dreng tratava Blod lhe causava repulsa, e ele não queria que aquilo continuasse assim. Talvez houvesse princípios mais importantes do que o cumprimento da lei.

Só precisaria garantir que não seria descoberto.

Dreng vinha bebendo mais do que de costume desde o tribunal da comarca e nessa noite não foi diferente. Quando começou a anoitecer, ele já estava com a fala arrastada. As esposas o incentivavam, pois quando ele ficava bêbado em geral errava o alvo dos socos. Quando a noite caiu, tudo que ele conseguiu fazer foi soltar o cinto e se enrolar na capa antes de perder os sentidos deitado sobre os juncos do chão.

Leaf sempre bebia muito. Edgar desconfiava que o fizesse para se tornar pouco atraente para Dreng. Ele nunca tinha visto os dois se abraçarem. Quando estava sóbrio, Dreng escolhia Ethel para fazer sexo, mas isso não acontecia com frequência.

Ethel não pegava no sono tão depressa quanto os outros e Edgar ficou escutando sua respiração à espera de que chegasse a um ressonar. Recordou aquela noite, quatro meses antes, em que ficara deitado sem dormir na casa de sua família em Combe. Sentiu a dor da perda ao lembrar como o futuro parecia empolgante ao lado de Sunni e como havia se revelado sombrio sem ela.

Tanto Leaf quanto Dreng roncavam, Leaf com um zumbido constante, Dreng com barulhos altos seguidos por arquejos. Por fim, a respiração de Ethel se regularizou. Edgar olhou para Blod do outro lado do recinto. Pôde ver seu rosto à luz do fogo. De olhos abertos, a escrava aguardava o seu sinal.

Aquele era o momento da sua decisão final.

Edgar sentou-se e Dreng se mexeu.

Edgar tornou a se deitar.

Dreng parou de roncar, virou-se, passou alguns instantes respirando normalmente e então se levantou, cambaleante. Pegou uma caneca, encheu-a no balde d'água, bebeu e voltou para seu lugar no chão.

Algum tempo depois, recomeçou a roncar.

Nunca vai haver um momento melhor, pensou Edgar. Sentou-se. Blod fez o mesmo.

Ambos se levantaram. Edgar manteve os ouvidos atentos a qualquer mudança no som produzido pelos que dormiam. Tirou seu machado do gancho, andou pé ante pé até a porta e olhou para trás.

Blod não o havia seguido. Estava curvada sobre Dreng. Edgar sentiu uma onda de pânico: será que ela iria matar seu carrasco? Será que achava que conseguiria cortar sua garganta em silêncio e ir embora? Isso tornaria Edgar cúmplice de assassinato.

Nos juncos ao lado de Dreng estava seu cinto com a bainha que continha sua adaga. Era a faca que ele usava para fins genéricos, entre os quais cortar a carne que comia, mas era mais comprida e mais afiada do que a de Blod. Edgar parou de respirar. Sem fazer qualquer ruído, Blod tirou a adaga da bainha e Edgar teve certeza de que ela iria apunhalar o assassino do seu filho. A jovem endireitou as

213

costas com a faca na mão. Então girou o cabo da faca e a enfiou na corda que usava como cinto. Depois se virou para a porta.

Edgar reprimiu um grunhido de alívio.

Calculou que Blod tivesse roubado a adaga de Dreng como precaução, para o caso de encontrar homens perigosos durante suas viagens à noite – situação em que sua faca pouco lhe serviria.

Ele abriu a porta devagar. A porta rangeu, mas não muito alto.

Depois a segurou para Blod, que passou seguida por Malhada. Felizmente, a cadela era inteligente o bastante para saber quando precisava ficar calada.

Edgar olhou uma última vez para os que dormiam. Para seu horror, viu que os olhos de Ethel estavam abertos e que ela o observava. Sentiu o coração parar.

Encarou-a. O que ela faria? Durante vários segundos, ficaram ambos petrificados. Talvez ela estivesse reunindo coragem para dar o alerta com um grito e acordar Dreng.

Mas ela nada fez.

Edgar saiu da casa e fechou a porta suavemente atrás de si.

Ficou parado lá fora, sem dizer nada, à espera do grito de alarme, mas tudo que escutou foi o murmúrio baixinho do rio. Ethel tinha decidido deixá-los ir. Edgar tornou a relaxar, aliviado.

Sacou o machado do cinto.

O céu estava parcialmente nublado e a lua espiava por trás de uma nuvem. O rio reluzia, mas o povoado estava imerso em escuridão. Edgar e Blod subiram a encosta entre as casas. Edgar temeu que algum cão os ouvisse e latisse, mas nada aconteceu: os cachorros da vila decerto reconheciam seus passos ou então tinham farejado Malhada, ou as duas coisas. Fosse qual fosse o motivo, decidiram que não era preciso soar nenhum alarme.

Quando Edgar e Blod passaram pela igreja, ela entrou no cemitério. Edgar ficou preocupado. O que ela estava querendo fazer?

O mato ainda não crescera no túmulo do seu filho. Sobre a terra mexida, pedras lisas formavam o desenho de uma cruz, algo que a própria Blod devia ter feito. Ela se ajoelhou ao pé da cruz com as mãos unidas em prece e Edgar a imitou.

Com o canto do olho, ele viu alguém sair da casa dos padres.

Tocou o braço de Blod para avisá-la. Viu que era o frei Deorwin. O velho cambaleou por alguns metros e então levantou a saia da túnica. Edgar e Blod ficaram paralisados. Não estavam fora de vista, longe disso, mas Edgar torcia para estarem misturados à escuridão a ponto de escaparem aos olhos do velho clérigo.

Como todas as crianças, Edgar tinha aprendido que era falta de educação observar alguém que estivesse fazendo as necessidades, mas nessa hora ficou observando Deorwin atentamente, rezando para que o velho não erguesse os olhos. De qualquer forma, Deorwin estava concentrado e em nada lhe interessava correr os olhos pelo povoado escuro e adormecido. Por fim, o homem abaixou a túnica e se virou devagar. Por alguns segundos, seu rosto ficou virado na direção de Edgar e Blod, e Edgar se retesou à espera de uma reação. No entanto, Deorwin não pareceu vê-los e tornou a entrar.

Eles seguiram em frente, gratos pela visão ruim do velho.

Continuaram até o final da subida. Lá no alto, a estrada se bifurcava. Blod tomaria o rumo noroeste em direção a Trench.

– Adeus, Edgar – disse ela.

Exibia uma expressão triste. Deveria estar feliz: estava fugindo rumo à liberdade.

– Boa sorte – falou Edgar.

– Nunca mais vou ver você.

Tomara que não, pensou ele. Se tornarmos a nos encontrar, é porque alcançaram você.

– Mande lembranças minhas para Brioc e Eleri – disse ele.

– Você lembra o nome dos meus pais!

Ele deu de ombros.

– Gostei da sonoridade.

– Eles vão ouvir falar muito em você. – Ela lhe deu um beijo na face. – Você foi meu amigo. Meu único amigo.

Tudo que Edgar tinha feito fora tratá-la como um ser humano.

– Não foi grande coisa.

– Foi tudo.

Ela o abraçou, pousou a cabeça no seu ombro e o apertou com força. Raramente demonstrava emoção, e a paixão daquele enlace deixou Edgar surpreso.

Blod o soltou e, sem dizer mais nada, afastou-se pela estrada. Não olhou para trás.

Edgar ficou olhando até ela sumir de vista.

Tornou a descer a encosta pisando macio. Parecia que não havia mais ninguém acordado. Isso era bom: se ele fosse visto agora, não teria como dar nenhuma desculpa plausível. Uma escrava tinha fugido e Edgar estava acordado andando pelo povoado no meio da noite. Seria impossível negar cumplicidade. Não queria nem pensar nas consequências.

Ficou tentado a entrar logo na taberna e se deitar no aconchego e na segurança, mas tinha prometido a Blod que deixaria um rastro falso.

Foi até a margem do rio e desamarrou o barco. Malhada pulou a bordo. Edgar subiu e pegou a vara sem fazer ruído.

Bastava um único empurrão para que o barco entrasse na correnteza. A força do rio fez a embarcação rodear a Ilha dos Leprosos pelo norte. Edgar manejou a vara para mantê-la afastada das margens em ambos os lados.

Passou pela fazenda. Erman e Eadbald tinham arado o solo e a lua brilhava sobre os sulcos úmidos. Nenhuma luz vinha da casa, nem mesmo a do fogo, pois não havia janela.

A correnteza era mais forte um pouco à direita do meio do rio. Em postura de alerta na proa, com as orelhas empertigadas, Malhada farejava para detectar qualquer sinal. Eles passaram por uma mata cerrada pontuada por vilarejos e assentamentos unifamiliares. Uma coruja piou e Malhada rosnou.

Uma hora depois, Edgar começou a examinar a margem esquerda em busca de um lugar adequado para deixar o barco. Precisava de um ponto onde a embarcação pudesse ter se emaranhado tanto na vegetação ribeirinha que uma jovem pequena e magra não tivesse conseguido tirá-la de lá. Tinha que fabricar provas que contassem uma história simples e clara. Se houvesse a mais ínfima falha, a suspeita recairia sobre ele na mesma hora. Não podia haver espaço para dúvida.

O lugar que escolheu foi um pequeno trecho de seixos encimado por árvores e arbustos caídos. Aproximou o barco da margem e saltou. Com esforço, puxou a pesada embarcação um pouco para fora d'água e a empurrou para o meio da vegetação.

Deu alguns passos para trás de modo a estudar a cena que havia montado. O aspecto de fato dava a entender que alguém inexperiente tinha perdido o controle e deixado o barco se emaranhar nas plantas e encalhar.

Seu trabalho estava feito. Ele agora precisava fazer o caminho de volta a pé.

Primeiro tinha que atravessar o rio. Despiu a túnica, tirou os sapatos e os embrulhou numa trouxa. Entrou na água segurando as roupas acima da cabeça com uma mão, para mantê-las secas, e atravessou a nado. Na outra margem, vestiu-se depressa, tremendo, enquanto Malhada se sacudia energicamente para se secar.

Lado a lado, Edgar e a cadela começaram a voltar para casa.

Pessoas moravam ao longo da floresta. Àquela hora, porém, até mesmo Cara de Ferro devia estar dormindo. Se houvesse alguém acordado e em movimento ali por perto, Malhada avisaria. Mesmo assim, Edgar sacou o machado do cinto de modo a estar preparado para qualquer eventualidade.

Será que o seu estratagema daria certo? Será que Dreng e os outros moradores da vila deduziriam o que Edgar planejara? Talvez não tivesse avaliado direito até que ponto aquela farsa toda era plausível. As dúvidas o torturavam; não conseguia nem pensar na ideia de Blod ser recapturada depois de tudo que já havia suportado.

Passou pelo curral de ovelhas de Theodberht Pé Boto e o cachorro dele latiu.

Edgar ficou aflito por um instante: se o pastor o visse, a farsa perderia toda a credibilidade. Seguiu em frente depressa e o cão se calou. Ninguém saiu da casa.

Ao seguir pela margem do rio, de vez em quando sendo obrigado a abrir caminho na vegetação, constatou que o avanço era mais lento do que de barco; levou quase duas horas para voltar. A lua se pôs quando ele estava passando pela fazenda e, como as estrelas estavam escondidas pelas nuvens, percorreu o último trecho na mais completa escuridão.

Chegou à taberna auxiliado pela memória e pelo senso de direção. Agora vinha o último momento arriscado. Parou em frente à porta e escutou. Os únicos ruídos que vinham lá de dentro eram dos roncos. Ele ergueu a tranca com toda a delicadeza e empurrou a porta para abri-la. Os roncos continuaram, imperturbáveis. Entrou. À luz do fogo, distinguiu três silhuetas adormecidas: Dreng, Leaf, Ethel.

Pendurou o machado no gancho e se abaixou sobre a palha com todo o cuidado. Malhada se esticou junto ao fogo.

Edgar tirou os sapatos e o cinto, fechou os olhos e se deitou. Após tanta tensão, pensou que ficaria acordado por muito tempo, mas em segundos adormeceu.

Acordou com alguém sacudindo seu ombro. Abriu os olhos e já era dia. Ethel estava tentando acordá-lo. Deu uma olhada rápida em volta e viu que Dreng e Leaf continuavam dormindo.

Ethel o chamou com um aceno de cabeça e saiu. Ele a seguiu.

Fechou a porta depois de sair e disse em voz baixa:

– Obrigado por não ter nos entregado.

Agora era tarde para ela fazer isso, pois seria obrigada a revelar que os vira ir embora sem fazer nada. Ela tinha se tornado cúmplice.

– O que aconteceu? – sussurrou Ethel.

– Blod foi embora.

– Pensei que vocês tivessem fugido juntos!

– Juntos? Por que eu fugiria?

– Não está apaixonado por ela?

– Claro que não.

– Ah... – Ethel ficou com um ar pensativo enquanto reajustava as próprias suposições. – Então por que saiu com ela no meio da noite?

– Só para acompanhá-la.

Edgar não gostava de mentir, mas estava começando a perceber que uma mentira levava a outra.

Ethel reparou numa coisa.

– O barco sumiu.

– Em outro momento eu lhe conto a história toda – falou Edgar. – Enquanto isso, precisamos agir normalmente. Vamos dizer que não sabemos onde Blod está, que não entendemos o seu sumiço, mas que não estamos preocupados porque ela com certeza vai aparecer.

– Está bem.

– Para começar, vou pegar um pouco de lenha para você acender o fogo.

Ethel voltou para dentro. Quando Edgar tornou a entrar com a lenha, Dreng e Leaf tinham acordado.

– Onde está minha adaga? – perguntou Dreng.

– Onde você a deixou ontem à noite – respondeu Leaf, irritadiça. Ela nunca acordava de bom humor.

– Eu a deixei aqui, nesta bainha presa ao meu cinto. O cinto agora está na minha mão, e a bainha também, mas nada da adaga.

– Bom, comigo é que não está.

Edgar largou a lenha no chão e Ethel começou a acender o fogo.

Dreng olhou em volta.

– Onde está aquela escrava?

Ninguém respondeu.

Dreng mirou Edgar.

– Por que você foi pegar a lenha? Isso é trabalho dela.

– Ela deve ter ido ao cemitério visitar o túmulo do filho – respondeu Edgar. – Às vezes faz isso de manhã bem cedo, quando você ainda está completamente apagado.

– Ela deveria estar aqui! – disse Dreng, indignado.

Edgar pegou o balde.

– Não se preocupe, eu busco a água.

– Buscar água é trabalho dela, não seu.

Edgar estava prestes a fazer outro comentário conciliatório quando se deu conta de que levantaria suspeitas caso se mostrasse tranquilizador demais, então deixou transparecer o que estava realmente sentindo.

– Sabe de uma coisa, Dreng? A vida o deixa tão infeliz que fico me perguntando por que você não pula logo nesse maldito rio e afoga essa sua carcaça infeliz.

O comentário atingiu Dreng em cheio.

– Seu pirralho atrevido!

Edgar saiu.

Assim que pôs os pés lá fora, se deu conta de que precisava demonstrar surpresa com o sumiço do barco.

Tornou a abrir a porta.

– Onde está o barco? – indagou.

Quem respondeu foi Dreng:

– Está onde sempre fica, seu idiota.

– Não está, não.

Dreng foi até a porta e olhou para fora.

– Então onde ele foi parar?

– Foi o que eu perguntei a você.

– Bom, você deveria saber.

– O barco é seu.

– Ele saiu flutuando. Você não o amarrou direito.

– Eu o amarrei bem apertado. Sempre amarro.

– Imagino que as fadas devam ter desamarrado – zombou Dreng. – É isso que está querendo dizer?

– Ou elas ou então Cara de Ferro.

– Por que Cara de Ferro iria querer um barco?

– E as fadas, teriam um motivo?

Dreng começou a demonstrar desconfiança.

– Onde está aquela escrava?

– Você já perguntou isso.

Dreng era mau, mas não era burro.

– O barco sumiu, minha adaga sumiu e a escrava sumiu – falou.

– O que está querendo dizer, Dreng?

– A escrava fugiu no barco, seu idiota. É óbvio.

Dessa vez Edgar não se importou com a ofensa. Ficou feliz com o fato de Dreng ter chegado imediatamente à conclusão que ele havia planejado.

– Vou procurar no cemitério – falou.

– Pergunte em todas as casas... não vai demorar muito. Diga a todos que, se ela não for encontrada nos próximos minutos, precisamos dar o alarme.

Edgar obedeceu de imediato. Foi até o cemitério, olhou dentro da igreja, então entrou na casa dos sacerdotes. As mães estavam dando de comer a seus filhos. Ele disse aos homens que provavelmente haveria um alarme de perseguição – a menos que Blod aparecesse logo. Os clérigos mais jovens começaram a amarrar os sapatos e vestir as capas. Edgar encarou Deorwin com atenção, mas o velho o ignorou. Pelo visto não tinha percebido nada de estranho durante a noite.

Foi até a casa de Bebbe Gorda só para poder dizer que tinha procurado Blod lá. Bebbe estava dormindo e ele não a acordou. As mulheres não eram obrigadas a participar da perseguição, e de qualquer forma ela seria vagarosa demais.

Os outros moradores eram pequenas famílias de empregados que trabalhavam na cozinha, na limpeza, na lavagem da roupa e em outras tarefas domésticas da colegiada. Ele acordou Cerdic, que lhes fornecia lenha da floresta, e Hadwine, conhecido como Had, que trocava os juncos do chão.

Quando voltou à taberna, o grupo já tinha começado a se reunir. Degbert e Dreng estavam a cavalo. Todos os cães do povoado também se encontravam ali: eles poderiam farejar um fugitivo escondido. Degbert assinalou que seria útil lhes dar alguma roupa velha de Blod para cheirar, assim saberiam o que deviam procurar, mas Dreng falou que Blod estava usando todas as roupas que possuía.

– Edgar – chamou Degbert –, vá pegar um pedaço de corda no baú lá de casa, para o caso de precisarmos amarrar a escrava.

Edgar obedeceu.

Enquanto ele saía da taberna, Dreng levantou a voz para se dirigir a todos:

– Ela roubou o barco da travessia, e, como a embarcação é pesada para uma garota subir contra a correnteza, ela com certeza desceu o rio.

Edgar ficou satisfeito ao ver que Dreng estava seguindo a trilha falsa. Mas Degbert não se mostrou assim tão crédulo:

– Será que ela teria desamarrado o barco e o deixado sair à deriva para nos fazer seguir a trilha errada enquanto ela vai em outra direção?

– Ela não é inteligente a esse ponto – retrucou Dreng.

Havia outra falha na suposição de Degbert, que Edgar não se atreveu a apontar por medo de levantar suspeitas caso parecesse que fazia muita questão de que empreendessem a busca rio abaixo. Mas Cuthbert falou por ele:

– O barco não iria longe sozinho. A correnteza o teria levado para a margem em frente à Ilha dos Leprosos.

Outros assentiram: era lá que a maioria dos dejetos encalhava.

– Existe outro barco... o que pertence às freiras – falou Cerdic. – Poderíamos pegá-lo emprestado.

– Madre Agatha não nos emprestaria o barco – disse Cuthbert. – Está com raiva de nós por causa da morte do bebê. Provavelmente acha que Blod deveria ser libertada.

Cerdic deu de ombros.

– Então poderíamos só pegar e pronto.

– É uma embarcação minúscula, só cabem duas pessoas – ressaltou Edgar. – Não ajudaria muito.

– Não quero problemas com Agatha, já tenho coisas suficientes com que me preocupar – falou Dreng de forma decidida. – Vamos. A cada minuto que passa a escrava se afasta mais.

Na verdade, pensou Edgar, ela agora devia estar escondida em algum lugar da floresta a noroeste, a caminho de Trench. Devia estar no meio de uma densa vegetação rasteira, totalmente encoberta, tentando dormir um pouco no chão frio. A maioria das criaturas da floresta era acanhada e manteria distância. Nem mesmo um javali ou lobo agressivo se aproximariam de um humano que não os tivesse provocado antes ou que estivesse claramente ferido ou incapaz de se defender por algum outro motivo. O principal risco eram fora da lei como Cara de Ferro, e Edgar torcia para que ninguém desse tipo a encontrasse.

Os homens da Travessia de Dreng partiram correnteza abaixo pela margem direita do rio e Edgar começou a achar que o seu plano daria certo, afinal. Eles pararam na fazenda e Erman e Eadbald se juntaram ao grupo. Na última hora, Cwenburg decidiu ir também. Embora estivesse quase no quarto mês de gestação, mal se podia notar, e ela era forte.

Os cavalos se revelaram um entrave. Andavam bem quando só havia mato na margem, mas muitas vezes a vegetação se tornava densa e eles precisavam ser conduzidos por entre um emaranhado de arbustos e árvores jovens. O zelo e a motivação dos homens e cães foi diminuindo conforme o progresso se tornou mais árduo.

– Temos certeza de que ela veio por aqui? – perguntou Degbert. – Sua terra natal fica na outra direção.

Isso deixou Edgar nervoso.

Por sorte, Dreng não levou o comentário do irmão em consideração.

– Ela está indo para Combe – disse ele. – Acha que lá não vai chamar atenção. Uma cidade grande sempre tem forasteiros. Não é como um povoado, onde todos os viajantes precisam se explicar.

– Não sei... – continuou Degbert.

Ninguém sabia, felizmente, pensou Edgar, de modo que precisavam seguir o melhor palpite da vez, e o seu melhor palpite era aquele.

Não demoraram a chegar à casa de Theodberht Pé Boto. Um escravo cuidava das ovelhas com o auxílio de um cão. O animal latiu e Edgar reconheceu o som que escutara no meio da noite. Ainda bem que cachorros não sabem falar.

Theodberht saiu mancando de casa seguido pela esposa.

– Por que acionaram o alarme? – perguntou.

– Minha escrava fugiu ontem à noite – respondeu Dreng.

– Sei quem é – disse Theodberht. – Reparei nela na taberna. Uma menina de uns 14 anos.

Ele parecia prestes a se alongar no assunto, mas olhou de relance para a esposa e mudou de ideia. Edgar imaginou que ele houvesse feito mais do que apenas reparar em Blod.

– Não a viu nas últimas doze horas? – indagou Dreng.

– Não, mas alguém passou por aqui durante a noite. O cachorro latiu.

– Deve ter sido ela – disse Dreng em tom decidido.

Os outros concordaram, entusiasmados, e o ânimo do grupo melhorou. Edgar ficou satisfeito. O cão de Theodberht tinha lhe feito um favor mesmo sem querer.

– Seu cão latiu no início da noite ou já quase de manhã? – perguntou Dreng.

– Não faço ideia.

– Foi mais ou menos no meio da noite – disse a esposa de Theodberht. – Eu também acordei.

– A esta altura ela já pode estar bem longe daqui – comentou Theodberht.

– Pouco importa – falou Dreng. – Vamos pegar aquela vadia.

– Eu me juntaria a vocês, mas só faria atrasá-los – explicou Theodberht.

Dreng grunhiu e o grupo tornou a partir.

Pouco depois, eles chegaram a um lugar que Edgar não tinha visto no escuro. A poucos metros de distância do rio havia um curral com três cavalos. Junto ao portão do curral, deitado sob um abrigo grosseiro, estava o maior mastim que Edgar já vira. O cão estava preso por uma corda comprida o suficiente para lhe permitir atacar qualquer um que tentasse chegar aos cavalos. Junto ao curral havia uma casa em más condições.

– Os apanhadores de cavalos – disse Degbert. – Ulf e Wyn.

Na floresta havia cavalos selvagens, acanhados e ágeis, difíceis de ver, difíceis de capturar e altamente resistentes à domesticação. Aquele era um modo de vida bem específico, e quem optava por segui-lo era uma gente rude e disposta a tudo, violenta com os animais e antissocial com os humanos.

Duas pessoas saíram da casa: um homem baixo e esguio e sua esposa um pouco mais corpulenta, ambos vestidos com roupas sujas e botas de couro resistentes.

– O que vocês querem? – perguntou Ulf.

– Vocês viram a minha escrava? – quis saber Dreng. – Uma menina galesa de 14 anos mais ou menos.

– Não.

– Alguém passou por aqui à noite? Seu cão latiu?

– Ele não late. Ele morde.

– Vocês nos dariam uma caneca de cerveja? Podemos pagar.

– Não temos cerveja.

Edgar disfarçou um sorriso. Dreng havia encontrado alguém ainda mais desagradável do que ele próprio.

– Você deveria se juntar a nós para ajudar a encontrá-la.

– Eu não.

– É a lei.

– Eu não moro na sua comarca.

Muito provavelmente ninguém sabia em que comarca Ulf e Wyn moravam, pensou Edgar. Isso os isentava de aluguéis e dízimos. Visto que eles pareciam possuir pouca riqueza, não valeria a pena para ninguém tentar obrigá-los a pagar.

– Onde está seu irmão? – perguntou Dreng a Wyn. – Pensei que ele morasse aqui com vocês.

– Begstan morreu – respondeu ela.

– Então onde está o corpo? Vocês não o enterraram na colegiada.

– Nós o levamos para Combe.

– Mentirosa.

– É verdade.

Edgar supôs que eles tivessem enterrado Begstan na floresta para economizar o preço de um padre. Mas isso não tinha muita importância, e Dreng, impaciente, falou:

– Vamos em frente.

O grupo logo chegou ao local em que Edgar tinha feito o barco encalhar. Ele o viu antes de todo mundo, mas decidiu não ser o primeiro a alardear sua presença. Isso poderia levantar suspeitas. Esperou que outra pessoa reparasse. Todos estavam concentrados no caminho à frente pela floresta e ele começou a achar que ninguém iria vê-lo.

Por fim, seu irmão Erman falou:

– Olhem... não é o barco do Edgar ali do outro lado do rio?

– O barco não é dele, é meu – corrigiu Dreng, amargo.

– Mas o que está fazendo ali?

– Pelo visto ela veio até aqui de barco – falou Degbert. – E depois, por algum motivo, decidiu continuar a pé pelo outro lado.

Edgar notou com satisfação que ele havia abandonado a teoria da rota alternativa.

Cuthbert suava e ofegava: era muito gordo para aquele tipo de empreitada.

– Como vamos atravessar? – indagou. – O barco está na outra margem.

– Edgar vai lá e pega – disse Dreng. – Ele sabe nadar.

Edgar não se importou, mas fingiu relutância. Tirou os sapatos e a túnica devagar e então, nu, entrou tremendo na água fria. Nadou até o outro lado, subiu no barco e o trouxe com o auxílio da vara.

Tornou a vestir as roupas enquanto o grupo subia a bordo. Transportou-os até o outro lado, então amarrou o barco.

– Ela está deste lado do rio, em algum lugar a caminho de Combe – disse Degbert.

Combe ficava a dois dias da Travessia de Dreng. O alarme não chegaria tão longe.

Ao meio-dia, eles pararam num vilarejo chamado Longmede, que demarcava a divisa sudeste da comarca. Como Edgar já sabia, ninguém ali tinha visto uma escrava foragida. Eles compraram cerveja e pão dos moradores e se sentaram para descansar.

Depois de comerem, Degbert falou:

– Não há nenhum sinal dela desde o curral de ovelhas de Theodberht.

– Estou achando que perdemos o rastro – atalhou Cuthbert.

Ele só quer que desistam para poder ir para casa, pensou Edgar.

– A escrava é valiosa! – protestou Dreng. – Não tenho dinheiro para comprar outra. Não sou um homem rico.

– Já passa muito do meio-dia – disse Degbert. – Se quisermos chegar em casa antes do anoitecer, precisamos dar meia-volta agora.

– Podemos voltar para o barco e subir o rio nele – sugeriu Cuthbert.

– Edgar pode nos conduzir – acrescentou Dreng.

– Não – respondeu Edgar. – Assim iremos contra a correnteza. Serão necessários dois homens, cada um manejando uma vara, e eles vão se cansar depois de uma hora. Vamos ter que nos revezar.

– Eu não posso – rebateu Dreng. – Tenho problema nas costas.

– Nós temos homens jovens suficientes para dar conta facilmente – disse Degbert em tom decidido. Ergueu os olhos para o sol. – Mas é melhor irmos logo. – Ele se levantou.

O grupo iniciou a viagem de volta.

Blod conseguiu fugir, pensou Edgar, felicíssimo. Seu estratagema tinha funcionado. O grupo de busca tinha desperdiçado energia numa viagem inútil. Àquela altura, ela já estava a meio caminho de Trench.

Enquanto andava, ele baixou os olhos para esconder o sorriso de triunfo que não parava de surgir em seus lábios.

CAPÍTULO 13

Final de outubro de 997

ldred sabia que o bispo Wynstan ia ficar uma fera.

Caiu um temporal na véspera do casamento. Nesse dia, de manhã, Aldred foi convocado pelo abade. O noviço que veio trazer o recado acrescentou que o frei Wigferth de Canterbury tinha chegado e Aldred soube na hora o que isso significava.

O noviço o encontrou na passarela coberta que ligava a estrutura principal da abadia de Shiring à igreja dos monges. Era ali que Aldred havia montado seu *scriptorium*, que dispunha de apenas três banquinhos e um baú com material de escrita. Seu sonho era que algum dia o *scriptorium* fosse um recinto próprio, aquecido pelo fogo, onde uma dezena de monges trabalharia o dia inteiro copiando e ornando manuscritos. No presente momento ele tinha um único assistente, frei Tatwine, e um noviço espinhento chamado Eadgar, que havia começado o serviço recentemente, e os três se sentavam nos banquinhos e escreviam em pranchas apoiadas nos joelhos.

Aldred pôs seu trabalho de lado para secar, então enxaguou a ponta da pena numa tigela com água e a secou na manga do hábito. Foi até a construção principal e subiu a escada externa até o piso superior. Ali ficava o dormitório, e os empregados da abadia sacudiam colchões e varriam o chão. Ele percorreu a extensão do cômodo e entrou nos aposentos particulares do abade Osmund.

O recinto conseguia aliar um aspecto desmobiliado e utilitário a um grande e discreto conforto. Uma cama estreita encostada na parede tinha um colchão grosso e cobertores pesados. Na parede leste ficava uma cruz de prata simples com um genuflexório na frente e uma almofada de veludo no chão, gasta e desbotada, mas bem estofada para proteger os joelhos velhos de Osmund. A jarra de pedra sobre a mesa continha vinho tinto, não cerveja, e ao seu lado havia um pedaço de queijo.

Osmund não era um grande entusiasta da mortificação da carne, como podia perceber qualquer um que olhasse para ele. Embora usasse o hábito preto grosseiro do mosteiro e tivesse a cabeça raspada na tonsura monástica exigida, mesmo assim era corado e rotundo, e calçava sapatos feitos com felpudas peles de esquilo.

O abade estava acompanhado pelo tesoureiro Hildred. Aquela cena era conhecida de Aldred. No passado, significava que Hildred reprovava algo que ele estava fazendo – em geral por custar dinheiro – e havia convencido Osmund a lhe chamar a atenção. Nesse dia, Aldred fitou com atenção o rosto magro de Hildred, com as faces tão encovadas que pareciam escuras mesmo quando recém-barbeadas, e reparou que o tesoureiro não exibia o ar de superioridade que teria sugerido alguém prestes a lançar uma armadilha. Na verdade, seu semblante estava quase afável.

O terceiro monge presente no recinto usava um hábito sujo com a lama de uma longa viagem em pleno outubro inglês.

– Frei Wigferth! – disse Aldred. – Folgo em vê-lo.

Os dois tinham feito o noviciado juntos em Glastonbury, embora na época Wigferth fosse diferente: com o passar dos anos, seu rosto tinha se arredondado, a barba no queixo havia ficado mais grossa e o corpo esbelto, mais robusto. Wigferth visitava com frequência aquela região e, segundo os boatos, tinha uma amante em Trench. Ele era o mensageiro do arcebispo e coletava os aluguéis devidos aos monges de Canterbury.

– Wigferth nos trouxe uma carta de Elfric – falou Osmund.

– Que bom! – disse Aldred, embora tenha sentido também um arrepio de apreensão.

Elfric era o arcebispo de Canterbury, o líder da igreja cristã na metade sul da Inglaterra. Antes fora bispo de Ramsbury, que não ficava muito distante de Shiring, e Osmund o conhecia bem.

Osmund pegou sobre a mesa uma folha de pergaminho e começou a ler em voz alta:

– "Grato pelo seu relatório sobre a situação preocupante na Travessia de Dreng."

Aldred havia escrito o relatório, embora Osmund o tivesse assinado. Aldred descrevera a igreja caindo aos pedaços, as missas superficiais e a casa luxuosa em que moravam os clérigos casados. Também tinha escrito uma carta pessoal para Wigferth sobre Dreng, cujas duas esposas e escrava prostituta eram toleradas pelo irmão, o deão Degbert.

Era essa carta que deixaria o bispo Wynstan uma fera, pois fora ele quem havia nomeado Degbert, seu primo. Por isso Osmund tinha decidido reclamar diretamente com o arcebispo Elfric: de nada adiantaria falar com Wynstan.

Osmund prosseguiu a leitura:

– "Você diz que a melhor solução para o problema seria dispensar Degbert e seus clérigos e substituí-los por monges."

Aquilo também fora sugestão de Aldred, mas não era uma ideia original. O próprio Elfric tinha feito algo semelhante ao chegar a Canterbury, expulsando os padres indolentes e chamando monges disciplinados. Aldred tinha grande esperança de que o arcebispo concordasse em fazer o mesmo na Travessia de Dreng.

– "Concordo com a sua proposta" – leu Osmund.

– Excelente notícia! – exclamou Aldred.

– "O novo mosteiro será uma célula da abadia de Shiring, com um prior subordinado ao abade de Shiring."

Isso também tinha sido sugestão de Aldred. Ele ficou contente. A colegiada atual da Travessia de Dreng era uma abominação e agora havia sido condenada.

– "Frei Wigferth está levando também uma carta para nosso irmão em Cristo Wynstan, lhe comunicando a minha decisão, já que a Travessia de Dreng está sob seu bispado."

– A reação de Wynstan vai ser interessante – comentou Aldred.

– Ele vai ficar contrariado – falou Hildred.

– Para dizer o mínimo.

– Mas Elfric é o arcebispo e Wynstan precisa se curvar à sua autoridade.

Para Hildred, regra era regra e ponto final.

– Wynstan acha que todo mundo deve respeitar as regras... menos ele – observou Aldred.

– Verdade, mas ele também é muito sensível à política eclesiástica – falou Osmund com naturalidade. – Não imagino que vá se desentender com seu arcebispo por causa de um fim de mundo como a Travessia de Dreng. Se houvesse mais coisa em jogo, talvez a história fosse outra.

Aldred torceu para ele ter razão.

– Vou levá-lo até o palácio do bispo – disse a Wigferth.

Os dois desceram a escada externa.

– Obrigado por essa notícia! – exclamou Aldred quando eles estavam atravessando a praça que formava o centro da cidade. – Aquela colegiada horrorosa me deixou com raiva.

– O arcebispo sentiu a mesma coisa quando soube.

Eles passaram pela catedral de Shiring, uma típica igreja inglesa grande, com janelas pequenas situadas bem no alto das paredes grossas. Ao lado ficava a residência do bispo Wynstan; na cidade inteira, apenas essa construção e o mosteiro possuíam dois andares. Aldred bateu à porta e um jovem clérigo apareceu.

– Este é o frei Wigferth, que trouxe de Canterbury uma carta do arcebispo Elfric para o bispo Wynstan – apresentou ele.

– O bispo saiu, mas pode deixar a carta comigo – respondeu o clérigo.

Aldred recordou o nome do rapaz: Ithamar. Era diácono e trabalhava como secretário de Wynstan. Tinha cara de bebê e cabelos muito louros, mas Aldred estava seguro de que não era nenhum inocente.

Em tom severo, falou:

– Ithamar, este homem é um mensageiro do superior do seu superior. Você precisa recebê-lo, convidá-lo para entrar, oferecer-lhe comida e bebida e perguntar se há algo mais que possa fazer por ele.

Ithamar lançou-lhe um olhar venenoso de tão indignado, mas sabia que Aldred tinha razão e, após uma pausa, disse:

– Queira entrar, por gentileza, frei Wigferth.

Wigferth ficou onde estava e perguntou:

– Quanto tempo acha que o bispo Wynstan vai passar fora?

– Uma hora ou duas.

– Eu aguardo. – Wigferth virou-se para Aldred. – Voltarei assim que tiver entregado a carta. Prefiro dormir na abadia.

Boa decisão, pensou Aldred. A vida na residência de um bispo podia apresentar tentações que um monge preferiria não enfrentar.

Eles se separaram. Aldred se virou na direção da abadia, então hesitou. Já tinha passado da hora de fazer uma visita à futura esposa do senhor Wilwulf. Lady Ragna havia se mostrado acolhedora com ele em Cherbourg e ele queria fazer o mesmo por ela em Shiring. Se fosse agora, poderia lhe desejar sorte no casamento.

Seguiu em frente por entre os armazéns e oficinas do centro da cidade.

A cidade de Shiring vinha crescendo depressa e existia para servir a três estabelecimentos: o complexo do senhor de terras, com seus soldados e agregados; a catedral e o palácio do bispo, onde havia padres e empregados; e a abadia, com seus monges e irmãos laicos. Entre os comerciantes havia fabricantes de panelas, baldes, facas de mesa e outros utensílios domésticos; tecelões e alfaiates; seleiros e fabricantes de arreios; madeireiros e carpinteiros; armeiros que produziam cotas de malha, espadas e capacetes; arqueiros e flecheiros; leiteiros, padeiros, cervejeiros e açougueiros que forneciam carne para todos.

Mas a atividade mais lucrativa de todas era o bordado. Uma dúzia de mulheres da cidade passava os dias criando desenhos de lã colorida sobre lençóis de linho claro. Seus trabalhos em geral retratavam histórias bíblicas e cenas das vidas dos santos, e muitas vezes eram decorados com pássaros estranhos e bordas abstratas. O linho, ou às vezes uma lã clara, era eventualmente incorporado a vestes sacerdotais e trajes da nobreza vendidos por toda a Europa.

Aldred era conhecido e as pessoas o cumprimentaram pelas ruas. Ele se viu obrigado a parar para conversar com várias no caminho: um tecelão que alugava sua casa da abadia e estava com o aluguel atrasado; o fornecedor de vinhos do abade Osmund, que estava com dificuldade para conseguir dinheiro do tesoureiro Hildred; e uma mulher que desejava que os monges rezassem por sua filha doente, pois todos sabiam que as preces de monges celibatários eram mais eficientes do que as dos padres normais.

Quando finalmente chegou ao complexo, encontrou-o movimentado com os preparativos para o casamento. O portão estava congestionado com carroças vindo entregar barris de cerveja e sacos de farinha. Criados montavam do lado de fora longas fileiras de mesas sobre cavaletes. Pelo visto, haveria tantos convidados que o salão nobre não teria espaço suficiente para todos almoçarem. Um açougueiro abatia animais e os preparava para o espeto, e um boi pendia de um grosso carvalho pelas patas traseiras enquanto o sangue quente de seu enorme pescoço escorria para dentro de um balde.

Aldred encontrou Ragna na casa antes ocupada pelo mais jovem dos três irmãos, Wigelm. A porta estava aberta. Ragna estava lá dentro com três de seus empregados de Cherbourg: a graciosa criada pessoal Cat, a costureira Agnès e o guarda-costas de barba ruiva chamado Bern. Offa, chefe do vilarejo de Mudeford, também estava presente, e Aldred se perguntou por um instante o que estaria fazendo ali, mas logo voltou sua atenção para Ragna. Junto com as duas criadas, ela examinava sapatilhas de seda de cores diferentes. Quando ergueu o rosto, reconheceu-o e abriu um largo sorriso.

– Bem-vinda à Inglaterra – disse Aldred. – Vim ver se está se adaptando bem ao seu novo lar.

– Há tanta coisa a fazer! – exclamou ela. – Mas é tudo empolgante.

Ele estudou seu semblante animado. Lembrava-se de tê-la achado linda, mas a memória era uma pálida imitação da realidade. Sua mente não havia guardado o tom singular daqueles olhos verdes como o mar, a curva graciosa das bochechas altas ou a fartura luxuriante dos cabelos ruivos dourados que agora espiavam por baixo de um lenço de cabeça de seda marrom. Ao contrário do que acontecia com outros homens, a visão de seios femininos não o incitava ao pecado da luxúria, mas até mesmo ele conseguia ver que Ragna tinha um corpo de curvas impressionantes.

– E como está se sentindo em relação ao casamento? – indagou.

– Impaciente! – disse ela, e enrubesceu.

Então nesse quesito está tudo correndo normalmente, pensou ele.

– Imagino que Wilwulf também esteja – falou.

– Ele quer um filho – contou Ragna.

Aldred mudou de assunto para evitar que ela corasse:

– Suponho que Wigelm não tenha gostado de ser enxotado de casa.

– Ele não tinha como alegar ter mais prioridade que a noiva do senhor da cidade – falou Ragna. – Além do mais, como está sozinho, ele na realidade não precisa da casa. Sua esposa continua em Combe.

Aldred olhou em volta. Apesar de ser uma construção de madeira de alta qualidade, a casa não era tão confortável quanto poderia ser. Casas de madeira precisavam de reparos substanciais após cerca de vinte anos e em cinquenta se desintegravam por completo. Ele detectou uma folha torta na janela, um banco com a perna quebrada, uma goteira no telhado.

– A senhorita precisa de um carpinteiro aqui – observou.

Ragna suspirou.

– Estão todos ocupados fabricando bancos e mesas para o casamento. E o carpinteiro-mor, Dunnere, em geral já está bêbado depois do almoço.

Aldred franziu a testa. A noiva do senhor da cidade com certeza deveria ter a preferência.

– Não consegue se livrar de Dunnere?

– Ele é sobrinho de Gytha. Mas, sim, mexer na equipe de manutenção está no topo da minha lista.

– Há um rapaz na Travessia de Dreng que me pareceu um bom artesão: Edgar.

– Eu me lembro dele. Será que eu poderia lhe pedir para fazer reparos nesta casa?

– Não é preciso pedir quando se pode ordenar. O patrão de Edgar é Dreng, primo de Wilwulf. É só dizer a Dreng para lhe mandar seu empregado.

Ela sorriu.

– Eu ainda não conheço todos os meus direitos por aqui. Mas vou seguir seu conselho.

Um pensamento difuso estava deixando Aldred cismado. Tinha a sensação de que Ragna dissera algo importante, mas deixara passar seu significado. Agora não conseguia lembrar o que era.

– O que está achando da família de Wilwulf? – perguntou.

– Conversei com Gytha e ela aceitou que eu vou ser a patroa daqui. Mas tenho muito a aprender, e gostaria de poder contar com a ajuda dela.

– Tenho certeza de que vai conquistar o afeto de todos. Já a vi fazer isso.

– Espero que o senhor tenha razão.

Ragna estava cautelosa, mas mesmo assim Aldred não tinha certeza se ela tinha total noção sobre onde havia se metido. Falou:

– Não é comum dois irmãos serem bispo e senhor de terras no mesmo território. Isso dá um poder excessivamente grande a uma família só.

– Não vejo problema nisso. Wilf precisa de alguém da sua confiança como bispo.

Aldred hesitou.

– Eu não diria que ele necessariamente confia em Wynstan.

Ragna pareceu interessada.

Aldred precisava tomar cuidado com suas palavras. Para ele, Wilwulf e sua família eram gatos selvagens dentro de uma jaula, sempre prestes a se engalfinhar, e apenas seus respectivos interesses pessoais os mantinham longe da violência. No entanto, ele não queria dizer isso a Ragna de modo assim tão direto, pois temia desanimá-la. Precisava alertá-la sem a assustar.

– Eu diria que os irmãos têm menos probabilidade de surpreendê-lo, só isso.

– O rei deve gostar da família para ter lhe dado tamanho poder.

– Talvez já tenha gostado.

– O que está querendo dizer?

Ela não sabe, percebeu Aldred.

– Wilwulf perdeu o apreço do rei Ethelred por causa do tratado com seu pai. Ele deveria ter pedido permissão real.

– Ele nos disse que a permissão não tardaria a ser concedida.

– Mas não foi.

– Meu pai estava preocupado com isso. Wilf foi punido?

– Foi multado pelo rei. Só que ele não pagou a multa. Acha que Ethelred está sendo pouco razoável.

– O que vai acontecer?

– A curto prazo, não grande coisa. Quando um nobre desafia abertamente a corte real, há pouco que um rei possa fazer de imediato. A longo prazo, quem pode saber?

– Existe alguém que contrabalance o poder da família? Algum cargo que Wilf não tenha conseguido preencher com alguém que ele próprio nomeou?

Essa era a pergunta-chave, e Ragna subiu no conceito de Aldred por tê-la feito. O monge supôs que ela houvesse aprendido tudo que o pai lhe ensinara e quem sabe até acrescentado conhecimentos por conta própria.

– Sim – respondeu. – O xerife Denewald.

– Xerife? Não temos isso na Normandia.

– Ele é o chefe do condado, o representante local do rei. Wilwulf queria que Wigelm ficasse com o cargo, mas o rei Ethelred recusou e nomeou o próprio escolhido. As pessoas podem até chamar o rei de Ethelred, o Despreparado, mas ele não é tão estúpido assim.

– É um cargo importante?

– Os xerifes ficaram mais poderosos ultimamente.

– Por quê?

– Por causa dos vikings. Em duas ocasiões nos últimos seis anos, Ethelred impediu uma invasão viking por meio de um pagamento em dinheiro... só que foi extremamente caro. Seis anos atrás, ele lhes pagou 10 mil libras; três anos atrás foram 16 mil.

– Ficamos sabendo disso na Normandia. Meu pai disse que era como alimentar um leão na esperança de que isso o impedisse de devorá-lo.

– Muitas pessoas aqui disseram coisa parecida.

– Mas por que isso deu poder aos xerifes?

– Porque foram eles que coletaram o dinheiro. Ou seja, precisaram conseguir fazer cumprir a lei. Um xerife hoje tem a própria força militar, pequena, porém bem remunerada e bem armada.

– E isso o torna poderoso a ponto de fazer frente a Wilf.

– Exato.

– O papel do xerife não entra em conflito com o do senhor de terras?

– O tempo todo. O senhor de terras é o responsável pela justiça, mas é o xerife que precisa lidar com as infrações contra o rei, entre elas o não pagamento de impostos. Com certeza existem casos limítrofes que causam conflitos.

– Que interessante.

Aldred pensou que ela parecia uma musicista encostando os dedos nas cordas de uma lira, testando o instrumento antes de tocá-lo. Aquela mulher se tornaria uma força na região. Ela poderia fazer bem a muita gente. Por outro lado, poderia ser destruída.

Aldred a apoiaria no que fosse possível.

– Diga-me se eu puder fazer algo para ajudá-la – propôs ele. – Vá até a abadia. – Ocorreu-lhe que a visão de uma mulher como Ragna talvez fosse mais do que alguns jovens monges pudessem suportar. – Ou simplesmente mande um recado.

– Obrigada.

Quando ele estava se virando para a porta, seu olhar foi novamente atraído pela silhueta grande e pelo nariz torto de Offa. Por ser um funcionário menor do senhor de terras, o chefe de Mudeford possuía uma casa na cidade, mas até onde Aldred sabia não tinha vínculo algum com Ragna.

Ela notou seu olhar e perguntou:

– Conhece Offa, o chefe de Mudeford?

– Sim, claro.

Aldred viu Ragna olhar de relance para Agnès, que baixou o rosto com timidez, e entendeu na hora que Offa estava ali para cortejar a costureira, obviamente com a aprovação de sua patroa. Talvez Ragna desejasse que alguns de seus criados fincassem raízes na Inglaterra.

Ele pediu licença e saiu do complexo. No centro da cidade, ao atravessar a praça situada entre a catedral e a igreja da abadia, esbarrou com Wigferth, que saía da residência do bispo.

– Entregou a carta a Wynstan? – perguntou.

– Sim, minutos atrás.

– Ele teve um ataque?

– Pegou a carta e disse que leria mais tarde.

– Hum...

Aldred quase preferiu que Wynstan tivesse tido logo um acesso de raiva: aquele suspense estava se tornando insuportável.

Os dois monges voltaram para a abadia. O despenseiro estava servindo a refeição do meio-dia: enguia cozida com cebolas e feijão. Enquanto comiam, o frei Godleof leu o prólogo da Regra de São Bento: *"Obsculta, o fili, præcepta magistri, et inclina aurem cordis tui."* Escuta, ó filho, e volta o ouvido do teu coração para os preceitos de teu mestre. Aldred adorava a expressão *aurem cordis*, ouvido do coração. Ela sugere uma escuta mais intensa e mais atenta do que o normal.

Depois de comer, os monges seguiram em fila pela passarela coberta até a igreja para a missa vespertina da nona. A igreja era maior do que a da Travessia de Dreng, mas menor do que a catedral de Shiring. Tinha dois recintos: uma nave com cerca de 11 metros de comprimento e uma capela menor, separadas por um arco estreito. Os monges entraram por uma porta lateral. Os mais graduados foram até a capela e assumiram seus lugares ao redor do altar, enquanto o restante se posicionou de pé em três fileiras organizadas na nave, onde ficariam também os fiéis, embora pouca gente costumasse assistir àquela missa.

Enquanto estava ao lado de seus irmãos entoando as preces, Aldred começou a se sentir em paz consigo mesmo, com o mundo e com Deus. Sentira falta daquilo durante as suas viagens.

Mas nesse dia a paz não durou muito.

Alguns minutos depois de iniciada a missa, ouviu o rangido da porta oeste, a entrada principal raramente usada, se abrindo. Todos os monges mais novos se viraram para ver quem estava entrando. Aldred reconheceu os cabelos claros do jovem secretário do bispo Wynstan, o diácono Ithamar.

Os monges mais velhos continuaram as preces com determinação. Aldred decidiu que alguém precisava saber o que Ithamar queria. Saiu da fila e se aproximou do diácono.

– O que foi? – sussurrou.

O homem estava nervoso e falou alto:

– O bispo Wynstan solicita a presença de Wigferth de Canterbury.

Aldred se virou involuntariamente para Wigferth, que lhe devolveu o olhar com uma expressão assustada no rosto gorducho. O próprio Aldred estava espantado, mas resolveu que não deixaria Wigferth ir sozinho enfrentar um Wynstan irado: ainda existiam homens que respondiam a uma mensagem indesejada mandando de volta a cabeça do mensageiro dentro de um saco. Era improvável, mas não impossível, que Wynstan fizesse algo assim.

Aldred simulou um tom confiante:

– Queira ter a bondade de pedir desculpas ao bispo e diga que frei Wigferth está orando.

Ithamar claramente não queria voltar com essa resposta.

– O bispo não vai gostar de receber um pedido para esperar.

Aldred sabia disso. Manteve a voz calma e moderada:

– Tenho certeza de que Wynstan não quereria interromper as preces de um homem de Deus.

Pela expressão do diácono, ficou claro que Wynstan não tinha esse tipo de escrúpulo, mas o jovem optou por não verbalizar esse pensamento.

Nem todos os monges eram padres, mas Aldred era as duas coisas e mais graduado do que Ithamar, que não passava de um diácono, de modo que o rapaz acabaria tendo que lhe obedecer. Após pensar por um longo instante, Ithamar chegou à mesma conclusão e saiu da igreja com relutância.

Primeiro ponto para os monges, pensou Aldred, animado. Mas sua sensação de vitória foi reduzida pela certeza de que aquilo não tinha terminado.

Retomou as preces, mas sua cabeça estava em outro lugar. O que aconteceria depois da missa, quando Wigferth não tivesse mais desculpa? Será que Aldred e Wigferth iriam juntos ao palácio do bispo? Aldred não era adequado ao papel de guarda-costas, mas talvez fosse melhor do que nada. Será que conseguiria convencer o abade Osmund a acompanhá-los? Wynstan certamente hesitaria em molestar um abade. Por outro lado, Osmund não era um homem corajoso. Seria típico dele dizer, de maneira apática, que Elfric de Canterbury havia escrito a mensagem e enviado Wigferth, de modo que cabia a Elfric proteger seu mensageiro.

A explosão, porém, veio antes.

A porta principal se abriu outra vez, agora com um estrondo. O cântico cessou no mesmo instante e todos os monges se viraram e olharam para trás. O bispo Wynstan adentrou a igreja a passos largos, com as vestes esvoaçando. Vinha seguido por um de seus soldados, Cnebba. Wynstan era um homem grande, mas Cnebba era maior ainda.

Aldred ficou apavorado, mas conseguiu disfarçar.

– Qual de vocês é Wigferth de Canterbury? – rugiu Wynstan.

Aldred não saberia dizer por quê, mas foi ele quem deu um passo à frente para confrontar Wynstan.

– Meu senhor bispo – falou –, está interrompendo os monges na missa da nona.

– Eu interrompo quem eu quiser! – gritou Wynstan.

– Até Deus? – indagou Aldred.

Wynstan ficou vermelho de raiva e seus olhos se esbugalharam. Aldred quase deu um passo para trás, mas forçou-se a permanecer onde estava. Viu a mão de Cnebba se mover em direção à espada.

Atrás de Aldred, o abade Osmund falou do altar com uma voz trêmula, porém decidida:

– É melhor não sacar essa espada, Cnebba, a menos que deseje a maldição eterna de Deus sobre sua alma mortal.

Cnebba empalideceu e tirou a mão da espada como se o cabo o tivesse queimado.

Talvez Osmund não seja completamente desprovido de coragem, pensou Aldred.

Wynstan havia perdido um pouco do seu ímpeto. Sua raiva impressionava, mas os monges não tinham sucumbido.

Ele voltou seu olhar furioso para o abade e falou:

– Osmund, como se atreve a reclamar com o arcebispo a respeito de uma colegiada que está sob a minha autoridade? Você nunca sequer esteve lá!

– Mas eu estive – interveio Aldred. – Testemunhei com meus próprios olhos a depravação e o pecado da igreja na Travessia de Dreng. Era minha obrigação relatar o que tinha visto.

– Cale a boca, rapaz – ordenou Wynstan, embora tivesse apenas um ou dois anos a mais do que ele. – Estou falando com o feiticeiro, não com o gato do feiticeiro. Quem está tentando se apoderar da minha colegiada e acrescentá-la ao próprio império é o seu abade, não você.

– A colegiada pertence a Deus, não aos homens – rebateu Osmund.

Mais uma resposta corajosa, e mais um golpe em Wynstan. Aldred começou a acreditar que o bispo talvez tivesse que ir embora com o rabo entre as pernas.

Mas a derrota na argumentação só fez Wynstan ficar ainda mais ameaçador.

– Deus confiou a colegiada a mim – rugiu ele. Deu um passo em direção a Osmund, que se retraiu. – Agora escute aqui, abade. Não vou permitir que você assuma a igreja da Travessia de Dreng.

A resposta de Osmund foi desafiadora, mas sua voz saiu trêmula:

– A decisão já foi tomada.

– Mas eu vou contestá-la no tribunal do condado.

Osmund estremeceu.

– Isso não seria apropriado – disse ele. – Um embate público entre os dois principais homens de Deus de Shiring.

– Você deveria ter pensado nisso antes de escrever uma carta furtiva e dissimulada para o arcebispo de Canterbury.

– Você tem que se curvar à autoridade dele.

– Mas não vou. Se necessário, irei a Canterbury denunciar os seus pecados.

– O arcebispo Elfric já conhece os meus pecados, por menores que sejam.

– Aposto que consigo pensar em alguns que ele ainda desconheça.

Aldred sabia que Osmund não tinha cometido nenhum pecado grave. No entanto, Wynstan provavelmente inventaria alguns e chegaria até a arrumar falsas testemunhas se isso contribuísse para o seu objetivo.

– Seria errado da sua parte desafiar a vontade do seu arcebispo – falou Osmund.

– Foi um erro seu me obrigar a chegar a esse extremo.

E isso é o mais intrigante, pensou Aldred. Wynstan não tinha sido forçado a nada. A Travessia de Dreng parecia pouco importante. Aldred tivera certeza de que aquele não era um lugar pelo qual valesse a pena brigar. Mas se equivocara: Wynstan estava disposto a ir à guerra.

Por quê? A colegiada lhe rendia parte da sua renda, embora não pudesse ser muito. Proporcionava um emprego para Degbert, mas não um de muito prestígio. Degbert não era sequer um parente próximo, e de toda forma Wynstan teria facilidade em arrumar outro cargo para ele.

Então o que havia de tão importante em relação à Travessia de Dreng?

Wynstan seguia esbravejando:

– Essa luta vai durar anos... a menos que hoje você faça a coisa certa, Osmund, e volte atrás.

– Como assim?

– Escreva uma resposta para Elfric. – O tom do bispo se tornou quase sensato. – Diga que, como manda o espírito cristão, não deseja brigar com seu irmão em Cristo, o bispo de Shiring, que prometeu sinceramente resolver os problemas da Travessia de Dreng.

Aldred notou que Wynstan não tinha feito nenhuma promessa desse tipo.

Wynstan continuou:

– Explique que a decisão de Elfric está ameaçando causar um alvoroço no condado e que você não acha que valha a pena tanto transtorno por causa daquela pequena colegiada.

Osmund hesitou.

Indignado, Aldred disse:

– Pela obra de Deus sempre vale a pena gerar transtorno. Nosso Senhor não hesitou em causar alvoroço quando expulsou os agiotas do templo. O Evangelho...

Dessa vez foi Osmund quem o fez se calar.

– Deixe os seus superiores cuidarem disso – disparou o abade.

– Sim, Aldred, fique de boca fechada – falou Wynstan. – Já causou estrago suficiente.

Aldred abaixou a cabeça em uma mesura, mas por dentro estava uma fera. Osmund não precisava recuar: o arcebispo estava do lado dele!

– Vou refletir em minhas preces sobre a sua reclamação – disse o abade para Wynstan.

O bispo não se deu por satisfeito:

– Vou escrever para Elfric hoje mesmo. Direi a ele que a sua sugestão, *sugestão*, veja bem, não é bem-vinda. Que nós dois discutimos a questão e que chegamos à conclusão, após uma ponderada reflexão, de que a colegiada não deve ser transformada em mosteiro neste momento.

– Eu já falei que vou pensar no assunto – disparou Osmund, irritado.

Wynstan ignorou o comentário, pois sentiu que o abade estava fraquejando:

– Frei Wigferth pode levar minha carta. – Ele encarou a fila de monges sem saber qual deles era Wigferth. – E, aliás, se por acaso a minha carta não chegar ao arcebispo, eu pessoalmente cortarei fora o saco de Wigferth com uma faca enferrujada.

Os monges ficaram chocados ao ouvir algo tão grosseiro.

– Saia da nossa igreja agora, bispo, antes de desonrar mais ainda a Casa do Senhor – ordenou Osmund.

– Escreva sua carta, Osmund – insistiu Wynstan. – Diga ao arcebispo Elfric que mudou de ideia. Caso contrário, vai ser pior para você.

Com isso, Wynstan se virou e saiu da igreja com passos decididos.

Ele acha que venceu, falou Aldred para si mesmo.

E eu também acho.

CAPÍTULO 14

1º de novembro de 997

Ragna se casou com Wilwulf em 1º de novembro, dia de Todos os Santos, que alternou sol e pancadas de chuva.

Agora ela já conhecia bem o complexo. O lugar recendia a estábulos, homens mal lavados e peixes sendo preparados na cozinha. Era ruidoso: cães latiam, crianças berravam, homens falavam alto e mulheres riam. O ferreiro martelava ferraduras e os carpinteiros rachavam troncos de árvore com seus machados. O vento oeste soprava as nuvens pelo céu e as sombras das nuvens perseguiam umas às outras por sobre os telhados de sapê.

Ela fez o desjejum na sua casa, acompanhada apenas por seus criados. Precisava ter a manhã tranquila, para se preparar para a cerimônia. Estava preocupada com a própria aparência e em não conseguir desempenhar de modo correto o seu papel. Queria que tudo saísse perfeito para Wilf.

Estava desesperadoramente impaciente para que aquele dia chegasse e agora ansiava para que terminasse. Cerimônias e rituais eram constantes na sua vida; o que ela precisava mesmo era se deitar com seu marido à noite. Havia resistido à tentação de adiantar o casamento, mas fora um grande esforço. Agora, porém, estava contente por ter se mantido firme, pois o desejo de Wilf por ela se tornara mais forte a cada dia de espera. Via isso nos olhos dele, no modo como a mão dele se demorava pousada no seu braço e no anseio transmitido por seu beijo de boa-noite.

Os dois haviam passado muitas horas juntos só conversando. Ele havia lhe contado sobre a sua infância, sobre a morte da mãe, o choque da união do pai com Gytha e a chegada em sua vida de dois meios-irmãos mais novos.

Mas Wilf não gostava de responder a perguntas. Ragna havia descoberto isso quando quis saber sobre sua briga com o rei Ethelred. Ser interrogado como um prisioneiro de guerra era uma ofensa ao seu orgulho.

Ragna e Wilf tinham ido caçar juntos uma vez, na floresta situada entre Shiring e a Travessia de Dreng. Pernoitaram na cabana de caça de Wilf, distante e isolada, onde havia estábulos, canis, armazéns e uma casa grande onde todos dormiam juntos sobre os juncos do chão. Nessa noite, Wilf falara muito no pai, que também tinha sido senhor de Shiring. O cargo não era hereditário e, quando Wilf relatou a Ragna a disputa de poder que se seguira à morte do pai, ela aprendeu muito sobre a política inglesa.

Agora, no dia do seu casamento, estava feliz por conhecer Wilf muito melhor do que quando chegara a Shiring.

Queria ter a manhã tranquila nesse dia, mas não conseguiu. Sua primeira visita foi o bispo Wynstan, que chegou com a capa pingando de chuva. Ele veio seguido por Cnebba, que trazia uma balança de barra graduada e uma caixa pequena que devia conter os pesos.

Ragna se mostrou educada:

– Bom dia, meu senhor bispo. Espero que esteja passando bem.

Wynstan aceitou a cortesia com naturalidade e foi direto ao assunto:

– Vim conferir o seu dote.

– Está bem.

Ela já esperava por isso e ficou atenta a qualquer truque que Wynstan pudesse estar tentando aplicar.

Das vigas da casa pendiam várias cordas usadas para fins diversos, entre eles manter a comida suspensa fora do alcance dos camundongos. Cnebba prendeu a balança numa dessas cordas.

A barra de ferro da balança tinha dois lados desiguais: no mais curto estava pendurada uma bandeja na qual seria posto o objeto a ser pesado, e a mais comprida tinha um peso que podia ser deslocado ao longo de uma escala graduada. Sem nada na bandeja e com o peso posicionado na menor marcação possível, as duas extremidades se equilibravam e a barra se balançava suavemente no ar.

Cnebba então pôs a caixa sobre a mesa e a abriu. Os pesos ali contidos eram cilindros achatados, cada qual com uma moeda de prata incrustada na parte de cima para garantir que tinha sido verificado oficialmente.

– Pedi esses pesos emprestados ao cunhador da cidade – falou Wynstan.

Cat se moveu para ir buscar o pequeno baú onde estava o dote, mas Ragna a deteve erguendo uma das mãos. Não confiava em Wynstan. Com Cnebba ali para defendê-lo, ele talvez se visse tentado a simplesmente ir embora com o baú debaixo do braço.

– Cnebba pode nos deixar agora – falou.

– Prefiro que ele fique – disse Wynstan.

– Por quê? – perguntou Ragna. – Ele sabe pesar moedas melhor do que o senhor?

– Ele é meu guarda-costas.

– De quem está com medo? De mim? Da minha criada Cat?

Wynstan olhou para Bern, mas decidiu não responder à pergunta dela.

– Está bem – falou. – Cnebba, espere lá fora.

O guarda-costas saiu.

– Vamos aferir a balança – avisou Ragna.

Depositou na bandeja um peso de 5 libras, que fez o braço mais curto da balança se abaixar. Então moveu o marcador do lado oposto até que os dois lados se equilibrassem. O marcador parou na marca de 5 libras. A balança era precisa.

Ragna meneou a cabeça para Bern, que pegou o baú e o pôs sobre a mesa. Ela o destrancou com uma chave que carregava numa correia em volta do pescoço.

O baú continha quatro bolsinhas de couro. Ragna pôs uma delas na balança no lugar do peso de cinco libras. Os dois braços se equilibraram quase perfeitamente; a bolsinha acrescentava um pouco mais de peso.

– O couro explica o peso extra insignificante – falou ela.

Wynstan descartou o comentário com um gesto da mão. Tinha uma preocupação mais importante.

– Mostre-me as moedas – pediu.

Ragna esvaziou a bolsinha em cima da mesa. Centenas de pequenas moedas de prata se espalharam, todas inglesas, com uma cruz numa das faces e a cabeça do rei Ethelred na outra. O contrato de casamento especificava *pence* ingleses, que continham mais prata do que os *deniers* franceses.

Wynstan aquiesceu, satisfeito.

Ragna tornou a guardar as moedas na bolsinha e repetiu o processo todo com as outras três. Cada uma pesava exatamente cinco libras. O dote estava conforme o prometido. Ela voltou a guardar as bolsinhas dentro do baú.

– Então vou levar agora – disse Wynstan.

Ragna entregou o baú para Bern.

– Quando eu estiver casada com Wilf.

– Mas a senhorita estará casada hoje ao meio-dia!

– Nesse caso, o dote será entregue ao meio-dia.

– Então a verificação foi inútil. Nas próximas horas daria para roubar cinquenta moedas de cada bolsa.

Ragna trancou o baú, então entregou a chave para Wynstan.

– Pronto – falou. – Agora eu não posso abrir nem o senhor pode roubar.

Wynstan fingiu pensar que ela estava levando a cautela a extremos absurdos.

– Os convidados já estão chegando! – disse ele. – Os bois e porcos passaram a noite inteira no espeto. Os barris de cerveja foram abertos. Os padeiros estão com uma centena de pães nos fornos. Acha mesmo que Wilf vai pegar o seu dote agora e cancelar o casamento?

Ragna abriu um sorriso encantador.

– Wynstan, eu vou ser sua cunhada. O senhor precisa aprender a confiar em mim.

O bispo deu um grunhido e se retirou.

Cnebba voltou e levou embora a balança e os pesos. Quando ele estava saindo, Wigelm chegou. Tinha o nariz e o queixo grandes da família e os mesmos cabelo e bigode louros, mas exibia uma expressão petulante, como se ele se sentisse eternamente injustiçado. Estava usando as mesmas roupas da véspera, túnica preta e capa marrom, como para dizer ao mundo que, no que lhe dizia respeito, aquele dia não era especial.

– Então, minha irmã, hoje é o dia em que você vai perder a virgindade – falou.

Ragna corou, pois já a havia perdido quatro meses antes.

Felizmente, Wigelm interpretou errado o motivo do seu constrangimento.

– Ah, não fique tímida – disse ele com uma risadinha lasciva. – Você vai gostar, eu garanto.

Você não faz ideia, pensou Ragna.

Wigelm foi seguido por uma mulher baixinha e voluptuosa com mais ou menos a sua idade, 30 anos. Ela era roliça, atraente e tinha o andar cadenciado de uma mulher que sabe ser sensual. Como não se apresentou nem Wigelm fez qualquer menção de explicar sua presença, Ragna lhe disse:

– Acho que não nos conhecemos.

Ela não respondeu, mas Wigelm falou:

– Milly, minha esposa.

– Prazer em vê-la, Milly – falou Ragna. Num impulso, deu um passo à frente e a beijou no rosto. – Nós vamos ser irmãs.

A reação de Milly foi fria.

– Isso é muito estranho, visto que mal falamos a língua uma da outra – disse ela.

– Ah, qualquer um pode aprender uma língua nova – retrucou Ragna. – Basta um pouco de paciência.

Milly correu os olhos pelo interior da casa.

– Fiquei sabendo que a senhorita mandou chamar um carpinteiro para transformar este lugar – falou.

– Edgar, da Travessia de Dreng, passou a última semana trabalhando aqui.

– A mim está parecendo quase igual.

A casa estava um pouco decrépita sob a responsabilidade de Milly e isso sem dúvida explicava sua antipatia. Ela devia ter se ofendido quando Ragna insistiu em fazer melhorias. Ragna deu de ombros e minimizou a questão dizendo:

– Ele só fez uns poucos reparos de manutenção.

Gytha entrou e Wigelm a cumprimentou:

– Bom dia, mãe.

A mulher estava usando um vestido novo, cinza-escuro e com um forro vermelho que aparecia de vez em quando, e seus longos cabelos grisalhos estavam presos num penteado complexo.

Ragna ficou logo desconfiada. Gytha às vezes fazia os empregados rirem imitando o sotaque de Ragna. Cat tinha contado isso à patroa. Ela já havia reparado por alto que as mulheres às vezes sorriam quando ela dizia algo que não tinha a intenção de ser engraçado e supunha que o seu modo de falar tivesse virado motivo de piada no complexo. Podia conviver com isso, mas estava decepcionada com Gytha, a quem queria como amiga.

Mas a mulher então a surpreendeu com uma gentileza:

– Precisa de alguma ajuda com seu vestido e o penteado? Eu estou pronta e, se quiser, terei prazer em lhe mandar uma ou duas das minhas criadas.

– Não preciso de ajuda extra, mas obrigada por ser tão atenciosa – respondeu Ragna.

Estava sendo sincera: Gytha era a quarta pessoa da família do seu marido a ir vê-la nessa manhã, mas a primeira a dizer algo gentil. Ela ainda não conseguira conquistar o afeto dos parentes de Wilwulf, o que achara que seria mais fácil do que estava sendo.

Quando Dreng entrou mancando em sua casa, ela quase gemeu alto.

O barqueiro estava usando um chapéu em formato de cone tão alto que chegava a ser cômico.

– Vim apenas apresentar meus cumprimentos a lady Ragna nesta auspiciosa manhã – disse ele com uma mesura profunda. – Já nos conhecemos, não é mesmo, futura prima? A senhorita honrou minha humilde taberna com uma visita à época de sua viagem até aqui. Bom dia, primo Wigelm, espero que esteja passando bem. E bom dia também para você, prima Milly, e lady Gytha... Nunca sei se devo chamá-la de prima ou de tia.

– De algo mais distante do que isso – retrucou Gytha, mal-humorada.

Ragna reparou que Dreng não teve uma recepção calorosa da família, sem dúvida por exagerar de modo tão escancarado sua proximidade com os parentes como uma forma de aumentar o próprio status.

Dreng fingiu não compreender direito o comentário de Gytha.

– Sim, vim de muito distante *mesmo*, obrigado pela preocupação, e com as minhas costas ruins ainda por cima... Um viking me derrubou do cavalo na batalha de Watchet, sabe? Mas eu não podia perder este evento grandioso.

Wilf entrou e de repente Ragna sentiu que tudo estava bem. Ele a tomou nos braços e a beijou apaixonadamente na frente de todos. Tinha adoração por ela, e diante disso a antipatia de seus familiares nada significava.

Ela interrompeu o abraço, ofegante, e tentou não adotar uma expressão de regozijo.

– As nuvens foram embora e o céu está azul – disse Wilf. – Eu estava com medo de precisarmos transferir o banquete para dentro, mas agora acho que vamos poder almoçar lá fora conforme o planejado.

Dreng quase explodiu de tanta empolgação.

– Primo Wilf! – exclamou, e sua voz se transformou num falsete choroso: – Espero que esteja em boa saúde. Que prazer estar aqui! Parabéns mil vezes, sua noiva é um anjo, na verdade um arcanjo!

Wilf meneou a cabeça de modo tolerante e paciente, como quem reconhece que, embora Dreng fosse um idiota, era da família.

– Seja bem-vindo, Dreng, mas eu acho que esta casa está ficando cheia demais. Minha noiva precisa de privacidade para se preparar para o casamento. Fora daqui, todos vocês, vamos!

Era exatamente o que Ragna queria que ele fizesse, e ela lhe sorriu agradecida.

A família se retirou em bando. Antes de sair, Wilf tornou a beijá-la, dessa vez por mais tempo, até ela sentir que eles corriam o risco de iniciar a lua de mel ali mesmo. Por fim, ele se afastou ofegante.

– Vou receber os convidados – falou. – Ponha a tranca na porta para ter uma hora de paz.

Ele saiu.

Ragna deixou escapar um longo suspiro. Que família, pensou: um homem que parece um deus e parentes que são como uma matilha de cães agitados. Mas era com Wilf que ela ia se casar, não com Wigelm, Dreng, Gytha ou Milly.

Sentou-se num banquinho para Cat arrumar seu cabelo. Enquanto a criada penteava, desfiava e prendia, foi se acalmando. Sabia como se comportar em cerimônias: mover-se devagar, sorrir para todo mundo, fazer o que lhe mandavam e, se ninguém lhe dissesse o que fazer, ficar parada. Wilf tinha lhe detalhado o programa do casamento e ela havia decorado cada palavra. Mesmo assim, como não sabia nada sobre os rituais ingleses, ainda poderia cometer algum erro, mas nesse caso simplesmente sorriria e tentaria outra vez.

Cat arrematou o penteado com um lenço de seda no mesmo tom das castanhas no outono. O pano cobria a cabeça e o pescoço de Ragna, e era mantido no lugar por uma faixa bordada. Ela agora estava pronta para o vestido. Tinha tomado banho mais cedo e já estava usando a combinação simples de linho cru que mal iria aparecer. Por cima, pôs um vestido de lã de um tom entre o verde e o azul que parecia aumentar o brilho de seus olhos. As mangas se abriam nos punhos, que eram bordados a fio de ouro com um desenho geométrico. Cat pendurou no seu pescoço uma cruz de prata numa fita de seda e a posicionou por cima do vestido. Por fim, Ragna vestiu uma capa azul com forro dourado.

Quando ela ficou pronta, Cat a encarou e começou a chorar.

– O que houve? – perguntou Ragna.

Cat balançou a cabeça.

– Nada – respondeu com um soluço. – A senhorita está tão linda...

Alguém bateu à porta e uma voz disse:

– O senhor de Shiring está pronto.

– É um pouco antes do esperado! – comentou Bern, ranzinza.

– Você conhece Wilf – disse Ragna. – Ele é impaciente. – Ela ergueu a voz para falar com o homem lá fora: – A noiva está pronta quando Wilf quiser vir buscá-la.

– Vou avisar.

Passaram-se alguns minutos, então bateram à porta e Wilf falou:

– O senhor de Shiring veio buscar sua noiva!

Bern pegou o baú que continha o dote. Cat abriu a porta. Wilf estava parado lá fora trajando uma capa vermelha. Ragna ergueu a cabeça bem alto e saiu.

Wilf lhe deu o braço e os dois atravessaram vagarosamente o complexo até a frente do salão nobre. A multidão que aguardava irrompeu em aplausos estrondosos. Apesar das pancadas de chuva da manhã, os habitantes da cidade tinham se arrumado. Apenas os mais ricos tinham como pagar por trajes novos, mas a maioria exibia um chapéu ou um lenço novo e o mar de marrom e preto era alegrado pelos lampejos comemorativos de amarelo e vermelho.

Cerimônias eram importantes. Ragna tinha aprendido com o pai que conquistar o poder era mais fácil do que mantê-lo. A conquista podia se resumir a matar homens e invadir uma fortaleza, mas manter o poder nunca era tão simples assim – e as aparências eram algo fundamental. As pessoas queriam que o seu líder fosse grande, forte, belo e rico, e que a sua esposa fosse jovem e linda. Wilf sabia disso tão bem quanto ela e juntos eles estavam dando aos súditos o que eles queriam, consolidando assim sua autoridade.

A família de Wilf formava um semicírculo à frente da multidão. Num dos lados, Ithamar estava sentado diante de uma mesa com pergaminho, tinta e penas de escrever. Embora um casamento não fosse um sacramento religioso, os detalhes das transferências de propriedade precisavam ser registrados e contar com testemunhas, e quem sabia escrever eram principalmente os membros do clero.

Wilf e Ragna ficaram de frente um para o outro e deram-se as mãos. Quando as palmas arrefeceram, Wilf disse em voz alta:

– Eu, Wilwulf, senhor de Shiring, tomo você, Ragna de Cherbourg, como esposa e prometo amá-la, protegê-la e lhe ser fiel pelo resto da minha vida.

Ragna não tinha a mesma potência de voz dele, mas falou de modo claro e confiante:

– Eu, Ragna, filha do conde Hubert de Cherbourg, tomo você, Wilwulf de Shiring, como esposo e prometo amá-lo, protegê-lo e lhe ser fiel pelo resto da minha vida.

Eles se beijaram e a multidão aplaudiu.

O bispo Wynstan abençoou o casamento e fez uma prece, e então Wilf tirou do cinto uma grande chave ornamental.

– Dou-lhe a chave da minha casa, pois ela agora é a sua casa, para que dela me faça um lar ao seu lado.

Cat passou uma espada nova com a bainha ricamente decorada para Ragna, que a entregou a Wilf, dizendo:

– Eu lhe dou esta espada para que com ela possa guardar nossa casa e proteger nossos filhos e filhas.

Uma vez trocados os presentes simbólicos, eles passaram às transações financeiras mais importantes.

– Conforme prometido por meu pai ao seu irmão, o bispo Wynstan, eu lhe entrego 20 libras de prata.

Bern deu um passo à frente e depositou o baú aos pés de Wilwulf.

Wynstan saiu do meio da multidão para dizer:

– Sou testemunha de que o baú contém a quantia combinada.

Ele entregou a chave para Wilf.

Wilf falou:

– Registre o escriturário que concedo a você o vale de Outhen, com seus cinco vilarejos e sua pedreira, bem como todas as rendas dele provenientes, para que sejam de propriedade sua e de seus herdeiros até o dia do Juízo Final.

Ragna ainda não conhecia o vale de Outhen. Tinham lhe dito que era uma região próspera. Ela já era dona do distrito de Saint-Martin, na Normandia, e sua renda dobraria com o acréscimo do vale de Outhen. Quaisquer que fossem os problemas que o futuro lhe reservava, era improvável que falta de dinheiro fosse um deles.

Concessões territoriais como aquela eram uma moeda de troca corrente na política tanto da Normandia quanto da Inglaterra. O soberano dava terras a grandes nobres, que por sua vez as dividiam entre líderes menos importantes – vassalos na Inglaterra, cavaleiros na Normandia –, criando assim uma rede de pessoas que lhes eram leais por terem acumulado riqueza e por esperarem acumular mais. Todos os nobres precisavam estabelecer um equilíbrio cuidadoso entre dar o suficiente para garantir apoio e manter o suficiente para assegurar a própria superioridade.

Então, para surpresa geral, Wigelm se destacou da multidão e disse:

– Esperem.

Era mesmo de se esperar que ele desse um jeito de estragar meu casamento, pensou Ragna.

– O vale de Outhen pertence à nossa família há gerações – continuou Wigelm. – Eu questiono o direito do meu irmão Wilf de dispor desse território.

– Isso está no contrato de casamento! – retrucou o bispo Wynstan.

– O que não quer dizer que esteja correto – rebateu Wigelm. – O território pertence à família.

– E vai continuar pertencendo – retrucou Wynstan. – Ele agora pertence à esposa de Wilf.

– E ela vai deixá-lo para os filhos quando morrer.

– E eles serão os filhos de Wilf também, e seus sobrinhos e sobrinhas. Por que está fazendo essa objeção só hoje? Você conhece os detalhes do contrato há meses.

– Estou fazendo a objeção diante de testemunhas.

Wilf interveio:

– Já chega. Wigelm, o que está dizendo não faz sentido. Para trás.

– Pelo contrário...

– Cale-se ou vou me irritar.

Wigelm se calou.

A cerimônia prosseguiu, mas Ragna ficou intrigada. Wigelm já devia saber que o seu protesto seria negado. Por que teria optado por encarar uma rejeição naquela ocasião tão pública? Não era possível que esperasse que Wilf fosse mudar de ideia em relação a Outhen. Por que ele havia começado uma briga que estava fadado a perder? Ela arquivou o mistério para reflexões futuras.

– Como um presente de devoção, para marcar a data do meu casamento, eu doo o vilarejo de Wigleigh à Igreja, especificamente à colegiada da Travessia de Dreng, com a condição de que os clérigos de lá rezem pela minha alma, pela da minha esposa e pelas de nossos filhos.

Esse tipo de doação era corriqueiro. Quando um homem acumulava riqueza e poder e se unia a uma esposa para ter filhos, ele deixava de ter preocupações terrenas e passava a pensar em bênçãos celestiais. Assim, fazia o possível para assegurar o conforto da própria alma na vida após a morte.

As formalidades estavam chegando ao fim e Ragna ficou contente com o fato de a cerimônia ter corrido bem, tirando a estranha intervenção de Wigelm.

Ithamar agora anotava os nomes das testemunhas do casamento, a começar pelo próprio Wilf, seguido por todas as pessoas importantes ali presentes: Wynstan, Osmund, Degbert e o xerife Denewald. A lista não era longa e Ragna imaginava que fosse haver outras presenças eclesiásticas, talvez os bispos vizinhos – de Winchester, Sherborne e Northwood – e monges importantes como o abade de Glastonbury. Mas os costumes ingleses sem dúvida eram diferentes.

Lamentava que ninguém da sua família tivesse comparecido. Mas ela não tinha parentes na Inglaterra e a viagem desde Cherbourg podia ser longa – ela própria levara duas semanas. Era difícil que um conde viajasse para muito longe dos seus domínios, mas ela torcera para que a mãe fizesse o esforço e quem sabe levasse seu irmão, Richard. Mas a condessa tinha sido contra aquele casamento e talvez não tivesse querido abençoar a união.

Ragna expulsou esses pensamentos.

Wilf ergueu a voz e disse:

– E agora, amigos e vizinhos, ao banquete!

A multidão deu vivas e os empregados da cozinha começaram a trazer grandes travessas de carne, peixe, legumes, verduras e pão, além de jarras de cerveja para o povo e hidromel para os convidados especiais.

Mais do que tudo, o que Ragna queria era ir para a cama com o marido, mas sabia que precisava participar do banquete. Não comeria muito, mas era importante conversar com o máximo de pessoas possível. Aquela era a sua chance de causar uma boa impressão nos habitantes da cidade, e ela a aproveitou, entusiasmada.

Aldred a apresentou ao abade Osmund e ela passou vários minutos sentada ao lado dele fazendo perguntas sobre o mosteiro. Aproveitou a oportunidade para elogiar Aldred e disse compartilhar da sua opinião de que Shiring poderia se tornar um centro internacional de estudos – sob a liderança de Osmund, claro. O abade ficou lisonjeado.

Ela conversou com a maioria dos moradores importantes da cidade: Elfwine, o cunhador de moedas; a rica viúva Ymma, que negociava peles; a dona da Taberna da Abadia, o estabelecimento mais concorrido da cidade para se beber; o fabricante de pergaminhos; o joalheiro; o tingidor de tecidos. Todos ficaram satisfeitos com a sua atenção, pois aos olhos dos outros moradores da cidade aquilo os assinalava como pessoas importantes.

A tarefa de entabular conversas agradáveis com desconhecidos foi ficando mais fácil à medida que a bebida fazia efeito. Ragna se apresentou para o xerife Denewald, que todos chamavam de Den, homem grisalho de ar durão e 40 e poucos anos. Ele no início se mostrou ressabiado, e ela sabia por quê: como ele era rival de Wilf, imaginava que Ragna fosse lhe ser hostil. Mas ele veio junto com a esposa e Ragna lhe perguntou sobre os filhos do casal. Soube que o seu primeiro neto, um menino, acabara de nascer. O xerife durão então deu lugar ao avô orgulhoso e ficou com os olhos anuviados.

Quando Ragna estava se afastando de Den, Wynstan a abordou e perguntou, em tom autoritário:

– Sobre o que estava conversando com ele?

– Prometi contar a ele todos os seus segredos – respondeu ela, e foi recompensada por um clarão momentâneo de apreensão nos olhos do bispo antes de ele se dar conta de que ela estava zombando. Tornou a falar: – Na verdade, eu conversei com Den sobre o netinho dele. E agora quero conversar com o senhor. Fale-me sobre o vale de Outhen, agora que ele é meu.

– Ah, não precisa se preocupar com esse território – disse Wynstan. – Eu tenho coletado os aluguéis lá para Wilf e continuarei a fazer o mesmo para a senhora. Tudo que precisa fazer é receber o dinheiro quando ele chegar, quatro vezes por ano.

Ela ignorou esse comentário.

– Creio que são cinco vilarejos e uma pedreira.

– Sim.

Ele não deu nenhuma informação adicional.

– Algum moinho? – tentou ela.

– Bem, cada vilarejo tem uma moenda de pedra.

– Nenhum moinho d'água?

– Dois, acho.

Ela lhe abriu um sorriso encantador, como se ele estivesse sendo prestativo.

– Alguma mineração? Minério de ferro, prata?

– Certamente nenhum metal precioso. Pode ser que haja um ou dois grupos de fundidores de ferro trabalhando nas florestas.

– O senhor está sendo um pouco vago – disse ela com calma, contendo a irritação. – Se não sabe o que há lá, como pode ter certeza de que estão pagando o que deveriam?

– Eu lhes meto medo – respondeu ele em tom casual. – Eles não se atreveriam a me enganar.

– Não acho uma boa ideia meter medo nas pessoas.

– Não tem problema – retrucou Wynstan. – Pode deixar essa parte comigo.

Ele se afastou.

Essa conversa não acabou, pensou Ragna.

Quando os convidados já não conseguiam mais comer e os barris ficaram vazios, eles começaram a ir embora. Ragna enfim relaxou e sentou-se diante de um prato de porco assado e couve. Enquanto ela comia, o construtor Edgar se aproximou, cumprimentou-a educadamente e fez uma mesura.

– Creio que meu trabalho na sua casa terminou, milady. Com a sua permissão, voltarei para a Travessia de Dreng com o próprio Dreng amanhã.

– Obrigada pelo serviço – disse ela. – A casa ficou muito mais confortável.

– Foi uma honra.

Ela atraiu a atenção de Edgar para o carpinteiro Dunnere, que de tanto beber havia desmaiado de cabeça em cima de uma mesa.

– Ali está meu problema – falou.

– Lamento ver isso.

– Gostou da cerimônia hoje?

Ele ficou pensativo e então disse:

– Na verdade, não.

A resposta a deixou surpresa.

– Por quê?

– Porque fiquei com inveja.

Ela arqueou as sobrancelhas.

– De Wilf?

– Não...

– De mim?

Ele sorriu.

– Por mais que eu admire o senhor de Shiring, não quero me casar com ele. Aldred poderia querer.

Ragna riu.

Edgar tornou a ficar sério.

– Sinto inveja de qualquer um que consegue se casar com quem ama. Essa oportunidade me foi arrancada. Agora os casamentos me entristecem.

Ragna ficou apenas um pouco surpresa com a sinceridade do rapaz. Os homens tinham o costume de fazer confidências a ela. Ragna incentivava isso; era fascinada pelos amores e ódios alheios.

– Qual era o nome da mulher que você amava?

– Sungifu, conhecida como Sunni.

– Você se lembra dela e de todas as coisas que fizeram juntos.

– O que mais me dói são as coisas que não fizemos. Nós nunca preparamos uma refeição juntos, lavamos legumes, jogamos ervas dentro da panela ou arrumamos as tigelas sobre a nossa mesa. Eu nunca a levei para pescar no meu barco... o barco que eu construí era lindo, por isso os vikings o roubaram. Nós fizemos amor muitas vezes, mas nunca passamos a noite inteira acordados nos braços um do outro apenas conversando.

Ela estudou seu rosto, com a barba rala e os olhos cor de avelã, e pensou que ele era extremamente jovem para carregar uma tristeza daquele tamanho.

– Eu acho que entendo – falou.

– Eu me lembro dos meus pais nos levando até o rio na primavera para cortar juncos novos para a casa quando eu e meus irmãos éramos pequenos. Devia haver alguma história romântica relacionada àquela beira de rio e seus juncos. Talvez meus pais tenham feito amor ali antes de se casarem. Na época eu não pensava nisso, era muito novo, mas percebia que os dois tinham uma lembrança secreta deliciosa que adoravam recordar. – Ele sorriu, e foi um sorriso triste. – Coisas assim... todas somadas, elas formam uma vida.

Ragna espantou-se ao constatar que estava com os olhos marejados.

De repente, Edgar se mostrou encabulado.

– Não sei por que lhe contei isso tudo.

– Você vai encontrar outro alguém para amar.

– Eu poderia, claro. Só que não quero *outro alguém*. Quero Sunni. E ela se foi.

– Lamento muito.

– É cruel ficar contando histórias tristes no dia do seu casamento. Não sei o que deu em mim. Peço desculpas.

Ele fez uma mesura e se afastou.

Ragna ficou pensando no que Edgar tinha dito. Sua perda a fazia se sentir muito sortuda por ter Wilf.

Bebeu toda sua caneca de cerveja, levantou-se da mesa de cavalete e voltou para sua casa. De repente, sentiu-se cansada. Não soube ao certo por quê, já que não tinha feito nada fisicamente extenuante. Talvez fosse o esforço de ficar exposta ao mundo durante horas a fio.

Tirou a capa e o vestido de cima e se deitou no colchão. Cat pôs a tranca na porta para pessoas como Dreng não poderem irromper casa adentro. Ragna pensou na noite que estava por vir. Em algum momento seria chamada para ir à casa de Wilf. Para sua surpresa, estava um pouco nervosa. Que bobagem. Já tinha tido uma relação sexual com ele. Que outro motivo haveria para estar nervosa?

Estava também curiosa. Quando os dois se esgueiravam até o depósito de feno no castelo de Cherbourg ao anoitecer, era tudo furtivo, apressado e na penumbra. De agora em diante, eles fariam amor à vontade. Ela queria se demorar observando o corpo dele, explorando-o com a ponta dos dedos, estudando e sentindo os músculos, os pelos, a pele e os ossos do homem que agora era seu marido. Meu, pensou ela. Todo meu.

Deve ter pegado no sono, pois as batidas à porta a fizeram acordar sobressaltada.

Ela ouviu um diálogo abafado e Cat então falou:

– Está na hora.

A criada estava tão animada que parecia que a noite de núpcias seria dela mesma.

Ragna se levantou. Bern se virou de costas enquanto ela despia a combinação e vestia uma camisola nova, de um amarelo-ocre escuro, confeccionada especialmente para a ocasião. Calçou-se, pois não queria se deitar na cama de Wilf com os pés sujos de lama. Por fim, vestiu a capa.

– Fiquem aqui, vocês dois – falou. – Não quero causar alarde.

Nisso ela se decepcionou.

Quando pôs os pés fora de casa, viu que Wigelm e os soldados tinham formado duas filas para saudá-la no caminho. Quase todos embriagados depois da festa, eles assobiavam e batiam em panelas e frigideiras. Cnebba, o guarda-costas de Wynstan, saltava de um lado para outro com um cabo de vassoura enfiado entre as pernas, como se fosse um imenso pênis de madeira, o que fazia os homens uivarem de tanto rir.

Ragna ficou morrendo de vergonha, mas tentou não demonstrar: um protesto seu seria visto como fraqueza. Caminhou com vagar e dignidade entre as duas fileiras de homens que faziam algazarra. Ao verem sua atitude altiva, as manifestações ficaram mais vulgares ainda, mas ela sabia que não devia se rebaixar ao seu nível.

Finalmente chegou à porta de Wilf, abriu-a e então se virou para os homens. O barulho que eles faziam diminuiu enquanto se perguntavam o que ela iria fazer ou dizer.

Ragna lhes abriu um sorriso, soprou um beijo, depois entrou depressa e fechou a porta atrás de si.

Ouviu-os aplaudir e soube que tinha feito a coisa certa.

Wilf a aguardava em pé ao lado da cama.

Ele também estava de roupa de dormir nova. Seu camisolão tinha o mesmo azul de um ovo de estorninho. Ela observou seu rosto com atenção e viu que ele estava surpreendentemente sóbrio para alguém que passara o dia inteiro celebrando. Supôs que ele tivesse tomado cuidado para não exagerar no consumo de bebida.

Impaciente, tirou a capa, os sapatos, puxou a camisola por cima da cabeça e ficou parada nua na frente dele.

Wilf a fitou avidamente.

– Pela minha alma imortal – falou. – Você é ainda mais linda do que eu me lembrava.

– Sua vez – disse ela, apontando para o camisolão. – Quero olhar para você.

Ele tirou a roupa.

Ragna viu novamente as cicatrizes no seu braço, os pelos louros da barriga, a longa musculatura das coxas. Sem vergonha alguma, encarou o membro dele, que ia ficando maior a cada segundo.

Então se deu por satisfeita de olhar.

– Vamos nos deitar – falou.

Ela não queria nenhuma preliminar, nenhuma carícia, nenhum sussurro ou beijo: queria-o dentro de si sem demora. Wilf pareceu adivinhar isso, pois, em vez de se deitar ao seu lado, montou nela na mesma hora.

Quando ele a penetrou, Ragna suspirou profundamente e disse:

– Até que enfim.

CAPÍTULO 15

31 de dezembro de 997

 maioria dos criados e soldados de Ragna iria voltar para a Normandia. Depois do casamento, ela os manteve consigo pelo máximo de tempo possível, mas chegou a hora em que precisou ceder e eles partiram no último dia de dezembro.

Uma típica chuva fina inglesa caiu enquanto eles levavam suas bagagens até os estábulos e preparavam os animais de carga. Somente Cat e Bern ficariam. O combinado tinha sido esse desde o início.

Ragna não conseguiu evitar a tristeza e a angústia. Embora estivesse extraordinariamente feliz com Wilf, mesmo assim temia aquele momento. Ela agora era uma mulher inglesa, rodeada por pessoas que só havia conhecido poucas semanas antes. Como se tivesse perdido uma perna ou um braço, sentia falta dos pais, parentes, vizinhos e criados, que a conheciam desde que ela conseguia lembrar.

Disse a si mesma que milhares de noivas nobres deviam sentir a mesma coisa. Era comum que donzelas aristocratas se casassem e se mudassem para longe de casa. As mais sensatas dentre elas mergulhavam na nova vida com energia e entusiasmo, e era o que Ragna estava fazendo.

Mas nesse dia isso foi um parco consolo. Ela já havia vivenciado situações em que o mundo inteiro parecera estar contra ela – e na próxima vez em que isso acontecesse, a quem iria recorrer?

Poderia recorrer a Wilf, claro. Ele seria seu amigo e conselheiro, além de seu amante.

Os dois faziam amor à noite, com frequência de novo pela manhã e às vezes no meio da noite também. Uma semana depois do casamento, ele havia reassumido suas obrigações usuais e todos os dias saía a cavalo para visitar alguma parte de seus domínios. Felizmente não houvera combate: os invasores galeses tinham voltado para casa por iniciativa própria e Wilf dissera que os puniria no momento devido.

Mesmo assim, como nem todas as viagens podiam ser completadas num dia só, ele começou a passar algumas noites fora de casa. Ragna teria gostado de acompanhá-lo, mas, como agora era a responsável pelo seu lar e ainda não havia consolidado sua autoridade, ficava. Esse arranjo tinha uma vantagem: Wilf voltava dessas viagens mais ávido por ela do que nunca.

Ragna gostou de ver que a maioria dos moradores do complexo veio se despedir dos normandos que estavam de partida. Embora alguns dos ingleses no início tivessem se mostrado desconfiados com os estrangeiros, esse sentimento havia se dissipado depressa e várias amizades acabaram surgindo.

Quando eles estavam se preparando para iniciar a longa viagem, a costureira Agnès foi falar com Ragna aos prantos.

– Milady, estou apaixonada pelo inglês Offa. Não quero ir embora.

Ragna só se espantou pelo fato de Agnès ter levado tanto tempo para se decidir. Os sinais do romance estavam evidentes. Ela olhou em volta e localizou Offa.

– Venha cá – ordenou-lhe.

O homem se postou na sua frente. Não fazia o tipo de Ragna. Tinha o aspecto pesado e a pele corada de alguém que comia e bebia um pouco demais. Ainda que o nariz quebrado pudesse não ter sido culpa sua, mesmo assim Ragna achava que ele tinha um aspecto pouco confiável. Mas quem o havia escolhido fora Agnès, não ela.

A costureira era pequena e Offa, grande, e era ligeiramente engraçado ver os dois parados lado a lado. Ragna reprimiu um sorriso.

– Offa, você tem algo a me dizer? – perguntou.

– Milady, peço-lhe permissão para pedir Agnès em casamento.

– O senhor é o chefe de Mudeford.

– Mas tenho uma casa em Shiring. Agnès poderia continuar cuidando das suas roupas.

– Se milady quiser – emendou a costureira, depressa.

– Eu quero – disse Ragna. – E fico feliz em consentir com o casamento.

Os dois lhe agradeceram profusamente. Às vezes é bem fácil fazer as pessoas felizes, pensou ela.

Por fim, o grupo partiu. Ragna ficou parada acenando até eles sumirem de vista. Provavelmente jamais tornaria a ver qualquer um deles.

Não se permitiu mergulhar na sensação de perda. O que tinha para fazer agora? Decidiu resolver a questão do carpinteiro Dunnere. Não ia tolerar o corpo mole daquele homem, mesmo ele sendo sobrinho de Gytha.

Voltou para sua casa e mandou Bern chamar Dunnere e seus ajudantes. Para recebê-los, sentou-se no mesmo tipo de assento que seu pai costumava usar para as ocasiões formais: um banco de quatro pés em formato de retângulo largo, encimado por uma almofada para ficar mais confortável.

Eram três carpinteiros: Dunnere, Edric e Hunstan, filho de Edric. Ela não os convidou para sentar.

– De agora em diante, vocês irão à floresta uma vez por semana abater árvores – falou.

– Para quê? – retrucou Dunnere, mal-humorado. – Nós pegamos madeira só quando precisamos.

– Agora terão uma reserva, o que vai diminuir os atrasos.

Dunnere pareceu resistente, mas Edric falou:

– É uma boa ideia.

Ragna o achou mais consciente do que Dunnere.

– E mais: vão fazer isso no mesmo dia toda semana – acrescentou ela. – Às sextas-feiras.

– Por quê? – perguntou Dunnere. – Qualquer dia dá na mesma.

– É para ajudar vocês a se lembrarem.

Na verdade, era para ajudá-la a controlá-los.

Dunnere não estava disposto a se render:

– E se alguém quiser que algum conserto seja feito na sexta? Milly, por exemplo, ou Gytha?

– Vocês terão saído tão cedo da cidade que nem saberão. Podem levar o desjejum para comer no caminho. Mas se alguém lhes pedir para fazer algo diferente numa sexta-feira, seja Milly, Gytha ou qualquer outra pessoa, vocês simplesmente lhe dirão para vir falar comigo, porque eu sou a responsável por vocês e vocês não têm autorização para modificar a rotina sem a minha permissão. Está claro?

Dunnere fechou a cara, mas Edric falou:

– Muito claro, senhora, obrigado.

– Agora podem ir.

Eles saíram todos juntos.

Ragna sabia que aquilo causaria problemas, mas era necessário. No entanto, seria sensato se defender de um contra-ataque. Gytha poderia passar por cima dela e reclamar com Wilf. Ragna decidiu se certificar de qual seria a reação dele caso isso acontecesse.

Saiu e tomou a direção da casa do marido. Passou pela construção em que seus soldados haviam morado nas últimas doze semanas, agora vazia. Teria que pensar também no que deveria ser feito com ela.

Espantou-se ao ver sair lá de dentro uma mulher que não reconheceu. Ainda não conhecia todo mundo em Shiring, mas aquela pessoa em especial chamava a atenção. Parecia ter 30 e poucos anos, usava roupas justas e sapatos vermelhos, e tinha uma juba de cabelos revoltos que não estava inteiramente domada por um grande chapéu mole. Mulheres de respeito não mostravam muito os cabelos em público, e, embora algumas mechas soltas pudessem ser ignoradas, a mulher de sapatos vermelhos estava ultrapassando o limite do decoro. Apesar disso, não parecia envergonhada e caminhava com passos confiantes. Ragna ficou curiosa para falar com ela, mas bem nessa hora viu Wilf. Adiou a conversa com a mulher e o seguiu para dentro da casa dele.

Como sempre, ele a beijou com entusiasmo. Então disse:

– Tenho que ir a Wigleigh hoje. Preciso me certificar de que todos pagaram os aluguéis para o deão Degbert.

– Eu mandei os nossos carpinteiros irem à floresta abater uma árvore toda sexta-feira – contou ela. – Eles precisam de um estoque de madeira para poderem realizar consertos sem demora.

– Bem pensado – comentou Wilf com um quê de impaciência.

Não gostava de ser incomodado com questões domésticas.

– Só estou lhe falando sobre os carpinteiros porque Dunnere é um problema. Ele é preguiçoso e bebe demais.

– É melhor você ser dura com ele.

Apesar da contrariedade de Wilf, Ragna continuou a direcioná-lo para dizer o que ela queria escutar:

– Não acha que ele merece tratamento especial por ser sobrinho de Gytha?

– Não! Pouco importa quem ele é, ainda assim ele me deve um bom dia de trabalho.

– Concordo, e que bom que tenho seu respaldo. – Ela o beijou com a boca aberta e ele esqueceu a chateação e correspondeu com ardor. – Agora você tem que ir – disse ela.

Os dois saíram da casa juntos. Os soldados estavam se reunindo para a viagem e ela observou Wilf se juntar a eles e fazer uma piada ou trocar poucas palavras com três ou quatro. Quando eles estavam prestes a partir, um rapaz de cerca de 16 anos juntou-se ao grupo e Ragna ficou surpresa ao ver Wilf beijá-lo com afeto. Antes que ela pudesse perguntar quem era, eles montaram e se foram.

Assim que Wilf partiu, Gytha a abordou. Lá vem, pensou Ragna: ela deve estar brava por causa dos carpinteiros. Dunnere não deve ter esperado nem um minuto para ir reclamar com a tia.

Mas Gytha a surpreendeu perguntando sobre outra coisa.

– A casa que estava ocupada pelos seus soldados agora está vazia – falou.

– Sim.

– Posso fazer uma sugestão?

Gytha estava sendo cuidadosamente educada. Foi uma segunda surpresa.

– Claro – respondeu Ragna.
– Talvez pudéssemos deixar Wigelm e Milly a usarem outra vez.
Ragna aquiesceu:
– Boa ideia... a menos que haja outra pessoa que possa precisar.
– Não acho que haja.
– Vi alguém saindo da casa mais cedo. Uma mulher de sapatos vermelhos.
– Aquela é Inge, irmã de Milly. Ela poderia cuidar da casa enquanto Wigelm e Milly estivessem em Combe.
– Parece-me fazer sentido.
– Obrigada – disse Gytha, mas o tom de sua voz não era de gratidão.
Para Ragna, soou mais como triunfo.
Gytha se afastou. No caminho de volta para a própria casa, Ragna franziu a testa. Por que estava se sentindo desconfortável com aquela conversa? Estava desconfiada de Gytha e sentia que a cortesia dela escondia uma hostilidade subjacente.
Sua intuição lhe dizia que havia algo errado.

Com o passar do dia, Ragna foi ficando cada vez mais apreensiva. Quem era o rapaz que seu marido havia beijado? Talvez fosse um parente próximo, um sobrinho amado, quem sabe, mas nesse caso por que ele não comparecera ao casamento? Não era possível que o beijo tivesse cunho sexual: Ragna estava tão certa quanto se poderia estar de que Wilf não tinha interesse em sexo com homens. E o que Gytha estaria tramando ao fingir ser tão agradável?
Decidiu interrogar Wilf assim que ele chegasse em casa. Conforme as horas foram passando, entretanto, passou a ter menos certeza de que faria isso. Talvez precisasse ser mais cautelosa. Algo que ela não sabia estava acontecendo, e essa ignorância a punha em desvantagem. Seu pai nunca ia a uma reunião importante antes de ter certeza de saber tudo que poderia ser dito lá. Ragna estava num país estrangeiro e ainda não conhecia todos os costumes. Precisava tomar cuidado com o chão onde pisava.
Wigleigh não ficava muito longe e Wilf voltou no meio da tarde, mas esse dia de dezembro tinha sido curto e a luz já estava baixando. Um criado acendia tochas montadas na ponta de varas diante das principais construções. Ragna entrou com Wilf na casa dele e lhe serviu uma caneca de cerveja.
Ele bebeu de uma golada só, em seguida a beijou com o gosto da cerveja na boca. Tinha cheiro de suor, cavalo e couro. Ragna estava sedenta do seu amor,

talvez por causa da inquietação que a havia atormentado o dia inteiro. Pegou a mão de Wilf e a levou ao meio das coxas. Ele não precisou de muito para se convencer e os dois fizeram amor na mesma hora.

Em seguida ele pegou num sono leve, com os braços musculosos esticados e as pernas compridas abertas, um homem forte descansando após um dia cheio.

Ragna o deixou. Foi até a cozinha e verificou os preparativos para o jantar, deu uma olhada no salão nobre para se certificar de que o lugar estava pronto para a refeição da noite e então deu uma volta pelo complexo para observar quem estava trabalhando e quem estava ocioso, quem estava sóbrio e quem estava embriagado, quais cavalos tinham recebido comida e água e quais sequer tinham sido desarreados ainda.

Ao final da peregrinação, viu Wilf falando com a mulher de sapatos vermelhos.

Algo nos dois chamou sua atenção. Ela parou e pôs-se a observá-los de longe. Eles estavam iluminados pela luz tremeluzente da tocha em frente à porta de Wilf.

Não havia motivo algum para não se falarem: Inge era uma espécie de cunhada de Wilf e eles podiam nutrir um afeto inocente um pelo outro. Mesmo assim, Ragna ficou impressionada com a intimidade sugerida por seus corpos: os dois estavam bem próximos e Inge o tocou várias vezes, segurando seu antebraço de modo casual para enfatizar algo que dizia, batendo no seu peito com as costas da mão num gesto de quem descarta um assunto, como se estivesse lhe dizendo para deixar de ser bobo, e uma vez encostando a ponta do indicador na face dele com afeto.

Ragna não conseguiu se mexer nem tirar os olhos da cena.

Então viu o rapaz que Wilf havia beijado. Era jovem, ainda imberbe, e, embora fosse alto, dava a impressão de ainda não estar totalmente desenvolvido, como se os membros compridos e ombros largos ainda não tivessem se adensado para constituírem o corpo de um homem. Ele se juntou a Wilf e Inge e os três passaram alguns instantes conversando com uma familiaridade descontraída.

Essas pessoas obviamente fazem parte da vida do meu marido há muitos anos, pensou Ragna. Como é possível eu não ter a menor ideia de quem são?

Por fim, os três se separaram ainda sem notar sua presença. Wilf seguiu em direção ao estábulo, sem dúvida para se certificar de que os cavalariços tinham cuidado de seu cavalo. Inge e o rapaz entraram na casa em que Ragna concordara alocar Wigelm, Milly e Inge.

Ela não podia mais viver naquela dúvida e naquele suspense, mas ainda assim não queria confrontar Wilf. Com quem poderia falar?

Na realidade, só havia uma possibilidade: Gytha.

Ela detestava essa ideia. Estaria revelando a própria ignorância, demostrando fraqueza e dando a Gytha a posição de mulher mais sábia e experiente – justo quando Gytha parecia estar aceitando que não mandava mais no lar de Wilf.

Mas quem mais poderia ser? Wynstan talvez fosse pior do que Gytha. Aldred agora devia estar rezando. Ela não conhecia o xerife Den suficientemente bem. Não podia se rebaixar a ponto de perguntar para Gilda, a ajudante de cozinha.

Foi até a casa de Gytha.

Ficou satisfeita ao encontrá-la sozinha. Gytha lhe ofereceu uma caneca de vinho e Ragna aceitou, pois precisava de coragem. As duas se sentaram em dois banquinhos perto do fogo, de frente uma para a outra. Gytha parecia desconfiada, mas Ragna sentiu algo mais: a sogra sabia o motivo da sua visita, sabia a pergunta que ela faria e estava esperando aquele momento.

Ragna engoliu um gole de vinho e tentou falar num tom de voz casual:

– Reparei em alguém que acabou de chegar ao complexo, um rapaz adolescente de uns 16 anos, alto.

Gytha assentiu.

– Deve ser Garulf.

– Quem é ele e o que está fazendo aqui?

Gytha sorriu e Ragna viu, horrorizada, que o gesto estava carregado de malícia. Ela respondeu:

– Garulf é filho de Wilf.

Ragna deu um arquejo.

– Filho? – repetiu. – Wilf tem um filho?

– Sim.

Pelo menos aquilo explicava o beijo.

– Wilf tem 40 anos de idade – disse Gytha. – Achou que tinha se casado com um homem virgem?

– É claro que não. – Ragna raciocinou furiosamente. Sabia que Wilf já fora casado, mas não que ele tinha um filho. – Há outros?

– Não que eu saiba.

Um filho, então. Era um choque, mas ela podia suportar. Porém tinha mais uma pergunta:

– Qual é a relação de Garulf com a mulher dos sapatos vermelhos?

Gytha abriu um sorriso largo e ficou abominavelmente claro que aquele seria o seu grande momento de triunfo.

– Ora – disse ela –, Inge é a primeira esposa de Wilf.

Ragna ficou tão chocada que se levantou de um salto e deixou cair a caneca. Não se abaixou para pegá-la.

– A primeira esposa dele morreu!

– Quem lhe disse isso?

– Wynstan.

– Tem certeza de que foi isso que ele falou?

Ragna se lembrava muito claramente.

– Ele disse: "Infelizmente a esposa dele não está mais entre nós." Tenho certeza.

– Foi o que eu pensei – atalhou Gytha. – *Não está mais entre nós* não é a mesma coisa que *morreu*, entende? Longe disso.

Ragna não conseguia acreditar.

– Ele enganou a mim, meu pai e minha mãe?

– Ninguém enganou ninguém. Depois que Wilf a conheceu, Inge foi posta de lado.

– Posta de lado? Pelo santo céu, o que significa isso?

– Que ela não é mais esposa dele.

– Que houve um divórcio, a senhora quer dizer?

– Algo assim.

– Então o que ela está fazendo aqui?

– Só porque ela não é mais esposa de Wilf não quer dizer que ele não possa vê-la. Afinal, eles têm um filho juntos.

Ragna estava horrorizada. O homem com quem acabara de se casar já tinha uma família: uma esposa de muitos anos, de quem havia se divorciado ou "algo assim", e um filho que era quase um homem. E ele claramente gostava dos dois. E agora eles tinham se mudado para o complexo.

Sentiu o mundo ruindo sob seus pés e precisou lutar para manter o equilíbrio. Não parava de pensar que aquilo não podia ser verdade. Não era possível que tudo em que havia acreditado em relação a Wilf estivesse errado.

Que ele a tivesse enganado tanto assim.

Sentiu então que precisava se afastar do ar exultante de Gytha. Não conseguia suportar o olhar experiente daquela mulher pousado nela. Foi até a porta, então tornou a se virar. Um pensamento ainda pior tinha lhe ocorrido.

– Mas Wilf não pode continuar tendo relações conjugais com Inge – disse Ragna.

– Ah, não? – Gytha deu de ombros. – Minha querida, isso você precisa confirmar com ele.

PARTE II

O JULGAMENTO

998 d.C.

CAPÍTULO 16

Janeiro de 998

Já passava muito da meia-noite quando Ragna finalmente conseguiu parar de chorar.

Passou a noite na própria casa. Sentia-se incapaz sequer de falar com Wilf. Mandou Cat lhe dizer que ela não podia dormir com ele porque estava na época da sua maldição mensal feminina. Isso a faria ganhar tempo.

Seus criados a ficaram observando temerosos à luz do fogo, mas ela não conseguiu tomar coragem para lhes explicar o motivo de sua aflição.

– Amanhã – dizia e repetia. – Amanhã eu conto para vocês.

Pensou que nunca mais fosse dormir, mas, quando suas lágrimas se esgotaram, acabou pegando num sono inquieto. Em seus sonhos, porém, lembrou-se da tragédia que tinha arruinado sua vida, despertou por completo com um horror repentino e recomeçou a chorar.

Naquela época do ano, o complexo começava a ganhar vida muito antes da aurora tardia. Os ruídos matinais a conduziram a um estado plenamente alerta: homens gritando uns com os outros, cães latindo, o canto de pássaros e os tilintares e clangores de uma cozinha enorme se preparando para alimentar cem pessoas.

Um novo dia está começando, pensou ela, e eu não sei o que fazer. Estou perdida.

Se ao menos tivesse descoberto a verdade um dia antes, calculou, talvez pudesse ter voltado para Cherbourg com seus soldados, mas na mesma hora se deu conta de que estava enganada ao achar isso. Wilf teria mandado um exército atrás dela e ela teria sido capturada e trazida de volta para Shiring. Nenhum nobre permitiria que a esposa o deixasse. Seria humilhante demais.

Será que ela conseguiria sair discretamente, sem ser notada, e ganhar alguns dias de vantagem? Percebeu que era impossível. Ela era a esposa do senhor da cidade: sua ausência seria sentida em questão de horas, se não de minutos. E Ragna não conhecia o país bem o suficiente para fugir de uma perseguição.

Além do mais, para seu desgosto, constatou que na verdade não queria ir embora. Ela amava e desejava Wilf. Ele a havia enganado e traído, mas mesmo assim ela não conseguia suportar a ideia de viver sem ele. Amaldiçoou a própria fraqueza.

Precisava conversar com alguém.

Sentou-se na cama e jogou a coberta longe. Cat, Agnès e Bern a fitavam e aguardavam, apreensivos, para ver o que ela iria fazer ou dizer.

– O bispo Wynstan enganou todos nós – começou ela. – A primeira esposa de Wilf não morreu. Seu nome é Inge e ela foi "posta de lado", o que pelo visto é um tipo estranho de divórcio, pois ela se mudou para a casa que nossos soldados desocuparam ontem.

– Ninguém nos disse nada! – exclamou Bern.

– As pessoas provavelmente imaginaram que já soubéssemos. Os ingleses não parecem muito chocados quando um homem tem mais de uma esposa. Lembrem-se do barqueiro Dreng.

Agnès estava pensativa.

– Edgar meio que me contou – disse ela.

– Contou?

– Na primeira vez em que o encontramos, quando ele nos transportou para o outro lado do rio, eu disse que milady estava indo se casar com o senhor de Shiring e ele falou: "Pensei que ele já fosse casado." E eu disse: "Era, mas a esposa dele morreu." E Edgar pareceu não entender.

– A outra coisa que eles não nos disseram foi que Inge tem um filho com Wilf, um rapaz chamado Garulf, que se mudou para a mesma casa que a mãe – continuou Ragna.

– Ainda assim, acho estranho ninguém mais ter comentado com nenhum de nós sobre a primeira esposa – falou Bern.

– É mais do que estranho – disse Ragna. – Eles fizeram mais do que apenas ficarem calados. Mantiveram Inge e Garulf longe até depois do casamento e até a maior parte da minha comitiva ter voltado para casa. Isso não foi por acaso. Wynstan organizou tudo. – Ela passou alguns instantes em silêncio, então deu voz ao mais horrível dos pensamentos: – E Wilf devia estar a par do estratagema.

Os outros nada disseram e Ragna soube o que isso significava: eles concordavam.

Estava desesperada para conversar com alguém que não fosse seu empregado. Queria um ponto de vista mais objetivo para ajudá-la de alguma forma a entender melhor aquela calamidade. Pensou em Aldred. Ele tinha dito: "Diga-me se eu puder fazer algo para ajudá-la. Vá até a abadia."

– Eu vou falar com o frei Aldred – anunciou.

Então lembrou que Aldred tinha mudado de ideia e acrescentado: "Ou simplesmente mande um recado."

– Bern, vá até a abadia – pediu. – Espere. Deixe-me pensar.

Não queria que Aldred fosse ao complexo. Algo a impedia de fazer isso. Ao se questionar o motivo dessa intuição, concluiu que não queria que pessoas como Gytha e Inge soubessem quem poderiam ser seus aliados.

Mas onde poderia se encontrar com Aldred?

Na catedral.

– Peça a Aldred para ir à catedral – ordenou. – Diga a ele que eu estarei esperando. – As portas da grande igreja raramente eram trancadas. – Espere. Você pode me acompanhar até lá.

Ela enxugou os olhos e passou um pouco de óleo no rosto. Agnès pegou sua capa. Ragna a vestiu e puxou o capuz por cima da cabeça.

Ela e Bern saíram do complexo e desceram o morro. Durante o caminho, ela manteve a cabeça baixa e não falou com ninguém: se via incapaz de manter uma conversa normal. Quando chegaram à praça, Bern foi em direção ao mosteiro e Ragna entrou na catedral.

Já tinha ido a diversas missas ali. Era a maior igreja que ela já vira até o momento na Inglaterra, com uma nave entre 20 e 30 metros de comprimento e quase 10 de largura, e ficava abarrotada em dias especiais como o Natal. Lá dentro sempre fazia frio. As paredes de pedra eram grossas, e ela calculou que ali fosse fresco até mesmo no verão. Esse dia estava gelado. Ragna parou em frente a uma pia batismal de pedra entalhada e olhou em volta. As janelas pequenas iluminavam fracamente um interior colorido: piso de lajotas pretas e brancas, tapeçarias de parede com cenas bíblicas e uma grande escultura de madeira pintada representando a Sagrada Família. Ao espiar a capela pelo arco, ela viu um altar de pedra coberto por um pano de linho branco. Atrás do altar havia um afresco da Crucificação em azul e amarelo muito vivos.

A tormenta em seu coração se acalmou um pouco. A penumbra e o frio dentro das imensas paredes de pedra lhe deram uma sensação de eternidade. A igreja parecia dizer que os problemas terrenos, até mesmo os piores, eram temporários. Seu coração voltou a bater normalmente. Ela constatou que conseguia respirar sem arquejar. Sabia que seu rosto ainda estava vermelho, apesar do óleo, mas não havia mais lágrimas e ela não chorou mais.

Ouviu a porta ser aberta e fechada, e instantes depois Aldred surgiu ao seu lado.

– A senhora andou chorando.

– A noite inteira.

– Mas o que foi que aconteceu?

– Meu marido tem outra esposa.

Aldred deu um arquejo.

– A senhora não sabia sobre Inge?

– Não.

– E eu nunca comentei. Pensei que fosse preferir não falar nela. – Algo ocorreu a Aldred. – "Ele quer um filho."

– O quê?

– A senhora me disse isso sobre Wilf. "Ele quer um filho." Eu senti que havia algo esquisito naquela conversa, mas não consegui captar o que era. Agora consegui. Wilf já tinha um filho... só que a senhora não sabia. Que tolo eu fui.

– Não vim aqui pôr a culpa no senhor.

Na parede norte havia um banco de pedra embutido na parede. Durante a missa de Natal, quando a cidade inteira se aglomerava ali dentro, os moradores mais velhos que não conseguiam passar uma hora inteira de pé se espremiam naquele lugarzinho frio e estreito. Ragna meneou a cabeça e disse:

– Vamos nos sentar.

Uma vez acomodados, Aldred falou:

– Inge foi o motivo que o rei Ethelred deu para se recusar a reconhecer seu casamento.

Aquilo a deixou chocada.

– Mas Wynstan tinha a aprovação prévia do rei... ele nos disse! – exclamou ela, indignada.

– Ou Wynstan mentiu ou então Ethelred mudou de ideia. Mas eu acho que Inge não passou de um pretexto. Ethelred estava com raiva de Wilf por ele não ter pagado a multa.

– Por isso os bispos não vieram ao meu casamento... porque o rei não tinha aprovado a união.

– Receio que sim. Então Ethelred multou Wilf em 60 libras por ter se casado com a senhora. Só que Wilf não pagou a multa. Agora ele está mais em débito do que nunca com o rei.

Ragna estava arrasada.

– Ethelred não pode fazer nada?

– Ele poderia atacar Shiring. Foi o que fez com Rochester há uns quinze anos, numa briga com o bispo Elfstan, mas essa reação foi um tanto extrema e o rei se arrependeu depois.

– Quer dizer que um nobre pode simplesmente desafiar o rei e ficar por isso mesmo?

– Não indefinidamente – disse Aldred. – Isso me faz lembrar o famoso caso do vassalo Wulfbald. Ele ignorou repetidas vezes as decisões do tribunal do rei, recusou-se a pagar multas e conseguiu se safar. Suas terras acabaram sendo confiscadas pelo rei, mas só depois de Wulfbald morrer.

– Eu não fazia ideia de que o meu marido fosse tão malvisto pelo seu rei... ninguém me contou!

– Eu supus que a senhora soubesse mas não quisesse falar a respeito. Wynstan deve ter dito à família de Wilf para não lhe contar nada. Os criados provavelmente nem sabem sobre isso, embora eles mais cedo ou mais tarde acabem descobrindo essas coisas.

– Mas, afinal, eu estou mesmo casada com Wilf?

– Está, sim. Inge foi posta de lado e Wilf desposou a senhora. A Igreja não aprova nem uma coisa nem outra, mas a lei inglesa não proíbe nenhuma das duas.

– O que vou fazer agora?

– Revidar.

– Não é só Inge. São Wynstan, Gytha, Wigelm, Milly e até Garulf.

– Eu sei. Eles formam uma facção poderosa. Mas a senhora tem uma arma mágica que vai se sobrepor a todos eles.

Ragna se perguntou se ele iria apelar para a fé.

– Está se referindo a Deus?

– Não, embora seja sempre sensato pedir a ajuda Dele.

– Então qual é a minha arma especial?

– O amor de Wilf.

Ragna lhe lançou um olhar cético. O que ele sabia sobre amor?

Aldred leu seus pensamentos.

– Ah, eu sei que todos pensam que os monges não sabem nada sobre amor e casamento, mas isso não é totalmente verdade. Além do mais, qualquer um que tenha olhos pode ver quanto Wilf a ama. Chega a ser constrangedor. Ele a olha fixamente o tempo todo. As mãos dele coçam de tanta vontade de tocá-la.

Ragna assentiu. Depois de se casarem, por algum motivo tinha parado de se envergonhar disso.

– Ele a adora, a venera – continuou Aldred. – Isso a torna mais forte do que todos os outros juntos.

– Não entendo como isso me ajuda, porque mesmo assim Wilf trouxe a primeira esposa para morar ao meu lado.

– Isso não é o fim, é o começo.

– Simplesmente não estou entendendo o que o senhor quer que eu faça.

– Em primeiro lugar, não perca o amor dele. Não sei lhe dizer como mantê-lo, mas tenho certeza de que a senhora sabe.

Sei, sim, pensou Ragna.

– Imponha sua vontade – prosseguiu Aldred. – Provoque pequenas brigas com Gytha, com Wynstan e com Inge e conquiste pequenas vitórias, depois outras maiores. Mostre a todo mundo que, num conflito, o primeiro instinto de Wilf será sempre apoiá-la.

Como na controvérsia sobre a casa de Wigelm, pensou ela, ou naquela relacionada ao carpinteiro Dunnere.

– E vá aumentando sua força. Conquiste aliados. A senhora tem a mim, mas precisa de outros... todos que conseguir. Homens poderosos.

– Como o xerife Den.

– Exato. E o bispo Elfheah de Winchester: ele odeia Wynstan, então faça dele um amigo.

– O senhor parece estar falando sobre guerra, não sobre casamento.

Aldred deu de ombros.

– Passei vinte anos morando com monges. Um mosteiro é extremamente parecido com uma família grande e poderosa: tem rivalidade, ciúme, picuinhas, hierarquia... e amor. E é difícil escapar disso. Fico feliz quando consigo prever os problemas, porque nesse caso posso lidar com eles. O verdadeiro perigo vem das surpresas.

Eles passaram alguns instantes em silêncio e Ragna por fim falou:

– O senhor é um bom amigo.

– Espero que sim.

– Obrigada.

Ela se levantou e Aldred fez o mesmo.

– Já falou com Wilf sobre Inge? – perguntou ele.

– Não. Ainda não sei ao certo o que dizer.

– Faça o que fizer, não o deixe se sentindo culpado.

Ragna sentiu um rubor de indignação.

– Por que cargas d'água não? Ele merece se sentir culpado.

– A senhora não quer se tornar a pessoa que vai deixá-lo infeliz.

– Mas isso é um acinte. Ele *deveria* ficar infeliz pelo que fez comigo.

– É claro que deveria. Mas assinalar isso não vai ajudá-la.

– Não sei se concordo.

Eles saíram da catedral e tomaram direções opostas. Ragna subiu o morro até o complexo, pensativa. Começou a ver a sensatez dos últimos comentários de Aldred. Ela não deveria ser uma pessoa triste e derrotada naquela manhã. Era a escolhida de Wilf, sua esposa, a mulher que ele amava. Precisava andar e falar como uma vencedora.

Voltou para sua casa. Dali a pouco estaria na hora da refeição do meio-dia.

Pediu a Cat que penteasse e arrumasse seus cabelos, então escolheu seu vestido preferido, feito de uma seda do mesmo tom luxuoso das folhas de outono. Pôs um colar de contas de âmbar. Então foi para o salão nobre e sentou-se no seu lugar de sempre, à direita de Wilf.

Durante a refeição, falou do seu modo habitual, perguntou às pessoas em volta o que elas tinham feito naquela manhã, brincou com os homens e fofocou com as mulheres. Pegou várias delas encarando-a com surpresa: deviam ser as que sabiam do choque que ela sofrera na véspera. Imaginavam que estaria arrasada de tristeza. Ela *estava* arrasada de tristeza, mas disfarçava o sentimento.

Depois do almoço, saiu com Wilf e os dois andaram lado a lado até a casa dele. Como sempre, ele não precisou de muito incentivo para fazer amor com ela. Ragna começou fingindo seu entusiasmo habitual, mas em pouco tempo constatou que não seria necessário fingir e no final ficou quase tão satisfeita quanto de costume.

Mesmo assim, não tinha esquecido nada.

Quando ele rolou de cima dela, não o deixou tirar o seu cochilo habitual.

– Eu não sabia que você tinha um filho – falou, com uma voz neutra.

Sentiu o corpo dele se tensionar ao seu lado, mas ele imprimiu à voz um tom casual:

– Sim... Garulf.

– E eu não sabia que Inge ainda estava viva.

– Eu nunca disse que ela estava morta – disparou ele.

Parecia uma resposta ensaiada que ele estivesse guardando, pronta para ser dita.

Ragna ignorou o comentário. Não queria entrar numa discussão inútil só para concluir se tinham mentido para ela ou simplesmente omitido informações.

– Eu quero saber tudo sobre você – falou.

Wilf a estava encarando, desconfiado. Claramente não tinha certeza do que ela pretendia. Estava se perguntando se deveria se preparar para ser repreendido ou para pedir desculpas.

Ele que fique em dúvida, pensou Ragna. Não iria acusá-lo, mas não lamentaria se a consciência dele o deixasse pouco à vontade.

– Os seus costumes não são iguais aos dos normandos – continuou ela. – Eu deveria lhe fazer mais perguntas.

Ele não podia fazer objeção a isso.

– Está bem.

Pareceu aliviado, como se até ali estivesse temendo algo pior.

– Não quero ser pega de surpresa outra vez – acrescentou ela, e pôde ouvir a dureza na própria voz.

Wilf obviamente não soube ao certo como interpretar isso. Ragna imaginou que ele estivesse esperando raiva ou choro, mas aquilo era diferente e ele não tinha uma resposta pronta. Pareceu desconcertado e disse apenas:

– Entendi.

Ao longo das últimas horas, a aflição que Ragna sentia tinha se consolidado em duas perguntas que não queriam calar, e ela decidiu fazê-las logo. Sentiu que ele estava ávido para lhe dar o que ela quisesse.

Uniu as mãos para impedi-las de tremer.

– Tenho duas coisas para lhe perguntar agora mesmo.

– Pode falar.

– De onde Inge vem? Qual é a origem dela?

– O pai dela era padre. Na verdade, ele era o secretário do meu pai.

Ragna conseguiu facilmente imaginar o contexto: os filhos de dois homens que trabalhavam próximos um do outro, um menino e uma menina passando muito tempo juntos, um romance adolescente, talvez uma gravidez não planejada e por fim um casamento precoce.

– Isso quer dizer que Inge não tem sangue nobre.

– Exato.

– Quando meu pai concordou que eu me casasse com você, ele certamente previa que meus filhos fossem ser os seus herdeiros.

Wilf não hesitou:

– E serão.

Aquilo era importante. Significava que Ragna era a esposa oficial do senhor de Shiring, não apenas uma entre várias mulheres de status impreciso. Não seria a número dois.

Como precisava ter certeza, pressionou-o mais ainda:

– E Garulf não.

– Não! – disse ele, contrariado por precisar responder duas vezes.

– Obrigada. Fico feliz por ter a sua palavra solene em relação a isso.

Ficou contente por ter extraído dele uma garantia tão importante. Talvez a sua intenção nunca tivesse sido diferente disso, mas os tempos em que ela simplesmente acreditava nesse tipo de coisa sem precisar de confirmação tinham ficado para trás.

Wilf estava levemente irritado por ter sido colocado contra a parede. Com uma voz que sugeria que a sua paciência estava se esgotando, ele perguntou:

– Mais alguma coisa?

– Sim. Você pretende trepar com Inge?

Ele deu uma risadinha.

– Se me sobrar alguma energia.

– Não estou brincando.

O semblante dele endureceu.

– De uma coisa você pode ter certeza – disse Wilf. – Você nunca vai me dizer quem eu posso ou não posso trazer para a minha cama.

Ragna teve a sensação de ter levado um tapa.

– Eu sou homem, sou inglês e sou senhor de Shiring, e não aceito receber ordens de mulher nenhuma – continuou Wilf.

Ragna virou o rosto para esconder a tristeza.

– Entendi – falou.

Ele a segurou pelo queixo e virou sua cabeça de volta, forçando-a a encará-lo.

– Eu vou trepar com quem eu quiser. Está claro?

– Muito claro – disse Ragna.

O orgulho ferido de Ragna lhe doía, mas ela podia viver com aquilo. A ferida em seu coração era pior.

O orgulho ela remendou mantendo a cabeça erguida e escondendo a tristeza que sentia. Recordou também o conselho de Aldred e começou a procurar logo uma oportunidade para assegurar sua autoridade. Mas nada aliviava a mágoa em seu coração. Ela simplesmente a manteve escondida e torceu para que abrandasse com o tempo.

Garulf tinha recebido de presente uma bola, um pedaço de couro costurado com barbante forte e recheado com trapos, e em janeiro os meninos adolescentes do complexo começaram a jogar um jogo bruto no qual dois times se enfrentavam, cada qual tentando levar a bola até o "castelo" do adversário, um quadrado traçado no chão. Garulf era o capitão de um dos times, claro, e o outro era liderado por seu amigo Stigand, que todos chamavam de Stiggy. Eles jogavam entre os estábulos e o lago, irritantemente perto do portão principal.

A algazarra era um estorvo para os adultos, mas, como Garulf era filho do senhor da cidade, esperava-se certo grau de tolerância. Com o passar dos dias, porém, Ragna percebeu que o jogo foi ficando mais violento, ao mesmo tempo que os meninos passaram a se importar menos com o incômodo causado aos outros. As coisas pioravam quando Wilf estava fora, e Ragna começou a ver essa situação como um desafio à sua autoridade.

Então, certo dia em que Wilf não estava, a bola acertou a ajudante de cozinha Gilda na cabeça e a derrubou no chão.

Ragna por acaso presenciou a cena. Ela pegou a bola, interrompeu o jogo e se ajoelhou ao lado de Gilda.

A empregada estava com os olhos abertos e, depois de alguns instantes, sentou--se e segurou a cabeça.

– Isso doeu – falou.

Os meninos estavam em volta dela, ofegantes por causa do esforço. Garulf não manifestou arrependimento algum pelo acidente nem preocupação com Gilda, reparou Ragna. Parecia apenas contrariado com o fato de a sua diversão ter sido interrompida. Isso a deixou irritada.

– Fique sentada um instante – disse ela a Gilda. – Recupere o fôlego.

Mas Gilda estava impaciente.

– Estou me sentindo uma boba sentada aqui na lama.

Tentou ficar de joelhos. Ragna a ajudou a se levantar.

– Vamos até minha casa – falou. – Vou lhe dar um gole de vinho para se revigorar.

Elas andaram até a porta da casa de Ragna.

Garulf as seguiu e disse:

– Eu quero a minha bola.

Ragna se deu conta de que ainda a estava segurando.

Conduziu Gilda para dentro e então, segurando a porta, virou-se para Garulf e falou:

– O que você quer é uma surra.

Então entrou e fechou a porta.

Jogou a bola num canto.

Convenceu Gilda a se deitar na sua cama e Cat trouxe um pouco de vinho numa caneca. Gilda logo se sentiu melhor. Ragna se certificou de que ela não estava tonta e conseguia andar sem ajuda, então a deixou voltar para a cozinha.

Instantes depois, Gytha entrou com um ar altivo.

– Eu dei uma bola de presente para o meu neto – disse ela.

Garulf era neto postiço de Gytha, mas Ragna não contestou.

– Então foi daí que ela veio – comentou.

– Ele diz que a senhora a tomou.

– Tomei.

Gytha olhou em volta, viu a bola no canto e a pegou rapidamente, então adotou uma expressão de triunfo.

– Ele disse por que eu a peguei? – perguntou Ragna.

– Algo sobre um pequeno acidente.

– Uma ajudante de cozinha foi derrubada no chão. O jogo ficou perigoso.

– Meninos são assim mesmo.

– Então eles precisam ser meninos fora do complexo. Eu não vou permitir que o jogo continue aqui dentro.

– Eu serei responsável pelo comportamento do meu neto – disse Gytha, e se retirou com a bola na mão.

Pouco tempo depois, o jogo recomeçou.

Ragna chamou Bern e os dois ficaram lá fora observando. Os meninos os viram e tentaram ficar distantes, mas não conseguiam manter o jogo dentro de um limite de espaço – o problema era justamente esse –, e em pouco tempo a bola tornou a vir na direção de Ragna.

Ela a pegou.

Tanto Garulf quanto Stiggy se aproximaram. Stiggy era um menino forte, que usava o próprio tamanho para compensar sua burrice.

– Essa bola é minha – disse Garulf.

– Você não pode jogar bola dentro do complexo – falou Ragna.

Stiggy fez um movimento repentino. Deu um passo à frente e bateu no braço de Ragna com o punho fechado para fazê-la soltar a bola. O soco doeu e ela a largou, mas conseguiu pegá-la com a outra mão e recuou para sair do alcance dele.

Bern acertou Stiggy com um baita soco na lateral da cabeça e o rapaz caiu no chão. Então Bern olhou de modo severo para Garulf e perguntou:

– Alguém mais vai tentar pôr as mãos na esposa do senhor de Shiring?

Garulf cogitou fazê-lo. Seu olhar se alternou entre o corpo pesado de Bern e o corpo precioso da esposa do senhor da cidade. Depois se afastou.

– Me dê sua faca – ordenou Ragna a Bern.

A faca que Bern levava no cinto era uma adaga grande, de lâmina afiada. Ragna pôs a bola no chão, cravou a ponta da faca na costura da bola e cortou o fio.

Garulf deu um grito de protesto e avançou para cima dela.

Ragna apontou a adaga para ele.

Bern deu um passo em direção a Garulf.

Ragna continuou cortando os fios até abrir a bola o suficiente para retirar todo o enchimento.

Por fim, levantou-se e atirou o couro flácido no meio do lago.

Devolveu a faca para Bern com o cabo apontando para ele e disse:

– Obrigada.

Com Bern ao seu lado, voltou para casa. Seu braço esquerdo doía onde Stiggy tinha lhe dado o soco, mas a vitória fazia seu coração vibrar.

Wilf voltou nessa mesma tarde e não demorou muito para Ragna ser convocada à sua casa. Ela não se surpreendeu ao encontrar Gytha lá.

Wilf parecia mal-humorado.

– Que história de bola é essa? – perguntou ele.

Ragna sorriu.

– Meu amado marido, você não deveria se preocupar com briguinhas bobas.

– Minha madrasta reclamou que você roubou um presente que ela tinha dado para o meu filho.

Ragna ficou contente, mas disfarçou. Gytha havia permitido que a indignação prejudicasse o seu julgamento. Estava fadada a ser derrotada. Ela não tinha como ganhar aquela briga.

Ragna falou num tom leve adequado a uma questão trivial:

– O jogo tinha ficado violento demais. Hoje uma das suas empregadas foi machucada pela bola.

Gytha bufou de desdém.

– Ela escorregou na lama.

– Ela foi atingida na cabeça. Ferimentos piores poderiam ter acontecido. Eu disse a eles para irem jogar fora do complexo, mas, como me desobedeceram, interrompi o jogo e destruí a bola. Wilf, eu realmente sinto muito por você ter sido importunado com isso.

Ele parecia cético.

– Foi só isso mesmo que aconteceu?

– Bem, não. – Ragna levantou a manga esquerda para exibir um hematoma recente. – O menino Stiggy me deu um soco. Então Bern o derrubou.

Wilf encarou Gytha com um ar tenebroso.

– Um menino levantou a mão para a esposa do senhor de Shiring? Essa parte a senhora não me contou, mãe.

– Ele só tentou pegar a bola de volta! – protestou Gytha.

Mas o hematoma contava outra história, e Gytha estava na defensiva.

– E o que Garulf fez? – quis saber Wilf.

– Ficou olhando – respondeu Ragna.

– Não defendeu a esposa do pai?

– Receio que não.

Conforme Ragna previra, Wilf ficou furioso.

– Stiggy vai ser açoitado – disse ele. – Uma punição infantil para um homem infantil. Doze chicotadas. Mas não sei o que fazer com Garulf. Meu filho deveria saber distinguir entre o certo e o errado.

– Posso sugerir uma coisa? – perguntou Ragna.

– Por favor.

– Faça Garulf dar as chicotadas.

Wilf assentiu:

– Perfeito.

Stiggy foi despido e amarrado de frente para um poste. A humilhação fazia parte do castigo.

Garulf se postou atrás dele segurando um chicote de couro cuja ponta se dividia em três correias, todas incrustadas com pedras afiadas. Parecia ressentido e infeliz.

Todos os moradores do complexo assistiam, homens, mulheres e crianças. O objetivo da punição era educar todos, não apenas o infrator.

Em pé ali perto, Wilf falou:

– Stiggy levantou a mão para minha esposa. Essa é a sua punição.

A multidão permaneceu calada. O único som era do canto vespertino dos pássaros.

– Comece – disse Wilf. – Um.

Garulf ergueu o chicote e acertou as costas nuas de Stiggy. O golpe produziu um estalo alto e Stiggy se retraiu.

Ragna estremeceu e desejou não precisar assistir. Se fosse embora agora, porém, pareceria fraca.

Wilf balançou a cabeça.

– Não foi forte o suficiente – falou. – Comece outra vez. Um.

Garulf golpeou Stiggy com mais força. Dessa vez o outro rapaz emitiu um grito abafado de dor. O chicote deixou marcas vermelhas na sua pele branca.

Uma mulher na multidão chorava baixinho e Ragna reconheceu a mãe de Stiggy.

Wilf não se comoveu:

– Ainda está fraco demais. Comece outra vez. Um.

Garulf ergueu o açoite e o brandiu com toda a força. Stiggy gritou de dor e gotas de sangue brotaram onde as pedras haviam cortado a pele.

O grito calou os pássaros.

– Dois – disse Wilf.

CAPÍTULO 17

Fevereiro de 998

Edgar ficava com raiva ao pensar que as pessoas estavam roubando de Ragna.

Ele não tinha ligado muito para o fato de Gab, o responsável pela pedreira, estar enganando o senhor Wilwulf. Wilf tinha dinheiro de sobra, e de toda forma aquilo não era da sua conta. Agora que a vítima tinha passado a ser Ragna, porém, seu sentimento era outro, talvez por ela ser estrangeira e, portanto, vulnerável – ou talvez por ela ser linda, pensou ele com um sorriso.

Ele quase lhe contara depois do casamento, mas hesitara. Queria ter certeza absoluta. Não queria lhe dar um falso alerta.

De toda forma, precisava ir a Outhenham outra vez. As paredes da cervejaria estavam prontas e as vigas de madeira do telhado, colocadas, mas ele queria completar a cobertura com telhas finas de pedra que não pegassem fogo. Disse a Dreng que poderia conseguir o material por metade do preço caso ele mesmo o transportasse, o que era verdade, e Dreng, sempre mais disposto a poupar dinheiro do que a gastar, concordou.

Usando troncos de madeira, Edgar construiu uma jangada simples, comprida e larga. Na última vez em que fora a Outhenham tinha subido o rio, então sabia que não havia nenhum obstáculo substancial para as embarcações, apenas dois pontos nos quais a água ficava rasa e a jangada talvez precisasse ser puxada por alguns metros com o auxílio de cordas.

Entretanto, como manejar a jangada correnteza acima seria um trabalho árduo e puxá-la por cordas nas partes rasas, mais difícil ainda, ele convenceu Dreng a pagar um *penny* a cada um de seus irmãos Erman e Eadbald para que eles deixassem a fazenda por dois dias e fossem ajudá-lo.

Dreng lhe entregou uma bolsinha de couro e disse:

– Aqui tem doze *pence*. Deve dar e sobrar.

Ethel lhes deu pão e presunto para a viagem e Leaf acrescentou uma jarra de cerveja para matar a sede dos três.

Eles partiram cedo. Malhada pulou dentro da jangada quando eles estavam embarcando. Segundo a filosofia canina, era sempre melhor ir a algum lugar do que ser deixada para trás. Edgar se perguntou se essa também seria a sua própria filosofia e não teve certeza da resposta.

Erman e Eadbald estavam magros e Edgar supunha que ele também estivesse. Um ano antes, quando ainda moravam em Combe, nem de longe alguém os teria considerado gordos, mas mesmo assim eles haviam perdido peso durante o inverno. Continuavam fortes, mas estavam com as faces côncavas, os músculos definidos e a cintura estreita.

A manhã de fevereiro estava fria, mas eles começaram a suar quando empunharam as varas e foram impelindo a jangada rio acima. Uma pessoa sozinha conseguia manejar a jangada, mas era mais fácil com duas, uma de cada lado, enquanto uma terceira descansava. Os três em geral não conversavam muito, mas, como não havia mais nada a fazer durante a viagem, Edgar perguntou:

– Como estão se entendendo com Cwenburg?

Eadbald respondeu:

– Erman se deita com ela às segundas, quartas e sextas, e eu às terças, quintas e aos sábados. – Ele sorriu. – Domingo é o dia de descanso dela.

Ambos pareciam satisfeitos com esse arranjo e Edgar concluiu que o casamento pouco ortodoxo estava funcionando surpreendentemente bem.

– Hoje em dia é só deitar e mais nada... – comentou Erman. – Ela está com a gravidez avançada demais para trepar.

Edgar calculou para quando seria o bebê. Eles tinham chegado à Travessia de Dreng três dias antes do solstício de verão e Cwenburg engravidara quase imediatamente.

– O bebê deve nascer três dias antes da Anunciação – falou.

Erman o fitou de cara feia. O talento de Edgar para números parecia quase um milagre aos olhos dos outros, e seus irmãos ficavam ressentidos com isso.

– Enfim, Cwen não vai poder ajudar com a aragem de primavera – comentou Erman. – Ma vai ter que guiar o arado enquanto nós o puxamos.

O solo na Travessia de Dreng era leve e argiloso, mas sua mãe não era mais jovem.

– O que Ma acha disso? – perguntou Edgar.

– Ela acha difícil o trabalho na lavoura.

Edgar via a mãe cerca de uma vez por semana, mas seus irmãos estavam com ela todos os dias.

– Ela tem dormido bem? – quis saber. – Está com bom apetite?

Seus irmãos não eram muito observadores. Eadbald deu de ombros e Erman respondeu com rispidez:

– Olhe, Edgar, ela está velha e um dia vai morrer, e só Deus sabe quando isso vai acontecer.

Depois disso eles pararam de conversar.

Edgar olhou para a frente e refletiu que talvez não fosse fácil comprovar que Gab estava roubando. Ele precisava descobrir sem causar hostilidades. Se parecesse enxerido demais, Gab desconfiaria. E, caso revelasse suas suspeitas, o homem ficaria com raiva. Era curioso o fato de que muitas vezes um infrator, quando descoberto, se mostrasse moralmente indignado, como se a descoberta, e não a transgressão original, é que fosse o problema. E mais importante: se Gab soubesse que estava sendo alvo de desconfiança, teria a chance de esconder suas trapaças.

A jangada avançou mais depressa do que Edgar quando seguiu a pé pela margem, e eles chegaram ao grande vilarejo de Outhenham ao meio-dia. O terreno ali era de argila e uma junta de oito bois puxava um arado pesado no campo mais próximo, fazendo grandes torrões de solo subirem e descerem como ondas de lama quebrando numa praia. Ao longe, homens faziam a semeadura, percorrendo os sulcos e lançando as sementes seguidos por crianças pequenas que espantavam os pássaros com gritos agudos.

Eles encalharam a jangada numa praia e, para deixá-la ainda mais segura, Edgar a amarrou numa árvore. Então adentraram o vilarejo.

Seric estava outra vez no seu pomar, dessa vez podando árvores. Edgar parou para falar com ele.

– Vou ter problemas com Dudda outra vez? – perguntou.

Seric olhou para o céu a fim de verificar que horas eram.

– Não tão cedo assim – respondeu. – Ele ainda não almoçou.

– Ótimo.

– Mas, veja bem, ele também não é nenhum doce de pessoa quando está sóbrio.

– Posso imaginar.

Os três irmãos seguiram caminho e instantes depois toparam com Dudda em frente à taberna.

– Bom dia, rapazes – cumprimentou ele. – O que os traz aqui?

Sua agressividade sem dúvida foi suavizada pela visão de três rapazes fortes. Mesmo assim, Malhada rosnou, pressentindo uma hostilidade subjacente.

– Este é Dudda, o chefe de Outhenham – explicou Edgar aos irmãos. – Eu vim comprar pedra na pedreira, como da outra vez – disse ele a Dudda.

O sujeito não exibiu expressão alguma. Ficou claro que não se lembrava da primeira visita de Edgar.

– Sigam até o leste do vilarejo e peguem a trilha em direção ao norte – falou.

Embora já soubesse o caminho, Edgar respondeu apenas:

– Obrigado.

E seguiu em frente.

Gab e seus parentes estavam trabalhando na pedreira como da outra vez. No meio da clareira, uma grande pilha de pedras cortadas sugeria haver poucos clientes, o que decerto era uma coisa boa para Edgard, um comprador. Junto à pilha havia um carrinho de mão.

Tudo que eu preciso fazer é observar as marcações que Gab fizer no graveto de controle depois de comprar as pedras de que necessito, pensou Edgar. Se ele fizer o número correto de marcações, minhas suspeitas são infundadas. Caso contrário, terei certeza da sua culpa.

O pedaço de pedra que Gab estava soltando caiu no chão com um estrondo e uma nuvem de pó. Gab tossiu, pousou as ferramentas e foi falar com os três irmãos. Reconheceu Edgar e disse:

– Da Travessia de Dreng, não é?

– Eu sou Edgar, e estes são meus irmãos, Erman e Eadbald.

Gab adotou um tom de deboche.

– Você os trouxe para protegê-lo de Dudda?

Ele obviamente tinha ouvido falar da sua discussão com o chefe do vilarejo em sua última visita.

Edgar não achou graça na brincadeira.

– Eu não preciso de proteção contra um velho gordo e bêbado – falou, seco. – Vim aqui comprar pedras e vou transportá-las eu mesmo desta vez, então meus irmãos estão aqui para me ajudar. Assim vamos economizar um *penny* por pedra.

– Ah, vão mesmo? – indagou Gab maliciosamente. Não gostou do fato de Edgar saber seus preços com antecedência. – Quem lhe disse isso?

A resposta era Cuthbert, mas Edgar decidiu ignorar a pergunta.

– Eu preciso de dez pedras – falou.

Abriu a bolsinha que Dreng tinha lhe dado. Para sua surpresa, havia nela mais do que 12 *pence*, como seu patrão tinha dito. Na realidade, ele contou, por alto, 24. Erman e Eadbald o viram hesitar e franzir a testa, e ambos repararam na quantidade de moedas, mas Edgar não lhes deu oportunidade de comentar: não queria parecer indeciso na frente de Gab. Adiou a investigação do mistério e contou rapidamente 10 *pence*.

Gab tornou a contá-los e guardou o dinheiro no bolso, mas, para decepção de Edgar, não fez marcação em nenhum graveto. Apenas apontou para a pilha de pedras.

– Fiquem à vontade – disse.

Edgar não tinha um plano para aquela situação. Decidiu transportar as pedras enquanto pensava no assunto.

– Precisamos levá-las até o rio – falou para Gab. – Podemos usar seu carrinho?

– Não – respondeu Gab, com um leve sorriso de esperteza. – Vocês decidiram economizar dinheiro. Podem carregar as pedras.

E se afastou.

Edgar deu de ombros. Tirou o machado do cinto e o passou para Erman.

– Vocês dois, vão até a floresta e cortem dois troncos grossos para carregar – pediu. – Vou dar uma olhada nas pedras.

Enquanto seus irmãos se afastavam, ele examinou a pilha. Já havia tentado cortar uma pedra em telhas finas e descobrira se tratar de uma tarefa delicada. A espessura tinha que ser muito precisa: telhas finas demais às vezes rachavam e telhas grossas ficariam pesadas demais para que as vigas as suportassem. Mas ele estava confiante de que a sua habilidade iria melhorar.

Quando seus irmãos voltaram, Edgar aparou os troncos que eles trouxeram e os posicionou no chão paralelos um ao outro. Ele e Erman pegaram uma das pedras e a puseram em cima dos troncos. Então se ajoelharam no chão, um na frente da pedra e outro atrás, seguraram os troncos e se levantaram, suspendendo o conjunto inteiro até a altura do quadril.

Eles partiram pela trilha em direção ao rio. Edgar disse a Eadbald:

– Venha também, vamos precisar de alguém para vigiar a jangada.

Os três se revezaram no transporte das pedras e o irmão que estava descansando ficava na beira do rio para o caso de algum passante empreendedor decidir sair correndo com uma pedra ou duas. Quando o dia começou a escurecer, eles estavam com os ombros tensos e as pernas doloridas, e ainda restava uma pedra para transportar.

Mas Edgar não conseguira alcançar seu outro objetivo: provar a desonestidade de Gab.

A pedreira estava deserta. O dono e os filhos tinham sumido – provavelmente estavam dentro de casa. Edgar bateu à porta e entrou. A família estava fazendo a refeição da noite. Gab ergueu os olhos com uma expressão irritada.

– Podemos passar a noite aqui? – indagou Edgar. – Na vez passada vocês fizeram a gentileza de me oferecer um lugar para dormir.

– Não – respondeu Gab. – Vocês são muitos. Além disso, há muitos *pence* nessa sua bolsa... vocês têm como pagar para ficar na taberna.

Edgar não se surpreendeu; seu pedido realmente não era razoável. A pergunta não passara de um pretexto para entrar na casa.

– A taberna pode ser barulhenta, mas a comida é bem boa – falou Bee, a esposa de Gab.

– Obrigado.

Edgar se virou devagar, de modo a ter tempo de olhar com atenção para os gravetos pendurados na parede. Observou que havia um claro e novo, recém-cortado.

Viu que ele tinha apenas cinco marcações.

Aquilo era a prova.

Disfarçou a satisfação e tentou parecer desapontado e um pouco ressentido com o fato de terem lhe negado a hospedagem.

– Adeus, então – disse, e saiu.

Estava exultante enquanto ele e Eadbald carregavam a última pedra até o rio. Não sabia ao certo por quê, mas estava feliz em poder ajudar Ragna e ansioso para contar a ela o que havia descoberto.

Quando colocaram a última pedra na pilha, Edgar falou:

– Acho que as pedras vão ficar seguras por uma hora se eu deixar Malhada aqui, principalmente agora que está escurecendo. Podemos ir jantar na taberna. Vocês dois podem dormir lá, mas eu vou passar a noite na jangada. Não está muito frio.

Ele amarrou a cachorra numa corda comprida, depois os três irmãos andaram até a taberna. Pediram ensopado de carneiro com bastante pão de centeio e uma jarra de cerveja cada um. Edgar reparou em Gab num canto, profundamente entretido numa conversa com Dudda.

– Eu vi que tinha dinheiro demais nessa bolsa – falou Eadbald.

Edgar já vinha se perguntando quando esse assunto viria à tona. Não disse nada.

– O que vamos fazer com o extra? – perguntou Erman.

Edgar reparou no uso do "vamos", mas não comentou. Falou:

– Bem, eu acho que temos o direito de pagar nosso jantar e camas para o pernoite, mas o resto obviamente vai ser devolvido a Dreng.

– Por quê? – quis saber Erman.

Edgar não gostou da pergunta e respondeu:

– Porque o dinheiro é dele!

– Ele disse que estava lhe dando 12 *pence*. Quantos tem aí?

– Vinte e quatro.

– Então são quantos a mais?

Erman não era bom com números.

– Doze.

– Ele errou. Então podemos ficar com os 12 a mais. Para cada um dá... muitos.

Eadbald, que era mais inteligente do que Erman, falou:

– Dá 4 para cada.

– Quer dizer que vocês estão me pedindo para roubar 12 *pence* e abrir mão de 8?

– Estamos todos juntos nessa – retrucou Erman.

– E se Dreng perceber que errou?

– Nós juramos que só tinha 12 *pence* na bolsa.

– Erman tem razão – falou Eadbald. – É uma oportunidade.

Edgar balançou a cabeça com firmeza.

– Eu vou devolver o extra.

Erman adotou um tom de zombaria:

– Dreng não vai lhe agradecer.

– Ele nunca me agradece por nada.

– Se tivesse a oportunidade, ele roubaria de você – observou Eadbald.

– Roubaria mesmo, mas eu não sou como ele. Graças a Deus.

Os irmãos desistiram.

Edgar não era ladrão, mas Gab, sim. Embora Edgar tivesse comprado dez pedras, seu graveto tinha apenas cinco marcações. Se Gab registrava apenas metade das suas vendas, só pagaria a Ragna metade do que devia. Mas para isso precisava da cooperação do chefe do vilarejo, que era o responsável por garantir que os moradores de Outhenham pagassem as taxas adequadamente. O correto era que Dudda denunciasse a fraude de Gab – a menos que recebesse para ficar calado. E, naquele exato instante, bem diante dos olhos de Edgar, Gab e Dudda bebiam juntos entretidos numa conversa séria, como se estivessem debatendo algum interesse comum importante.

Edgar decidiu abordar o assunto com Seric, que também estava na taberna conversando com um homem de cabeça raspada e vestes negras que devia ser o padre do vilarejo. Edgar o esperou ir embora, então foi atrás dele dizendo aos irmãos:

– Nos vemos quando o dia raiar.

Acompanhou Seric até uma casa anexa ao pomar. Chegando à porta, o homem se virou e disse:

– Para onde você está indo?

– Vou passar a noite na margem do rio. Quero vigiar minhas pedras.

Seric deu de ombros.

– Isso provavelmente não é necessário, mas não vou dissuadi-lo. E a noite está amena.

– Posso lhe fazer uma pergunta confidencial?

– Entre.

Uma mulher grisalha sentada junto ao fogo dava de comer com uma colher a uma criança pequena. Edgar arqueou as sobrancelhas: Seric e sua esposa pareciam velhos demais para serem os pais.

– Minha esposa, Eadgyth, e nosso neto Ealdwine – apresentou Seric. – Nossa filha morreu no parto e o marido dela foi para Shiring virar soldado do senhor Wilwulf.

Isso explicava a composição familiar.

– Eu queria lhe perguntar...

Edgar olhou de relance para Eadgyth.

– Pode falar à vontade – disse Seric.

– Gab é honesto?

A pergunta não surpreendeu Seric.

– Não sei dizer. Ele tentou enganar você?

– A mim, não. Mas eu comprei dez pedras e reparei num graveto novo com apenas cinco marcações.

– Digamos assim – falou Seric. – Se me pedissem para jurar que Gab é honesto, eu não o faria.

Edgar assentiu. Isso bastava. Seric não podia provar nada, mas tinha suas dúvidas.

– Obrigado – falou, em seguida pediu licença e se retirou.

A jangada estava encalhada na praia. Os irmãos não haviam colocado as pedras lá dentro porque isso facilitaria demais o roubo da carga. Edgar se deitou a bordo e se cobriu com a capa. Talvez não dormisse, mas isso não seria de todo mau, já que estava vigiando algo valioso.

Malhada ganiu e Edgar puxou a cadela para baixo da capa. A cachorra o manteria aquecido e o avisaria caso alguém se aproximasse.

Agora Edgar tinha que avisar Ragna que ela estava sendo enganada por Gab e Dudda. Poderia ir a Shiring no dia seguinte, conjecturou. Erman e Eadbald conseguiriam dar conta da jangada na viagem correnteza abaixo e ele poderia voltar a pé passando pela cidade. Precisava de cal para a argamassa e poderia comprá-la em Shiring e carregá-la até em casa.

Edgar teve um sono inquieto e acordou com a primeira luz do dia. Pouco depois, Erman e Eadbald apareceram, trazendo a jarra de Leaf cheia de cerveja de Outhenham e um pão grande de centeio para comer no caminho. Edgar avisou que ia a Shiring comprar cal.

– Então vamos ter que levar a jangada de volta sozinhos, sem a sua ajuda! – exclamou Erman, indignado.

– Não vai exigir muito esforço – retrucou Edgar, paciente. – O trajeto é rio abaixo. Tudo que vocês precisam fazer é manter a jangada afastada das margens.

Os três empurraram a embarcação ainda amarrada para a água e então acomodaram as pedras lá dentro. Edgar insistiu para formarem pilhas alternadas de modo que a carga não se deslocasse em trânsito, mas o rio era tão calmo que não havia real necessidade disso.

– É melhor vocês descarregarem antes de arrastarem a jangada pela parte rasa do rio – recomendou ele. – Senão pode ser que ela encalhe.

– E depois vamos ter que recarregar. Vai ser muito trabalho – resmungou Erman.

– E vamos precisar descarregar de novo do outro lado! – completou Eadbald.

– É melhor mesmo. Estão recebendo para isso.

– Está bem, está bem.

Edgar desamarrou a jangada e os três embarcaram.

– Atravessem com as varas e me deixem na outra margem – falou Edgar.

Eles atravessaram o rio. Edgar saltou na parte rasa. Seus irmãos viraram a jangada para o meio do curso e aos poucos a correnteza a pegou e levou embora.

Edgar ficou olhando até a embarcação sumir de vista e então partiu pela estrada rumo a Shiring.

A cidade estava agitada. Os ferreiros ferravam cavalos, os seleiros estavam com suas mercadorias esgotadas, dois homens com pedras de amolar giratórias afiavam todas as lâminas e os flecheiros vendiam flechas tão depressa quanto as fabricavam. Edgar logo descobriu o motivo: o senhor Wilwulf estava prestes a enfrentar os galeses.

Esses selvagens do oeste tinham feito incursões no território de Wilf em outubro, só que, ocupado com o casamento, ele não havia retaliado. Mas tampouco havia esquecido, e agora estava reunindo um pequeno exército para puni-los.

Um ataque inglês seria devastador para os galeses, pois atrapalharia o calendário agrícola. Como homens e mulheres morreriam, haveria menos gente para arar e semear. Meninos e meninas adolescentes seriam capturados e vendidos como escravos, rendendo dinheiro para o senhor de Shiring e seus soldados e deixando uma quantidade menor de casais férteis. Isso, a longo prazo, teoricamente resultaria em menos invasores galeses.

Oficialmente o objetivo dos ataques era desencorajar as invasões, mas, como os galeses em geral só atacavam quando estavam passando fome, Edgar achou que a punição pouco adiantaria. Segundo ele, o verdadeiro motivo era vingança.

Foi até a abadia, onde planejava passar a noite. A construção era um monumento à paz feito de pedra clara no meio de uma cidade que se preparava para a guerra. Aldred pareceu contente em ver Edgar. Os monges estavam prestes a sair em procissão rumo à igreja para a missa da nona, celebrada no meio da tarde, mas Aldred recebeu permissão para não comparecer.

Edgar tinha percorrido um longo caminho a pé no frio de fevereiro e Aldred disse:

– Você precisa se aquecer. Tem um fogo aceso no quarto de Osmund. Vamos nos sentar lá.

Edgar aceitou, agradecido.

Todos os outros monges tinham saído e o silêncio reinava no mosteiro. Edgar sentiu um desconforto momentâneo: o afeto de Aldred por ele era um pouco intenso demais. Torceu para aquele cômodo não ser o cenário de alguma interação constrangedora. Não queria ofender o frei, mas tampouco queria ser abraçado por ele.

Não precisava ter ficado apreensivo. Aldred tinha outras preocupações.

– Ragna afinal não sabia sobre Inge, a primeira esposa de Wilf – disse ele.

Edgar recordou uma conversa com a costureira Agnès.

– Eles achavam que ela tivesse morrido – lembrou.

– Até depois de eles se casarem e a maioria dos criados de Ragna voltar para Cherbourg. Wilf então fez Inge se mudar de volta para o complexo junto com Garulf, o filho do casal.

A indignação se assentou como um peso no fundo do estômago de Edgar.

– Como ela está?

– Abalada.

Ele lamentou profundamente por ela, uma estrangeira longe de casa e da família, cruelmente ludibriada pelos ingleses.

– Pobre menina – falou, mas a frase pareceu inadequada.

– Mas não é por isso que estou querendo tanto falar com você – disse Aldred. – É sobre a Travessia de Dreng.

Edgar se obrigou a afastar Ragna da cabeça.

Aldred prosseguiu:

– Depois de ver a situação da colegiada, eu propus que ela fosse assumida por monges e o arcebispo concordou. Mas Wynstan criou um caso enorme e o abade Osmund recuou.

Edgar franziu a testa.

– Por que Wynstan se importa tanto com aquilo lá?

– É essa a questão. A igreja de lá não é rica e Degbert não passa de um parente distante do bispo.

– Por que Wynstan discutiria com seu arcebispo por causa de algo tão insignificante?

– Era o que eu ia lhe perguntar. Você mora na taberna, opera a travessia, vê todo mundo que passa. Deve saber de quase tudo que acontece por lá.

Embora quisesse ajudar Aldred, Edgar não tinha resposta para as indagações dele. Balançou a cabeça.

– Não consigo imaginar o que passa pela cabeça de Wynstan. – Então algo lhe ocorreu: – Mas ele visita o povoado.

– É mesmo? – disse Aldred, intrigado. – Com que frequência?

– Duas vezes desde que cheguei lá. A primeira foi uma semana depois do dia de São Miguel, a segunda, quase seis semanas atrás.

– Você é bom de datas. Então as duas visitas dele foram logo após o final de cada trimestre. Com que objetivo?

– Nenhum que eu tenha percebido.

– Bem, e o que ele faz lá?

– No Natal, deu um leitão para cada casa.

– Que estranho... Ele em geral não é generoso. Muito pelo contrário.

– E depois ele e Degbert foram a Combe. Ambas as vezes.

Aldred coçou a cabeça raspada.

– Tem alguma coisa acontecendo, e eu não consigo captar o que é.

Edgar tinha um palpite, mas estava receoso de dizer.

– Wynstan e Degbert poderiam estar... quero dizer, eles poderiam estar tendo algum tipo de...

– De caso de amor? Talvez, mas acho que não. Sei um pouco sobre esse tipo de coisa e nenhum dos dois me parece fazer esse tipo.

Edgar teve que concordar.

– Eles podem estar promovendo orgias com escravas na colegiada. Isso seria mais crível – sugeriu Aldred.

Foi a vez de Edgar adotar uma expressão de dúvida.

– Não vejo como conseguiriam guardar segredo em relação a algo assim. Onde esconderiam as escravas?

– Tem razão. Mas eles poderiam estar promovendo rituais pagãos. Para isso não precisariam necessariamente de escravas.

– Rituais pagãos? O que Wynstan ganharia com isso?

– O que qualquer um ganha com isso? Mas mesmo assim ainda existem pagãos.

Edgar não estava convencido.

– Na Inglaterra?

– Talvez não.

Edgar se lembrou de uma coisa.

– Eu recordo vagamente as visitas de Wynstan a Combe quando morávamos lá. Rapazes não se interessam muito pelo clero e eu nunca prestei muita atenção nisso, mas ele costumava se hospedar na casa do irmão Wigelm. Eu me lembro de a minha mãe comentar que o normal seria um bispo se hospedar no mosteiro.

– E por que ele iria a Combe?

– É um bom lugar para se entregar à luxúria. Pelo menos era, antes de os vikings arrasarem a cidade, e provavelmente se recuperou depressa. Tem uma mulher chamada Mags que administra uma casa de tolerância. Há várias casas onde os homens apostam quantias altas, e mais tabernas do que igrejas.

– As tentações da Babilônia.

Edgar sorriu.

– Lá também tem várias pessoas iguais a mim, que só fazem exercer um ofício. Mas, sim, a cidade recebe muitos visitantes, a maioria marinheiros, o que lhe confere uma certa singularidade.

Houve um momento de silêncio e ambos escutaram um leve ruído do lado de fora do recinto. Aldred se levantou de um salto e escancarou a porta.

Edgar viu a silhueta de um monge se afastando.

– Hildred! – exclamou Aldred. – Pensei que você estivesse na nona. Estava bisbilhotando?

– Tive que voltar para buscar uma coisa.

– Que coisa?

Hildred hesitou.

– Deixe estar – falou Aldred, e bateu a porta.

O complexo do senhor de Shiring estava ainda mais movimentado do que a cidade. O exército partiria assim que o dia raiasse e todos os homens estavam se preparando, afiando flechas, polindo capacetes e carregando alforjes com peixe defumado e queijos duros.

Edgar reparou que algumas das mulheres estavam arrumadas e se perguntou por quê. Então lhe ocorreu que havia nelas o temor de que aquela fosse sua última noite com os maridos e elas queriam que fosse inesquecível.

Ragna estava diferente. A última vez que Edgar a tinha visto fora no dia do seu casamento, quando ela irradiava felicidade e esperança. A jovem continuava linda, mas de um modo diferente. Agora a luz que irradiava parecia mais a de uma lua cheia: intensa, porém fria. Ela estava altiva e calma como sempre, lindamente vestida no tom marrom quente que lhe caía tão bem. No entanto, um certo entusiasmo juvenil tinha desaparecido e sido substituído por uma expressão de determinação feroz.

Edgar observou com cuidado o corpo dela – nunca uma tarefa difícil – e concluiu que Ragna ainda não estava grávida. Estava casada havia pouco mais de três meses, de modo que ainda era cedo.

Ela o acolheu em sua casa e lhe serviu pão com queijo macio e uma caneca de cerveja. Ele queria saber sobre Wilf e Inge, mas não se atreveria a lhe fazer perguntas tão pessoais. Em vez disso, falou:

– Acabo de vir de Outhenham.

– O que foi fazer lá?

– Comprar pedra para a cervejaria que estou construindo na Travessia de Dreng.

– Eu sou a nova dona do vale de Outhen.

– Eu sei. Por isso quis vê-la. Acho que a senhora está sendo enganada.

– Continue, por favor.

Ele lhe contou a história de Gab e seus gravetos.

– Não posso provar que a senhora está sendo roubada, mas tenho certeza – falou. – Talvez queira verificar.

– Com certeza quero. Se Dudda está me roubando dessa forma, deve estar fazendo isso de várias outras maneiras também.

Nisso Edgar não tinha pensado. Ragna tinha tino para governar, percebeu, assim como ele tinha tino para construir formas em madeira e pedra. Seu respeito por ela aumentou mais ainda.

– Como são os outros aldeões? – perguntou ela, pensativa. – Nunca estive lá.

– Tem um homem chamado Seric que parece mais sensato do que a maioria.

– Uma informação útil. Obrigada. E você, como vai? – Seu tom pareceu mais animado e um pouco exagerado. – Já está com idade para se casar. Alguma moça na sua vida?

Edgar ficou perplexo. Depois da conversa que os dois tinham tido no casamento dela, quando lhe contara sobre Sungifu, como ela podia lhe fazer uma pergunta de forma assim tão leviana sobre casamento?

– Não tenho planos de me casar – respondeu, sucinto.

Ela percebeu sua reação e disse:

– Me desculpe. Esqueci por um instante como você é sério para alguém da sua idade.

– Acho que nós temos isso em comum.

Ela refletiu a respeito. Edgar temeu ter sido insolente, mas tudo que ela disse foi:

– Sim.

Foi um momento de intimidade e ele se sentiu encorajado o bastante para dizer:

– Aldred me contou sobre Inge.

A mágoa tomou conta do belo rosto de Ragna.

– Foi um choque para mim – confessou ela.

Edgar supôs que ela não fosse franca com todo mundo e sentiu-se privilegiado.

– Lamento muito – falou. – Fico desolado pelo fato de a senhora ter sido tão iludida pelos ingleses. – No fundo de sua mente, ele pensava que não estava tão triste quanto poderia ter ficado. Por algum motivo, pensar que Wilf havia se revelado um marido insatisfatório não lhe desagradava tanto quanto deveria. Afastou esse pensamento nada generoso e prosseguiu: – Por isso estou tão bravo com Gab, o responsável pela pedreira. Mas a senhora sabe que nós, ingleses, não somos todos iguais, não sabe?

– É claro. Mas eu só me casei com um.

Edgar arriscou uma pergunta ousada:

– A senhora ainda o ama?

Ela respondeu sem hesitar:

– Amo.

Ele ficou surpreso.

Deve ter deixado isso transparecer, pois Ragna disse:

– Eu sei. Ele me enganou e é infiel, mas eu o amo.

– Eu entendo – falou Edgar, embora não entendesse.

– Você não deveria ficar chocado. Afinal, ama uma mulher morta.

Foi um comentário duro, mas eles estavam tendo uma conversa franca.

– Acho que a senhora tem razão – concluiu ele.

De repente, Ragna pareceu sentir que eles tinham ido longe o suficiente. Levantou-se e falou:

– Tenho muito a fazer.

– Estou feliz por ter encontrado a senhora. Obrigado pelo queijo.

Edgar se virou para ir embora. Ela o deteve pousando a mão no seu braço.

– Obrigada por me contar sobre o responsável pela pedreira de Outhenham. Fico-lhe grata.

Ele sentiu uma onda de satisfação.

Para sua surpresa, ela o beijou na face.

– Até logo – disse Ragna. – Espero revê-lo em breve.

Pela manhã, Aldred e Edgar saíram para ver o exército partir.

Aldred continuava matutando sobre o mistério da Travessia de Dreng. Havia algo oculto a respeito daquele lugar. Achara estranho o fato de aldeões comuns serem hostis com forasteiros. Era porque estavam escondendo alguma coisa – todos exceto Edgar e sua família, que não estavam a par do segredo.

O frei estava decidido a desvendar aquele mistério.

Edgar levava consigo o saco de cal que carregaria ao longo dos dois dias seguintes.

– Que bom que você é forte – comentou Aldred. – Não tenho certeza se conseguiria passar duas horas carregando isso.

– Eu vou dar conta – falou Edgar. – Valeu a pena pela oportunidade de conversar com Ragna.

– Você gosta dela.

Os olhos cor de avelã de Edgar brilharam de um jeito que fez o coração de Aldred bater mais depressa.

– Não do modo como o senhor parece estar sugerindo – retrucou Edgar. – Ainda bem, porque filhas de conde nunca se casam com filhos de construtores de barco.

Aldred conhecia bem o amor impossível. Quase falou isso, mas mordeu a língua. Não queria que o carinho que sentia por Edgar se tornasse constrangedor para ambos. Aquilo poderia pôr fim à sua amizade, e a amizade era tudo que ele tinha.

Olhou para Edgar e viu, com alívio, que a expressão do rapaz estava inalterada.

Um barulho se fez ouvir no alto do morro: cascos batendo no chão e vivas. O som foi ficando mais alto e então o exército surgiu. À frente vinha um grande garanhão cinza-escuro com um olhar ensandecido. O cavaleiro de capa vermelha montado nele certamente era Wilf, mas sua identidade estava oculta por um capacete reluzente que lhe cobria toda a cabeça, encimado por uma pluma. Aldred olhou com atenção e viu que o capacete era feito de mais de um metal e gravado com desenhos intricados que ele não conseguiu distinguir à distância. Era um capacete decorativo, imaginou, feito para impressionar. Wilf provavelmente usaria outro menos valioso quando estivesse em combate.

Wigelm e Garulf, respectivamente irmão e filho de Wilf, vinham logo em seguida, montados lado a lado. E depois deles os soldados, usando roupas menos refinadas, mas mesmo assim exibindo algumas cores vibrantes. Atrás deles vinha uma multidão de homens jovens a pé, meninos camponeses e rapazes pobres da cidade, todos trajando as túnicas marrons surradas de sempre, a maioria armada com lanças de madeira de fabricação caseira, alguns empunhando apenas uma faca de cozinha ou um machado, todos na esperança de mudar seu destino na batalha e voltar para casa com um saco de joias saqueadas ou com uma valiosa dupla de adolescentes capturados para serem vendidos como escravos.

Todos atravessaram a praça acenando para os moradores, que aplaudiram e deram vivas quando eles passaram. Então desapareceram ao norte.

Edgar estava indo para o leste. Pôs seu saco no ombro e se despediu.

Aldred voltou para a abadia. Estava quase na hora da missa da terça, mas ele foi convocado pelo abade Osmund.

Como sempre, Hildred estava com o abade.

O que será desta vez?, pensou Aldred.

– Vou direto ao ponto, frei Aldred – disse Osmund. – Não quero que você transforme o bispo Wynstan num inimigo.

Aldred entendeu na mesma hora, mas fingiu que não.

– Claro, o bispo é nosso irmão em Cristo.

Osmund era inteligente demais para ser distraído por aquele tipo de clichê.

– Entreouviram você conversando com aquele rapaz da Travessia de Dreng.

– Sim. Flagrei o frei Hildred bisbilhotando.

– E ainda bem que eu o fiz! – exclamou Hildred. – Você estava tramando contra o seu abade!

– Eu estava fazendo perguntas.

– Escute aqui – disse Osmund. – Nós tivemos uma divergência de opinião com Wynstan em relação à Travessia de Dreng, mas a questão foi resolvida e agora está encerrada.

– Na verdade não está, não. A colegiada continua sendo uma aberração aos olhos do Senhor.

– Pode até ser, mas eu decidi não brigar com o bispo. Não acuso você de tramar contra mim, apesar das palavras acaloradas de Hildred, mas francamente, Aldred, não subestime minha autoridade.

Aldred sentiu um misto de vergonha e indignação. Não tinha intenção alguma de ofender seu bondoso, porém preguiçoso, superior. Por outro lado, era errado um homem de Deus fingir não estar vendo a maldade. Osmund faria qualquer coisa em troca de uma vida tranquila, mas um monge tinha a obrigação de fazer mais do que alcançar esse objetivo.

Só que aquele não era o momento de se posicionar.

– Eu sinto muito, senhor abade – falou. – Tentarei recordar meu voto de obediência com mais afinco.

– Eu sabia que você seria sensato – disse Osmund.

Hildred exibia uma expressão cética. Ele não acreditava que Aldred estivesse sendo sincero.

E tinha razão.

— † —

Edgar chegou de volta à Travessia de Dreng na tarde do dia seguinte. Estava morto de cansaço. Fora um erro percorrer aquela distância toda carregando um saco de cal. Ele era forte, mas não era sobre-humano. Estava com uma dor insuportável nas costas.

A primeira coisa que viu foi uma pilha de pedras na margem do rio. Seus irmãos haviam descarregado a jangada, mas não tinham levado o material até o local da cervejaria. Nesse momento ele sentiu que seria capaz de assassinar os dois.

Estava cansado demais até para entrar na taberna. Largou o saco de cal junto às pedras e se deitou no chão ali mesmo.

Dreng saiu de casa e o viu.

— Então você voltou — disse ele, sem necessidade.

— Estou aqui.

— As pedras chegaram.

— Estou vendo.

— O que você trouxe?

— Um saco de cal. Poupei-lhe o custo do transporte a cavalo, mas nunca mais farei isso.

— Mais alguma coisa?

— Não.

Dreng sorriu com um estranho ar de satisfação maldosa.

— Exceto uma — disse Edgar. Pegou a bolsinha de couro. — Você me deu dinheiro a mais.

Dreng pareceu surpreso.

— As pedras custaram um *penny* cada — continuou Edgar. — Pagamos um *penny* por um jantar e camas na taberna de Outhenham. A cal custou quatro *pence*. Sobraram nove *pence*.

Dreng pegou a bolsinha e contou as moedas.

— De fato — falou. — Ora, vejam só.

Edgar não entendeu. Um homem sovina como Dreng teria ficado horrorizado ao saber que entregara mais dinheiro do que o necessário. Mas ele estava apenas levemente surpreso.

— Ora, vejam só — repetiu, e voltou para dentro da taberna.

Deitado de barriga para cima esperando as costas pararem de doer, Edgar ficou matutando. Era quase como se Dreng soubesse que tinha lhe dado dinheiro a mais e estivesse admirado ao receber algum de volta.

Mas claro, pensou. Era isso.

Aquilo tinha sido um teste para ele. Dreng tinha posto intencionalmente uma tentação no seu caminho, para ver o que ele faria.

Seus irmãos teriam mordido a isca. Teriam roubado o dinheiro e sido pegos. Mas Edgar simplesmente o devolvera.

Ainda assim, Erman e Eadbald estavam certos em relação a uma coisa. Tinham dito que Edgar não receberia nenhum agradecimento de Dreng. E nenhum agradecimento fora exatamente o que ele havia recebido.

CAPÍTULO 18

Março de 998

ida de Ragna ao vale de Outhen deveria ter sido uma coisa simples.

Ela comentara com Wilf sobre sua empreitada na véspera da partida dele para o País de Gales e ele concordara sem hesitação. Depois que o exército partiu, porém, Wynstan foi à sua casa.

– Agora não é um bom momento para a senhora visitar Outhen – disse ele, usando a voz suave e o sorriso forçado que exibia quando fingia ser sensato. – É a época da aragem de primavera. Não queremos distrair os camponeses.

Ragna ficou desconfiada. Wynstan nunca demonstrara interesse algum por questões agrícolas.

– Eu naturalmente não quero fazer nada que possa interferir no trabalho deles – falou, buscando soar compreensiva.

– Ótimo. Adie sua visita. Enquanto isso, eu recolherei seus aluguéis e lhe entregarei os proventos, como fiz no Natal.

Era bem verdade que Wynstan tinha lhe dado uma grande soma em dinheiro alguns dias depois do Natal, mas, como ele não havia apresentado nenhuma prestação de contas, ela não tinha como saber se recebera o que de fato lhe era devido. Na época, estava abalada demais por causa de Inge para se importar, mas não pretendia deixar aquele desleixo se prolongar. Quando ele se virou para ir embora, Ragna pôs a mão no braço dele.

– Quando o senhor sugeriria?

– Deixe-me pensar um pouco.

Ragna suspeitava conhecer o calendário agrícola melhor do que ele.

– Há sempre algo urgente para se fazer no campo.

– Sim, mas...

– Depois da aragem vem a semeadura.

– Sim...

– E depois a roçagem, depois a colheita, depois a debulha, depois a moagem.

– Eu sei.

– E então já chegou a hora da aragem de inverno.

Ele pareceu irritado.

– Eu a aviso quando for um bom momento.

Ragna balançou a cabeça com firmeza.

– Tenho uma ideia melhor. Visitarei Outhen no dia da Anunciação de Nossa Senhora. Como é feriado, eles nem estarão trabalhando.

Wynstan hesitou, mas pelo visto não conseguiu pensar em nenhuma objeção.

– Muito bem – falou, conciso, e ao vê-lo se afastar Ragna soube que ainda ouviria falar naquele assunto.

Mas não estava se sentindo intimidada. No dia da Anunciação iria a Outhenham receber seus aluguéis. E lá armaria uma emboscada para Gab, o responsável pela pedreira.

Queria levar Edgar consigo para o confronto. Mandou um mensageiro ir chamá-lo na Travessia de Dreng, sob o pretexto de precisar dele para novos serviços de carpintaria.

Um outro motivo para Ragna querer sair do complexo era que lá vinha reinando um clima ultrajante sem os maridos presentes. Os únicos homens que tinham ficado eram jovens demais para lutar ou então muito velhos. Ragna constatou que as mulheres se comportavam mal quando seus homens não estavam por perto. Brigavam por coisas sem importância, gritavam e se menosprezavam de maneiras que os seus maridos teriam ridicularizado. Sem dúvida os homens também se comportavam mal quando o sexo oposto não estava presente para desdenhá-los. Teria que perguntar a Wilf sobre isso.

Decidiu passar cerca de uma semana no vale de Outhen depois da Anunciação. Estava decidida a realizar uma turnê pessoal pelo seu território e descobrir em detalhes quais eram os seus bens. Iria se apresentar para os seus arrendatários e súditos e passaria a conhecê-los. Daria audiências em cada povoado e começaria a firmar sua reputação de juíza justa.

Quando foi falar com o chefe dos cavalariços, Wignoth, ele balançou a cabeça e sugou o ar por entre os dentes marrons.

– Não temos cavalos suficientes – afirmou. – Todos os animais extras foram mobilizados para o ataque aos galeses.

Ragna não podia chegar lá a pé. As pessoas julgavam pelas aparências, e uma nobre que não tivesse um cavalo seria considerada sem autoridade.

– Mas Astrid ainda está aqui – falou.

– A senhora naturalmente vai levar várias pessoas consigo na visita – disse Wignoth.

– Sim.

– Tirando Astrid, tudo que temos é uma égua de idade avançada, um cavalo caolho e um de carga que ninguém nunca montou.

Havia outras montarias na cidade: tanto o bispo quanto o abade possuíam vários animais, e o xerife tinha um estábulo grande. Mas eles precisavam dos cavalos para as próprias necessidades.

– O que temos aqui deve bastar – afirmou Ragna com firmeza. – Não é o ideal, mas vai servir.

Ao se afastar do estábulo, viu dois jovens moradores da cidade perto da cozinha, conversando com Gilda e as outras ajudantes de cozinha. Parou e franziu a testa. Não tinha nenhuma objeção moral ao flerte. Na realidade, ela própria era boa nisso quando servia a seus objetivos. No entanto, com os maridos ausentes, essas interações podiam ser perigosas. Casos ilícitos em geral não permaneciam em segredo por muito tempo, e soldados recém-chegados de batalhas podiam recorrer rapidamente à violência.

Ragna mudou de direção e se aproximou dos dois homens.

Uma cozinheira chamada Eadhild limpava peixe com uma faca afiada e as mãos sujas de sangue. Nenhuma das ajudantes notou quando Ragna se aproximou. Eadhild estava dizendo aos homens para irem embora, mas seu tom brincalhão claramente dava a entender que não falava sério.

– Não queremos homens da sua laia aqui – disparou ela, mas logo depois deu uma risadinha.

Ragna reparou que Gilda ostentava uma expressão reprovadora.

– As mulheres nunca querem os homens da nossa laia... até o dia em que passam a querer! – retrucou um dos homens.

– Ah, vão embora daqui – falou Eadhild.

– Quem são esses dois homens? – indagou Ragna abruptamente.

Os rapazes levaram um susto e passaram algum tempo sem dizer nada.

– Me digam seus nomes ou eu mando baterem nos dois – exigiu ela.

Gilda apontou com um espeto.

– Ele é Wiga e o outro se chama Tata. Os dois trabalham na Taberna da Abadia.

– E o que vocês acham que vai acontecer, Wiga e Tata, quando os maridos dessas mulheres voltarem para casa com as espadas tão sujas de sangue quanto essa peixeira na mão de Eadhild e descobrirem o que vocês andaram dizendo para suas esposas? – perguntou Ragna.

Ambos se mostraram envergonhados e não responderam.

– Assassinato – disse Ragna. – É isso que vai acontecer. Agora voltem para a sua taberna, e que eu não os veja dentro do complexo antes do retorno do senhor Wilwulf.

Eles saíram apressados.

– Obrigada, milady – falou Gilda. – Fico feliz em ver esses dois pelas costas.

Ragna foi para casa e voltou a pensar no vale de Outhen. Decidiu partir para lá na véspera da Anunciação. A viagem levava uma manhã. Ela passaria a tarde conversando com os aldeões e na manhã seguinte daria sua audiência.

Um dia antes da data marcada para sua partida, Wignoth foi procurá-la, entrando na casa dela com o cheiro dos estábulos. Com um ar fingido de pesar, ele disse:

– Houve uma enchente na estrada de Outhenham.

Ela o encarou com intensidade. Ele era um homem grande, desajeitado.

– Está totalmente intransitável? – perguntou.

– Sim, totalmente – respondeu ele.

Não sabia mentir muito bem e parecia não querer encará-la.

– Quem lhe disse isso?

– Hã, lady Gytha.

Ragna não se surpreendeu.

– Eu irei a Outhenham – falou. – Se houver algum alagamento, darei um jeito de contorná-lo.

Wynstan parece decidido a impedir minha visita, pensou. Recrutara tanto Gytha quanto Wignoth para dissuadi-la. Isso a deixou ainda mais determinada a ir.

Estava aguardando para esse dia a chegada de Edgar da Travessia de Dreng, mas ele não apareceu. Ficou decepcionada: sentia que precisava dele para dar credibilidade à sua acusação. Será que conseguiria acusar Gab sem o seu testemunho? Não tinha certeza.

No dia seguinte, acordou cedo.

Vestiu roupas de tecidos luxuosos em cores sóbrias, marrom-escuro e negro retinto, de modo a enfatizar sua seriedade. Estava tensa. Disse a si mesma que estava apenas indo encontrar seu povo, algo que já fizera dezenas de vezes. Mas nunca na Inglaterra. Nada seria exatamente como ela imaginava. Sabia por experiência que isso nunca acontecia, e era muito importante passar uma boa primeira impressão. Os camponeses tinham uma memória tão boa que chegava a dar raiva. Um começo ruim poderia levar anos para ser superado.

Ficou contente quando Edgar apareceu. Ele se desculpou por não ter ido no dia anterior, explicando que tinha chegado tarde e ido direto pernoitar na abadia. Ragna ficou aliviada por não precisar enfrentar Gab sozinha.

Eles foram até o estábulo. Bern e Cat estavam carregando o cavalo de carga e selando a égua velha e o cavalo caolho. Ragna foi pegar Astrid em sua baia e imediatamente viu que algo estava errado.

296

Ao caminhar, a égua balançava a cabeça de um jeito estranho. Alguns instantes de observação revelaram que ela levantava a cabeça e o pescoço quando sua pata dianteira esquerda tocava o chão. Ragna sabia que cavalos fazem isso quando querem reduzir o peso apoiado sobre uma lesão.

Ajoelhou-se ao lado de Astrid e tocou a parte inferior de sua pata com as duas mãos. Apalpou com delicadeza no início, depois com pressão cada vez maior. Quando apertou com força, a égua se remexeu e tentou soltar a pata das suas mãos.

Naquele estado, o animal não poderia carregá-la.

Ragna ficou furiosa. Levantou-se e fulminou Wignoth com o olhar. Esforçando-se para controlar a raiva, falou:

– Minha égua foi machucada.

Wignoth exibiu um ar assustado.

– Um dos outros animais deve ter lhe dado um coice.

Ragna olhou para os outros cavalos. Eles formavam um grupo deprimente.

– E de qual dessas enérgicas criaturas você desconfia? – perguntou, com sarcasmo.

Ele passou a adotar um tom de súplica:

– Todos os cavalos dão coices às vezes.

Ragna olhou em volta. Seu olhar recaiu numa caixa de ferramentas. Os cascos dos cavalos eram protegidos por ferraduras de ferro pregadas nas patas. Uma das ferramentas usadas para pregá-las era um martelo de madeira curto e pesado. Seu instinto lhe dizia que Wignoth havia acertado a pata dianteira de Astrid com o martelo. Mas ela não tinha como provar.

– Coitadinha – falou em voz baixa para a égua. Então se virou para Wignoth. – Se não consegue garantir a segurança dos cavalos, não deveria ser o chefe dos cavalariços – disse, fria.

Ele exibiu a expressão de uma mula obstinada, como se pensasse estar sendo tratado com injustiça.

Ragna precisava de tempo para pensar. Disse a Bern e Cat:

– Fiquem aqui. Não descarreguem os cavalos.

Saiu do estábulo e tomou a direção da própria casa.

Edgar a seguiu.

Quando eles estavam passando pelo lago, ela lhe disse:

– Wignoth, aquele porco, machucou minha égua de propósito. Deve ter batido nela com o martelo de ferrar. O osso não está quebrado, mas ela está muito machucada.

– Por que Wignoth faria isso?

– Ele é um covarde. Alguém o mandou fazer e ele não teve coragem para dizer não.

– Quem lhe daria uma ordem dessas?

– Wynstan não quer que eu vá a Outhen. Está colocando obstáculos no meu caminho. Sempre foi ele quem coletou os aluguéis para Wilf, e quer continuar fazendo o mesmo para mim.

– E abater a parte dele, suponho.

– Sim. Desconfio que ele já esteja a caminho de lá.

Eles entraram na casa, mas Ragna não se sentou.

– Não sei o que fazer – falou. – Detesto desistir.

– Quem poderia ajudá-la?

Ela se lembrou da sua conversa com Aldred sobre aliados. Possuía alguns.

– Aldred me ajudaria se pudesse – falou. – O xerife Den também.

– A abadia tem cavalos, e Den também.

Ragna pensou um pouco.

– Se eu for a Outhen agora, vai haver um confronto. Wynstan está muito decidido. Temo que ele não me deixe receber meus aluguéis, e eu terei que dar um jeito de fazer a lei ser cumprida.

– Nesse caso a senhora teria que recorrer ao tribunal do condado.

Ela balançou a cabeça. Na Normandia, os vínculos de sangue podiam se sobrepor ao que dizia a lei, e ela não tinha visto nenhum sinal de que o sistema de justiça inglês fosse melhor.

– Quem preside o tribunal do condado é Wilf.

– Seu marido.

Ragna pensou em Inge e deu de ombros. Será que Wilf ficaria do lado da esposa ou do irmão? Não tinha certeza. Pensar nisso a deixou triste por um instante, mas ela espantou o sentimento e continuou:

– Detesto desempenhar o papel de reclamante.

– Nesse caso, precisa garantir que a senhora receba os aluguéis, não Wynstan, e deixar que ele seja o reclamante – falou Edgar, com lógica.

Foi um conselho perfeito.

– Eu precisaria de algum apoio para me respaldar.

– Talvez Aldred aceite ir conosco. Um monge tem autoridade moral.

– Não sei se o abade deixaria. Osmund é fraco. Ele não quer nenhum confronto.

– Deixe-me conversar com Aldred. Ele gosta de mim.

– Vale a tentativa. Mas talvez uma autoridade moral não baste. Eu preciso de homens armados, e tudo que tenho é Bern.

– E o xerife Den? Ele tem homens. Se a apoiar, não estará fazendo nada além de garantir que as leis do rei sejam aplicadas... o que é a obrigação dele.

Era uma possibilidade, pensou Ragna. Como ela havia descoberto tardiamente, Wilf e Wynstan tinham desafiado o rei em relação ao tratado de Cherbourg e ao seu casamento. O xerife podia muito bem estar mordido com isso.

– Den provavelmente adoraria ter uma chance de segurar as rédeas do bispo Wynstan.

– Tenho certeza que sim.

Ragna sentiu que estava começando a ver um caminho.

– Vá falar com Aldred. Eu vou procurar Den.

– É melhor sairmos separadamente, para não parecer uma conspiração.

– Bem pensado. Eu vou na frente.

Ragna saiu da casa com passos decididos e atravessou o complexo. Não falou com ninguém. Eles que ficassem tentando adivinhar, apavorados, em que sua raiva poderia resultar.

Desceu o morro e tomou a direção do final da cidade, onde morava Den.

Estava profundamente desapontada por Wynstan ter conseguido colocar Wignoth contra ela. Tinha se esforçado muito para ganhar a lealdade dos empregados do complexo e pensava ter conseguido. Gilda fora sua primeira conquista e as ajudantes de cozinha tinham seguido seu exemplo. Os soldados, porém, gostavam de Garulf – sorriam e diziam que ele era um garoto e tanto –, e quanto a isso não havia nada que ela pudesse fazer. Mas tinha se esforçado para travar amizade com os cavalariços, e agora parecia ter fracassado. Refletiu que as pessoas gostavam mais dela do que de Wynstan, mas tinham mais medo dele.

Agora Ragna precisava de todo o apoio que conseguisse obter. Será que Den iria ajudá-la? Achava que havia uma chance. Ele não tinha motivo algum para temer Wynstan. E Aldred? Ele a apoiaria se pudesse. Mas, caso eles não aderissem à sua causa, ela estaria sozinha.

O conjunto residencial do xerife tinha um aspecto tão imponente quanto o de Wilwulf, e essa grandiosidade decerto era intencional. Den possuía um complexo cercado com casernas, estábulos, um salão nobre e várias construções menores.

O xerife se recusara a participar do exército de Wilf alegando que sua responsabilidade era garantir a paz do rei no distrito de Shiring e que ele era ainda mais necessário durante uma ausência do senhor da cidade – avaliação que o comportamento de Wynstan demonstrava estar correta.

Ragna encontrou Den no salão nobre. Ele ficou satisfeito ao vê-la, como os homens em geral ficavam. Estava acompanhado pela esposa e pela filha, bem como pelo neto do qual tanto se orgulhava. Ragna passou alguns instantes fazendo festa para o bebê, que sorriu e lhe balbuciou algumas palavras. Então passou aos assuntos sérios:

– Wynstan está tentando roubar meus aluguéis no vale de Outhen – falou.

A resposta de Den a deixou exultante.

– Está mesmo? – disse o xerife com um sorriso satisfeito. – Então precisamos tomar alguma providência.

Como Ragna e seus aliados tomaram cuidado para não mencionar seus planos com antecedência, sua partida ao raiar do dia foi inesperada e ninguém teve tempo de seguir na frente para avisar Wynstan. Ele teria uma baita surpresa.

A Anunciação de Nossa Senhora, no dia 25 de março, comemorava o aviso do arcanjo Gabriel a Maria de que ela conceberia milagrosamente um filho. Apesar do clima frio, o sol brilhava. Ragna pensou que era o momento perfeito para comunicar à população do vale que ela era sua nova senhora.

Deixou Shiring montada numa égua cinza que pertencia a Den. O xerife seguiu com ela, levando consigo uma dúzia de soldados chefiados por um capitão chamado Wigbert. Ragna estava radiante com o apoio do xerife. Aquilo lhe mostrava que não era uma fraca, uma mulher totalmente à mercê da família do marido. O conflito ainda não terminara, mas ela já havia provado que não se deixaria intimidar.

Bern, Cat e Edgar seguiam a pé junto aos cavalos. Do lado de fora da cidade, eles encontraram Aldred, que fugira sorrateiramente da abadia sem avisar Osmund.

Ragna estava eufórica. Havia superado todos os problemas, ultrapassado todos os obstáculos colocados no seu caminho. Tinha se recusado a se entregar ao desestímulo.

Recordou a intervenção grosseira de Wigelm no seu casamento. Ele havia questionado o fato de ela receber o vale de Outhen e rapidamente Wilf o tinha colocado em seu lugar. Ragna estranhara o trabalho que Wigelm se dera de fazer um protesto tão sem embasamento, mas agora achava que entendia. Ele estava se fazendo notar. Ele e Wynstan tinham um plano de longo prazo para lhe tomar Outhen e queriam poder dizer que nunca haviam aceitado a legitimidade do presente de casamento.

Só Wynstan poderia ter arquitetado esse plano. Wigelm não era inteligente o suficiente. Ela sentiu uma onda de ódio pelo bispo. Ele abusava das suas vestes eclesiásticas e usava o cargo para saciar sua ganância. Pensar isso lhe provocou uma náusea momentânea.

Ela até ali conseguira derrotá-los, mas disse a si mesma para não comemorar ainda. Havia frustrado as tentativas de Wynstan para mantê-la em casa, porém aquilo era só o começo.

Passou a pensar no que precisava conseguir com aquela visita. Conquistar o apreço da população não era mais seu principal objetivo. Primeiro era necessário se certificar de que todos entendessem que a senhora das terras era ela, não Wynstan. Talvez não viesse a ter outra chance tão boa quanto aquela. O xerife não iria acompanhá-la em todas as visitas.

Fez perguntas a Edgar sobre a população de Outhenham e decorou os nomes dos principais moradores. Então lhe disse para seguir na retaguarda do grupo quando eles entrassem no povoado e que se mantivesse discreto até que ela o chamasse.

Quando eles chegaram, notou, satisfeita, que o povoado era rico. A maioria das casas tinha chiqueiro, galinheiro ou curral de vacas e algumas tinham as três coisas. Ela sabia que onde havia prosperidade sempre havia comércio, e imaginou que a localização de Outhenham na entrada do vale o transformasse no ponto natural para as transações comerciais da região.

Caberia a Ragna manter e aumentar essa prosperidade, para o bem tanto dela mesma quanto de seus súditos. Seu pai sempre dizia que os nobres não tinham só privilégios, mas também deveres.

Não havia quase ninguém nas cercanias do vilarejo e instantes depois Ragna viu que a maioria dos moradores estava reunida na área descampada do centro, entre a igreja e a taberna.

No meio desse espaço, Wynstan encontrava-se sentado num banco largo de quatro pernas com uma almofada, o tipo de assento usado em ocasiões formais. Havia dois homens postados de pé, um de cada lado do banco. O de cabeça raspada devia ser o padre do vilarejo, cujo nome Ragna recordou da conversa que tivera com Edgar: Draca. O outro, um grandalhão de rosto vermelho, devia ser o chefe Dudda.

Eles estavam rodeados por mercadorias. Algumas moedas circulavam no campo, mas muitos camponeses pagavam seus aluguéis em produtos. Duas carroças grandes estavam sendo carregadas com barris e sacos, galinhas dentro de gaiolas e peixe e carne defumados e salgados. Havia leitões e borregos confinados em currais temporários construídos junto à igreja.

Uma mesa de cavalete estava ocupada por diversos gravetos com marcações e várias pilhas de *pence* de prata. Sentado diante dela, Ithamar, o assistente de Wynstan, tinha na mão uma comprida folha de pergaminho velha, manchada e gasta nas bordas, preenchida com uma caligrafia apertada escrita em linhas retas, possivelmente em latim. Devia ser uma lista dos pagamentos devidos por cada um. Ragna decidiu se apoderar daquele pergaminho.

Aquela era uma cena conhecida, nada diferente do que acontecia na Normandia, então Ragna identificou todo o arranjo só de dar uma olhada. Em seguida ela se concentrou em Wynstan.

O bispo se levantou do banco e ficou observando, boquiaberto, conforme se dava conta do tamanho e da autoridade do grupo que se aproximava. Sua expressão era de choque e irritação. Ele sem dúvida pensara ter garantido que Ragna não sairia de Shiring, sobretudo por ter mandado que ferissem Astrid. Agora estava começando a entender quanto a havia subestimado. Começou a dizer:

– Como é que...?

Mas mudou de ideia e não concluiu a pergunta.

Ragna continuou a avançar na sua direção montada na égua e as pessoas iam abrindo caminho para ela passar. Segurava as rédeas com a mão esquerda e um chicote de montaria na direita.

Wynstan, que sempre pensava rápido, mudou de atitude:

– Lady Ragna, seja bem-vinda ao vale de Outhen – falou. – Estamos surpresos, porém honrados em vê-la aqui.

Ele fez menção de segurar o bridão da sua égua, mas Ragna não permitiria isso: ergueu o chicote, só um pouquinho, como se fosse acertar a mão dele. Wynstan viu sua determinação e desistiu do gesto.

Ela passou direto por ele.

Já havia falado muitas vezes com grupos grandes em espaços abertos e sabia projetar a voz.

– Povo do vale de Outhen – começou –, eu sou lady Ragna, e também sua senhora de terras.

Seguiram-se alguns segundos de silêncio. Ela aguardou. Um dos homens presentes se abaixou sobre um dos joelhos. Outras pessoas o imitaram e em pouco tempo todos estavam ajoelhados.

Ela se virou para o seu grupo.

– Confisquem essas carroças – ordenou.

O xerife meneou a cabeça para seus homens.

Wigbert, o capitão, era um homem baixote, magro e sério, e se mostrava tenso feito a corda de um arco. Seu ajudante, Godwine, era alto e pesado. Embora as pessoas ficassem intimidadas com o tamanho de Godwine, ele era o mais simpático dos dois. Era Wigbert que devia ser temido.

– Essas carroças são minhas – atalhou Wynstan.

– E o senhor as terá de volta. Mas não hoje – retrucou Ragna.

O bispo estava acompanhado sobretudo por empregados, não por soldados, e estes recuaram para longe das carroças assim que Wigbert e Godwine se aproximaram delas.

Os aldeões continuavam ajoelhados.

– Esperem! – disse Wynstan. – Vocês serão governados por uma simples mulher?

Nenhum dos aldeões respondeu. Continuavam de joelhos, mas não custava nada permanecer assim. A verdadeira questão não era diante de quem eles se curvariam, mas para quem pagariam o aluguel.

Ragna já tinha uma resposta pronta para ele.

– O senhor nunca ouviu falar na grande princesa Ethelfled, filha do rei Alfred e senhora de toda a Mércia? – indagou. Aldred tinha lhe dito que a maioria das pessoas teria ouvido falar nessa mulher notável, falecida apenas oito anos antes. – Ela foi uma das maiores governantes que a Inglaterra já teve!

– Ela era inglesa – pontuou Wynstan. – A senhora não é.

– Mas, bispo Wynstan, quem negociou meu contrato de casamento foi o senhor. O senhor providenciou para que eu recebesse o vale de Outhen. Quando estava em Cherbourg, em tratativas com o conde Hubert, por acaso notou que estava na Normandia, negociando com um nobre normando a mão de sua filha igualmente normanda?

A multidão riu e Wynstan ficou vermelho de raiva.

– As pessoas estão acostumadas a pagar o que devem a mim – disparou ele. – O padre Draca poderá confirmar isso.

Ele pousou um olhar incisivo no padre do vilarejo.

O religioso parecia aterrorizado. Conseguiu dizer:

– O que o bispo afirma é verdade.

– Padre Draca, quem é o senhor de terras do vale de Outhen? – perguntou Ragna.

– Milady, eu sou apenas um reles padre de vilarejo...

– Mas sabe quem é o senhor do seu vilarejo.

– Sim, milady.

– Então responda à pergunta.

– Fomos informados de que Vossa Senhoria é a nova senhora de terras de Outhen, milady.

– Sendo assim, a quem as pessoas devem seus aluguéis?

– À senhora – balbuciou Draca.

– Mais alto, por favor, para que os moradores possam escutá-lo.

Draca viu que não tinha outra opção.

– Elas devem seus aluguéis à senhora, milady.

– Obrigada. – Ela correu os olhos pela multidão ajoelhada e aguardou alguns segundos. – Todos de pé.

As pessoas se levantaram.

Ragna estava satisfeita. Tinha assumido o controle. Mas aquilo ainda não havia terminado.

Ela desmontou e foi até a mesa. Todos a observavam em silêncio, perguntando-se o que ela faria agora.

– Você se chama Ithamar, não é? – perguntou ao assistente de Wynstan.

Ele a encarou ansioso. Ela arrancou o pergaminho da sua mão. Pego de surpresa, o homem não teve como se precaver. O documento listava, em latim, a quantia devida por cada morador do vilarejo e havia diversas mudanças anotadas à mão. Era um documento antigo, e os arrendatários atuais deviam ser filhos e netos daqueles mencionados ali.

Ragna decidiu impressionar os aldeões com a sua instrução.

– Vocês chegaram até que ponto hoje de manhã? – perguntou a Ithamar.

– O próximo seria o padeiro Wilmund.

Ela correu um dedo pela lista.

– Wilmundus Pistor – leu em voz alta. – Aqui diz que ele deve 36 *pence* por trimestre. – Ouviu-se um murmúrio de surpresa na multidão: ela não só sabia ler como também conseguia traduzir latim. – Wilmund, dê um passo à frente.

O padeiro era um homem jovem e gorducho cuja barba exibia vestígios de farinha. Ele se adiantou junto com a esposa e o filho adolescente, cada qual segurando uma bolsinha. Wilmund contou devagar 20 *pence* em moedas inteiras e em seguida sua esposa contou outros 10 em metades.

– Qual é o seu nome, esposa do padeiro? – indagou Ragna.

– Regenhild, milady – respondeu a mulher, nervosa.

– E esse é o seu filho?

– Sim, milady. Este é Penda.

– Belo rapaz.

Regenhild relaxou um pouco.

– Obrigada, milady.

– Quantos anos você tem, Penda?

– Quinze, milady.

– É alto para 15 anos.

Penda corou.

– Sim.

Ele separou seis *pence* em quartos de moeda e o aluguel da família foi pago. Os três voltaram para o meio da multidão sorrindo agradecidos pela atenção recebida de uma nobre. Tudo que Ragna tinha feito fora demonstrar interesse pelos três como pessoas, não apenas como arrendatários, mas eles se lembrariam daquilo por muitos anos.

Ela então se virou para Dudda, o chefe de Outhenham. Fingindo ignorância, pediu:

– Fale-me sobre estes gravetos marcados.

– São de Gab, o responsável pela pedreira – respondeu Dudda. – Ele tem um graveto para cada cliente que compra pedra. Uma pedra em cada cinco pertence ao senhor de terras.

– Que sou eu.

– Assim nos disseram – retrucou Dudda, mal-humorado.

– Qual de vocês é Gab?

Um homem magro com as mãos cheias de cicatrizes deu um passo à frente e tossiu.

Havia sete gravetos e apenas um deles exibia cinco marcas. Ragna o pegou como se fosse de modo aleatório.

– Então me diga, Gab, este graveto é de que cliente?

– Esse daí seria do barqueiro Dreng.

Gab era rouco, sem dúvida por respirar o pó da pedreira.

Como se quisesse entender o sistema, Ragna falou:

– Então Dreng comprou cinco pedras de você.

– Sim, milady. – Gab parecia desconfortável, como se estivesse se perguntando que rumo aquilo iria tomar. – E eu devo à senhora o preço de uma delas – acrescentou.

Ela se virou para Dudda.

– É isso mesmo?

O chefe do vilarejo parecia nervoso, como se temesse uma surpresa mas não conseguisse entender o que poderia ser.

– Sim, milady.

– O construtor de Dreng está aqui comigo hoje – disse Ragna.

Ouviu dois ou três arquejos de surpresa, rapidamente reprimidos, e imaginou que alguns dos moradores devessem estar a par da fraude de Gab. O próprio Gab de repente pareceu prestes a passar mal e o rosto vermelho de Dudda empalideceu.

– Edgar, dê um passo à frente – pediu Ragna.

Edgar saiu do meio do grupo de soldados e criados e foi se postar ao lado dela. Dudda lhe dirigiu um olhar de ódio.

– Quantas pedras você comprou da minha pedreira, Edgar? – perguntou Ragna.

– Foram cinco, não é mesmo, rapaz? – disse Gab depressa.

– Não – respondeu Edgar. – Cinco pedras não bastam para fazer o telhado de uma cervejaria. Eu comprei dez.

Gab estava começando a entrar em pânico.

– Nesse caso se trata de um erro inocente, milady, eu juro.

Ragna falou com uma voz fria:

– Não existem erros inocentes.

– Mas, milady...

– Calado. – Ragna gostaria de se livrar de Gab, mas precisava de alguém para operar a pedreira e não tinha um substituto disponível. Decidiu dar a melhor solução possível àquela situação. – Eu não vou puni-lo – falou. – Vou lhe dizer o que Nosso Senhor disse à mulher adúltera: vá e abandone sua vida de pecado.

A multidão ficou surpresa com isso, mas pareceu aprovar. Ragna torceu para ter conseguido demonstrar que era uma governante impossível de enganar, mas que podia ser clemente.

Virou-se para Dudda.

– Mas você eu não perdoo. Sua obrigação era garantir que eu, a sua senhora de terras, não fosse enganada, e você fracassou. Não é mais o chefe deste vilarejo.

Mais uma vez ela ouviu a multidão. Pelo barulho que faziam, as pessoas pareciam chocadas, porém ela não ouviu nenhum protesto e concluiu que não lamentavam muito a demissão de Dudda.

– Que Seric dê um passo à frente.

Um homem de seus 50 anos e expressão alerta saiu do meio da multidão e lhe fez uma mesura.

Ela olhou para os aldeões e disse:

– Ouvi dizer que Seric é um homem honesto.

Não era uma pergunta feita aos moradores; isso poderia lhes dar a impressão de que a decisão era deles. Mas ela prestou atenção na reação de todos. Várias pessoas emitiram ruídos de aprovação e outras assentiram com meneios de cabeça. Pelo visto o instinto de Edgar em relação a Seric estava certo.

– Seric, de agora em diante você é o chefe do vilarejo.

– Obrigado, milady – disse ele. – Serei honesto e fiel.

– Ótimo. – Ela olhou para o assistente de Wynstan. – Ithamar, você não é mais necessário. Padre Draca, pode assumir o lugar dele.

Draca pareceu nervoso, mas sentou-se à mesa e Seric se postou ao seu lado.

Wynstan se afastou pisando firme e seus homens começaram a segui-lo apressados.

Ragna olhou em volta. Calados, os aldeões a observavam, esperando para ver o que ela faria agora. Toda sua atenção estava voltada para ela e eles estavam prontos para obedecer às suas ordens. Ragna havia assumido a liderança. Estava satisfeita.

– Muito bem – falou. – Prossigamos.

CAPÍTULO 19

Junho de 998

Aldred saiu de Shiring rumo a Combe montado no cavalo Dimas. Era mais seguro fazer essa viagem acompanhado, e ele tinha ao seu lado o chefe de Mudeford, Offa, que estava a caminho do seu vilarejo. O frei levava uma carta do abade Osmund para o prior Ulric. A carta tratava de uma questão corriqueira de negócios relacionada a terras que, estranhamente, eram propriedade conjunta de ambos os mosteiros. No seu alforje, cuidadosamente envolto em tecido, estava um precioso exemplar dos *Diálogos* do papa Gregório, o Grande, copiado e ornado em seu *scriptorium*, um presente para o priorado de Combe. Aldred estava torcendo para receber um presente equivalente, outro livro para aumentar a biblioteca de Shiring. Os livros ocasionalmente eram comprados e vendidos, mas trocar presentes era mais usual. Contudo, o verdadeiro motivo de sua ida a Combe não era nem a carta nem o livro. Ele estava investigando o bispo Wynstan.

Queria chegar à cidade imediatamente após o solstício de verão, época da visita de Wynstan a Degbert, caso os dois seguissem sua rotina habitual. Estava decidido a descobrir o que os primos corruptos faziam lá e se isso tinha alguma relação com o mistério da Travessia de Dreng. Havia recebido uma ordem categórica de esquecer o assunto, mas estava determinado a desobedecer.

A colegiada da Travessia de Dreng exercia um efeito profundo sobre ele. Fazia-o se sentir sórdido. Era difícil se orgulhar de ser um homem de Deus quando outros sacerdotes ordenados se comportavam como libertinos. Degbert e seu bando pareciam lançar uma sombra sobre tudo que Aldred fazia. Ele estava disposto a violar seu voto de obediência se pudesse pôr um fim naquela colegiada.

Agora que estava a caminho, começou a ter dúvidas. Como exatamente descobriria o que Wynstan e Degbert estavam tramando? Podia segui-los pela cidade, mas eles talvez notassem. Pior: em Combe havia casas nas quais um homem de Deus não devia entrar. Wynstan e Degbert conseguiriam ir a esses lugares discretamente ou talvez não ligassem se fossem vistos, mas Aldred acharia impossível se fazer passar por frequentador e certamente seria identificado. E, nesse caso, teria vários problemas.

No caminho ele passaria pela Travessia de Dreng e decidiu pedir a ajuda de Edgar.

Chegando ao povoado, foi primeiro à colegiada. Entrou de cabeça erguida. Já tinha sido mal recebido ali, mas agora era odiado. Não havia nenhuma surpresa nisso. Ele tentara fazer os padres serem expulsos e privados de sua vida de conforto e ócio, e eles jamais se esqueceriam disso. O perdão e a misericórdia estavam entre as muitas virtudes cristãs que não possuíam. Mesmo assim, Aldred insistiu que lhe oferecessem a hospitalidade devida a todos os membros do clero. Não estava disposto a ficar fugido na taberna. Não era ele quem deveria sentir vergonha. Degbert e seus padres tinham sido tão ofensivos com seu comportamento que o arcebispo concordara em expulsá-los. Deveriam ser incapazes de manter a cabeça erguida. Eles só continuavam ali porque tinham alguma utilidade clandestina para o bispo Wynstan – e era esse o segredo que Aldred estava decidido a desvendar.

Como não queria revelar que estava a caminho de Combe e estaria lá ao mesmo tempo que Wynstan e Degbert, contou uma mentira inofensiva: disse estar indo a Sherborne, que ficava a vários dias de viagem de Combe.

Após uma refeição da noite servida de má vontade e a leitura superficial de um trecho das Escrituras, Aldred saiu em busca de Edgar. Encontrou-o em frente à taberna, balançando um bebê sobre os joelhos no ameno ar do fim da tarde. Os dois não se encontravam desde o triunfo em Outhenham e Edgar pareceu satisfeito em vê-lo.

Mas Aldred levou um susto com o bebê.

– É seu? – indagou.

Edgar sorriu e fez que não com a cabeça.

– É dos meus irmãos. O nome dela é Wynswith. Nós a chamamos de Winnie. Ela está com quase três meses. Não é linda?

Para Aldred a menina parecia igual a qualquer outro bebê: rosto redondo, calva como um padre, sempre babando, sem charme algum.

– Sim, ela é linda – falou.

Era sua segunda mentira inofensiva do dia. Teria que rezar por clemência.

– O que o traz aqui? – perguntou Edgar. – Não pode ser o prazer de visitar Degbert.

– Há algum lugar onde possamos falar sem medo de alguém escutar?

– Vou lhe mostrar minha cervejaria – disse Edgar, animado. – Só um instante.

Ele entrou na taberna e tornou a sair sem o bebê.

A cervejaria ficava perto do rio, de modo que a água não precisasse ser carregada por um trecho muito longo, do lado em que a correnteza subia. Como em todos os assentamentos ribeirinhos, os aldeões enchiam seus baldes correnteza acima e descartavam o lixo correnteza abaixo.

A construção nova tinha telhas de carvalho.

– Pensei que você tivesse planejado um telhado de pedra – disse Aldred.

– Cometi um erro – falou Edgar. – Descobri que não conseguia talhar as pedras do tamanho correto. Elas ficavam muito grossas ou então muito finas. Tive que mudar meu projeto. – Ele pareceu um pouco encabulado. – No futuro, preciso lembrar que nem toda ideia brilhante que tenho é praticável.

No interior, um odor forte e condimentado de fermentação provinha de um grande caldeirão de bronze suspenso acima de uma área quadrada contornada por uma mureta de pedra. Havia barris e sacos empilhados num cômodo separado. O piso de pedra estava limpo.

– Isto aqui é um pequeno palácio! – exclamou Aldred.

Edgar sorriu.

– Foi projetado para ser à prova de incêndio. Por que você queria conversar a sós? Estou curioso para saber.

– Estou a caminho de Combe.

Edgar entendeu na mesma hora.

– Wynstan e Degbert estarão na cidade daqui a poucos dias.

– E eu quero ver o que fazem por lá. Só que tenho um problema. Não vou conseguir segui-los pela cidade sem chamar atenção, principalmente se eles entrarem em casas de má fama.

– Qual é a solução?

– Eu quero que você me ajude a ficar de olho neles. É menos provável que atraia atenção.

Edgar sorriu.

– Um monge está mesmo me pedindo para visitar a casa de Mags?

Aldred emitiu um esgar de repulsa.

– Eu mesmo mal consigo acreditar.

Edgar tornou a ficar sério.

– Eu posso ir a Combe comprar material. Dreng confia em mim.

Aldred ficou surpreso.

– Confia?

– Ele planejou uma armadilha para mim: me deu dinheiro a mais para as pedras achando que eu fosse roubar o excedente e ficou chocado quando eu devolvi. Agora fica feliz em deixar o trabalho por minha conta, assim consegue poupar suas famosas costas ruins.

– Você precisa de alguma coisa de Combe?
– Vamos ter que comprar cordas novas em breve, e elas são mais baratas em Combe. Eu provavelmente poderia partir amanhã.
– Não devemos viajar juntos. Não quero que as pessoas percebam que estamos atuando em conjunto.
– Então vou partir no dia seguinte ao solstício e levar a jangada.
– Perfeito – disse Aldred, agradecido.
Eles saíram da cervejaria. O sol estava baixando.
– Quando chegar lá, poderá me encontrar no priorado.
– Tenha uma boa viagem – falou Edgar.

Cinco dias depois do solstício de verão, Edgar estava comendo queijo na taberna conhecida como Os Marinheiros quando ficou sabendo que Wynstan e Degbert haviam chegado a Combe naquela manhã e estavam hospedados na casa de Wigelm.

Wigelm havia reconstruído o complexo destruído pelos vikings um ano antes. Era fácil para Edgar ficar de olho na única entrada, sobretudo porque havia uma taberna ali bem próxima.

Era um trabalho tedioso e ele passava o tempo especulando qual seria o segredo de Wynstan. Era capaz de pensar em todo tipo de atividade nefasta que o bispo poderia estar realizando, mas não conseguia imaginar como a Travessia de Dreng se encaixava nisso e suas suposições não o levaram a lugar nenhum.

Nessa primeira noite, Wynstan, o irmão e o primo se divertiram em casa. Edgar ficou observando o portão até as luzes do complexo começarem a se apagar, então voltou ao priorado para passar a noite e disse a Aldred que não tinha nada a relatar.

Temia que reparassem nele. A maioria das pessoas de Combe o conhecia e não demoraria muito até que começassem a se perguntar o que ele estava fazendo lá. Edgar havia comprado cordas e outros materiais, bebido cerveja com alguns velhos amigos, dado uma boa olhada na cidade reconstruída e agora precisava de um pretexto para continuar ali.

Era junho e ele se lembrou de um lugar na floresta onde cresciam morangos. As frutas eram uma iguaria especial naquela época do ano, difíceis de encontrar, mas deliciosíssimas. Saiu da cidade quando os monges acordaram para a missa do amanhecer e caminhou um quilômetro e meio na floresta. Teve sorte: os morangos tinham acabado de amadurecer. Ele colheu um saco inteiro, voltou para a cidade e começou a vendê-los no portão da casa de Wigelm. Como havia um tráfego significativo de gente entrando e saindo, aquele era um ponto lógico para um vendedor ficar. Cobrou um *farthing* por cada duas dúzias de morangos.

Quando a tarde chegou, já tinha vendido todos e estava com o bolso cheio de trocados. Voltou para seu lugar em frente à taberna e pediu uma caneca de cerveja.

Malhada se comportou de modo estranho em Combe. Estava ataratanda, provavelmente por se ver num lugar que conhecia tão bem e encontrá-lo tão diferente. Tinha corrido pelas ruas refazendo amizade com os cães da cidade ou então farejando as casas reconstruídas com um ar de incompreensão. Ficou ganindo de prazer quando se deparou com a leiteria de pedra, que havia sobrevivido ao incêndio, então passou metade do dia sentada em frente à construção, como se estivesse esperando Sungifu aparecer.

– Eu sei como você se sente – disse Edgar à cadela.

No início dessa noite, Wynstan, Wigelm e Degbert saíram do complexo de Wigelm. Edgar tomou cuidado para não cruzar olhares com Wynstan: o bispo poderia muito bem reconhecê-lo.

Mas nessa noite Wynstan estava focado em sentir prazer. Seu irmão e seu primo trajavam roupas descontraídas e o próprio bispo havia trocado as longas vestes pretas de religioso por uma túnica curta usada sob um manto leve preso por um alfinete de ouro. Sua cabeça tonsurada estava coberta por uma boina simpática. Os três saíram ziguezagueando pelas ruas poeirentas à luz do início da noite.

Foram até Os Marinheiros, a maior e mais bem abastecida taberna da cidade. Ali sempre havia movimento e Edgar avaliou que podia entrar e pedir uma caneca de cerveja, enquanto Wynstan pedia uma jarra do forte licor de mel fermentado chamado hidromel e pagava com *pence* tirados de uma bolsinha de couro abarrotada.

Edgar bebeu a cerveja devagar. Wynstan não fez nada digno de nota. Bebeu, riu, pediu uma travessa de camarões e enfiou a mão por baixo da saia de uma jovem que servia no lugar. Não estava fazendo nenhuma tentativa séria de manter suas digressões em segredo, ainda que tomasse cuidado para não ostentar.

À medida que a luz do dia caía, Wynstan ficava cada vez mais embriagado. Quando os três saíram da taberna, Edgar os seguiu, sentindo que as chances de ser detectado tinham diminuído. Mesmo assim, manteve uma distância segura.

Ocorreu-lhe que, se eles notassem a sua presença, poderiam fingir não ter visto e depois pegá-lo de surpresa. Caso isso acontecesse, espancariam-no até quase a morte. Ele não conseguiria se defender dos três. Tentou afastar o medo.

Eles foram até a casa de Mags e Edgar entrou atrás deles.

Mags havia reconstruído a casa e a mobiliado num estilo tão luxuoso quanto o de qualquer palácio. Havia tapeçarias nas paredes, colchões no chão e almofadas nos assentos. Dois casais trepavam debaixo de cobertores e havia biombos para esconder aqueles cujas práticas sexuais eram constrangedoras ou cruéis demais para serem vistas. Parecia haver umas dez meninas e uns dois meninos. Alguns deles falavam com sotaque estrangeiro e Edgar supôs que a maioria fosse de escravos comprados por Mags no mercado de Bristol.

Por ser o cliente mais importante no recinto, Wynstan na mesma hora se tornou o centro das atenções. A própria Mags lhe trouxe uma caneca de vinho, beijou-o na boca e então ficou parada ao seu lado, indicando os predicados de várias meninas diferentes: esta daqui tinha seios grandes, aquela dali chupava como ninguém e uma terceira havia raspado todos os pelos do corpo.

Durante alguns minutos ninguém reparou em Edgar, mas depois de algum tempo uma irlandesa bonita lhe mostrou os seios rosados e lhe perguntou o que lhe daria prazer. Ele balbuciou que tinha entrado na casa errada e saiu apressado.

Wynstan estava fazendo coisas que um bispo não deveria fazer e suas tentativas de ser discreto eram apenas superficiais, mas Edgar não conseguia atinar qual poderia ser o grande mistério.

Já estava escuro quando os três pândegos saíram cambaleando da casa de Mags, mas a noite deles ainda não tinha terminado. Edgar os seguiu, agora com menos temor ainda de ser detectado. Eles foram até uma casa perto da praia que Edgar reconheceu como a do negociante de lã Cynred, certamente o homem mais rico de Combe depois de Wigelm. A porta estava aberta para o ar da noite e os três entraram.

Edgar não podia entrar em uma residência particular. Olhou pela porta aberta e os viu se acomodarem ao redor de uma mesa e começarem a conversar de modo descontraído e amigável. Wynstan sacou a bolsa de dinheiro.

Edgar se escondeu num beco escuro em frente à casa.

Pouco depois, um homem de meia-idade e bem-vestido que ele não reconheceu se aproximou. Parecendo não ter certeza de estar no lugar certo, espichou a cabeça para o interior da casa. À luz que vazava de dentro, Edgar viu que suas roupas pareciam caras e talvez fossem estrangeiras. Ele fez uma pergunta que Edgar não escutou.

– Entre, entre! – gritou alguém, e o homem entrou.

A porta então foi fechada.

Mesmo assim, Edgar ainda conseguia escutar um pouco do que acontecia lá dentro e em pouco tempo o volume das conversas aumentou. Ele captou o inconfundível chacoalhar de dados dentro de uma caneca. Ouviu palavras gritadas:

– Dez *pence*!

– Duplo seis!

– Ganhei, ganhei!

– O demônio está nesses dados!

Pelo visto Wynstan tinha se cansado de beber e trepar com prostitutas, e por fim decidido apostar.

Após uma longa espera no beco, Edgar ouviu o sino do mosteiro badalar marcando o horário da missa da meia-noite, a noturna, primeiro ofício do novo dia. Logo depois, pareceu que a jogatina tinha terminado. Os participantes foram saindo para a rua levando galhos acesos para iluminar o caminho. Edgar tornou a se encolher para dentro do beco, mas ouviu Wynstan dizer claramente:

– A sorte estava do seu lado hoje à noite, monsieur Robert!

– O senhor aceita bem a derrota – disse uma voz com sotaque, e Edgar deduziu que o desconhecido de aspecto estrangeiro fosse um negociante francês ou normando.

– O senhor precisa me dar uma oportunidade de ganhar tudo de volta em algum momento!

– Com prazer.

Edgar pensou, desanimado, que havia passado a noite inteira seguindo Wynstan só para descobrir que o bispo sabia perder.

Wynstan, Wigelm e Degbert tomaram o caminho da casa de Wigelm e Robert seguiu na direção contrária. Num impulso, Edgar foi atrás dele.

O estrangeiro foi até a praia. Ali, suspendeu a barra da túnica e entrou na água rasa. Edgar o observou, acompanhando a chama, até ele embarcar num navio. Pela luz da tocha, pôde ver que era uma embarcação de vau longo e casco profundo, quase certamente um cargueiro normando.

A luz então se apagou e ele não conseguiu mais ver o homem.

Bem cedo na manhã seguinte, Edgar encontrou Aldred e confessou não saber o que pensar.

– Wynstan gasta o dinheiro da igreja com vinho, mulheres e dados, mas nisso não há mistério algum – falou.

Aldred, porém, estava intrigado por um detalhe que Edgar havia julgado sem importância.

– Você disse que Wynstan não pareceu se importar por ter perdido dinheiro, não foi?

Edgar deu de ombros.

– Se tiver se importado, disfarçou bem.

Aldred balançou a cabeça com ceticismo.

– Quem aposta nunca gosta de perder – falou. – Do contrário, não haveria emoção.

– Ele simplesmente apertou a mão do sujeito e disse que ele precisava lhe dar uma chance de ganhar tudo de volta.

– Tem alguma coisa errada aí.

– Eu não consigo pensar no que poderia ser.

– E em seguida monsieur Robert embarcou num navio, provavelmente de sua propriedade. – Aldred tamborilou os dedos na mesa. – Preciso falar com ele.

– Eu levo você.

– Ótimo. Diga-me uma coisa: existe alguém que troque dinheiro aqui em Combe? Deve existir, a cidade é um porto.

– Wyn, o joalheiro, compra dinheiro estrangeiro e derrete.

– Um joalheiro? Ele deve ter uma balança e pesos de precisão para pequenas quantidades de metais preciosos.

– Com certeza.

– Talvez precisemos dele mais tarde.

Edgar ficou intrigado. Não estava entendendo o raciocínio de Aldred.

– Mas por quê? – perguntou.

– Tenha paciência. Ainda não está claro na minha mente. Vamos falar com Robert.

Eles saíram do mosteiro. Até então não tinham sido vistos juntos em Combe, mas nessa manhã Aldred estava animado demais para se preocupar com isso. Edgar seguiu na frente até a praia.

Ele também ficou alegre. Embora ainda não tivesse entendido, sentia que eles estavam mais perto de solucionar o mistério.

O cargueiro normando estava sendo carregado. Na praia havia um pequeno morro de minério de ferro. Homens enchiam barris com o auxílio de pás, levavam os barris cheios de minério até o navio e os esvaziavam no compartimento de carga. Na praia, monsieur Robert supervisionava as operações. Edgar reparou numa bolsinha de couro estufada de moedas presa ao seu cinto.

– É aquele ali – falou para Aldred.

O frei abordou o negociante, apresentou-se e emendou:

– Monsieur Robert, tenho algo importante e particular a lhe dizer. Acho que o senhor foi enganado ontem à noite.

– Enganado? – falou Robert. – Mas eu ganhei.

Edgar ficou tão confuso quanto Robert. Como ele podia ter sido enganado se fora embora com uma bolsa cheia de dinheiro?

– Se o senhor vier comigo à casa do joalheiro, eu lhe explico. Prometo que o deslocamento não será em vão.

Robert o encarou intensamente por vários segundos, então decidiu confiar nele.

– Está bem.

Edgar os levou até a casa de Wyn, uma construção de pedra que tinha sobrevivido ao incêndio viking. Eles encontraram o joalheiro fazendo o desjejum com a família. Wyn era um homem baixo com cerca de 50 anos e entradas nos cabelos. Tinha uma esposa jovem – a segunda, recordou Edgar – e dois filhos pequenos.

– Bom dia, senhor – saudou Edgar. – Espero que esteja bem.

Wyn se mostrou afável.

– Olá, Edgar. Como vai sua mãe?

– Sentindo a idade, para ser bem sincero.

– E todos nós não estamos? Você voltou para Combe?

– Estou só visitando. Este é o frei Aldred, *armarius* da abadia de Shiring. Ele está passando alguns dias no priorado de Combe.

– Prazer em conhecê-lo, frei Aldred – disse Wyn educadamente.

Estava curioso, mas teve paciência e esperou para descobrir o que estava acontecendo.

– E este é monsieur Robert, dono de um navio atracado no porto.

– Folgo em conhecê-lo, monsieur.

Aldred então assumiu o controle da conversa:

– Wyn, o senhor teria a bondade de pesar alguns *pence* ingleses que monsieur Robert adquiriu?

Edgar queria entender aonde Aldred estava querendo chegar e passou a observar com fascínio.

Wyn hesitou apenas alguns instantes. Prestar um serviço para um monge importante era um investimento que algum dia lhe traria retorno.

– Claro – respondeu o joalheiro. – Vamos até a minha oficina.

Ele seguiu na frente e os outros foram atrás. Até Robert, que, apesar do ar de incompreensão, estava bastante curioso.

Edgar viu que a oficina de Wyn era parecida com a de Cuthbert na colegiada: um local para acender o fogo, uma forja, diversas ferramentas pequenas e um sólido baú com arremates em ferro que devia conter metais preciosos. Sobre a bancada de trabalho havia uma balança de aspecto delicado, em formato de T, com uma bandeja pendurada em cada uma das pontas da barra horizontal.

– Monsieur Robert, podemos pesar os *pence* que o senhor ganhou na casa de Cynred ontem à noite? – perguntou Aldred.

– Ah... – fez Edgar.

Estava começando a entender como Robert poderia ter sido enganado.

Robert tirou a bolsinha do cinto e a abriu. Lá dentro havia uma mistura de dinheiro inglês e estrangeiro. Os outros esperaram pacientemente enquanto ele separava as moedas inglesas, todas com uma cruz num dos lados e a cabeça do rei Ethelred no outro. O estrangeiro fechou a bolsinha com cuidado, tornou a prendê-la no cinto e então contou os *pence*. Eram sessenta e três.

– O senhor ganhou todas essas moedas ontem à noite? – perguntou Aldred.

– A maioria – respondeu Robert.

– Por favor, ponha 60 *pence* numa bandeja. Pode ser qualquer uma das duas.
– Enquanto Robert obedecia, Wyn selecionou alguns pesos pequenos dentro de uma caixa. Seu formato era de disco e Edgar observou que pareciam feitos de chumbo. – Sessenta *pence* devem pesar exatamente 90 gramas – falou Wyn. Ele colocou três pesos na bandeja oposta, que na mesma hora afundou em direção à bancada. – Seus *pence* estão leves – informou Wyn a Robert.

– O que isso quer dizer? – indagou o negociante.

Edgar sabia a resposta, mas ficou calado enquanto Wyn explicava.

– A maioria das moedas de prata contém um pouco de cobre para torná-las mais resistentes – começou Wyn. – Os *pence* ingleses contêm dezenove partes de prata para uma de cobre. Só um instante. – Ele removeu um dos pesos de 30 gramas da bandeja e começou a substituí-lo por outros menores. – O cobre é mais leve do que a prata. – Quando as duas bandejas se equilibraram, ele tornou a falar: – Seus *pence* contêm cerca de dez partes de cobre para dez de prata. A diferença, de tão pequena, é imperceptível no uso normal. Mas estas moedas são falsas.

Edgar assentiu. Era essa a solução do mistério: Wynstan era um falsário. E, além do mais, Edgar percebia agora que o jogo era uma forma de trocar moedas ruins por moedas boas. Ao ganhar nos dados, Wynstan ganhava três *pence* de prata genuínos, mas ao perder sacrificava apenas moedas falsas. No longo prazo, ele com certeza sairia ganhando.

Robert estava com o rosto vermelho de raiva.

– Eu não acredito no senhor – disse ele.

– Vou lhe provar. Alguém tem um *penny* de verdade?

Edgar tinha o dinheiro de Dreng. Entregou um *penny* a Robert. O estrangeiro sacou a faca do cinto e riscou a moeda no lado com a cabeça de Ethelred. Mal se pôde notar o arranhão.

– A espessura dessa moeda é uniforme – falou Wyn. – Por mais fundo que se arranhe, a cor que vai aparecer é prata. Agora arranhe uma das suas.

Robert devolveu o *penny* a Edgar, pegou uma das próprias moedas na bandeja e deu um arranhão. Dessa vez a marca ficou marrom.

– A mistura metade prata, metade cobre tem uma cor marrom – explicou Wyn. – Os falsários fazem suas moedas ficarem prateadas dando-lhes um banho de vitríolo, que remove o cobre da superfície, mas por baixo o metal continua marrom.

– Aqueles malditos ingleses estavam apostando dinheiro falso! – exclamou Robert, furioso.

– Bem, um deles estava – falou Aldred.

– Vou agora mesmo acusar Cynred!

– O culpado pode não ser ele. Quantas pessoas havia na mesa?

– Cinco.

– Quem o senhor vai acusar?

Robert entendeu o problema.

– Quer dizer que o trapaceiro vai se safar?

– Não se eu puder evitar – afirmou Aldred, decidido. – Mas, se o senhor fizer uma acusação a esmo agora, todos eles vão negar. E pior: o vilão vai ser alertado e será difícil fazê-lo pagar por seu crime.

– O que vou fazer com todo esse dinheiro falso?

Aldred não demonstrou a menor empatia.

– Isso é fruto de jogo, Robert. Mande derreter as moedas falsas e faça um anel. Coloque-o no dedo para nunca se esquecer de não apostar mais. Lembre-se que os soldados romanos ao pé da cruz apostaram nos dados as roupas de Nosso Senhor.

– Vou pensar no assunto – disse Robert, emburrado.

Edgar duvidava que Robert fosse derreter as moedas falsas. Era mais provável que as gastasse de uma em uma ou de duas em duas, assim o peso passaria despercebido. Mas na verdade isso contribuiria para o objetivo de Aldred, entendeu Edgar. Se estivesse planejando gastá-lo, o estrangeiro não contaria a ninguém sobre o dinheiro falso. Então Wynstan não saberia que o seu segredo fora descoberto.

Aldred virou-se para Wyn.

– Posso lhe pedir para guardar segredo em relação a isso, também para não alertar os infratores? – perguntou.

– Está bem.

– Posso lhes garantir que estou decidido a fazer o culpado responder por seu crime.

– Fico feliz em ouvir isso – disse Wyn. – Boa sorte.

– Amém – reiterou Robert.

Aldred estava triunfante, mas logo se deu conta de que a batalha ainda não tinha terminado.

– Todos os padres da colegiada obviamente já sabem disso – disse ele, pensativo, enquanto Edgar conduzia a jangada correnteza acima com a vara. – Seria impossível esconder deles. Mas eles não dizem nada e seu silêncio é recompensado com uma vida de ócio e luxo.

Edgar assentiu e complementou:

– Os moradores do povoado também. Eles provavelmente desconfiam que algo suspeito acontece ali, mas são subornados com os presentes que Wynstan lhes dá quatro vezes ao ano.

– E isso explica por que ele ficou tão furioso com a minha proposta de transformar sua colegiada corrupta num mosteiro temente a Deus. Ele teria sido obrigado a recriar o esquema todo em algum outro vilarejo longe dali. Não é algo fácil de se fazer do zero.

– É Cuthbert quem deve forjar essas moedas. Ele é a única pessoa com habilidade suficiente para cunhá-las. – Edgar estava desconfortável. – Ele não é um homem tão ruim, é apenas fraco. Jamais seria capaz de fazer frente a um sujeito truculento como Wynstan. Quase sinto pena dele.

Os dois se separaram no Vau de Mudeford, ainda tomando cuidado para não chamarem atenção para o fato de estarem juntos. Edgar continuou rio acima e Aldred seguiu montado em Dimas na direção de Shiring por um atalho. Teve a sorte de encontrar dois mineiros conduzindo uma carroça cheia de algo que parecia carvão, mas na realidade era cassiterita, o mineral do qual se extraía o valioso estanho. Se o fora da lei Cara de Ferro por acaso estivesse por perto, Aldred tinha certeza de que se sentiria intimidado pela visão dos parrudos mineiros armados com seus martelos de cabeça de ferro.

Viajantes geralmente adoram conversar, mas os mineiros não tinham muito a dizer e Aldred conseguiu pensar bastante em como poderia levar Wynstan até diante de um tribunal e garantir que ele fosse punido pelo seu crime. Mesmo com o que sabia agora, não seria fácil. O bispo teria inúmeros aliados que poderiam fazer um juramento atestando que ele era um homem honesto que estava dizendo a verdade.

Quando testemunhas discordavam, existia um procedimento para resolver a questão: uma delas precisava passar por uma provação: ou segurar uma barra de ferro em brasa e dar dez passos com ela na mão, ou então pegar uma pedra dentro de água fervente. Em teoria, Deus protegeria quem estivesse dizendo a verdade. Na prática, Aldred nunca havia conhecido alguém que tivesse se oferecido para passar pelo teste.

Muitas vezes era fácil saber qual lado estava dizendo a verdade e o tribunal acreditava na testemunha mais digna de credibilidade. Mas o caso de Wynstan teria de ser apresentado no tribunal do condado, que era presidido por seu irmão. Wilwulf se mostraria desavergonhadamente parcial a favor do irmão. A única chance de Aldred seria apresentar provas tão inegavelmente claras e sustentadas por juramentos de homens de status tão alto que nem mesmo o irmão de Wynstan poderia fingir acreditar na sua inocência.

Perguntou-se o que levava um homem como Wynstan a se tornar falsário. O bispo tinha uma vida de conforto e prazer. De que mais precisava? Por que correr o risco de perder tudo? Ele supôs que a cobiça de Wynstan fosse insaciável. Por mais dinheiro e poder que ele tivesse, sempre iria querer mais. O pecado era assim.

Aldred chegou à abadia de Shiring já tarde na noite do dia seguinte. O mosteiro estava tranquilo e ele pôde ouvir, vindo da igreja, o cântico dos salmos das completas, a missa que marcava o final do dia. Guardou seu cavalo no estábulo e foi direto para o dormitório.

Levava dentro do alforje um presente da abadia de Combe: um exemplar do Evangelho de São João, com suas palavras iniciais repletas de significado: *In principio erat Verbum, et Verbum erat apud Deum, et Deus erat Verbum*. No princípio era a palavra, e a palavra estava com Deus, e a palavra era Deus. Aldred tinha a sensação de que poderia passar a vida tentando compreender aquele mistério.

Decidiu mostrar o novo livro ao abade Osmund na primeira oportunidade. Estava desfazendo sua bolsa de viagem quando o frei Godleof saiu do quarto de Osmund, situado no final do dormitório.

Godleof tinha a mesma idade de Aldred, a pele escura e um corpo magro. Sua mãe fora uma leiteira violentada por um nobre de passagem. Godleof não sabia o nome do pai e supunha que a mãe tampouco tivesse sabido. Como a maioria dos monges mais jovens, ele compartilhava as opiniões de Aldred, então ficava impaciente com a cautela e parcimônia de Osmund e Hildred.

Aldred se espantou com a expressão preocupada do irmão em Cristo.

– O que houve? – perguntou. Percebeu que Godleof estava relutante em dizer algo. – Diga logo.

– Eu estava cuidando de Osmund.

Godleof era pastor de vacas antes de entrar para o mosteiro e usava poucas palavras.

– Por quê?

– Ele caiu da cama.

– Lamento ouvir isso, mas não é de todo surpreendente – falou Aldred. – Já faz algum tempo que ele está adoentado e ultimamente tem tido dificuldade para descer escadas, quanto mais subir. – Fez uma pausa enquanto estudava o outro monge. – Tem mais alguma coisa, não tem?

– É melhor perguntar para ele.

– Está bem, vou perguntar.

Aldred pegou o livro que trouxera de Combe e foi até o quarto do abade.

Encontrou-o sentado na cama, recostado numa pilha de almofadas. Apesar de não estar bem, parecia confortável, e Aldred imaginou que se contentaria em ficar na cama pelo resto da vida, faltasse pouco ou muito tempo.

– Sinto muito encontrá-lo indisposto, senhor abade – falou.

Osmund deu um suspiro.

– Deus na sua sabedoria não me concedeu forças para continuar.

Aldred não tinha certeza se a decisão fora inteiramente de Deus, mas tudo que disse foi:

– O Senhor é sábio.

– Preciso me apoiar em homens mais jovens – disse Osmund.

O abade exibia um ar ligeiramente envergonhado. Assim como Godleof, parecia atormentado por algo que preferiria não expressar. Aldred teve uma premonição de que haveria más notícias.

– Estaria pensando em nomear um abade substituto para administrar o mosteiro durante a sua convalescença? – indagou.

Era um detalhe importante. O irmão que agora fosse nomeado abade substituto teria maior probabilidade de virar abade quando Osmund morresse.

Osmund não respondeu à pergunta, o que foi um mau sinal.

– O problema dos jovens é que eles causam problemas – continuou ele. Aquilo era obviamente uma indireta para Aldred. – São idealistas – prosseguiu. – Ofendem os outros.

Estava na hora de parar de pisar em ovos.

– O senhor já nomeou alguém? – perguntou Aldred, direto.

– Hildred – respondeu Osmund, e desviou os olhos.

– Obrigado, meu abade – disse Aldred.

Jogou o livro sobre a cama de Osmund e saiu do quarto.

CAPÍTULO 20

Julho de 998

ilf ficou fora três meses a mais do que qualquer um esperava, o que representava um terço do seu tempo de casado com Ragna. Houvera um recado seis semanas antes dizendo apenas que ele tivera de penetrar mais fundo no País de Gales do que planejado originalmente e que estava em boa saúde.

Ragna sentia sua falta. Passara a gostar de ter um homem com quem conversar e debater sobre os problemas e ao lado de quem se deitar à noite. O choque causado por Inge havia lançado uma sombra sobre esse prazer, mas mesmo assim ela ansiava tê-lo de volta.

Via Inge no complexo quase todos os dias. Ragna era a esposa oficial e mantinha a cabeça erguida e evitava falar com sua rival, mas ainda assim se sentia humilhada constantemente.

Perguntou-se, nervosa, o que Wilf sentiria por ela ao voltar. Decerto teria se deitado com outras mulheres durante a viagem. Ele tinha deixado brutalmente claro – não antes do casamento, mas depois – que o amor que sentia por ela não impedia o sexo com outras. Teria conhecido no País de Gales moças mais jovens e mais bonitas? Ou será que voltaria ávido pelo corpo de Ragna? Ou as duas coisas?

Ela foi avisada sobre a sua chegada com um dia de antecedência. Ele mandou na frente um mensageiro montado num cavalo veloz para dar o recado. Ragna acionou o complexo inteiro. A cozinha preparou um banquete: matou um novilho, fez uma fogueira para assá-lo no espeto, abriu barris de cerveja e assou pães. Quem não era necessário na cozinha foi mobilizado para limpar os estábulos, cobrir o chão com juncos e palha fresca, bater colchões e arejar cobertores.

Ragna foi à casa de Wilf, onde queimou centeio para expulsar os insetos, abriu as janelas para deixar entrar ar fresco e usou lavanda e pétalas de rosas para tornar a cama mais convidativa. Dispôs frutas numa cesta, uma jarra de vinho e um pequeno barril de cerveja, pão, queijo e peixe defumado.

Toda essa atividade a distraiu da ansiedade que estava sentindo.

Na manhã seguinte, pediu a Cat para esquentar um caldeirão de água e se lavou da cabeça aos pés, dedicando atenção especial aos lugares cabeludos. Então passou óleo perfumado na pele do pescoço, dos seios, das coxas e dos pés. Pôs um vestido limpo e calçou sapatos de seda novos, e prendeu seu lenço de cabeça com uma faixa bordada a ouro.

Ele chegou ao meio-dia. Ragna, alertada pelo barulho dos vivas vindos da cidade quando Wilf passou por lá à frente do exército, foi rapidamente assumir um posto de comando em frente ao salão nobre.

Ele entrou pelo portão num meio galope, com a capa vermelha esvoaçando, seguido de perto pelos subordinados diretos. Viu-a na mesma hora e veio na sua direção perigosamente depressa, e ela lutou contra o reflexo de pular para sair da frente. Sabia, porém, que precisava mostrar a ele – e a quem os estava vendo – que tinha total confiança no seu domínio do cavalo. No último segundo, viu que seus cabelos e o bigode não estavam aparados, que seu queixo em geral barbeado ostentava uma barba revolta e que havia uma nova cicatriz na sua testa. Então ele, num gesto espetacular, puxou as rédeas na última hora e fez o cavalo empinar a poucos centímetros de distância dela, enquanto o coração de Ragna batia feito um martelo e ela mantinha o sorriso de boas-vindas intacto no rosto.

Ele pulou do cavalo e a tomou nos braços exatamente como ela esperava que fizesse. As pessoas presentes no complexo deram vivas e risadas. Adoravam testemunhar a paixão de Wilf por ela. Ragna sabia que ele estava se exibindo para os seus soldados e aceitava isso como parte do seu papel de líder. Apesar disso, não houve dúvida alguma quanto à sinceridade do seu abraço. Ele a beijou com lascívia, enfiando a língua dentro da sua boca, e ela correspondeu avidamente do mesmo modo.

Instantes depois, ele interrompeu o abraço, abaixou-se e a pegou no colo, com um braço sob seus ombros e o outro sustentando suas coxas. Ela riu de felicidade. Ele a carregou da frente do salão nobre até sua casa e a multidão rugiu de aprovação. Ragna sentiu-se duplamente satisfeita por ter limpado e deixado acolhedor o lar do marido.

Ele tateou para levantar a barra da porta e a abriu de modo brusco, então levou a esposa para dentro. Colocou-a no chão e bateu a porta.

Ragna tirou o lenço e deixou os cabelos caírem soltos, depois tirou o vestido com um único movimento rápido e se deitou nua na cama dele.

Wilf fitou o corpo dela com deleite e desejo. Parecia um homem sedento prestes a beber de uma nascente de montanha. Caiu por cima dela ainda vestido com o colete de couro e as perneiras de tecido.

Ela o prendeu com as pernas e os braços e o puxou profundamente para dentro de si.

Acabou bem depressa. Wilf rolou de cima dela e pegou no sono em instantes.

Ragna passou um tempo deitada olhando para ele. Gostava da barba, mas sabia que ele a rasparia no dia seguinte, pois os nobres ingleses não usavam barba. Tocou a cicatriz nova em sua testa. Começava na têmpora direita, na linha dos cabelos, e seguia numa linha irregular até a sobrancelha esquerda. Ela a percorreu com a ponta do dedo e ele se mexeu sem acordar. Um centímetro a mais... Imaginou que algum galês corajoso tivesse feito aquilo. Decerto havia morrido por isso.

Serviu-se de uma caneca de vinho e comeu um pedaço de queijo. Estava contente com o simples fato de olhar para o marido e sentir gratidão por ele ter voltado vivo para junto dela. Os galeses não eram guerreiros muito formidáveis, mas não eram de modo algum incompetentes, e ela estava certa de que algumas esposas no complexo deviam agora estar chorando após receberem a notícia de que seus maridos nunca mais voltariam para casa.

Assim que Wilf acordou, eles tornaram a fazer amor. Dessa vez foi mais lento. Ele tirou as roupas. Ela teve tempo de saborear cada sensação, de esfregar as mãos nos ombros e no peito dele, de emaranhar os dedos em seus cabelos e morder seus lábios.

Quando acabou, ele disse:

– Pelos deuses, eu poderia comer um boi.

– E eu mandei assar um para o seu almoço. Mas deixe-me pegar algo para você agora.

Ela lhe trouxe vinho, pão fresco e enguia defumada, e ele comeu vorazmente. Então falou:

– Encontrei Wynstan na estrada.

– Ah... – fez ela.

– Ele me contou o que aconteceu em Outhenham.

Ragna se retesou. Já esperava por isso. Wynstan jamais aceitaria a derrota calado. Ele tentaria se vingar causando problemas entre ela e Wilf, mas não imaginara que o cunhado fosse ser tão rápido. Assim que o mensageiro chegara na véspera, ele deve ter saído ao encontro de Wilf, fazendo questão de narrar primeiro a sua versão da história, na esperança de pôr Ragna na defensiva.

Mas ela já tinha sua estratégia pronta. A situação toda fora culpa de Wynstan, não sua, e ela não iria se desculpar. Tratou imediatamente de modificar as bases da discussão.

– Não fique bravo com Wynstan – falou. – Não deveria haver desavenças entre irmãos.

Por essa Wilf não esperava.

– Mas é com você que Wynstan está irritado – disse ele.

– Claro. Ele tentou me roubar enquanto você estava fora, pensando que poderia tirar vantagem de mim na sua ausência. Mas não se preocupe, eu o impedi.

– Foi isso que aconteceu?

Ficou óbvio que Wilf ainda não havia interpretado o incidente como o ataque de um homem poderoso a uma mulher indefesa.

– Ele fracassou e isso o deixou furioso. Mas eu posso lidar com Wynstan e não quero que você se preocupe comigo. Não o repreenda, por favor.

Wilf ainda estava ajustando sua visão do incidente.

– Mas Wynstan diz que você o humilhou na frente dos outros.

– É natural que um ladrão pego em flagrante se sinta humilhado.

– Suponho que sim.

– O remédio é ele parar de roubar, não é?

– É, sim. – Wilf sorriu e ela viu que tinha conduzido com êxito uma conversa difícil. – Talvez Wynstan tenha finalmente encontrado um adversário à sua altura – acrescentou ele.

– Ah, eu não sou rival dele – disse Ragna, sabendo que isso era o contrário da verdade. Mas aquela conversa já tinha ido longe o bastante e terminado bem, de modo que ela mudou de assunto: – Conte-me sobre as suas aventuras. Ensinou uma lição difícil aos galeses?

– Ensinei, sim, e trouxe comigo cem prisioneiros para vender como escravos. Nós vamos ganhar uma pequena fortuna.

– Muito bem – falou Ragna, mas não estava sendo sincera.

A escravidão era um aspecto da vida inglesa que ela considerava controverso. A prática estava quase extinta na Normandia, mas ali era uma coisa normal. Shiring tinha uma centena de escravos ou mais, e vários viviam e trabalhavam no complexo. Muitos faziam trabalhos sujos, como remover pilhas de dejetos ou limpar estábulos, ou então serviços pesados como cavar valas e carregar madeira. Os mais jovens sem dúvida trabalhavam nos bordéis da cidade, embora ela não soubesse disso por experiência própria, já que nunca havia entrado num desses estabelecimentos. Escravos em geral não eram mantidos acorrentados. Eles podiam fugir e alguns o faziam, mas eram facilmente identificáveis, vestidos em trapos, descalços e falando com sotaques esquisitos. A maioria era capturada e trazida de volta, e o dono pagava uma recompensa a quem o tivesse encontrado.

– Você não parece tão satisfeita quanto poderia estar – comentou Wilf.

Ragna não estava com a menor intenção de ter uma discussão sobre escravidão com ele no momento.

– Estou muito feliz pelo seu triunfo – falou. – E pensando se você é homem suficiente para trepar comigo três vezes na mesma tarde.

– Homem suficiente? – repetiu ele com uma indignação fingida. – Fique de quatro e vou lhe mostrar.

Os prisioneiros foram exibidos no dia seguinte na praça da cidade, enfileirados no chão poeirento entre a catedral e a abadia, e Ragna saiu acompanhada por Cat para vê-los.

Estavam todos sujos e exaustos por causa da viagem e alguns tinham pequenos ferimentos, provavelmente por terem resistido. Ela supôs que qualquer um que tivesse tido lesões graves houvesse sido abandonado para morrer. Na praça havia homens e mulheres, meninos e meninas, de modo geral entre 11 e 30 anos de idade. Era verão e o sol estava quente, mas não havia sombra sobre eles. Estavam presos de maneiras diversas: muitos tinham os pés amarrados um no outro para não poderem correr, alguns estavam acorrentados entre si e outros estavam presos a seus captores, que esperavam parados ao seu lado para negociar o preço. Os soldados comuns tinham um ou dois prisioneiros para vender, mas Wigelm, Garulf e os outros capitães tinham vários.

Ragna percorreu as fileiras e achou aquela visão desoladora. Dizia-se que os escravos tinham feito algo para merecer aquela sina, e talvez isso fosse verdade às vezes, mas nem sempre. Que crime meninos e meninas adolescentes poderiam ter cometido para merecerem ser obrigados a se prostituir?

Os escravos faziam o que lhes era ordenado, mas em geral executavam as tarefas da pior maneira possível, apenas com o mínimo de qualidade que os permitisse se safar. Como tinham que ser alimentados, abrigados e minimamente vestidos, no final das contas não custavam muito menos do que trabalhadores mal remunerados. Mas o aspecto financeiro não incomodava Ragna tanto quanto o espiritual. Ser dono de outra pessoa devia ser ruim para a alma. A crueldade era algo corriqueiro: havia leis relativas aos maus-tratos a escravos, mas eram mal aplicadas e as punições, brandas. Poder espancar, estuprar ou até mesmo assassinar alguém trazia à tona o que havia de pior na natureza humana.

Ao correr os olhos pelos rostos na praça, ela reconheceu Stigand, o amigo de Garulf com quem tinha se desentendido por causa do jogo de bola. Ele lhe fez uma mesura exagerada demais para ser sincera, mas não grosseira o bastante para merecer um protesto. Ela o ignorou e olhou para os três prisioneiros dele.

Espantou-se ao perceber que conhecia uma deles.

A menina devia ter uns 15 anos. Tinha os cabelos pretos e olhos azuis típicos dos galeses; os bretões do outro lado do canal eram parecidos. Talvez fosse bonita se lavasse a sujeira do rosto. A menina a fitou de volta e sua expressão pretensamente rebelde, com a qual ela tentava esconder sua vulnerabilidade, chacoalhou a memória de Ragna.

– Você é a menina da Travessia de Dreng.

A prisioneira não disse nada.

Ragna recordou seu nome.

– Blod.

A menina continuou calada, mas sua expressão se suavizou.

Ragna baixou a voz para Stiggy não conseguir escutá-la:

– Disseram que você tinha fugido. Deve ter sido capturada pela segunda vez.

Aquilo era um tremendo azar, pensou ela, e sentiu uma onda de compaixão por alguém que havia sofrido novamente a mesma sina.

Lembrou-se de mais uma coisa.

– Ouvi dizer que Dreng...

Deu-se conta do que estava prestes a dizer e parou, levando a mão à boca depressa.

Blod sabia o que Ragna havia hesitado em dizer.

– Dreng matou meu bebê.

– Eu sinto muito. Ninguém a ajudou?

– Edgar pulou no rio para resgatá-lo, mas estava escuro e ele não conseguiu encontrar.

– Conheço Edgar. Ele é um homem bom.

– O único inglês decente que eu conheci – disse Blod com amargura.

Ragna reconheceu a expressão no olhar da garota.

– Você se apaixonou por ele?

– Ele ama outra pessoa.

– Sungifu.

Blod a fitou com um olhar enigmático, mas não disse nada.

– A que os vikings mataram – falou Ragna.

– Sim, ela.

Blod correu os olhos pela praça, aflita.

– Imagino que esteja preocupada pensando em quem poderá comprá-la desta vez.

– Estou com medo de Dreng.

– Tenho quase certeza de que ele não está na cidade. Teria vindo falar comigo. Ele gosta de fingir que somos parentes. – Do outro lado da praça, Ragna viu o bispo Wynstan e seu guarda-costas, Cnebba. – Mas existem outros homens cruéis.

– Eu sei.

– Eu poderia comprar você.

O rosto de Blod se iluminou de esperança.

– A senhora faria isso?

Ragna se dirigiu a Stiggy:

– Quanto está pretendendo ganhar com esta escrava?

– Uma libra. Ela tem 15 anos, é jovem.

– É demais. Mas eu lhe pago a metade.

– Não, ela vale mais do que isso.

– Vamos dividir a diferença?

Stiggy franziu a testa.

– Quanto daria isso?

Ele conhecia a expressão "dividir a diferença", mas era incapaz de fazer a conta.

– Cento e oitenta *pence*.

De repente, Wynstan apareceu ao seu lado.

– Comprando uma escrava, milady? – disse ele. – Pensei que vocês, normandos refinados, reprovassem a escravidão.

– Como um refinado bispo que reprova a fornicação, eu me pego praticando mesmo assim.

– Sempre uma resposta inteligente. – Ele estava olhando com curiosidade para Blod e então falou: – Eu conheço você, não é?

– O senhor me comeu, se é isso que está querendo dizer – disse Blod bem alto.

Wynstan pareceu envergonhado, o que era incomum.

– Não seja ridícula.

– Duas vezes. Foi antes de eu engravidar, então pagou três *pence* a Dreng por cada trepada.

Wynstan apenas fingia praticar a virtude eclesiástica, mas mesmo assim ficou desconcertado com aquela acusação pública e ressonante de lascívia.

– Que bobagem. Você está inventando isso. Lembro que fugiu de Dreng.

– Ele matou meu bebê.

– Bom, quem liga para isso? O filho de uma escrava...

– Talvez o filho fosse seu.

Wynstan empalideceu. Claramente não havia pensado nisso. Lutou para recuperar a dignidade.

– Você deveria ser castigada por ter fugido.

Ragna interrompeu:

– Se me der licença, senhor bispo, eu estava negociando o preço desta escrava.

Wynstan sorriu maldosamente.

– A senhora não pode comprá-la.

– Como disse?

– Ela não pode ser vendida.

– Pode, sim! – exclamou Stiggy.

– Não pode, não. Ela é uma fugitiva. Deve ser devolvida ao seu dono legítimo.

– Não, por favor – sussurrou Blod.

– A decisão não é minha – disse Wynstan em tom jovial. – Mesmo se a escrava não tivesse falado comigo de modo desrespeitoso, o desfecho seria o mesmo.

Ragna quis discutir, mas sabia que Wynstan estava certo. Não tinha pensado nisso, mas um escravo foragido ainda pertencia legalmente ao dono original, mesmo após meses em liberdade.

– Você precisa levar essa menina de volta para a Travessia de Dreng – falou Wynstan para Stiggy.

Blod começou a chorar.

Stiggy não tinha entendido.

– Mas ela é minha prisioneira.

– Dreng vai lhe pagar a recompensa habitual pela devolução de um foragido, então você não vai sair perdendo.

Nem assim Stiggy pareceu entender.

Ragna acreditava em obedecer à lei, que podia ser cruel mas era sempre melhor do que não ter lei nenhuma. Nessa ocasião, porém, ela a teria desafiado se pudesse. Era uma grande ironia o fato de Wynstan ser o homem que agora estava defendendo a lei.

– Eu me responsabilizarei pela garota e recompensarei Dreng – disse ela, desesperada.

– Não, não – falou Wynstan. – A senhora não pode fazer isso, não com meu primo. Se Dreng quiser lhe vender a escrava, ele pode, mas antes ela precisa ser devolvida a ele.

– Eu a levo para casa e mando um recado para Dreng.

Wynstan disse a Cnebba:

– Pegue essa prisioneira e tranque-a na cripta da catedral. – Virou-se para Stiggy. – Ela será liberada para você assim que estiver pronto para levá-la até a Travessia de Dreng. – Por fim, olhou para Ragna. – Se não tiver gostado, reclame com seu marido.

Cnebba começou a desamarrar Blod.

Ragna se deu conta de que tinha sido um erro sair sem Bern. Se ele estivesse ali para contrabalançar a presença de Cnebba, ela poderia pelo menos ter adiado qualquer decisão definitiva sobre o destino de Blod. Mas até isso era impossível.

Cnebba segurou Blod com firmeza pelo braço e a levou embora.

– Acho que ela vai levar uma bela surra quando Dreng a receber de volta – comentou Wynstan.

Ele sorriu, curvou-se e saiu andando atrás de Cnebba.

Ragna quis gritar de tanta frustração e raiva. Reprimiu esses sentimentos e, com a cabeça erguida, afastou-se da praça e subiu o morro em direção ao complexo.

Julho era o mês da fome, refletiu Edgar ao correr os olhos pela fazenda dos irmãos. A maior parte dos alimentos do inverno tinha acabado e todos estavam à espera da colheita dos grãos em agosto e setembro. Nesse período as vacas davam leite e as galinhas punham ovos, então quem tinha esses animais não morria de fome. Outros comiam as primeiras frutas e os vegetais da floresta, folhas, frutas silvestres e cebolas, uma dieta magra. Quem tinha fazendas grandes podia se dar ao luxo de plantar alguns feijões na primavera e colher em junho e julho, mas havia poucos camponeses nessa posição.

Os irmãos de Edgar estavam com fome, mas não ficariam assim por muito tempo. Pelo segundo ano consecutivo, tinham conseguido uma boa safra de feno na parte baixa do terreno próxima ao rio. As três semanas anteriores ao solstício de verão haviam sido chuvosas e, consequentemente, o nível do rio agora estava alto, mas milagrosamente o tempo tinha melhorado e eles ceifaram as longas hastes de capim. Nesse dia, Edgar tinha descido o rio uns 50 metros para lavar uma panela bem longe do local em que eles pegavam água limpa e de onde podia ver vários hectares de capim cortado secando e amarelando ao sol forte. Em breve os irmãos venderiam o feno e teriam dinheiro para comprar comida.

Ao longe, ele viu um cavalo descendo o morro em direção ao povoado e se perguntou se poderia ser Aldred montado em Dimas. Pouco antes de eles se separarem no Vau de Mudeford, Edgar perguntara ao frei que providências ele tomaria em relação à falsificação de dinheiro de Wynstan e Aldred respondera que ainda estava pensando. Edgar queria saber se ele já tinha bolado algum plano.

Mas o cavaleiro não era Aldred. Conforme o cavalo foi se aproximando, ele viu que havia uma pessoa montada e outra caminhando mais atrás. Voltou à taberna para o caso de vir a ser solicitado para operar a travessia. Instantes depois, pôde ver que a pessoa que caminhava estava amarrada à sela. Era uma mulher, descalça e vestida em farrapos. Por fim, com um arquejo consternado, deu-se conta de que era Blod.

Tinha certeza de que ela havia conseguido fugir. Como podia ter sido capturada depois de tanto tempo? Lembrou que Wilwulf fora atacar os galeses: ele provavelmente a trouxera de volta entre os prisioneiros. Que trágica falta de sorte, conseguir se libertar para depois ser escravizada uma segunda vez!

Ela levantou o rosto e o viu, mas não teve forças para cumprimentá-lo. Estava com os ombros caídos e seus pés descalços sangravam.

O homem que chegou montado tinha a mesma idade de Edgar, só que era maior e portava uma espada. Ao ver Edgar, ele perguntou:

– É você o barqueiro?

Edgar teve a impressão de que o rapaz não era muito inteligente.

– Eu trabalho para o barqueiro Dreng.

– Eu trouxe a escrava dele de volta.

– Estou vendo.

Dreng saiu da taberna. Reconheceu o rapaz a cavalo.

– Olá, Stiggy. O que você quer? Pelos deuses, essa vadiazinha aí é Blod?

– Se eu soubesse que ela era sua, a teria deixado no País de Gales e capturado outra menina – falou Stiggy.

– Mas ela é minha.

– Você tem que me pagar por devolvê-la.

Dreng não gostou dessa ideia.

– É mesmo?

– O bispo Wynstan disse que sim.

– Ah. E ele disse quanto?

– Metade do que ela vale.

– Ela não vale muito, essa puta miserável.

– Eu estava pedindo uma libra e lady Ragna ofereceu metade.

– Então está me dizendo que eu lhe devo metade de meia libra, ou seja, 60 *pence*.

– Lady Ragna ia pagar 180.

– Ia, mas não pagou. Vamos, desamarre essa vadia e entre.

– Primeiro quero o dinheiro.

Dreng suavizou o tom, fingindo simpatia:

– Não quer uma tigela de ensopado e uma caneca de cerveja?

– Não. Ainda é meio-dia. Vou voltar direto.

Stiggy não era completamente burro e devia saber como os taberneiros se comportavam. Caso se embriagasse ali e passasse a noite, não teria como saber quanto seria descontado dos seus 60 *pence* pela manhã.

– Está bem – falou Dreng.

Ele entrou. Stiggy desmontou do cavalo e desamarrou Blod. Ela se sentou no chão e ficou esperando.

331

Após um longo intervalo, Dreng saiu com o dinheiro embrulhado num trapo e o entregou para Stiggy, que o guardou na bolsinha do cinto.

– Não vai contar? – perguntou.

– Eu confio em você.

Edgar reprimiu uma risada. Era preciso ser um idiota para confiar em Dreng. Mas o rapaz claramente nem sabia contar até sessenta.

Stiggy montou no seu cavalo.

– Tem certeza de que não aceita um pouco da famosa cerveja da minha mulher? – perguntou Dreng. Ainda tinha esperança de conseguir de volta alguns daqueles *pence*.

– Tenho, sim.

Stiggy virou o cavalo e partiu de volta na mesma direção da qual viera.

– Entre – disse Dreng para Blod.

Quando ela passou, ele lhe deu um chute no traseiro. Ela soltou um grito de dor, cambaleou e recuperou o equilíbrio.

– Isso é só o começo – prometeu ele.

Edgar foi atrás dos dois, mas junto à porta Dreng se virou e disse:

– Você fica aí fora.

Então entrou e fechou a porta.

Edgar se virou e olhou na direção do rio. Instantes depois, ouviu Blod gritar de dor. Aquilo era inevitável, pensou: um escravo fatalmente seria castigado por fugir. Como tinha poucas posses ou nada, não podia pagar uma multa e consequentemente a única punição possível era apanhar. Aquilo era uma prática corriqueira e amparada pela lei.

Blod voltou a gritar e começou a soluçar. Edgar ouviu Dreng grunhir com o esforço dos golpes ao mesmo tempo que xingava sua vítima.

Dreng está no seu direito, disse Edgar para si mesmo. Além do mais, ele era o seu patrão. Edgar não podia intervir.

Blod começou a implorar por clemência. Edgar ouviu também as vozes de Leaf e Ethel protestando alto, mas sem resultado.

Então Blod urrou.

Edgar abriu a porta e entrou bruscamente. A garota estava no chão, contorcendo-se de dor e com o rosto coberto de sangue. Dreng a estava chutando. Quando ela protegia a cabeça, chutava sua barriga, e quando ela protegia o corpo, chutava sua cabeça. Leaf e Ethel o seguravam pelos braços e o puxavam para tentar contê-lo, mas ele era forte demais para as duas.

Se aquilo continuasse, Blod iria morrer.

Edgar segurou Dreng por trás e o puxou para longe.

Dreng se desvencilhou das mãos de Edgar, virou-se depressa e lhe deu um soco na cara. Era um homem forte e o soco doeu. Edgar reagiu por reflexo: acertou um murro na ponta do queixo de Dreng. A cabeça do homem se projetou para trás como a tampa de um baú e ele caiu no chão.

Do chão, apontou para Edgar.

– Saia desta casa! – berrou. – E não volte nunca mais!

Mas Edgar não tinha acabado. Ajoelhou-se em cima do peito de Dreng, levou as duas mãos ao seu pescoço e apertou. Dreng ficou sem ar e pôs-se a agitar os braços inutilmente para tentar fazer Edgar soltá-lo.

Leaf deu um grito.

Edgar se abaixou até seu rosto ficar a poucos centímetros do de Dreng.

– Se algum dia você bater nela outra vez, eu volto – falou. – E juro por Deus que mato você.

Ele soltou as mãos. Dreng arquejou, respirando com dificuldade. Edgar olhou para as duas esposas dele: ambas mantinham distância com um ar amedrontado.

– Estou falando sério – reforçou.

Então se levantou e saiu.

Foi margeando o rio em direção à casa da fazenda. Esfregou a face esquerda: ficaria com um olho roxo. Ficou se perguntando se sua ameaça tinha feito alguma diferença. Dreng poderia tornar a bater em Blod assim que recuperasse o fôlego. Ele podia apenas torcer para que a partir de agora Dreng pensasse duas vezes.

Tinha perdido o emprego. Agora Dreng certamente colocaria Blod para operar a travessia. Quando se recuperasse da surra, ela daria conta. Talvez isso desencorajasse Dreng de tentar aleijá-la. Era uma esperança.

Ele não viu nem Erman nem Eadbald nos campos. Como era meio-dia, supôs que estivessem almoçando na casa. Viu os dois quando se aproximou. Estavam sentados do lado de fora, ao sol, diante de uma mesa de cavalete fabricada por Edgar. Pelo visto, tinham acabado de comer. Ma segurava no colo a bebê Winnie, agora com quatro meses, cantando-lhe uma breve canção que soou familiar. Edgar se perguntou se a música havia feito parte da sua infância. Ma havia arregaçado as mangas do vestido e ele ficou chocado ao ver como seus braços estavam magros. Ela nunca reclamava, mas era óbvio que estava doente.

Eadbald olhou para ele e perguntou:

– O que houve com o seu rosto?

– Tive uma discussão com Dreng.

– Por quê?

– A escrava Blod foi recapturada. Ele estava prestes a matá-la, mas eu o impedi.

– Por quê? Ele é dono dela, pode matá-la se quiser.

Isso era quase verdade. Alguém que matasse um escravo sem justificativa podia ter que mostrar arrependimento e pagar penitência na forma de um jejum, mas era fácil inventar justificativas e jejuar não era uma punição muito severa.

Edgar, porém, tinha outra objeção:

– Não vou deixar que ele mate Blod na minha frente.

Os irmãos tinham levantado a voz e incomodado Winnie, que começou a reclamar.

– Então você é um estúpido – disse Erman. – Se não tomar cuidado, Dreng vai dispensar você.

– Ele já dispensou. – Edgar sentou-se diante da mesa. A panela de ensopado estava vazia, mas havia um pão de cevada e ele arrancou um naco. – Não vou voltar para a taberna.

Começou a comer.

– Espero que não pense que vamos lhe dar comida – falou Erman. – Se você foi burro o suficiente para perder o emprego, o problema é seu.

Cwenburg pegou a filha do colo de Ma e disse:

– Eu já mal tenho leite para Winnie do jeito que está.

Ela desnudou o seio e aproximou o bebê do mamilo, encarando Edgar com os olhos semicerrados e uma expressão sensual, como já tinha feito antes.

Edgar se levantou.

– Se não sou bem-vindo aqui, vou embora.

– Deixe de ser bobo – falou Ma. – Sente-se. – Ela olhou para os outros. – Nós somos uma família. Qualquer filho meu, ou neto, terá comida na minha mesa enquanto houver uma migalha de pão nesta casa, e jamais se esqueçam disso, nenhum de vocês.

Nessa noite houve um temporal. O vento balançou as vigas da casa e ondas de chuva se abateram sobre o telhado de sapê. Todos acordaram, inclusive a pequena Winnie. Ela começou a chorar e Cwenburg lhe deu o peito.

Edgar abriu uma fresta da porta e espiou lá fora, mas a noite estava um breu. Tudo que conseguia ver era um lençol de chuva que parecia um espelho louco refletindo o brilho vermelho do fogo atrás dele. Fechou a porta com firmeza.

Winnie voltou a dormir e os outros pegaram num sono leve, mas Edgar permaneceu totalmente desperto. Estava preocupado com o feno. Se o capim passasse tempo demais molhado, iria apodrecer. Será que secaria caso o tempo mudasse outra vez e o sol voltasse a brilhar de manhã? Não tinha experiência suficiente como agricultor para saber.

Assim que o dia raiou, o vento diminuiu e a chuva também, ainda que não tenha parado. Edgar abriu a porta outra vez.

– Vou dar uma olhada no feno – falou, vestindo a capa.

Seus irmãos e Ma também foram, e Cwenburg ficou em casa com a filha.

Assim que os quatro chegaram à parte baixa do terreno junto ao rio, viram que o desastre tinha sido total. O campo estava inundado. O feno não estava apenas molhado: estava boiando.

Ficaram todos encarando a cena à luz da aurora, horrorizados e assustados.

– Estragou tudo – disse Ma. – Não há o que fazer.

Ela virou as costas e começou a andar em direção à casa.

– Se Ma diz que não tem jeito, não tem jeito – afirmou Eadbald.

– Estou tentando entender como isso aconteceu – falou Edgar.

– E de que vai adiantar? – indagou Erman.

– Choveu demais para o solo absorver a água, suponho, então ela escorreu pelo morro e se acumulou na parte baixa do terreno.

– Meu irmão, o gênio.

Edgar ignorou o comentário.

– Se a água tivesse escoado, o feno talvez tivesse sido salvo.

– E daí? A água não escoou.

– Estou pensando quanto tempo demoraria para cavar uma vala do alto da encosta até a margem, passando pelo campo, para escoar a água excedente no rio.

– Agora é tarde para isso!

O campo era comprido e estreito, e Edgar calculou que tivesse uns 200 metros de largura. Um homem forte poderia fazer o serviço em uma semana ou algo assim, quem sabe duas, se cavar se revelasse difícil.

– Mais ou menos no centro do campo há uma leve depressão – disse ele, estreitando os olhos para ver através da chuva. – O melhor lugar para a vala seria exatamente ali.

– Não podemos começar a cavar valas agora – falou Erman. – Precisamos tirar as ervas daninhas da aveia e fazer a colheita. E Ma ultimamente não tem trabalhado.

– Eu vou cavar a vala.

– E enquanto isso o que vamos comer, agora que somos seis?

– Não sei – disse Edgar.

Com dificuldade para andar sobre o solo empoçado, na chuva, os três voltaram para casa. Edgar viu que Ma não estava lá.

– Onde Ma foi? – perguntou ele a Cwenburg.

Ela deu de ombros.

– Pensei que estivesse com vocês.

– Ela voltou antes de nós. Achei que tivesse vindo para cá.

– Bom, não veio.

– Para onde mais ela poderia ter ido nesta chuva?

– Como é que eu vou saber? A mãe é sua.

– Vou procurar no celeiro.

Edgar tornou a sair na chuva. Ma não estava no celeiro. Ele teve uma sensação ruim.

Olhou na direção do campo. Com o tempo daquele jeito, não dava para enxergar até o povoado, mas ela não tinha saído nessa direção e, se tivesse mudado de ideia, teria passado pelos três filhos.

Para onde teria ido?

Edgar lutou contra uma sensação de pânico. Foi até a orla da floresta. Por que Ma teria entrado na mata com aquele tempo? Ele desceu o morro até o rio. Ela não poderia ter atravessado: não sabia nadar. Ele deu uma olhada geral na margem mais próxima.

Pensou ter visto algo algumas centenas de metros rio abaixo e sentiu o coração falhar. Parecia uma trouxa de trapos molhada, mas quando observou mais de perto ele viu que da trouxa despontava algo terrivelmente semelhante à mão de uma pessoa.

Seguiu depressa pela margem, afastando com impaciência arbustos e galhos baixos. Quando chegou mais perto, seu coração foi tomado por um medo sem tamanho. A trouxa era humana. Estava parcialmente submersa no rio. As gastas roupas marrons eram femininas. O rosto estava virado para baixo, mas o formato do corpo era assustadoramente familiar.

E o corpo não estava se mexendo.

Edgar se ajoelhou ao seu lado. Com toda a delicadeza, virou a cabeça. Como temia, era o rosto de Ma.

Ela não estava respirando. Ele levou a mão ao peito dela. Não havia batimentos.

Edgar abaixou a cabeça na chuva, ainda com as mãos tocando aquele corpo inerte, e chorou.

Depois de algum tempo, começou a pensar. Ela havia se afogado, mas por quê? Não tinha motivo algum para ir até o rio. A menos que...

A menos que a sua morte tivesse sido intencional. Será que ela havia se matado para que os filhos tivessem o que comer? Edgar ficou nauseado.

Sentiu dentro de si um peso que parecia um pedaço de chumbo frio no coração. Ma estava morta. Podia imaginar o raciocínio dela: estava doente, não podia mais trabalhar, restava-lhe pouco tempo de vida e tudo que ela estava fazendo era comer a comida de que a sua família precisava. Ela havia se sacrificado por eles, talvez principalmente pela neta. Se tivesse dito tudo isso a Edgar, ele teria contra-argumentado veementemente. Mas ela só tinha pensado naquilo e depois tomado a lógica e terrível atitude.

Edgar decidiu mentir sobre aquilo. Se houvesse alguma suspeita de suicídio, seria negado um enterro cristão à sua mãe. Para evitar isso, ele diria que a encontrara na floresta. As roupas molhadas podiam ser explicadas pela chuva. Ela estava doente, talvez estivesse perdendo a razão, tinha saído andando sem rumo e a chuva tivera um efeito fatal no seu corpo já enfraquecido. Iria contar essa história até para os irmãos. Ma então poderia descansar no cemitério junto à igreja.

Quando ele a pegou do chão, escorreu água de sua boca. Ela estava leve – havia emagrecido desde a mudança para a Travessia de Dreng. Seu corpo ainda não tinha esfriado.

Edgar lhe deu um beijo na testa.

Então a carregou para casa.

Os três irmãos cavaram a cova no cemitério molhado e enterraram Ma no dia seguinte. Todos no povoado compareceram, com exceção de Dreng. A sabedoria e a determinação de Ma haviam conquistado o respeito dos moradores.

Em pouco mais de um ano, os irmãos tinham perdido pai e mãe. Erman falou:
– Como filho mais velho, o chefe da família agora sou eu.

Ninguém deu confiança. Edgar era o mais inteligente, o mais capaz, aquele que sempre encontrava soluções para os problemas. Talvez nunca viesse a dizê-lo, mas na prática o novo chefe da família era ele. E a família incluía a difícil Cwenburg e sua filha.

A chuva parou no dia seguinte ao enterro e Edgar começou a cavar a vala no campo. Não sabia se o plano daria certo. Será que aquela ideia se mostraria impraticável como as telhas de pedra da cervejaria? Tudo que ele podia fazer era tentar para ver.

Usou uma pá de madeira com uma ponta de ferro enferrujada. Como não queria que a vala ficasse com as bordas altas, o que prejudicaria o resultado, teve que carregar a terra até o rio. Usou-a para elevar o nível da margem.

A vida na fazenda era quase insuportável sem Ma. Erman ficava olhando Edgar comer e acompanhava cada porção que ia da tigela até a boca do irmão. Cwenburg continuava sua campanha para fazer o rapaz se arrepender de não ter se casado com ela. Eadbald reclamava de dor nas costas por ter que tirar as ervas daninhas. A única pessoa agradável era Winnie.

A vala ficou pronta em duas semanas. Desde o início havia água no fundo, um filete que descia lentamente em direção ao rio. É um sinal promissor, pensou Edgar. Ele abriu uma fenda na margem do rio para a água escoar. Um pequeno lago se formou atrás do trecho da fenda cuja superfície se nivelou com a do rio e ele percebeu que uma lei da natureza fazia toda a água atingir o mesmo nível.

Estava descalço dentro do lago, reforçando a fenda com pedras, quando sentiu algo se mover sob os dedos dos pés. Percebeu que havia peixes naquele laguinho. Ele estava pisando em enguias. Como aquilo tinha acontecido?

Olhou para o que havia criado e pensou sobre a vida das criaturas aquáticas. Elas pareciam nadar de modo mais ou menos aleatório e obviamente algumas passariam do rio para dentro do laguinho pela fenda que ele abrira na margem. Mas como tornariam a sair? Ficariam presas, pelo menos durante algum tempo.

Ele começou a vislumbrar uma solução para o problema da comida.

Pescar com linha e anzol era uma forma lenta e pouco confiável de conseguir comida. Os pescadores de Combe fabricavam redes grandes e iam em embarcações grandes até lugares onde os peixes nadavam em cardumes de mil indivíduos ou mais. Mas havia um outro jeito.

Edgar já tinha visto armadilhas de peixes feitas de cestaria e pensou que conseguiria fabricar uma. Foi até a floresta e catou galhos compridos e flexíveis de arbustos e árvores jovens. Então se sentou no chão em frente à casa da fazenda e começou a trançar os galhos no formato que recordava.

Erman o viu e disse:

– Quando acabar de brincar, você pode nos ajudar no campo.

Edgar fabricou um cesto grande com a boca estreita. Aquilo capturaria os peixes da mesma forma que o laguinho fazia, tornando fácil entrar e difícil sair – se desse certo.

Ele terminou no final do dia.

Pela manhã, foi até a pilha de dejetos da taberna à procura de algo que pudesse usar como isca. Encontrou uma cabeça de galinha e duas patas de coelho em decomposição. Colocou-as no fundo do cesto.

Pôs também uma pedra para aumentar a estabilidade, então afundou o cesto no laguinho que havia criado.

Deixou o cesto ali durante vinte e quatro horas, sem verificá-lo ao longo desse tempo.

Na manhã seguinte, quando estava saindo de casa, Eadbald perguntou:

– Aonde está indo?

– Olhar minha armadilha de peixes.

– Era isso que você estava fabricando?

– Não sei se vai funcionar.

– Vou olhar com você.

Todos foram atrás dele – Eadbald, Erman e Cwenburg com o bebê.

Edgar entrou no laguinho, cuja água lhe batia nas coxas. Não estava exatamente certo de onde havia afundado a armadilha. Precisou se abaixar e tatear na lama. Quem sabe o cesto tivesse até se deslocado durante a noite.

– Você o perdeu! – zombou Erman.

Não era possível que ele tivesse perdido o cesto: o laguinho não era grande o suficiente. Mas na vez seguinte marcaria o lugar com algum item que flutuasse, talvez um pedaço de madeira amarrado no cesto com um barbante comprido o suficiente para permitir que a madeira ficasse boiando na superfície.

Isso se houvesse uma vez seguinte.

Finalmente, suas mãos tocaram a trama do cesto.

Ele enviou aos céus uma prece silenciosa.

Encontrou a boca da armadilha e a virou de modo que a entrada ficasse para cima, então a suspendeu.

O cesto lhe pareceu pesado e ele temeu que houvesse ficado preso de alguma forma.

Fez força e o puxou acima da superfície, fazendo a água escorrer pelos pequenos orifícios entre os galhos trançados.

Depois que a água escorreu, pôde ver perfeitamente o interior do cesto. Estava repleto de enguias.

– Vejam só! – exclamou Eadbald, encantado.

Cwenburg bateu palmas.

– Estamos ricos!

– Funcionou – disse Edgar com profunda satisfação.

Aquela captura lhes permitiria comer bem por uma semana ou mais.

– Estou vendo umas duas trutas de rio aí dentro, e alguns outros peixes menores que não consigo identificar – falou Eadbald.

– Os peixes pequenos servirão de isca na próxima vez – afirmou Edgar.

– Na próxima vez? Você acha que consegue fazer isso toda semana?

Edgar deu de ombros.

– Não tenho certeza, mas não vejo por que não. Todo dia, até. Há milhões de peixes no rio.

– Nós vamos ter mais peixes do que conseguimos comer!

– Nesse caso venderemos alguns e compraremos carne.

Eles voltaram para casa, Edgar com o cesto no ombro.

– Por que será que ninguém fez isso antes? – conjecturou Eadbald.

– Imagino que o antigo dono da fazenda nunca tenha pensado nisso – respondeu Edgar. Raciocinou mais um pouco e acrescentou: – E ninguém mais aqui passa fome o suficiente para experimentar novas ideias.

Eles puseram as enguias dentro de uma tigela grande com água. Cwenburg limpou e tirou a pele de uma das grandes, depois a assou no fogo para o desjejum. Malhada comeu a pele.

Os quatro decidiram comer as trutas no almoço e preparar o restante das enguias para ser defumado. Elas ficariam penduradas nas vigas do telhado e seriam guardadas para o inverno.

Edgar recolocou os peixes pequenos no cesto para servirem de isca e tornou a pôr a armadilha no laguinho. Perguntou-se quantas iria puxar na segunda vez. Ainda que fosse só metade do que havia capturado nesse dia, já teria algumas para vender.

Ficou sentado olhando para a vala, a margem do rio e o laguinho. Conseguira solucionar o problema do alagamento e talvez até garantir que a família tivesse o suficiente para comer num futuro próximo. Então se perguntou por que não estava feliz.

Não levou muito tempo para encontrar a resposta.

Ele não queria ser pescador. Nem agricultor. Quando sonhara com a vida que tinha pela frente, jamais previra que o seu grande feito fosse ser uma armadilha para capturar peixes. Sentia-se como uma das enguias, nadando em círculos dentro do cesto sem nunca encontrar a estreita saída.

Sabia que possuía um dom. Alguns homens eram bons no combate, outros recitavam poemas por horas e havia ainda quem soubesse comandar um navio guiado pelas estrelas. O dom de Edgar tinha a ver com formas e um pouco também com números. Além disso, ele tinha alguma compreensão intuitiva de pesos e resistências, pressão e tensão, e do esforço de torção que nenhuma palavra era capaz de descrever.

Houvera um tempo em que não percebia que era excepcional dessa forma e já acontecera de ofender os outros, principalmente homens mais velhos, dizendo coisas como "Isso não é óbvio?".

Edgar simplesmente via determinadas coisas. Havia visualizado o excesso de chuva descendo pelo campo até sua vala, depois escorrendo pela vala até o rio, e sua visão tinha se materializado.

E ele podia fazer mais. Havia construído um barco viking, uma cervejaria de pedra e uma vala de escoamento, mas isso era só o começo. Seu dom precisava ser usado para coisas maiores. Sabia isso da mesma forma que soubera que os peixes ficariam presos na armadilha.

Aquele era o seu destino.

CAPÍTULO 21

Setembro de 998

ldred havia se metido em um jogo arriscado: estava tentando derrubar um bispo. Todos os bispos eram poderosos, mas Wynstan era também impiedoso e brutal. O abade Osmund estava certo em temê-lo. Ofender Wynstan era enfiar a cabeça dentro da boca de um leão.

Mas os cristãos precisavam fazer esse tipo de coisa.

Quanto mais Aldred pensava no assunto, mais certeza tinha de que o homem que deveria acusar Wynstan era o xerife Den. Em primeiro lugar, o xerife era o representante do rei, e falsificar dinheiro era uma infração contra o soberano, que tinha o dever de assegurar a solidez da moeda. Em segundo lugar, o xerife e seus homens formavam um poderoso grupo que rivalizava com Wilwulf e seus irmãos. Os dois se continham mutuamente, o que causava animosidade de ambos os lados. Aldred tinha certeza de que Den odiava Wilf. Em terceiro lugar, a acusação a um falsário proeminente, se bem-sucedida, seria uma vitória pessoal para o xerife. Isso agradaria o rei, que com certeza daria uma generosa recompensa para Den.

Aldred falou com o xerife no domingo, depois da missa. Fez a conversa parecer casual, apenas dois homens importantes da cidade trocando cortesias: queria evitar que aquilo pudesse ser visto como uma conspiração. Com um sorriso afável, disse em voz baixa:

– Preciso lhe falar reservadamente. Posso ir à sua casa amanhã?

Den arregalou os olhos de surpresa. Tinha uma inteligência arguta e sem dúvida adivinhou que a intenção por trás daquilo não era apenas social.

– Claro – respondeu no mesmo tom casual e bem-educado. – Será um prazer.

– À tarde, se for conveniente.

Era o horário das obrigações religiosas mais leves dos monges.

– Sem dúvida.

– E quanto menos gente souber, melhor.

– Entendido.

No dia seguinte, Aldred saiu discretamente da abadia depois do almoço, quando os moradores da cidade estavam digerindo, sonolentos, seu carneiro e sua cerveja e havia poucas pessoas na rua para vê-lo passar. Agora que estava prestes a contar tudo ao xerife, começou a se preocupar com a reação que ele teria. Será que Den teria coragem de enfrentar o poderoso Wynstan?

Encontrou o xerife sozinho em seu salão nobre, afiando uma de suas espadas preferidas com uma pedra de amolar manual. Começou sua história contando sobre sua primeira visita à Travessia de Dreng: a antipatia dos moradores, a atmosfera decadente da colegiada e seu instinto que lhe dizia que havia algum segredo obscuro ali. Den pareceu intrigado ao ouvir falar nas visitas trimestrais de Wynstan e nos presentes que ele distribuía, então achou graça quando soube que Aldred mandara alguém seguir o bispo pelos antros de prazer de Combe. Porém, quando o frei começou a narrar a pesagem das moedas, Den pousou a espada e a pedra de amolar e pôs-se a escutar com atenção.

– Está claro que Wynstan e Degbert vão a Combe gastar parte das moedas falsas e trocar outras por dinheiro genuíno numa cidade grande, onde há muito comércio e o dinheiro falso tem pouca probabilidade de chamar a atenção.

Den assentiu.

– Faz sentido. Numa cidade, os *pence* passam rápido de uma pessoa para outra.

– Mas as moedas devem estar sendo fabricadas na Travessia de Dreng. Fazer réplicas perfeitas das matrizes usadas nas casas de cunhagem reais exige a perícia de um joalheiro... e na colegiada da Travessia de Dreng há um joalheiro. Seu nome é Cuthbert.

Den se mostrou ao mesmo tempo chocado e interessadíssimo. Parecia genuinamente horrorizado com a enormidade do crime.

– Um bispo! – falou, num sussurro exaltado. – Falsificando a moeda do rei! – Mas estava também animado. – Se eu denunciar esse crime, o rei Ethelred jamais esquecerá meu nome!

Depois que ele se acalmou, Aldred conseguiu fazê-lo se concentrar apenas em como eles poderiam capturar os contraventores.

– Temos que surpreendê-los no ato – determinou Den. – Eu preciso ver o material, as ferramentas, o processo. Preciso ver o dinheiro falso sendo fabricado.

– Acho que é algo possível de providenciar – falou Aldred, soando mais confiante do que de fato estava. – Eles fazem isso a intervalos regulares, sempre alguns dias depois do fim do trimestre. Wynstan coleta seus aluguéis, leva dinheiro verdadeiro para a Travessia de Dreng e lá o transforma no dobro da quantidade de moedas falsas.

– Diabólico. Mas, para conseguirmos pegá-los, eles não podem ser alertados. – Den ficou pensativo. – Eu precisaria sair de Shiring antes de Wynstan, assim ele não desconfiaria que está sendo seguido. E precisaria de um pretexto. Posso fingir que vamos procurar Cara de Ferro na floresta ao redor de Bathford, por exemplo.

– Boa ideia. Ouvi relatos de cabras roubadas por lá há poucas semanas.

– Depois teríamos que ficar escondidos na floresta perto da Travessia de Dreng, bem longe da estrada. Mas precisaríamos de alguém para nos avisar quando Wynstan chegasse à colegiada.

– Isso eu posso conseguir. Tenho um aliado no povoado.

– De confiança?

– Ele já sabe de tudo. É Edgar, o construtor.

– Uma boa escolha. Ele ajudou lady Ragna em Outhenham. É jovem, mas inteligente. Ele teria que nos avisar assim que eles começassem a fabricar as moedas. Acha que faria isso?

– Sim.

– Creio que temos um esboço de plano. Mas preciso refletir com cuidado a respeito. Conversamos mais depois.

– Quando quiser, xerife.

No dia de São Miguel, 29 de setembro, o bispo Wynstan estava sentado em sua residência de Shiring recebendo seus aluguéis.

Durante todo o dia, seu tesouro foi ficando cada vez mais polpudo, fazendo-o experimentar um prazer tão intenso quanto o que sentia com o sexo. Os chefes dos vilarejos mais próximos vinham pela manhã, conduzindo animais vivos, guiando carroças abarrotadas ou carregando nas costas sacos e baús de *pence* de prata. Os tributos dos lugares mais distantes de Shiring chegavam à tarde. Por ser bispo, Wynstan era também senhor de terras em outros condados, e esses pagamentos chegariam ao longo do dia seguinte ou do outro. Ele ia somando tudo com o mesmo cuidado de um camponês faminto contando os pintinhos de seu galinheiro. O que mais lhe agradava eram os *pence* de prata, pois esses ele podia levar à Travessia de Dreng para serem milagrosamente duplicados.

O chefe de Meddock ficou devendo 12 *pence*. O caloteiro era Godric, filho do padre, que tinha ido se explicar.

– Meu bispo, eu imploro a sua bondosa misericórdia – começou ele.

– Deixe disso. Onde está meu dinheiro? – retrucou Wynstan.

– Choveu muito, tanto antes quanto depois do solstício. Eu tenho esposa e dois filhos, e não sei como vou alimentá-los neste inverno.

Aquilo não era como a calamidade do ano anterior em Combe, quando todos na cidade tinham ficado mais pobres.

– Todos os outros habitantes de Meddock pagaram o que deviam – retrucou Wynstan.

– Minhas terras ficam numa encosta virada para oeste e minha safra foi levada pela chuva. No ano que vem vou lhe pagar em dobro.

– Não vai, não. Você vai é me contar outra história.

– Eu juro que estou falando a verdade.

– Se eu aceitasse promessas em vez de aluguéis, estaria pobre, e você, rico.

– Então o que devo fazer?

– Pedir emprestado.

– Já pedi ao meu pai, o padre, mas ele não tem dinheiro.

– Se o seu próprio pai lhe disse não, por que eu deveria ajudá-lo?

– Então o que posso fazer?

– Dê um jeito de arrumar o dinheiro. Se não puder pedir emprestado, venda-se como escravo junto com a sua família.

– O senhor nos aceitaria como escravos, senhor bispo?

– Sua família está aqui?

Godric apontou para eles. Uma mulher e duas crianças aguardavam, ansiosos, mais atrás.

– Sua esposa é velha demais para valer grande coisa e seus filhos são muito pequenos – comentou Wynstan. – Eu não quero nenhum de vocês. Tente outra pessoa. A viúva Ymma, a peleira, é rica.

– Senhor bispo...

– Saia da minha frente. Chefe, se Godric não tiver pagado até o final do dia, arrume outro camponês para a encosta oeste. E certifique-se de que o novo inquilino compreenda a necessidade de cavar valas de escoamento. Estamos no oeste da Inglaterra, pelo amor dos céus... aqui chove.

Ao longo do dia houve vários como Godric e Wynstan tratou todos eles da mesma forma. Se permitisse que os camponeses deixassem de pagar uma vez, todos apareceriam no final do trimestre de mãos vazias e com histórias tristes para contar.

Wynstan estava recebendo também os aluguéis de Wilwulf e, ao seu lado, Ithamar mantinha as duas contabilidades cuidadosamente separadas. Wynstan tirava uma comissão modesta do dinheiro de Wilf. Sabia muito bem que sua riqueza e seu poder eram substanciais por causa de sua relação com o senhor de Shiring e não ia pôr em risco essa relação.

No final da tarde, Wynstan chamou criados para transportarem até o complexo os pagamentos em mercadorias devidos a Wilf, mas ele mesmo foi levar a prata, pois gostava de entregá-la pessoalmente, fazendo parecer que era um presente seu. Encontrou o irmão no salão nobre.

– Não tem tanto no baú quanto teria antigamente, antes de você dar o vale de Outhen para lady Ragna – falou.

– Ela está lá agora – informou Wilf.

Wynstan aquiesceu. Era o terceiro trimestre em que Ragna ia pessoalmente receber seus aluguéis. Após o confronto com ele no dia da Anunciação, sem dúvida ela não estava com nenhuma pressa de delegar a tarefa a um subordinado.

– Ela é excepcional – disse Wynstan, como se gostasse dela. – Muito linda e muito inteligente. Entendo por que você pede conselhos a ela com tanta frequência... mesmo ela sendo mulher.

Era um falso elogio. Um homem dominado pela esposa se via sujeito a muitas piadas, a maior parte obscena. Wilf não deixou passar a sutileza:

– Eu peço conselhos a você, que é um mero padre.

– Verdade. – Wynstan sorriu, reconhecendo o contragolpe. Sentou-se e um criado lhe serviu um cálice de vinho. – Ela deixou seu filho com cara de bobo na ocasião daquele jogo de bola.

Wilf fez uma cara amargurada.

– Lamento dizer, mas Garulf é um pateta. Ele demonstrou isso no País de Gales. Não é nenhum covarde, pois, sejam quais forem as chances, mostra-se disposto a lutar. Mas tampouco é um general. O seu conceito de estratégia é partir para a batalha gritando a plenos pulmões. O lado bom é que os homens o seguem.

Eles mudaram de assunto e começaram a falar sobre os vikings. Naquele ano os ataques tinham sido mais a leste, em Hampshire e Sussex, e o condado de Shiring em grande parte conseguira escapar, ao contrário do que havia acontecido no ano anterior, quando Combe e outros lugares sob o domínio de Wilf tinham sido arrasados. Naquele ano, porém, Shiring havia sofrido com a chuva fora de época.

– Talvez Deus esteja descontente com o povo de Shiring – falou Wilf.

– Provavelmente por ele não dar dinheiro suficiente para a Igreja – disse Wynstan, e seu irmão riu.

Antes de voltar para a sua residência, Wynstan foi visitar a mãe, Gytha. Beijou-a e se sentou junto à lareira da casa dela.

– Frei Aldred fez uma visita ao xerife Den.

Wynstan ficou intrigado.

– É mesmo?

– Ele foi sozinho e se mostrou bastante discreto. Certamente acha que ninguém notou. Mas eu fiquei sabendo.

– Aquele dali é um dissimulado. Escreveu para o arcebispo de Canterbury pelas minhas costas e tentou assumir minha colegiada na Travessia de Dreng.

– Ele tem algum ponto fraco?

– Houve um incidente quando era jovem, um caso com outro jovem monge.

– Algo desde então?

– Não.

– Isso pode ser útil como munição, mas, se o comportamento não se repetiu, não basta para derrubá-lo. Na vida sem mulheres que aqueles monges levam, acho que metade deles deve estar se agarrando no dormitório.

– Não estou preocupado com Aldred. Eu já acabei com ele uma vez e posso fazer isso de novo.

O comentário não tranquilizou Gytha.

– Eu não entendo – disse ela, aflita. – O que um monge poderia querer com o xerife?

– Estou mais preocupado com a vadia normanda.

Gytha concordou com um meneio de cabeça.

– Ragna é inteligente e ousada.

– Ela levou a melhor sobre mim em Outhenham. Não é muita gente que consegue isso.

– E conseguiu fazer Wilf mandar embora o chefe dos cavalariços Wignoth, que machucou a égua dela para mim.

Wynstan suspirou.

– Que erro o nosso deixar Wilf se casar com ela...

– Quando você negociou isso, tinha esperança de reforçar o tratado com o conde Hubert.

– Foi mais por Wilf desejá-la tanto.

– Você poderia ter impedido o casamento.

– Eu sei – concordou Wynstan, com tristeza. – Eu poderia ter voltado de Cherbourg dizendo que nós chegamos tarde, que Ragna já estava prometida em casamento a Guillaume de Reims. – Wynstan refletiu sobre essa explicação. Em geral podia contar a verdade à mãe: ela ficava do seu lado quaisquer que fossem as circunstâncias. – Wilf tinha acabado de me nomear bispo, e a triste verdade é que eu não tive coragem. Fiquei com medo que ele descobrisse o que eu tinha feito. Pensei que a ira dele seria terrível. Na verdade, eu quase com certeza teria conseguido me safar. Só que na época não sabia disso.

– Não se preocupe com Ragna – disse Gytha. – Nós conseguimos lidar com ela. Ela não faz ideia das forças que está enfrentando.

– Não tenho tanta certeza disso.

– Em todo caso, seria uma tolice fazer qualquer movimento contra ela agora. O coração de Wilf lhe pertence. – Gytha sorriu com a boca torta. – Mas o amor de um homem é temporário. Vamos esperar até Wilf se cansar dela.

– Quanto tempo isso deve levar?

– Não sei. Seja paciente. A hora vai chegar.

– Eu amo você, mãe.

– Também amo você, meu filho.

Em algumas manhãs a armadilha de peixes estava cheia, em outras, pela metade, e às vezes havia só alguns peixinhos, mas todas as semanas havia mais do que a família precisava para comer. Eles penduraram os peixes nas vigas para defumá-los até parecer que estava chovendo enguias. Numa sexta-feira em que a armadilha amanheceu cheia, Edgar decidiu ir vender algumas.

Encontrou um galho com um metro de comprimento, pendurou nele doze enguias gordas usando ramos verdes como cordões e foi até a taberna. Encontrou Ethel, a esposa mais jovem de Dreng, sentada do lado de fora ao sol do final do verão, depenando pombos para o ensopado, com as mãos ossudas vermelhas e engorduradas por causa da tarefa.

– Quer algumas enguias? – perguntou ele. – Duas por um *farthing*.

– Onde as conseguiu?

– No nosso campo de feno inundado.

– Muito bem. Estão bonitas e carnudas. Sim, vou querer duas.

Ela entrou para pedir o dinheiro a Dreng e o barqueiro também saiu.

– Onde as conseguiu? – perguntou ele a Edgar.

– Achei um ninho de enguias numa árvore – respondeu o rapaz.

– Petulante como sempre – retrucou Dreng, mas lhe entregou um quarto de *penny* de prata e Edgar seguiu seu caminho.

Vendeu duas para Ebba, a lavadeira, e quatro para Bebbe Gorda. Elfburg, que fazia a limpeza na colegiada, disse não ter dinheiro, mas seu marido Hadwine fora passar o dia na floresta para catar castanhas e ela conhecia outro jeito de pagar a Edgar. Ele recusou a oferta, mas mesmo assim lhe deu duas enguias.

Com quatro *farthings* no bolso, levou para os clérigos as enguias que restavam.

Edith, esposa de Degbert, estava amamentando um bebê em frente à casa.

– Estão bonitas – falou.

– Pode ficar com as quatro por meio *penny* – disse ele.

– É melhor perguntar para ele – respondeu Edith, fazendo um gesto com a cabeça em direção à porta aberta.

Degbert escutou as vozes e saiu.

– Onde conseguiu essas enguias? – perguntou a Edgar.

Edgar reprimiu uma resposta sarcástica.

– A enchente criou um laguinho de peixes no nosso campo.

– E quem falou que vocês podiam pegar enguias lá?

– Elas não pediram permissão para nadar até a nossa fazenda.

Degbert olhou para o galho de Edgar.

– Pelo visto você já vendeu algumas.

– Vendi oito – informou Edgar com relutância.

– Está esquecendo que o senhor de terras aqui sou eu. Você aluga a fazenda, não o rio. Se quiser fazer um laguinho de peixes, precisa da minha autorização.

– É mesmo? Pensei que fosse senhor de terras, não dos rios.

– Você é um camponês sem educação que não sabe nada. A colegiada tem um estatuto que me concede direito sobre tudo que é pescado do rio.

– Desde que eu vim para cá, vocês nunca pegaram um único peixe.

– Não faz diferença. Vale o que está escrito.

– Onde está esse estatuto?

Degbert sorriu.

– Espere aqui. – Ele entrou e voltou trazendo uma folha de pergaminho dobrada. – Aqui está – falou, apontando para um parágrafo. – Qualquer um que pegar peixes no rio deve ao deão um em cada três. – Degbert abriu um largo sorriso.

Edgar não olhou para o pergaminho. Era analfabeto, e Degbert sabia. O estatuto podia estar dizendo qualquer coisa. Ele se sentiu humilhado. Verdade: era um camponês ignorante.

Em tom de triunfo, Degbert falou:

– Você pegou doze enguias, então me deve quatro.

Edgar lhe entregou seu galho de enguias.

Então ouviu o ruído de cascos.

Olhou para o alto do morro e Degbert e Edith fizeram o mesmo. Meia dúzia de cavaleiros desceram com alarde até a colegiada e puxaram as rédeas. Edgar reconheceu o líder: era o bispo Wynstan.

Enquanto Degbert recepcionava seu primo importante, Edgar se afastou depressa. Passou pela taberna e atravessou o campo. Seus irmãos amarravam caules ceifados de aveia em maços, mas ele não lhes dirigiu a palavra. Passou pela casa da fazenda e entrou na floresta em silêncio.

Conhecia o caminho. Foi seguindo uma trilha quase imperceptível entre fileiras de carvalhos e choupos por um quilômetro e meio até ir dar numa clareira. O xerife Den estava ali, acompanhado pelo frei Aldred e vinte homens montados. O grupo formado por eles era impressionante: os homens fortemente armados com espadas, escudos e capacetes; os cavalos, potentes e musculosos. Dois dos homens sacaram suas armas quando Edgar apareceu e ele os reconheceu: o baixinho com cara de mau era Wigbert e o grandalhão, Godwine. Edgar ergueu as mãos para mostrar que estava desarmado.

– Está tudo bem, ele é o nosso espião no povoado – falou Aldred, e os soldados embainharam as espadas.

Edgar se retraiu. Não gostava de pensar em si mesmo como espião.

Agora estava aflito com aquilo tudo. Os falsários seriam desmascarados e a punição deles seria cruel. Degbert merecia tudo que lhe acontecesse, mas e quanto a Cuthbert? Ele não passava de um homem fraco que fazia o que mandavam. Fora coagido a cometer um crime.

Mas Edgar tinha horror de tudo que era ilegal. Ma sempre discutia com as figuras de autoridade, mas nunca as enganava. A ilegalidade era representada pelos vikings que haviam matado Sunni e pelo fora da lei Cara de Ferro, e também por pessoas como Wynstan e Degbert, que roubavam dos pobres enquanto fingiam zelar por suas almas. As melhores pessoas eram as que respeitavam as leis, membros do clero como Aldred e nobres como lady Ragna.

Ele suspirou.

– Sim, eu sou o espião – falou. – E o bispo Wynstan acabou de chegar.

– Ótimo – disse Den.

Ele olhou para cima. Apenas uma nesga de céu aparecia entre as folhas, mas a luz forte do meio-dia já havia se abrandado até se transformar numa claridade típica de fim de tarde.

Edgar respondeu à pergunta que o xerife não fez:

– Eles não vão conseguir fazer muita coisa na forja hoje. Vai demorar até que preparem o fogo e derretam os *pence*.

– Então vão começar amanhã.

– Calculo que no meio da manhã o trabalho esteja no auge.

Den se mostrou desconfortável.

– Não podemos correr nenhum risco. Você consegue verificar em que estágio eles estão e nos avisar quando for um bom momento para a nossa interferência?

– Sim.

– Eles o deixarão entrar na oficina?

– Não, mas é assim que eu vou saber. Às vezes converso com o joalheiro quando ele está trabalhando. Nós falamos sobre ferramentas, metais e...

– Como você vai saber? – interrompeu Den, impaciente.

– A única ocasião em que Cuthbert fecha sua porta é quando Wynstan está aqui. Então vou bater e pedir para falar com ele. Se me mandarem embora, vai ficar claro que estão trabalhando.

Den meneou a cabeça grisalha.

– Está bom assim – falou. – Venha me avisar. Estaremos prontos.

Nessa noite, Wynstan percorreu o povoado e deu de presente a cada casa uma peça inteira de toucinho defumado.

Na manhã seguinte, antes do desjejum, Cuthbert foi até sua oficina e acendeu o fogo usando carvão, que produzia mais calor do que madeira ou carvão mineral.

Wynstan se certificou de que a porta externa da oficina estivesse trancada, então deixou Cnebba do lado de fora para ficar de guarda. Por fim, entregou a Cuthbert o baú de ferro cheio de *pence* de prata.

O joalheiro pegou um recipiente grande de barro e o enterrou no carvão até a borda. À medida que o cadinho esquentava, seu material foi adquirindo aos poucos o tom vermelho do sol nascente.

Ele combinou cinco libras de cobre em fatias finas cortadas de um lingote cilíndrico com um peso equivalente em *pence* de prata, misturou bem e em seguida despejou o metal no cadinho. Atiçou as chamas com um fole e então, quando a mistura começou a derreter, mexeu-a com um graveto. A madeira ficou chamuscada, mas isso não tinha importância. O cadinho de barro continuou a mudar de cor e tornou-se amarelo-vivo como o sol do meio-dia. O metal fundido tinha um tom de amarelo mais escuro.

Sobre a bancada ele dispôs dez moldes de barro enfileirados. Cada um deles, cheio até a borda, comportava uma libra da mistura de metais fundidos. Wynstan e ele haviam determinado essa quantidade algum tempo antes, por tentativa e erro.

Por fim, Cuthbert retirou o cadinho do fogo usando duas pinças de cabo comprido e despejou a mistura nos moldes de barro.

Na primeira vez em que assistira àquele processo, Wynstan sentira medo. Falsificar dinheiro era um crime muito grave. Qualquer ato que adulterasse a moeda era considerado alta traição contra o rei. A punição, em teoria, era ter uma das mãos amputada, mas uma sentença ainda pior podia ser aplicada.

Naquela primeira ocasião, quando não passava de um arquidiácono, ele ficara andando de um lado a outro da colegiada, entrando e saindo da forja, verificando sem parar se alguém estava chegando. Agora se dava conta de ter se comportado perfeitamente como um culpado. No entanto, ninguém se atrevera a questioná-lo.

Havia percebido rapidamente que a maioria das pessoas preferia não saber dos crimes de seus superiores, pois esse conhecimento poderia lhes causar problemas; e havia reforçado essa intuição com presentes. Mesmo agora, ainda duvidava que os moradores do povoado tivessem adivinhado o que acontecia quatro vezes por ano na forja de Cuthbert.

Torceu para ter ficado não descuidado, apenas mais seguro de si.

Quando o metal esfriou e endureceu, Cuthbert virou os moldes de cabeça para baixo e soltou dez discos grossos daquela nova liga de cobre e prata. Então martelou cada um deles para torná-los mais finos e mais largos, até cada um preencher um grande círculo riscado com precisão na bancada com o auxílio de um compasso. Wynstan sabia que cada disco produziria duzentos e quarenta moedas virgens.

Cuthbert havia fabricado um molde vazado com o diâmetro exato de um *penny*, que então usou para recortar moedas virgens do disco de liga metálica. Recolheu com todo o cuidado as aparas que sobraram para que fossem novamente derretidas.

Sobre a sua bancada havia três objetos pesados de ferro em formato cilíndrico. Dois deles eram matrizes meticulosamente gravadas em baixo-relevo por Cuthbert a partir de moldes de cara e coroa do *penny* do rei Ethelred. A matriz inferior, chamada cunho de anverso, retratava a cabeça do rei vista de perfil com o título "rei dos ingleses" em latim. Cuthbert encaixou essa peça com firmeza na fenda de sua bigorna. A matriz superior, chamada cunho de reverso, exibia uma cruz e, enganosamente, a menção "Cunhado por Elfwine em Shiring", também em latim. No ano anterior, o desenho tinha sido modificado e os braços da cruz, alongados, mudança que dificultava a vida dos falsários – justamente o motivo pelo qual o rei as solicitara. Na outra extremidade o cunho de reverso tinha o formato de um cogumelo, assim podia aguentar muitas marteladas. O terceiro objeto era uma cinta que mantinha as duas matrizes em perfeito alinhamento.

Cuthbert pôs uma das moedas virgens sobre o cunho de anverso, posicionou a cinta e colocou dentro desta o cunho de reverso, deixando-o cair até repousar sobre a moeda. Então deu uma rápida e vigorosa martelada no cunho de reverso com seu martelo de cabeça de ferro.

Ergueu o cunho de reverso e retirou a cinta. A face superior da moeda virgem estava agora com a cruz gravada. Cuthbert usou uma faca de ponta curva para separá-la do cunho de anverso, então a virou para revelar do outro lado a cabeça do rei.

A moeda estava da cor errada, pois a liga metálica era marrom, não prateada. Mas esse problema tinha uma solução simples. Usando suas pinças, Cuthbert aqueceu a moeda no fogo e então a mergulhou num recipiente contendo vitríolo diluído. Diante dos olhos de Wynstan, o ácido removeu o cobre da superfície da moeda, deixando uma espécie de revestimento de pura prata.

O bispo sorriu. Dinheiro de graça, pensou. Poucas visões lhe davam mais gosto de ver.

Duas coisas na vida o deixavam feliz: dinheiro e poder. E, na verdade, os dois eram a mesma coisa. Ele adorava ter poder sobre os outros, e o dinheiro lhe proporcionava isso. Não era capaz de imaginar uma quantidade de poder e dinheiro que estivesse acima do que poderia querer. Era bispo, mas queria ser arcebispo, e, quando conseguisse isso, se esforçaria para se tornar o chanceler do rei, ou quem sabe o próprio rei. E mesmo então iria querer mais poder e mais dinheiro. Mas a vida era isso, pensou: uma pessoa podia ir dormir saciada e mesmo assim acordar com fome.

Cuthbert tornou a pôr o cadinho de barro no fogo e novamente o encheu com mais uma dose de moedas de verdade misturadas com pedaços de cobre.

Enquanto o metal derretia, tornou a martelar o cunho de reverso e produziu mais um *penny*.

– Mais fresquinho do que peito de virgem – comentou Wynstan em tom de aprovação.

Cuthbert largou a moeda no banho de vitríolo.

Ouviu-se um barulho lá fora.

Tanto Cuthbert quanto Wynstan gelaram e ficaram em silêncio, escutando.

Ouviram Cnebba dizer:

– Vá embora.

Uma voz de rapaz falou:

– Eu vim ver Cuthbert.

– É o construtor Edgar – sussurrou o joalheiro.

Wynstan relaxou.

Do lado de fora, Cnebba perguntou:

– O que quer?

– Trouxe uma enguia para ele.

– Pode dá-la para mim.

– Posso dá-la para o diabo, mas esta aqui é para Cuthbert.

– Ele está ocupado. Agora suma daqui.

– Um ótimo dia para o senhor também, gentil homem.

– Seu cão insolente.

Eles aguardaram em silêncio, mas nada mais foi dito e, um minuto depois, Cuthbert retomou o trabalho. Acelerou o ritmo, dedicando-se a inserir moedas virgens, martelar o cunho e soltar os *pence* quase como se fosse uma ajudante de cozinha descascando ervilhas. O verdadeiro cunhador, Elfwine de Shiring, era capaz de produzir algo como 700 moedas por hora trabalhando numa equipe de três. Cuthbert ia largando os *pence* marrons dentro do ácido e fazia uma pausa a cada poucos minutos para recolher as moedas recém-prateadas.

Wynstan assistia fascinado, quase sem perceber o tempo passar. A parte mais difícil é gastar o dinheiro, refletiu com ironia. Como o cobre não era tão pesado quanto a prata, as moedas falsas não podiam ser usadas em nenhuma transação grande o bastante para exigir a pesagem do dinheiro. Mas ele usava os *pence* de Cuthbert em tabernas, puteiros e casas de jogo, onde se fartava gastando à vontade.

Estava observando o religioso retirar o cadinho de metal fundido das brasas pela segunda vez quando foi interrompido de seus devaneios por um novo barulho lá fora.

– O que foi agora? – murmurou, irritado.

Dessa vez o tom de Cnebba estava diferente. Ao falar com Edgar, sua voz havia soado desdenhosa. Agora, ele parecia surpreso e intimidado, o que fez Wynstan franzir a testa com desconforto.

– Quem são vocês? – indagou Cnebba em voz alta, porém nervosa. – De onde vocês todos saíram? O que pretendem chegando assim sem aviso?

Cuthbert pousou o cadinho sobre a bancada e disse:

– Ah, Jesus, me salve. Quem é?

Alguém forçou a porta, mas ela estava presa com firmeza por uma barra.

Wynstan ouviu uma voz que pensou reconhecer dizendo:

– Tem outra entrada pela casa principal.

Quem era aquele? O nome lhe veio à mente segundos depois: frei Aldred, da abadia de Shiring.

Wynstan se lembrou de dizer à mãe que Aldred não oferecia ameaça alguma.

– Vou mandar crucificá-lo – resmungou.

Cuthbert estava paralisado de medo.

Wynstan olhou em volta depressa. Havia provas incriminatórias por toda parte: metal adulterado, matrizes ilícitas e moedas falsificadas. Seria impossível esconder tudo: não dava para guardar num baú um cadinho incandescente cheio de metal fundido. Sua única esperança era manter os visitantes fora da oficina.

Ele passou pela porta interna que ia dar na colegiada. Os religiosos e suas famílias estavam espalhados pelo recinto: homens conversavam, mulheres preparavam legumes, crianças brincavam. Todos ergueram o rosto de repente quanto ele bateu a porta.

Instantes depois, o xerife Den surgiu pela entrada principal.

Ele e Wynstan passaram alguns segundos se encarando. O bispo estava chocado e consternado. Estava claro que Aldred tinha levado o xerife até ali, e só podia haver um motivo para isso.

Bem que a minha mãe me avisou e eu não escutei, pensou.

Com esforço, recuperou o autocontrole.

– Xerife Den! – falou. – Que surpresa a sua visita. Venha, sente-se, tome uma caneca de cerveja.

Aldred entrou atrás do xerife e apontou para a porta atrás de Wynstan.

– A oficina fica ali – disse.

Eles foram seguidos por dois homens armados que Wynstan conhecia como Wigbert e Godwine.

O bispo tinha quatro soldados. Cnebba estava guardando a porta externa da oficina. Os outros três haviam pernoitado nos estábulos. Onde estariam eles agora?

Mais homens do xerife adentraram a colegiada e Wynstan se deu conta de que pouco importava onde seus homens estavam: sua desvantagem numérica era aterradora. Os malditos covardes decerto já teriam abaixado as armas.

Aldred atravessou o recinto a passos largos, mas Wynstan fincou o pé em frente à porta da oficina, impedindo sua passagem. Aldred olhou para ele, mas foi com Den que falou.

– Ali dentro.

– Afaste-se, senhor bispo – pediu o xerife.

Wynstan sabia que sua única defesa era o cargo que ocupava.

– Fora daqui – falou. – Esta é uma casa de padres.

Den olhou em volta para os religiosos e suas famílias. Todos assistiam ao confronto em silêncio.

– Não parece uma casa de padres – retrucou Den.

– Vai responder por isso no tribunal do condado – ameaçou Wynstan.

– Ah, não se preocupe, nós iremos sem falta ao tribunal do condado – rebateu Den. – Agora afaste-se.

Aldred empurrou Wynstan para um lado e pôs a mão na porta. Cheio de raiva, o bispo lhe deu um soco na cara com a maior força possível. Aldred caiu para trás. A mão de Wynstan doeu: ele não estava acostumado a bater em ninguém. Esfregou a mão direita com a esquerda.

Den fez um gesto para seus soldados.

Wigbert chegou mais perto de Wynstan. O bispo era mais alto, mas Wigbert parecia mais perigoso.

– Não se atrevam a pôr as mãos num bispo! – exclamou Wynstan, furioso. – Deus vai amaldiçoá-los.

Os homens hesitaram.

— Um homem perverso como Wynstan não pode invocar a maldição divina, nem mesmo sendo bispo — falou Den.

Seu tom desdenhoso deixou Wynstan ensandecido.

— Peguem-no! — ordenou Den.

Wynstan se moveu, mas Wigbert foi mais rápido. Antes que o bispo conseguisse se esquivar, ele o agarrou, ergueu-o do chão e o afastou da porta. Wynstan se debateu em vão: a musculatura de Wigbert era como o cordame de um navio.

O bispo ficou com uma raiva tão abrasadora quanto o metal no cadinho de Cuthbert.

Aldred entrou correndo na oficina e Den e Godwine entraram logo atrás.

Wynstan continuava imobilizado por Wigbert. Durante alguns segundos, não fez nenhuma tentativa de se mexer. A experiência de ser tratado com truculência por um agente do xerife o deixara chocado. Wigbert relaxou um pouco a pressão.

Wynstan ouviu Aldred dizer:

— Vejam só isso: cobre para adulterar a prata, matrizes para falsificar o dinheiro do rei e moedas novinhas em folha espalhadas pela bancada. Cuthbert, meu amigo, o que deu em você?

— Eles me forçaram — respondeu o joalheiro. — Eu só queria fabricar ornamentos para a igreja.

Seu cão mentiroso, pensou Wynstan, você se mostrou muito receptivo a esse trabalho e engordou graças aos lucros obtidos com ele.

Ouviu Den perguntar:

— Há quanto tempo esse bispo terrível o obriga a profanar a moeda do rei?

— Cinco anos.

— Bem, agora isso terminou.

Wynstan viu um rio de moedas de prata mudar de curso e começar a correr para longe dele, e sua fúria transbordou. Ele se desvencilhou de Wigbert com um tranco repentino.

Aldred encarou estupefato a sofisticada fábrica de falsificações que era a bancada de trabalho de Cuthbert: o martelo e as pinças, o cadinho no fogo, as matrizes e os moldes e a reluzente pilha de *pence* falsos. Ao mesmo tempo, ficou esfregando o rosto no lugar em que Wynstan havia acertado o soco, bem no alto do malar esquerdo. Foi quando escutou um rugido irado do bispo seguido por um palavrão de surpresa de Wigbert. Logo depois, o religioso irrompeu na oficina.

Estava com o rosto vermelho e em seus lábios a saliva parecia a espuma na boca de um cavalo doente. Ele gritava obscenidades feito um louco.

Aldred já o tinha visto com raiva, mas nunca daquele jeito. Wynstan parecia ter perdido qualquer controle. Aos urros, tomado por uma fúria irracional, o bispo se jogou em cima do xerife Den, que foi pego de surpresa e lançado contra a parede. Mas Den, que Aldred supôs ter experiência naquele tipo de situação, levantou uma das pernas, deu um forte chute no peito de Wynstan e o fez sair voando.

Wynstan se virou para Cuthbert, que se encolheu todo. O bispo então segurou a bigorna e a virou, fazendo ferramentas e *pence* falsos se espalharem.

Ele empunhou o martelo de cabeça de ferro e o ergueu bem alto. Seu olhar parecia o de um assassino e Aldred, pela primeira vez na vida, sentiu estar na presença do demônio.

Corajosamente, Godwine partiu para cima dele. Wynstan mudou de posição, recuou o braço e atirou o martelo no cadinho de metal fundido que estava em cima da bancada. O barro se partiu e o metal espirrou.

Aldred viu uma golfada quente acertar em cheio o rosto de Godwine. O grito de terror e dor do homem grandalhão foi interrompido quase na mesma hora em que começou. Então algo acertou a perna de Aldred abaixo do joelho. Ele sentiu uma dor diferente de tudo que já havia experimentado na vida e perdeu os sentidos.

Aldred gritou ao voltar a si e continuou berrando por vários minutos. Por fim, os gritos se transformaram em gemidos. Alguém lhe deu para beber um vinho forte, mas aquilo apenas o deixou confuso, além de apavorado.

Quando o pânico por fim diminuiu e ele conseguiu ajustar o foco da visão, olhou para a própria perna. Na sua canela havia um rombo do tamanho de um ovo de pintarroxo e a pele estava negra e carbonizada. A dor era infernal. O metal que fizera o estrago havia esfriado e caído no chão, supôs ele.

Uma das mulheres dos padres trouxe um unguento para a sua ferida, mas ele recusou: sabia-se lá quais ingredientes mágicos pagãos tinham sido usados naquilo – miolos de morcego, visco triturado ou fezes de melro. Ao ver o confiável Edgar, pediu-lhe para aquecer um pouco de vinho e despejar dentro do buraco, para purificá-lo, e em seguida achar um trapo limpo.

Logo antes de perder os sentidos, Aldred tinha visto uma grande golfada de metal fundido acertar o rosto de Godwine. O xerife Den então lhe contou que o homem tinha morrido e ele entendeu de que maneira. Uma pequena gota do metal derretido tinha aberto na mesma hora um rombo na sua perna, então a quantidade que acertara Godwine no rosto devia ter penetrado até o cérebro em pouquíssimo tempo.

– Eu prendi Degbert e Cuthbert – contou Den. – Vou mantê-los presos até o julgamento.

– E Wynstan?

– Estou inseguro sobre prender um bispo. Não quero a Igreja inteira contra mim. Mas na verdade não é necessário prendê-lo: é pouco provável que Wynstan fuja, e, se isso acontecer, eu o capturo.

– Espero que tenha razão. Eu o conheço há anos e nunca o vi tão transtornado. Ele passou dos limites da maldade normal. Parece possuído.

– Eu concordo – falou Den. – Trata-se de um novo patamar de maldade. Mas não se preocupe. Nós o pegamos bem a tempo.

CAPÍTULO 22

Outubro de 998

dgar sabia que haveria repercussões. Wynstan não aceitaria quieto o acontecido. Ele revidaria e não teria a menor pena daqueles que contribuíram para a revelação do seu crime. De tanto medo, Edgar sentiu um nó na barriga que parecia uma pelota endurecida. Qual seria exatamente a extensão do perigo que estaria correndo?

Ele tinha desempenhado um papel importante, mas sempre na clandestinidade. Durante o flagrante, se mantivera afastado e apenas depois de terminada a confusão era que tinha aparecido na colegiada junto com um grupo de aldeões curiosos. Tinha certeza de que Wynstan não reparara nele.

Estava enganado.

Ithamar, o ajudante de Wynstan de rosto redondo e cabelos louros quase brancos, apareceu na Travessia de Dreng uma semana depois do flagrante do xerife. Encerrada a missa, fez um anúncio administrativo: na ausência de Degbert, o padre Derwin, o mais velho dos religiosos remanescentes na colegiada, fora nomeado deão interino. Aquilo não parecia justificar a viagem desde Shiring, porque uma carta teria cumprido a mesma função.

Quando a congregação estava saindo da pequena igreja, Ithamar abordou Edgar, que fora à missa acompanhado da família: Erman, Eadbald, Cwenburg e a pequena Winnie, agora com 6 meses. Ithamar não perdeu tempo com trivialidades ou gentilezas. Sem qualquer rodeio, disse a Edgar:

– Você é amigo do frei Aldred, da abadia de Shiring.

Seria esse o verdadeiro motivo da sua visita? Edgar sentiu um arrepio de medo.

– Não entendo o porquê dessa afirmativa – rebateu.

– Porque você é amigo dele, seu idiota – foi a contribuição estúpida de Erman.

Edgar quis socar a cara do irmão.

– Ninguém está falando com você, Erman, então cale essa boca – falou. Virou-se outra vez para o assistente. – Eu conheço Aldred, claro.

– Você cuidou da ferida dele quando ele se queimou.

– Como qualquer um faria. Por que o comentário?

– Você foi visto com Aldred aqui na Travessia de Dreng, em Shiring e em Combe. E eu mesmo o vi com ele em Outhenham.

Ithamar estava dizendo que ele conhecia Aldred, nada além disso. Não parecia saber que Edgar na verdade tinha sido o seu espião. Então por que tudo aquilo? Decidiu perguntar diretamente:

– Aonde está querendo chegar, Ithamar?

– Você vai ser uma das testemunhas de Aldred?

Então era isso. A missão de Ithamar era descobrir quem confirmaria o juramento de Aldred. Edgar ficou aliviado. Poderia ter sido muito pior.

– Não fui solicitado a confirmar juramento nenhum – falou.

Era verdade, apesar de não ser de todo sincero. Ele imaginava que seria chamado. Quando alguém que confirmava um juramento tinha conhecimento pessoal dos fatos pertinentes ao caso, isso aumentava o peso da sua confirmação. E como Edgar estivera dentro da oficina e vira os metais, matrizes e moedas recém-cunhadas, seu testemunho ajudaria Aldred... e prejudicaria Wynstan.

Ithamar sabia disso.

– É quase certo que seja chamado – disse ele. Seu rosto um tanto infantil se contorceu de maldade. – E, quando isso acontecer, recomendo que não atenda à solicitação.

Erman tornou a se manifestar:

– Ele tem razão, Edgar. Pessoas como nós deveriam manter distância de discussões entre padres.

– Seu irmão tem bom senso – comentou Ithamar.

– Agradeço aos dois pelo conselho, mas o fato continua sendo que eu não fui convocado a comparecer ao julgamento do bispo Wynstan – afirmou Edgar.

Ithamar não se deu por satisfeito.

– Lembre-se de que o deão Degbert é o seu senhorio – disse ele, sacudindo um dedo em riste.

Edgar se espantou. Não esperava que fosse haver ameaças.

– O que está querendo dizer com isso? – Chegou mais perto de Ithamar. – Exatamente?

O religioso pareceu intimidado e deu um passo para trás, mas adotou um ar beligerante e respondeu, em tom de desafio:

– Precisamos que nossos arrendatários apoiem a Igreja, não que a prejudiquem.

– Eu jamais prejudicaria a Igreja. Por exemplo, não fabricaria moedas falsas numa colegiada.

– Não banque o esperto comigo. Estou lhe dizendo que, se você afrontar o seu senhorio, nós vamos expulsá-lo das suas terras.

– Jesus nos proteja – falou Erman. – Não podemos perder a fazenda. Mal estamos começando a nos acertar. Edgar, escute o que ele está dizendo. Não seja um idiota.

Edgar encarava Ithamar com uma expressão incrédula.

– Nós estamos dentro de uma igreja e você acabou de assistir à missa – pontuou. – Anjos e santos nos rodeiam, invisíveis mas reais. Todos eles sabem o que você está fazendo. Está tentando impedir que a verdade prevaleça e protegendo um homem mau das consequências dos seus crimes. O que imagina que os anjos estão sussurrando uns para os outros agora, ao vê-lo cometer esses pecados ainda com o vinho do sacramento na boca?

– Edgar, o padre é ele, não você! – protestou Eadbald.

Ithamar empalideceu e levou alguns segundos ponderando como responder.

– Eu estou protegendo a Igreja, e os anjos sabem disso – argumentou, embora ele próprio não parecesse acreditar no que tinha acabado de falar. – E você deveria fazer a mesma coisa. Caso contrário, vai sentir a ira do sacerdócio de Deus.

Erman falou, desesperado:

– Edgar, você precisa fazer o que ele diz, senão vamos voltar para onde estávamos quinze meses atrás, na miséria e sem ter onde morar.

– Esse recado eu entendi – disse Edgar, sucinto.

Estava aflito e inseguro, mas não queria demonstrar isso.

– Diga-nos que não vai testemunhar a favor de Aldred, Edgar, por favor – pediu Eadbald.

– Pense no meu bebê – falou Cwenburg.

– Escute sua família, Edgar – disse Ithamar.

Então girou nos calcanhares com a atitude de quem acha que já fez tudo que podia.

Edgar se perguntou o que Ma diria. Precisava da sensatez dela agora. Os outros não podiam ajudar.

– Por que vocês não voltam para a fazenda? Eu vou em seguida.

– O que vai fazer? – perguntou Erman, desconfiado.

– Conversar com Ma – respondeu ele, e se afastou.

Saiu da igreja e atravessou o cemitério até o local de repouso da mãe. A grama sobre o túmulo era nova, verde e brilhante. Ele parou ao pé da cova e uniu as mãos em prece.

– Ma, não sei o que fazer.

Fechou os olhos e a imaginou viva, em pé ao seu lado, escutando atentamente.

– Se eu prestar o juramento, todos nós seremos expulsos da fazenda.

Sabia que a mãe não podia lhe responder. Porém ela sobrevivia na sua lembrança e o seu espírito com certeza estava por perto, de modo que ela podia falar com ele na sua imaginação: ele só precisaria expor o que se passava em sua mente.

– Logo agora que estamos começando a ter algum excedente – continuou. – Dinheiro para comprar cobertores, sapatos, carne... Erman e Eadbald trabalharam duro... eles merecem alguma recompensa.

Sabia que ela concordava com isso.

– Mas, se eu fizer o que Ithamar mandou, estarei ajudando um bispo mau a escapar da justiça. Wynstan vai poder continuar levando a vida de sempre. Sei que você não iria querer que eu fizesse isso.

Expus a situação com clareza, pensou.

Na sua mente, Ma respondeu inequivocamente: "A família em primeiro lugar. Cuide dos seus irmãos."

– Então devo me recusar a ajudar Aldred.

"Sim."

Edgar abriu os olhos.

– Sabia que você diria isso.

Quando ele se virou para ir embora, ela tornou a falar:

"Ou então poderia fazer algo inteligente."

– O quê?

Não houve resposta.

– O que eu poderia fazer de inteligente? – indagou Edgar.

Mas Ma não respondeu.

Wilwulf foi fazer uma visita à abadia de Shiring.

Aldred foi chamado no *scriptorium* por um noviço ofegante.

– O senhor da cidade está aqui! – exclamou o rapaz.

Ele sentiu medo no momento em que ouviu isso.

– E está querendo ver o senhor e o abade Osmund – acrescentou o noviço.

Aldred morava na abadia desde que o senhor da cidade era o pai de Wilwulf e não conseguia se lembrar de nenhuma vez que qualquer um dos dois tivesse entrado no mosteiro. Aquilo era sério. Demorou alguns instantes para acalmar a respiração e permitir que os batimentos cardíacos voltassem ao normal.

Podia adivinhar o que havia por trás daquela visita sem precedentes. Não se falava em outra coisa em todo o condado, e talvez em todo o oeste da Inglaterra, que não fosse o flagrante do xerife na colegiada da Travessia de Dreng. E um ataque a Wynstan era uma afronta pessoal a seu irmão Wilwulf.

Aos olhos de Wilwulf, provavelmente fora Aldred quem causara o problema.

Como todos os poderosos, Wilwulf era capaz de muita coisa para manter seu poder. Mas será que iria tão longe a ponto de ameaçar um monge?

Um grande senhor da cidade tinha que ser visto como um juiz justo. Do contrário, ele perdia autoridade moral. Nesse caso, poderia ter dificuldade para fazer valer suas decisões. A aplicação da lei era uma tarefa difícil para um homem nessa posição. Ele podia usar sua pequena guarda pessoal para executar punições relativas a desobediências ocasionais sem tanta importância e podia reunir um exército – ainda que às custas de esforço e despesas consideráveis – para combater vikings ou atacar os galeses, mas seria difícil conseguir lidar com uma onda persistente de desobediência de uma população que tivesse perdido a fé nos seus governantes. Ele precisava ser alvo de admiração. Estaria Wilwulf disposto a atacar Aldred mesmo assim?

Aldred sentiu uma certa náusea e engoliu a saliva com força. Quando havia começado a investigar Wynstan, sabia que enfrentaria pessoas sem escrúpulos e tinha dito a si mesmo que esse era o seu dever. Mas na teoria era fácil correr riscos. Agora era a realidade que estava batendo à sua porta.

Mancando, subiu a escada. Sua perna ainda doía, principalmente ao andar. Metal derretido era mais agressivo para a carne do que uma faca.

Wilwulf não era o tipo de homem que ficava esperando do lado de fora da porta; ele já tinha entrado no quarto de Osmund. Com sua capa amarela, era uma presença mundana espalhafatosa no mosteiro todo cinza e branco. Estava postado ao pé da cama com as pernas afastadas e as mãos nos quadris, numa clássica postura de confronto.

O abade seguia acamado. Estava sentado na cama usando uma touca de dormir e parecia assustado.

Aldred se mostrou mais confiante do que de fato se sentia.

– Bom dia, senhor Wilwulf – falou depressa.

– Entre, monge – disse Wilwulf, como se estivesse em casa e as visitas fossem eles. – Creio que meu irmão seja o responsável por esse seu olho roxo – acrescentou com certa satisfação.

– Não se preocupe – retrucou Aldred num tom condescendente proposital. – Se o bispo Wynstan confessar e implorar perdão, Deus terá misericórdia dele por essa violência indigna de um religioso.

– Ele foi provocado!

– Senhor Wilwulf, Deus não aceita essa desculpa. Jesus nos ensinou a oferecer a outra face.

O nobre grunhiu de irritação e mudou de estratégia:

– Estou muito contrariado com o que aconteceu na Travessia de Dreng.

– Eu também – falou Aldred, partindo para a ofensiva. – Que crime mais cruel contra o rei! Sem falar no assassinato de Godwine, o soldado do xerife.

Receoso, Osmund falou:

– Calado, Aldred. Deixe o senhor Wilwulf falar.

A porta se abriu e Hildred entrou.

O senhor da cidade se irritou com ambas as interrupções.

– Não mandei chamá-lo – disparou para Hildred. – Quem é você?

Quem respondeu foi Osmund:

– Este é Hildred, o tesoureiro, que nomeei abade para me substituir durante a minha convalescença. Ele deveria ouvir o que o senhor tem a dizer.

– Está bem. – Wilwulf retomou o fio da meada: – Um crime foi cometido, e isso é vergonhoso – admitiu. – Mas agora a questão é o que deve ser feito.

– Justiça – falou Aldred. – É evidente.

– Calado – ordenou Wilwulf.

Osmund falou em tom de súplica:

– Aldred, você só está piorando a própria situação.

– Piorando a situação? – rebateu Aldred, indignado. – Quem está encrencado não sou eu. Não fui eu que falsifiquei a moeda do rei. Foi o irmão de Wilwulf.

Wilwulf estava em desvantagem.

– Não vim aqui falar sobre o passado – atalhou ele, evasivo. – A questão, como já falei instantes atrás, é o que deve ser feito agora. – Ele se virou para Aldred. – E não venha me dizer "justiça" de novo, senão eu arranco essa cabeça careca do seu pescoço magro.

Aldred não falou nada. Nem era preciso assinalar que o fato de um nobre ameaçar um monge de violência física era indigno, para dizer o mínimo.

Wilwulf pareceu se dar conta disso e mudou de tom.

– Nosso dever, abade Osmund, é garantir que esse incidente não prejudique a autoridade da nobreza nem a da Igreja – falou, adulando o abade ao colocar ambos no mesmo nível.

– Isso mesmo – concordou Osmund.

Aldred achou aquilo um mau sinal. O normal era que Wilwulf fosse truculento. Considerou sinistro esse tom conciliatório.

– A falsificação acabou – continuou Wilwulf. – As matrizes foram confiscadas pelo xerife. Qual é a necessidade de um julgamento?

Aldred quase arquejou. A afronta era espantosa. Não fazer um julgamento? Aquilo era ultrajante.

Wilwulf prosseguiu:

– Um julgamento não servirá para nada a não ser desgraçar um bispo que é também meu meio-irmão. Pensem em que medida não seria melhor deixar de falar nesse incidente.

Melhor para o seu irmão mau, pensou Aldred.

Osmund foi vago:

– Entendo o que está querendo dizer, meu senhor.

– O senhor está gastando saliva aqui – afirmou Aldred. – Nós podemos dizer o que for, mas o xerife jamais vai concordar com a sua proposta.

– Pode ser – falou Wilwulf. – Mas talvez ele se sinta desencorajado caso vocês retirem o seu apoio.

– O que está querendo dizer exatamente?

– Imagino que ele vá querer que você testemunhe a favor dele. Estou lhe pedindo para recusar o pedido... pelo bem da Igreja e da nobreza.

– Eu preciso dizer a verdade.

– Há vezes que vale mais calar a verdade. Até mesmo os monges deviam saber disso.

Osmund falou em tom de súplica:

– Aldred, o que o senhor Wilwulf está dizendo faz muito sentido.

Aldred inspirou fundo.

– Imaginem que Wynstan e Degbert fossem sacerdotes dedicados, que se sacrificassem para dedicar a vida ao serviço de Deus e se abstivessem das luxúrias da carne, mas que houvessem cometido um único erro tolo que ameaçasse pôr fim à carreira deles. Nesse caso, sim, precisaríamos debater se a punição causaria mais mal do que bem. Só que eles não são sacerdotes desse tipo, não é mesmo? – Aldred fez uma pausa, como se estivesse esperando Wilwulf responder à pergunta, mas o senhor de Shiring teve a sensatez de não dizer nada. Aldred continuou: – Wynstan e Degbert gastam o dinheiro da Igreja em tabernas, casas de jogo e puteiros, e muita gente sabe disso. Se os dois fossem excomungados amanhã, isso só faria contribuir para a autoridade tanto da nobreza quanto da Igreja.

Wilwulf ficou irritado.

– Frei Aldred, você não vai querer ter a mim como inimigo.

– Certamente não – retrucou Aldred, com mais sinceridade do que devia estar demonstrando.

– Então faça o que estou dizendo e retire o seu apoio.

– Não.

– Pense um pouco no assunto, Aldred – implorou Osmund.

– Não.

Pela primeira vez, Hildred se manifestou:

– Não vai se curvar à autoridade, como um monge deveria fazer, e demonstrar obediência ao seu abade?

– Não – respondeu Aldred.

Ragna estava grávida.

Ainda não havia contado para ninguém, mas tinha certeza. Cat devia imaginar, mas era a única. Ragna guardou com todo o carinho esse segredo: havia um novo corpo crescendo dentro do seu. Pensava nisso enquanto andava para lá e para cá mandando pessoas limparem, arrumarem e consertarem, mantendo o complexo funcionando e garantindo que nada incomodasse Wilf.

Sabia que dava má sorte contar cedo demais. Muitas gestações acabavam em abortos espontâneos. Nos seis anos entre o seu nascimento e o do irmão, sua mãe perdera vários bebês. Ragna só faria o anúncio quando a protuberância se tornasse volumosa demais para ser escondida pelo seu vestido.

Estava muito empolgada. Ao contrário de muitas meninas, nunca havia sonhado em ter um bebê, mas, agora que aquilo estava acontecendo, constatou que ansiava por segurar no colo e amar aquele pedacinho de vida.

Também estava satisfeita por estar cumprindo seu papel na sociedade inglesa. Ela era a esposa nobre de um marido nobre e tinha por dever gerar herdeiros. Aquilo frustraria seus adversários e fortaleceria seu vínculo com Wilf.

Por fim, estava assustada. Parir era algo arriscado e doloroso, todos sabiam. Quando uma mulher morria jovem, em geral era devido a um parto com complicações. Ragna teria Cat ao seu lado, mas a criada nunca dera à luz. Desejou que a mãe estivesse ali. De qualquer maneira, havia uma boa parteira em Shiring e Ragna já a conhecia: uma mulher grisalha, calma e competente chamada Hildithryth, que todos chamavam de Hildi.

Ao mesmo tempo, também estava feliz com o fato de os pecados de Wynstan estarem enfim sendo expostos. A falsificação de dinheiro era sem dúvida apenas um dos seus crimes, mas era o que fora descoberto e ela esperava que fosse punido com severidade. Talvez essa experiência diminuísse a arrogância do bispo. Que bom que Aldred o desmascarou, pensou.

Aquele seria o primeiro julgamento importante que ela presenciaria na Inglaterra e estava ansiosa para aprender mais sobre o sistema jurídico do país. Sabia que seria diferente do que existia na Normandia. O princípio bíblico do olho por olho, dente por dente não era aplicado ali. A punição por assassinato em geral era uma multa paga à família da vítima. O preço a pagar por um assassinato era chamado de *wergild* e variava conforme a riqueza e o status do morto: um vassalo valia 60 libras de prata; um camponês comum, 10.

Ela aprendeu mais quando Edgar foi visitá-la. Estava escolhendo maçãs em cima de uma mesa, separando as machucadas que não resistiriam ao inverno para poder ensinar à ajudante de cozinha Gilda o melhor modo de fabricar sidra, quando o viu entrar pelo portão principal e atravessar o complexo, uma figura forte com o passo decidido.

– A senhora mudou – comentou ele com um sorriso assim que a viu. – O que houve?

Ele era observador, claro, sobretudo no que dizia respeito a formas.

– Tenho exagerado no mel inglês – respondeu ela.

Era verdade: vivia com fome.

– Está lhe fazendo bem. – Ele então se lembrou da compostura e acrescentou: – Se me permite dizê-lo, milady.

Ele se posicionou do outro lado da mesa e começou a ajudá-la a separar as frutas, manuseando as boas com delicadeza e jogando as ruins dentro de um barril. Ragna percebeu que ele estava preocupado com alguma coisa.

– Dreng o mandou vir comprar mantimentos? – perguntou.

– Eu não sou mais empregado de Dreng. Fui dispensado.

Ragna pensou que ele poderia trabalhar para ela. A ideia lhe agradou bastante.

– Dispensado por quê?

– Quando lhe devolveram Blod, ele a espancou tanto que pensei que fosse matá-la, então tive que interferir.

Edgar sempre tenta fazer a coisa certa, pensou ela. Mas qual seria a real extensão dos seus problemas?

– Você pode voltar para a fazenda? – Talvez fosse com isso que ele estivesse preocupado. – Se bem me lembro, ela não é muito produtiva.

– Não é, mas eu fiz um laguinho de peixes e agora temos o suficiente para comer e algum excedente para vender.

– E Blod está bem?

– Não sei. Eu disse a Dreng que o mataria se ele tornasse a machucá-la e talvez isso o tenha feito pensar duas vezes antes de espancá-la.

– Sabia que eu tentei comprá-la para salvá-la dele? Mas Wynstan não deixou.

Ele aquiesceu.

– Falando em Wynstan...

Ragna viu que ele ficou todo tensionado e imaginou que Edgar estivesse a ponto de revelar o verdadeiro motivo da sua visita.

– Sim?

– Ele mandou Ithamar ir me ameaçar.

– E qual a ameaça?

– Se eu testemunhar a favor de Aldred no julgamento, minha família será expulsa da fazenda.

– Sob que justificativa?

– De que a Igreja precisa de arrendatários que apoiem o clero.

– Isso é ultrajante! O que você vai fazer?

– Eu quero desafiar Wynstan e testemunhar a favor de Aldred. Mas minha família precisa de terras. Além dos meus irmãos, eu agora tenho uma cunhada e uma sobrinha bebê.

Ragna pôde ver que ele estava dividido e se solidarizou:

– Eu compreendo.

– Por isso vim procurá-la. No vale de Outhen deve haver terras que ficam vagas com bastante frequência.

– Várias vezes ao ano. Geralmente há algum filho ou enteado para assumi-las, mas nem sempre.

– Se soubesse que posso contar com a senhora para dar uma fazenda à minha família, eu poderia confirmar o juramento de Aldred e desafiar Wynstan.

– Eu lhes darei uma fazenda se vocês forem expulsos – disse ela sem hesitar. – É claro que sim.

Viu os ombros dele relaxarem de alívio.

– Obrigado. A senhora não faz ideia de quanto...

Para surpresa de Ragna, os olhos cor de avelã de Edgar ficaram marejados.

Ela estendeu a mão e segurou a dele.

– Pode contar comigo – falou.

Segurou a mão do jovem por mais alguns instantes, então a soltou.

Hildred armou uma emboscada para Aldred na reunião do capítulo.

O capítulo era o momento do dia em que os monges recordavam suas origens democráticas. Eram todos irmãos, semelhantes perante a Deus e iguais na administração da abadia. Como isso entrava em conflito direto com seu voto de obediência, nenhum dos dois princípios era obedecido por completo. No dia a dia, os monges faziam o que seu abade mandava. Na reunião do capítulo, porém, sentavam-se em círculo e decidiam questões importantes como iguais – entre elas a eleição de um novo abade quando o antigo morria. Caso não houvesse consenso, organizava-se uma votação.

Hildred começou dizendo que precisava submeter à avaliação dos irmãos um assunto que vinha afligindo tanto a ele quanto ao pobre abade Osmund em seu leito de convalescença no andar de cima. Então falou sobre a visita de Wilwulf. Enquanto ele narrava a história, Aldred ficou observando o semblante dos irmãos. Nenhum dos mais velhos pareceu surpreso, e ele se deu conta de que Hildred já tinha assegurado seu apoio de antemão. Os mais jovens pareceram chocados. Eles não haviam sido avisados porque Hildred certamente tivera medo de que dessem a Aldred uma chance de preparar sua defesa.

O abade interino concluiu dizendo que trouxera aquela questão para a reunião do capítulo porque o papel de Aldred na investigação e no futuro julgamento de Wynstan era uma questão de princípios.

– Por que a abadia está aqui? – indagou ele. – Qual é o nosso papel? Estamos aqui para participar das lutas de poder entre a nobreza e os membros do alto clero? Ou nosso dever é nos retirarmos do mundo e adorar a Deus tranquilamente, sem nos ligarmos às tempestades da vida mundana? O abade Osmund pediu a Aldred para não participar do julgamento e Aldred se recusou. Creio que os irmãos aqui reunidos têm o direito de ponderar qual é o desejo de Deus para o nosso mosteiro.

Aldred viu que havia um certo consenso. Mesmo aqueles que não tinham sido avisados previamente por Hildred achavam que monges não deveriam se meter em política. A maioria dos irmãos preferia Aldred a Hildred, mas eles também apreciavam uma vida tranquila.

Agora todos esperavam o que ele tinha para falar. Isto parece uma disputa de gladiadores, pensou. Ele e Hildred eram os dois irmãos mais importantes depois do abade. Mais cedo ou mais tarde, um ou outro assumiria o lugar de Osmund. O tema em discussão poderia fazer diferença na batalha final.

Aldred poderia expor seu ponto de vista, mas temia que muitos dos irmãos já houvessem escolhido um lado. Talvez a racionalidade não bastasse.

Resolveu apostar mais alto.

– Concordo com boa parte do que frei Hildred diz – começou. Num debate, era sempre sensato demonstrar respeito pelo oponente. Ser antipático desagradava às pessoas. – Realmente se trata de uma questão de princípios relativa ao papel dos monges no mundo. E sei que Hildred é sincero em sua preocupação com nossa abadia. – Ele estava sendo bastante generoso e decidiu que já bastava. – Mas permitam-me expor um ponto de vista ligeiramente distinto.

Fez-se silêncio no recinto e todos o encararam ansiosos.

– Monges precisam se preocupar tanto com o próximo quanto com este mundo. Nós somos instruídos a armazenar tesouros no céu, mas o fazemos por meio de boas ações aqui na Terra. Vivemos num mundo de crueldade, ignorância e dor,

368

mas nós o tornamos melhor. Quando o mal é feito diante dos nossos olhos, não podemos nos calar. Eu, pelo menos... não posso. – Ele fez uma pausa de efeito. – Vieram me pedir para desistir do julgamento. Eu me recuso a fazer isso. Não é esse o desejo de Deus para mim. Peço a vocês, meus irmãos, que respeitem a minha decisão. Mas, se vocês decidirem me excomungar desta abadia, é claro que terei que ir embora. – Ele correu os olhos pelo recinto. – Para mim esse seria um dia triste.

Todos estavam chocados. Não imaginavam que ele fosse transformar aquilo numa questão de renúncia. Ninguém queria que chegasse a esse ponto, a não ser, talvez, Hildred.

Um longo silêncio instaurou-se. Aldred só precisava que um de seus amigos sugerisse um meio-termo. No entanto, como não tivera a chance de combinar aquilo previamente, estava torcendo para algum deles pensar em algo sozinho.

No fim das contas, quem chegou a uma solução foi o frei Godleof, o taciturno ex-pastor de vacas.

– Não é preciso excomungá-lo – disse ele, com a brevidade que lhe era característica. – Um homem não deveria ser forçado a fazer aquilo que considera errado.

Indignado, Hildred indagou:

– Mas e o seu voto de obediência?

Apesar de econômico com as palavras, Godleof não era desprovido de inteligência e conseguiria travar um debate com Hildred.

– Há limites – pontuou ele simplesmente.

Aldred viu que muitos dos irmãos concordavam com isso. A obediência não era algo absoluto. Sentiu o vento soprando a seu favor.

Para sua surpresa, o velho Tatwine, seu colega no *scriptorium*, levantou a mão. Aldred não conseguiu se lembrar de já tê-lo ouvido falar no capítulo.

– Há 23 anos eu não ponho os pés fora desta abadia – começou ele. – Mas Aldred foi a Jumièges. Nem na Inglaterra isso fica! E ele trouxe para cá volumes esplêndidos, livros que eu nunca tinha visto antes. Maravilhosos. Há mais de uma forma de ser monge, entendem? – Ele sorriu e aquiesceu como quem concorda consigo mesmo. – Mais de uma.

Os mais velhos ficaram comovidos com essa participação, mais ainda por ela ser tão rara. E Tatwine trabalhava com Aldred diariamente: isso dava mais peso à sua opinião.

Hildred entendeu que tinha sido derrotado e não submeteu a questão a uma votação.

– Se o capítulo está inclinado a perdoar a desobediência de Aldred, tenho certeza de que o abade Osmund não vai querer insistir no contrário – falou, tentando esconder a irritação sob uma máscara de tolerância.

A maioria dos frades meneou a cabeça para concordar.

– Então continuemos – tornou Hildred. – Soube que houve uma reclamação sobre mofo em pães...

Na véspera do julgamento, Aldred e Den partilharam uma caneca de cerveja e revisaram suas expectativas.

– Wynstan deu o melhor de si para prejudicar aqueles que vão testemunhar a nosso favor, mas não acho que tenha conseguido – falou Den.

Aldred assentiu.

– Ele mandou Ithamar ameaçar Edgar de despejo, mas Edgar pediu a Ragna que lhe desse uma fazenda se fosse preciso, então ele agora está firme no propósito.

– E, pelo que eu soube, você levou a melhor na reunião do capítulo.

– Wilwulf tentou intimidar o abade Osmund, mas no final das contas o capítulo me apoiou, por pouco.

– Wynstan não é querido na comunidade religiosa. Ele faz com que todos acabem com má reputação.

– Há muito interesse por esse caso, e não só em Shiring. Vários bispos e abades estarão presentes, e imagino que nos apoiarão.

Den ofereceu mais cerveja a Aldred. O frei recusou, mas o xerife encheu mais uma caneca para si.

– Qual será a punição de Wynstan? – perguntou Aldred.

– Uma lei diz que a mão de um falsário deve ser cortada e pregada acima da porta da casa de cunhagem. Mas outra prevê a pena de morte para falsários que operem na floresta, o que deve incluir a Travessia de Dreng. De toda forma, os juízes nem sempre leem os livros das leis. Muitas vezes eles fazem o que querem, principalmente homens como Wilwulf. Mas primeiro nós precisamos conseguir a condenação de Wynstan.

Aldred franziu a testa.

– Não vejo como o tribunal pode não o condenar. No ano passado, o rei Ethelred fez todos os senhores de cidades prestarem um juramento diante dos doze homens mais importantes do reino. Eles tiveram que jurar não esconder nenhum culpado.

Den deu de ombros.

– Wilwulf vai descumprir esse juramento. Wigelm também.

– Os bispos e abades vão cumprir o deles.

– E não há motivo para outros vassalos sem parentesco com Wilwulf arriscarem suas almas imortais para salvar Wynstan.

– Seja o que Deus quiser – disse Aldred.

CAPÍTULO 23

1º de novembro de 998

urante o ofício das matinas, antes de o dia raiar, Aldred não conseguiu se concentrar. Tentou manter o foco nas preces e em seu significado, mas só conseguia pensar em Wynstan. Aldred havia brincado com fogo e, se não o apagasse, poderia se queimar. Uma derrota no tribunal seria catastrófica. A vingança de Wynstan seria brutal.

Após as matinas, os monges voltaram a dormir, mas acordaram pouco depois para o ofício de laudes. Atravessaram o pátio no ar frio de novembro e adentraram a igreja tremendo. Aldred constatou que cada cântico, cada salmo e cada leitura tinha algo que lhe lembrava o julgamento. Um dos salmos desse dia foi o número 7, e ele entoou as palavras com ênfase: "Salva-me e livra-me de todos os que me perseguem, para que, como leões, não me dilacerem nem me despedacem."

Ele comeu pouco no desjejum, mas bebeu toda a caneca de cerveja e quis mais. Antes do ofício da terça, que versava sobre a Crucificação, o xerife Den bateu à porta da abadia. Aldred vestiu sua capa e saiu.

Den vinha acompanhado por um criado que carregava um cesto.

– Está tudo ali dentro – falou. – As matrizes, o metal adulterado e as moedas falsas.

– Ótimo.

Provas físicas podiam ser importantes, principalmente se alguém estivesse disposto a jurar que eram autênticas.

Eles seguiram em direção ao complexo do senhor da cidade, onde Wilwulf geralmente promovia seus julgamentos em frente ao salão nobre. No entanto, quando estavam passando pela catedral, foram interceptados por Ithamar.

– O julgamento vai ser aqui – avisou o rapaz com arrogância. – Em frente à porta oeste da igreja.

– Quem decidiu isso? – quis saber Den, indignado.

– O senhor Wilwulf, claro.

Den se virou para Aldred.

– Isso é coisa de Wynstan.

O frei assentiu.

– Assim todos irão se lembrar de seu alto status de bispo. E relutarão em condená-lo em frente à catedral.

Den olhou para Ithamar.

– Ele continua sendo culpado, e nós podemos provar.

– Ele é o representante de Deus sobre a Terra – retrucou Ithamar, e afastou-se.

– Talvez isso não seja de todo ruim – observou Aldred. – É provável que mais moradores da cidade compareçam para assistir ao julgamento, e eles estarão contra Wynstan: qualquer um que adultere a moeda é impopular, pois quem acaba com moedas falsas na bolsa são os comerciantes da cidade.

Den se mostrou cético.

– Não acho que o sentimento da população vá fazer muita diferença.

Aldred teve medo de que o xerife estivesse certo.

Os moradores da cidade começaram a aparecer e os primeiros a chegar garantiram lugares com uma boa visão. As pessoas estavam curiosas em relação ao conteúdo do cesto de Den. Aldred lhe disse para deixá-los olhar.

– Talvez Wynstan tente impedi-lo de exibir as provas durante o julgamento – falou. – É melhor se todos virem antes.

Um grupo se reuniu à sua volta e Den respondeu às perguntas que fizeram. Todos já tinham ouvido falar nas falsificações, mas ver as matrizes de precisão, as moedas falsificadas perfeitas e o grande e frio pedaço de liga metálica marrom tornou a situação toda real aos seus olhos e os fez se indignarem outra vez.

Wigbert, capitão dos homens do xerife, trouxe os dois prisioneiros, Cuthbert e Degbert, com as mãos atadas e os tornozelos amarrados um no outro com uma corda de modo a impedi-los de qualquer tentativa súbita de sair correndo rumo à liberdade.

Um criado chegou carregando o assento do senhor da cidade, com sua almofada vermelha de veludo. Ele posicionou a cadeira bem em frente à imensa porta de carvalho. Um padre então pôs uma pequena mesa ao lado da cadeira e, em cima dela, um relicário – um recipiente de prata gravado contendo as relíquias de um santo – sobre o qual as pessoas fariam seus juramentos.

A multidão foi aumentando e o ar ficou carregado com o cheiro de esterco de pessoas mal lavadas. Pouco depois, o sino soou no campanário anunciando o julgamento e os homens mais importantes da região – vassalos e membros superiores do clero – chegaram e se posicionaram ao redor da cadeira vazia de Wilwulf, obrigando os cidadãos comuns a recuar. Aldred fez uma mesura para Ragna quando ela apareceu e acenou para Edgar, que estava ao lado dela.

Terminadas as badaladas estrondosas, um coro dentro da igreja iniciou um cântico. Den ficou furioso.

– Isto é um julgamento, não uma missa! – vociferou. – O que Wynstan pensa que está fazendo?

Aldred sabia exatamente o que Wynstan estava fazendo. No instante seguinte, o bispo emergiu da gigantesca porta oeste. Trajava vestes eclesiásticas brancas bordadas com cenas bíblicas e um chapéu cônico alto debruado de pele. Estava fazendo tudo que podia para dificultar que as pessoas o vissem como um criminoso.

Ele caminhou até a cadeira do senhor da cidade e se postou ao lado dela de olhos fechados e mãos unidas em prece.

– Que absurdo! – esbravejou Den.

– Não vai dar certo – disse Aldred. – As pessoas o conhecem muito bem.

Por fim, Wilwulf chegou com uma numerosa escolta de soldados. Aldred se perguntou por um breve instante por que ele tinha ido com tantos guarda-costas. A multidão se calou. Em algum lugar, uma batida de martelo em algo de ferro mostrou que um ferreiro atarefado prosseguia seu trabalho apesar daquele grande julgamento que era uma verdadeira atração. Wilwulf atravessou a multidão meneando a cabeça para as figuras importantes e se acomodou sobre a almofada. Era a única pessoa sentada.

O julgamento começou com os juramentos. Todos os que iriam ser acusados, acusar ou confirmar juramentos tiveram que pôr a mão sobre a caixa de prata e jurar por Deus que diriam a verdade, condenariam os culpados e libertariam os inocentes. Wilwulf exibia um ar de tédio, mas Wynstan observava com atenção, como se esperasse surpreender alguém que prestasse um juramento com alguma incoerência. Aldred sabia que ele geralmente não ligava para os detalhes de um ritual, mas nesse dia estava fingindo ser meticuloso.

Quando essa etapa acabou, Aldred percebeu que o xerife Den tinha se retesado, pronto para iniciar seu discurso de acusação. No entanto, Wilwulf virou-se para Wynstan e aquiesceu e, para espanto de Aldred, o bispo tomou a palavra.

– Um crime grave foi cometido – disse ele com uma voz ribombante, grave e pesarosa. – Um crime, um pecado terrível.

Den deu um passo à frente.

– Esperem! – gritou. – Isso está errado!

– Nada está errado, Den – rebateu Wilwulf.

– Eu sou o xerife e estou aqui para fazer a acusação deste caso. Falsificar dinheiro é um crime contra o rei.

– Você vai ter sua oportunidade de falar.

Aldred franziu a testa, preocupado. Não conseguia entender exatamente o que os dois irmãos estavam tentando fazer, mas teve certeza de que não era boa coisa.

– Eu insisto! – retrucou Den. – Eu falo em nome do rei, e o rei deve ser ouvido!

– Eu também falo em nome do rei, que me nomeou senhor desta cidade – afirmou Wilwulf. – Agora cale essa boca, Den, ou eu a calarei à força.

Den levou a mão ao cabo da espada.

Os soldados de Wilwulf se posicionaram.

Aldred olhou em volta rapidamente e contou doze homens armados em volta de Wilwulf. Agora entendia por que havia tantos. Den, que não previra nenhuma violência, tinha apenas Wigbert.

O xerife fez o mesmo cálculo e tirou a mão da espada.

– Bispo Wynstan, prossiga – falou Wilwulf.

Era por isso que o rei Ethelred queria que os tribunais seguissem determinados procedimentos, refletiu Aldred: para os nobres não poderem tomar decisões arbitrárias como Wilwulf acabara de fazer. Os contrários à reforma de Ethelred diziam que as regras não faziam diferença e que a única garantia possível de justiça era ter um nobre sensato como juiz. As pessoas que diziam isso em geral eram nobres.

Wynstan apontou para Degbert e Cuthbert.

– Desamarrem esses padres – ordenou.

Den protestou:

– Eles são meus prisioneiros!

– Eles são prisioneiros do tribunal – rebateu Wilwulf. – Desamarre-os.

Den foi obrigado a ceder. Ele meneou a cabeça para Wigbert, que desatou as cordas.

Os dois padres agora pareciam menos culpados.

Wynstan ergueu a voz outra vez para todos poderem escutar:

– Trata-se do crime, e do pecado, de falsificar a moeda do rei. – Ele apontou para Wigbert, que pareceu espantado. – Aproxime-se – pediu Wynstan. – Mostre ao tribunal o que há dentro do cesto.

Wigbert olhou para Den, que deu de ombros.

Aldred ficou sem entender. Imaginava que Wynstan fosse tentar esconder as provas físicas, mas ali estava ele exigindo que elas fossem exibidas. O que o bispo estaria tramando? Tinha executado uma elaborada farsa para ser considerado inocente, mas agora parecia estar condenando a si mesmo.

Ele retirou os objetos do cesto um por um.

– O metal adulterado! – falou, num tom dramático. – O cunho de reverso. O cunho de anverso. A cinta. E, por fim, as moedas, metade prata e metade cobre.

Os poderosos ali reunidos pareciam tão intrigados quanto Aldred. Por que Wynstan estava enfatizando a própria subversão?

– E o pior é que tudo pertencia a um padre! – exclamou o bispo.

Sim, pensou Aldred. Pertencia a você.

Num gesto teatral, Wynstan apontou o dedo e continuou:

– Cuthbert!

Todos olharam para o joalheiro.

– Imaginem a minha surpresa, o meu horror, quando eu soube que esse crime sórdido estava sendo cometido diante dos meus próprios olhos! – prosseguiu Wynstan.

O queixo de Aldred caiu, tamanho seu choque.

Fez-se um silêncio atordoado entre os presentes. Todos estavam pasmos. Pensavam que o culpado fosse Wynstan.

– Eu deveria ter sabido – disse o bispo. – Acuso a mim mesmo de ter sido negligente. Um bispo precisa ser vigilante, e eu fracassei.

Aldred gritou para Wynstan:

– Mas o senhor foi o instigador!

– Ah... eu sabia que homens malvados tentariam me incriminar – afirmou Wynstan com tristeza. – A culpa é minha. Fui eu quem lhes deu essa possibilidade.

– O senhor me mandou falsificar dinheiro – interveio Cuthbert. – Eu só queria fabricar ornamentos para a igreja. O senhor me obrigou a fazer isso!

Ele estava aos prantos.

Wynstan manteve a expressão pesarosa.

– Meu filho, você acha que vai fazer seu crime parecer menos grave se fingir ter sido convencido por seus superiores...

– Eu fui!

Wynstan balançou a cabeça tristemente.

– Não vai dar certo. Você fez o que fez. Então não acrescente o perjúrio à lista dos seus crimes.

Cuthbert se virou para Wilwulf.

– Eu confesso – disse ele, consternado. – Eu falsifiquei muitos *pence*. Sei que vou ser punido. Mas quem arquitetou o plano todo foi o bispo. Não o deixe escapar sem levar nenhuma culpa.

– Cuthbert, lembre-se de que é grave fazer uma acusação falsa – falou Wilwulf. Ele se virou para Wynstan. – Prossiga, bispo.

Wynstan voltou sua atenção para os homens importantes reunidos. Todos assistiam absortos.

– O crime foi bem ocultado – argumentou ele. – Nem o próprio deão Degbert sabia o que Cuthbert fazia em sua pequena oficina anexa à colegiada.

– Degbert sabia de tudo! – exclamou Cuthbert num tom patético.

– Degbert, dê um passo à frente – pediu Wynstan.

O deão obedeceu e Aldred reparou que ele agora estava de pé no meio dos poderosos como se fosse um deles, não um criminoso que eles devessem julgar.

– O deão confessa o próprio erro – afirmou Wynstan. – Assim como eu, ele foi negligente. Mas nesse caso o erro foi pior, pois ele estava na colegiada todos os dias, enquanto eu era apenas um visitante ocasional.

– Degbert o ajudava a gastar o dinheiro! – gritou Aldred.

Wynstan ignorou a interrupção.

– Como bispo, eu assumi a tarefa de punir Degbert. Ele foi expulso da colegiada e destituído de seu título de deão. Hoje não passa de um simples e humilde padre, e eu o trouxe para ficar sob minha supervisão.

Então ele vai se mudar da colegiada para a catedral, pensou Aldred. Nenhum grande sacrifício.

Aquilo estava realmente acontecendo?

– Isso não é punição para um falsário! – esbravejou Den.

– Concordo – falou Wynstan. – E Degbert não é nenhum falsário. – Ele olhou em volta. – Ninguém aqui nega que era Cuthbert quem fabricava as moedas.

Era verdade, concluiu Aldred com tristeza. Nem de longe toda a verdade, mas não chegava a ser mentira.

E podia ver que os poderosos estavam começando a aceitar a versão de Wynstan. Podiam não acreditar nele – afinal, sabiam como ele era –, mas não havia como provar sua culpa. E ele era bispo.

A tacada de mestre de Wynstan fora fazer ele próprio a acusação do caso, privando assim o xerife da chance de contar toda a história convincente: as visitas do bispo à Travessia de Dreng após cada trimestre, seus presentes para os moradores, suas idas a Combe com Degbert e suas noites de despesas ilimitadas nas tabernas e nos bordéis da cidade. Nada disso tinha sido exposto, e, caso fosse mencionado agora, pareceria raso e circunstancial.

Wynstan havia feito apostas com dinheiro falso, mas isso ninguém podia provar. Sua vítima, monsieur Robert, era capitão de um navio que atravessava o oceano e nesse momento podia estar em qualquer porto da Europa.

A única falha na história de Wynstan era que ele só havia "descoberto" o crime de Cuthbert quando a colegiada fora invadida pelo xerife. Isso sem dúvida era coincidência demais para os poderosos engolirem.

Aldred estava prestes a fazer essa observação quando Wynstan se adiantou.

– Estou vendo a mão de Deus nisso tudo – disse o bispo com uma voz cada vez mais retumbante, como o sino de uma igreja. – Deve ter sido por intervenção divina que, justamente na hora em que descobri o crime de Cuthbert, o xerife Den apareceu na Travessia de Dreng... bem a tempo de prender o padre malvado! Deus seja louvado.

Aldred ficou estupefato com o descaramento de Wynstan. A mão de Deus! Será que ele não se preocupava em ter que explicar isso no dia do Juízo Final? Wynstan tinha várias facetas. Em Combe, parecia não passar de um escravo do prazer, um religioso que havia perdido a autodisciplina. Então, ao ser desmascarado na Travessia de Dreng, tornara-se possuído, gritando e espumando pela boca. Agora, porém, estava novamente são e mais capcioso do que nunca, porém mergulhando ainda mais fundo na maldade. Deve ser assim que o diabo se apodera de alguém, pensou Aldred: em etapas, cada pecado conduzindo a outro pior.

A lógica do bispo e a segurança com a qual ele havia contado sua história mentirosa foram tão esmagadoras que Aldred quase se perguntou se ela poderia ser verdadeira. E pôde ver, pelo semblante dos poderosos ali reunidos, que eles iriam aceitá-la, ainda que no seu íntimo pudessem ter reservas.

Wilwulf sentiu essa atmosfera e agiu para tirar proveito dela:

– Como Degbert já foi punido, precisamos apenas sentenciar Cuthbert.

– Errado! – gritou o xerife Den. – Você precisa resolver a acusação contra Wynstan.

– Ninguém acusou Wynstan.

– Cuthbert acusou.

Wilwulf fingiu espanto.

– Está sugerindo que a palavra de um reles padre vale mais do que a de um bispo?

– Então eu mesmo acuso Wynstan. Quando entrei na colegiada, encontrei-o dentro da oficina com Cuthbert enquanto a falsificação estava ocorrendo!

– O bispo Wynstan já explicou que tinha descoberto o crime nesse exato momento... sem dúvida graças à providência divina.

Den olhou em volta e encarou os homens importantes reunidos.

– Algum de vocês realmente acredita nisso? – perguntou. – Wynstan estava dentro da oficina, ao lado de Cuthbert, enquanto Cuthbert produzia moedas falsas a partir de metal adulterado, mas tinha acabado de descobrir o que estava acontecendo? – Ele girou até ficar de frente para Wynstan. – E não venha nos dizer que foi a mão de Deus. Trata-se, sim, de algo bem mais profano, uma pura e simples mentira.

Wilwulf se dirigiu aos poderosos:

– Acho que todos concordamos que a acusação contra o bispo Wynstan é maldosa e falsa.

Aldred fez uma última tentativa:

– O rei naturalmente vai se inteirar disso. Os senhores acham mesmo que ele vai acreditar na história de Wynstan? E o que vai pensar dos poderosos que inocentaram Wynstan e Degbert e puniram apenas um mero padre?

Os homens pareceram inquietos, mas ninguém levantou a voz para apoiar Aldred e Wilwulf falou:

– Então o tribunal concorda que Cuthbert é culpado. Devido à sua tentativa cruel de pôr a culpa em dois membros do alto clero, sua punição será mais severa do que de costume. Eu condeno Cuthbert a ser castrado e a ter os olhos perfurados, para ficar sem visão.

– Não! – exclamou Aldred, mas era inútil protestar mais.

As pernas de Cuthbert cederam sob seu peso e ele desabou no chão.

– Xerife, tome providências – ordenou Wilwulf.

Den hesitou, então meneou a cabeça com relutância para Wigbert, que recolheu Cuthbert e o levou embora dali.

Wynstan se adiantou para voltar a falar. Aldred pensou que o bispo já tivesse conseguido tudo que queria, mas ainda havia mais drama por vir.

– Eu acuso a mim mesmo! – gritou ele.

Wilwulf não demonstrou surpresa alguma e Aldred deduziu que aquilo, assim como tudo que acontecera até então, tinha sido combinado.

– Quando descobri o crime, fiquei tão enfurecido que destruí boa parte do equipamento do falsário – continuou. – Usei o martelo dele para destruir um cadinho incandescente e o metal fundido espirrou no ar, matando um homem inocente chamado Godwine. Foi um acidente, mas eu assumo a culpa.

Mais uma vez, Aldred percebeu, Wynstan estava ganhando vantagem ao acusar a si mesmo. Assim poderia relatar o assassinato da maneira que mais lhe favorecia.

– Mesmo assim você cometeu um crime – pontuou Wilwulf, de forma grave. – Você é culpado de assassinato sem intenção.

Wynstan abaixou a cabeça num gesto de humildade. Aldred se perguntou quantas daquelas pessoas estariam se deixando enganar.

– Deve pagar o preço do assassinato à viúva da vítima – continuou Wilwulf.

Uma mulher jovem e bonita com um bebê no colo emergiu da multidão parecendo intimidada.

– O preço do assassinato de um soldado são 5 libras de prata – informou Wilwulf.

Ithamar deu um passo à frente e entregou a Wynstan um pequeno baú de madeira.

O bispo se curvou diante da viúva, entregou-lhe o baú e disse:

– Rezo constantemente para que Deus e a senhora me perdoem pelo que fiz.

À sua volta, muitos dos poderosos aprovaram com meneios de cabeça. Aquilo deixou Aldred com vontade de gritar. Todos eles conheciam Wynstan! Como podiam acreditar que ele estava sentindo remorso? Mas a atuação do bispo os fizera esquecer a verdadeira natureza dele. E a multa significativa era uma punição severa que também desviava o foco do modo como ele havia conseguido se safar de uma acusação mais grave.

A viúva pegou o baú e foi embora sem dizer nada.

Assim os grandes pecam com impunidade, enquanto homens menos importantes são brutalmente castigados, pensou Aldred. Qual poderia ser o objetivo de Deus naquela paródia de justiça? Mas talvez houvesse alguma pequena vantagem a ser adquirida. Ocorreu-lhe que deveria agir agora, enquanto Wynstan ainda estava se fazendo de virtuoso. Quase sem pensar, falou:

– Senhor Wilwulf, depois do que ouvimos hoje, está claro que a colegiada na Travessia de Dreng deveria ser fechada.

Aquele era o momento de limpar o ninho de ratos, pensou, mas nem precisaria dizer em voz alta: a sugestão ficou óbvia.

Viu um clarão de fúria atravessar o semblante de Wynstan, mas rapidamente a expressão de doçura piedosa retornou.

Aldred prosseguiu:

– O arcebispo já aprovou o plano de transformar a colegiada numa extensão da abadia de Shiring e ocupá-la com monges. Na primeira abordagem o plano foi engavetado, mas este parece um bom momento para reconsiderá-lo.

Wilwulf olhou para Wynstan em busca de orientação.

Aldred sabia o que o bispo estava pensando. A colegiada nunca fora rica e, agora que o esquema de falsificação de dinheiro fora encerrado, de pouco lhe servia. Ela antes proporcionava um ofício útil para seu primo, já que ele pouco fazia em troca de grandes rendimentos, mas agora Degbert tivera que ser transferido. Perder a colegiada não lhe custaria quase nada.

Sem dúvida Wynstan ficaria infeliz por deixá-lo obter mesmo aquela pequena vitória, conjecturou Aldred, mas o bispo também precisava pensar na impressão que passaria caso tentasse proteger a colegiada agora. Ele se fingira de chocado e consternado com a falsificação, e as pessoas deviam supor que fosse ficar feliz em virar as costas para o lugar onde tudo havia ocorrido. Caso ele tornasse a se opor ao plano de Aldred, os céticos poderiam até desconfiar que desejava ressuscitar a oficina de falsificação.

– Concordo com o frei Aldred – disse Wynstan. – Que outras tarefas sejam atribuídas a todos os padres e a colegiada se transforme num mosteiro.

Aldred agradeceu a Deus por aquela única boa notícia.

Wilwulf se virou para o tesoureiro Hildred.

– Frei Hildred, o abade Osmund ainda tem esse desejo?

Aldred não soube ao certo o que Hildred iria dizer. O tesoureiro em geral era contra tudo que ele queria. Dessa vez, porém, ele concordou.

– Sim, meu senhor – falou. – O abade deseja ver esse plano implementado.

– Então que assim seja – determinou Wilwulf.

Mas Hildred ainda não tinha terminado:

– E além disso...

– Pois não, frei Hildred?

– A ideia de transformar a colegiada em mosteiro foi de frei Aldred, e ele agora ressuscitou essa ideia. Desde o início, o abade Osmund pensou que a melhor escolha para prior da nova instituição seria... o próprio frei Aldred.

Aldred foi pego de surpresa. Isso ele não tinha previsto. E tampouco era o que desejava. Não tinha o menor desejo de administrar um mosteiro pequeno no meio do nada. Queria um dia ser abade de Shiring e criar um centro mundial de ensino e estudos.

Aquela era a forma de Hildred se livrar dele. Com Aldred fora do caminho, o tesoureiro certamente seria o sucessor de Osmund.

– Não, obrigado, tesoureiro Hildred – falou. – Eu não sou digno de um cargo desses.

Com um júbilo mal disfarçado, Wynstan se intrometeu:

– É claro que é digno, Aldred.

Você também me quer fora do caminho, pensou Aldred.

Wynstan continuou:

– E, como bispo, fico feliz em conceder minha aprovação imediata à sua promoção.

– Isso não é uma promoção. Eu já sou *armarius* da abadia.

– Ora, não seja ranzinza – retrucou Wilwulf com um sorriso. – Assim você poderá usar plenamente as suas qualidades de líder.

– O responsável por nomear o prior é o abade Osmund. Esta corte está tentando lhe usurpar essa prerrogativa?

– É claro que não – respondeu Wynstan, com falsa solicitude. – Mas nós podemos aprovar a proposta do tesoureiro Hildred.

Aldred viu que tinha sido derrotado. Agora que a nomeação estava aprovada por todos os homens mais poderosos de Shiring, Osmund não teria coragem para reverter a decisão. Ele estava encurralado. Pensou: por que algum dia eu achei que fosse esperto?

– Há algo que eu deveria assinalar agora... com a sua permissão, irmão Wilf – disse Wynstan.

O que será dessa vez?, pensou Aldred.

– Pode falar – autorizou Wilwulf.

– Ao longo dos anos, homens de fé doaram terras para o sustento da colegiada na Travessia de Dreng.

Aldred ficou com uma sensação ruim.

– Essas terras foram concedidas à diocese de Shiring e continuam a ser propriedade da catedral – prosseguiu Wynstan.

Aldred ficou indignado. Quando Wynstan dizia "a diocese" e "a catedral", queria dizer ele próprio.

– Que absurdo! – protestou.

Em tom condescendente, Wynstan continuou:

– Eu concedo o povoado da Travessia de Dreng ao novo mosteiro como prova de boa vontade. Porém o vilarejo de Wigleigh, que você, irmão, doou no dia do seu casamento, bem como as outras terras que sustentam a colegiada, permanecem propriedade da diocese.

– Isso está errado – reclamou Aldred. – Quando o arcebispo Elfric transformou Canterbury em mosteiro, os padres não levaram todos os bens da catedral de Canterbury quando partiram!

– Circunstâncias totalmente distintas – falou Wynstan.

– Eu discordo.

– Então o senhor de Shiring deverá decidir.

– Não deverá, não – desafiou Aldred. – Essa é uma decisão do arcebispo.

– Eu pretendia que o meu presente de casamento servisse à colegiada, não a um mosteiro, e acredito que os outros doadores tenham tido a mesma intenção – afirmou Wilwulf.

– O senhor não tem a menor ideia da intenção dos outros doadores.

Wilwulf se mostrou irritado.

– Eu decido em favor do bispo Wynstan.

– Quem vai decidir é o arcebispo, não o senhor – insistiu Aldred.

Wilwulf ficou ofendido por lhe dizerem que não tinha autoridade para decidir.

– Veremos – falou, com raiva.

Aldred sabia o que iria acontecer. O arcebispo mandaria Wynstan devolver as terras ao novo mosteiro, mas o bispo iria ignorá-lo. Wilwulf já havia desafiado o rei duas vezes, primeiro no tratado com o conde Hubert, depois no casamento com Ragna, e agora Wynstan trataria a decisão do arcebispo com o mesmo tipo de desdém. E havia pouca coisa que um rei ou um arcebispo pudessem fazer em relação a um nobre que simplesmente se recusasse a obedecer às suas ordens.

Reparou em Wigbert falando em voz baixa com Den. Wilwulf observou o diálogo e perguntou:

– Tudo pronto para a punição?

– Sim, meu senhor – respondeu Den com relutância.

Wilwulf se levantou. Cercado por seus soldados, passou por entre as pessoas reunidas e foi até o meio da praça. Os poderosos foram atrás.

Uma estaca alta fora fincada no meio da praça para ocasiões como aquela. Enquanto todos estavam olhando para Wilwulf sentado em sua cadeira e escutando o debate, o pobre Cuthbert fora despido e amarrado tão apertado na estaca que não conseguia mover nenhuma parte do corpo, nem sequer a cabeça. Todos se reuniram ao seu redor para assistir. O povo da cidade se acotovelava para conseguir ver melhor.

Wigbert empunhou uma tesoura bem grande, cujas lâminas recém-afiadas reluziam. Ouvia-se um murmúrio pela multidão. Ao olhar para o rosto dos vizinhos, Aldred constatou, enojado, que muitos estavam ávidos por ver sangue.

– Pode executar a sentença do senhor da cidade – ordenou o xerife Den.

O objetivo daquela punição não era matar o infrator, mas sim condená-lo a viver como um homem pela metade. Wigbert posicionou a tesoura de modo que as duas lâminas pudessem se fechar em volta dos testículos de Cuthbert sem decepar seu pênis.

Cuthbert gemia, rezava e chorava ao mesmo tempo.

Aldred se sentiu mal.

Com um gesto decidido, Wigbert cortou fora os testículos de Cuthbert. O padre gritou e o sangue escorreu por suas pernas.

Um cão apareceu do nada, abocanhou os testículos e saiu correndo. A multidão gargalhou.

Wigbert largou a tesoura ensanguentada. Em pé na frente de Cuthbert, levou as mãos às têmporas do padre, posicionou os polegares sobre as pálpebras e então, com outro movimento experiente, cravou os dedos até o fundo dos olhos. Cuthbert tornou a gritar e o fluido de seus globos oculares estourados escorreu por suas faces.

Wigbert desamarrou as cordas que prendiam Cuthbert à estaca e ele caiu no chão.

Aldred olhou para Wynstan. O bispo estava em pé ao lado de Wilwulf e ambos olhavam fixamente o homem que sangrava caído no chão.

Wynstan estava sorrindo.

CAPÍTULO 24

Dezembro de 998

omente uma vez em toda sua vida Aldred se sentira totalmente derrotado, humilhado e pessimista em relação ao futuro. Fora quando, noviço em Glastonbury, havia sido pego aos beijos com Leofric no jardim de ervas. Até então ele era a estrela entre os mais jovens: o melhor na leitura, na escrita, no canto e na memorização de trechos da Bíblia. De uma hora para outra, sua fraqueza se transformou no tema de todas as conversas e chegou a ser discutida até no capítulo. Em vez de falar com admiração sobre o seu futuro brilhante, as pessoas debatiam sobre o que deveria ser feito com um rapaz tão depravado. Ele havia se sentido um cavalo que ninguém podia montar, ou um cão que mordia o dono. Seu único desejo fora se enfiar num buraco e dormir por cem anos.

E agora a sensação tinha retornado. Todas as promessas que ele fizera como *armarius* em Shiring e toda aquela conversa sobre se tornar abade não deram em nada. Suas ambições – a escola, a biblioteca, o *scriptorium* de nível mundial – agora não passavam de sonhos. Ele havia sido exilado para o distante povoado da Travessia de Dreng e se tornado responsável por um priorado sem um tostão, e esse seria o fim da história de sua vida.

O abade Osmund tinha lhe dito que ele era excessivamente passional. "Um monge precisa desenvolver a tendência à aceitação", afirmara ao se despedir. "Nós não podemos corrigir toda a maldade do mundo." Aldred passara várias noites acordado remoendo essa frase, amargurado e irritado. Dois sentimentos muito fortes tinham selado o seu destino: primeiro, seu amor por Leofric; depois, sua raiva por Wynstan. No fundo de seu coração, porém, ele ainda não conseguia concordar com Osmund. Monges nunca deveriam aceitar a maldade. Precisavam combatê-la.

O desespero pesava sobre seus ombros, mas não o aleijava. Ele tinha dito que a antiga colegiada era uma desgraça, então agora podia dedicar sua energia a transformar o novo priorado num exemplo reluzente do que os homens de Deus deveriam fazer. A pequena igreja já estava diferente: o chão fora varrido e as paredes, caiadas. O velho escriba Tatwine, um dos monges que tinham decidido se transferir com ele para a Travessia de Dreng, começara a pintar um afresco representando a Natividade, uma cena de nascimento para a igreja renascida.

Edgar tinha reformado a entrada. Havia retirado as pedras do arco uma por uma, ajustado seu formato, depois tornado a instalá-las de modo que ficassem posicionadas com precisão sobre os raios de uma roda imaginária. Segundo ele, isso era suficiente para fortalecer o arco. O único consolo de Aldred na Travessia de Dreng era poder ver com mais frequência o rapaz inteligente e encantador que havia conquistado seu coração.

A casa também estava diferente. Ao partirem, Degbert e seus colegas naturalmente tinham levado consigo todos os seus objetos de luxo, tapeçarias, ornamentos e cobertores. O lugar agora era sóbrio e utilitário, como deviam ser as acomodações de um frade. Mas Edgar tinha recebido Aldred com um presente: um atril de carvalho feito por ele, para que durante as refeições os irmãos pudessem escutar um dos seus ler um trecho da Regra de São Bento ou da vida de algum santo. O objeto fora fabricado com amor e, embora não fosse o tipo de amor com o qual Aldred às vezes sonhava – um amor de beijos, carícias e abraços noturnos –, o presente lhe trouxera lágrimas aos olhos.

Aldred sabia que o trabalho era o melhor consolo. Ele disse aos irmãos que a história de um mosteiro geralmente começava com os monges arregaçando as mangas e limpando o terreno, e ali na Travessia de Dreng eles já haviam começado a abater árvores na encosta da floresta acima da igreja. Um mosteiro precisava de terreno para uma horta, um pomar, um laguinho de patos e um pasto para algumas cabras e uma ou duas vacas. Edgar havia fabricado machados cujas lâminas moldara na bigorna da antiga oficina de Cuthbert e ensinara Aldred e os outros monges a derrubar árvores de modo seguro e eficaz.

Os aluguéis que Aldred recebia pelas terras do povoado não bastavam para alimentar sequer os monges, por isso o abade Osmund concordara em pagar um subsídio mensal ao priorado. Hildred, claro, defendera uma quantia nada condizente com a necessidade em questão.

– Se não for suficiente, você pode voltar e retomar o assunto – dissera o abade, mas Aldred sabia que, uma vez fixada a subvenção, o tesoureiro jamais concordaria com um aumento.

Finalmente se estabelecera uma quantia suficiente para manter os monges vivos e a igreja funcionando, mas nada além disso. Se Aldred quisesse comprar livros, plantar um pomar e construir um curral de vacas, ele próprio teria que arrumar o dinheiro.

Quando os monges chegaram ali e olharam em volta, o velho escriba Tatwine disse a Aldred, embora não sem gentileza:

– Talvez Deus esteja querendo lhe ensinar a virtude da humildade.

Aldred achou que ele podia ter razão. A humildade nunca fora um dos seus pontos fortes.

No domingo, Aldred foi celebrar a missa na igrejinha. Postou-se diante do altar na minúscula capela, enquanto os seis irmãos que o haviam acompanhado até ali – todos voluntários – formavam duas fileiras bem retinhas no térreo da torre do campanário, que fazia as vezes de nave. Os aldeões se reuniram atrás dos monges, mais silenciosos do que de costume e impactados com aquela sensação nada familiar de disciplina e reverência.

Durante o ofício, um cavalo foi ouvido do lado de fora e então frei Wigferth de Canterbury, o velho amigo de Aldred, entrou na igreja. Wigferth visitava com frequência o oeste da Inglaterra para coletar aluguéis. Segundo as fofocas monásticas, sua amante de Trench dera à luz recentemente. Sob outros aspectos, Wigferth era um bom monge e Aldred continuava seu amigo, limitando-se a reprová-lo com um franzir de testa ocasional quando ele tinha a falta de tato de se referir a sua família clandestina.

Assim que a missa acabou, Aldred foi falar com ele.

– Que bom ver você. Espero que tenha tempo de ficar para o almoço.

– Certamente.

– Nós não somos ricos, de modo que a nossa comida o salvará do pecado da gula.

Wigferth sorriu e deu uns tapinhas na própria barriga.

– Eu bem que preciso dessa salvação.

– Quais são as novas de Canterbury?

– Duas coisas. O arcebispo Elfric mandou Wynstan devolver o vilarejo de Wigleigh para que volte a ser propriedade da igreja da Travessia de Dreng, ou seja, sua.

– Que bom!

– Espere, não comemore. Já levei esse recado para Wynstan, que falou que a questão extrapola a jurisdição do arcebispo.

– Em outras palavras, ele vai ignorar a decisão.

– Isso. E tem mais. Wynstan nomeou Degbert arquidiácono da catedral de Shiring.

– Na prática, seu substituto e provavelmente seu sucessor.

– Exato.

– Grande punição.

A promoção, tão pouco tempo depois do julgamento e do rebaixamento de Degbert, dizia a todo mundo que os próximos de Wynstan sempre se dariam bem, enquanto seus opositores, como Aldred, sofreriam.

– O arcebispo se recusou a ratificar a nomeação... e Wynstan o ignorou.

Aldred coçou a cabeça raspada.

– Wynstan desafia o arcebispo e Wilwulf desafia o rei. Até quando isso vai durar?

– Não sei. Talvez até o dia do Juízo Final.

Aldred olhou em volta. Dois dos fiéis o observavam com ar de expectativa.

– Conversaremos mais depois do almoço – disse a Wigferth. – Preciso falar com os aldeões. Eles estão muito insatisfeitos.

Wigferth se retirou e Aldred se virou para o casal que aguardava. Uma mulher chamada Ebba, que tinha as mãos ressecadas, falou:

– Os padres me pagavam para lavar a roupa deles. Por que o senhor não paga?

– Para lavar a roupa deles? – falou Aldred. – Nós mesmos lavamos nossa roupa.

Não havia muita coisa para lavar. Os monges em geral lavavam seus hábitos duas vezes ao ano. Outras pessoas podiam ter tapa-sexos – tiras de tecido que eram usadas ao redor da cintura e entre as pernas e amarradas na frente. As mulheres os usavam durante o fluxo mensal e os lavavam depois. Os homens os usavam para montar a cavalo e provavelmente nunca os lavavam. Bebês às vezes eram enrolados em algo parecido. Monges não precisavam usar esse tipo de coisa.

O marido da mulher, Cerdic, falou:

– Eu costumava catar lenha para os padres e juncos para o piso do local, e lhes trazia água limpa do rio todos os dias.

– Eu não tenho dinheiro para pagar a vocês – explicou Aldred. – O bispo Wynstan roubou toda a riqueza desta igreja.

– O bispo era um homem muito generoso – disse Cerdic.

Usando o lucro obtido com a falsificação de dinheiro, pensou Aldred. Mas de nada adiantava fazer esse tipo de acusação para os aldeões. Das duas, uma: ou eles acreditavam na história da inocência de Wynstan, ou então fingiam acreditar. Qualquer outra coisa os transformaria em cúmplices. Aldred havia perdido essa batalha no tribunal e não ficaria remoendo esse embate pelo resto da vida. De modo que retrucou:

– Um dia o mosteiro será próspero e trará empregos e comércio para a Travessia de Dreng, mas isso vai exigir tempo, paciência e muito trabalho, pois por enquanto eu não tenho nada mais a oferecer.

Ele se afastou do casal emburrado e seguiu seu caminho. O que tinha lhes dito o deixava deprimido. Aquela não era a vida com a qual havia sonhado: se esforçar para tornar um novo mosteiro viável. Ele queria livros, penas e tinta, não uma horta e um laguinho de patos.

Foi falar com Edgar, que ainda tinha o poder de animar seu dia. O rapaz havia inaugurado no povoado um mercado de peixe semanal. Não existiam vilarejos maiores perto da Travessia de Dreng, mas nos arredores havia muitos pequenos assentamentos e fazendas isoladas, como o curral de ovelhas de Theodberht Pé Boto. Todas as sextas-feiras, um pequeno grupo de pessoas, a maioria mulheres, aparecia para comprar seus peixes. No entanto, Degbert alegara ter direito a um em cada três que ele pescava.

– Você me perguntou sobre o estatuto de Degbert – disse Aldred. – Ele é vinculado ao do novo mosteiro, já que alguns dos direitos são os mesmos.

– E Degbert disse a verdade em relação ao estatuto? – perguntou Edgar.

Aldred fez que não com a cabeça.

– Não há nada nele sobre peixes. Ele não tinha o direito de cobrar imposto de você.

– Como eu pensei – falou Edgar. – Que ladrão mentiroso!

– Infelizmente, sim.

– Todo mundo quer alguma coisa sem dar nada em troca – reclamou o rapaz. – Meu irmão Erman disse que eu deveria dividir o dinheiro com ele. Fui eu que fiz o laguinho, eu fabrico as armadilhas, eu as esvazio todo dia de manhã e dou à minha família todo o peixe que eles conseguem comer. Mas eles também querem dinheiro.

– Os homens são gananciosos.

– As mulheres também. Provavelmente foi minha cunhada, Cwenburg, quem disse para Erman me pedir isso. Pouco importa. Posso lhe mostrar uma coisa?

– Claro.

– Venha comigo até o cemitério.

Eles saíram da igreja e a rodearam até o lado norte. Em tom informal, Edgar falou:

– Meu pai me ensinou que num barco bem-feito as juntas nunca devem ficar apertadas demais. Uma pequena folga entre as peças de madeira absorve parte do choque causado pelo impacto incessante do vento e das ondas. Mas numa construção de pedra não há essas pequenas folgas. – Perto do lugar em que a extensão da pequena capela se unia à torre, ele apontou para cima. – Está vendo aquela rachadura?

Aldred com certeza estava vendo. No ponto em que a torre encontrava a capela havia uma fenda na qual seria possível enfiar um polegar.

– Meu Deus do céu – falou.

– As construções se movem, mas, como não há folga entre duas pedras unidas por argamassa, surgem rachaduras. Sob certos aspectos, elas são úteis, pois nos informam sobre o que está acontecendo na estrutura e nos avisam sobre os problemas.

– É possível tapar a fenda com argamassa?

– Claro, mas não é suficiente. O problema é que a torre está aos poucos se inclinando morro abaixo e deixando a capela para trás. Eu posso tapar a fenda, mas a torre vai continuar a se mover e a fenda vai tornar a se abrir. Mas esse é o menor dos seus problemas.

– E qual é o maior dos meus problemas?

– A torre vai cair.

– Em quanto tempo?

– Não sei dizer.

Aldred sentiu vontade de chorar. Como se suas tribulações já não fossem suficientes para um homem suportar, agora sua igreja estava ruindo.

Edgar viu a expressão do seu rosto, tocou seu braço de leve e disse:

– Não se desespere.

O toque reanimou Aldred.

– Cristãos nunca se desesperam.

– Ótimo, porque eu consigo impedir a torre de cair.

– Como?

– Construindo pilares externos para sustentá-la no lado do declive.

Aldred balançou a cabeça.

– Eu não tenho dinheiro para as pedras.

– Bom, talvez eu possa conseguir algumas de graça.

Aldred se animou.

– Pode mesmo?

– Não sei – disse Edgar. – Mas posso tentar.

Edgar foi pedir ajuda a Ragna. Ela sempre tinha sido boa com ele. Havia quem a descrevesse como um colosso, uma espécie de dragão, uma mulher que sabia exatamente o que queria e fazia o que fosse necessário para conseguir. Mas ela parecia ter um fraco por Edgar. Mesmo assim, isso não queria dizer que lhe daria qualquer coisa que ele pedisse.

Ele estava ansioso para vê-la e se perguntou por quê. É claro que buscava ajudar Aldred a sair do pântano do pessimismo, mas Edgar desconfiava padecer de um desejo que desprezava nos outros: o de ser amigo de aristocratas. Pensou no modo como Dreng se comportava na companhia deles, bajulando Wilwulf e Wynstan e repetindo o tempo todo que tinham parentesco. Torceu para o fato de gostar de conversar com Ragna não ser um indício da mesma vergonhosa inclinação.

Foi até Outhenham pelo rio e lá pernoitou na casa de Seric, o novo chefe do vilarejo, junto com a esposa e o neto dele. Talvez fosse só uma impressão, mas o lugar lhe pareceu um lugar mais calmo e mais feliz com Seric no comando.

Pela manhã, deixou sua jangada aos cuidados dele e seguiu a pé rumo a Shiring. Se o seu plano desse certo, voltaria para a Travessia de Dreng com um carregamento de pedras na jangada.

Fez frio durante o percurso. Uma chuva gelada se transformou em granizo. Seus sapatos de couro ficaram encharcados e seus pés começaram a doer. Se algum dia eu tiver dinheiro, pensou ele, vou comprar um cavalo.

Pôs-se a pensar em Aldred. Sentia pena do frei, um homem que só queria fazer o bem. Aldred tinha sido corajoso ao enfrentar um bispo. Talvez corajoso demais: a justiça podia ser algo a se esperar no outro mundo, não naquele ali.

As ruas de Shiring estavam quase desertas. Com aquele tempo, a maioria das pessoas ficava em casa, encolhida ao redor do fogo. Apesar disso, havia um pequeno grupo reunido em frente à casa de pedra do cunhador Elfwine, onde eram fabricados os *pence* de prata autorizados pelo rei. Elfwine estava em pé do lado de fora, com sua mulher aos prantos. O xerife Den também se encontrava presente com seus soldados e Edgar viu que eles estavam carregando o equipamento de Elfwine até a rua para então destruí-lo.

– O que está acontecendo? – perguntou a Den.

– O rei Ethelred me mandou fechar a casa de cunhagem – respondeu o xerife. – Ele está contrariado com as falsificações da Travessia de Dreng e acredita que o julgamento foi uma farsa. Esse é o seu modo de demonstrar isso.

Edgar não havia previsto aquilo, e obviamente Wilwulf e Wynstan também não. Todas as cidades mais importantes da Inglaterra tinham uma casa de cunhagem. Aquele fechamento seria um duro golpe para Wilwulf. Além de ser sinal de prestígio, a casa de cunhagem atraía atividade para o local, negócios que agora migrariam para outras partes. Embora um rei não dispusesse de muitos mecanismos para aplicar suas decisões, a emissão de moeda estava sob o seu controle e fechar a casa de cunhagem era uma punição que ele podia infligir. Mas aquilo não bastaria para mudar o comportamento de Wilwulf, pensou Edgar.

Encontrou Ragna num pasto próximo ao complexo do senhor da cidade. Ela havia deduzido que o tempo estava ruim demais para os cavalos serem deixados ao ar livre, então fora supervisionar os cavalariços que levariam os animais para dentro. Estava usando um casaco feito de pele de raposa, do mesmo tom ruivo dourado de seus cabelos, e parecia uma mulher selvagem da floresta, linda mas perigosa. Edgar se pegou imaginando se os pelos do corpo dela teriam a mesma cor. Afastou rapidamente o pensamento. Considerou impróprio pensar essas coisas em relação a uma nobre, sobretudo sendo um mero trabalhador.

Ela abriu um sorriso e disse:

– Veio até aqui a pé neste frio? Seu nariz parece que vai cair a qualquer momento! Venha comigo tomar uma cerveja quente.

Eles entraram no complexo. Ali também a maior parte dos moradores estava dentro de casa, mas umas poucas pessoas atarefadas corriam de uma construção para outra cobrindo a cabeça com capas. Ragna levou Edgar até sua casa. Quando ela tirou o casaco, ele reparou que ela havia engordado um pouco.

Os dois se sentaram junto ao fogo. A criada Cat aqueceu um pedaço de ferro e então o mergulhou dentro de uma caneca de cerveja. Ofereceu a bebida a Ragna, que disse:

– Dê a Edgar... ele está com mais frio do que eu.

Cat lhe entregou a caneca com um sorriso gentil. Talvez eu devesse desposar uma moça como ela, pensou Edgar. Agora que temos o laguinho de peixes, eu teria como alimentar uma esposa, e seria bom ter alguém com quem dormir. Mas, assim que formulou essa ideia, soube que aquilo estava errado. Cat era uma mulher perfeitamente agradável, mas ele não sentia por ela o que sentira por Sungifu. Ficou constrangido por um momento e escondeu o rosto levando a caneca à boca. A cerveja lhe esquentou a barriga.

– Eu tinha escolhido uma bela fazenda no vale de Outhen, mas você acabou não precisando – disse Ragna. – Como agora o seu senhorio é Aldred, deve estar seguro.

Ela parecia um pouco perturbada, e Edgar se perguntou se estaria com alguma preocupação.

– Mesmo assim lhe sou grato – falou.

Ela aquiesceu, mas obviamente não estava interessada em voltar a falar sobre o que acontecera no julgamento. Edgar decidiu ir direto ao assunto; não queria que ela ficasse impaciente.

– Vim lhe pedir outro favor – disse ele.

– Pode falar.

– A igreja da Travessia de Dreng está desabando, mas Aldred não tem dinheiro para a reforma.

– E como eu poderia ajudar com isso?

– A senhora poderia nos deixar pegar as pedras sem pagar. Como eu mesmo poderia retirá-las da pedreira, isso não lhe custaria nada. E seria um presente à Igreja.

– De fato.

– A senhora permite?

Ela o encarou com uma expressão de divertimento e de alguma outra coisa que Edgar não conseguiu interpretar.

– É claro que permito.

Aquele sim imediato ameaçou fazê-lo chorar e ele sentiu uma onda de gratidão que foi quase amor. Por que não existem mais pessoas assim no mundo?, pensou.

– Obrigado – falou.

Ragna se recostou na cadeira, quebrando o feitiço, e perguntou:

– De quantas pedras você vai precisar?

Ele reprimiu as emoções e passou às questões práticas:

– Acho que umas cinco cargas da jangada de pedras e entulho. Terei que construir pilares com alicerces profundos.

– Vou escrever uma carta para Seric dizendo que você pode pegar quanto quiser.

– A senhora é muito bondosa.

Ela deu de ombros.

– Na verdade, não sou, não. Em Outhenham há pedra suficiente para durar cem anos.

– Bem, eu estou muito agradecido.

– Tem algo que você poderia fazer por mim.

– O que quiser.

Nada lhe daria mais satisfação do que executar algum serviço para ela.

– O responsável pela minha pedreira continua sendo Gab.

– Por que a senhora mantém alguém que a roubou?

– Porque não tinha conseguido encontrar outra pessoa. Mas talvez você possa assumir a pedreira e supervisioná-lo.

A ideia de trabalhar para Ragna o deixou encantado. Porém como aquilo seria possível?

– E fazer a obra na igreja ao mesmo tempo? – indagou.

– Estava pensando que você poderia passar metade do tempo em Outhenham e metade na Travessia de Dreng.

Ele aquiesceu lentamente. Podia dar certo.

– Terei que ir muito a Outhenham buscar pedra.

No entanto, como seria obrigado a deixar o laguinho de peixes a cargo dos irmãos, perderia a renda obtida no mercado semanal.

Ragna solucionou esse problema:

– Eu lhe pagarei seis *pence* por semana, mais um *farthing* por cada pedra que você vender.

Aquilo renderia bem mais do que os peixes que ele conseguia capturar.

– A senhora é generosa.

– Quero que você se certifique de que Gab não volte a trapacear.

– Isso é bem fácil. Eu consigo ver quanta pedra ele tirou só de olhar para a pedreira.

– E ele é preguiçoso. Outhenham poderia produzir mais pedra se houvesse alguém disposto a se esforçar para vendê-la.

– E esse alguém sou eu?

– Você consegue fazer qualquer coisa. Esse é o tipo de pessoa que você é.

Edgar ficou surpreso. Ainda que não fosse verdade, agradava-lhe que ela pensasse assim.

– Não precisa ficar vermelho! – disse Ragna.

Ele riu.

– Obrigado por confiar em mim. Espero lhe fazer jus.

– Agora tenho uma novidade para contar – acrescentou ela.

Ah, pensou ele, deve ser o motivo pelo qual parecia aflita mais cedo.

– Eu vou ter um filho.

– Ah! – A notícia o deixou sem ar, o que foi estranho, pois não era de espantar que uma recém-casada jovem e saudável engravidasse. E ele inclusive reparara que ela havia engordado um pouco. – Um filho – falou, feito um bobo. – Minha nossa.

– Vai nascer em maio.

Edgar não soube o que dizer. Que pergunta se fazia a uma mulher grávida?

– Está torcendo para ser menino ou menina?

– Menino, para agradar Wilf. Ele quer um herdeiro.

– Claro.

Um nobre sempre queria herdeiros.

Ela sorriu.

– Está feliz por mim?

– Estou – respondeu Edgar. – Muito feliz.

Perguntou-se por que aquilo soava como uma mentira.

A véspera de Natal desse ano caiu num sábado. Bem cedo pela manhã, Aldred recebeu um recado de madre Agatha lhe pedindo para ir visitá-la. Vestiu uma capa e desceu até a travessia.

Edgar estava lá, tirando pedras da sua jangada.

– Lady Ragna concordou em nos dar as pedras de graça – contou, sorrindo por seu triunfo.

– Que ótima notícia!

– Não posso começar a construir ainda, porque a argamassa congelaria à noite em vez de ficar pronta para uso. Mas posso deixar tudo preparado.

– Mas eu continuo sem poder pagá-lo.

– Não vou morrer de fome.

– Tem algo que eu possa fazer por você como recompensa, algo que não envolva dinheiro?

Edgar deu de ombros.

– Se eu pensar em alguma coisa, aviso.

– Está bem, então. – Aldred olhou na direção da taberna. – Preciso atravessar até o convento. Blod está por aqui?

– Eu o levo.

Edgar desamarrou o barco da travessia enquanto Aldred embarcava, então empunhou uma vara e impulsionou a embarcação pelo estreito canal até a ilha.

Ficou esperando na beira do rio enquanto Aldred batia à porta do convento e Agatha aparecia envolta numa capa. Ela não permitia a entrada de homens no convento, mas por causa do frio levou Aldred para dentro da igreja, que estava vazia.

Na extremidade leste, junto ao altar, havia uma cadeira esculpida num bloco de pedra, de encosto arredondado e assento plano.

– Um banco de refúgio – comentou ele.

Segundo a tradição, qualquer pessoa que se sentasse numa cadeira como aquela dentro de uma igreja ficava imune a qualquer condenação, independentemente dos seus crimes, e quem violasse essa regra e capturasse ou matasse alguém que tivesse buscado refúgio ali ficaria sujeito à pena de morte.

Agatha assentiu.

– Não é muito acessível, claro, já que fica aqui nesta ilha. Mas um fugitivo inocente pode ser bem determinado.

– Foi usado muitas vezes?

– Três vezes em vinte anos, todas elas por uma mulher que decidiu ser freira contra a vontade da família.

Os dois se sentaram num banco frio de pedra junto à parede norte e Agatha falou:

– Eu o admiro. É preciso ter coragem para desafiar um homem como Wynstan.

– Mas é preciso mais do que coragem para derrotá-lo – retrucou Aldred com pesar.

– Nós precisamos tentar. É a nossa missão.

– Concordo.

Ela adotou um tom prático:

– Tenho uma sugestão para você. Um modo de melhorar nosso ânimo no auge do inverno.

– O que tem em mente?

– Gostaria de levar as freiras à igreja amanhã para a missa de Natal.

Aldred ficou intrigado.

– O que a fez ter essa ideia?

Agatha sorriu.

– O fato de uma mulher ter trazido Nosso Senhor ao mundo.

– Verdade. Nesse caso, nós deveríamos ter vozes femininas cantando nossos hinos de Natal.

– Foi o que pensei.

– Além do mais, pode ser que as mulheres cantem melhor.

– Pode ser – disse Agatha. – Principalmente se eu não levar a irmã Frith.

Aldred riu, mas falou:

– Não faça isso. Leve todo mundo.

– Que bom que a ideia o agradou.

– Eu adorei.

Agatha se levantou e Aldred fez o mesmo. Fora um diálogo breve; ela não era dada a conversas sem importância. Os dois saíram da igreja.

Aldred viu Edgar conversando com um homem que trajava um hábito imundo. Apesar do frio, ele estava descalço. Devia ser um dos miseráveis que as freiras alimentavam.

– Ah, não, o pobre Cuthbert se perdeu outra vez – comentou Agatha.

Aldred ficou chocado. Ao chegar mais perto, viu que o trapo sujo que protegia os olhos do homem era uma venda. Cuthbert deve ter sido levado de Shiring até ali por alguma alma bondosa, para se juntar à comunidade de leprosos e outros necessitados que dependem das freiras, pensou. E então sentiu culpa por não ter sido essa alma bondosa. Andara ocupado demais com os próprios problemas para pensar de um modo digno de Cristo em como ajudar o próximo.

Cuthbert estava se dirigindo a Edgar em voz baixa e ríspida.

– É culpa sua eu estar assim – acusou ele. – Sua!

– Eu sei – disse Edgar.

Agatha levantou a voz:

– Cuthbert, você entrou outra vez na área das freiras. Deixe-me levá-lo de volta.

– Espere – pediu Edgar.

– O que foi? – perguntou Agatha.

– Aldred, minutos atrás você perguntou se havia algo que pudesse fazer por mim como recompensa por escorar a igreja.

– Sim.

– Eu pensei numa coisa. Quero que você aceite Cuthbert no priorado.

Cuthbert deu um arquejo de susto.

Aldred ficou comovido. Passou alguns instantes sem conseguir falar. Após esse intervalo, indagou, engasgando:

– Cuthbert, você gostaria de virar monge?

– Sim, frei Aldred, por favor – respondeu Cuthbert. – Eu sempre fui um homem de Deus... é a única vida que conheço.

– Teria que aprender nossos costumes. Um mosteiro não é igual a uma colegiada, não totalmente.

– Deus quereria alguém como eu?

– Ele preza especialmente pessoas como você.

– Mas eu sou um criminoso.

– Jesus disse: "Não vim os chamar justos, mas os pecadores, ao arrependimento."

– Isso não é uma brincadeira, é? Uma farsa para me torturar? Tem gente que é muito cruel com os cegos.

– Farsa nenhuma, meu amigo. Agora venha comigo, suba no barco da travessia.

– Agora?

– Agora.

Cuthbert se sacudia de tanto soluçar. Ignorando o cheiro repugnante, Aldred passou um braço à sua volta.

– Venha – falou. – Vamos subir a bordo.

– Obrigado, Aldred, obrigado.

– Obrigado, Edgar. Estou envergonhado por não ter eu mesmo pensado nisso.

Eles acenaram para Agatha, que disse:

– Deus os abençoe.

Quando estavam atravessando o rio, Aldred refletiu que, mesmo não conseguindo alcançar suas grandiosas ambições naquele priorado remoto, talvez ainda pudesse praticar algum bem.

Eles desembarcaram e Edgar amarrou o barco.

– Isso não conta, Edgar. Eu continuo lhe devendo uma recompensa.

– Bom, tem mais uma coisa que eu quero – falou Edgar.

Ele parecia encabulado.

– Desembuche – disse Aldred.

– Você costumava falar sobre abrir uma escola.

– É o meu sonho.

Edgar tornou a hesitar, então falou num impulso:

– Você me ensinaria a ler?

PARTE III

O ASSASSINATO

1001-1003 d.C.

CAPÍTULO 25

Janeiro de 1001

agna estava dando à luz seu segundo filho e as coisas não estavam correndo bem. O bispo Wynstan podia ouvir seus gritos de onde estava sentado na casa de sua mãe, Gytha. A chuva constante do lado de fora pouco adiantava para abafar o barulho. Os gritos de Ragna lhe deram esperança.

– Se mãe e filho morrerem, todos os nossos problemas acabam – disse ele.

Gytha pegou uma jarra.

– Aconteceu o mesmo na sua vez – contou ela. – Levou um dia e uma noite para você sair. Todos acharam que nenhum de nós fosse sobreviver.

Aquilo lhe soou como uma acusação.

– Não foi culpa minha – falou ele.

Gytha serviu mais vinho no seu cálice.

– E então você nasceu, uivando e agitando os punhos fechados.

Wynstan não ficava à vontade na casa da mãe. Ela sempre tinha vinho doce e cerveja forte, ameixas e peras quando estava na época, presunto e queijo numa travessa e grossos cobertores para as noites frias, mas apesar de tudo isso ele nunca se sentia confortável.

– Eu era um bom menino – protestou. – Estudioso.

– Sim, quando obrigado. Mas, se eu desgrudasse os olhos, você fugia das aulas e ia brincar.

Uma lembrança infantil surgiu na mente de Wynstan.

– Você não me deixou ver o urso.

– Que urso?

– Alguém trouxe um urso preso numa corrente. Todo mundo foi olhar. Mas o padre Aculf queria que antes eu terminasse de copiar os Dez Mandamentos e você concordou com ele. – Wynstan tinha ficado sentado, com uma ardósia e um prego na mão, ouvindo os outros meninos rirem e gritarem do lado de fora. – Eu demorei para escrever todas as palavras em latim da forma correta e, quando consegui, o urso já tinha ido embora.

Gytha balançou a cabeça.

– Eu não me lembro disso.

Wynstan se lembrava perfeitamente.

– Eu a detestei por isso.

– Mas eu agi por amor.

– Sim. Imagino que sim.

Ela percebeu seu tom de dúvida.

– Você precisava virar padre. Brincadeiras são para filhos de camponeses.

– Por que você tinha tanta certeza de que eu deveria me tornar padre?

– Porque você é um segundo filho, e eu, uma segunda esposa. Wilwulf iria herdar a riqueza do seu pai e provavelmente se tornar senhor da cidade, e você poderia ter sido uma pessoa sem importância, necessário apenas caso Wilf morresse. Eu estava decidida a não deixar isso acontecer conosco. A Igreja era o seu caminho para o poder, a riqueza e o status.

– E o seu.

– Eu não sou nada – disse ela.

Sua modéstia era totalmente fingida e ele a ignorou.

– Depois de mim, você passou cinco anos sem ter filhos. Foi de propósito? Por causa do meu parto difícil?

– Não – respondeu ela, indignada. – Uma nobre não teme o parto.

– Claro.

– Mas eu tive dois abortos espontâneos entre você e Wigelm, sem contar um natimorto depois.

– Eu me lembro da chegada de Wigelm. Quando eu tinha 5 anos, queria matá-lo.

– É comum os filhos mais velhos terem sentimentos assim. Sinal de temperamento forte. Eles raramente tomam alguma atitude, mas mesmo assim eu o mantinha longe do berço de Wigelm.

– Como foi o parto dele?

– Não foi tão ruim, embora parir raramente seja fácil. O segundo filho em geral é menos cruciante que o primeiro. – Ela olhou de relance em direção ao barulho. – Embora obviamente não esteja sendo assim para Ragna. Talvez alguma coisa esteja dando errado.

– Morrer no parto é bem comum – disse Wynstan em tom alegre. Então captou um olhar reprovador de Gytha e entendeu que fora longe demais. Ela estaria do seu lado fizesse ele o que fosse, mas mesmo assim era mulher. – Quem está ajudando Ragna? – perguntou.

– Uma parteira de Shiring chamada Hildi.

– Moradora da cidade com remédios pagãos, suponho.

– Sim. Mas, se Ragna e o recém-nascido morrerem, ainda restará Osbert.

O primeiro filho de Ragna estava prestes a completar 2 anos, um bebê normando de cabelos ruivos batizado de Osbert em homenagem ao pai de Wilwulf. Osbert era o legítimo herdeiro de Wilf e continuaria sendo mesmo que o recém-nascido de Ragna morresse naquele dia. Mas Wynstan agitou a mão no ar num gesto de quem descarta o assunto.

– Um filho sem mãe não é grande ameaça – falou.

O que estava pensando era que não seria difícil se livrar de um menino de 2 anos, mas recordou o olhar reprovador de Gytha e não disse nada.

Ela apenas assentiu.

Wynstan examinou o rosto da mãe. Trinta anos antes, aquele rosto lhe causava pavor. Ela agora estava com 50 e poucos anos e seus cabelos tinham ficado grisalhos anos antes, mas nos últimos tempos as sobrancelhas negras começaram a exibir fios brancos, pequenas rugas verticais haviam aparecido acima do seu lábio superior e seu corpo havia deixado de ser voluptuoso para se tornar massudo. Mas Gytha ainda tinha o poder de fazer brotar medo no seu coração.

Ela se mostrava paciente e calma. As mulheres eram capazes disso. Wynstan, não: ele bateu com o pé no chão, remexeu-se na cadeira e perguntou:

– Deus do céu, quanto tempo mais?

– Se o bebê fica entalado, normalmente tanto a mãe quanto a criança morrem.

– Rezemos para isso acontecer. Precisamos que Garulf seja herdeiro de Wilf. É o único jeito de mantermos tudo que conseguimos.

– Você tem razão, claro. – Gytha fez uma careta. – Embora ele não seja o mais sensato dos homens. Felizmente nós conseguimos controlá-lo.

– Ele é querido. Os soldados gostam dele.

– Não entendo bem por quê.

– Ele sempre compra barris de cerveja e deixa os soldados se revezarem no estupro de prisioneiras.

Sua mãe lhe lançou outra vez o mesmo olhar. Mas os escrúpulos dela eram descartáveis. No final das contas, ela faria o que fosse preciso pela família.

Os gritos cessaram. Wynstan e Gytha se calaram e ficaram aguardando, tensos. Wynstan começou a pensar que seu desejo tinha se realizado.

Então escutaram o choro inconfundível de um recém-nascido.

– Está vivo – falou Wynstan. – Que inferno!

No minuto seguinte, a porta se abriu e a criada Wilnod, filha de Gilda, espichou a cabeça pela porta com os cabelos molhados de chuva.

– É menino – avisou ela, sorrindo feliz. – Forte como um bezerro e com um queixo quadrado igual ao do pai.

Ela desapareceu.

– Que se dane o maldito queixo dessa criança – resmungou Wynstan.

– Quer dizer que o vento não soprou a nosso favor.

– Isso muda tudo.

– Sim. – Gytha assumiu um ar pensativo. – Isso exige uma abordagem totalmente distinta.

Wynstan ficou espantado.

– Ah, é?

– Nós estamos avaliando a situação da perspectiva errada.

Wynstan não via isso, mas sua mãe em geral tinha razão.

– Continue – falou.

– Nosso verdadeiro problema não é Ragna.

Wynstan arqueou as sobrancelhas.

– Não?

– Nosso problema é Wilf.

Wynstan balançou a cabeça. Não entendia aonde ela estava querendo chegar. Mas Gytha não era boba e ele esperou pacientemente para saber o que a mãe estava pensando.

Após alguns instantes, ela falou:

– Wilf é muito apaixonado por ela. Nunca ficou assim por nenhuma outra mulher. Ele gosta dela, a ama e ela parece saber como agradá-lo tanto na cama quanto fora dela.

– O que não o impede de trepar com Inge de vez em quando.

Gytha deu de ombros.

– O amor de um homem na verdade nunca é exclusivo. Mas Inge não é nenhuma grande ameaça para Ragna. Se Wilf precisasse escolher entre as duas, escolheria Ragna sem pestanejar.

– Será que haveria alguma chance de Ragna se sentir tentada a traí-lo?

Gytha fez que não com a cabeça.

– Ela gosta daquele rapaz esperto da Travessia de Dreng, mas aquilo nunca vai dar em nada. O nível dele é muito inferior ao dela.

Wynstan se lembrou do construtor de barcos de Combe que havia se mudado para a fazenda na Travessia de Dreng. Ele era uma pessoa sem importância.

– Não – falou Wynstan, descartando aquela opção. – Se ela sucumbir, será por algum belo rapaz da cidade que consiga seduzi-la com seu charme enquanto Wilf estiver ausente combatendo os vikings.

– Duvido. Ela é inteligente demais para arriscar sua posição por um caso passageiro.

– Concordo, infelizmente.

Wilnod os surpreendeu ao reaparecer à porta, mais molhada do que antes, porém ainda mais radiante.

– E outro menino! – comemorou ela.

– Gêmeos! – exclamou Gytha.

– Esse é menor e tem cabelos escuros, mas está saudável.

Wilnod se foi.

– Malditos sejam os dois – falou Wynstan.

– Agora são três homens em vez de um no caminho de Garulf – concluiu Gytha.

Os dois passaram algum tempo calados. Aquilo era uma mudança importante na política de poder do condado de Shiring. Wynstan ficou refletindo sobre as consequências e teve certeza de que a mãe estava fazendo a mesma coisa.

Por fim, frustrado, ele disse:

– Deve haver algo que possamos fazer para separar Wilf e Ragna. Ela não é a única mulher sensual do mundo.

– Quem sabe outra garota possa surgir e fasciná-lo. Ela teria que ser mais jovem do que Ragna, claro, e também ainda mais arredia.

– Nós podemos fazer isso acontecer?

– Talvez.

– Acha que daria certo?

– Pode ser. E eu não consigo pensar num plano melhor.

– Onde encontraríamos uma mulher assim?

– Não sei – disse Gytha. – Talvez possamos comprar uma.

Depois de um Natal tranquilo, Cara de Ferro tornou a atacar em janeiro.

Edgar estava na beira do rio perto da fazenda, descarregando pedras de sua jangada numa fria manhã de sol. Preparava-se para construir uma casa de defumar na fazenda de sua família. Eles frequentemente tinham mais peixes do que conseguiam vender e seu teto havia começado a ficar parecido com uma floresta de cabeça para baixo no inverno, no qual as enguias faziam as vezes de árvores jovens e nuas brotando do sapê. Uma casa de defumar de pedra teria espaço de sobra e também seria menos propensa a pegar fogo.

Ele estava cada vez mais confiante como pedreiro. Já concluíra tempos antes os pilares externos da igreja, agora estabilizada. Fazia dois anos que administrava a pedreira de Ragna em Outhenham, onde vendia mais pedra do que nunca e ganhava dinheiro para ela e para si. No inverno, contudo, a demanda era baixa e ele havia aproveitado a oportunidade para estocar pedras em preparação para seu projeto pessoal.

Seu irmão Eadbald apareceu, rolando um barril vazio pela trilha grosseira na margem do rio.

– Precisamos de mais cerveja – disse ele.

Agora tinham como pagar, graças ao laguinho de peixes.

– Vou lhe dar uma ajuda – falou Edgar.

Um homem conseguia dar conta de um barril vazio, mas eram necessários dois para transportar um cheio por um terreno irregular.

Os dois irmãos levaram o barril vazio até a taberna e Malhada foi trotando atrás deles. Enquanto estavam pagando a Leaf, dois passageiros chegaram para a travessia. Edgar os reconheceu: eram o casal Odo e Adelaide, mensageiros de Cherbourg. Eles haviam passado pela Travessia de Dreng duas semanas antes, acompanhados por dois soldados, a caminho de Shiring, com cartas e dinheiro para Ragna.

Edgar os cumprimentou e disse:

– Voltando para casa?

Odo respondeu com um sotaque francês:

– Sim. Estamos torcendo para encontrar um navio em Combe.

Ele era um homem grande, com cerca de 30 anos e cabelos louros cortados à moda normanda, raspados na parte de trás. Portava uma espada imponente.

Os dois agora viajavam sem guarda-costas, mas dessa vez não estavam transportando uma grande soma em dinheiro.

– Estamos com pressa porque temos notícias boas para levar para casa – contou Adelaide, toda animada. – Lady Ragna deu à luz... dois meninos gêmeos!

Loura e de baixa estatura, ela estava usando um pingente de fios de prata com uma pedra de âmbar. Aquilo ficaria bonito em Ragna, pensou Edgar.

Ficou feliz ao saber dos gêmeos. Gostava de pensar que o herdeiro de Wilf seria um filho de Ragna, e não Garulf, filho de Inge, que era burro e violento.

– Que bom para Ragna – comentou.

Dreng, que ouvira a notícia, falou:

– Estou certo de que todos gostariam de fazer um brinde aos novos pequenos príncipes!

Ele fez parecer que a cerveja seria por conta da casa, mas Edgar sabia que aquele era um de seus truques.

Os normandos não se deixaram enganar.

– Queremos chegar ao Vau de Mudeford antes do anoitecer – disse Odo, e eles se despediram.

Edgar e Eadbald foram rolando seu barril novo e cheio até a casa da fazenda e depois Edgar voltou a descarregar a jangada, amarrando as pedras com cordas e as arrastando da beira do rio encosta acima até o local em que construiria a casa de defumar.

O sol de inverno estava alto e Edgar estava a ponto de descarregar a última pedra quando ouviu um grito:

– Socorro, por favor!

Olhou para o outro lado do rio e viu um homem carregando uma mulher. Ambos estavam nus e a mulher parecia desacordada. Estreitando os olhos, ele viu que eram Odo e Adelaide.

Pulou na jangada e atravessou o rio. Supôs que tivessem lhes roubado tudo, até as roupas.

Quando Edgar chegou à outra margem, Odo subiu na jangada, ainda com Adelaide no colo, e sentou-se pesadamente na única pedra bruta remanescente a bordo. Tinha sangue no rosto e um dos olhos estava parcialmente fechado, e havia algum tipo de lesão numa das pernas. Adelaide jazia desacordada e o sangue já coagulava em seus cabelos louros, mas ela estava respirando.

Edgar sentiu uma onda de compaixão por aquela jovem e frágil figura e um espasmo de ódio pelos homens que tinham feito aquilo com ela.

– Há um convento na ilha – falou. – Madre Agatha tem alguma habilidade com ferimentos. Devo levá-los direto para lá?

– Sim, por favor. Depressa.

Edgar manejou a vara vigorosamente para subir o rio.

– O que aconteceu? – perguntou.

– Foi um homem de capacete.

– Cara de Ferro – concluiu Edgar, e arrematou com um resmungo bravo: – Aquele filho de Satã!

– E ele estava com pelo menos um comparsa. Eu fui golpeado e desmaiei. Eles pensaram ter nos matado, imagino. Quando voltei a mim, estávamos nus.

– Eles precisam de armas. Talvez a sua espada os tenha atraído. E o pingente de Adelaide.

– Se vocês sabem que esses homens estão na floresta, por que não os capturam?

Odo falou num tom de enfrentamento, quase como se pensasse que Edgar compactuava com os ladrões.

Ele fingiu não perceber a acusação velada.

– Já tentamos, acredite. Vasculhamos cada metro da margem sul. Mas eles somem em meio à vegetação rasteira como doninhas.

– Eles tinham um barco. Eu o vi logo antes de nos atacarem.

Edgar ficou perplexo.

– De que tipo?

– Só um pequeno barco a remo.

– Disso eu não sabia.

Todos imaginavam que Cara de Ferro se escondesse na margem sul porque ele sempre roubava ali. Porém, se ele dispunha de um barco, seu esconderijo podia facilmente estar na margem norte.

– Você já o viu? – quis saber Odo.

– Cravei um machado no braço dele certa noite quando ele tentou roubar nossa leitoa, mas ele fugiu. Chegamos.

Edgar encalhou a jangada na Ilha dos Leprosos e segurou a corda enquanto Odo saltava, ainda com Adelaide no colo.

Ele a levou até a porta do convento e madre Agatha veio abrir. Ignorou a nudez do homem e olhou para a mulher ferida.

– Minha esposa... – começou Odo.

– Pobre mulher – disse Agatha. – Vou tentar ajudá-la.

Ela estendeu as mãos para a figura desacordada.

– Eu a levo para dentro – disse Odo.

Agatha apenas balançou a cabeça em negativa, sem dizer nada.

Então Odo deixou que ela pegasse Adelaide do seu colo. Agatha segurou o peso sem dificuldade e tornou a entrar. A mão invisível de alguém fechou a porta.

Odo ficou fitando a porta por vários instantes, então virou as costas.

Ele e Edgar tornaram a embarcar na jangada.

– É melhor eu ir para a taberna – falou Odo.

– Você não vai ser bem-vindo lá assim sem dinheiro – alertou Edgar. – Mas o mosteiro o acolherá. O prior Aldred lhe dará um hábito de monge e um par de sapatos, limpará suas feridas e lhe dará comida pelo tempo que for preciso.

– Graças a Deus os monges existem.

Edgar conduziu a jangada até a margem e a amarrou.

– Venha comigo – disse.

Ao saltar, Odo cambaleou e caiu de joelhos.

– Desculpe – falou. – Minhas pernas estão fracas. Eu a carreguei por um longo caminho.

Edgar o ajudou a se levantar.

– Falta só mais um pouco.

Conduziu Odo até a construção que antes era a casa dos padres e onde agora funcionava o mosteiro. Ergueu a barra que prendia a porta e o fez entrar. Os monges estavam almoçando ao redor da mesa, todos menos Aldred, que lia em voz alta em pé atrás do atril fabricado por Edgar.

O frei interrompeu a leitura ao vê-lo entrar com Odo.

– O que houve? – perguntou.

– Quando estavam voltando para Cherbourg, Odo e a mulher foram espancados, roubados, despidos e deixados para morrer – respondeu Edgar.

Aldred fechou o livro e segurou delicadamente o braço do normando.

– Venha cá, deite-se perto do fogo – falou. – Frei Godleof, traga um pouco de vinho para limpar os ferimentos dele.

Então ajudou Odo a se acomodar.

Godleof trouxe uma tigela cheia de vinho e um pano limpo e Aldred começou a lavar o rosto sujo de sangue do homem ferido.

– Vou deixá-lo – disse Edgar a Odo. – Está em boas mãos.

– Obrigado, vizinho – respondeu Odo.

Edgar sorriu.

Ragna batizou o gêmeo mais velho de Hubert, em homenagem ao pai, e o mais novo de Colinan. Os dois não eram idênticos e era fácil distingui-los porque um era grande e louro e o outro, pequeno e de cabelos escuros. Ragna teve leite suficiente para amamentar ambos: seus seios ficaram inchados e pesados.

Dispunha de ajuda de sobra para cuidar deles. Cat havia assistido ao parto e, desde o início, desenvolvido um carinho especial pelos bebês. Ela se casara com Bern, o Gigante, e tinha um filho da mesma idade de Osbert, o primogênito de Ragna. Parecia feliz com o marido, embora tivesse contado às outras mulheres que era obrigada a ficar sempre por cima, tamanha a barriga dele. Todas riram, e Ragna havia se perguntado como os homens se sentiriam se soubessem como as mulheres se referiam a eles.

A costureira Agnès também gostava dos gêmeos. Ela tinha se casado com um inglês, Offa, chefe de Mudeford, mas o casal não tinha filhos. Todos os instintos maternos frustrados de Agnès eram direcionados aos dois bebês.

Ragna deixou os gêmeos pela primeira vez quando soube do ocorrido com Odo e Adelaide.

Ficou extremamente preocupada. Os mensageiros tinham ido à Inglaterra numa missão em seu benefício, o que a fez se sentir responsável. O fato de os dois serem normandos como ela aumentava ainda mais sua solidariedade. Precisava vê-los, descobrir qual era a gravidade dos seus ferimentos e se podia fazer algo para ajudá-los.

Deixou Cat encarregada das crianças, com duas amas de leite para garantir que

os bebês não passassem fome. Levou Agnès como criada e Bern como guarda-
-costas. Pôs na bagagem roupas para Odo e Adelaide, já que tinham lhe dito que
os dois haviam sido abandonados nus. Foi com o coração na mão que se afastou
do complexo a cavalo: como podia deixar seus pequenos para trás? Mas tinha seu
dever a cumprir.

Sentiu falta deles durante cada minuto da viagem de dois dias até a Travessia
de Dreng.

Chegou no final da tarde e, após deixar Bern na taberna, fez imediatamente
a travessia até a Ilha dos Leprosos. Madre Agatha a recebeu com um beijo e um
abraço ossudo.

Sem preâmbulos, Ragna perguntou:

– Como está Adelaide?

– Recuperando-se depressa – respondeu Agatha. – Ela vai ficar bem.

Ragna relaxou, aliviada.

– Graças a Deus.

– Amém.

– Que ferimentos ela tem?

– Levou um golpe feio na cabeça, mas é jovem e forte e parece que não vai
haver nenhuma sequela.

– Gostaria de falar com ela.

– Claro.

Adelaide estava no dormitório. Tinha um pano limpo amarrado em volta da
cabeça loura e trajava uma túnica de freira marrom-clara sem graça, mas estava
sentada ereta na cama e sorriu toda contente ao ver Ragna.

– Milady! A senhora não deveria ter se dado ao trabalho de vir até aqui.

– Eu precisava me certificar de que vocês estavam se recuperando.

– Mas os seus bebês!

– Vou voltar depressa, agora que vi que vocês estão bem. E quem mais poderia
ter lhes trazido roupas limpas?

– A senhora é muito gentil.

– Deixe disso. Como está Odo? Me disseram que ele não ficou tão machucado
quanto você.

– Parece que ele está bem, mas eu não o vejo desde o ocorrido. Aqui não se
permite a entrada de homens.

– Vou pedir a Bern, o Gigante, que os acompanhe até Combe assim que vocês
dois estiverem se sentindo bem o suficiente para ir.

– Eu posso ir amanhã. Não estou mais me sentindo mal.

– Mesmo assim, vou lhe emprestar um cavalo.

– Obrigada.

– Você pode ir montada no de Bern e ele pode voltar para Shiring no cavalo dele depois de embarcar vocês num navio rumo a Cherbourg.

Ragna deu a Adelaide dinheiro e alguns itens de higiene feminina: um pente, um frasco pequeno de óleo para limpar as mãos e um tapa-sexo de linho. Então se retirou após ganhar outro beijo de Agatha e seguiu para o povoado.

Odo estava no priorado com Aldred. Tinha um hematoma no rosto e apoiou todo o peso na perna esquerda ao se levantar para lhe fazer uma mesura, mas parecia disposto. Ragna lhe entregou as roupas masculinas que trouxera de Shiring.

– Adelaide quer ir embora amanhã – avisou a ele. – Como está se sentindo?

– Acho que estou plenamente restabelecido.

– Siga os conselhos de madre Agatha. Ela já cuidou de muitos doentes.

– Sim, milady.

Ragna deixou o mosteiro e voltou para a beira do rio. Faria outra vez a travessia até a ilha e passaria a noite no convento.

Edgar estava em frente à taberna.

– Sinto muito que isso tenha acontecido com seus mensageiros – falou, embora obviamente a culpa não fosse dele.

– Acha que eles foram atacados pelos mesmos ladrões que roubaram meu presente de casamento para Wilf há três anos?

– Tenho certeza. Odo descreveu um homem com capacete de ferro.

– E, pelo que entendi, todas as tentativas de capturá-lo fracassaram. – Ragna franziu a testa. – Quando roubam animais, ele e seu bando simplesmente os comem, e armas e dinheiro eles guardam para si, mas roupas e joias precisam ser transformadas em dinheiro. Como conseguem fazer isso?

– Talvez Cara de Ferro leve tudo para Combe – disse Edgar após pensar um pouco. – Lá existem vários negociantes de roupas usadas, além de dois ou três joalheiros. As joias podem ser derretidas, ou pelo menos alteradas para não serem facilmente reconhecidas, e qualquer traje característico pode ser reformado.

– Mas os fora da lei têm um aspecto suspeito.

– Deve haver gente disposta a comprar coisas sem fazer perguntas demais.

Ragna mais uma vez franziu a testa.

– De qualquer forma, eu acho que bandidos atrairiam a atenção. Os poucos homens desse tipo que vi pareciam maltrapilhos, doentes e sujos. Você já morou em Combe. Por acaso se lembra de alguém que parecesse levar uma vida precária na floresta aparecer na cidade para vender coisas?

– Não. E tampouco me lembro de alguém comentar sobre um visitante assim. A senhora acha que Cara de Ferro pode estar usando um intermediário?

– Sim. Alguém respeitável que tenha motivo para visitar Combe.

– Mas há centenas de pessoas assim. A cidade é grande. Todos vão lá comprar e vender.

– Você teria algum suspeito, Edgar?

– Dreng, o taberneiro daqui, é mau o suficiente, mas não gosta de viajar.

Ragna assentiu.

– É preciso refletir um pouco sobre o assunto – falou. – Eu gostaria de pôr um fim às atividades desse fora da lei, e o xerife Den pensa da mesma forma.

– Todos nós pensamos – disse Edgar.

Ragna e Cat estavam colocando os gêmeos no berço para seu cochilo da tarde quando ouviram um tumulto do lado de fora. Uma menina berrou enfurecida, várias mulheres começaram a gritar e então muitos homens se puseram a rir e zombar. Os gêmeos fecharam os olhos sem prestar atenção alguma naquilo e pegaram no sono em segundos, e Ragna em seguida saiu para ver qual era o motivo daquela algazarra.

Fazia frio. Um vento norte gelado e cortante fustigava o complexo. Uma multidão havia se reunido ao redor de um barril de água. Ao chegar mais perto, Ragna viu que no centro do grupo estava uma menina nua possuída de raiva. Gytha e duas ou três outras mulheres tentavam lhe dar um banho usando escovas, panos, óleo e água, enquanto outras lutavam para fazê-la ficar parada. Enquanto despejavam água fria na sua cabeça, ela tremia descontroladamente ao mesmo tempo que gritava uma sequência do que Ragna imaginou serem palavrões no idioma galês.

– Quem é? – perguntou.

O novo chefe dos cavalariços, Wuffa, que estava em pé na sua frente, respondeu sem virar a cabeça.

– A escrava nova de Gytha. Esfreguem os peitos dela! – gritou ele, e os homens à sua volta gargalharam.

Ragna poderia ter impedido maus-tratos a uma jovem normal, mas não a uma escrava. As pessoas podiam ser cruéis com os escravos, era um direito previsto em lei. Algumas leis rasas proibiam o assassinato deles sem um bom motivo, mas até mesmo essas eram difíceis de aplicar e as punições eram brandas.

Viu que a menina tinha cerca de 13 anos. Uma vez removida a sujeira, constatou que sua pele era branca. Os cabelos e os pelos pubianos eram escuros, quase negros. Os braços e pernas eram esguios, e os seios, miúdos e perfeitos. Embora seu rosto estivesse contorcido de fúria, ela era bonita.

– Por que Gytha precisa de uma escrava? – perguntou Ragna.

Wuffa se virou para responder com um sorriso no rosto, mas mudou de ideia ao perceber com quem estava falando. O sorriso desapareceu e ele resmungou:

– Eu não sei.

Era óbvio que sabia, mas ficou constrangido de dizer.

Wilf saiu do salão nobre e se aproximou da multidão, obviamente movido pela mesma curiosidade que Ragna. Ela o observou, perguntando-se como ele reagiria àquilo. Gytha na mesma hora mandou as mulheres que a acompanhavam pararem de lavar a menina e a imobilizarem para Wilf ver.

A multidão respeitosamente abriu caminho para o senhor da cidade passar. A menina agora estava mais ou menos limpa. Seus cabelos negros pendiam molhados de um lado e outro do rosto, e a pele brilhava de tanto ter sido esfregada. A cara feia que fazia parecia apenas torná-la ainda mais atraente. Wilf abriu um largo sorriso.

– Quem é esta? – indagou.

Foi Gytha quem respondeu:

– O nome dela é Carwen. Ela é um presente meu para você, para lhe agradecer por ser o melhor enteado que uma mãe poderia querer.

Ragna reprimiu um grito de protesto. Não era justo! Ela havia feito tudo para agradar Wilf e garantir sua fidelidade, e ao longo dos seus três anos de casamento ele havia sido bem mais fiel do que a maioria dos nobres ingleses. Dormia com Inge de vez em quando, como se fosse em homenagem aos velhos tempos, e devia se deitar com camponesas quando viajava, mas enquanto estava em casa mal olhava para outras mulheres. E agora todo o trabalho de Ragna cairia por terra por causa de uma escrava... dada de presente por Gytha! Ragna entendeu na mesma hora que o plano da mulher era afastá-la do marido.

Wilf deu um passo à frente com os braços estendidos, como se fosse abraçar Carwen.

A menina cuspiu na cara dele.

Wilf ficou onde estava, estupefato, e as pessoas em volta fizeram silêncio.

Um escravo podia ser executado por aquilo. Wilf poderia muito bem sacar a faca e cortar a garganta da garota ali mesmo.

Ele limpou o rosto com a manga, depois levou a mão ao cabo da adaga no cinto. Passou vários segundos encarando Carwen. Ragna não soube dizer o que ele faria.

Ele então tirou a mão da faca.

Poderia simplesmente rejeitar Carwen. Quem iria querer um presente que cuspia na sua cara? Ragna pensou que aquilo poderia ser a sua salvação.

410

Mas Wilf então relaxou. Abriu um sorriso e olhou em volta. Algumas risadinhas desconfortáveis se fizeram ouvir na multidão. Então Wilf começou a rir.

A multidão começou a rir junto com ele e Ragna entendeu que estava perdida. Seu marido tornou a ficar sério e a multidão se calou.

Ele desferiu um tapa bem forte na cara da escrava. Tinha mãos grandes, fortes. Carwen deu um grito e começou a chorar. Sua bochecha ficou muito vermelha e um filete de sangue escorreu de sua boca pelo queixo.

Wilf se virou para Gytha.

– Amarre-a e leve-a para a minha casa – falou. – Deixe-a no chão.

Ele ficou observando as mulheres amarrarem as mãos da escrava atrás das costas com alguma dificuldade, já que ela se debatia para resistir. Feito isso, elas prenderam seus tornozelos.

Os homens da multidão estavam olhando para a menina nua, mas as mulheres ficaram observando Ragna discretamente. Ela entendeu que estavam curiosas para ver como reagiria. Esforçou-se ao máximo para manter um semblante neutro e digno.

As mulheres de Gytha suspenderam Carwen amarrada e a carregaram até a casa de Wilf.

Ragna virou as costas e se afastou devagar, sentindo-se abalada. O pai de seus três filhos passaria aquela noite com uma menina escrava. O que ela iria fazer?

Decidiu não permitir que aquilo estragasse o seu casamento. Gytha podia prejudicá-la, mas não destruí-la. Ela daria um jeito de segurar Wilf.

Entrou na própria casa. Suas criadas não lhe dirigiram a palavra. Tinham descoberto o que estava acontecendo e podiam ver a expressão no rosto da patroa.

Ragna se sentou, pensativa. Entendeu na hora que seria um erro tentar impedir Wilf de dormir com Carwen. Ele não se curvaria à sua vontade. Um homem como ele não aceitava ordens de uma mulher, nem mesmo da mulher amada. Uma exigência dessas só azedaria os sentimentos de Wilf. Será que ela deveria fingir que não estava ligando? Não, isso seria demais. Talvez a atitude correta fosse aceitar de forma pesarosa os desejos masculinos. Isso ela podia fazer, se preciso fosse.

Estava chegando a hora do jantar. Ragna não podia de modo algum parecer derrotada e triste. Tinha que aparecer linda a ponto de ele talvez até sentir uma pontada de arrependimento por passar a noite com outra.

Escolheu um vestido amarelo-escuro do qual sabia que ele gostava. A roupa agora estava um pouco justa no busto, mas isso era bom. Pediu a Cat para prender seus cabelos com um lenço de seda do mesmo tom das castanhas. Vestiu uma capa de lã vermelho-escura para proteger as costas da friagem que entrava pelas paredes de madeira do salão nobre. Arrematou o traje com um broche esmaltado dourado.

No jantar, como de costume, sentou-se à direita de Wilf. Ele estava bem-disposto e fazendo brincadeiras com os homens, mas de vez em quando ela o pegava olhando na sua direção com uma expressão que a deixou intrigada. Não era exatamente medo, mas era mais forte do que uma simples ansiedade, e ela se deu conta de que ele na verdade estava nervoso.

Como deveria reagir? Se demonstrasse a dor que estava sentindo, ele se sentiria manipulado e ficaria irritado, e então iria querer lhe ensinar uma lição, decerto dando mais atenção ainda a Carwen. Não, tinha que haver um jeito mais sutil.

Durante toda a refeição, embora estivesse arrasada, Ragna teve o cuidado de se mostrar mais atraente do que nunca. Riu das piadas de Wilf e, cada vez que ele fazia alguma alusão a amor ou sexo, olhava para ele com os olhos baixos e uma expressão que sempre o deixava inclinado ao amor.

Quando a comida acabou e os homens estavam ficando bêbados, ela saiu da mesa junto com a maior parte das mulheres. Voltou para a própria casa levando uma vela de sebo para iluminar seu caminho. Não tirou a capa, mas ficou parada junto à porta olhando para fora, observando o pouco que conseguia discernir pelo complexo, pensando e ensaiando mentalmente o que iria dizer.

– O que está fazendo? – perguntou Cat.

– Esperando um momento tranquilo.

– Por quê?

– Não quero que Gytha me veja indo à casa de Wilf.

– É lá que a escrava está – disse Cat, parecendo amedrontada. – O que vai fazer com ela?

– Não tenho certeza. Estou pensando no assunto.

– Não faça Wilf se irritar com a senhora.

– Veremos.

Poucos minutos depois, Ragna viu uma silhueta se mover da casa de Gytha até a de Wilf levando uma vela. Supôs que Gytha estivesse indo verificar seu presente para ter certeza de que Carwen continuava apresentável.

Ragna esperou pacientemente. Pouco tempo depois, Gytha saiu da casa de Wilf e voltou para a dela. Ragna lhe deu alguns minutos para se acomodar. Uma mulher e seu marido bêbado saíram do salão nobre e atravessaram o complexo aos tropeços. Finalmente o caminho ficou livre e Ragna atravessou com rapidez a curta distância e entrou na casa de Wilf.

Carwen continuava amarrada, mas conseguira se sentar. Por estar nua, estava com frio e tinha rastejado até mais perto do fogo. Havia um grande hematoma roxo no lado esquerdo de seu rosto, exatamente no lugar em que Wilf tinha lhe dado o tapa.

Ragna sentou-se num banquinho e se perguntou se a escrava falava inglês.

– Sinto muito que isso tenha acontecido com você – disse.

Carwen não esboçou reação alguma.

– Eu sou a esposa dele – falou Ragna.

– Ah! – fez Carwen.

Então ela entendia inglês.

– Ele não é um homem cruel – prosseguiu Ragna. – Pelo menos não mais cruel do que os homens em geral são.

A menina relaxou um pouquinho, talvez de alívio.

– Ele nunca bateu em mim do jeito que bateu em você hoje – disse Ragna. – Mas, veja bem, eu sempre tomei cuidado para não desagradá-lo. – Ela ergueu uma das mãos como se para impedir uma discussão. – Não estou julgando você, apenas dizendo como as coisas são.

Carwen assentiu.

Era um avanço.

Ragna pegou um cobertor na cama de Wilf e o pôs em volta dos ombros brancos e magros da menina.

– Quer um pouco de vinho?

– Sim.

Ragna foi até a mesa e serviu a bebida de uma jarra numa caneca de madeira. Ajoelhou-se ao lado dela e levou a caneca à sua boca. Carwen bebeu. Ragna chegou a pensar que ela fosse cuspir o vinho em cima dela, mas a menina engoliu, agradecida.

Então Wilf entrou.

– Que diabo você está fazendo aqui? – perguntou ele na mesma hora.

Ragna se levantou.

– Quero falar com você sobre esta escrava.

Wilf cruzou os braços.

– Quer uma caneca de vinho? – perguntou Ragna.

Sem esperar resposta, serviu a ambos, entregou-lhe uma das canecas e se sentou.

Ele bebeu um gole do vinho e se acomodou de frente para ela. Sua expressão dizia que, se ela quisesse uma briga, ele estaria bastante disposto a uma das boas.

Um pensamento ainda parcialmente formulado tomou uma forma mais definida na mente de Ragna e ela falou:

– Eu não acho que Carwen deva morar na casa dos escravos.

413

Wilf fez cara de surpresa e não soube como reagir. Aquela era a última coisa pela qual ele esperava.

– Por quê? – perguntou. – Porque lá é imundo?

Ragna deu de ombros.

– Lá é imundo porque nós os trancamos durante a noite e eles não podem sair para urinar. Mas não é isso que me preocupa.

– O que é, então?

– Se ela passar as noites lá, um ou mais homens vão trepar com ela, e eles provavelmente têm infecções nojentas que ela vai passar para você.

– Nunca pensei nisso. Onde ela deve morar?

– No momento nós não temos uma casa vaga no complexo, e de qualquer forma uma escrava não pode ter a própria casa. Como foi Gytha quem a trouxe, talvez Carwen deva morar na casa dela... quando não estiver com você.

– Boa ideia – disse ele.

Estava visivelmente aliviado. Tinha previsto problemas, mas tudo que teve foi uma questão prática prontamente solucionada.

Gytha ficaria uma fera, mas Wilf não mudaria de ideia depois de concordar. Para Ragna, aquilo era um ato de vingança pequeno, porém recompensador.

Ela se levantou.

– Divirta-se – falou, embora na verdade estivesse torcendo para não ser o caso.

– Obrigado.

Ela foi até a porta.

– E, quando se cansar da menina e quiser uma mulher outra vez, pode voltar para mim. – Ela abriu a porta. – Boa noite – falou, e saiu.

CAPÍTULO 26

Março de 1001

As coisas não correram como Ragna imaginava. Wilf dormiu com Carwen todas as noites durante oito semanas, depois viajou para Exeter.

No início Ragna não entendeu. Como ele podia suportar passar tanto tempo com uma menina de 13 anos? Sobre o que ele e Carwen conversavam? O que uma adolescente poderia ter para dizer que pudesse de algum modo interessar a um homem com a idade e a experiência de Wilf? Com Ragna, na cama de manhã, ele falava sobre os problemas da sua administração: coleta de impostos, captura de criminosos e, sobretudo, defesa da região dos ataques vikings. Certamente não debatia essas questões com Carwen.

Ele ainda conversava com Ragna, só que não na cama.

Gytha estava felicíssima com aquela mudança e a valorizava ao máximo, nunca perdendo nenhuma oportunidade de se referir a Carwen na presença de Ragna, que se sentia humilhada, mas disfarçava por trás de um sorriso.

Inge, que odiava Ragna por ela ter lhe tirado Wilf, também adorou vê-la ser suplantada e, assim como Gytha, tentou esfregar isso na sua cara. Só que não tinha o mesmo sangue-frio de Gytha.

– Ora, Ragna, há semanas que você não passa uma noite com Wilf! – disse ela.

– Nem você – retrucou Ragna, e isso a fez se calar.

Ragna tirou o melhor proveito possível daquela nova vida, mas com o coração amargurado. Convidou poetas e músicos para irem a Shiring. Duplicou o tamanho de sua casa e a transformou num segundo salão nobre para acomodar seus visitantes, tudo com a permissão de Wilf, concedida prontamente tamanha sua ansiedade para aplacar a esposa enquanto trepava com sua menina escrava.

Ela temeu que, conforme a paixão de Wilf por ela perdesse a força, sua posição política pudesse enfraquecer. Portanto, para compensar isso, reforçou sua relação com outros homens de poder: o bispo de Norwood, o abade de Glastonbury, o xerife Den, entre outros. Como o abade Osmund de Shiring continuava vivo, mas ainda acamado, fez amizade com o tesoureiro Hildred. Convidou-o à sua casa para ouvir música e declamações de poemas. Wilf apreciou a ideia de o seu complexo estar se tornando um centro cultural, pois isso aumentava o seu prestígio. Mesmo assim, seu salão nobre continuou a receber bobos da corte e acrobatas e as conversas depois do almoço eram sobre espadas, cavalos e navios de guerra.

Então os vikings chegaram.

Eles haviam passado o verão anterior tranquilos na Normandia. Ninguém na Inglaterra sabia por quê, mas todos estavam agradecidos. O rei Ethelred se sentira confiante o suficiente para tomar o rumo do norte e atacar os bretões de Strathclyde. Na primavera, porém, os vikings voltaram com tudo, cem navios cujas proas pareciam espadas curvas subindo depressa o rio Exe. Encontraram a cidade de Exeter fortemente protegida, mas arrasaram sem piedade a zona rural ao redor.

A informação chegou a Shiring graças a mensageiros que foram lá pedir ajuda. Wilf não hesitou. Se os vikings assumissem o controle da área ao redor de Exeter, teriam uma base com fácil acesso ao mar e de lá poderiam atacar qualquer lugar que quisessem no oeste do país. Estariam a um passo de conquistar a região e assumir o comando do condado no lugar de Wilf, o que já tinham feito em boa parte do nordeste da Inglaterra. Esse desfecho era impensável e o senhor de Shiring reuniu um exército.

Ele conversou com Ragna sobre estratégia. Ela disse que ele não deveria simplesmente correr para Exeter com uma força de Shiring e atacar os vikings assim que os encontrasse. Rapidez e surpresa eram sempre fatores bem-vindos, mas com uma força inimiga daquele tamanho havia o risco de derrota e humilhação precoces. Wilf concordou e afirmou que primeiro percorreria o oeste do país para recrutar homens e aumentar seu contingente na esperança de ter um exército poderoso quando encontrasse os vikings.

Ragna sabia que aquele seria um período perigoso para ela. Antes de Wilf partir, ela precisava estabelecer publicamente que era a representante dele. Depois que ele se ausentasse, os rivais dela tentariam derrubá-la aproveitando que ele não estaria lá para protegê-la. Wynstan não iria com Wilf combater os vikings, pois, sendo um homem de Deus, era-lhe proibido derramar sangue. Ele geralmente respeitava essa regra, ainda que desrespeitasse muitas outras. O bispo ficaria em Shiring e com certeza tentaria assumir o controle do governo com o apoio de Gytha. Ragna precisaria ficar vigilante todos os dias.

Rezou para Wilf passar uma noite com ela antes de partir, mas isso não aconteceu e sua amargura aumentou.

No dia marcado para a sua partida, Ragna esperou junto com ele em frente ao salão nobre enquanto Wuffa trazia seu cavalo preferido, um garanhão cinza-ferro chamado Nuvem. Carwen não apareceu. Wilf devia ter se despedido dela em particular, o que demonstrava certa consideração.

Na frente de todos, ele beijou Ragna na boca pela primeira vez em dois meses. Ela falou alto para todos poderem ouvir:

– Meu marido, prometo-lhe governar bem seus domínios durante a sua ausência. – Enfatizou a palavra *governar*. – Serei justa como você seria, protegerei seu povo e sua riqueza e não permitirei que ninguém me impeça de cumprir meu dever.

Aquilo era um desafio evidente a Wynstan e Wilf entendeu. Seu sentimento de culpa ainda o estava fazendo dar a Ragna qualquer coisa que ela pedisse.

– Obrigado, minha esposa – disse ele, igualmente alto. – Sei que você irá governar do jeito que eu faria se estivesse aqui. – Ele também enfatizou o *governar*. – Quem desafiar lady Ragna estará desafiando a mim – completou.

Ragna baixou a voz.

– Obrigada – falou. – E volte para mim são e salvo.

Ragna passou a ficar calada, introspectiva, e quase não falava com as pessoas à sua volta. Aos poucos, deu-se conta de que precisava encarar uma dura verdade: Wilf jamais a amaria como ela queria ser amada.

Ele gostava dela, a respeitava, e mais cedo ou mais tarde provavelmente começaria a passar algumas noites com ela outra vez. Mas ela sempre seria apenas uma das éguas do seu estábulo. Não era a vida com a qual sonhava quando havia se apaixonado por ele. Será que conseguiria se acostumar a isso?

Esse questionamento a fez ter vontade de chorar. Ela escondia os sentimentos durante o dia, na presença de outras pessoas, mas à noite chorava, e apenas os outros moradores de sua casa a escutavam. É como se eu estivesse de luto, pensou ela. Havia perdido o marido não para a morte, mas para outra mulher.

Decidiu fazer sua visita habitual a Outhenham no dia da Anunciação na esperança de que aquilo a distraísse um pouco do naufrágio da sua vida. Deixou as crianças com Cat e levou Agnès consigo para lhe servir de criada pessoal.

Adentrou Outhenham com um sorriso no rosto e uma pedra no coração. Apesar disso, o vilarejo a animou. Nos três anos desde que ela havia assumido o controle ali, o lugar tinha prosperado. Os aldeões a chamavam de Ragna, a Justa. Ninguém lucrava quando todos viviam trapaceando e roubando. Agora, com Seric no comando, as pessoas se mostravam mais dispostas a pagar o que deviam, pois sabiam que não seriam roubadas, e trabalhavam mais duro quando tinham certeza de que colheriam os resultados.

Ela dormiu na casa de Seric e deu sua audiência pela manhã. Comeu uma refeição leve, pois mais tarde haveria um banquete. Havia planejado visitar a pedreira à tarde e, quando ficou pronta, encontrou Edgar à sua espera usando uma capa azul. Ele agora tinha seu próprio cavalo, uma égua preta parruda chamada Pilar.

– Posso lhe mostrar uma coisa no caminho? – perguntou ele depois de ela também montar.

– Claro.

Achou que ele parecia estranhamente nervoso. O que quer que tivesse a lhe dizer devia ser importante para ele. Todos tinham coisas importantes para falar à esposa do senhor de Shiring, mas Edgar era especial, e Ragna ficou intrigada.

Eles foram até a beira do rio, então seguiram a estrada de carroças que ia dar na pedreira. Num dos lados ficavam os fundos das casas do vilarejo, cada qual com seu pequeno espaço de terra ocupado por uma horta, algumas árvores frutíferas, um ou dois currais de animais e uma pilha de dejetos. Do outro lado ficava o Campo Leste parcialmente lavrado, com seus sulcos de argila úmida a reluzir, embora, por ser feriado, ninguém estivesse trabalhando lá no momento.

– Repare que a distância entre o Campo Leste e os terrenos das casas é grande – apontou Edgar.

– Bem maior do que o necessário, o suficiente para duas estradas.

– Exato. Pois então: dois homens levam quase um dia inteiro para trazer da pedreira até o rio uma carga de pedra por esta estrada. Isso encarece a nossa pedra. Quando usam uma carroça fica mais fácil, mas eles levam mais ou menos o mesmo tempo.

Ela imaginou que ele estivesse dizendo algo importante, mas ainda não estava entendendo o quê.

– É isso que você quer me mostrar?

– Quando tentei vender pedra para o mosteiro de Combe, eles me disseram que tinham começado a comprar em Caen, na Normandia, porque saía mais barato.

Isso a deixou interessada.

– Como é possível?

– A pedra percorre o caminho inteiro num barco só: desce o rio Orne até o mar, depois atravessa o canal até o porto de Combe.

– E nosso problema é que a nossa pedreira não fica à beira de um rio.

– Não exatamente.

– Como assim?

– O rio fica a apenas 800 metros de distância.

– Mas nós não podemos fazer esses 800 metros desaparecerem.

– Eu acho que podemos, sim.

Ela sorriu. Pôde ver que ele estava apreciando aquela revelação gradual.

– Como?

– Cavando nosso próprio canal.

Isso a pegou de surpresa.

– O quê?

– Já foi feito em Glastonbury – informou ele com o ar de quem saca um trunfo. – Aldred me contou.

– Cavar nosso próprio rio?

– Eu já fiz os cálculos. Dez homens com picaretas e pás levariam cerca de vinte dias para cavar um canal com um metro de profundidade e um pouco mais largo do que a minha jangada do rio até a pedreira.

– Só isso?

– Cavar é a parte fácil. Talvez seja preciso reforçar as margens, dependendo da consistência do solo conforme formos cavando, mas isso eu mesmo posso fazer. O mais difícil é acertar a profundidade. Obviamente é preciso que ele fique profundo o suficiente para garantir que a água do rio entre. Mas acho que consigo resolver isso.

Ele é mais inteligente do que Wilf e talvez mais até do que Aldred, pensou Ragna, mas tudo que disse foi:

– Quanto custaria?

– Supondo que não usemos escravos...

– Eu preferiria não.

– Nesse caso, meio *penny* por dia para cada trabalhador, mais 1 *penny* por dia para um supervisor, ou seja, 120 *pence*, o que equivale a meia libra de prata. E precisaríamos alimentá-los, já que a maioria estaria longe de casa.

– E isso economizaria dinheiro a longo prazo.

– Muito dinheiro.

Ragna ficou animada com o projeto de Edgar. Seria uma ótima novidade. Custaria caro, mas ela podia pagar.

Eles chegaram à pedreira. Agora havia duas casas lá. Edgar tinha construído uma para si de modo a não precisar dividir a outra com Gab e sua família. Era uma bela casa, com as paredes feitas de tábuas verticais unidas por juntas de encaixe. Tinha duas janelas com folhas e a porta era feita de um bloco inteiro de carvalho. Na porta havia uma tranca. Edgar enfiou uma chave nela e girou para abri-la.

O interior era um ambiente masculino, com lugares de honra para ferramentas, rolos de corda e bolas de barbante, além de arreios. Havia um barril de cerveja, mas vinho não, uma rodela de queijo duro, mas frutas não, e nenhuma flor.

Na parede, Ragna reparou numa folha de pergaminho pendurada num prego. Ao olhar mais de perto, viu que era uma lista de clientes, com detalhes das pedras que haviam recebido e do dinheiro que haviam pago. A maioria dos artesãos mantinha esse tipo de controle com marcas num graveto.

– Você sabe escrever? – perguntou ela a Edgar.

Ele se mostrou orgulhoso.

– Aldred me ensinou.

Ele se mantivera discreto em relação a isso.

– E evidentemente sabe ler.

– Eu leria se tivesse um livro.

Ragna decidiu lhe dar um livro de presente quando seu canal ficasse pronto.

Sentou-se no banco e Edgar lhe serviu uma caneca de cerveja do barril.

– Que bom que a senhora não quis usar trabalho escravo – comentou ele.

– O que o faz dizer isso?

– Algo no fato de ter escravos traz à tona o pior lado das pessoas. Donos de escravos viram selvagens. Eles espancam, matam e estupram como se isso fosse correto.

Ragna suspirou.

– Quem dera todos os homens fossem como você.

Ele riu.

– O que foi? – indagou ela.

– Eu me lembro de pensar exatamente a mesma coisa da senhora. Eu lhe pedi para me arrumar uma fazenda e a senhora simplesmente disse que sim, sem hesitar, e eu pensei: por que não existem mais pessoas assim no mundo?

Ragna sorriu.

– Você me alegrou – disse ela. – Obrigada.

Num impulso, levantou-se de um salto e o beijou.

Sua intenção era lhe dar um beijo no rosto, mas por algum motivo ela o beijou na boca. Seus lábios encostaram nos dele por um segundo apenas. Ragna não teria dado a menor importância àquilo, mas Edgar ficou estupefato. Deu um pulo para trás, afastando-se dela, e seu rosto ficou muito vermelho.

Ela percebeu na mesma hora que havia cometido um erro.

– Eu sinto muito – falou. – Não deveria ter feito isso. Só estava agradecida por você ter feito com que eu me sentisse melhor.

– Eu não sabia que a senhora estava se sentindo mal – disse ele.

Estava começando a recobrar o autocontrole, mas Ragna reparou que ele tocou os lábios com as pontas dos dedos.

Não ia lhe explicar sobre Carwen.

– Estou com saudades do meu marido – falou. – Ele foi reunir um exército para combater os vikings. Eles subiram o rio Exe. Wilf está muito preocupado. – Viu uma sombra atravessar o semblante de Edgar ao ouvir falar nos vikings e lembrou que eles haviam matado sua amada. – Eu sinto muito – tornou a dizer.

Ele balançou a cabeça.

– Não faz mal. Mas tem outra coisa que eu queria comentar com a senhora.

Ragna ficou aliviada com a mudança de assunto.

– Pode falar.

– Sua criada Agnès está usando um anel novo.

– Sim. O marido lhe deu.

– Um anel feito de fios de prata entrelaçados, com uma pedra de âmbar.

– É bem bonito.

– Ele me lembrou o pingente que foi roubado da sua mensageira Adelaide. Era um pingente de fios de prata com uma pedra de âmbar.

Ragna ficou perplexa.

– Nunca reparei nisso!

– Eu me lembro de pensar que o âmbar ficaria bem na senhora.

– Mas como Agnès pode ter um anel feito com o pingente de Adelaide?

– O pingente foi roubado e reformado para parecer diferente. A questão é saber como o marido dela o conseguiu.

– Ela é casada com Offa, o chefe de Mudeford. – Ragna começou a ver as conexões. – Ele provavelmente comprou o anel num joalheiro de Combe. Esse joalheiro conhece o intermediário e o intermediário sabe onde Cara de Ferro se esconde.

– Sim – falou Edgar.

– O xerife precisa interrogar Offa.

– Sim.

– Offa pode ter comprado o anel com toda a inocência.

– Sim.

– Não quero correr o risco de causar problemas para o marido de Agnès.

– É necessário.

Edgar acompanhou Ragna de volta até o centro do vilarejo e a deixou cercada por uma multidão. Foi embora de fininho e voltou para a pedreira. Pôs Pilar para pastar na orla da mata. Então, por fim, foi se deitar dentro de casa e pôs-se a pensar no beijo.

Havia ficado surpreso e desconcertado. Sabia que devia ter corado. Tinha se afastado com um pulo. Ragna vira tudo isso e pedira desculpas por tê-lo deixado constrangido. Mas o que ela viu foi só a superfície. Alguma outra coisa tinha acontecido, bem lá no fundo, e Edgar conseguira mantê-la escondida. Quando os lábios de Ragna tocaram os seus, na hora ele se percebeu completamente tomado de amor por ela.

O estrondo de um trovão, o clarão de um relâmpago, um homem abatido num instante...

Não, isso tinha sido só uma impressão. Deitado sobre os juncos junto ao seu fogo aceso, sozinho, de olhos fechados, ele examinou a própria alma e viu que tinha se apaixonado por ela muito antes. Passara anos dizendo a si mesmo que havia perdido o coração junto com Sungifu e que ninguém poderia assumir o lugar dela. Mas em algum momento, não sabia dizer quando, começara a amar Ragna. Não percebera isso na hora, mas agora lhe parecia evidente.

Na sua lembrança, repassou os últimos quatro anos e percebeu que ela se tornara a pessoa mais importante da sua vida. Eles ajudavam um ao outro. Nada lhe agradava mais do que conversar com ela. Fazia quanto tempo que isso era sua ocupação preferida? Ele admirava sua inteligência, sua determinação e principalmente o modo como ela combinava uma autoridade incontestável com um toque humano que fazia as pessoas a amarem.

Ele gostava dela, a admirava, e ela era linda. Isso não era a mesma coisa que o fogo da paixão, mas era como uma pilha de madeira que houvesse passado o verão inteiro secando e pegaria fogo com uma única fagulha. O beijo desse dia tinha sido a fagulha. Edgar queria beijá-la outra vez, beijá-la o dia inteiro, a noite inteira...

Mas isso nunca aconteceria. Ragna era filha de um conde: mesmo que fosse solteira, jamais se casaria com um reles construtor. E ela não estava solteira. Era casada com um homem que nunca, jamais poderia ficar sabendo sobre aquele beijo, pois se soubesse mandaria matar Edgar num piscar de olhos. Pior ainda: ela dava todos os indícios de amar o marido. E, se isso não bastasse, tinha três filhos com ele.

Será que tem alguma coisa errada comigo?, perguntou-se Edgar. Eu antes amava uma moça morta e agora amo uma mulher que é como se estivesse morta, já que eu não tenho chance alguma de ficar com ela.

Pensou nos irmãos, felizes dividindo uma mulher vulgar, egoísta e pouco inteligente. Por que não posso ser como eles e aceitar qualquer mulher que cruze o meu caminho? Como pude cometer a tolice de me apaixonar por uma nobre casada? Eu supostamente sou o mais inteligente dos irmãos.

Abriu os olhos. Naquela noite haveria uma festa no vilarejo. Ele poderia passar a noite inteira perto de Ragna. E no dia seguinte começaria a trabalhar no canal.

Isso lhe daria motivos de sobra para falar com ela ao longo das semanas seguintes. Ela nunca mais iria beijá-lo, mas faria parte da sua vida.

Isso teria que bastar.

Ragna falou com o xerife Den assim que voltou para Shiring. Estava ansiosa para capturar Cara de Ferro, que prejudicava a região inteira. E Wilf ficaria muito satisfeito ao voltar para casa e descobrir que ela havia resolvido aquele problema – o tipo de coisa que Carwen nunca faria.

O xerife estava igualmente disposto a capturá-lo e concordou que Offa talvez pudesse fornecer pistas quanto ao paradeiro do fora da lei. Eles decidiram falar com Offa na manhã seguinte.

Ragna torceu apenas para que Agnès e o marido não fossem culpados de alguma coisa, como, por exemplo, de serem receptadores de mercadorias roubadas.

No dia seguinte bem cedo, Ragna encontrou Den em frente à residência do casal. Tinha chovido a noite inteira e o chão estava enlameado. Den apareceu acompanhado pelo capitão Wigbert, por dois outros soldados e por dois criados munidos de pás. Ragna se perguntou para que serviriam as pás.

Agnès veio abrir a porta. Ao ver o xerife e seus homens, pareceu assustada.

– Offa está em casa? – perguntou Ragna.

– Por que cargas d'água a senhora quer falar com Offa, milady?

Ragna sentiu pena dela, mas precisava ser severa. Ela era a governante daqueles domínios e não podia demonstrar indulgência durante uma investigação criminal.

– Calada, Agnès, e fale apenas quando for solicitada – ordenou ela. – Você vai descobrir tudo logo, logo. Agora nos deixe entrar.

Wigbert mandou os dois soldados ficarem do lado de fora, mas acenou para que os criados o seguissem.

Ragna viu que a casa era confortavelmente mobiliada: tapeçarias nas paredes para impedir as correntes de ar, uma cama com colchão e sobre a mesa uma fileira de canecas e tigelas com borda de metal.

Offa sentou-se na cama, afastou um grosso cobertor de lã e se levantou.

– O que está acontecendo?

– Agnès, mostre ao xerife o anel que você estava usando em Outhenham – pediu Ragna.

– Ainda estou com ele.

A costureira estendeu a mão para Den.

– Offa, onde conseguiu isso? – perguntou Ragna.

Ele pensou por alguns instantes e coçou o nariz torto como quem tenta lembrar... ou pensar numa história plausível.

– Comprei em Combe.

– Quem lhe vendeu?

Ela estava torcendo para ouvir o nome de um joalheiro, mas se decepcionou.

– Um marinheiro francês – respondeu Offa.

Se fosse mentira, era uma mentira inteligente, pensou Ragna. Um joalheiro de Combe poderia ser interrogado, mas um marinheiro estrangeiro seria impossível de encontrar.

– Qual era o nome dele? – perguntou ela.

– Richard de Paris.

Era um nome que se podia inventar de improviso. Devia haver centenas de homens conhecidos como Richard de Paris. Ela começou a desconfiar de Offa, mas torceu, pelo bem de Agnès, para suas suspeitas serem infundadas.

– Por que um marinheiro francês estava vendendo joias de mulher?

– Bem, ele me disse que tinha comprado para a esposa, mas depois se arrependeu porque havia perdido todo seu dinheiro nos dados.

Ragna em geral sabia quando as pessoas estavam mentindo, mas não conseguiu ler Offa.

– Onde Richard de Paris comprou o anel?

– Imagino que o tenha comprado de um joalheiro em Combe, mas ele não disse. O que houve? Por que estão me interrogando? Eu paguei 60 *pence* por esse anel. Está havendo algum problema?

Ragna imaginou que Offa devia saber, ou no mínimo desconfiar, que o anel era roubado, mas queria proteger a pessoa que o vendera. Não soube ao certo o que perguntar em seguida. Após um intervalo, Den assumiu o comando da situação. Virando-se para os dois criados, falou abruptamente:

– Vasculhem a casa.

Ragna não soube ao certo como isso iria ajudar. Eles precisavam que Offa soltasse a língua, não revistar sua casa.

Havia dois baús trancados e várias caixas contendo comida. Ragna ficou observando pacientemente enquanto os criados passavam um pente-fino em tudo. Eles apalparam as roupas penduradas em ganchos, verificaram um barril de cerveja até o fundo e reviraram todos os juncos do chão. Ragna não sabia o que estavam procurando, mas para todos os efeitos eles não acharam nada digno de interesse.

Ficou aliviada.

Den então disse:

– A lareira.

Foi nesse momento que Ragna entendeu para que serviam as pás. Os criados as usaram para recolher as brasas do fogo e jogá-las porta afora. Os pedaços de lenha quente assobiaram ao aterrissarem no chão molhado.

Em pouco tempo a base da lareira foi exposta e os criados então começaram a cavar.

Bastaram alguns centímetros para suas pás se chocarem com madeira.

Offa saiu correndo pela porta. Aconteceu tão rápido que ninguém dentro da casa conseguiu detê-lo. Mas havia dois soldados lá fora. Ragna ouviu um rugido de frustração e o barulho de um corpo pesado caindo na lama. No minuto seguinte, os soldados trouxeram Offa de volta, cada qual segurando com firmeza um de seus braços.

Agnès começou a soluçar.

– Continuem cavando – ordenou Den aos criados.

Alguns minutos depois, eles retiraram do buraco um baú de madeira com 30 centímetros de comprimento. Pelo modo como o manusearam, Ragna pôde ver que estava pesado.

O baú não estava trancado. Den levantou a tampa. Lá dentro havia milhares de *pence* de prata, assim como algumas peças de joalheria.

– O resultado de muitos anos de roubo... mais algumas lembrancinhas – falou Den.

Por cima de tudo estava um cinto de couro macio com fivela e ponteira de prata. Ragna arquejou.

– Reconheceu alguma coisa? – perguntou Den.

– O cinto. Era para ser um presente meu para Wilf... até ser roubado por Cara de Ferro.

Den virou-se para Offa.

– Qual é o verdadeiro nome do Cara de Ferro e onde ele se esconde?

– Não sei – disse Offa. – Eu comprei esse cinto. Sei que não deveria ter comprado. Sinto muito.

Den meneou a cabeça para Wigbert, que se posicionou na frente de Offa. Os dois soldados o seguraram com mais força.

Wigbert tirou do cinto um pesado porrete feito de carvalho encerado. Com um movimento veloz, desferiu o porrete na cara de Offa. Ragna gritou, mas Wigbert não se abalou. Numa série rápida de golpes bem mirados, acertou Offa na cabeça, nos ombros e nos joelhos. O barulho da madeira dura batendo nos ossos deixou Ragna nauseada.

Quando Wigbert parou, o rosto de Offa estava coberto de sangue. Ele não conseguia ficar em pé, mas os soldados o seguraram. Agnès gemeu como se ela própria estivesse sentindo dor.

— Qual é o verdadeiro nome do Cara de Ferro e onde ele se esconde? — repetiu Den.

Por entre dentes esmigalhados e lábios sangrando, Offa respondeu:

— Eu juro que não sei.

Wigbert tornou a erguer o porrete.

Agnès soltou um grito agudo.

— Não, por favor, não! O Cara de Ferro é Ulf! Não bata de novo em Offa, por favor!

Den se virou para a costureira.

— O apanhador de cavalos? — indagou.

— Sim, eu juro.

— É melhor estar dizendo a verdade — falou Den.

Edgar não acreditava que o apanhador de cavalos Ulf fosse Cara de Ferro. Havia encontrado Ulf algumas vezes e se lembrava dele como um homem pequeno, ainda que enérgico e forte, como precisava ser para domar cavalos selvagens da floresta. Tinha lembranças vívidas das duas ocasiões em que vira Cara de Ferro e estava certo de que o ladrão tinha estatura e porte físico medianos.

— Agnès pode estar enganada — falou para Den quando o xerife passou pela Travessia de Dreng a caminho de prender Ulf.

— Você pode estar enganado — retrucou Den.

Edgar deu de ombros. Agnès também podia estar mentindo. Ou então podia ter gritado um nome qualquer só para pôr fim à tortura, quando na verdade não fazia ideia de quem era o dono do capacete de ferro enferrujado.

Edgar e os outros homens do povoado se juntaram a Den e seu grupo. O xerife não precisava de reforços, mas os aldeões não queriam perder a ação e tinham como desculpa o fato de serem responsáveis por garantir o cumprimento da lei na sua comarca.

No caminho, eles pegaram os dois irmãos de Edgar, Erman e Eadbald.

Um cão latiu quando o grupo estava chegando perto do curral de ovelhas de Theodberht Pé Boto. Theodberht e a esposa perguntaram o que eles estavam fazendo e Den respondeu:

— Estamos procurando o apanhador de cavalos Ulf.

— Irão encontrá-lo em casa nesta época do ano — respondeu Theodberht.

– Os cavalos selvagens ficam com fome. Ele põe feno do lado de fora e eles vêm.

– Obrigado.

Pouco menos de dois quilômetros adiante, eles chegaram ao curral de Ulf. O mastim amarrado junto ao portão não latiu, mas os cavalos relincharam e pouco depois Ulf e sua mulher, Wyn, saíram da casa. Como Edgar lembrava, Ulf era um homem franzino com músculos bem definidos, um pouco mais baixo do que a mulher. Ambos estavam com o rosto e as mãos sujos. Edgar recordou que Wyn tinha um irmão chamado Begstan, que morrera mais ou menos na mesma época em que ele e a família haviam se mudado para a Travessia de Dreng. Edgar tinha desconfiado da morte, pois o corpo não fora enterrado na colegiada.

Os homens do xerife os cercaram e Den disse a Ulf:

– Me disseram que você é o Cara de Ferro.

– Disseram errado – respondeu Ulf.

Edgar sentiu que ele estava dizendo a verdade, mas escondendo alguma outra informação.

O xerife mandou seus homens revistarem a casa.

Wigbert disse a Ulf:

– É melhor você amarrar esse mastim bem junto da cerca, porque, se ele tentar atacar algum dos meus homens, eu vou enfiar a minha lança no peito dele mais rápido que um piscar de olhos.

Ulf encurtou a corda de modo que o cão não pudesse se mexer mais do que uns poucos centímetros.

Eles revistaram a casa em mau estado. Wigbert saiu com um baú, falando:

– Ele tem mais dinheiro do que se poderia pensar. Eu diria que aqui dentro tem umas 4 ou 5 libras de prata.

– Minhas economias – retrucou Ulf. – Isso aí são vinte anos de trabalho duro, isso sim.

Talvez fosse verdade, pensou Edgar. De toda forma, aquela quantia não era suficiente para provar uma atividade criminosa.

Dois homens com pás deram a volta no curral, vasculhando o chão à procura de sinais de um lugar onde Ulf pudesse ter enterrado alguma coisa. Pularam a cerca e fizeram a mesma coisa dentro do curral, levando os cavalos selvagens a se encolherem, nervosos. Não encontraram nada.

Den começou a se mostrar frustrado. Falou em voz baixa com Wigbert e Edgar:

– Eu não acredito que Ulf seja inocente.

– Inocente, não – concordou Edgar. – Mas ele não é Cara de Ferro. Agora que o revi, tenho certeza.

– Então por que diz que ele não é inocente?

– É só um palpite. Talvez ele saiba quem Cara de Ferro é.

– Vou prendê-lo de toda forma. Mas eu queria que tivéssemos encontrado algo que o incriminasse.

Edgar olhou em volta. A casa estava em mau estado, com o telhado afundado e buracos nas paredes de taipa, mas Wyn parecia bem alimentada e seu casaco era forrado com uma pele de animal. O casal não era pobre, apenas desleixado.

Edgar olhou para a casinha do mastim.

– Ulf trata bem o cachorro dele – falou.

Não era muita gente que se dava ao trabalho de proteger um cão de guarda da chuva. Ele franziu a testa e chegou mais perto. O mastim o ameaçou com um rosnado, mas estava bem amarrado. Edgar tirou do cinto seu machado viking.

– O que está fazendo? – perguntou Ulf.

Edgar não respondeu. Com alguns golpes do machado, demoliu a casinha do cachorro. Então usou a lâmina para cavar o solo abaixo dela. Após alguns minutos, seu machado bateu em algo de metal.

Ele se ajoelhou junto ao buraco que havia cavado e começou a retirar a lama com as mãos em concha. Bem devagar, o contorno arredondado de um objeto enferrujado começou a surgir. Era de ferro.

– Ah... – fez ele ao reconhecer o formato.

– O que é? – perguntou Den.

Edgar tirou o objeto do buraco e o suspendeu com um ar triunfante.

– O capacete do Cara de Ferro – anunciou.

– Então é isso – falou Den. – Ulf é o Cara de Ferro.

– Não sou não, eu juro! – disse Ulf.

– É verdade, não é ele – falou Edgar.

– Então a quem pertence o capacete? – perguntou Den.

Ulf hesitou.

– Se você não disser, entenderei que é você! – ameaçou Den.

Ulf apontou para sua mulher.

– A ela! Eu juro! Wyn é o Cara de Ferro!

– Uma mulher? – retrucou Den.

De repente, Wyn saiu correndo, esquivando-se dos homens do xerife que estavam mais perto. Eles se viraram para ir atrás dela e trombaram uns nos outros. Mais homens foram atrás, uns poucos e cruciais segundos tarde demais, e pareceu que ela conseguiria escapar.

Então Wigbert arremessou sua lança e acertou Wyn no quadril. Ela caiu no chão.

Ficou deitada de bruços, gemendo de dor. Wigbert foi até ela e puxou a lança do seu corpo.

Com a queda, a manga esquerda de Wyn tinha subido pelo braço. Na pele macia e clara da parte de trás do braço havia uma cicatriz.

Edgar recordou uma noite enluarada na casa da fazenda, poucos dias após ele e a família chegarem à Travessia de Dreng. A fazenda estava silenciosa até que Malhada começou a latir. Edgar tinha visto alguém de capacete de ferro sair correndo com a leitoa debaixo do braço e tinha derrubado o ladrão com seu machado viking.

E Ma havia cortado a garganta de um dos dois outros ladrões. Devia ter sido Begstan, o irmão de Wyn.

Edgar se ajoelhou ao lado dela e comparou sua cicatriz com a lâmina do seu machado. As duas tinham exatamente o mesmo comprimento.

– É isso – disse ele para Den. – Eu fui o responsável por essa cicatriz. Ela é Cara de Ferro.

Ragna estava se sentindo péssima. Fora ela quem trouxera Agnès de Cherbourg até ali, e ela havia autorizado de bom grado o casamento da costureira com Offa. Agora precisava presidir um tribunal que poderia resultar em uma condenação à morte para Offa. Queria desesperadamente perdoá-lo, mas precisava fazer cumprir a lei.

Dessa vez o tribunal do condado foi pequeno. A maioria dos vassalos e de outros homens importantes que geralmente compareciam estava fora com Wilwulf, combatendo os vikings. Ragna se acomodou debaixo de um toldo improvisado. O mundo parecia ansiar pela primavera: o dia estava frio, nublado e com uma chuva intermitente, sem qualquer indício de que o sol fosse aparecer para esquentá-lo.

O grande acontecimento era o julgamento de Wyn, que todos agora sabiam ser Cara de Ferro. Offa estava sendo acusado junto com ela, assim como Ulf: ambos eram claramente colaboradores de Wyn. Todos estavam sujeitos à pena de morte.

Ragna não sabia ao certo até que ponto Agnès sabia dos crimes do marido. Num momento de desespero, ela havia gritado que Ulf era Cara de Ferro, então devia desconfiar de alguma coisa. No entanto, denunciara a pessoa errada, o que sugeria que no fim das contas não sabia a verdade. Segundo um princípio jurídico com o qual todos concordavam, uma esposa não era culpada dos crimes do marido a menos que colaborasse com eles, e, após refletir, Ragna e o xerife Den tinham decidido não acusar Agnès.

Mesmo assim, Ragna estava dividida. Será que conseguiria condenar Offa à morte e deixar Agnès viúva?

Sabia que deveria fazê-lo. Sempre havia defendido a aplicação da lei. Tinha a reputação de ser escrupulosamente justa. Na Normandia, as pessoas a chamavam de Débora em referência à juíza da Bíblia, e em Outhenham ela era Ragna, a Justa. Acreditava que a justiça devia ser objetiva e achava inaceitável que homens poderosos influenciassem um tribunal para que tomasse uma decisão favorável a seus favoritos. Ela já havia defendido isso com fervor. Ficara enojada quando Wilwulf condenara Cuthbert como falsário e deixara Wynstan se safar. Não podia agora ela própria fazer algo semelhante.

Os três acusados formaram uma fila, com as mãos e os pés atados para impedir qualquer tentativa de fuga. Ulf e Wyn estavam sujos e maltrapilhos, Offa, ereto e bem-vestido. O capacete enferrujado de Wyn estava pousado sobre uma mesinha em frente à cadeira de Ragna, ao lado das relíquias sagradas sobre as quais as testemunhas fariam o juramento.

O acusador era o xerife Den e entre os que iriam confirmar seu juramento estavam o capitão Wigbert, o construtor Edgar e o barqueiro Dreng.

Tanto Wyn quanto Ulf reconheceram a própria culpa e disseram que Offa havia comprado deles parte dos objetos roubados para vender em Combe.

Offa negou tudo, mas a única que confirmou seu juramento foi Agnès. Mesmo assim, numa pequena parte de sua mente, Ragna torcia para ele conseguir fazer uma defesa que lhe permitisse considerá-lo inocente, ou pelo menos condená-lo a uma pena reduzida.

O xerife Den contou a história da prisão, em seguida recitou a lista das vítimas que tinham sido roubadas – e, em alguns casos, mortas – pela pessoa que usava o capacete. Os homens importantes que compareceram ao julgamento, a maioria membros do alto cadero e vassalos velhos ou doentes demais para lutar, vociferaram em direção às pessoas que haviam aterrorizado a estrada para Combe, usada pela maioria.

Offa se defendeu energicamente. Afirmou que Ulf e Wyn estavam mentindo. Jurou que os objetos roubados encontrados em sua casa tinham sido comprados de boa-fé em joalherias. Alegou que tentara fugir do xerife Den apenas por puro pânico. Disse que, quando a esposa havia acusado Ulf, tinha apenas citado um nome qualquer.

Ninguém acreditou numa só palavra.

Ragna disse que o consenso era que todos os três acusados eram culpados e não houve nenhuma divergência.

Nesse momento, Agnès se atirou no chão molhado aos pés de Ragna, soluçando.

430

– Ah, milady, mas ele é um homem bom, e eu o amo!

Ragna teve a sensação de que uma faca lhe traspassava o coração, mas manteve a voz firme.

– Todos os homens que algum dia roubaram, estupraram ou assassinaram tinham mãe, e muitos tinham uma esposa que os amava e filhos que precisavam deles. Mas eles mataram os maridos de outras mulheres, venderam como escravos os filhos de outros homens e levaram as economias de uma vida inteira de outras pessoas para gastar em tabernas e bordéis. Devem ser punidos.

– Mas eu sou sua criada há dez anos! A senhora precisa me ajudar! Precisa perdoar Offa, senão ele vai ser enforcado!

– Eu sirvo à justiça – respondeu Ragna. – Pense em todas as pessoas que foram feridas e roubadas por Cara de Ferro! Como vão se sentir se eu o libertar porque ele é casado com a minha costureira?

– Mas a senhora é minha amiga! – guinchou Agnès.

Ragna queria muito poder dizer "Ah, está bem, talvez Offa não tenha tido má intenção, não vou condená-lo à morte", mas não podia.

– Eu sou sua patroa e sou a esposa do senhor de Shiring. Não vou passar por cima da justiça por sua causa.

– Por favor, senhora, eu lhe imploro!

– Agnès, a resposta é não. Assunto encerrado. Alguém a tire daqui.

– Como pode fazer isso comigo? – Quando os homens do xerife a seguraram, o rosto da costureira se contorceu de ódio. – Você está matando meu marido, sua assassina! – A baba começou a escorrer de sua boca. – Sua bruxa, seu demônio! – Ela cuspiu, e o cuspe acertou a saia do vestido verde de Ragna. – Espero que o seu marido morra também! – berrou ela, e então foi arrastada para longe.

Wynstan assistiu com grande interesse à discussão entre Ragna e Agnès. A costureira estava transtornada de raiva e Ragna se sentia culpada. Ele poderia usar isso, embora ainda não soubesse exatamente como.

Os condenados foram enforcados ao raiar do dia seguinte. Mais tarde, Wynstan ofereceu um modesto banquete aos homens mais importantes que haviam assistido ao julgamento. Como março não era um bom mês para um banquete, pois os cordeiros e bezerros do ano ainda não tinham nascido, foram servidos peixe defumado e carne salgada, além de vários pratos de feijão aromatizados com castanhas e frutas secas. Wynstan compensou a comida ruim servindo bastante vinho.

Durante a refeição, escutou mais do que falou. Gostava de saber quem estava prosperando e quem estava ficando sem dinheiro, quais nobres nutriam antipatia por outros e quais eram os piores boatos, fossem verdadeiros ou falsos. Também estava refletindo sobre a questão de Agnès. Fez apenas uma contribuição significativa para a conversa, que teve a ver com o prior Aldred.

O frágil senhor de terras de Trench, Cenbryht, velho demais para o combate, mencionou que Aldred tinha ido visitá-lo e pedido uma doação para o priorado da Travessia de Dreng, fosse em dinheiro ou, de preferência, na forma de uma concessão de terras.

Wynstan sabia sobre a campanha de arrecadação do prior. Infelizmente, Aldred tinha alcançado alguns êxitos, ainda que pequenos: além da Travessia de Dreng, o priorado agora possuía cinco outros povoados. Mas Wynstan estava fazendo tudo que podia para desencorajar os doadores.

– Espero que o senhor não tenha sido excessivamente generoso – comentou.

– Sou pobre demais para ser generoso – respondeu Cenbryht. – Mas por que o senhor diz isso?

– Bem... – Wynstan nunca perdia uma oportunidade para depreciar Aldred. – Eu ouvi histórias desagradáveis – falou, fingindo relutância. – Talvez eu não devesse falar, pois podem não passar de fofocas, mas há boatos sobre orgias com escravos.

Isso não era sequer um boato: Wynstan estava inventando.

– Ai, ai – fez Cenbryht. – Eu só dei a ele um cavalo, mas agora preferiria não ter dado.

Wynstan fingiu voltar atrás:

– Bem, talvez os relatos não sejam verdadeiros... embora Aldred já tenha se comportado mal antes, quando era noviço em Glastonbury. De qualquer forma, sendo verdadeiros ou falsos, eu teria tomado providências imediatas, nem que fosse para dissipar os boatos, mas não sou mais a autoridade na Travessia de Dreng.

Do outro lado da mesa, o arquidiácono Degbert falou:

– Uma pena.

Deglaf, senhor de terras de Wigleigh, começou a discorrer sobre as notícias de Exeter e nada mais foi dito sobre Aldred. Porém Wynstan estava satisfeito. Havia plantado uma dúvida, e não era a primeira vez. A capacidade de Aldred de angariar fundos vinha sendo gravemente solapada pela eterna corrente subjacente de histórias desagradáveis. O mosteiro da Travessia de Dreng precisava continuar para sempre uma terra de ninguém, com Aldred condenado a passar o resto da vida lá.

Quando os convidados foram embora, Wynstan se recolheu a seus aposentos particulares com Degbert e os dois conversaram sobre o julgamento. Não se podia negar que Ragna havia alcançado a justiça com presteza e imparcialidade. Ela tinha um bom instinto para saber quem era culpado e quem era inocente. Havia demonstrado bastante clemência com os desafortunados e nenhuma com os maus. Ingenuamente, não fizera nenhuma tentativa de usar a lei em prol dos próprios interesses, conquistando amigos e punindo inimigos.

Na verdade, ela havia transformado Agnès em inimiga – um erro bobo, na opinião de Wynstan, mas que ele talvez pudesse explorar.

– Onde você acha que Agnès pode estar a esta hora? – perguntou ele a Degbert.

O arquidiácono esfregou a cabeça calva com a palma da mão.

– Ela está de luto e não vai sair de casa se não for por um motivo urgente.

– Talvez eu lhe faça uma visita – disse Wynstan, e se levantou.

– Devo acompanhá-lo?

– Acho que não. Vai ser uma pequena conversa íntima: apenas a viúva enlutada e seu bispo, que terá ido lhe proporcionar consolo espiritual.

Degbert disse a Wynstan onde Agnès morava e o bispo vestiu a capa e saiu.

Encontrou-a sentada à sua mesa diante de uma tigela de ensopado que parecia ter esfriado sem ser tocado. Ela levou um susto ao vê-lo e se levantou num pulo.

– Meu senhor bispo!

– Sente-se, Agnès, sente-se – disse Wynstan em voz grave e baixa. Estudou-a com interesse, pois nunca tinha reparado muito nela. Agnès tinha olhos azuis e um nariz fino. Seu rosto tinha uma expressão astuta que ele considerou atraente. – Vim lhe oferecer o consolo de Deus neste momento de tristeza.

– Consolo? – repetiu ela. – Eu não quero consolo. Quero o meu marido.

Ela estava com raiva, e Wynstan começou a ver como poderia usar isso.

– Eu não posso trazer de volta o seu Offa, mas talvez possa lhe dar outra coisa – falou.

– O quê?

– Vingança.

– É Deus quem está me oferecendo isso? – indagou ela, cética.

Tinha o raciocínio rápido, percebeu ele. Isso a tornava ainda mais útil.

– Os caminhos de Deus são insondáveis.

Wynstan sentou-se e deu alguns tapinhas no banco ao seu lado.

Agnès tornou a se sentar.

– É para eu me vingar do xerife que acusou Offa? De Ragna, que o condenou à morte? Ou de Wigbert, que o enforcou?

– Quem você odeia mais?

– Ragna. Eu quero arrancar os olhos dela.
– Tente se acalmar.
– Eu vou matá-la.
– Não vai, não. – Um plano vinha se formando aos poucos na mente de Wynstan e ele então o visualizou completamente. Mas será que daria certo? – Você vai fazer algo bem mais inteligente – continuou. – Vai se vingar dela de maneiras sobre as quais ela jamais ficará sabendo.
– Fale, fale logo – pediu Agnès, ofegante. – Se for para prejudicá-la, eu farei.
– Você vai voltar para a casa dela e reassumir seu antigo cargo de costureira.
– Não! – protestou Agnès. – Nunca!
– Ah, sim. Você vai ser a minha espiã na casa de Ragna. Vai me contar tudo que acontece lá, inclusive as coisas que devem ser mantidas em segredo. Principalmente essas.
– Ela nunca vai me aceitar de volta. Vai desconfiar dos meus motivos.
Era o que Wynstan temia. Ragna não era boba. Mas o instinto dela era buscar o melhor nas pessoas, não o pior. Além do mais, ela lamentava profundamente o que tinha acontecido com Agnès: ele percebera isso no julgamento. – Eu acho que Ragna está se sentindo terrivelmente culpada por ter condenado seu marido à morte. Está desesperada para compensar isso de alguma forma.
– Está?
– Ela talvez hesite, mas vai aceitar. – Na mesma hora em que falou isso, ele se perguntou se seria mesmo verdade. – E você então vai traí-la da mesma forma que ela traiu você. Vai arruinar a vida dela. E ela jamais saberá.
O semblante de Agnès reluzia. Ela parecia uma mulher em pleno êxtase sexual.
– Sim! – falou. – Sim, eu aceito!
– Boa menina – disse Wynstan.

Ragna olhou para Agnès tomada por um arrependimento agoniante e a consciência pesada.
Mas quem se desculpou foi Agnès.
– Eu lhe causei um mal horrível, milady – disse ela.
Ragna estava sentada num banquinho de quatro pernas junto ao fogo. Sentia que fora ela quem prejudicara Agnès. Havia condenado seu marido à morte. Fora a decisão correta, mas parecia uma crueldade terrível.
Hesitou em demonstrar o que estava sentindo e deixou Agnès permanecer de pé. O que devo fazer?, pensou.

– A senhora poderia ter mandado me açoitar pelas coisas que eu disse, mas não fez nada, e isso foi uma gentileza maior do que eu merecia – continuou Agnès.

Ragna fez um gesto de quem descarta o assunto. Ofensas proferidas num momento de raiva eram a menor das suas preocupações.

Cat, que estava escutando, tinha outra opinião.

– Foi uma gentileza bem maior do que você merecia, Agnès – afirmou ela com severidade.

– Chega, Cat – cortou Ragna. – Eu posso falar por mim mesma.

– Queira me desculpar, milady.

– Eu vim lhe pedir perdão, milady, embora saiba que não mereço.

Ragna achava que as duas mereciam perdão.

– Passei noites em claro pensando e agora vejo que a senhora fez a coisa certa, a única coisa que podia fazer – disse Agnès. – Eu sinto muito.

Ragna não gostava de pedidos de desculpas. Uma ruptura entre duas pessoas não podia ser remendada através de palavras. Mas ela queria resolver aquela situação.

– Na hora eu não estava conseguindo pensar direito, estava transtornada demais – prosseguiu Agnès.

Eu também seria capaz de amaldiçoar alguém que deixasse meu marido ser executado, mesmo que ele merecesse a punição, pensou Ragna.

Perguntou-se o que deveria dizer. Será que poderia se reconciliar com Agnès? Wilf teria zombado dessa ideia, mas ele era homem.

De um ponto de vista prático, gostaria de ter a criada de volta. Era difícil para Cat cuidar dos três filhos de Ragna e das próprias filhas, que eram duas, todos com menos de 2 anos de idade. Desde que Agnès fora embora ela vinha procurando uma substituta, mas não havia encontrado uma mulher adequada ao cargo. Se Agnès voltasse, o problema estaria resolvido. E as crianças gostavam dela.

Será que poderia confiar na costureira depois do acontecido?

– Milady, a senhora não sabe o que é descobrir que escolhemos o marido errado.

Ah, eu sei, sim, pensou Ragna. Então se deu conta de que era a primeira vez que confessava isso para si mesma.

Sentiu uma onda de compaixão. Quaisquer pecados que Agnès tivesse cometido tinham sido sob a forte influência de Offa. Ela havia se casado com um homem desonesto, mas isso não fazia dela uma mulher desonesta.

– Seria muito importante para mim se a senhora me dissesse apenas uma palavra gentil antes de eu ir embora – falou Agnès, soando patética. – Diga apenas "Que Deus a abençoe", por favor, milady.

Ragna não podia lhe recusar isso.

– Que Deus a abençoe, Agnès.

– Posso só dar um beijinho nos gêmeos? Estou com muitas saudades.

Ela não tem filhos, refletiu Ragna.

– Está bem.

Num movimento que mostrava sua experiência, Agnès pegou os dois bebês no colo ao mesmo tempo, um em cada braço.

– Eu amo vocês dois – falou.

Colinan, o gêmeo alguns minutos mais novo, era o mais desenvolvido. Ele encarou Agnès, balbuciou algo ininteligível e sorriu.

Ragna suspirou e disse:

– Agnès, você quer voltar?

CAPÍTULO 27

Abril de 1001

prior Aldred tinha grandes expectativas em relação a Deorman, senhor de terras de Norwood. Deorman era rico. Norwood era uma cidade mercantil, e um mercado sempre rendia muito dinheiro. Além disso, a esposa de muitos anos de Deorman tinha morrido um mês antes. Isso o devia ter feito começar a pensar na vida após a morte. A perda de alguém próximo sempre levava um nobre a fazer uma doação à Igreja.

Aldred precisava de doações. O priorado já não era tão pobre quanto três anos antes – tinha três cavalos, um rebanho de ovelhas e outro pequeno de vacas leiteiras –, mas ele tinha ambições. Havia se conformado com o fato de que jamais assumiria a abadia de Shiring, mas agora acreditava poder transformar o priorado num centro de aprendizado. Para isso, precisava de mais do que uns poucos povoados. Tinha que conseguir algo maior, um vilarejo próspero ou uma pequena cidade, ou então algum empreendimento lucrativo, como um porto ou os direitos de pesca de algum rio.

O salão nobre do senhor de terras de Norwood era ricamente decorado com tapeçarias penduradas, cobertores e almofadas. Seus criados estavam preparando a mesa para uma farta refeição do meio-dia e um forte cheiro de carne assando pairava no ar. Deorman era um homem de meia-idade com problemas de visão, incapaz de se juntar a Wilwulf no combate aos vikings. Mesmo assim, tinha com ele duas mulheres trajando vestidos de cores vivas que pareciam bastante íntimas para serem meras criadas, e Aldred se perguntou, com reprovação, qual seria exatamente o status delas. Pelo menos seis crianças pequenas entravam e saíam correndo da casa, entretidas em algum tipo de brincadeira que incluía muitos gritinhos agudos.

Deorman ignorava as crianças e não reagia aos toques e sorrisos das mulheres, mas demonstrava afeto a um grande cão negro sentado ao seu lado.

Aldred foi direto ao ponto:

– Lamentei saber da morte de sua cara esposa, Godgifu. Que a alma dela descanse em paz.

– Obrigado – disse Deorman. – Eu tenho duas outras mulheres, mas Godgifu estava comigo há trinta anos e estou sentindo a falta dela.

Aldred não fez comentário algum sobre a poligamia. Talvez essa fosse uma conversa para outra ocasião. Agora ele precisava focar no seu objetivo. Adotou um tom mais grave e emotivo:

– Os monges da Travessia de Dreng ficariam felizes em fazer diariamente preces solenes pela alma imortal da estimada senhora, caso o senhor deseje nos incumbir dessa tarefa.

– Eu já tenho uma catedral cheia de padres rezando por ela aqui mesmo em Norwood.

– Nesse caso o senhor é mesmo abençoado, ou melhor, ela. Mas certamente sabe que as preces de monges celibatários têm mais peso no outro mundo que nos aguarda a todos do que as de padres casados.

– É o que dizem – reconheceu Deorman.

Aldred mudou de tom e passou a falar de forma mais enfática:

– Além de Norwood, o senhor possui também o pequeno povoado de Southwood, que tem uma mina de ferro. – Ele fez uma pausa. Estava na hora de ser objetivo. Antes de prosseguir, fez uma rápida e silenciosa prece de esperança. – Será que consideraria doar Southwood e sua mina ao priorado, em memória de lady Godgifu?

Prendeu a respiração. Será que Deorman reagiria com desdém a esse pedido? Será que começaria a rir da audácia de Aldred? Ficaria ofendido?

A reação de Deorman foi branda. Ele se mostrou surpreso, mas também pareceu achar graça.

– É um pedido ousado – falou, sem se comprometer.

– Peçam e lhes será dado, assim nos disse Jesus. Busquem e encontrarão; batam e a porta lhes será aberta.

Muitas vezes Aldred pensava nesse versículo do Evangelho de Mateus quando estava pedindo doações.

– Com certeza não se consegue muita coisa neste mundo sem pedir – concordou Deorman. – Mas essa mina me rende muito dinheiro.

– Ela poderia transformar a situação financeira do priorado.

– Não duvido.

Deorman não tinha dito não, mas havia uma negativa subjacente, e Aldred aguardou para saber qual era o problema.

– Quantos monges vivem no seu priorado? – perguntou Deorman após um breve instante.

Ele está tentando ganhar tempo, pensou Aldred.

– Oito, contando comigo.

– E são todos homens bons?

– Com toda a certeza.

– Porque há boatos, entende?

Lá vem, pensou Aldred. Sentiu uma bolha de raiva nas entranhas e disse a si mesmo para manter a calma.

– Boatos – repetiu.

– Para ser totalmente franco, ouvi dizer que os seus monges fazem orgias com escravos.

– E eu sei de quem o senhor ouviu isso – disse Aldred. Não conseguiu esconder por completo a raiva que sentia, mas se controlou para manter a voz baixa: – Alguns anos atrás, eu tive o infortúnio de flagrar um homem poderoso cometendo um crime terrível e até hoje estou sendo punido por isso.

– O *senhor* está sendo punido?

– Sim, por esse tipo de calúnia.

– Está me dizendo que a história das orgias é uma mentira proposital?

– Estou lhe dizendo que os monges da Travessia de Dreng seguem estritamente a Regra de São Bento. Nós não temos escravos, nem concubinas, nem meninos prostitutos. Praticamos o celibato.

– Hum...

– Mas, por favor, não acredite somente na minha palavra. Vá nos fazer uma visita... de preferência sem avisar. Surpreenda-nos e verá como somos no dia a dia. Nós trabalhamos, rezamos e dormimos. Vamos convidá-lo a partilhar nosso almoço de peixe, legumes e verduras. O senhor vai constatar que não temos criados, nem animais de estimação, nem luxos de qualquer tipo. Nossas preces não poderiam ser mais puras.

– Bem, veremos. – Deorman estava baixando a guarda, mas estaria convencido? – Enquanto isso, vamos comer.

Aldred sentou-se à mesa com a família e os altos funcionários do senhor de terras de Norwood. Uma bela moça sentou-se ao seu lado e iniciou com ele uma conversa provocante. Ele se mostrou educado mas, duro feito uma pedra, não esboçou reação nenhuma ao flerte. Supôs que estivesse sendo testado. Aquele era o teste errado: talvez tivesse revelado alguma fraqueza caso houvesse sido abordado por um rapaz atraente.

A comida estava boa: leitão com couve e vinho forte para acompanhar. Aldred comeu com parcimônia e bebeu um gole só, como sempre.

Ao final da refeição, quando as tigelas e travessas estavam sendo recolhidas, Deorman anunciou sua decisão.

439

– Eu não vou lhe dar Southwood – falou. – Mas vou lhe dar 2 libras de prata para o senhor rezar pela alma de Godgifu.

Aldred sabia que não deveria se mostrar decepcionado.

– Muito obrigado pela sua gentileza, e pode ter certeza de que Deus ouvirá nossas preces. Mas o senhor não poderia aumentar para 5 libras?

Deorman riu.

– Darei 3, então, para recompensar sua persistência, com a condição de que não peça mais.

– Fico imensamente grato – disse Aldred, mas no fundo estava irritado e ressentido.

Deveria ter conseguido muito mais, mas as calúnias de Wynstan o haviam sabotado. Mesmo que Deorman não acreditasse nas mentiras, elas lhe davam uma desculpa para ser menos generoso.

O tesoureiro de Deorman pegou o dinheiro num baú e Aldred o guardou no seu alforje.

– Não vou viajar sozinho com esta quantia – avisou. – Irei à taberna Carvalho encontrar companheiros para a viagem de amanhã.

Ele se despediu. Como o centro da cidade ficava a poucos passos do complexo de Deorman, não montou em Dimas. Foi a pé até o estábulo da taberna, refletindo sobre o seu fracasso. Havia torcido para a influência malévola de Wynstan não ter chegado até ali, pois Norwood tinha a própria catedral e o próprio bispo, mas se decepcionara.

Chegando à Carvalho, passou pela taberna, de onde emanava o barulho de um ruidoso grupo saboreando bebidas, e foi direto até o estábulo. Ao chegar, espantou-se ao ver a conhecida silhueta magra do frei Godleof tirando a sela de um cavalo malhado. Ele se mostrava aflito e parecia ter corrido para chegar até ali.

– O que foi? – perguntou Aldred.

– Pensei que você fosse querer saber a notícia o mais rápido possível.

– Que notícia?

– O abade Osmund morreu.

Aldred fez o sinal da cruz e disse:

– Que a sua alma descanse em paz.

– Hildred foi eleito abade.

– Que rápido.

– O bispo Wynstan insistiu numa eleição imediata, que ele mesmo supervisionou.

Wynstan se certificara de que o seu candidato preferido vencesse e em seguida ratificara a decisão dos monges. Em teoria, tanto o arcebispo quanto o rei podiam interferir na nomeação, mas agora seria difícil eles derrubarem o *fait accompli* de Wynstan.

– Como você sabe tudo isso? – perguntou Aldred.

– O arquidiácono Degbert levou a notícia para o priorado. Acho que ele estava torcendo para lhe contar pessoalmente. Sobretudo a parte do dinheiro.

Aldred teve uma sensação ruim.

– Continue.

– Hildred cancelou o subsídio da abadia ao nosso priorado. Daqui para a frente teremos que nos virar com qualquer pequena quantia que conseguirmos angariar... ou fechar as portas.

Aquilo foi um golpe. Aldred se sentiu subitamente grato pelas 3 libras de Deorman, pois com esse dinheiro o priorado não corria o risco de um fechamento imediato.

– Vá comer alguma coisa – disse ele a Godleof. – Devemos partir o quanto antes.

Eles se sentaram ao lado do carvalho que dava nome ao estabelecimento. Enquanto Godleof comia pão com queijo e tomava uma caneca de cerveja, Aldred ficou matutando. O novo arranjo tem algumas vantagens, pensou. Na prática, o priorado agora seria independente: o abade não poderia mais controlá-lo ameaçando cortar recursos – essa era uma flecha que só podia ser disparada uma vez. Aldred agora pediria ao arcebispo de Canterbury um estatuto oficializando a independência do priorado.

Mas o presente de Deorman não duraria para sempre e sua busca por alguma forma de segurança financeira se fazia urgente nesse momento. O que Aldred podia fazer?

A maioria dos mosteiros dependia da acumulação de riqueza advinda de diversas doações. Alguns tinham grandes rebanhos de ovelhas, outros recebiam aluguéis de vilarejos e pequenas cidades, e também havia os que possuíam pedreiras ou criações de peixes. Por três anos, Aldred havia trabalhado sem descanso para angariar tais doações, mas seu êxito tinha sido apenas modesto.

Sua mente divagou e ele começou a pensar em Winchester e São Swithun, que fora o bispo de lá no século IX. Swithun havia realizado um milagre na ponte acima do rio Itchen. Com pena de uma mulher pobre que tinha deixado cair seu cesto de ovos, reconstituíra os ovos. Sua tumba na catedral atraía inúmeros peregrinos. Doentes experimentavam curas milagrosas no local. Os visitantes doavam dinheiro para a catedral. Além disso, compravam lembranças, se hospedavam em tabernas que pertenciam aos monges e de modo geral faziam a cidade prosperar. Os monges gastavam os lucros ampliando a igreja de modo a poder acomodar mais peregrinos, que por sua vez traziam mais dinheiro.

Muitas igrejas possuíam relíquias sagradas: a ossada embranquecida de um santo, uma lasca da Santa Cruz, um quadrado de tecido muito velho e gasto milagrosamente gravado com o rosto de Cristo. Contanto que os monges administrassem seus negócios de forma inteligente – garantindo que os peregrinos fossem recebidos, colocando os objetos santos num belo santuário, divulgando os milagres –, as relíquias atraíam visitantes que geravam prosperidade para a cidade e para o mosteiro.

Infelizmente, a Travessia de Dreng não possuía relíquias.

Essas coisas podiam ser compradas, mas Aldred não tinha dinheiro para isso. Será que alguém lhe daria algo tão valioso? Ele pensou na abadia de Glastonbury.

Tinha sido noviço lá e sabia que a abadia possuía uma coleção tão grande de relíquias que o sacristão, frei Theodric, não sabia o que fazer com todas elas.

Começou a ficar animado.

A abadia possuía o túmulo de São Patrício, o santo padroeiro da Irlanda, e 22 ossadas completas de outros santos. O abade não lhe daria um valioso esqueleto completo, mas a abadia tinha também vários ossos avulsos e pedaços de roupas, uma das flechas ensanguentadas que haviam matado São Sebastião e uma jarra lacrada de vinho das bodas de Canaã. Será que os velhos amigos de Aldred sentiriam pena dele? Ele havia deixado Glastonbury em desgraça, é claro, mas isso já fazia muito tempo. Monges costumavam tomar partido de outros monges contra bispos, e ninguém gostava de Wynstan. Há uma chance, pensou ele com otimismo crescente.

De qualquer forma, não tinha nenhuma ideia melhor.

Godleof terminou de comer e levou sua caneca de madeira de volta até a taberna. Ao sair, perguntou:

– Então, vamos voltar para a Travessia de Dreng?

– Mudança de planos – respondeu Aldred. – Vou acompanhar você em parte do caminho. Depois vou para Glastonbury.

Não estava preparado para a forte onda de nostalgia que o dominou quando avistou o lugar onde havia passado a adolescência.

Passou pelo cume de um morro baixo e se deparou com um prado plano e pantanoso, verdejante, de folhagem primaveril entremeada a poças e riachos que cintilavam ao sol. Ao norte, um canal com 5 metros de largura descia reto como uma flecha pela encosta suave do morro, indo dar no cais da praça do mercado, onde brilhavam peças de tecido vermelho, rodelas de queijo amarelo e pilhas de repolhos verdes.

Edgar tinha feito várias perguntas a Aldred sobre aquele canal, exigindo muito da sua memória, antes de iniciar a construção do canal em Outhenham.

Depois do vilarejo havia duas construções de pedra cinza-claro: uma igreja e um mosteiro. Em volta estavam reunidas cerca de dez estruturas de madeira: abrigos para animais, depósitos, cozinhas e alojamentos de empregados. Aldred conseguiu avistar até a horta de ervas onde fora flagrado beijando Leofric, o que o fizera ser engolfado por uma nuvem de vergonha que nunca mais tinha se dissipado.

Conforme foi chegando mais perto, pôs-se a pensar em Leofric, que não encontrava havia vinte anos. Visualizou um rapaz alto e magro, de rosto rosado, com alguns pelos louros acima do lábio superior, cheio de energia juvenil. Mas Leo devia ter mudado. O próprio Aldred estava diferente: mais lento e mais digno em seus movimentos, solene na atitude, com a sombra escura de uma barba cerrada mesmo após ter acabado de se barbear.

Foi tomado pela tristeza. Lamentou que não existisse mais o rapaz incansável que tinha sido um dia, alguém que lia, aprendia e absorvia conhecimento da mesma forma que um pergaminho se embebe de tinta, e depois, findas as aulas, dedicava a mesma energia a quebrar todas as regras. Chegar a Glastonbury era como visitar o túmulo da sua juventude.

Tentou se livrar desse sentimento enquanto atravessava o vilarejo, animado com os ruídos de gente comprando e vendendo, carpinteiros e ferreiros, homens gritando e mulheres rindo. Foi até o estábulo do mosteiro, que recendia a palha limpa e cavalos escovados. Tirou os arreios de Dimas e deixou o animal cansado beber à vontade no cocho.

Será que o seu histórico ali iria ajudar ou prejudicar sua missão? Será que as pessoas se lembrariam dele com afeto e dariam o melhor de si para auxiliá-lo ou o tratariam como um renegado, que fora expulso por mau comportamento e cujo retorno era indesejado?

Não conhecia nenhum dos cavalariços, que não eram monges, mas mesmo assim perguntou a um dos mais velhos se Elfweard ainda era o abade.

– Sim, e está em boa saúde, graças a Deus – respondeu o homem.

– E Theodric é o sacristão?

– Sim, embora esteja envelhecendo.

Fingindo perguntar casualmente, Aldred acrescentou:

– E frei Leofric?

– O despenseiro? Sim, ele está bem.

O despenseiro era alguém importante no mosteiro, responsável pela compra de todos os mantimentos.

– Bem alimentado, pelo menos – emendou um dos mais jovens, e os outros riram.

Pelo que Aldred deduziu, Leo havia engordado.

Claramente curioso, o cavalariço mais velho perguntou:

– Posso guiá-lo até alguma parte da abadia ou até um dos monges em especial?

– Primeiro eu devo prestar minha reverência ao abade Elfweard. Será que consigo encontrá-lo na casa dele?

– É mais do que provável. A refeição do meio-dia dos monges já acabou e ainda faltam umas duas horas para o sino das nonas tocar.

Nonas era o ofício do meio da tarde.

– Obrigado.

Aldred se retirou sem satisfazer a curiosidade do cavalariço.

Num mosteiro daquele tamanho, o despenseiro não vivia carregando sacos de farinha e quartos de boi até os fogões, mas tinha um cubículo onde ficava sentado diante de uma mesa. Mesmo assim, um despenseiro inteligente trabalhava perto dos cozinheiros, para poder ficar de olho no que entrava e saía e dificultar qualquer roubo.

Da cozinha vinha o barulho de panelas se chocando: eram os criados lavando os utensílios.

Aldred lembrou que, na sua época, o despenseiro trabalhava num anexo à cozinha, mas agora viu que no mesmo local havia uma construção mais substancial, com uma extensão de pedra que era sem dúvida alguma um armazém à prova de incêndio.

Aproximou-se apreensivo, muito ansioso para saber como Leo iria recebê-lo.

Ficou parado no vão da porta. Leo estava sentado num banco diante de uma mesa posicionada numa das laterais da porta, de modo que a luz iluminasse o seu trabalho. Segurava um estilo com o qual fazia anotações numa tabuleta de cera sobre a mesa. Ele não levantou a cabeça e Aldred teve algum tempo para estudá-lo. Leo não estava propriamente gordo, embora certamente não fosse mais o rapaz ossudo que ele recordava. O círculo de cabelos ao redor de sua tonsura continuava louro e o rosto estava ainda mais cor-de-rosa, se é que isso era possível. Aldred sentiu um aperto no coração ao recordar quão apaixonadamente havia amado aquele homem. E agora, vinte anos depois?

Antes de ele poder examinar os próprios sentimentos, Leo ergueu os olhos.

De início não o reconheceu. Como um homem ocupado que lida de modo cortês com uma interrupção indesejada, abriu um sorriso superficial e perguntou:

– Como posso ajudá-lo?

– Lembrando de mim, seu idiota – respondeu Aldred, e adentrou o recinto.

Leo se levantou, boquiaberto de surpresa, com a testa enrugada de dúvida.

– Aldred?

– Eu mesmo – respondeu, avançando na direção dele de braços abertos.

Leo ergueu as duas mãos num gesto de quem se protege e Aldred compreendeu na mesma hora que ele não queria ser abraçado. Era o mais sensato a fazer: quem conhecesse a história dos dois poderia desconfiar que eles estivessem retomando o antigo relacionamento. Aldred estacou imediatamente e deu um passo para trás, mas continuou sorrindo e disse:

– Que bom ver você.

Leo relaxou um pouco.

– Digo o mesmo – falou.

– Podemos dar um aperto de mãos.

– Sim, podemos.

Eles deram um aperto de mãos por cima da mesa. Aldred segurou a de Leo com as suas apenas por um instante e logo a soltou. Tinha um afeto imenso por ele, mas agora percebia ter perdido qualquer desejo de intimidade física. O que sentiu foi a mesma onda de carinho que às vezes tinha pelo velho escriba Tatwine, pelo pobre cego Cuthbert ou por madre Agatha, mas nada do desejo irresistível de antigamente, de encostar o corpo no corpo dele, a pele na pele dele.

– Puxe um banquinho – falou Leo. – Posso lhe servir uma caneca de vinho?

– Eu preferiria cerveja – respondeu Aldred. – Quanto mais fraca, melhor.

Leo foi até sua despensa e voltou com uma grande caneca de madeira contendo uma bebida escura.

Aldred bebeu sofregamente.

– O caminho foi longo e a estrada é poeirenta.

– E perigosa, no caso de topar com os vikings.

– Peguei um caminho pelo norte. O combate está no sul, acredito eu.

– O que o traz aqui depois de tantos anos?

Aldred lhe contou a história. Leo já sabia sobre a falsificação do dinheiro – todos estavam a par –, mas ainda não tinha pleno conhecimento da campanha de vingança de Wynstan contra Aldred. Enquanto o prior falava, Leo relaxou, sem dúvida tranquilizado por perceber que ele não tinha desejo algum de retomar seu caso de amor.

– Nós com certeza temos mais ossos velhos do que precisamos – afirmou Leo depois de Aldred terminar. – Resta saber se Theodric vai querer abrir mão de algum deles.

Leo agora estava quase inteiramente à vontade, mas ainda não de todo. Estava omitindo alguma coisa, talvez guardando algum segredo. Que seja, pensou Aldred, eu não preciso saber tudo sobre a sua vida agora, contanto que ele esteja do meu lado.

– Quando eu estava aqui, Theodric era um velho rabugento e resistente a mudanças – falou Aldred. – Parecia se ressentir principalmente dos jovens.

– E agora está pior ainda. Mas vamos falar com ele logo, antes das nonas. Ele deve estar relativamente bem-humorado depois de almoçar.

Aldred ficou contente: Leo havia se tornado um aliado.

Quando o despenseiro se levantou, outro monge apareceu, entrando e falando ao mesmo tempo. Tinha uns dez anos a menos do que Aldred e Leo e era bonito, com sobrancelhas escuras e lábios carnudos.

– Estão nos cobrando quatro queijos inteiros, mas só mandaram três – informou o recém-chegado, então viu Aldred. – Ah! – exclamou, e arqueou as sobrancelhas. – Quem é esse? – perguntou, dando a volta na mesa e indo se postar ao lado de Leo.

– Este é meu assistente, Pendred – apresentou Leo.

– Eu sou Aldred, prior da Travessia de Dreng.

– Aldred e eu fomos noviços aqui juntos – explicou Leo.

Aldred entendeu na mesma hora, apenas pelo modo como Pendred parou perto de Leo e pelo vestígio de nervosismo na voz do despenseiro, que os dois eram íntimos – não soube dizer até que ponto, nem queria saber.

Aquele sem dúvida era o segredo que Leo estava querendo esconder.

Aldred sentiu que Pendred poderia ser perigoso. Ele talvez ficasse enciumado e tentasse impedir Leo de ajudar. Aldred precisava urgentemente mostrar que não representava nenhuma ameaça. Encarou-o com um olhar franco e disse:

– Prazer em conhecê-lo, Pendred. – Usou um tom sério para Pendred saber que aquilo não era uma simples cortesia.

– Aldred e eu éramos grandes amigos – comentou Leo.

– Mas isso já faz muito tempo – emendou Aldred na hora.

Pendred aquiesceu devagar três vezes, então falou:

– Prazer em conhecê-lo, frei Aldred.

Ele tinha entendido o recado e Aldred se sentiu aliviado.

– Vou levar Aldred para falar com Theodric – avisou Leo. – Pague à leiteria o valor de três queijos e diga que pagaremos pelo quarto quando o recebermos.

Ele conduziu Aldred para fora.

Um aliado confirmado e um potencial adversário neutralizado, pensou Aldred. Até agora, tudo bem.

Quando eles estavam atravessando a propriedade, Aldred viu o canal e perguntou:

– O canal inteiro tem solo de argila?

– Quase todo – respondeu Leo. – Apenas nesta ponta o solo é um pouco arenoso. É preciso cobri-lo com argila e as laterais são reforçadas com tábuas. O termo técnico é muro de contenção. Sei disso porque encomendei a madeira na última vez em que ela foi trocada. Por que quer saber?

– Um construtor chamado Edgar tem me feito perguntas sobre o canal de Glastonbury, porque está cavando um em Outhenham. Ele é um rapaz brilhante, mas é a primeira vez que tenta construir um canal.

Eles entraram na igreja da abadia. Alguns monges mais novos cantavam, talvez aprendendo um novo hino ou ensaiando um antigo. Leo seguiu na frente até o lado leste do transepto sul, onde uma porta pesada com arremates de ferro e duas fechaduras estava aberta. É onde fica guardado o tesouro, lembrou Aldred. Eles adentraram um recinto sem janelas, escuro e frio, que recendia a poeira e ao tempo. Conforme os olhos de Aldred se adaptaram à fraca claridade produzida por uma vela de sebo, ele viu que as paredes estavam repletas de prateleiras contendo diversos recipientes de ouro, prata e madeira.

Nos fundos do recinto – a extremidade leste e, portanto, a parte mais sagrada –, um monge encontrava-se ajoelhado diante de um altar pequeno e simples. Sobre o altar havia uma rebuscada caixa de prata e marfim entalhado, sem dúvida um relicário.

Leo explicou em voz baixa:

– O dia de São Savann é semana que vem. Os ossos vão ser levados em procissão até a igreja para a comemoração. Suponho que Theodric esteja pedindo perdão ao santo por incomodá-lo.

Aldred assentiu. Os santos, num certo sentido, viviam nos seus restos mortais e estavam muito presentes na instituição religiosa que protegesse as suas ossadas. Eles gostavam de ser lembrados e reverenciados, mas tinham que ser tratados com bastante respeito e cautela. Qualquer movimentação a que fossem submetidos envolvia rituais complexos.

– Não queremos desagradar o santo – murmurou Aldred.

Apesar de estarem sussurrando, Theodric os escutou. Levantou-se com alguma dificuldade, virou-se, espiou-os com os olhos semicerrados, então se aproximou com um andar hesitante. Está com cerca de 70 anos, calculou Aldred, e a pele do rosto se mostrava flácida e enrugada. Era naturalmente calvo, então não precisava raspar a tonsura.

– Desculpe interromper suas orações, frei Theodric – falou Leo.

– Não se preocupem comigo. Só torçam para não ter incomodado o santo – disse Theodric em tom incisivo. – Agora vamos sair antes de vocês dizerem qualquer outra coisa.

Aldred ficou onde estava e apontou para um pequeno baú de madeira vermelha amarelada, em geral usado para guardar arcos. Pensou já tê-lo visto antes.

– O que tem aí dentro?

– Alguns ossos de Santo Adolfo de Winchester. Somente o crânio, um braço e uma das mãos.

– Eu acho que me lembro. Ele foi morto por um rei saxão, não é?

– Isso, por possuir um livro cristão. Agora, por favor, vamos sair.

Eles saíram para o transepto e Theodric fechou a porta da sala do tesouro.

– Frei Theodric, não sei se você se lembra de frei Aldred – começou Leo.

– Eu nunca esqueço nada.

Aldred fingiu acreditar nele.

– É um prazer revê-lo – disse.

– Ah, é você! – exclamou Theodric ao reconhecer a voz. – Aldred, sim. Você era um encrenqueiro.

– E agora sou prior da Travessia de Dreng... onde trato os encrenqueiros com severidade.

– Então por que está aqui agora?

Aldred sorriu. Leo tinha razão: a idade não havia suavizado seu temperamento.

– Preciso da sua ajuda – respondeu.

– O que você quer?

Aldred tornou a contar a história de Wynstan e da Travessia de Dreng, e explicou por que precisava ter algum meio de atrair peregrinos.

Theodric fingiu indignação.

– Você quer que eu lhe dê relíquias preciosas?

– Meu priorado não tem um santo protetor. Glastonbury tem mais de vinte. Estou lhe pedindo para ter piedade dos seus irmãos mais pobres.

– Eu já estive na Travessia de Dreng – contou Theodric. – Cinco anos atrás, a igreja estava vindo abaixo.

– Eu mandei escorar o lado oeste. Ela agora está estável.

– Como teve dinheiro para isso? Você disse que não tinha nada.

Pensando ter surpreendido Aldred numa mentira, Theodric adotou um ar triunfante.

– Lady Ragna me deu as pedras de graça e um jovem construtor chamado Edgar executou o serviço. Em troca, eu lhe ensinei a ler e escrever. De modo que não precisei gastar dinheiro para conseguir que o trabalho fosse feito.

Theodric mudou de tática:

– Aquela igreja não é um lugar digno para abrigar os restos mortais de um santo.

Era verdade. Aldred improvisou:

– Se me der o que eu quero, frei Theodric, construirei uma extensão na igreja, novamente com a ajuda de Ragna e Edgar.

– Não faz diferença – disse Theodric com firmeza. – Mesmo se eu quisesse, o abade jamais me permitiria dar relíquias.

– Talvez tenha razão. Mas que tal perguntarmos ao próprio abade? – sugeriu Leo.

O sacristão deu de ombros.

– Se vocês insistem.

Eles saíram da igreja e seguiram em direção à casa do abade. Um aliado e um inimigo, pensou Aldred. A decisão agora estava nas mãos do abade Elfweard.

Enquanto eles caminhavam, Leo perguntou:

– Como é esse Edgar, Aldred?

– Ele é maravilhoso, um amigo que fiz no priorado. Por que a pergunta?

– Você já citou o nome dele três vezes.

Aldred lhe lançou um olhar incisivo.

– Eu gosto dele, como você sabiamente adivinhou. Ele, por sua vez, gosta de lady Ragna.

Desse modo explicou a Leo, sem fazer nenhuma menção explícita, que Edgar não era seu amante.

Leo entendeu o recado.

– Está bem, entendi.

O abade Elfweard vivia num salão nobre. A construção tinha duas portas na lateral, o que sugeria dois cômodos separados, e Aldred supôs que o abade dormisse num deles e recebesse visitas no outro. Dormir sozinho era um luxo, mas o abade de Glastonbury era um homem muito importante.

Leo os conduziu até o que obviamente era a sala de reunião. Como não havia fogo aceso ali, o ar estava agradável e fresco. Numa das paredes estava pendurada uma grande tapeçaria da Anunciação, com a Virgem Maria usando um vestido azul debruado com um caro fio de ouro. Um rapaz, pelo visto o assistente do abade, falou:

– Vou avisar a ele que vocês estão aqui.

Um minuto depois, Elfweard adentrou o recinto.

Fazia um quarto de século que ele ocupava o cargo de abade e agora era um homem velho que andava com o auxílio de uma bengala que segurava com uma mão trêmula. Tinha uma expressão severa, mas seus olhos brilhavam de inteligência.

Leo apresentou Aldred.

– Eu me lembro de você – disse Elfweard com severidade. – Você cometeu o pecado de Sodoma. Tive que mandá-lo embora para separá-lo do seu parceiro de imoralidade.

Foi um mau começo. Aldred respondeu:

– O senhor me disse que a vida é dura e que ser um bom monge a torna mais dura ainda.

– Que bom que você se lembra.

– Passei vinte anos me lembrando, meu senhor abade.

– Você se saiu bem desde que nos deixou – afirmou Elfweard com mais brandura. – Isso eu reconheço.

– Obrigado.

– Não que tenha parado de se meter em encrencas.

– Mas foi uma encrenca por um bom motivo.

– Pode ser. – Elfweard não sorriu. – O que o traz aqui hoje?

Aldred contou sua história pela terceira vez.

Quando ele terminou, Elfweard virou-se para Theodric.

– O que diz nosso sacristão?

– Não posso imaginar que algum santo nos agradeça por mandar os seus restos mortais para um priorado minúsculo no fim do mundo.

Leofric interveio a favor de Aldred:

– Por outro lado, um santo que recebe pouca atenção aqui pode ficar feliz por ir fazer milagres num outro lugar.

Aldred ficou observando Elfweard, mas a expressão do abade era indecifrável.

– Eu me lembro, da época em que morei aqui, que muitos tesouros nunca eram levados até a parte principal da igreja nem eram mostrados aos monges, muito menos aos fiéis – comentou.

Em tom de menosprezo, Theodric falou:

– Uns poucos ossos, uma peça de roupa suja de sangue, uma mecha de cabelos. Preciosos, sim, mas nada impressionantes se comparados a uma ossada completa.

Seu tom de desdém foi a deixa de que Aldred precisava.

– Justamente! – exclamou, agarrando a vantagem. – Não são nada impressionantes aqui em Glastonbury, como falou frei Theodric... mas na Travessia de Dreng essas coisas poderiam operar milagres!

Elfweard olhou para o sacristão com um ar interrogativo.

– Tenho certeza de que não falei "nada impressionantes" – afirmou Theodric.

– Falou, sim – retrucou o abade.

Theodric começou a exibir uma expressão derrotada e recuou:

– Então não deveria, e retiro o que disse.

Aldred sentiu que estava próximo do sucesso e tentou ampliar sua vantagem, mesmo correndo o risco de parecer afoito.

– A abadia tem alguns ossos de Santo Adolfo... o crânio, um braço e uma das mãos.

– Santo Adolfo? – repetiu Elfweard. – Martirizado por possuir o Evangelho de São Mateus, se bem me lembro.

– Sim – confirmou Aldred, satisfeito. – Ele foi morto por causa de um livro. Por isso me lembro dele.

– Ele deveria ser o santo padroeiro das bibliotecas.

Aldred sentiu que estava cada vez mais perto da vitória.

– Meu maior desejo é criar uma grande biblioteca na Travessia de Dreng – falou.

– Uma ambição digna de crédito – disse Elfweard. – Bem, Theodric, os restos mortais de Santo Adolfo com certeza não representam o maior tesouro de Glastonbury.

Aldred permaneceu calado, com medo de estragar o momento.

– Acho que ninguém vai sequer notar sua ausência – comentou Theodric, emburrado.

Aldred lutou para conter o júbilo.

O assistente de Elfweard reapareceu trazendo uma casula, um manto litúrgico de lã branca bordado em vermelho com cenas da Bíblia.

– Hora das nonas – avisou.

Elfweard se levantou e o assistente pousou o manto sobre seus ombros e o prendeu na frente. Vestido para o ofício, Elfweard se virou para Aldred.

– Estou certo de que você compreende que a natureza da relíquia não importa tanto quanto o uso que se faz dela. É preciso criar as circunstâncias propícias aos milagres.

– Prometo-lhe tirar o máximo proveito dos ossos de Santo Adolfo.

– E terá que transportá-los até a Travessia de Dreng com toda a devida cerimônia. Não vai querer que o santo antipatize com você desde o princípio.

– Não se preocupe – falou Aldred. – Tenho planos grandiosos para ele.

Diante de uma janela do primeiro andar de seu palácio em Shiring, o bispo Wynstan olhava por cima da movimentada praça do mercado para o mosteiro silencioso do outro lado. Não havia vidros na janela – vidro era um luxo reservado aos reis – e suas folhas tinham sido abertas para deixar entrar a brisa fresca da primavera.

Uma carroça de quatro rodas puxada por um boi se aproximava pela estrada da Travessia de Dreng. Vinha escoltada por um pequeno grupo de monges liderados pelo prior Aldred.

Era espantoso que um prior de um mosteiro distante conseguisse ser tão irritante. Aquele homem simplesmente não sabia reconhecer uma derrota. Wynstan se virou para o arquidiácono Degbert, que estava ali acompanhado da esposa, Edith. O casal acabava escutando a maioria das fofocas da cidade.

– Que diabo esse maldito estará tramando agora? – perguntou.

– Vou lá fora olhar – falou Edith, e se retirou.

– Eu posso adivinhar – disse Degbert. – Ele esteve em Glastonbury há quinze dias. O abade lhe deu parte da ossada de Santo Adolfo.

– Adolfo?

– Ele foi martirizado por um rei saxão.

– Sim, agora me recordo.

– Aldred está novamente a caminho de Glastonbury, desta vez para executar os ritos necessários ao transporte de relíquias. Mas é apenas uma caixa de ossos. Não sei por que ele precisa de uma carroça.

Wynstan observou a carroça parar em frente à entrada da abadia. Uma pequena multidão de curiosos se aglomerou. Ele viu Edith se juntar a ela.

– Como Aldred pôde pagar uma carroça de quatro rodas e um boi? – indagou.

Essa resposta Degbert sabia.

– Deorman, o senhor de terras de Norwood, lhe deu 3 libras.

– Que tolo.

As pessoas se ajuntaram ainda mais. Aldred afastou algum tipo de cobertura, mas Wynstan não conseguiu ver o que havia por baixo. A cobertura então foi recolocada, a carroça entrou na abadia e a multidão se dispersou.

Edith voltou dali a um minuto.

– É uma estátua em tamanho real de Santo Adolfo! – exclamou ela, animada. – Ele tem um belo rosto, sagrado e triste ao mesmo tempo.

– Um ídolo para os ignorantes adorarem – afirmou Wynstan com desprezo. – Uma estátua pintada, suponho.

– O rosto é branco e as mãos e os pés também. As vestes são cinzentas. Mas os olhos são tão azuis que parecem estar nos olhando!

Azul era a tinta mais cara de todas, pois era fabricada com pedaços moídos de lápis-lazúli.

– Eu sei o que esse demônio dissimulado está tramando – disse Wynstan devagar.

– Gostaria que me contasse – falou Degbert.

– Ele vai levar as relíquias para uma turnê. Vai parar em todas as igrejas entre Glastonbury e a Travessia de Dreng. Ele precisa de dinheiro agora que Hildred parou de pagar o subsídio e quer usar o santo para angariar fundos.

– Provavelmente vai dar certo – comentou Degbert.

– Não se eu puder impedir.

CAPÍTULO 28

Maio de 1001

Nos arredores do vilarejo de Trench, os monges começaram a cantar. Todos os oito frades do priorado de Dreng estavam presentes, inclusive o cego Cuthbert, além de Edgar para acionar o mecanismo. Todos caminhavam em procissão solene de um lado e outro da carroça, com Godleof guiando o boi pelo aro no focinho do animal.

A estátua do santo e o baú de teixo contendo os ossos estavam na carroça, mas cobertos por panos que também os impediam de sacolejar.

Os aldeões trabalhavam nos campos. Estavam ocupados, mas era época de tirar as ervas daninhas, uma tarefa fácil de abandonar. Ao ouvirem o canto, eles se levantaram de junto dos brotos verdes de cevada e centeio, endireitaram-se esfregando as costas, viram a procissão e atravessaram os campos até a estrada para descobrir o que estava acontecendo.

Aldred tinha ordenado aos monges que não falassem com ninguém até depois da procissão. Eles continuaram cantando, com o semblante solene e os olhos fixados à frente. Os moradores do vilarejo se juntaram à procissão e passaram a seguir a carroça, conversando entre si em sussurros animados.

Aldred havia planejado tudo cuidadosamente, mas aquela era a primeira vez que testava seus planos. Rezou para dar tudo certo.

A carroça passou entre as casas, atraindo todos que não estavam trabalhando nos campos: homens e mulheres de idade avançada, crianças pequenas demais para saber detectar ervas daninhas no meio da lavoura, um pastor com um cordeiro doente no colo, um carpinteiro munido de martelo e cinzel, uma ordenhadeira que continuou batendo manteiga conforme passava a acompanhar a carroça. Os cães também foram atrás, farejando animados as vestes dos desconhecidos.

Todos chegaram ao centro do vilarejo. Ali havia um laguinho, um pasto comunitário sem cerca onde pastavam algumas cabras, uma taberna e uma igrejinha de madeira. Uma casa grande provavelmente pertencia ao velho Cenbryht, senhor de terras dali, mas ele não apareceu e Aldred supôs que estivesse fora.

Godleof fez a carroça dar a volta de modo a alinhar a traseira com a porta da igreja, então soltou o boi para deixá-lo pastar.

As relíquias e a estátua agora podiam ser erguidas sem dificuldade e levadas pelos monges até dentro da igreja. Eles haviam treinado aquela manobra para estarem seguros de realizá-la com dignidade.

Esse era o plano de Aldred. Mas então ele viu o padre de Trench parado em frente à porta da igreja, de braços cruzados. Era um homem jovem e tinha um ar amedrontado mas decidido.

Aquilo estava estranho.

– Continuem a cantar – murmurou Aldred para os outros. Então abordou o sacerdote: – Bom dia, padre.

– Bom dia igualmente.

– Sou o prior Aldred, da Travessia de Dreng, e trago comigo as santas relíquias de Santo Adolfo.

– Eu sei – retrucou o padre.

Aldred franziu a testa. Como o padre podia saber? Ele não tinha falado com ninguém sobre seus planos. No entanto, decidiu não entrar nesse mérito.

– O santo deseja passar esta noite na igreja.

O homem pareceu dividido, mas falou:

– Bem, não vai ser possível.

Estupefato, Aldred o encarou.

– Está disposto a provocar a ira do santo, com seus ossos sagrados bem aqui na sua frente?

O padre engoliu a saliva com força.

– Cumpro ordens.

– Você deve cumprir é a vontade de Deus.

– A vontade de Deus conforme explicada por meus superiores.

– Que superior lhe disse para negar a Santo Adolfo um lugar de repouso temporário na sua igreja?

– Meu bispo.

– Wynstan?

– Sim.

Wynstan tinha mandado aquele padre fazer isso... e pior, devia ter mandado o mesmo recado para todas as igrejas entre Glastonbury e a Travessia de Dreng. Devia ter agido bem rápido para fazer a informação viajar tão depressa. E com que objetivo? Apenas para dificultar a angariação de fundos de Aldred? Será que a maldade do bispo não tinha limites?

Aldred virou as costas para o padre. Aquele pobre coitado tinha mais medo de Wynstan do que de Santo Adolfo, e Aldred não o culpava. Mas não estava disposto a desistir. Os aldeões esperavam um espetáculo e Aldred lhes proporcionaria um. Se não pudesse ser dentro da igreja, seria do lado de fora e pronto.

Falou em voz baixa com Edgar:

– O mecanismo vai funcionar com a estátua em cima da carroça, não vai?

– Sim – respondeu Edgar. – Vai funcionar em qualquer lugar.

– Então se prepare.

Aldred se posicionou em frente à carroça, fitou os moradores, olhou em volta quando eles se calaram e começou a rezar. Primeiro falou em latim. As pessoas não entendiam as palavras, mas estavam acostumadas: na verdade, o latim convenceria quem duvidasse, se é que alguém duvidaria, de que aquilo era um ofício de verdade.

Então passou para o inglês:

– Ó Deus onipotente e eterno, que por meio dos méritos de Santo Adolfo nos revela sua misericórdia e sua compaixão, possa o seu santo interceder por nós.

Ele rezou o pai-nosso e os aldeões rezaram junto.

Depois das preces, Aldred contou a história da vida e da morte do santo. Ele só conhecia os fatos mais básicos, mas inventou à vontade. Retratou o rei saxão como um egomaníaco enlouquecido e Adolfo como um homem incrivelmente afável e de coração puro, o que não devia estar muito distante da verdade, tinha certeza. Creditou a ele vários milagres inventados, acreditando que o santo devia ter executado esses ou outros arroubos. A multidão escutou fascinada.

Por fim, ele se dirigiu pessoalmente ao santo, lembrando a todos que Adolfo na realidade estava presente ali no vilarejo de Trench, movendo-se entre eles, observando e escutando.

– Ó sagrado Adolfo, se houver alguém aqui, no vilarejo cristão de Trench, que esteja sentindo tristeza hoje, nós lhe imploramos que traga consolo.

Era a deixa de Edgar. Aldred quis olhar para trás, mas resistiu à tentação, pois confiava que Edgar faria o que tinha sido combinado.

Fez sua voz ecoar pela multidão:

– Se houver alguém aqui que tenha perdido algo de valor, nós lhe imploramos, ó sagrado santo, que o devolva.

Atrás dele, Aldred escutou um leve rangido que lhe informou que Edgar, atrás da carroça, estava puxando bem devagar uma corda resistente.

– Se houver alguém aqui que tenha sido roubado ou trapaceado, que lhe traga justiça.

De repente houve uma reação. Pessoas na multidão começaram a apontar para a carroça. Outras deram um passo para trás e ficaram murmurando de surpresa.

Aldred sabia por quê: a estátua, antes deitada de costas na caçamba da carroça, estava começando a se levantar, fazendo os panos caírem de cima de si.

– Se alguém aqui estiver doente, que lhe traga a cura.

Todos diante de Aldred encaravam chocados a cena. Ele sabia o que estavam vendo. Tinha ensaiado aquilo com Edgar muitas vezes. Os pés da estátua continuaram na carroça, mas o corpo se levantou. Edgar podia ser visto puxando uma corda, mas o mecanismo que ele operava não estava visível. Para camponeses que nunca tinham visto polias e alavancas, a estátua parecia estar se levantando por vontade própria.

Houve um arquejo coletivo e Aldred imaginou que o rosto tivesse aparecido.

– Se alguém estiver atormentado por demônios, expulse-os!

Aldred tinha combinado com Edgar que o movimento da estátua começaria devagar, depois ficaria mais rápido. Então, quando ela acabou de se levantar com um tranco, os olhos ficaram claramente visíveis. Uma mulher gritou e duas crianças saíram correndo. Vários cães latiram de medo. Metade das pessoas se benzeu.

– Se alguém aqui tiver cometido um pecado, volte seus olhos para ele, ó sagrado santo, e dê-lhe coragem para confessar!

Uma jovem mais na frente caiu de joelhos e pôs-se a gemer enquanto fitava os olhos azuis da estátua.

– Fui eu que roubei – confessou. Lágrimas escorriam pelo seu rosto. – Eu roubei a faca de Abbe. Desculpe, me perdoe, eu sinto muito.

De trás da multidão veio a voz indignada de outra mulher:

– Frigyth! Você!

Por aquilo Aldred não esperava. Estava torcendo por uma cura milagrosa. No entanto, como Santo Adolfo tinha lhe dado algo diferente, improvisaria.

– O santo a tocou no coração, irmã – anunciou. – Onde está a faca roubada?

– Na minha casa.

– Vá buscá-la agora e traga-a para mim.

Frigyth se levantou.

– Rápido, vá correndo!

Ela atravessou a multidão correndo e entrou numa casa ali perto.

– Eu achei que tivesse perdido – falou Abbe.

Aldred retomou a prece:

– Ó sagrado santo, nós lhe agradecemos por ter tocado o coração da pecadora e por tê-la feito confessar!

Frigyth reapareceu com uma faca reluzente de cabo de osso intricadamente entalhado. Entregou-a para Aldred. Ele chamou Abbe, que deu um passo à frente.

Exibia um ar levemente cético: era mais velha do que Frigyth e talvez por isso não muito propensa a acreditar em milagres.

– Você perdoa sua vizinha? – perguntou Aldred.

– Perdoo – respondeu Abbe sem entusiasmo.

– Então dê nela o beijo da misericórdia.

Abbe beijou Frigyth no rosto.

Aldred entregou a faca a Abbe e depois pediu:

– Ajoelhem-se todos!

Começou uma prece em latim. Aquela era a deixa para os monges percorrerem a multidão com tigelas de esmolas.

– Uma doação para o santo, por favor – diziam eles baixinho aos aldeões, que não podiam se esquivar facilmente por estarem ajoelhados. Alguns balançaram a cabeça e disseram:

– Sinto muito, eu não tenho dinheiro.

A maioria levou as mãos à bolsa na cintura e sacou *farthings* e meios *pence*. Dois homens foram até suas casas e voltaram com prata. O taberneiro deu um *penny*.

Os monges agradeciam cada doação dizendo:

– Santo Adolfo lhe concede a sua bênção.

Aldred estava animado. Os aldeões tinham ficado impressionados. Uma mulher confessara um roubo. A maioria dera dinheiro. Apesar da tentativa de Wynstan de prejudicá-lo, o prior tinha conseguido o que queria com o evento. E, se tinha dado certo em Trench, daria certo em outros lugares. Talvez, no fim das contas, o priorado fosse sobreviver.

O plano de Aldred era que os monges pernoitassem na igreja protegendo as relíquias, mas isso agora não seria possível. Ele tomou uma decisão rápida.

– Vamos sair do vilarejo em procissão e encontrar outro lugar para passar a noite – disse a Godleof.

Tinha um último recado para os moradores.

– Vocês podem rever o santo – falou. – Basta ir à igreja da Travessia de Dreng para a festa do domingo de Pentecostes. Levem os doentes, os atormentados e os enlutados. – Pensou em lhes dizer para espalhar a notícia, mas então se deu conta de que não seria preciso: todos ali iriam contar a história daquele dia por muitos meses. – Estou ansioso para receber todos vocês.

Os monges voltaram com suas tigelas. Edgar abaixou a estátua devagar, então a cobriu com panos. Godleof tornou a atrelar o boi.

O animal começou a andar. Os monges retomaram seu canto e lentamente foram embora de Trench.

No domingo de Pentecostes, como sempre, Aldred conduziu os monges até a igreja para as matinas, o ofício anterior ao raiar do dia. A manhã de maio tinha um céu sem nuvens naquela estação da esperança, quando o mundo estava repleto de brotos verdejantes, leitões roliços, jovens cervos e bezerros que cresciam a olhos vistos. A esperança de Aldred era que, depois da jornada feita com Santo Adolfo, conseguisse alcançar seu objetivo de atrair peregrinos para a Travessia de Dreng.

Estava planejando uma extensão de pedra para a igreja, mas, como não houvera tempo suficiente para construí-la, tinha erguido uma versão temporária em madeira. Um arco redondo grande ia da nave até uma capela lateral, onde a estátua de Santo Adolfo se encontrava sobre um pedestal. Os fiéis reunidos na nave poderiam assistir ao ofício na capela-mor e então se virar, no auge do rito, para ver o santo se levantar milagrosamente e encará-los com seus olhos azuis.

E então eles fariam doações, ou assim esperava Aldred.

Os monges tinham viajado de vilarejo em vilarejo com a carroça e a estátua, Aldred repetira o seu sermão inflamado diariamente durante quinze dias e o santo enchera de encantamento o coração do povo. Houvera até mesmo um milagre, ainda que pequeno: uma adolescente que padecia de fortes dores de estômago havia se recuperado ao ver o santo se levantar.

As pessoas tinham feito doações, a maioria meios *pence* e *farthings*, mas o dinheiro havia se acumulado e Aldred chegara em casa com quase 1 libra de prata. Era uma quantia muito útil, mas os monges não podiam passar a vida em turnê. Precisavam que as pessoas fossem até eles.

Aldred havia incitado todos a visitarem a igreja no domingo de Pentecostes. Agora estava nas mãos de Deus. Havia um limite para o que um simples humano podia fazer.

Depois das matinas, Aldred parou em frente à igreja para observar o povoado à luz do dia que ia nascendo. A Travessia de Dreng tinha crescido um pouco desde que ele se mudara para lá. O primeiro novo morador que vira chegar fora Bucca Peixe, terceiro filho de um peixeiro de Combe e velho amigo de Edgar, que o convencera a montar uma barraquinha para vender peixe fresco e defumado. Aldred incentivara o projeto na esperança de que um fornecimento confiável de peixe ajudasse as pessoas da região a respeitar com mais rigor as regras da Igreja relacionadas ao jejum: não se devia comer carne às sextas-feiras, nem nas doze festas dos apóstolos ou em determinados dias especiais. A demanda era grande e Bucca vendia tudo que caía nas armadilhas de Edgar.

Aldred e Edgar tinham debatido onde Bucca deveria construir uma casa para si e a questão os havia levado a desenhar uma planta do vilarejo. Aldred sugerira dividir o vilarejo em quarteirões iguais de grupamentos de casas, como em geral se fazia, mas Edgar havia proposto algo novo: uma rua principal subindo o morro e uma segunda via importante perpendicular em torno do cume. A leste da rua que subia eles delimitaram um espaço para uma nova igreja maior e um mosteiro. Aquilo provavelmente não passava de um sonho, pensou Aldred, mas era um sonho agradável.

Mesmo assim, Edgar tinha passado um dia inteiro marcando a localização das casas na rua que subia o morro e Aldred decretou que qualquer um que desejasse construir num desses locais poderia pegar madeira na mata e ter um ano de aluguel grátis. O próprio Edgar estava construindo uma casa; embora passasse muito tempo em Outhenham, nos dias em que estava na Travessia de Dreng preferia não dormir na casa dos irmãos, onde com frequência era obrigado a escutar o barulho de Cwenburg transando com um ou outro.

Seguindo o exemplo de Bucca, três outros forasteiros tinham se mudado para a Travessia de Dreng: um cordoeiro, que usava toda a extensão de seu quintal dos fundos para trançar suas cordas; um tecelão, que construiu uma casa comprida e instalou sua roca numa das extremidades e sua esposa e os filhos na outra; e um sapateiro, que ergueu uma casa ao lado da de Bucca.

Aldred havia construído uma escola de um cômodo só. No início, seu único aluno era Edgar. Agora, porém, três meninos pequenos, filhos de homens abastados da zona rural em torno, iam ao priorado aos sábados, cada qual segurando meio *penny* de prata na mão encardida, para aprender as letras e os números.

Tudo isso era bom, mas não bom o bastante. Naquele ritmo, a Travessia de Dreng talvez se tornasse um grande mosteiro dali a cem anos. Mesmo assim, Aldred havia seguido em frente da melhor forma que conseguira... até Osmund morrer e Wynstan cortar o subsídio.

Olhou além do rio e se animou ao ver um pequeno grupo de peregrinos do outro lado, sentados no chão junto à margem à espera do barco para fazer a travessia. Aquilo era um bom sinal de manhã tão cedo. Mas Dreng ainda devia estar dormindo e não havia ninguém para operar a travessia. Aldred desceu o morro para acordá-lo.

A porta da taberna estava fechada e as folhas das janelas também. Aldred bateu à porta, mas ninguém respondeu. Como não havia tranca, ele ergueu a barra que segurava a porta e entrou.

A casa estava vazia.

Aldred ficou na soleira e olhou em volta, sem entender. Havia cobertores empilhados com esmero e a palha do chão fora varrida com um ancinho. Os barris e jarras de cerveja tinham sido guardados, provavelmente na cervejaria, que tinha uma tranca. Um cheiro de cinzas frias pairava no ar: o fogo estava apagado.

Os moradores tinham desaparecido.

Não havia ninguém para operar a travessia. Aquilo era um golpe.

Bem, pensou Aldred, vamos operar nós mesmos. Os peregrinos precisam atravessar. Os monges podem se revezar. Nós vamos conseguir.

Intrigado, porém decidido, ele tornou a sair. Foi então que reparou que o barco da travessia não estava onde costumava ficar atracado. Olhou para um lado e outro da margem, então correu os olhos pela outra margem com o coração tomado de desânimo. Não viu o barco em lugar nenhum.

Raciocinou de maneira lógica. Dreng tinha ido embora junto com as duas esposas e sua menina escrava, e eles tinham levado o barco.

Para onde ele teria ido? Dreng não gostava de viajar. Saía do povoado cerca de uma vez por ano. Suas raras viagens em geral eram para Shiring, mas não era possível chegar lá pelo rio.

Teria ele subido a correnteza, em direção a Bathford e Outhenham? Ou descido em direção a Mudeford e Combe? Nenhuma das duas alternativas fazia muito sentido, principalmente considerando que ele havia levado a família.

Aldred poderia adivinhar o *onde* se soubesse o *porquê*. Que motivo Dreng poderia ter para se ausentar?

Concluiu com pessimismo que aquilo não era uma coincidência. Dreng sabia tudo sobre Santo Adolfo e o convite para o domingo de Pentecostes. O maldoso barqueiro tinha ido embora justo no dia em que Aldred estava torcendo para centenas de pessoas comparecerem à sua igreja. Sabia que a ausência do barco arruinaria os planos do prior.

Só podia ter sido proposital.

E, uma vez que Aldred vislumbrou essa explicação, a dedução lógica seguinte foi inevitável.

Wynstan levara Dreng a agir assim.

Sentiu vontade de esganar os dois com as próprias mãos.

Reprimiu esses impulsos nada religiosos. Ficar com raiva era inútil. O que ele podia fazer?

A resposta veio na mesma hora. O barco havia ido embora, mas Edgar tinha uma jangada. Não estava atracada ali perto da taberna, mas isso não era incomum: Edgar às vezes a prendia perto da casa da fazenda.

Aldred se animou. Deu as costas ao rio e começou a subir o morro a passos largos.

Edgar tinha decidido construir sua casa nova em frente ao local da futura igreja, embora ali ainda não existisse nem vestígio dela e talvez nunca viesse a existir. As paredes da casa já tinham sido erguidas, mas o telhado ainda não fora coberto de sapê. Edgar estava sentado sobre um rolo de feno, escrevendo com uma pedra num pedaço grande de ardósia que havia prendido numa moldura de madeira. Estava no meio de um cálculo, talvez somando os materiais necessários para construir a capela do santo em pedra, com a testa franzida e a língua para fora entre os dentes.

– Onde está sua jangada? – perguntou Aldred.

– Na beira do rio perto da taberna. Aconteceu alguma coisa?

– Ela não está lá.

– Maldição.

Edgar foi até lá para ver e Aldred foi atrás. Ambos olharam morro abaixo para a margem do rio. Não se via nenhum tipo de embarcação.

– Que estranho – disse ele. – Não é possível que os dois barcos tenham se soltado por acidente.

– Não. Não estamos falando de um acidente.

– Quem...?

– Dreng sumiu. Não tem ninguém na taberna.

– Ele deve ter levado o barco... e minha jangada também, para nos impedir de usá-la.

– Exato. Deve ter largado a jangada à deriva a vários quilômetros daqui. Vai alegar que não faz ideia do que aconteceu com ela. – Aldred sentiu-se derrotado. – Sem barco e sem jangada, não teremos como fazer a travessia dos visitantes.

Edgar estalou os dedos.

– Madre Agatha tem um barco – falou. – É bem pequeno... com uma pessoa remando e dois passageiros já fica lotado... mas ele flutua.

A esperança de Aldred ressurgiu.

– Um barco pequeno é melhor do que nada.

– Vou nadando até lá para pedir o barco emprestado. Madre Agatha ficará feliz em ajudar, especialmente quando souber o que Dreng e Wynstan estão tentando fazer.

– Se você começar a atravessar com os peregrinos, eu mando um monge ir assumir seu lugar daqui a uma hora.

– Eles também vão querer comprar comida e bebida na taberna.

– Não tem nada lá, mas podemos lhes vender tudo que temos nos estoques do priorado. Tem cerveja, pão e peixe. Vamos dar um jeito.

Edgar desceu correndo o morro até a beira do rio e Aldred seguiu apressado em direção à casa dos monges. Ainda era cedo: dava tempo de fazer os passageiros atravessarem o rio e transformar o mosteiro numa taberna.

Felizmente o dia estava bonito. Aldred disse aos monges para montarem mesas de cavalete do lado de fora e juntarem todas as canecas e tigelas do povoado. Mandou buscar barris de cerveja nas despensas e pães, tanto frescos quanto dormidos. Pediu que Godleof comprasse todo o estoque da barraquinha de Bucca Peixe. Acendeu uma fogueira, colocou alguns dos peixes frescos em espetos e começou a prepará-los. Estava soterrado de trabalho, mas feliz.

Em pouco tempo, os peregrinos começaram a subir o morro vindo do rio. Outros chegavam da direção oposta. Os monges começaram a vender. Houve resmungos de descontentamento daqueles que esperavam encontrar carne e cerveja forte, mas a maioria entrou alegremente no clima das providências emergenciais.

Ao passar sua vez no remo, Edgar informou que a fila estava aumentando e que algumas pessoas estavam dando meia-volta e indo para casa, sem querer esperar. Aldred ficou com ódio de Dreng novamente, mas se forçou a permanecer calmo.

– Não podemos fazer nada em relação a isso – falou, sem parar de servir cerveja em canecas de madeira.

Uma hora antes do meio-dia, os monges reuniram os peregrinos e os levaram até a igreja. Aldred esperava que a nave ficasse abarrotada e estava preparado para repetir o ofício para uma segunda leva de fiéis, mas não foi preciso.

Com esforço, afastou os pensamentos da administração da taberna improvisada para dar lugar à celebração da missa. As conhecidas frases em latim logo lhe tranquilizaram a alma. Tiveram o mesmo efeito sobre a congregação, cujo silêncio foi impressionante.

No fim, Aldred contou a já conhecida história da vida de Santo Adolfo e os fiéis viram a estátua ficar de pé. A essa altura a maioria já sabia o que esperar e poucos ficaram de fato estupefatos, mas ainda assim foi um espetáculo impressionante e maravilhoso.

Depois da missa, todos quiseram almoçar.

Várias pessoas perguntaram sobre o pernoite. Aldred lhes disse que elas podiam dormir na casa dos monges. Ou então poderiam se abrigar na taberna, embora o dono estivesse fora e não fosse haver comida nem bebida.

Ninguém apreciou nenhuma das duas alternativas. Uma peregrinação era um dia de folga e todos estavam imaginando uma noite de convívio com outros peregrinos, bebida, cantorias e eventualmente um novo amor.

No fim das contas, a maioria partiu de volta para casa.

Terminado o dia, Aldred se sentou no chão entre a igreja e a casa dos monges e ficou observando o rio correnteza abaixo, admirando o sol vermelho afundar até encontrar seu reflexo sobre a água. Após alguns minutos, Edgar se juntou a ele. Os dois passaram algum tempo sentados em silêncio e Edgar então disse:

– Não deu certo, deu?

– Deu, mas não o suficiente. A ideia é boa, mas foi sabotada.

– Você vai tentar outra vez?

– Não sei. Dreng opera a travessia e isso dificulta as coisas. O que você acha?

– Tenho uma ideia.

Aldred sorriu. Edgar sempre tinha ideias, e em geral elas eram boas.

– Me diga.

– Nós não precisaríamos da travessia se tivéssemos uma ponte.

Aldred o encarou.

– Eu nunca tinha pensado nisso.

– Você quer que a sua igreja se torne um destino de peregrinação. O rio é um grande obstáculo, principalmente com Dreng responsável pela travessia. Uma ponte daria acesso fácil ao povoado.

Aquele tinha sido um dia de altos e baixos emocionais, mas nessa hora o humor de Aldred sofreu a maior mudança até então e passou de profundamente pessimista para loucamente esperançoso.

– É possível fazer isso? – perguntou, ansioso.

Edgar deu de ombros.

– Nós temos madeira de sobra.

– Mais do que conseguimos usar. Mas você saberia construir uma ponte?

– Venho pensando no assunto. A parte difícil vai ser firmar os pilares no leito do rio.

– Deve ser possível, pois pontes existem!

– Sim. É preciso encaixar a base do pilar numa grande caixa de pedras no leito do rio. A caixa precisa ter cantos pontudos que apontem rio acima e rio abaixo, e precisa estar fixada com firmeza no leito do rio, de modo que a correnteza não a desloque.

– Como você sabe essas coisas?

– Observando estruturas que já existem.

– Mas já tinha pensado no assunto.

– Tenho tempo para pensar. Não tenho uma esposa com quem conversar.

– Nós precisamos fazer isso! – disse Aldred, animado. Então pensou num porém. – Mas eu não tenho como lhe pagar.

– Você nunca me pagou por nada. Mas eu continuo tendo aulas.

– Em quanto tempo a ponte ficaria pronta?
– Se você me emprestar um ou dois monges jovens e fortes para trabalharem comigo, acho que consigo completar o serviço em seis meses a um ano.
– A tempo do próximo domingo de Pentecostes?
– Sim – respondeu Edgar.

O tribunal da comarca se reuniu no sábado seguinte. E quase se transformou numa rebelião.

Os peregrinos não tinham sido os únicos prejudicados pelo sumiço de Dreng. O pastor Sam tentara atravessar o rio com borregos, cordeiros de 1 ano que estava indo vender em Shiring, mas fora obrigado a dar meia-volta e levar o rebanho de volta para casa. Vários outros moradores da margem oposta do rio não tinham conseguido levar seus artigos para o mercado. Outros que gostavam de ir à Travessia de Dreng só em dias santos especiais tinham voltado para casa insatisfeitos. Todos sentiam ter sido abandonados por alguém que tinha o dever de estar sempre à disposição. Os chefes dos vilarejos repreenderam Dreng.

– Eu por acaso sou um prisioneiro? – protestou Dreng. – Estou proibido de ir e vir?

Sentado em frente à igreja no grande banco de madeira, Aldred presidia a sessão.

– Mas, afinal, aonde você foi? – perguntou ele ao acusado.

– O que você tem com isso? – disparou Dreng. Houve gritos de protesto e ele baixou a guarda. – Está bem, está bem. Fui ao Vau de Mudeford vender três barris de cerveja.

– Justamente no dia em que sabia que haveria centenas de passageiros para a travessia?

– Ninguém me avisou.

– Mentiroso! – gritaram várias pessoas.

Elas tinham razão: era impossível o taberneiro não ter ficado sabendo sobre o ofício especial do domingo de Pentecostes.

– Quando você vai a Shiring, em geral deixa sua família cuidando da travessia e da taberna – falou Aldred.

– Eu precisava do barco para transportar a cerveja e precisava das mulheres para me ajudarem a levar os barris. Tenho as costas ruins.

Várias pessoas murmuraram em tom de zombaria: todas já tinham ouvido falar nas costas ruins de Dreng.

– Você tem uma filha e dois genros fortes – disse Edgar. – Eles poderiam ter ficado responsáveis pela taberna.

– Não há por que abrir a taberna sem a travessia.

– Eles poderiam ter pegado a minha jangada emprestada. Só que a minha jangada sumiu no mesmo dia. Não é estranho?

– Eu não sei nada sobre isso.

– Minha jangada estava amarrada junto ao barco quando você saiu?

Dreng pareceu encurralado. Não conseguia atinar se devia responder sim ou não.

– Não lembro.

– Você passou pela jangada quando desceu o rio?

– Talvez.

– Você desamarrou minha jangada e a deixou à deriva?

– Não.

Mais uma vez houve gritos de "Mentiroso!".

– Olhem aqui – falou Dreng. – Não está escrito em lugar nenhum que eu sou obrigado a operar a travessia diariamente. Quem me deu esse emprego foi o deão Degbert. Ele era o senhorio daqui e nunca disse nada sobre um serviço sete dias por semana.

– Agora o senhorio sou eu, e eu afirmo que é essencial as pessoas poderem atravessar o rio todos os dias – disse Aldred. – Aqui há uma igreja e uma venda de peixe, e o povoado fica na estrada entre Shiring e Combe. A falta de credibilidade do seu serviço é inaceitável.

– Está querendo dizer que vai tirar o serviço de mim?

Várias pessoas gritaram "Sim!".

– Vamos ver o que meus parentes poderosos de Shiring têm a dizer sobre isso – falou Dreng.

– Não, eu não vou tirar o serviço de você – respondeu Aldred.

Ouviram-se resmungos e alguém perguntou:

– Por que não?

– Porque eu tenho uma ideia melhor. – Aldred fez uma pausa. – Vou construir uma ponte.

A multidão se calou enquanto assimilava a informação.

Dreng foi o primeiro a reagir.

– Você não pode fazer isso – reclamou ele. – Vai arruinar meu negócio.

– Você não merece o seu negócio – retrucou Aldred. – Mas, no caso, vai ser até melhor para você. A ponte vai trazer mais gente ao povoado e mais clientes para a sua taberna. Você provavelmente vai ficar rico.

– Eu não quero uma ponte – insistiu ele, teimoso. – Eu sou um barqueiro.

Aldred olhou para os aldeões.

– O que todos os outros acham disso? Vocês querem uma ponte?

Houve um coro de vivas. É claro que todos queriam uma ponte. Isso lhes pouparia tempo. E ninguém gostava de Dreng.

Aldred o encarou.

– Todos os outros querem uma ponte. Eu vou construir uma.

Dreng virou as costas e saiu pisando firme.

CAPÍTULO 29

Agosto e setembro de 1001

Ragna estava olhando para os três filhos quando escutou o barulho.

Os gêmeos de 7 meses de idade dormiam lado a lado num berço de madeira, Hubert roliço e satisfeito, Colinan pequeno e ágil. Osbert, de 2 anos, já tinha começado a andar e estava sentado no chão mexendo com uma colher de pau numa tigela vazia, numa imitação de Cat preparando mingau.

O barulho vindo de fora fez Ragna olhar pela porta aberta. Era a tarde de um dia de sol: os cozinheiros transpiravam na cozinha, os cães dormiam à sombra, as crianças chapinhavam nas bordas do laguinho de patos. Quase indiscerníveis ao longe, para lá das cercanias da cidade, campos de trigo amarelo amadureciam ao sol.

A paisagem parecia tranquila, mas um alvoroço cada vez maior vinha da cidade – gritos, chamados e relinchos de cavalos –, e ela entendeu na hora que o exército tinha voltado. Seu coração começou a bater mais depressa.

Estava usando um vestido azul-escuro esverdeado feito de tecido leve para o verão. Sempre se arrumava com esmero, hábito pelo qual se sentiu grata nesse dia, pois não teria tempo para trocar de roupa. Saiu de casa e foi se postar em frente ao salão nobre para receber o marido. Outros rapidamente se juntaram a ela.

O retorno do exército era um momento de extrema tensão para as mulheres. Apesar de ansiosas para ver seus homens, elas sabiam que nem todos os combatentes voltariam do campo de batalha. Todas se entreolhavam, perguntando-se quem em breve estaria vertendo lágrimas de tristeza.

Ragna estava com as emoções à flor da pele. Nos cinco meses desde que Wilf partira, seus sentimentos por ele haviam se tornado mais duros, indo da decepção e da tristeza à raiva e à repulsa. Tentara não odiá-lo e recordar quanto os dois já haviam se amado, e então aconteceu algo que desequilibrou a balança. Durante a sua ausência, Wilf não tinha lhe mandado nenhum recado, mas um soldado ferido havia voltado para Shiring com uma pulseira saqueada dos vikings que Wilf mandara de presente para Carwen, sua menina escrava. Ragna chorou, esbravejou e protestou, e por fim ficou simplesmente anestesiada.

Apesar disso, temia a morte dele. Wilf era o pai de seus três filhos e as crianças precisavam dele.

Gytha, bem-vestida no seu vermelho habitual, chegou e foi se postar a 1 metro de distância de Ragna. Inge e Carwen chegaram logo depois. Inge havia cometido o erro de negligenciar o que vestia enquanto os homens estavam fora e agora aparecera mal-ajambrada. A jovem Carwen, que se sentia tolhida pelos vestidos que as inglesas usavam, sempre longos, trajava uma peça curta como a túnica de um homem, de cor clara, e estava com os pés descalços e sujos. Ao que parecia, a pobre coitada estaria mais à vontade entre as crianças que brincavam no laguinho de patos.

Se Wilf estivesse vivo, Ragna tinha certeza de que iria cumprimentá-la primeiro. Qualquer outra coisa seria uma grave ofensa à sua esposa oficial. Mas com quem passaria a noite? Sem dúvida todas elas estavam se perguntando isso. Esse pensamento azedou mais ainda a disposição de Ragna.

O barulho vindo da cidade no início havia soado como uma celebração, rugidos masculinos de boas-vindas e gritinhos femininos de prazer, mas Ragna percebeu agora que não havia nenhum toque triunfante de cornetas nem rufares de tambores vangloriosos, e as batidas de cascos estavam com um ritmo desanimado. As saudações exultantes se transformaram em exclamações de desalento.

Ela franziu a testa, preocupada. Algo tinha saído errado.

O exército apareceu na entrada do complexo. Ragna viu uma carroça puxada por um boi, com dois homens montados de cada lado. Um condutor ia sentado na frente do veículo. Atrás dele, na caçamba da carroça, havia uma pessoa deitada. Era um homem, Ragna viu, e reconheceu os cabelos e a barba loura de Wilf. Soltou um grito curto: será que ele estava morto?

O cortejo avançava devagar e Ragna não conseguiu esperar. Atravessou correndo o complexo e ouviu as outras mulheres atrás de si. Todo seu ressentimento por Wilf devido à infidelidade havia ficado em segundo plano e ela sentia apenas uma excruciante apreensão.

Chegou à carroça e a procissão parou. Ela olhou fixamente para Wilf: os olhos dele estavam fechados.

Levantou as saias e subiu na carroça. Ajoelhou-se ao lado dele, inclinou-se por cima do seu corpo, tocou seu rosto e encarou seus olhos fechados. O rosto dele estava mortalmente pálido. Ela não sabia dizer se ele estava respirando.

– Wilf – chamou. – Wilf.

Não houve resposta.

Ele estava deitado em uma maca posicionada sobre uma pilha de cobertores e almofadas. Ragna correu os olhos por seu corpo. Os ombros da túnica estavam escuros de sangue envelhecido. Ela observou a cabeça com mais atenção e viu que ela parecia deformada. Ele tinha um inchaço no crânio, ou talvez mais de um. Havia sofrido um ferimento na cabeça. Era um mau sinal.

Ragna olhou para os cavaleiros que ladeavam a carroça, mas eles nada disseram e ela não conseguiu decifrar sua expressão. Talvez não soubessem se ele estava vivo ou morto.

– Wilf – repetiu. – Sou eu, Ragna.

Os cantos da boca dele se moveram num esboço de sorriso. Seus lábios se abriram e ele murmurou:

– Ragna.

– Sim, sou eu. Você está vivo, graças a Deus!

Ele abriu a boca para falar outra vez. Ela chegou mais perto para escutar.

– Estou em casa? – perguntou.

– Sim – respondeu ela, aos prantos. – Você está em casa.

– Que bom.

Ela ergueu os olhos. Todos pareciam aguardar. Deu-se conta de que era ela quem deveria decidir o que precisava ser feito agora.

No instante seguinte, compreendeu também outra coisa: enquanto Wilwulf estivesse incapacitado, *quem detivesse o seu corpo deteria também o seu poder*.

– Sigam com a carroça até a minha casa – ordenou ela.

O condutor estalou seu chicote e o cavalo avançou pesadamente. A carroça foi conduzida pelo complexo até a casa de Ragna. Cat, Agnès e Bern encontravam-se parados junto à porta e Osbert estava parcialmente escondido atrás da saia de Cat. A escolta apeou e os quatro homens ergueram com toda a delicadeza a maca sobre a qual Wilf estava deitado.

– Parem! – exclamou Gytha.

Os quatro ficaram imóveis e a encararam.

– Ele deve ir para a minha casa – disse ela. – Eu cuidarei dele. – Gytha havia entendido o mesmo que Ragna, só que não tão depressa. Abriu um sorriso falso para ela e disse: – Você tem muitas outras coisas a fazer.

– Não seja ridícula – retrucou Ragna. Pôde ouvir o fel na própria voz. – Eu sou a *esposa* dele. – Virou-se para os quatro homens. – Levem-no para dentro.

Eles obedeceram. Gytha não falou mais nada.

Ragna entrou atrás deles. Os homens baixaram a maca sobre os juncos do chão. Ragna se ajoelhou ao lado de Wilf e tocou sua testa: ele estava quente demais.

– Me tragam uma tigela com água e um pano limpo – falou, sem erguer os olhos.

Ouviu o pequeno Osbert perguntar:

– Quem é esse homem?

– Este aqui é o seu pai – respondeu ela. Wilf estava fora havia quase seis meses e Osbert o havia esquecido. – Ele daria um beijo em você, mas está machucado.

Cat pousou uma tigela no chão ao lado de Wilf e entregou um pano para Ragna. Ela mergulhou o tecido na água e umedeceu o rosto do marido. Após alguns instantes, pensou que ele parecia aliviado, embora pudesse ter sido só uma impressão.

– Agnès, vá até a cidade e chame Hildi, a parteira que me ajudou no nascimento dos gêmeos – pediu Ragna.

Hildi era a praticante de medicina mais sensata de Shiring.

Agnès se retirou depressa.

– Bern, converse com os soldados e encontre alguém que saiba o que aconteceu com o senhor Wilwulf.

– Agora mesmo, milady.

Wynstan entrou. Não disse nada, mas ficou olhando o corpo deitado de Wilf. Ragna se concentrou no marido.

– Wilf, você consegue me entender?

Ele abriu os olhos e levou vários instantes para fixar o olhar nela, mas Ragna então percebeu que ele a estava reconhecendo.

– Consigo – respondeu ele.

– Como você se feriu?

Ele franziu a testa.

– Não me lembro.

– Está sentindo dor?

– Dor de cabeça.

As palavras saíam vagarosas, mas inteligíveis.

– Muita?

– Não.

– Mais alguma coisa?

Ele suspirou.

– Muito cansado.

– É grave – determinou Wynstan.

Então se retirou.

Bern voltou com um soldado chamado Bada.

– Não foi nem uma batalha, foi mais um pequeno conflito – contou Bada num tom de quem se desculpa, como se o seu comandante não devesse ter se ferido em algo tão inglório quanto uma briga sem importância.

– Apenas me conte o que aconteceu – pediu Ragna.

– O senhor Wilwulf estava montado em Nuvem, como sempre, e eu estava logo atrás dele. – O homem falava de modo sucinto, como um soldado se reportando ao seu superior, e Ragna se sentiu grata pela sua clareza. – De repente nós topamos com um grupo de vikings na margem do Exe, a alguns quilômetros de Exeter rio acima. Eles tinham acabado de atacar um vilarejo e estavam colocando o butim no navio antes de voltar para o acampamento. Galinhas, cerveja, dinheiro, um bezerro... O senhor Wilf saltou do cavalo, cravou a espada num dos vikings e o matou, só que escorregou na lama da margem e caiu. Nuvem pisou em sua cabeça e ele ficou caído como se estivesse morto. Não tive como verificar na hora... eu mesmo estava sendo atacado. Mas nós matamos a maioria dos vikings e o restante fugiu no barco. Então fui até o senhor Wilf. Ele estava respirando e depois de algum tempo recobrou os sentidos.

– Obrigada, Bada.

Ragna viu Hildi mais afastada, escutando, e a chamou com um aceno.

Hildi era uma mulher de 50 anos, de baixa estatura e cabelos grisalhos. Ela se ajoelhou ao lado de Wilf e o examinou sem pressa. Tocou o calombo em sua cabeça com delicadeza. Quando ela pressionou um pouco, Wilf fez uma careta sem abrir os olhos e ela disse:

– Desculpe. – Examinou a ferida bem de perto e separou os cabelos para ver a pele. – Olhe aqui – falou para Ragna.

Ela viu que Hildi tinha levantado um pedaço de pele solta, mostrando uma rachadura no crânio logo abaixo. Parecia que uma lasca de osso tinha se soltado.

– Isso explica todo o sangue nas roupas dele – disse Hildi. – Mas a hemorragia já estancou faz tempo.

Wilf abriu os olhos.

– O senhor sabe como se feriu? – perguntou Hildi.

– Não.

Ela levantou a mão direita com três dedos erguidos.

– Quantos dedos tem aqui?

– Três.

Hildi levantou a mão esquerda com quatro dedos erguidos, sem abaixar os outros três.

– E agora?

– Seis.

Ragna ficou consternada.

– Wilf, você não está conseguindo ver direito?

Ele não respondeu.

– A visão dele está boa, mas não tenho certeza quanto à cabeça – explicou Hildi.

– Que Deus o salve.

– Wilwulf, como se chama a sua esposa? – perguntou Hildi.

– Ragna.

Ele sorriu. Isso foi um alívio.

– E como se chama o rei?

Houve uma longa pausa e ele então falou:

– Rei.

– E a esposa dele?

– Esqueci.

– Consegue dizer o nome de um dos irmãos de Jesus?

– São Pedro...

Todos sabiam que os irmãos de Jesus eram Tiago, José, Judas e Simão.

– Que número vem depois do dezenove?

– Não sei.

– Agora descanse, senhor Wilwulf.

Wilf fechou os olhos.

– O ferimento vai sarar? – perguntou Ragna.

– A pele vai crescer de novo e cobrir o buraco, mas não sei se o osso vai se restaurar. Ele precisa se manter o mais imóvel possível durante várias semanas.

– Vou garantir que assim seja.

– Seria bom amarrar uma atadura em volta da cabeça, para reduzir os movimentos na área coberta. Dê-lhe vinho com água ou cerveja fraca para beber e sopa para comer.

– Farei isso.

– O sinal mais preocupante é a perda de grande parte da memória. É difícil saber a extensão da gravidade. Ele lembra o nome da senhora, mas o do rei não. Consegue contar até três, mas não até sete, e com certeza não até vinte. Não há nada que a senhora possa fazer em relação a isso a não ser rezar. Depois de um ferimento na cabeça, às vezes as pessoas recuperam todas as capacidades mentais, mas em outras, não. Mais do que isso eu não sei. – Ela ergueu os olhos, reparando em alguém que vinha entrando. – Nem eu nem mais ninguém – arrematou.

Ragna acompanhou seu olhar. Gytha acabara de entrar com o padre Godmaer, um sacerdote da catedral que havia estudado medicina. Ele era um homem grandalhão e pesado, de cabeça raspada. Um padre mais jovem entrou atrás dele.

– O que essa parteira está fazendo aqui? – indagou Godmaer. – Afaste-se, mulher. Deixe-me ver o paciente.

Ragna cogitou mandá-lo embora. Tinha mais confiança em Hildi, mas uma segunda opinião não seria de todo ruim. Deu um passo para trás e os outros fizeram o mesmo para deixar Godmaer se ajoelhar ao lado de Wilf.

473

Ele não foi tão delicado quanto Hildi e, quando tocou o inchaço, Wilf gemeu de dor. Era tarde demais para Ragna protestar.

Wilf abriu os olhos e perguntou:

– Quem é você?

– O senhor me conhece – disse Godmaer. – Esqueceu?

Wilf fechou os olhos.

Godmaer virou a cabeça de Wilf para um dos lados, olhou dentro do seu ouvido, então a virou outra vez para olhar dentro do outro. Hildi franziu a testa, nervosa, e Ragna falou:

– Com delicadeza, padre, por favor.

– Eu sei o que estou fazendo – afirmou Godmaer com arrogância, mas passou a tocar Wilf de forma um pouco menos bruta.

Abriu a boca dele e espiou lá dentro, em seguida ergueu suas pálpebras e por fim cheirou seu hálito.

Ele se levantou.

– O problema é um excesso de bile negra, principalmente na cabeça – anunciou. – Isso está causando cansaço, torpor e perda de memória. O tratamento será uma trepanação, para fazer a bile sair. Passem-me a furadeira de arco.

Seu jovem ajudante lhe entregou a ferramenta, usada pelos carpinteiros para realizar pequenos furos. A ponta de ferro afiada era enrolada no fio do arco de modo que, quando a broca era segurada com firmeza contra uma tábua e o corpo do arco movido para a frente e para trás, a ponta girava depressa e furava a madeira.

– Agora vou abrir um buraco no crânio do paciente para permitir o escoamento da cólera acumulada.

Hildi emitiu um ruído exasperado.

– Só um instante – disse Ragna. – Já tem um buraco no crânio dele. Se houvesse excesso de qualquer fluido, a esta altura com certeza já teria saído.

Godmaer pareceu surpreso, e Ragna se deu conta de que ele não havia levantado a pele solta, e portanto não sabia sobre a rachadura no crânio. Mas ele se recuperou depressa, endireitou os ombros e adotou um ar indignado.

– Quero crer que a senhora não esteja questionando os julgamentos de um médico formado.

Ragna soube responder à altura:

– Na condição de esposa do senhor da cidade, eu questiono o julgamento de qualquer um, com exceção do meu marido. Agradeço a sua visita, padre, embora não o tenha chamado, e levarei em conta a sua recomendação.

– Eu o chamei porque ele é o principal praticante de medicina de Shiring –

intrometeu-se Gytha. – Você não tem o direito de negar ao senhor da cidade o tratamento recomendado.

– Vou lhe dizer uma coisa, sogra-madrasta – retrucou Ragna, irritada. – Eu abro um buraco na garganta de qualquer um que tente abrir outro buraco na cabeça do meu marido. Agora tire o seu padre de estimação da minha casa.

Godmaer soltou um arquejo. Ragna percebeu que fora longe demais: referir-se a Godmaer como "padre de estimação" fora quase um sacrilégio, mas não estava preocupada com isso. Godmaer era arrogante, o que o tornava perigoso. Pela sua experiência, padres com formação em medicina raramente curavam alguém, mas com frequência faziam os doentes piorarem.

Gytha murmurou algo para Godmaer, que aquiesceu, ergueu a cabeça e se retirou pisando firme, ainda com a furadeira de arco na mão. Seu assistente saiu atrás.

Ainda havia pessoas demais ali presentes.

– Todos, menos os meus criados, retirem-se agora, por favor – ordenou Ragna. – O senhor de Shiring precisa de paz e tranquilidade para melhorar.

Todos saíram.

Ragna tornou a se curvar acima de Wilf.

– Eu vou cuidar de você – falou. – Farei como fiz no último meio ano e governarei seu território como você faria.

Não houve resposta.

– Você acha que consegue responder a mais uma pergunta? – indagou ela.

Ele abriu os olhos e seus lábios se contraíram num esboço de sorriso.

– Qual é a coisa mais importante que você precisa que eu faça agora, como sua representante?

Teve a impressão de ver um lampejo de compreensão atravessar o semblante do marido.

– Nomear um novo comandante para o exército – disse ele.

Então fechou os olhos.

Ragna sentou-se num banquinho encimado por uma almofada e o observou com atenção. Ele havia lhe dado uma instrução clara num momento de lucidez. Disso ela depreendeu que o trabalho do exército ainda não havia terminado e os vikings não tinham sido expulsos. Os homens de Shiring precisavam se reorganizar e atacar novamente. E para isso precisavam de um novo líder.

Wynstan iria querer que seu irmão Wigelm assumisse a liderança. Isso deixou Ragna em pânico: quanto mais poder Wigelm conseguisse, maior a probabilidade de desafiar a autoridade dela. A escolha de Ragna seria o xerife Den, um líder e guerreiro experiente.

No tribunal do condado, onde a maioria das decisões era tomada por consenso, ela muitas vezes conseguia o que queria pela força da sua personalidade, mas previa um problema em relação a essa decisão. Os homens teriam opiniões fortes e não demorariam a descartar o ponto de vista de uma mulher, já que as mulheres, segundo eles, não sabiam muita coisa sobre a arte da guerra. Ragna precisaria ser astuta.

Anoitecera. As horas haviam passado depressa. Ela disse a Agnès:

– Procure o xerife Den e peça a ele para vir falar comigo agora. Não volte junto com ele. Não quero que as pessoas saibam que o chamei. A ideia é que pareça que ele soube da notícia e tenha vindo apenas visitar o senhor da cidade, como todo mundo.

– Está bem – falou Agnès, e saiu.

Ragna se dirigiu a Cat:

– Vamos ver se Wilf toma um pouco de sopa. Morna, não quente.

Uma panela de caldo feito com ossos de carneiro fervilhava sobre o fogo. Cat usou uma concha para servir um pouco do líquido numa tigela de madeira e Ragna sorveu o aroma de alecrim. Partiu alguns pedaços de miolo de pão e os jogou dentro da sopa, então se ajoelhou ao lado de Wilf com uma colher. Pegou um pedaço de miolo embebido, soprou para esfriá-lo e o levou aos lábios do marido. Ele engoliu com alguns sinais de satisfação e abriu a boca para pedir mais.

Quando Ragna terminou de lhe dar a comida, Agnès já tinha voltado. Den entrou alguns minutos depois. Olhou para Wilf e balançou a cabeça com pessimismo. Ragna lhe contou o que Hildi tinha dito. Então lhe falou sobre a instrução de Wilf para nomear um novo comandante para o exército.

– É você ou Wigelm, e eu quero você – concluiu.

– Eu seria melhor do que Wigelm – disse Den. – E de toda forma não poderia ser ele.

Ragna ficou surpresa.

– Por quê?

– Ele anda indisposto. Não participa de combate nenhum há duas semanas. É por isso que ele não está aqui. Ficou lá perto de Exeter.

– Qual é o problema?

– Hemorroidas agravadas por meses de campanha. Dói tanto que ele não consegue montar num cavalo.

– Como o senhor sabe?

– Tenho conversado com os senhores de terras.

– Bem, isso facilita as coisas – afirmou Ragna. – Eu vou fingir que prefiro Wigelm e então, quando a enfermidade dele for revelada, o senhor relutantemente aceitará substituí-lo.

Den assentiu.

– Wynstan e seus amigos vão se opor a mim, mas a maioria dos senhores de terras vai me apoiar. Não sou a pessoa preferida deles, claro, pois os obrigo a pagar impostos, mas eles sabem que sou competente.

– Darei uma audiência amanhã após o desjejum – disse Ragna. – Quero deixar claro desde o início que continuo no comando.

– Ótimo – falou Den.

No dia seguinte fez calor, mesmo de manhã bem cedo, mas a catedral estava fresca como nunca quando Wynstan celebrou a primeira missa. Ele realizou a cerimônia com solenidade máxima. Gostava de fazer o que se esperava de um bispo: era importante manter as aparências. Nesse dia, rezou pelas almas dos mortos no combate aos vikings e suplicou pela cura dos feridos, em especial do senhor Wilwulf.

Apesar disso, não conseguiu se concentrar na liturgia. A enfermidade de Wilwulf tinha perturbado o equilíbrio de poder em Shiring e Wynstan estava desesperado para saber quais eram as intenções de Ragna. Aquilo poderia ser uma chance de enfraquecer a posição dela, ou mesmo de se livrar dela por completo. Ele precisava estar atento a todas as possibilidades e tinha que descobrir quais eram os planos da cunhada.

A congregação estava maior do que de costume para um dia de semana, inflada pelas famílias enlutadas dos soldados que não tinham voltado após os combates. Ao olhar para a nave, Wynstan reparou que entre os fiéis estava Agnès, uma mulher pequena e magra vestida com as roupas descoradas de uma criada. Ela parecia só mais uma na multidão, mas seus olhos se fixaram nos dele com um recado claro: estava ali para falar com ele. Suas esperanças aumentaram.

Fazia seis meses que Ragna havia condenado o marido de Agnès à morte, seis meses desde que Agnès concordara em ser a espiã de Wynstan na casa de Ragna. Nesse intervalo, ela não tinha lhe dado nenhuma informação útil. Mesmo assim, ele continuara a falar com ela pelo menos uma vez por mês, certo de que um dia esses esforços valeriam a pena. Sentindo que o desejo dela de vingança poderia se atenuar, Wysntan recorrera ao lado emocional e passara a tratá-la como uma pessoa íntima em vez de uma criada, falando-lhe num tom conspiratório e lhe agradecendo pela sua lealdade. Com sutileza, estava assumindo o lugar do seu finado marido, mostrando-se afetuoso, porém dominador, esperando ser obedecido sem questionamentos. Seu instinto lhe dizia que essa era a maneira certa de controlá-la.

Nesse dia talvez ele fosse ser recompensado pela sua paciência.

Terminada a missa, Agnès permaneceu na igreja e, assim que os outros fiéis foram embora, Wynstan a chamou com um aceno para ir até a capela, pôs o braço ao redor de seus ombros ossudos e a puxou para um canto.

– Obrigado por ter vindo falar comigo, minha cara – falou, em voz baixa porém intensa. – Estava torcendo por isso.

– Pensei que o senhor fosse gostar de saber os planos dela.

– Eu vou gostar, vou gostar sim. – Wynstan tentou soar interessado, mas não excessivamente ávido. – Você é meu camundongo de estimação, que entra pé ante pé no meu quarto à noite, deita-se no meu travesseiro e sussurra segredos no meu ouvido.

Ela enrubesceu de prazer. Wynstan se perguntou como ela reagiria se ele pusesse a mão debaixo da sua saia ali mesmo na igreja. Não faria nada disso, claro: ela era movida pelo desejo daquilo que não podia ter, a mais forte de todas as motivações humanas.

Agnès passou um longo tempo encarando o bispo e ele sentiu que precisava romper o feitiço.

– Me conte – falou.

Ela voltou a si.

– Ragna vai dar uma audiência hoje, depois do desjejum.

– Agindo depressa – observou Wynstan. – Era de se esperar. Mas quais são os planos dela?

– Ela vai nomear um novo comandante para o exército.

– Ah.

Ele não estava com esse assunto em mente.

– Vai dizer que quer Wigelm.

– Ele não está conseguindo montar no momento. É por isso que não está aqui.

– Ela sabe disso, mas vai se fingir de surpresa.

– Astuta.

– Então vai dizer que a única alternativa é o xerife Den.

– Seu mais forte aliado. Santo Deus, com ela chefiando o tribunal e Den no comando do exército, a família de Wilf ficaria praticamente impotente.

– Foi o que pensei.

– Mas agora eu estou avisado.

– O que o senhor vai fazer?

– Não sei ainda. – De toda forma, ele não teria contado a ela. – Mas, graças a você, vou pensar em alguma coisa.

– Fico feliz.

– Este é um período perigoso. Você precisa me contar tudo que ela fizer daqui para a frente. É muito importante.
– Pode contar comigo.
– Volte para o complexo e continue escutando.
– Farei isso.
– Obrigado, meu pequeno camundongo.
Ele a beijou nos lábios, então a conduziu para fora.

O tribunal formava um pequeno grupo. Aquela não era uma audiência ordinária e fora anunciada pouco mais de uma hora antes de começar, mas os senhores de terras mais importantes tinham chegado junto com o exército. Ragna montou sua sessão em frente ao salão nobre, sentada no banquinho com almofada em geral ocupado por Wilwulf. Sua escolha de lugar foi proposital.

No entanto, ela se levantou para falar. Sua estatura era uma vantagem. Na sua opinião, líderes precisavam ser inteligentes, não altos, mas ela havia percebido que os homens tinham uma tendência maior a obedecer a pessoas altas. Como era mulher, usava qualquer arma à sua disposição.

Estava usando um vestido marrom quase preto, escuro para passar uma impressão de autoridade, e um pouco largo de modo a não acentuar as curvas de seu corpo. Nesse dia, optou por pingente, pulseiras, broche e anéis grandes, pesados. Não estava usando nenhuma joia feminina, delicada. Estava vestida para governar.

A manhã era sua parte predileta do dia para reuniões. Os homens se mostravam mais sensatos, menos tempestuosos, uma vez que só deviam ter tomado uma ou duas canecas de cerveja no desjejum. Eles podiam ser muito mais difíceis após a refeição do meio-dia.

– O senhor Wilwulf está seriamente ferido, mas temos toda a esperança de que venha a se recuperar – começou ela. – Estava em combate com um viking quando escorregou na lama da margem e seu cavalo lhe deu um pisão na cabeça. – A maioria já devia saber disso, mas ela falou para lhes mostrar que não era ignorante em relação à natureza do combate. – Todos vocês sabem com que facilidade algo assim pode acontecer. – Ficou satisfeita ao ver pessoas assentindo. – O viking morreu – acrescentou ela. – Sua alma está agora padecendo as agonias do inferno. – Mais uma vez, viu que eles se mostravam receptivos às suas palavras. – Para se recuperar, Wilf precisa de paz, tranquilidade e, o mais importante, ficar deitado quieto de modo que o seu crânio consiga se restaurar. Por isso a minha porta fica fechada por dentro com uma barra. Quando quer falar com alguém, ele me pede e eu chamo a pessoa. Ninguém será recebido a não ser que tenha sido convidado.

Sabia que aquela notícia não seria bem aceita e estava esperando alguma oposição.

Dito e feito: Wynstan reagiu.

– A senhora não pode manter afastados os irmãos do senhor da cidade.

– Eu não posso manter ninguém afastado. Tudo que posso fazer é obedecer às ordens de Wilf. Ele vai receber quem quiser, claro.

Garulf, o filho de 20 anos de Wilwulf com Inge, falou:

– Isso não está certo. A senhora pode nos mandar fazer qualquer coisa e fingir que as ordens vieram dele.

Era exatamente essa a intenção de Ragna.

Ela já esperava que alguém fosse argumentar isso e achou melhor que tivesse sido um rapaz novo, e não um homem mais velho e respeitável, assim ficava mais fácil descartar o que ele dizia.

– Pode ser até que esteja morto – continuou Garulf. – Como nós vamos saber?

– Pelo cheiro – respondeu Ragna, incisiva. – Não diga bobagens.

Gytha se pronunciou:

– Por que a senhora se recusou a deixar o padre Godmaer executar a trepanação?

– Porque o crânio de Wilf já está com um buraco. A senhora não precisa de dois buracos no seu traseiro e Wilf não precisa de dois na cabeça.

Os homens riram e Gytha calou a boca.

– Wilf me informou sobre a situação militar – continuou Ragna. Quem havia lhe informado fora Bada, mas aquilo soava melhor. – O combate até agora não teve uma conclusão. Wilwulf quer que o exército se reorganize, torne a se armar, volte e termine o trabalho. Mas não pode comandá-lo. Sendo assim, a principal tarefa deste tribunal hoje é nomear um novo comandante. Wilf não expressou nenhum desejo, mas imagino que o seu irmão Wigelm deva ser o candidato preferido.

Bada tomou a palavra:

– Ele não pode comandar... não está conseguindo montar a cavalo.

Ragna fingiu ignorância.

– Por que não?

– Está com o cu dolorido – respondeu Garulf.

Os homens riram baixinho.

– Ele está com hemorroidas – explicou Bada. – Muito graves.

– Quer dizer que realmente não está conseguindo montar?

– Sim.

– Bem – falou Ragna, como se estivesse pensando numa solução –, uma segunda opção pode ser o xerife Den.

Conforme combinado, Den fingiu relutância.

– Talvez um nobre fosse melhor, milady.

– Se os senhores de terras conseguirem chegar a um consenso em relação a algum deles... – determinou Ragna em tom de dúvida.

Wynstan se levantou do banco onde estava sentado e deu um passo à frente, tornando-se o centro das atenções.

– Está óbvio, não? – indagou, abrindo os braços num gesto de quem faz um apelo, correndo os olhos pelo grupo.

Ragna sentiu um peso no coração. Ele tem um plano, pensou, e um plano que eu não previ.

– O comandante deve ser o filho de Wilf – afirmou Wynstan.

– Osbert tem 2 anos de idade! – rebateu Ragna.

– Estou me referindo ao seu filho mais velho, claro. – Wynstan fez uma pausa e sorriu. – Garulf.

– Mas Garulf tem só... – Ragna se interrompeu ao perceber que, embora pensasse em Garulf como um rapaz muito novo, ele na verdade tinha 20 anos, um corpo musculoso de homem e uma barba cheia. Tinha idade suficiente para liderar um exército.

Se tinha bom senso suficiente era outra questão.

– Todos aqui sabem que Garulf é um homem valente! – exclamou Wynstan.

Houve uma concordância generalizada. O jovem sempre tinha sido popular entre os soldados. Mas será que eles queriam mesmo que ele tomasse decisões estratégicas?

– E nós achamos que Garulf tem a inteligência necessária para conduzir o exército? – indagou Ragna.

Provavelmente não deveria ter dito isso. Seria melhor a pergunta ter vindo de um dos senhores de terras, um guerreiro. Eles tinham predisposição a desdenhar tudo que uma mulher dissesse sobre o assunto. Sua intervenção aumentou o apoio a Garulf.

– Garulf é jovem, mas tem um espírito agressivo – opinou Bada.

Ragna viu os homens assentirem. Tentou mais uma vez:

– O xerife é mais experiente.

– Em coletar impostos! – rebateu Wynstan.

Todos riram e Ragna entendeu que tinha perdido.

Edgar não estava acostumado ao fracasso. Quando precisou lidar com um, ficou sem saber como agir.

Havia tentado construir uma ponte sobre o rio na Travessia de Dreng, mas isso se mostrara impossível.

Estava sentado com Aldred no banco em frente à taberna, escutando o barulho do rio e encarando as ruínas do seu plano. Tinha conseguido, com grande dificuldade, construir um alicerce no leito do rio para um dos pilares da ponte, uma caixa simples cheia de pedras para segurar com firmeza a base da coluna no lugar. Tinha confeccionado uma viga grossa de carvalho maciço, robusta o suficiente para suportar o peso das pessoas e carroças durante a travessia. Mas não conseguiu inserir a viga em seu suporte.

Era noite e ele havia passado o dia inteiro tentando sob o sol forte. No fim, quase todo mundo no povoado tinha ido ajudá-lo. A viga fora fixada no lugar por cordas compridas, fabricadas mediante um alto custo por Regenbald, o cordoeiro recém-chegado. Pessoas em ambas as margens haviam puxado as cordas para manter o tronco estabilizado. Edgar e vários outros tinham subido em sua jangada no meio do rio para tentar manobrar o imenso tronco.

Só que tudo se movia: a água, a jangada, as cordas e o tronco. A madeira em si insistia em subir inteira à superfície.

No início havia sido como uma brincadeira e houvera risos e piadas enquanto todos se esforçavam. Várias pessoas caíram na água, para diversão geral.

Manter a viga submersa e ao mesmo tempo encaixá-la na base deveria ter sido possível, mas eles não conseguiram. Ficaram todos frustrados e de mau humor. Por fim, Edgar desistira.

Agora o sol estava baixando, os monges tinham voltado para o mosteiro, os aldeões para suas casas e Edgar se sentia derrotado.

Mas Aldred ainda não estava disposto a abandonar o projeto.

– É possível – afirmou ele. – Precisamos de mais homens, mais cordas, mais barcos.

Edgar não achava que isso fosse funcionar. Ficou em silêncio.

– O problema é que a sua jangada ficava se mexendo – falou Aldred. – Toda vez que você empurrava o tronco para dentro d'água, a jangada se afastava da base.

– Eu sei.

– O que precisamos mesmo é de uma fila de embarcações perpendiculares à margem, amarradas para não poderem se movimentar tanto.

– Não sei onde conseguiríamos tantos barcos – observou Edgar, pessimista.

Mas conseguia visualizar o que Aldred estava sugerindo. As embarcações poderiam ser amarradas ou mesmo pregadas umas nas outras. A fila toda ainda iria se mover, só que de modo mais lento, mais previsível, menos voluntarioso.

Aldred continuou a sonhar acordado:

– Quem sabe duas filas, uma em cada margem do rio.

Edgar estava tão cansado e desanimado que relutava em considerar novas ideias, mas apesar disso o raciocínio de Aldred o deixou intrigado. Aquilo proporcionaria uma estrutura bem mais estável para aquela tarefa complicada. Mesmo assim, talvez não bastasse. Mas alguma outra coisa estava quase lhe ocorrendo ao visualizar as duas filas de barcos saindo das margens e indo até o meio do rio. Os barcos ficariam estáveis, proporcionando uma plataforma sólida sobre a qual se apoiar...

– Talvez pudéssemos construir a ponte em cima dos barcos – disse ele de repente.

– Como? – Aldred franziu a testa.

– A passarela da ponte poderia repousar sobre os barcos em vez de sobre as vigas. – Ele deu de ombros. – Teoricamente.

Aldred estalou os dedos.

– Eu já vi uma coisa assim! – exclamou. – Quando estava viajando pelos Países Baixos. Uma ponte construída sobre uma fila de barcos. As pessoas a chamavam de pontão.

Edgar ficou abismado.

– Ou seja, é possível!

– Sim.

– Eu nunca vi uma coisa assim. – Mas ele já estava projetando a ponte na cabeça. – As embarcações teriam que ficar presas com firmeza nas margens.

Aldred pensou num porém.

– Nós não podemos bloquear o rio. O tráfego não é intenso, mas existe. O senhor de Shiring não permitiria, e o rei tampouco.

– Pode haver uma brecha na fila de embarcações, com a passarela passando por cima, mas larga o suficiente para qualquer embarcação fluvial normal poder passar.

– Você conseguiria construir isso?

Edgar hesitou. A experiência daquele dia havia minado sua confiança. Mesmo assim, ele achava que um pontão era uma possibilidade.

– Eu não sei – falou, com a cautela recém-adquirida. – Mas acho que sim.

O verão havia acabado, a colheita fora ceifada e a friagem do outono já se fazia sentir na brisa quando Wynstan acompanhou Garulf para ir juntar forças com os soldados de Devon.

Os religiosos em teoria não podiam derramar sangue. Essa regra era quebrada com frequência, mas Wynstan em geral conseguia encontrar uma desculpa conveniente para evitar o desconforto e o perigo da guerra.

Apesar disso, não era nenhum covarde. Era maior e mais forte do que a maioria dos homens, e estava bem armado. Além da lança que todos carregavam, tinha uma espada com lâmina de ferro, um capacete e uma espécie de cota de malha sem mangas.

Contrariando seu costume, seguia montado junto com o exército de modo a ficar próximo de Garulf. Havia tramado para tornar o sobrinho comandante porque esse era o único jeito de manter o controle do exército nas mãos da família. Mas seria um desastre se ele viesse a morrer em combate. Com Wilf incapacitado, Garulf havia se tornado importante. Enquanto os filhos de Ragna fossem novos, ele tinha uma chance de herdar a fortuna e o título do pai. Podia ser o meio pelo qual a família manteria o controle não apenas sobre o exército, mas sobre toda Shiring.

A estrada era uma trilha entre colinas cobertas por florestas. Na véspera do dia marcado para o seu encontro, eles emergiram da mata e se depararam com um vale comprido. Na outra ponta, mais estreita, o rio era um regato veloz que avançava na sua direção. O curso então se alargava e seguia raso por sobre corredeiras pedregosas, e por fim se consolidava numa correnteza mais funda e mais vagarosa.

Seis navios vikings atracados logo depois das corredeiras e amarrados junto à margem formavam uma linha reta. Estavam cerca de 3 quilômetros rio acima em relação ao ponto de onde Wynstan e o exército de Shiring os observavam do meio das árvores.

Aquele era o primeiro encontro do exército com o inimigo desde que Garulf havia se tornado líder. Wynstan sentiu o estômago se contrair de expectativa. Um homem que não experimentasse uma onda de medo antes de uma batalha só podia ser louco.

Os vikings tinham montado um pequeno acampamento na margem de lama, com algumas barracas improvisadas e vários fogos acesos para preparar comida, que soltavam pequenas colunas de fumaça. Era possível ver cerca de cem homens.

O exército de Garulf tinha trezentos soldados: cinquenta nobres a cavalo e duzentos e cinquenta soldados de infantaria.

– Nós estamos em maior número! – disse Garulf, animado, prevendo uma vitória fácil.

Ele talvez tivesse razão, mas Wynstan não estava tão certo.

– Isso considerando aqueles que conseguimos ver – falou, cauteloso.

– Com quem mais precisamos nos preocupar?

– Cada um daqueles barcos pode transportar cinquenta homens, ou mais, caso sejam abarrotados. Pelo menos trezentos homens chegaram à Inglaterra a bordo deles. Onde estão os outros?

– Que diferença isso faz? Se eles não estão aqui, não podem lutar!

– Talvez seja melhor esperar nos juntarmos aos homens de Devon... Ficaríamos bem mais fortes. E eles estão a apenas um dia de distância, no máximo.

– O quê? – retrucou Garulf com desdém. – Nós temos três vezes mais homens que eles e você quer esperar até termos seis vezes mais?

Os homens riram.

Estimulado, Garulf continuou:

– Isso me parece uma atitude medrosa. Precisamos aproveitar esta oportunidade.

Pode ser que ele tenha razão, pensou Wynstan. Fosse como fosse, os homens estavam ansiosos para entrar em combate. O inimigo parecia fraco e eles já sentiam cheiro de sangue. A pura lógica não os impressionava. E talvez a lógica não ganhasse batalhas.

Mesmo assim, Wynstan falou com cautela:

– Bem, vamos dar uma olhada mais de perto antes de tomarmos uma decisão definitiva.

– Concordo. – Garulf olhou em volta. – Vamos voltar para a floresta e amarrar os cavalos. Depois vamos para trás daquele cume para ficarmos escondidos enquanto chegamos mais perto. – Ele apontou para longe. – Quando chegarmos àquele promontório, vamos conseguir observar o inimigo de perto.

Tudo isso soa correto, pensou Wynstan enquanto amarrava seu cavalo numa árvore. Garulf entendia de tática. Até ali, tudo bem.

O exército atravessou a mata e ultrapassou o cume do morro escondido no meio das árvores. Do outro lado, viraram-se e seguiram paralelamente ao vale na direção contrária à correnteza do rio. Os homens se divertiam fazendo piadas sobre coragem e covardia para manter o ânimo. Um deles comentou que era uma pena que não fosse haver ninguém para estuprar depois do combate, outro falou que eles poderiam estuprar os vikings homens e um terceiro comentou que era uma questão de gosto pessoal, e todos desataram a rir. Será que estão conversando despreocupados porque têm experiência suficiente para saber que àquela distância não serão ouvidos pelos vikings?, pensou Wynstan, ou será que são apenas descuidados?

Wynstan logo perdeu a noção da distância que eles haviam percorrido, mas Garulf não demonstrou a mesma incerteza.

– Aqui já está bom – disse o jovem depois de algum tempo, em voz agora mais baixa.

Caminhou alguns metros em direção ao cume e então começou a se arrastar de quatro no chão até alcançá-lo.

Wynstan viu que eles estavam de fato próximos do promontório que Garulf havia identificado mais cedo. Os senhores de terras rastejaram de bruços até o ponto de observação, mantendo a cabeça baixa para não serem vistos pelo inimigo lá embaixo. Os vikings estavam cuidando de suas atividades normais, atiçando os fogos e indo buscar água no rio, sem saber que estavam sendo observados.

Wynstan estava nervoso. Podia ver o rosto dos inimigos e escutar suas conversas casuais. Conseguia até entender algumas coisas que eles falavam: a língua deles era similar ao inglês. Sentiu náuseas ao pensar que estava ali para cortar aqueles homens com sua lâmina afiada, para derramar o sangue deles, amputar seus membros e perfurar seus corações ainda batendo, para fazê-los cair impotentes por terra, gritando de agonia. As pessoas o viam como um homem cruel – o que de fato era –, mas o que estava prestes a acontecer era um tipo diferente de brutalidade.

Ele olhou para um lado e para o outro do rio. Na margem mais distante, o chão se erguia num morro baixo. Se houvesse mais vikings por perto, eles deviam estar mais acima do rio, tendo atravessado as corredeiras a pé em busca de um povoado ou mosteiro para saquear.

Garulf recuou rastejando de bruços e os outros o imitaram. Uma vez longe o suficiente do cume, eles se levantaram. Sem dizer nada, Garulf acenou para que o seguissem. Todos permaneceram em silêncio.

Wynstan imaginou que eles estivessem recuando para debater mais um pouco, mas não foi o que aconteceu. Garulf avançou mais alguns metros, sempre atrás do cume, então começou a descer uma ravina que conduzia até a beira do rio. Os senhores de terras foram atrás e o restante dos homens os seguiu de perto.

Eles agora estavam em pleno campo de visão dos vikings. Isso aconteceu de modo tão repentino que pegou Wynstan de surpresa. Enquanto desciam a encosta por entre a vegetação rasteira, os homens de Shiring permaneceram em silêncio, ganhando assim mais alguns segundos antes de surpreender os inimigos. Mas logo um dos vikings por acaso ergueu os olhos, os viu e deu um grito de alarme. Diante disso, o exército rompeu seu silêncio. Aos berros, os homens desceram correndo a ravina, todos ao mesmo tempo, brandindo suas armas.

Wynstan segurou sua espada numa das mãos, sua lança na outra e se juntou aos demais.

Os vikings perceberam imediatamente que não conseguiriam vencer. Abandonaram seus fogos e suas barracas e saíram correndo em direção aos barcos. Chapinharam pela água rasa, cortaram as cordas com facas e começaram a subir a bordo de forma atabalhoada. Enquanto faziam isso, porém, os ingleses chegaram à beira do rio, atravessaram a margem em poucos segundos e os alcançaram.

Os dois lados se encontraram na linha d'água. A sede de sangue colocou todas as emoções em segundo plano e Wynstan entrou na água rasa possuído apenas pela fome insaciável de matar. Cravou sua lança no peito de um homem que se virou para encará-lo, então desferiu sua espada com a mão esquerda no pescoço de outro que tentou fugir. Os dois vikings caíram na água. Wynstan não esperou para ver se estavam mortos.

Os ingleses tinham a vantagem de estar sempre na parte ligeiramente mais rasa da água e, portanto, com maior liberdade de movimentos. Os senhores de terras que iam na frente atacaram com lanças e espadas e mataram rapidamente dezenas de vikings. Wynstan viu que os inimigos eram em sua maioria homens mais velhos e mal armados – alguns pareciam não portar arma nenhuma, talvez por terem deixado todas na margem do rio durante a tentativa de fuga. Supôs que os melhores guerreiros daquele grupo tivessem sido escolhidos para a expedição de saque.

Depois da explosão inicial de ódio, o bispo recuperou o autocontrole o suficiente para permanecer próximo de Garulf.

Alguns dos vikings conseguiram chegar às embarcações, mas não puderam ir a lugar nenhum. Soltar seis navios de suas amarras e levá-los até o meio do rio era uma manobra complexa até mesmo quando cada uma das embarcações estava com sua tripulação completa de remadores. Com apenas uns poucos homens a bordo de cada uma e pânico demais para permitir qualquer coordenação, as embarcações simplesmente ficaram à deriva e colidiram umas com as outras. Os homens em pé nos navios foram também alvos fáceis para um punhado de arqueiros ingleses que, mais afastados, ficaram atirando por sobre as cabeças dos companheiros.

A batalha começou a se transformar num massacre. Com todos os homens de Shiring atacando, havia três ingleses para matar cada viking. O rio ficou escuro de sangue e repleto de mortos e feridos agonizantes. Wynstan permaneceu um pouco para trás, ofegante, segurando suas armas ensanguentadas. Garulf teve razão em aproveitar essa chance, pensou.

Então olhou para o outro lado do rio e foi dominado por um pavor glacial.

Centenas de vikings estavam chegando. O grupo que saíra para saquear mais cedo devia estar logo depois daquele cume. Todos agora desciam correndo em direção ao rio e atravessavam as corredeiras, pulando de pedra em pedra e chapinhando na água rasa. Em poucos segundos chegaram à margem, com as armas em riste e ávidos por combate. Os ingleses, consternados, viraram-se para enfrentá-los.

Com uma pontada de puro medo, Wynstan viu que agora eram os ingleses que estavam em desvantagem numérica. Pior ainda: os vikings recém-chegados vinham bem armados com lanças e machados compridos e pareciam mais jovens e mais fortes do que os homens que haviam deixado encarregados de proteger seu acampamento. Eles avançaram correndo pela margem e se espalharam pela beira do rio, e Wynstan supôs que estivessem pretendendo cercar os ingleses e forçá-los a entrar na água.

Wynstan olhou para Garulf e viu que o rapaz estava atordoado.

– Mande os homens recuarem! – gritou Wynstan. – Pela margem, correnteza abaixo... senão eles vão ficar encurralados!

Mas Garulf parecia incapaz de pensar e lutar ao mesmo tempo.

Como eu errei, pensou Wynstan num turbilhão de medo e desespero. Garulf não pode comandar, simplesmente não tem inteligência para isso. Esse erro pode me custar a vida hoje.

Garulf estava se defendendo vigorosamente de um grande viking de barba ruiva. Diante dos olhos de Wynstan, o rapaz levou um golpe de raspão no braço direito, deixou cair a espada, arriou com um dos joelhos no chão e foi violentamente atingido na cabeça pelo martelo de um inglês ensandecido, que então acertou a arma em cheio no rosto do viking.

Wynstan deixou seus arrependimentos de lado, controlou o pânico e pensou depressa. A batalha estava perdida. Garulf corria o risco de morrer ou ser levado prisioneiro e escravizado. A única esperança era bater em retirada. E quem batesse em retirada primeiro tinha a maior probabilidade de sobreviver.

O viking de barba ruiva estava ocupado com o inglês ensandecido. Wynstan dispunha de alguns segundos de trégua. Embainhou a espada e cravou sua lança na lama. Então se abaixou, pegou no colo o desacordado Garulf e suspendeu seu corpo inerte até colocá-lo sobre o ombro esquerdo. Segurou a lança com a mão direita, virou-se e começou a se afastar da batalha.

Garulf era um rapaz grande, muito musculoso, mas Wynstan era forte e ainda não tinha completado 40 anos. Carregava Garulf sem muito esforço, mas com aquele peso não conseguia se mover depressa o suficiente e pôs-se a cambalear num misto de caminhada e corrida. Começou a subir a ravina.

Olhou para trás e viu um dos vikings recém-chegados se afastar da batalha na beira do rio e sair correndo atrás dele.

Encontrou forças para ir mais rápido e começou a ofegar conforme o aclive foi se tornando mais acentuado. Podia escutar os passos do viking que o perseguia. Olhou para trás várias vezes e a cada uma delas o homem estava mais perto.

No último segundo possível, ele se virou, abaixou-se sobre um dos joelhos, fez Garulf escorregar do seu ombro até o chão e se projetou para a frente com a lança apontada para cima. O viking ergueu seu machado acima da cabeça para o golpe fatal, mas Wynstan conseguiu atacá-lo por baixo. Cravou a ponta afiada de sua lança na garganta do viking e empurrou com toda a força que tinha. A arma penetrou a carne macia, rasgou músculos e tendões, atravessou o cérebro e saiu pelo outro lado da cabeça. O homem morreu sem emitir um único som.

Wynstan pegou Garulf novamente e recomeçou a subir a ravina. No alto, virou-se e olhou para trás. Os ingleses agora estavam cercados e muitos deles jaziam mortos no rio. Alguns tinham saído da batalha e fugido pela margem rio abaixo. Talvez fossem os outros únicos sobreviventes.

Ninguém estava olhando para Wynstan.

Ele atravessou o cume, desceu o morro até ter certeza de que não podia ser visto do outro lado, então virou e foi caminhando penosamente pela encosta em direção à mata onde os cavalos aguardavam.

Durante um dos momentos de lucidez de Wilf, Ragna lhe contou sobre a batalha.

– Wynstan trouxe Garulf para casa sem ferimentos graves, mas quase todo o exército de Shiring foi dizimado.

– Garulf é um rapaz valente, mas não é um líder – disse Wilf. – Ele jamais deveria ter sido posto no comando.

– Foi ideia de Wynstan. Ele praticamente reconheceu que errou.

– Você deveria ter impedido.

– Eu tentei, mas os homens queriam Garulf.

– Eles gostam dele.

Aquilo era igualzinho aos velhos tempos, pensou Ragna: Wilf e ela conversando como iguais, cada um interessado na opinião do outro. Agora eles passavam mais tempo juntos do que nunca. Ela ficava com ele dia e noite, cuidando de cada necessidade do marido, e governava no seu lugar. Ele parecia grato por tudo. Seu ferimento os havia reaproximado.

Isso tinha acontecido contrariando os desejos mais profundos de Ragna. Independentemente do que havia acontecido, ela nunca mais sentiria por ele o mesmo de antes. Mas e se ele quisesse retomar a relação apaixonada de antigamente? Como ela reagiria?

Não precisava decidir ainda. Os dois não podiam fazer sexo agora – Hildi havia insistido que qualquer movimento brusco poderia ser prejudicial –, mas quando se recuperasse ele talvez quisesse retomar as relações fervorosas de seus primeiros anos. O fato de ter escapado da morte por um triz talvez o tivesse trazido de volta à realidade. Talvez ele esquecesse Carwen e Inge e permanecesse junto da mulher que havia cuidado dele até fazê-lo recobrar a saúde.

Ragna sabia que teria que acatar qualquer que fosse o seu desejo. Era sua esposa, não tinha outra opção. Mas não era o que ela queria.

Retomou a conversa:

– E agora os vikings foram embora tão rápido quanto chegaram. Imagino que tenham ficado entediados.

– Isso é típico deles: ataque súbito, saques aleatórios, sucesso ou fracasso instantâneo e depois volta para casa.

– Na verdade, fiquei sabendo que eles foram para a ilha de Wight. Parece que estão dando todas as mostras de querer passar o inverno lá.

– De novo? A ilha está se tornando uma base permanente.

– Mas eu temo que eles voltem.

– Ah, sim – disse Wilf. – Isso é uma das coisas das quais se pode ter certeza em relação aos vikings. Eles vão voltar.

CAPÍTULO 30

Fevereiro de 1002

— Sua ponte ficou uma maravilha – disse Aldred.

Edgar sorriu. Estava extremamente satisfeito, sobretudo depois do seu fracasso inicial.

— A ideia foi sua – falou com modéstia.

— E você fez acontecer.

Os dois estavam em pé em frente à igreja, olhando para o rio no sopé da encosta. Ambos usavam capas pesadas por causa do frio do inverno. Edgar tinha um chapéu de pele na cabeça, mas Aldred se contentava com seu capuz de monge.

Edgar estudou a ponte com orgulho. Como Aldred havia imaginado, em cada margem do rio ficava uma fila de embarcações apontando para a outra margem, como duas penínsulas gêmeas. Cada uma delas ficava presa a um sólido cais ribeirinho por cordas que davam à ponte uma pequena folga para se movimentar. Edgar havia construído embarcações de fundo chato e amuradas que eram baixas do lado das margens e cuja altura ia aumentando em direção ao centro do rio. Elas eram unidas por toras de carvalho que formavam uma estrutura de suporte para a passarela de madeira mais acima. Havia uma brecha no meio, onde a altura da amurada era maior, para permitir a passagem do tráfego fluvial.

Ele queria que Ragna visse a ponte. Era pela sua admiração que ansiava. Imaginou-a olhando para ele com aqueles olhos verdes cor de mar e dizendo "Que maravilha, como você é inteligente por saber fazer isso, ficou perfeita", e uma sensação de calor se espalhou por seu corpo como se ele tivesse bebido uma caneca de hidromel.

Ao olhar para a Travessia de Dreng, lembrou-se do dia chuvoso em que ela chegara ali com toda a graça de um pássaro que pousa num galho. Teria ele se apaixonado por ela naquele momento? Talvez apenas um pouquinho, já nesse dia.

Perguntou-se quando ela tornaria a aparecer ali.

— Em quem está pensando? – quis saber Aldred.

Edgar ficou espantado com a percepção do amigo. Não soube o que responder.

— Alguém que ama, obviamente – continuou Aldred. – Está escrito no seu rosto.

Edgar ficou constrangido.

– A ponte vai precisar de manutenção – falou. – Mas, se for bem cuidada, vai durar cem anos.

Ragna talvez nunca mais voltasse à Travessia de Dreng, é claro. Aquele não era um lugar importante.

– Olhe as pessoas atravessando – comentou Aldred. – Um triunfo!

A ponte já era muito usada. Pessoas vinham comprar peixe e assistir às missas. Mais de cem aldeões haviam se aglomerado dentro da igreja no Natal e testemunhado a elevação de Santo Adolfo.

Todos que atravessavam pagavam um *farthing* na ida e outro na volta. Os monges tinham uma renda, e ela estava aumentando.

– Foi você quem fez isso – disse Aldred a Edgar. – Obrigado.

Edgar balançou a cabeça.

– Foi a sua persistência. Você encarou um fracasso após outro, a maioria por causa da maldade de alguns homens, e mesmo assim nunca desistiu. Toda vez que é derrubado no chão, simplesmente se levanta e volta a tentar. Você me impressiona.

– Minha nossa – fez Aldred com um ar extremamente satisfeito. – Que elogio!

Aldred era apaixonado por Edgar e Edgar sabia disso. O amor do prior não tinha futuro, pois o construtor jamais corresponderia.

A situação era a mesma em relação a Ragna. Ele era apaixonado por ela e isso jamais daria em nada. Ela nunca se apaixonaria por ele. Não havia esperança.

Mas havia uma diferença. Aldred parecia aceitar o modo como as coisas eram. Podia ter certeza de que jamais pecaria com Edgar, pois Edgar jamais iria querer.

Edgar, por sua vez, ansiava com todo o coração consumar seu sentimento por Ragna. Queria fazer amor com ela, casar-se com ela, acordar de manhã e notar que estavam dividindo o mesmo travesseiro. Ele queria o impossível.

De nada adiantava ficar pensando nisso. Em tom casual, comentou:

– A taberna está cheia.

Aldred aquiesceu.

– É porque Dreng não está aqui para ser grosseiro com todo mundo. A taberna sempre recebe mais clientes quando ele está fora.

– Aonde ele foi?

– A Shiring. Não sei o motivo, mas não deve ser boa coisa.

– Deve estar reclamando da ponte.

– Reclamando? Com quem?

– Bem pensado – disse Edgar. – Wilwulf ao que parece continua doente e Dreng não vai conseguir muita solidariedade de Ragna.

Edgar estava contente com o movimento no povoado. Compartilhava o afeto de Aldred por aquele lugar. Ambos queriam que ele prosperasse. Poucos anos antes aquilo dali era um fim de mundo, um punhado de casas pobres que garantia o sustento de dois irmãos preguiçosos e desonestos, Degbert e Dreng. Agora tinha um priorado, uma peixaria, um santo e uma ponte.

Isso levou os pensamentos de Edgar em direção a outro assunto.

– Mais cedo ou mais tarde vamos ter que construir um muro – afirmou.

Aldred fez cara de interrogação.

– Nunca me senti em perigo aqui.

– Todos os anos os saques dos vikings penetram mais fundo no oeste da Inglaterra. E, se o nosso vilarejo continuar prosperando, em pouco tempo vai valer a pena nos saquear.

– Eles sempre atacam rio acima... Mas existe um obstáculo em Mudeford: a parte rasa do vau.

Edgar se lembrou da embarcação viking naufragada na praia em Combe.

– Os navios deles são leves. Navegam por águas rasas.

– Se isso acontecesse, eles nos atacariam a partir do rio, não de terra firme.

– Então primeiro precisaríamos fortificar a margem em toda a curva do rio. – Edgar apontou correnteza acima para onde o rio fazia uma curva para a direita. – Estou falando de uma muralha, provavelmente reforçada com madeira ou pedras em alguns lugares.

– Até onde iria o muro?

– Ele deveria começar na beira do rio logo depois da cervejaria de Leaf.

– Nesse caso a fazenda dos seus irmãos ficaria descoberta.

Edgar se importava mais com os irmãos do que os dois com ele, mas Eadbald e Erman não corriam nenhum perigo grave.

– Os vikings não atacam fazendas isoladas. Não há o suficiente para que valha a pena roubar.

– Verdade.

– O muro subiria o morro por trás das casas: a de Bebbe, depois a de Cerdic e Ebba, depois a de Hadwine e Elfburg, depois a do cordoeiro Regenbald, a de Bucca Peixe e a minha. Depois da minha casa, viraria à direita e iria até o rio para proteger o local da igreja nova, caso algum dia consigamos construí-la.

– Ah, nós vamos construí-la – falou Aldred.

– Tomara.

– Tenha fé – disse o frade.

Ragna ficou observando a parteira Hildi examinar Wilf com cuidado. A mulher o fez se sentar ereto num banquinho, em seguida trouxe uma vela para olhar o ferimento em sua cabeça.

– Tire isso daqui – disse ele. – A luz incomoda meus olhos.

Ela passou para trás dele de modo que a vela não iluminasse o seu rosto. Tocou o ferimento com as pontas dos dedos e assentiu, satisfeita.

– Está se alimentando bem? – perguntou ela. – O que o senhor comeu no desjejum?

– Mingau com sal – respondeu ele, emburrado. – E uma jarra de cerveja fraca. Uma refeição pobre para um nobre.

Hildi cruzou olhares com Ragna.

– Ele comeu presunto defumado e tomou vinho – corrigiu Ragna em voz baixa.

– Não me contradiga – disse Wilf com irritação. – Eu sei o que comi no desjejum.

– Como está se sentindo? – perguntou Hildi.

– Estou com dor de cabeça – respondeu ele. – Fora isso estou bem... melhor do que nunca.

– Ótimo – falou ela. – Acho que o senhor está pronto para retomar a vida normal. Meus parabéns. – Ela se levantou. – Lady Ragna, pode me acompanhar até lá fora um instante?

O sino estava tocando para anunciar a refeição do meio-dia quando Ragna saiu atrás da parteira.

– Fisicamente ele está recuperado – informou Hildi. – O ferimento sarou e ele não precisa mais ficar na cama. Deixe-o almoçar no salão nobre hoje. Ele pode voltar a montar quando quiser.

Ragna aquiesceu.

– E a fazer sexo também – acrescentou Hildi.

Ragna não falou nada. Havia perdido qualquer desejo de fazer sexo com Wilf, mas, se ele quisesse, naturalmente permitiria. Tivera muito tempo para pensar nisso e estava conformada com um futuro de intimidades com um homem que não amava mais.

– Mas a senhora deve ter reparado que a cabeça dele não funciona mais como antes – continuou Hildi.

Ragna fez que sim. É claro que tinha reparado.

– Ele não suporta luz forte, vive de mau humor e desanimado, e está com a memória ruim. Já vi vários homens com ferimentos na cabeça desde a retomada dos ataques vikings e é comum que fiquem nesse mesmo estado.

Ragna sabia tudo isso.

Hildi exibiu uma expressão de quem lamenta, como se tivesse culpa pelo que estava relatando.

– Já faz cinco meses e não há sinal algum de melhora.

Ragna suspirou.

– Algum dia vai haver?

– Ninguém pode dizer. Está nas mãos de Deus.

Ragna interpretou isso como um não. Entregou a Hildi dois *pence* de prata.

– Obrigada por ter sido delicada com ele.

– Estou à sua disposição, milady.

Ragna deixou Hildi e tornou a entrar na casa.

– Ela falou que você pode almoçar no salão nobre – disse a Wilf. – Você gostaria de ir até lá?

– Claro! – respondeu ele. – Onde mais eu almoçaria?

Fazia quase um ano que ele não almoçava no salão nobre, mas Ragna não rebateu o comentário dele. Ajudou-o a se vestir, então o segurou pelo braço e percorreu com ele a curta distância pelo complexo.

A refeição do meio-dia já havia começado. Ragna reparou que tanto Wynstan quanto Dreng estavam à mesa. Quando Wilf e Ragna entraram, o ruído de conversas e risos diminuiu e em seguida parou por completo conforme as pessoas os encaravam surpresas: ninguém fora avisado sobre a reaparição de Wilf. Então todos irromperam em palmas e vivas. Wynstan se levantou, aplaudindo, e por fim todos ficaram de pé.

Wilf sorriu, feliz.

Ragna o levou até sua cadeira de sempre e sentou-se ao seu lado. Alguém lhe serviu uma caneca de vinho. Ele bebeu e pediu mais.

Comeu vorazmente e riu das piadas habituais feitas pelos homens, parecendo o Wilf de sempre. Ragna sabia que isso era uma ilusão que não sobreviveria a qualquer tentativa de conversa séria e se pegou tentando protegê-lo. Quando ele dizia alguma tolice, ela ria, como se ele estivesse apenas sendo divertido. Se a tolice fosse um tanto mais absurda, ela sugeria que ele estava bebendo demais. Era incrível a quantidade de idiotices que podiam passar por comentários feitos por homens alcoolizados.

Quase no final da refeição, Wilf começou a se mostrar amoroso. Levou a mão até embaixo da mesa e afagou a coxa dela por cima da lã do vestido, subindo devagar.

Pronto, pensou Ragna.

Embora houvesse quase um ano que não abraçava um homem, ficou desanimada com essa possibilidade. No entanto, iria fazê-lo. Aquela era sua vida agora, e ela precisava se acostumar.

Foi então que Carwen entrou.

Ela deve ter saído de fininho da mesa do almoço e ido trocar de roupa, pensou Ragna, pois agora estava usando um vestido preto que a fazia parecer mais velha e sapatos vermelhos que teriam caído bem numa puta. Havia lavado o rosto também e reluzia de saúde e vigor juvenis.

Cruzou olhares com Wilf na mesma hora.

Ele abriu um largo sorriso e em seguida pareceu confuso, como se estivesse tentando recordar quem ela era.

Em pé no vão da porta, Carwen sorriu de volta, então se virou para ir embora e, com um leve movimento de cabeça, o convidou para segui-la.

Wilf pareceu hesitar. Que bom, pensou Ragna. Ele está sentado ao lado da esposa que passou os últimos cinco meses cuidando dele sem parar – não pode largá-la para ir atrás de uma menina escrava.

Wilf se levantou.

Ragna o encarou boquiaberta, tomada de horror. Não conseguiu esconder quanto estava abalada; aquilo já era demais. Eu não vou suportar, pensou.

– Sente-se, pelo amor de Deus – sibilou ela. – Não seja idiota.

Ele a encarou e pareceu espantado, então desviou o olhar e se dirigiu aos convivas reunidos.

– Inesperadamente – começou, e todos se puseram a rir. – Inesperadamente parece que estou sendo convocado.

Não, pensou Ragna, isso não pode estar acontecendo.

Mas estava. Ela lutou para segurar o choro.

– Voltarei mais tarde – avisou Wilf, encaminhando-se para a saída.

À porta, ele parou e tornou a se virar, com o talento instintivo de sempre para a dramaticidade.

– Bem mais tarde – falou.

Os homens urraram de tanto rir e ele saiu.

Wynstan, Degbert e Dreng saíram de Shiring sem fazer alarde, no escuro, e conduziram os cavalos até depois dos limites da cidade. Apenas alguns criados de confiança sabiam da sua partida e Wynstan fazia questão de que ninguém mais soubesse. Eles viajavam com um cavalo de carga levando um pequeno barril e um saco, além de comida e bebida, mas não tinham nenhum soldado junto. Sua missão era um segredo perigoso.

Tomaram cuidado para não serem reconhecidos na estrada. Mesmo sem acompanhantes, não era fácil se manter no anonimato. A cabeça calva de Degbert chamava atenção, Dreng tinha uma voz esganiçada característica e Wynstan era um dos homens mais conhecidos da região. Por isso eles se enrolaram em capas pesadas, enterraram o queixo nas dobras do tecido e ocultaram o rosto puxando o capuz para a frente – nada disso era estranho naquele clima frio e úmido de fevereiro. Passavam depressa pelos outros viajantes, deixando de lado a troca habitual de informações. Em vez de buscar hospitalidade em alguma taberna ou um mosteiro, onde teriam sido obrigados a mostrar o rosto, passaram a primeira noite na casa de uma família de carvoeiros na floresta, uma gente carrancuda e pouco sociável que pagava a Wynstan uma taxa pela autorização para exercer aquela atividade.

Quanto mais se aproximavam da Travessia de Dreng, maior o perigo de serem reconhecidos. No segundo dia de viagem, faltavam uns 3 quilômetros quando eles passaram por momentos de tensão. Encontraram um grupo vindo na direção contrária: uma família a pé, as mulheres com um bebê, o homem com um balde de enguias que devia ter comprado de Bucca Peixe e duas outras crianças caminhando atrás.

– Eu conheço essa família – murmurou Dreng.

– Eu também – disse Degbert.

Wynstan cutucou seu cavalo com os calcanhares para fazê-lo trotar e seus companheiros fizeram o mesmo. O grupo a pé se afastou para as laterais da estrada. Wynstan e os outros passaram sem dizer nada. A família estava muito ocupada saindo da frente dos cascos para dar uma boa olhada em quem ia montado. Wynstan achou que tinham conseguido escapar.

Pouco depois, eles saíram da estrada e entraram numa trilha praticamente invisível no meio das árvores.

Degbert então assumiu a dianteira. A mata se adensou e eles tiveram que apear e seguir puxando os animais. Degbert encontrou o caminho até uma velha casa em ruínas, decerto a antiga moradia de alguém que vivia na floresta, abandonada tempos antes. As paredes quebradas e o telhado parcialmente desabado proporcionariam algum abrigo para sua segunda noite.

Dreng catou uma braçada de folhas secas e acendeu uma fogueira com a centelha de um pedaço de sílex. Degbert descarregou o cavalo de carga. Os três se acomodaram do modo mais confortável que conseguiram enquanto a noite caía.

Wynstan tomou um grande gole de vinho de um cantil e o passou para os outros. Então começou a dar instruções:

– Vocês terão que carregar o barril de piche até o povoado. Não podem levar o cavalo... ele talvez faça barulho.

– Eu não posso carregar um barril – disse Dreng. – Tenho problema nas costas. Um viking...

– Eu sei. Degbert pode carregar. Você carrega o saco de trapos.

– Que já parece pesado o suficiente.

Wynstan ignorou os resmungos.

– O que vocês precisam fazer é simples. Mergulhem os trapos no piche e em seguida os amarrem na ponte, de preferência nas cordas e nos componentes de madeira menores. Façam tudo devagar, amarrem com força, não se apressem. Quando estiverem todos presos, acendam um bom graveto seco e usem-no para tocar fogo em todos os trapos, um a um.

– Essa é a parte que me preocupa – falou Degbert.

– Vai ser no meio da noite. Alguns trapos em chamas não vão acordar ninguém. Vocês terão todo o tempo do mundo. Depois, tornem a subir o morro em silêncio. Não façam barulho nenhum, não corram até saírem do raio de alcance do povoado. Eu ficarei esperando aqui com os cavalos.

– Eles vão saber que fui eu – argumentou Dreng.

– Sim, talvez desconfiem de você. Você foi tolo o bastante para se opor à construção da ponte, um protesto fadado a ser ignorado, como deveria ter imaginado. – Wynstan muitas vezes ficava enfurecido com a estupidez de homens como Dreng. – Mas depois eles lembrarão que você estava em Shiring no momento do incêndio. Foi visto no salão nobre há dois dias e será visto lá outra vez depois de amanhã. Se alguém for inteligente o bastante para se dar conta de que ninguém o viu durante um período suficiente para ir à Travessia de Dreng e voltar, eu jurarei que nós três passamos esse tempo todo na minha residência.

– Eles vão pôr a culpa em alguns fora da lei – disse Degbert.

Wynstan assentiu.

– Fora da lei são bodes expiatórios úteis.

– Eu posso ser enforcado por causa disso – falou Dreng.

– Eu também! – falou Degbert. – Pare de choramingar. Estamos fazendo isso por você!

– Não estão, não. Estão fazendo isso porque odeiam Aldred.

Era verdade.

Degbert detestava Aldred por fazê-lo ser expulso de sua confortável colegiada. O ódio de Wynstan era mais complexo. Aldred o havia desafiado inúmeras vezes. Em todas elas, Wynstan o punira, mas Aldred nunca aprendia a lição. Isso deixava o bispo ensandecido. As pessoas deveriam sentir medo dele. Alguém que o desafiava jamais deveria ser visto prosperando. A maldição de Wynstan precisava ser fatal. Se Aldred conseguisse se opor a ele, outros poderiam ter a mesma ideia.

Aldred era uma rachadura na parede que um dia talvez fizesse a construção inteira desabar.

Wynstan tentou ficar calmo.

– Quem se importa com os motivos por trás disso? – falou, e a fúria transpareceu na sua voz apesar de seu esforço de se controlar, assustando os outros. Em tom mais brando, ele afirmou: – Nenhum de nós vai ser enforcado. Se necessário, eu jurarei que somos inocentes, e o juramento de um bispo tem muita força.

Ele tornou a passar o cantil de vinho de mão em mão.

Depois de algum tempo, pôs mais lenha na fogueira e disse aos outros que se acomodassem para dormir.

– Eu vou ficar acordado – falou.

Eles se deitaram enrolados nas capas, mas Wynstan continuou sentado. Teria que adivinhar quando chegasse o meio da noite. Talvez a hora exata não importasse, mas ele precisava ter certeza de que os aldeões estariam no mais profundo sono e de que ainda faltariam algumas horas para as matinas, o ofício dos monges celebrado logo antes do alvorecer.

Estava desconfortável, sentindo as dores e os incômodos de um corpo de quase 40 anos de idade, e se perguntou se teria mesmo sido necessário dormir daquele jeito na floresta com Degbert e Dreng. Mas sabia a resposta. Precisava se certificar de que o serviço fosse feito de modo completo e com discrição. Como no caso de todas as tarefas mais importantes, sua supervisão direta era a única garantia de sucesso.

Estava satisfeito por ter ido lutar com Garulf. Se não estivesse lá, o garoto com certeza teria sido morto. Aquilo era o tipo de coisa que um bispo não deveria ser obrigado a fazer. Mas Wynstan não era um bispo qualquer.

Enquanto esperava as horas passarem, ficou refletindo sobre o estado de seu meio-irmão Wilf e as consequências para Shiring. Estava claro para Wynstan, embora não para todo mundo, que a recuperação de Wilf era apenas parcial. Ragna continuava sendo o principal canal das suas instruções: ela decidia o que seria feito, então fingia que as suas decisões eram os desejos do marido. Bern, o Gigante, continuava encarregado da proteção pessoal de Wilf e o xerife Den comandava o exército de Shiring, ou o que restara dele. A recuperação de Wilf servia principalmente para que ele ratificasse a autoridade dela.

Wynstan e Wigelm tinham sido espertamente postos de lado. Mantinham autoridade em suas respectivas esferas de influência, Wynstan na diocese e Wigelm em Combe, mas seu poder geral era pequeno. Garulf havia se recuperado de seus ferimentos, mas a desastrosa batalha com os vikings destruíra sua reputação e não lhe restara credibilidade alguma. A autoridade de Gytha no complexo já fora esvaziada tempos antes. Ragna seguia reinando inconteste.

E não havia nada que Wynstan pudesse fazer em relação a isso.

Ele não teve nenhuma dificuldade para permanecer acordado conforme a noite avançava. Um problema enlouquecedor e insolúvel sempre o mantinha acordado. Tomava alguns goles de vinho de vez em quando, nunca muita coisa. Jogava lenha na fogueira, apenas o suficiente para mantê-la acesa.

Quando avaliou que já tinha passado da meia-noite, acordou Degbert e Dreng.

Malhada rosnou no meio da noite. O barulho não chegou a acordar Edgar. Ele escutou vagamente e interpretou aquilo como o alerta baixo que a cadela dava quando ouvia alguém passar pela casa à noite mas reconhecia o passo da pessoa. Edgar entendeu que não precisava se preocupar e voltou a dormir.

Algum tempo depois, Malhada latiu. Dessa vez foi diferente. Foi um latido urgente e assustado que dizia: "Acorde depressa, agora, estou com medo de verdade."

Edgar sentiu cheiro de queimado.

A casa vivia enfumaçada, como todas as casas da Inglaterra, mas aquele era um cheiro diferente, mais forte e levemente passado, pungente. Em seu primeiro instante desperto, ele pensou em piche. No segundo instante percebeu que aquilo era algum tipo de emergência e se levantou de um pulo, tomado pelo medo.

Deu um puxão na porta para abri-la e saiu. Horrorizado, viu de onde vinha o cheiro: a ponte estava em chamas. As labaredas lambiam cruelmente a estrutura em uma dezena de lugares diferentes e na superfície do rio seus reflexos dançavam com uma alegria insana.

A obra-prima de Edgar estava em chamas.

Ele desceu correndo o morro, descalço, mal sentindo frio. O fogo aumentou mais ainda no tempo que ele levou para chegar até a margem, mas a ponte ainda podia ser salva, pensou ele, contanto que fosse possível jogar água suficiente sobre o fogo. Ele entrou no rio, pegou água com as mãos em concha e atirou em cima de um tronco em chamas.

Percebeu na mesma hora que isso seria inútil. Por alguns segundos, se deixara guiar pelo pânico. Parou, respirou fundo e olhou em volta. Todas as casas refletiam o laranja avermelhado do fogo. Não havia mais ninguém acordado.

– Socorro! – gritou, desesperado. – Venham todos, depressa! Fogo! Fogo!

Correu até a taberna e esmurrou a porta, aos berros. Foi Blod quem a abriu instantes depois, de olhos arregalados e apavorada, com os cabelos escuros embaraçados.

– Traga baldes e panelas! – berrou Edgar. – Depressa!

Demonstrando uma presença de espírito impressionante, Blod na mesma hora esticou a mão até atrás da porta e lhe entregou um balde de madeira.

Edgar correu até o rio e começou a jogar baldes d'água nas chamas. Segundos depois, Blod e Ethel juntaram-se a ele, a segunda trazendo um grande jarro de barro. Leaf apareceu cambaleando com uma panela de ferro.

Não foi suficiente. As chamas se espalhavam mais depressa do que as pessoas conseguiam apagá-las.

Outros moradores vieram: Bebbe, Bucca Peixe, Cerdic e Ebba, Hadwine e Elfburg, o cordoeiro Regenbald. Quando eles chegaram correndo ao rio, Edgar viu que estavam todos de mãos vazias. Enlouquecido de frustração, berrou:

– Tragam panelas! Panelas, seus idiotas!

Eles se deram conta de que pouco podiam fazer sem recipientes e voltaram a suas casas para buscar o necessário.

Enquanto isso, o fogo aumentava depressa. O cheiro de piche estava diminuindo, mas as embarcações de fundo chato ardiam intensamente e agora até mesmo as toras de carvalho estavam pegando fogo.

Aldred então saiu do mosteiro seguido pelo restante dos monges, todos trazendo panelas, jarros e pequenos barris.

– Vão para o lado mais baixo da correnteza! – gritou Edgar, gesticulando em direção ao local.

Aldred levou os monges até o outro lado da ponte e todos começaram a jogar água nas chamas.

Em pouco tempo o povoado inteiro estava ajudando. Alguém que sabia nadar atravessou o rio gelado e atacou o incêndio no lado mais afastado da ponte. Mas Edgar viu, desesperado, que até mesmo no lado mais próximo eles estavam perdendo a batalha.

Madre Agatha chegou com duas outras freiras em seu barco minúsculo.

Leaf, a esposa mais velha de Dreng, que além de sonolenta devia estar também bêbada, saiu do rio cambaleando, exausta. Edgar reparou nela e temeu que estivesse correndo o risco de cair sobre as chamas. Ela desabou de joelhos na margem do rio e titubeou. Conseguiu recuperar o equilíbrio, mas não antes de seus cabelos pegarem fogo.

Leaf gritou de dor, se colocou de pé e saiu correndo às cegas para longe da água que poderia salvá-la. Ethel foi atrás dela, mas Edgar agiu mais depressa. Jogou seu balde no chão e começou a correr. Conseguiu alcançar Leaf com facilidade, mas viu que ela já estava gravemente queimada, com a pele do rosto enegrecida e rachada. Jogou-a no chão. Não havia tempo de carregá-la de volta até o rio: ela morreria antes de chegarem lá. Ele tirou a túnica que estava usando e a enrolou em volta da sua cabeça, o que abafou as chamas na hora.

Madre Agatha surgiu ao seu lado. Abaixou-se e retirou com toda a delicadeza a roupa de Edgar da cabeça de Leaf. O tecido saiu chamuscado, com um pouco dos cabelos e do rosto de Leaf grudado nas fibras de lã. Ela tocou o peito de Leaf para tentar sentir um batimento cardíaco, então balançou a cabeça tristemente.

Ethel começou a chorar.

Edgar ouviu uma grande crepitação, como o grunhido de um gigante, e então o barulho de algo imenso caindo na água. Virou-se e constatou que o lado mais distante da ponte tinha desabado dentro do rio.

Viu de relance algo caído na margem bem ao lado da parte destruída, do lado mais baixo da correnteza. Aquilo atiçou sua curiosidade. Sem ligar para o fato de estar nu em pelo, foi até lá e pegou o objeto. Era um trapo parcialmente queimado. Deu uma fungada nele e, como desconfiara, estava encharcado de piche.

À luz do fogo que já diminuía, viu Erman e Eadbald vindo depressa da casa da fazenda pela margem do rio. Cwenburg seguia logo em seu encalço, carregando no colo Beorn, de 1 ano e meio, e segurando Winnie, de 4 anos, pela mão. Agora, sim, o povoado inteiro estava ali.

Ele mostrou o trapo a Aldred.

– Olhe isto.

A princípio Aldred não entendeu.

– O que é?

– Um trapo embebido em piche e chamuscado. Ele com certeza caiu na água, que apagou as chamas.

– Quer dizer que estava originalmente na ponte?

– Como você acha que a ponte pegou fogo? – Os outros moradores começaram a se reunir em volta de Edgar para escutar. – Não houve tempestade, não houve raios. Uma casa pode pegar fogo porque tem uma lareira no meio, mas o que poderia pôr fogo numa ponte no meio do inverno?

O frio finalmente chegou a seu corpo nu e ele começou a tremer.

– Alguém fez isso – concluiu Aldred.

– Quando eu descobri o incêndio, a ponte estava queimando em uma dezena de pontos diferentes. Um incêndio acidental começa num ponto só. Esse incêndio foi criminoso.

– Mas quem fez isso?

Bucca Peixe estava ouvindo.

– Deve ter sido Dreng – sugeriu ele. – Ele detesta essa ponte.

Bucca, por sua vez, amava a ponte: seu negócio havia prosperado muito.

Bebbe Gorda ouviu o que ele disse.

– Se tiver sido Dreng, ele matou a própria esposa – falou.

Os monges se benzeram e o velho Tatwine disse:

– Que Deus abençoe a sua alma.

– Dreng está em Shiring – afirmou Aldred. – Ele não pode ter causado o incêndio.

– Quem mais pode ter sido? – questionou Edgar.

Ninguém respondeu à pergunta.

Edgar estudou as chamas que se apagavam para avaliar os danos. O lado mais distante da ponte estava destruído. No lado mais próximo, brasas ainda ardiam e a estrutura inteira estava perigosamente inclinada para o lado da correnteza.

Não havia como repará-la.

Blod se aproximou dele trazendo uma capa. Após alguns instantes, Edgar percebeu que era a dele. Ela devia ter ido até sua casa buscá-la. Trazia também seus sapatos.

Ele vestiu a capa. Como estava tremendo demais para calçar os sapatos, Blod se ajoelhou na sua frente e os calçou em seus pés.

– Obrigado – falou Edgar.

Então ele começou a chorar.

CAPÍTULO 31

Junho de 1002

entada no lombo de seu cavalo, Ragna olhou para o declive que descia até o povoado da Travessia de Dreng. A ponte em ruínas ainda se destacava como um cadafalso numa praça do mercado. As toras enegrecidas estavam deformadas e partidas. No lado mais afastado não havia sobrado nada além do contraforte profundamente encravado na margem: os barcos e a estrutura que os encimava tinham se soltado e vigas calcinadas se espalhavam pelas margens correnteza abaixo. No lado mais próximo, as embarcações de fundo chato continuavam no lugar, mas a estrutura e a passarela haviam desabado por cima delas, formando uma trágica pilha de carpintaria destruída.

Ela sentiu pena de Edgar. Ele havia lhe falado apaixonadamente sobre aquela ponte toda vez que os dois se encontraram em Outhenham e Shiring: o desafio de construir dentro do rio, a necessidade de força suficiente para suportar o peso de carroças carregadas, a beleza da carpintaria de carvalho bem encaixada. Ele havia posto a alma naquela ponte e agora devia estar com o coração partido.

Ninguém sabia quem tinha causado o incêndio, mas na mente de Ragna não havia a menor dúvida de quem estava por trás disso. Apenas o bispo Wynstan era suficientemente mau para fazer uma coisa assim, e suficientemente inteligente para se safar.

Estava torcendo para encontrar Edgar nesse dia e falar sobre a pedreira, mas não tinha certeza se ele estava ali ou em Outhenham. Ficaria decepcionada caso se desencontrassem. Mas esse não era o seu principal objetivo ali.

Ela cutucou os flancos de Astrid com os calcanhares e começou a descer o morro devagar, seguida por sua comitiva. Wilwulf a acompanhava e ela havia levado Agnès como criada – Cat ficara no complexo cuidando das crianças. Bern e seis soldados armados protegiam Ragna.

Wilf agora passava os dias sendo cuidado por Ragna e as noites com Carwen. Ele buscava o próprio prazer, como sempre tinha feito. Nesse aspecto não havia mudado. Via Ragna como se ela fosse uma mesa de banquete onde ele pudesse escolher o que quisesse e deixar o resto. Havia amado o corpo da esposa até ser distraído por outro. Confiava mais do que nunca na inteligência dela para ajudá-lo a governar e agia como se Ragna não tivesse mais alma do que o seu cavalo predileto.

Desde que se recuperara fisicamente, ele havia desenvolvido uma sensação de que estava correndo perigo, intuição que vinha se fortalecendo. Ela estava ali na Travessia de Dreng para tomar uma atitude em relação a isso. Tinha um plano e fora até ali para angariar apoio.

A Travessia de Dreng recendia a cerveja fermentando, como acontecia com frequência. Ela passou por uma casa com vários peixes prateados expostos sobre uma placa de pedra em frente à porta: o vilarejo tinha ganhado sua primeira loja. Havia também um anexo novo no lado norte da pequena igreja.

Quando ela e Wilf chegaram ao mosteiro, Aldred e os monges estavam enfileirados do lado de fora para recebê-los. Wilf e seus homens passariam a noite ali. Ragna e Agnès atravessariam o rio até a Ilha dos Leprosos e pernoitariam no convento, onde Ragna seria recebida de modo excessivamente caloroso por madre Agatha.

Por algum motivo, ela se lembrou de seu primeiro encontro com Aldred, ainda em Cherbourg. Na época ele era um homem bonito, mas agora tinha rugas de preocupação que não estavam ali cinco anos antes. Ele não chegou nem aos 40, calculou ela, mas parece mais velho.

Cumprimentou-o e perguntou:

– Os outros estão aqui?

– Estão aguardando na igreja, conforme as suas instruções – respondeu ele.

Ela se virou para Wilf.

– Por que não vai até o estábulo com os homens e se certifica de que os cavalos estão sendo cuidados?

– Boa ideia – disse Wilf.

Ragna acompanhou Aldred até a igreja.

– Vi que vocês construíram um anexo – comentou quando chegaram perto da entrada.

– Graças às suas pedras de graça e a um construtor que aceita aulas de leitura em vez de pagamento.

– Edgar.

– Claro. O novo transepto é uma capela lateral para as relíquias de Santo Adolfo.

Eles entraram. Uma mesa de cavalete havia sido montada na nave e sobre ela havia um pergaminho, um frasco de tinta, várias penas e um canivete para afiar as pontas das penas. Sentados em bancos diante da mesa estavam o bispo Modulf de Norwood e o xerife Den.

Ragna estava confiante em relação ao apoio de Aldred a seu plano. O sisudo xerife Den havia consentido de antemão. Ela não tinha tanta certeza quanto a Modulf, um homem magro de mente arguta. O bispo a ajudaria se o seu plano fizesse sentido para ele, caso contrário, não.

Ela sentou-se com eles.

– Obrigada, bispo, e ao senhor, xerife, por terem concordado em me encontrar aqui.

– É sempre um prazer, milady – falou Den.

– Estou ansioso para saber o motivo deste misterioso convite – disse Modulf, cauteloso.

Ragna foi direto ao assunto:

– O senhor Wilwulf agora está fisicamente bem, mas quando os senhores jantarem com ele esta noite vão perceber como está sua mente. Posso lhes dizer desde já que de um ponto de vista mental ele não é mais o mesmo homem de antes, e tudo indica que nunca voltará ao normal.

Den assentiu.

– Eu até já tinha pensado nisso...

– E o que exatamente a senhora quer dizer com "de um ponto de vista mental"? – perguntou Modulf.

– A memória dele está com várias lacunas e ele tem dificuldade com números. Isso o leva a cometer erros constrangedores. Ele chamou o senhor Deorman de Norwood de "Emma" e lhe ofereceu mil libras pelo seu cavalo. Quando estou presente, ou seja, quase sempre, eu rio e tento minimizar essas ocorrências.

– Que má notícia... – comentou Modulf.

– Tenho certeza de que Wilf agora é incapaz de liderar um exército contra os vikings.

– Reparei que alguns minutos atrás a senhora lhe disse para ir até o estábulo com os homens e ele simplesmente lhe obedeceu feito uma criança – comentou Aldred.

Ragna assentiu.

– O Wilf de antes teria ficado indignado por receber ordens da esposa. Mas ele perdeu a agressividade.

– Isso torna a coisa séria – disse Den.

– Na maioria dos casos as pessoas aceitam minhas explicações, mas não vai ser assim para sempre – retomou Ragna. – Os homens mais astutos já estão percebendo uma mudança, como Aldred e Den perceberam, e em pouco tempo as pessoas começarão a falar sobre isso abertamente.

– Um senhor de cidade fraco oferece uma oportunidade para os vassalos ambiciosos e sem escrúpulos – opinou Den.

– O que o senhor acha que pode acontecer, xerife? – perguntou Aldred.

Den demorou um pouco a responder.

– Eu acho que alguém vai matá-lo – disse Ragna.

Den aquiesceu com um movimento imperceptível. Era o que havia pensado, mas hesitado em verbalizar.

Fez-se um silêncio prolongado.

Por fim, Modulf falou:

– Mas o que Aldred, Den e eu podemos fazer em relação a isso?

Ragna reprimiu um suspiro de satisfação. Conseguira o que queria: fazer o bispo ver que havia um problema. Agora precisava convencê-lo da solução.

– Eu acho que existe um jeito de protegê-lo – falou. – Ele vai fazer um testamento. Um testamento em inglês, para Wilf poder lê-lo.

– E eu também – acrescentou Den.

Nobres e representantes do rei com frequência conseguiam ler inglês, mas não latim.

– E o que dirá o documento? – perguntou Modulf.

– Ele tornará nosso filho Osbert herdeiro da sua fortuna e do cargo de senhor da cidade, e eu administrarei tudo em nome de Osbert até ele atingir a maioridade. Wilf dará seu consentimento hoje, aqui na igreja, e estou pedindo a vocês três, como detentores de cargos importantes, que testemunhem esse acordo e assinem o documento.

– Eu não sou um homem do mundo – disse Modulf. – Temo não entender como isso vai proteger Wilwulf de um assassinato.

– O único motivo para alguém assassinar Wilf seria a esperança de sucedê-lo como senhor de Shiring. O testamento se antecipa a essa questão tornando Osbert seu sucessor.

Den, que era o representante do rei em Shiring, falou:

– Um testamento desses só teria validade se fosse ratificado pelo rei.

– De fato – concordou Ragna. – E quando eu tiver seus nomes no pergaminho irei levá-lo para o rei Ethelred e implorar seu consentimento.

– Será que o rei vai concordar? – perguntou Modulf.

– A sucessão não é de modo algum automática – explicou Den. – Escolher o senhor da cidade é uma prerrogativa do rei.

– Eu não sei o que o rei vai dizer – admitiu Ragna. – Só sei que preciso tentar.

– Onde está o rei agora? Alguém sabe? – indagou Aldred.

Den sabia.

– Por acaso ele está a caminho do sul – informou. – Vai estar em Sherborne daqui a três semanas.

– Irei ao encontro dele lá – disse Ragna.

Edgar sabia que Ragna havia chegado à Travessia de Dreng, mas não tinha certeza se iria vê-la. Ela estava com Wilwulf, e os dois tinham vindo para um encontro no mosteiro que incluía dois outros nobres cuja identidade estava sendo mantida em segredo. Por isso, ficou surpreso e exultante quando ela entrou na sua casa.

Foi como se o sol tivesse saído de trás de uma nuvem. Ele ficou sem ar, como se tivesse subido um morro correndo. Ela sorriu e ele se tornou o homem mais feliz da Terra.

Ragna correu os olhos pelo lugar e de repente Edgar viu sua casa através dos olhos dela: a fileira organizada de ferramentas na parede, o pequeno barril de vinho e o armário de queijos, a panela acima do fogo que exalava um cheiro agradável de ervas, Malhada abanando o rabo para lhe dar as boas-vindas.

Ela apontou para a caixa em cima da mesa.

– Que linda.

O próprio Edgar a havia fabricado e entalhado um desenho de serpentes entrelaçadas para simbolizar conhecimento.

– O que você guarda numa caixa tão bonita? – quis saber ela.

– Algo precioso. Um presente seu.

Ele ergueu a tampa.

Dentro da caixa havia um pequeno livro chamado *Enigmata*, uma coletânea de adivinhações em forma de poemas, um dos preferidos de Ragna. Ela lhe dera o volume de presente quando Edgar aprendera a ler.

– Não sabia que você tinha feito uma caixa especial para ele – comentou ela. – Que simpático.

– Eu devo ser o único construtor da Inglaterra que possui um livro.

Ragna lhe exibiu novamente o mesmo sorriso e falou:

– Deus não criou dois iguais a você, Edgar.

Ele sentiu um calor por dentro.

– Eu sinto muito mesmo pelo incêndio na ponte! – continuou ela. – Tenho certeza de que Wynstan teve algo a ver com isso.

– Também tenho.

– Você consegue construí-la outra vez?

– Sim, mas de que adianta? Ela poderia ser incendiada de novo. Ele se safou uma vez, pode se safar novamente.

– Imagino que sim.

Edgar estava farto de falar sobre a ponte. Para mudar de assunto, perguntou:

– Como vão as coisas?

Ela pareceu prestes a dar uma resposta convencional, mas, pelo que disse a seguir, mudou de ideia.

– Para ser sincera, eu estou péssima.

Edgar ficou surpreso. Aquilo era uma confissão íntima.

– Eu sinto muito – falou. – O que houve?

– Wilwulf não me ama e não sei se algum dia amou, não da forma como eu entendo o amor.

– Mas... vocês pareciam se gostar tanto!

– Ah, ele não conseguia tirar as mãos de mim durante um tempo, mas isso passou. Agora me trata como um de seus amigos homens. Há um ano não me procura.

Edgar não conseguiu evitar se sentir satisfeito com isso. Era um pensamento pouco digno e ele torceu para não estar aparente em seu semblante.

Ragna não pareceu notar.

– À noite ele prefere a sua menina escrava – falou, com uma voz cheia de desprezo. – Ela tem 14 anos.

Edgar quis demonstrar empatia, mas foi difícil encontrar palavras.

– Isso é vergonhoso – falou.

Ragna deixou a raiva transparecer:

– E não foi isso que prometemos quando fizemos nossos votos! Eu nunca concordei com esse tipo de casamento.

Ele quis fazê-la continuar falando, pois estava louco para saber mais.

– O que sente por Wilf agora?

– Durante muito tempo tentei continuar a amá-lo, tive esperança de reconquistá-lo, sonhei que ele se cansaria das outras. Mas agora aconteceu mais uma coisa. O ferimento que ele sofreu na cabeça no ano passado danificou sua mente. O homem com quem me casei não existe mais. Na metade do tempo eu sequer tenho certeza se ele lembra que é casado comigo. Ele me trata mais como se eu fosse a sua mãe.

Ela ficou com os olhos marejados.

Hesitante, Edgar lhe estendeu a mão. Ragna não se afastou. Ele segurou aquelas duas mãos pequeninas e ficou em êxtase ao sentir que ela a apertava. Olhou para o rosto dela e se sentiu mais próximo da felicidade do que nunca. Viu as lágrimas transbordarem dos seus olhos e escorrerem pelo seu rosto, gotas de chuva sobre pétalas de rosa. Sua expressão era um esgar de dor, mas aos olhos de Edgar ela nunca havia sido mais linda. Os dois ficaram parados durante muito tempo.

Por fim, ela disse:

– Mas eu ainda estou casada.

E puxou as mãos de volta.

Ele não falou nada.

Ragna enxugou o rosto com a manga da roupa.

– Posso beber um gole de vinho?

– O que quiser.

Ele serviu um pouco de vinho do barril numa caneca de madeira. Ela bebeu e lhe devolveu a caneca.

– Obrigada. – Começou a voltar ao normal. – Preciso atravessar o rio até o convento.

Edgar sorriu.

– Não deixe madre Agatha beijá-la demais.

Todos gostavam de Agatha, mas ela de fato tinha um ponto fraco.

– Às vezes ser amada é reconfortante – disse Ragna.

Ela o encarou e Edgar compreendeu que estava se referindo a ele tanto quanto a Agatha. Ficou atordoado. Precisava de tempo para pensar naquilo.

Após alguns instantes, ela perguntou:

– Como estou? Eles vão saber o que andamos fazendo?

E o que foi que nós andamos fazendo?, perguntou-se Edgar.

– A senhora está ótima – falou. Que coisa mais idiota de se dizer, pensou. – Parece um anjo triste.

– Quem me dera ter os poderes de um anjo – comentou ela. – Imagine só o que eu poderia fazer.

– E o que faria primeiro?

Ela sorriu, balançou a cabeça, virou as costas e saiu.

Mais uma vez Wynstan falou com Agnès num canto da capela, perto do altar mas fora do campo de visão de quem estivesse na nave. No altar havia uma Bíblia, e junto a seus pés um baú contendo água benta e o pão da comunhão. Wynstan não sentia remorso algum por tratar de negócios no lugar mais sagrado da igreja. Ele venerava Jeová, o Deus do Antigo Testamento, que ordenara o genocídio do povo de Canaã. O que tinha que ser feito tinha que ser feito, e na sua opinião as pessoas sensíveis demais não tinham qualquer serventia para Deus.

Apesar de nervosa, Agnès estava animada.

– Eu não sei a história toda, mas mesmo assim preciso lhe contar – falou.

– Você é uma mulher prudente – disse ele. Não foi sincero, mas precisava acalmá-la. – Apenas me conte o que aconteceu e deixe que eu tento inferir os desdobramentos.

– Ragna esteve na Travessia de Dreng.

Isso já chegara aos ouvidos de Wynstan, mas ele não sabia o que pensar a respeito. Não havia nada para ela naquele pequeno povoado. Ragna tinha uma queda pelo jovem construtor, mas Wynstan tinha certeza de que não estava trepando com ele.

– O que ela fez lá?

– Ela e Wilf se encontraram com Aldred e dois outros homens. A ideia era que a identidade dos outros fosse mantida em segredo, mas o povoado é um lugar pequeno e eu os vi. Eram o bispo Modulf de Norwood e o xerife Den.

Wynstan franziu a testa. Aquilo era interessante, mas levantava mais dúvidas do que resolvia.

– Conseguiu ter alguma ideia do objetivo do encontro?

– Não, mas acho que todos eles assinaram um pergaminho como testemunhas.

– Um acordo escrito – refletiu Wynstan. – Imagino que você não tenha conseguido dar uma olhada nele.

Ela sorriu.

– O que eu conseguiria entender de uma coisa dessas?

Agnès não sabia ler, claro.

– O que será que aquela vadia normanda está tramando? – perguntou Wynstan, em grande parte para si mesmo.

A maioria dos documentos tinha por objetivo a venda, o arrendamento ou a doação de terras. Teria Ragna convencido Wilf a transferir terras para o prior Aldred ou para o bispo Modulf, numa doação para a Igreja? Mas se fosse isso não teria sido necessário um encontro secreto. Contratos matrimoniais podiam ser feitos por escrito no caso de haver transferência de propriedade, mas parecia que nenhum casamento tinha ocorrido na Travessia de Dreng. Os nascimentos não eram registrados, nem mesmo os da realeza, mas as mortes sim, e os testamentos eram feitos por escrito. Será que alguém tinha feito um testamento? Ragna podia ter convencido Wilf a fazer isso. Ele ainda não tinha se recuperado por completo do ferimento na cabeça e ainda poderia morrer por causa dele.

Quanto mais Wynstan pensava sobre o assunto, mais certeza tinha de que o objetivo do encontro clandestino de Ragna fora fazer o testamento do senhor de Shiring ser escrito e assinado por testemunhas, tudo em segredo.

O problema disso era que o testamento de um nobre pouco significava. Era o rei quem controlava os bens de todos os nobres que morriam, inclusive os das viúvas. Nenhum testamento tinha validade a não ser que fosse ratificado antecipadamente pelo rei.

– Eles disseram alguma coisa sobre ir falar com o rei Ethelred? – perguntou Wynstan.

– Como o senhor adivinhou? Que inteligente! Sim, eu ouvi o bispo Modulf dizer que veria Ragna em Sherborne quando o rei estivesse lá.

– Então é isso – afirmou Wynstan, decidido. – Ela redigiu o testamento de Wilf, o documento foi assinado por um bispo, um xerife e um prior como testemunhas e agora ela vai pedir a aprovação do rei.

– Por que ela faria isso?

– Ela acha que Wilf vai morrer e quer que o seu filho seja o herdeiro de tudo. – Wynstan pensou mais um pouco. – Ela deve ter feito Wilf nomeá-la regente no lugar de Osbert até o menino chegar à maioridade, tenho certeza.

– Mas Garulf também é filho de Wilf e tem 20 anos. Certamente o rei iria preferi-lo a uma criança.

– Infelizmente Garulf é um tolo, e o rei sabe disso. No ano passado, Garulf sacrificou o exército de Shiring quase todo numa batalha imprudente e Ethelred ficou uma fera com o desperdício de todos aqueles soldados. Ragna é mulher, mas é esperta feito um gato, e o rei provavelmente preferiria vê-la no comando de Shiring no lugar de Garulf.

– O senhor entende tudo – disse Agnès, admirada.

Ela o fitava com um ar de adoração e ele se perguntou se deveria recompensar seu desejo evidente, mas decidiu que era melhor mantê-la na expectativa de que algo viesse a acontecer. Tocou seu rosto como se estivesse a ponto de sussurrar uma palavra de carinho, mas o que disse foi:

– Onde Ragna guardaria um documento assim?

– Na casa dela, dentro do baú trancado onde fica o dinheiro – respondeu Agnès num sussurro ardente.

Ele a beijou nos lábios.

– Obrigado – falou. – É melhor você ir andando.

Observou-a se afastar. Agnès tinha um corpo bonito e esbelto. Talvez um dia ele lhe desse o que o coração dela desejava.

Mas a notícia que ela lhe trouxera não era algo trivial. Aquilo poderia significar a derrocada definitiva de sua poderosa família. Wynstan precisava conversar a respeito com seu irmão mais novo. Wigelm por acaso estava em Shiring, hospedado na residência do bispo, mas Wynstan queria pensar num plano de ação antes de iniciar a conversa. Permaneceu na catedral, sozinho, grato pela oportunidade de pensar sem ser interrompido.

Enquanto refletia, ficou claro que os seus problemas nunca terminariam a menos que ele destruísse Ragna. O problema não era só o testamento. Como esposa de um senhor da cidade incapacitado, Ragna tinha poder, e era suficientemente inteligente e determinada para tirar o melhor proveito disso.

Fosse qual fosse a sua decisão, ele precisava agir depressa. Se Ethelred ratificasse o testamento, suas cláusulas estariam escritas a ferro e fogo: nada que Wynstan fizesse depois poderia mudar algo. Ele não podia permitir sequer que Ragna mostrasse o documento ao rei.

Ethelred era esperado em Sherborne dali a dezoito dias.

Wynstan saiu da catedral e atravessou a praça do mercado até sua residência. Encontrou Wigelm no andar de cima, sentado num banco, afiando uma adaga numa pedra. Seu irmão ergueu os olhos e perguntou:

– O que o deixou tão aflito?

Wynstan enxotou dois criados e fechou a porta.

– Daqui a alguns segundos você também vai ficar aflito – disse ele, e contou ao irmão o que Agnès tinha lhe relatado.

– O rei Ethelred não pode ver esse testamento! – exclamou Wigelm.

– Com certeza não – concordou Wynstan. – Ele é uma faca no meu pescoço e no seu.

Wigelm refletiu por alguns instantes, então falou:

– Temos que roubar o testamento e destruí-lo.

Wynstan suspirou. Às vezes parecia ser a única pessoa a entender qualquer coisa.

– As pessoas fazem cópias de documentos para se proteger desse tipo de coisa. Imagino que todas as três testemunhas tenham ficado com duplicatas depois do encontro na Travessia de Dreng. Na improvável eventualidade de não haver cópias, Ragna poderia simplesmente redigir outro documento e recoletar as assinaturas das testemunhas.

Wigelm exibiu uma expressão petulante conhecida.

– Bom, então o que podemos fazer?

– Não podemos deixar a situação ir à frente.

– Concordo.

– Precisamos destruir o poder de Ragna.

– Sou a favor.

Wynstan foi conduzindo Wigelm passo a passo.

– O poder dela depende de Wilf.

– E não queremos tirar isso dele.

– Não. – Wynstan suspirou. – Deteste dizer isso, mas todos os nossos problemas estariam resolvidos se Wilf morresse logo.

Wigelm deu de ombros.

– Isso está nas mãos de Deus, como vocês padres gostam de dizer.

– Pode ser que não.

– Como assim?

– A morte dele poderia ser adiantada.

Wigelm ficou estarrecido.

– Que história é essa?

– Só existe uma solução.

– Bem, Wynstan, desembuche, vamos.

– Nós precisamos matar Wilf.

– Ha, ha!

– Estou falando sério.

Wigelm estava chocado.

– Ele é nosso irmão!

– Meio-irmão. E está perdendo a razão. Está praticamente sendo controlado pela vadia normanda, algo que lhe causaria vergonha caso ele não estivesse demente demais para perceber o que está acontecendo. Acabar com a vida dele vai ser um ato de bondade.

– Mesmo assim... – Embora não houvesse mais ninguém a não ser eles dois no recinto, Wigelm baixou a voz: – Matar um irmão!

– O que tem que ser feito tem que ser feito.

– Nós não podemos – disse Wigelm. – Isso está fora de cogitação. Pense em outra coisa. Você é o grande pensador.

– E eu acho que você vai odiar quando o novo senhor de Combe for alguém que entrega os impostos para o senhor de Shiring sem guardar um quinto para si.

– Ragna me substituiria?

– Num piscar de olhos. Ela já o teria feito, mas ninguém acreditaria que Wilf concordou com isso. Quando ele não estiver mais aqui...

Wigelm pareceu novamente pensativo.

– O rei Ethelred não permitiria.

– Por que não? – rebateu Wynstan. – Ele próprio fez a mesma coisa.

– Eu escutei uma história assim.

– Há 24 anos, Edward, o meio-irmão mais velho de Ethelred, era o rei. Ethelred morava com a mãe, Elfryth, que era madrasta do rei. Edward foi visitá-los e foi assassinado por seus soldados. Ethelred foi coroado no ano seguinte.

– Ele devia ter uns 12 anos de idade.

Wynstan deu de ombros.

– Jovem? Sim. Inocente? Só Deus sabe.

Wigelm fez cara de cético.

– Nós não podemos matar Wilf. Ele tem um esquadrão de guarda-costas comandado por Bern, o Gigante, que é normando e criado de Ragna há muitos anos.

Um dia, pensou Wynstan, eu não estarei mais aqui para pensar pela família inteira. Fico me perguntando se eles vão simplesmente ficar parados sem fazer nada quando isso acontecer, como uma junta de bois que fica sem o condutor do arado.

– O assassinato em si é fácil de executar – falou. – É com a administração do que vai acontecer depois que devemos nos preocupar. Precisaremos agir assim que ele morrer, enquanto Ragna ainda estiver atordoada com o choque. Não queremos eliminar Wilf só para descobrir que ela mesma vai assumir o comando. Precisamos nos tornar senhores de Shiring antes que ela se recomponha.

– Como vamos fazer isso?

– Precisamos de um plano.

Ragna não estava segura em relação ao banquete.

Gytha tinha ido procurá-la com um pedido razoável.

– Nós deveríamos comemorar a recuperação de Wilf – dissera ela. – Mostrar para todos que ele está novamente em forma e com saúde.

Não estava, claro, mas era importante manter as aparências. Apesar disso, Ragna não gostava que o marido bebesse demais: ele ficava ainda mais desorientado do que um bêbado normal.

– Que tipo de comemoração? – perguntara, para ganhar tempo.

– Um banquete – respondera Gytha. – Do jeito que *ele* gosta – acrescentara enfaticamente. – Com dançarinas, não poetas.

Wilf tem o direito de se divertir um pouco, pensou Ragna, culpada.

– E um malabarista – falara. – E um bobo da corte, talvez?

– Eu sabia que você concordaria – dissera Gytha depressa, ampliando sua vantagem.

– Preciso viajar para Sherborne no dia 1º de julho – avisara Ragna. – Vamos fazer o banquete na véspera.

Na manhã do dia 30 de junho, ela se organizou e preparou as malas. Estava pronta para partir no dia seguinte, mas primeiro precisava comparecer ao banquete naquela noite.

Gytha doou um barril de hidromel para a celebração. Feita com mel fermentado, a bebida era ao mesmo tempo doce e forte, e os homens ficavam embriagados bem rápido quando a tomavam. Ragna a teria proibido caso houvessem lhe perguntado, mas não fez nenhuma objeção, pois não queria parecer uma desmancha-prazeres. Tudo que podia fazer era torcer para Wilf não passar da conta. Falou com Bern e lhe ordenou que permanecesse sóbrio, para poder cuidar de Wilf caso necessário.

Wilf e os irmãos estavam com uma disposição sociável, mas, para alívio de Ragna, pareciam estar bebendo com moderação. Alguns dos soldados não tiveram o mesmo bom senso, talvez porque para eles o hidromel fosse uma iguaria rara, e a noite se tornou barulhenta.

O bobo da corte era muito engraçado e chegou perigosamente perto de ironizar Wynstan, fingindo ser padre e abençoando uma das dançarinas antes de lhe agarrar os peitos. Por sorte, Wynstan estava de bom humor e riu com tanto gosto quanto o restante dos presentes.

A noite caiu, lampiões foram acesos, as tigelas sujas foram retiradas da mesa e todos continuaram a beber. Alguns começaram a ficar sonolentos ou amorosos, ou então as duas coisas. Adolescentes flertavam e mulheres casadas davam risadinhas quando os maridos das amigas tomavam pequenas liberdades. Quando as liberdades tomadas eram grandes, aconteciam do lado de fora, no escuro.

Wilf começou a parecer cansado. Ragna estava a ponto de sugerir que Bern o ajudasse a ir se deitar, mas os irmãos assumiram a tarefa: Wynstan e Wigelm o seguraram cada qual por um braço e o acompanharam até a casa dele.

Carwen os seguiu de perto.

Ragna chamou Bern.

– Todos os guarda-costas estão um pouco embriagados – falou. – Quero que você fique de guarda com eles a noite toda.

– Sim, milady – disse Bern.

– Você pode dormir amanhã de manhã.

– Obrigado.

– Boa noite, Bern.

– Boa noite, milady.

Wynstan e Wigelm foram até a casa de Gytha e ficaram sentados lá até de madrugada, conversando sobre assuntos superficiais para garantirem que não pegariam no sono.

Wynstan havia explicado o plano para Gytha e ela ficara chocada e horrorizada ao saber que os filhos queriam assassinar seu enteado. Havia contestado o raciocínio de Wynstan quanto ao documento redigido na Travessia de Dreng: ele tinha certeza de que era o testamento de Wilf? Sim, Wynstan estava certo disso, porque o bispo Modulf cometera a indiscrição de confidenciar com seu vizinho Deorman de Norwood, que contara a Wynstan.

Gytha havia concordado com o plano de Wynstan, como ele sabia que acabaria acontecendo.

– O que tem que ser feito tem que ser feito – dissera ela.

Mesmo assim, parecia atormentada.

Wynstan estava tenso. Se aquilo saísse gravemente errado e o complô fosse revelado, tanto ele quanto Wigelm seriam executados por alta traição.

Ele havia tentado imaginar todos os obstáculos possíveis e planejar como superar cada um deles, mas sempre acabava pensando em problemas inesperados, e isso o fazia continuar estressado.

Quando estimou que a hora certa havia chegado, ele se levantou. Pegou um lampião, uma correia de couro e uma pequena sacola de pano, todos preparados com antecedência.

Wigelm se levantou e tocou com nervosismo a adaga de lâmina comprida que levava embainhada no cinto.

– Não façam Wilf sofrer, sim? – pediu Gytha.

– Farei o meu melhor – respondeu Wigelm.

– Ele não é meu filho, mas eu amei o pai dele. Lembrem-se disso.

– Vamos lembrar, mãe – garantiu Wynstan.

Os dois irmãos saíram da casa.

Lá vamos nós, pensou Wynstan.

Havia sempre três guarda-costas em frente à casa de Wilf: um na porta e um em cada uma das quinas dianteiras da construção. Wigelm havia passado duas noites os observando, em parte por frestas nas paredes da casa de Gytha e em parte saindo com frequência para urinar do lado de fora. Havia descoberto que todos os três passavam a maior parte da noite sentados no chão de costas para as paredes da casa e que cochilavam com frequência. Nessa noite deviam estar totalmente bêbados e sequer saberiam que dois assassinos estavam entrando na casa que deveriam proteger. Mesmo assim, Wynstan tinha uma história pronta para o caso de eles estarem acordados.

Não estavam, mas ele se espantou ao ver Bern postado diante da porta de Wilf.

– Que Deus os acompanhe, senhor meu bispo e senhor Wigelm – cumprimentou Bern com seu sotaque francês.

– E a você também. – Wynstan se recuperou depressa do choque e implementou o plano de contingência que havia bolado para o caso de os guarda-costas não estarem dormindo. – Precisamos acordar Wilf – falou em voz baixa, porém com clareza. – É uma emergência. – Ele olhou para os três outros guardas, que continuavam dormindo. – Entre conosco... você precisa escutar isso – disse ele a Bern, de improviso.

– Sim, senhor meu bispo.

Bern pareceu estranhar, e era natural: como os irmãos podiam ter ficado sabendo daquela emergência no meio da noite, quando não vira ninguém entrar no complexo trazendo notícias? Apesar da testa franzida, ele abriu a porta. Sua tarefa era proteger Wilf, mas não lhe ocorreria que os próprios irmãos do senhor da cidade representassem algum perigo para ele.

Wynstan sabia exatamente o que precisava acontecer agora para neutralizar a interferência inesperada de Bern – isso era óbvio para ele –, mas será que Wigelm saberia? Pôde apenas torcer para que sim.

Wynstan entrou, caminhando sobre a palha sem fazer barulho. Wilf e Carwen dormiam na cama enrolados em cobertores. Wynstan pôs o lampião e a sacola de pano sobre a mesa, mas continuou com a correia na mão. Então virou-se e olhou para trás.

Bern estava fechando a porta atrás de si. Wigelm levou a mão à adaga. Wynstan ouviu um ruído vindo da cama.

Olhou para as duas figuras deitadas e viu que Carwen estava abrindo os olhos.

Segurou as pontas da correia e esticou um pedaço de mais ou menos 30 centímetros entre as duas mãos. Ao mesmo tempo, abaixou-se sobre um dos joelhos junto à menina escrava. Ela acordou depressa, sentou-se na cama, fez uma cara de pânico e abriu a boca para gritar. Wynstan passou o cinto por cima da sua cabeça, encaixou-o dentro de sua boca aberta como se fosse o freio de um cavalo e puxou com força. Assim amordaçada, ela só conseguia emitir gorgolejos desesperados. Ele torceu o cinto para deixá-lo mais apertado, então olhou para trás de si.

Viu Wigelm cortar a garganta de Bern com um golpe violento da adaga comprida. Muito bem, pensou Wynstan. O sangue esguichou e Wigelm pulou para sair da frente. Bern desabou. O único barulho foi o baque do seu corpo ao cair no chão.

É isso, pensou Wynstan. Agora não há como voltar atrás.

Ele se virou e viu que Wilf estava acordando. Os grunhidos de Carwen se tornaram mais urgentes. Wilf arregalou os olhos. Mesmo com sua capacidade mental reduzida, ele conseguiu entender o que estava acontecendo na sua frente. Sentou-se rápido e estendeu a mão para pegar a faca ao lado da cama.

Mas Wigelm foi mais rápido. Alcançou a cama com dois passos e se abateu sobre Wilf no mesmo instante em que ele pegou sua arma. Em um longo movimento, Wigelm desferiu um golpe de adaga de cima para baixo, mas Wilf levantou o braço esquerdo e desviou o golpe do meio-irmão. Então tentou acertar Wigelm, mas ele se esquivou.

Wigelm levantou o braço para um segundo golpe, mas de repente Carwen se moveu, surpreendendo Wynstan, que não a estava segurando com tanta firmeza quanto pensava. Ainda amordaçada, ela pulou em cima de Wigelm, começou a socá-lo e a tentar arranhar seu rosto, e Wynstan levou alguns segundos para puxar o cinto e trazê-la de volta. Pulou em cima dela e aterrissou com os dois joelhos. Sem soltar o cinto com a mão direita, sacou a própria adaga com a esquerda.

Wilf e Wigelm continuavam engalfinhados, e pelo visto nenhum dos dois tinha conseguido acertar um golpe certeiro. Wynstan viu Wilf abrir a boca para gritar por ajuda. Isso teria sido um desastre: o plano exigia um assassinato silencioso. Wynstan se inclinou mais para perto na mesma hora em que um rugido começou a brotar da garganta de Wilf. Usando toda a força que conseguiu imprimir ao braço esquerdo, cravou a adaga na boca de Wilf e a enfiou com o máximo de força possível na sua garganta.

O rugido foi interrompido antes de começar.

Por alguns segundos, Wynstan ficou paralisado de horror. Viu o pânico da dor extrema no olhar de Wilf. Puxou a faca com um tranco, como se isso de alguma forma pudesse mitigar a atrocidade.

Wilf soltou um grunhido abafado de dor e o sangue começou a esguichar de sua boca. Ele se contorceu de agonia, mas não morreu. Wynstan já tinha combatido e sabia que homens com ferimentos fatais podiam sofrer por muito tempo antes de morrer. Precisava acabar com o sofrimento de Wilf, mas não conseguia se forçar a fazê-lo.

Wigelm então deu o golpe de misericórdia, mergulhando a adaga do lado esquerdo do peito de Wilf, mirando de modo preciso o coração. A lâmina penetrou fundo e imobilizou Wilf na hora.

– Que Deus perdoe nós dois – disse Wigelm.

Carwen começou a chorar.

Wynstan apurou os ouvidos. Não ouvia nada do lado de fora da casa. Os assassinatos tinham sido cometidos em silêncio, sem interromper o sono embriagado dos guardas.

Ele inspirou fundo e se recompôs.

– Isto é só o começo – falou.

Saiu de cima de Carwen, ainda segurando com força a mordaça, e a pôs de pé com um puxão.

– Agora me escute com atenção – ordenou.

Ela o encarou com um olhar aterrorizado. Tinha visto dois homens serem mortos a punhaladas e achava que poderia ser a próxima.

– Faça que sim com a cabeça se estiver me entendendo – continuou Wynstan.

Ela aquiesceu com uma energia frenética.

– Wigelm e eu vamos jurar que foi você quem matou Wilf.

Ela balançou a cabeça vigorosamente de um lado para outro.

– Você pode negar. Pode contar a verdade a todo mundo sobre o que aconteceu aqui hoje. Pode acusar a mim e a Wigelm de assassinato a sangue-frio.

Pela expressão no rosto da menina escrava, ele podia ver que ela estava desorientada.

– Mas quem acreditaria em você? – continuou. – O juramento de uma escrava não vale nada... menos ainda em comparação com o de um bispo.

Viu a compreensão surgir nos olhos dela, seguida pelo desespero.

– Você está entendendo a sua situação – falou, satisfeito. – Mas eu vou lhe oferecer uma chance. Vou deixar você fugir.

Ela o encarou sem acreditar.

– Daqui a dois minutos você vai sair do complexo e ir embora de Shiring pela estrada de Glastonbury. Viaje durante a noite e esconda-se na mata durante o dia.

Ela olhou para a porta, como para se certificar de que a porta estava lá.

Como Wynstan não queria que ela fosse recapturada, havia preparado algumas coisas que iriam ajudá-la.

– Pegue aquela sacola na mesa junto ao lampião – falou. – Ali tem pão e presunto, para que você não precise buscar comida por um ou dois dias. Tem também 12 *pence* de prata, mas só os gaste quando estiver bem longe daqui.

Viu nos olhos dela que a menina estava entendendo.

– Diga a qualquer um com quem cruzar que está indo para Bristol encontrar seu marido, que é marinheiro. Em Bristol você pode pegar um barco para atravessar o estuário até o País de Gales e então estará segura.

Carwen tornou a aquiescer, dessa vez devagar, assimilando o que ele dizia e refletindo a respeito.

Ele encostou sua adaga na garganta dela.

– Agora eu vou tirar essa mordaça da sua boca e, se você gritar, vai ser o último som que vai produzir na vida.

Ela assentiu outra vez.

Wynstan soltou a correia.

Carwen engoliu em seco e esfregou as faces nos pontos em que o couro havia deixado marcas vermelhas.

Wynstan reparou que Wigelm estava sujo de sangue nas mãos e no rosto. Imaginou que o próprio corpo também exibisse marcas reveladoras semelhantes. Em cima de uma mesa havia uma bacia com água; ele se lavou rapidamente e indicou com um gesto que Wigelm fizesse o mesmo. Suas roupas decerto também estavam sujas de sangue, mas Wigelm estava usando marrom e Wynstan, preto, de modo que o sangue só aparecia como manchas impossíveis de identificar e que não contavam nenhuma história específica.

Como a água na bacia agora estava rosada, Wynstan a despejou no chão.

Então disse a Carwen:

– Calce seus sapatos e vista sua capa.

Ela obedeceu.

Ele lhe entregou a sacola.

– Nós vamos abrir a porta. Se os três guardas remanescentes estiverem acordados, Wigelm e eu vamos matá-los. Se estiverem dormindo, vamos passar por eles pé ante pé. Depois disso você vai caminhar até o portão do complexo, rápido mas sem fazer barulho, e por lá sair em silêncio.

Ela aquiesceu.

– Vamos.

Wynstan abriu a porta delicadamente e espiou lá fora.

Os guarda-costas estavam recostados na parede. Um deles roncava.

Wynstan saiu da casa, esperou Carwen e Wigelm o seguirem, então fechou a porta.

Fez um gesto para Carwen e a escrava se afastou com rapidez e em silêncio.

Ele se permitiu um instante de satisfação. A fuga dela seria vista por todos como uma prova de culpa.

Wynstan e Wigelm voltaram a pé até a casa de Gytha. Na porta, Wynstan olhou para trás. Os guardas não tinham se mexido.

Ele e Wigelm entraram na casa da mãe e fecharam a porta.

Ragna vinha dormindo mal havia meses. Tinha preocupações demais: Wilf, Wynstan, Carwen, Osbert e os gêmeos. Quando enfim pegava no sono, com frequência tinha pesadelos. Nessa noite sonhou que Edgar havia assassinado Wilf e que ela tentava proteger o construtor perante a justiça, mas toda vez que dizia alguma coisa sua voz era abafada por gritos vindos de fora. Então se deu conta de que estava sonhando, mas os gritos eram reais, então acordou depressa e sentou-se na cama com o coração aos pulos.

Os gritos eram urgentes. Dois ou três homens chamavam e uma mulher soltou um grito esganiçado. Ragna se levantou de um pulo e procurou Bern, que em geral dormia bem em frente à sua porta. Então lembrou que o havia incumbido de proteger Wilf.

Ouviu Agnès perguntar com uma voz aterrorizada:

– O que foi isso?

– Alguma coisa aconteceu – disse Cat.

Suas vozes assustadas acordaram as crianças e os gêmeos começaram a chorar. Ragna enfiou os sapatos nos pés, pegou a capa depressa e saiu.

Ainda estava escuro, e ela viu na mesma hora que havia luz dentro da casa de Wilf e que a porta dele estava escancarada. Sentiu a respiração entalar na garganta. Será que havia acontecido alguma coisa com ele?

Percorreu correndo a curta distância até a porta da casa do marido e entrou.

No início não conseguiu entender a cena diante de si. Homens e mulheres espalhados pelo recinto falavam todos a plenos pulmões. Um cheiro metálico pairava no ar e ela viu sangue no chão e na cama. Muito sangue. Então distinguiu Bern caído em meio a uma poça de sangue coagulado, com a garganta horrivelmente cortada, e deu um arquejo de horror e desolação. Por fim, seu olhar se dirigiu para a cama. No meio das cobertas ensanguentadas estava o seu marido.

Deixou escapar um grito, que interrompeu enfiando o punho na boca. Ele estava terrivelmente ferido, com a boca repleta de sangue seco e enegrecido. Os olhos estavam abertos e fixos no teto. Sobre a cama havia uma faca junto à sua mão aberta: ele tinha tentado se defender.

Não havia sinal nenhum de Carwen.

Ao encarar aquele Wilf em ruínas, ela recordou o homem alto e louro de capa azul que havia desembarcado de um navio no porto de Cherbourg e dito, em um francês ruim: "Vim falar com o conde Hubert." Começou a chorar, mas, mesmo aos prantos, precisava fazer uma pergunta. Forçou as palavras a saírem:

– Como isso aconteceu?

Quem lhe respondeu foi Wuffa, o chefe dos cavalariços:

– Os guarda-costas estavam dormindo. Eles deveriam pagar por sua negligência com a morte.

– E vão pagar assim – afirmou Ragna, afastando as lágrimas dos olhos com os dedos. – Mas o que eles estão dizendo que aconteceu?

– Eles acordaram e perceberam que Bern tinha sumido. Saíram à procura dele, acabaram indo olhar dentro da casa e viram... – Ele abriu os braços. – Viram isto.

Ragna engoliu a saliva e acalmou a voz.

– Ninguém mais estava aqui?

– Não. Está claro que a escrava fez isso e fugiu.

Ragna franziu a testa. Carwen teria que ser mais forte do que aparentava para matar dois homens tão grandes com uma faca, pensou, mas pôs essa desconfiança de lado momentaneamente.

– Vá chamar o xerife – ordenou ela a Wuffa. – Ele precisa dar o alarme de busca assim que o dia raiar.

Fosse Carwen a assassina ou não, ela precisava ser recapturada, pois seu testemunho seria crucial.

– Sim, milady.

Wuffa saiu apressado.

Quando ele estava se afastando, Agnès entrou com os gêmeos no colo. Com pouco mais de 1 ano, os meninos não entenderam o que estavam vendo, mas Agnès deu um grito e eles começaram a chorar.

Cat entrou segurando a mão de Osbert, de 3 anos. Fitou o cadáver do marido, Bern, com incredulidade e horror.

– Não, não, não! – exclamou, e soltou a mão do menino para ir se ajoelhar junto ao corpo, onde ficou balançando a cabeça, aos soluços.

Ragna se esforçou para raciocinar. O que precisava fazer agora? Embora tivesse pensado na morte de Wilf e temido que ele fosse assassinado, o fato em si a deixara tão abalada que ela mal conseguia assimilar o que acontecera. Sabia que precisava reagir de modo rápido e decidido, mas estava muito chocada e desorientada.

Ouviu o choro dos filhos e se deu conta de que eles não deveriam estar ali. Estava prestes a dizer a Agnès para levá-los embora quando se distraiu com a visão de Wigelm se dirigindo para a porta com um pesado baú de carvalho nos braços. Reconheceu o tesouro de Wilf, a caixa na qual ele guardava o dinheiro.

Postou-se na frente do cunhado e falou:

– Pare!

– Saia da minha frente ou vou derrubá-la.

Fez-se silêncio no recinto.

– Esse é o tesouro do senhor de Shiring – afirmou Ragna.

– *Era*.

Ragna deixou sua voz expressar todo o desprezo e o ódio que sentia:

– O sangue de Wilf ainda nem secou e você já está roubando o dinheiro dele.

– Estou assumindo a responsabilidade por ele, na condição de seu irmão.

Ragna percebeu que Garulf e Stiggy tinham se postado de um lado e outro dela, encurralando-a. Falou em tom desafiador:

– Eu decido quem assume a responsabilidade pelo tesouro.

– Engano seu.

– Eu sou a esposa do senhor de Shiring.

– Não é, não. É a viúva dele.

– Ponha essa caixa no chão.

– Saia da minha frente.

Ragna deu um tapa com força na cara de Wigelm.

Imaginou que ele fosse largar a caixa, mas ele se conteve e meneou a cabeça para Garulf.

Os dois jovens a seguraram, um por cada braço. Como sabia que não conseguiria se soltar, ela manteve a dignidade e não se debateu. Olhou para Wigelm com os olhos enviesados.

– Você não tem o raciocínio rápido – falou. – Sendo assim, deve ter planejado isso. É um golpe. Você matou Wilf para poder assumir o lugar dele?

– Não seja nojenta.

Ela olhou para os homens e mulheres ao redor. Todos assistiam à cena fascinados. Sabiam que ali estava sendo decidido quem iria governar depois de Wilf. Ragna havia plantado na mente de todos a desconfiança de que Wigelm matara Wilf. Por enquanto não podia fazer mais nada.

– A escrava matou Wilf – afirmou Wigelm.

Ele deu a volta em Ragna e saiu pela porta.

Garulf e Stiggy a soltaram.

Ela tornou a olhar para Agnès, Cat e as crianças, e se deu conta de que ninguém tinha ficado na sua casa. O seu tesouro, onde estava guardado o testamento de Wilf, havia ficado sem proteção. Saiu apressada, deixando Agnès e Cat seguirem em seu encalço.

Atravessou o complexo rapidamente e entrou em casa. Foi até o canto onde ficava guardado o tesouro. O cobertor que em geral o cobria tinha sido afastado e o baú tinha sumido.

Ela havia perdido tudo.

CAPÍTULO 32

Julho de 1002

agna chegou ao complexo do xerife Den uma hora antes do amanhecer. Os homens e algumas mulheres já estavam se reunindo para o alarme, aglomerados no escuro e conversando animadamente. Percebendo o clima, os cavalos batiam com os cascos no chão e resfolegavam de impaciência. Den acabou de selar seu garanhão negro, então fez Ragna entrar na sua casa para conversarem em particular.

O pânico de Ragna passara e ela havia adiado a tristeza. Agora sabia o que precisava fazer. Compreendeu que estava sendo atacada por pessoas sem o menor escrúpulo, mas não estava derrotada e iria revidar.

E Den seria seu principal aliado... se ela soubesse fazer uso da autoridade dele.

– A escrava Carwen sabe exatamente o que aconteceu na casa de Wilf essa noite – falou para ele.

– Então a senhora não acha que é óbvio – comentou ele, sem surpresa.

Que bom, pensou ela. Den não fez nenhum julgamento prévio.

– Pelo contrário, eu acho que a explicação óbvia é a explicação errada.

– Diga-me por quê.

– Em primeiro lugar, Carwen não parecia estar infeliz. Era bem alimentada, ninguém batia nela e ela estava dormindo com o homem mais atraente da cidade. De que poderia ter fugido?

– Ela pode simplesmente ter ficado com saudade de casa.

– Verdade, embora não tenha dado nenhum sinal disso. Em segundo lugar, porém, se ela estivesse querendo fugir, poderia ter feito isso a qualquer momento. Ela nunca foi vigiada muito de perto. Poderia ter ido embora sem matar Wilf nem mais ninguém. Wilf tinha o sono pesado, sobretudo depois de beber. Ela poderia ter saído discretamente.

– E se os guardas por acaso estivessem acordados?

– Ela teria simplesmente dito que estava indo para a casa de Gytha, que é onde dormia quando Wilf não queria ficar com ela. E, nesse caso, a sua ausência talvez tivesse demorado um dia ou mais para ser notada.

– Certo.

– Em terceiro lugar, e o mais importante de tudo: eu não acredito que aquela garota possa ter matado nem Wilf nem Bern, quanto mais os dois. O senhor viu os ferimentos. Eles foram desferidos pelo braço forte de alguém com segurança e força suficientes para dominar dois homens grandes, ambos acostumados com violência. Carwen tem 14 anos.

– Concordo que seria surpreendente. Mas, se não foi ela, quem foi?

Ragna tinha uma forte desconfiança, mas não a expressou na hora.

– Deve ter sido alguém que Bern conhecia.

– Como a senhora pode ter certeza disso?

– Porque Bern deixou o assassino entrar na casa. Se fosse um desconhecido, ele teria ficado atento. Teria detido o visitante e lhe feito perguntas, impedido sua entrada e lutado com ele... tudo fora da casa, onde o barulho teria acordado os guardas. E o corpo de Bern teria sido encontrado do lado de fora.

– O assassino pode ter arrastado o corpo para dentro.

– O barulho da briga teria acordado Wilf e ele teria saído da cama e atacado o intruso. Isso claramente não aconteceu, pois Wilf morreu na cama.

– Então algum conhecido de Bern apareceu e foi conduzido para dentro da casa. Assim que eles entraram, o desavisado Bern foi surpreendido e morto de modo rápido e silencioso. O visitante então matou Wilf e convenceu a escrava a fugir para que a culpa recaísse sobre ela.

– É o que eu acho que aconteceu.

– E por que está tão certa disso?

– A chave para isso está em duas coisas que aconteceram na confusão logo depois de os corpos serem encontrados. Enquanto todos os outros estavam chocados e desorientados, Wigelm calmamente foi embora levando o tesouro de Wilf.

– É mesmo?

– E em seguida alguém roubou o meu.

– Isso muda tudo.

– Significa que Wigelm está tentando tomar o poder.

– Sim... mas não prova que foi ele o assassino. Sua tentativa de assumir o poder talvez seja oportunista. Ele pode estar tirando vantagem de algo que não instigou.

– Pode, mas eu duvido. Wigelm não tem o raciocínio suficientemente rápido. Essa coisa toda parece ter sido minuciosamente planejada.

– Talvez a senhora tenha razão. Isso está me cheirando a Wynstan.

– Exato. – Ragna ficou satisfeita e aliviada. Den a havia interrogado cuidadosamente, mas acabara chegando à mesma conclusão que ela. Foi rápida em aproveitar a deixa: – Se eu quiser desmontar esse golpe, preciso que Carwen conte sua história no tribunal do condado.

– Talvez ninguém acredite. A palavra de uma escrava...

– Algumas pessoas vão acreditar nela, principalmente quando eu explicar o que levou Wynstan a fazer o que fez.

Den não comentou nada sobre isso.

– Enquanto isso, a senhora está sem um tostão. Seu tesouro foi roubado. Não pode vencer uma disputa de poder sem dinheiro.

– Eu posso conseguir mais. Edgar deve ter dinheiro para mim, das pedras vendidas na minha pedreira. E daqui a algumas semanas terei meus aluguéis de Saint-Martin.

– Suponho que o testamento de Wilf estivesse no seu baú.

– Sim. Mas o senhor tem uma cópia.

– Só que o testamento não tem validade sem a aprovação do rei.

– Mesmo assim, irei lê-lo no tribunal. As intenções de Wilf serão a prova da motivação de Wynstan. Isso irá influenciar os vassalos: todos eles querem ver seus últimos desejos respeitados.

– Faz sentido.

Ragna voltou a atenção para o desafio imediato.

– Nada disso terá importância se não conseguirmos capturar Carwen.

– Farei o melhor que puder.

– Mas não lidere a busca. Mande Wigbert.

Den ficou surpreso.

– Ele é de confiança, mas...

– E cruel feito um gato esfomeado. Mas eu preciso do senhor aqui. Eles são capazes de muita coisa, mas não vão me assassinar enquanto o senhor estiver na cidade. Sabem que seriam os primeiros suspeitos, e o senhor é o representante do rei.

– Talvez a senhora tenha razão. Wigbert é mais do que capaz de liderar uma busca. Já fez isso muitas vezes.

– Para onde Carwen pode ter ido?

– Para oeste, provavelmente. Imagino que ela queira voltar para sua terra natal, o País de Gales. Supondo que tenha saído daqui por volta da meia-noite, a esta altura ela já deve ter percorrido mais de 15 quilômetros na estrada de Glastonbury.

– Talvez ela busque abrigo em algum lugar perto de Trench.

– Exato. – Ele olhou pela porta aberta. – O dia está raiando. É hora de eles começarem.

– Espero que a encontrem.

Wynstan estava satisfeito com a evolução das coisas. Apesar de não ter se desenrolado perfeitamente, seu plano correra bastante bem. Fora um baita choque topar com Bern em frente à porta da casa de Wilf, alerta e sóbrio, mas Wynstan reagira depressa e Wigelm soubera o que fazer. Dali em diante tudo acontecera conforme o imaginado.

A versão segundo a qual Carwen havia matado tanto Bern quanto Wilf era bem menos plausível do que a história original de Wynstan: a menina escrava teria cortado a garganta de Wilf enquanto ele dormia. Mas as pessoas eram tolas e pareciam estar acreditando. Todas têm medo de seus escravos, pensou Wynstan: os cativos têm todos os motivos para odiar seus donos e, se tivessem oportunidade, por que não matariam as pessoas que haviam lhes roubado a vida? Um dono de escravo nunca dormia tranquilo. E todo esse medo represado fervilhava quando um escravo era acusado de assassinar um nobre.

Wynstan estava torcendo para a busca não conseguir encontrar Carwen. Não queria que ela contasse sua história no tribunal. Ele negaria tudo que ela dissesse e prestaria um juramento, mas alguns poderiam acreditar nela. Muito melhor se ela sumisse. Escravos foragidos em geral eram capturados, traídos por suas roupas maltrapilhas, o sotaque estrangeiro e a falta de recursos. Porém Carwen estava usando roupas boas e tinha algum dinheiro, de modo que a chance de ser encontrada era menor do que a média.

Se isso desse errado, ele tinha um plano de contingência.

Estava na casa da mãe, Gytha, com o irmão Wigelm e o sobrinho Garulf esperando a equipe de busca voltar, já no fim da tarde, quando o xerife Den apareceu. Com uma cortesia zombeteira, falou:

– Que grande honra receber uma visita sua, xerife, e maior ainda por ela ser tão rara.

Den não tinha paciência para brincadeiras levianas. Homem grisalho de 50 anos, provavelmente tinha testemunhado violência demais para se deixar afetar por uma simples gozação.

– O senhor sabe que nem todo mundo se deixa enganar, não sabe?

– Não faço ideia do que o senhor está falando – retrucou Wynstan com um sorriso.

– O senhor se acha esperto, e de fato é, mas existe um limite para o que pode fazer impunemente. E eu estou aqui para lhe dizer que agora está perigosamente perto desse limite.

– Que bondade a sua.

Wynstan continuava zombando de Den, mas na verdade estava prestando muita atenção. Esse tipo de ameaça de um xerife era incomum. Den estava falando sério e não era desprovido de poder. Tinha autoridade, tinha soldados e tinha a capela do rei. Wynstan estava apenas fingindo não ligar.

Mas o que teria provocado aquela ameaça? Não foi apenas o assassinato de Wilf, pensou Wynstan.

No instante seguinte, ele descobriu.

– Fique longe de lady Ragna – falou Den.

Então era isso.

– Quero que entenda que, se ela vier a morrer, eu irei atrás do senhor, bispo Wynstan – continuou.

– Que terrível.

– Nem do seu irmão, nem do seu sobrinho, nem de nenhum dos seus homens. Do senhor. E não desistirei nunca. Eu irei arrastá-lo na lama. O senhor viverá como um leproso e morrerá como os leprosos, na miséria e na imundície.

Mesmo sem querer, Wynstan gelou. Estava pensando numa resposta sarcástica, mas Den simplesmente virou as costas e saiu.

– Eu deveria ter arrancado as tripas desse tolo arrogante – disse Wigelm.

– Infelizmente ele não é um tolo – retrucou Wynstan. – Se fosse, poderíamos ignorá-lo.

– A gata estrangeira cravou as unhas nele – comentou Gytha.

Em parte era isso, Wynstan não tinha dúvida. Ragna tinha a capacidade de encantar a maioria dos homens, mas havia outra coisa. Fazia tempo que Den queria restringir o poder da família de Wynstan, e o assassinato de Ragna poderia lhe proporcionar um pretexto suficientemente forte, sobretudo se fosse seguido rapidamente por uma tentativa de Wynstan de assumir o poder.

Suas ponderações foram interrompidas pelo amigo estúpido de Garulf, Stiggy, que irrompeu casa adentro ofegante e todo animado. Ele havia acompanhado a equipe de busca seguindo instruções de Wynstan, que lhe dissera para voltar correndo antes do grupo se Carwen fosse recapturada, uma tarefa tão simples que nem mesmo Stiggy poderia deixar de compreendê-la.

– Eles a encontraram – avisou ele.

– Viva?

– Sim.

– Que pena. – Estava na hora do plano de contingência. Wynstan se levantou e Wigelm e Garulf fizeram o mesmo. – Onde ela estava?

– Na mata do lado de cá de Trench. Os cães a farejaram.

– Ela disse alguma coisa?

– Vários palavrões em galês.

– Agora eles estão a quanto tempo daqui?

– Uma hora, no mínimo.

– Vamos encontrá-los na estrada. – Wynstan olhou para Garulf. – Você sabe qual é o plano.

– Sim.

Eles foram até os estábulos e arrearam quatro cavalos, para Wynstan, Wigelm e Garulf, além de um animal descansado para Stiggy. Partiram.

Meia hora mais tarde encontraram a equipe de busca, agora relaxada e vitoriosa. Wigbert, o capitão de pavio curto do xerife, liderava o grupo e Carwen seguia cambaleando atrás do seu cavalo, amarrada na sela e com as mãos presas às costas.

– Tudo certo, homens, vocês sabem o que fazer – disse Wynstan em voz baixa.

Os quatro cavaleiros se espalharam pela estrada formando uma fila e puxaram as rédeas, obrigando o grupo a parar.

– Parabéns a todos – falou Wynstan, animado. – Muito bem, Wigbert.

– O que deseja? – indagou Wigbert, desconfiado. Então, após refletir por um segundo, acrescentou: – Senhor meu bispo.

– Vou cuidar da prisioneira a partir de agora.

Ouviram-se murmúrios ressentidos do grupo. Eram eles que haviam capturado a fugitiva e estavam ansiosos para voltar triunfantes à cidade. Receberiam os parabéns dos moradores e beberiam de graça a noite inteira nas tabernas.

– Tenho ordens para entregar a prisioneira ao xerife Den – retrucou Wigbert.

– Essas ordens mudaram.

– O senhor tem que falar sobre isso com o xerife.

Wynstan sabia que perderia aquela disputa, mas mesmo assim continuou, pois aquilo fazia parte da encenação:

– Eu já falei com Den. As instruções dele são para você entregar a prisioneira aos irmãos da vítima.

– Não posso acatar isso, senhor meu bispo.

Dessa vez houve uma ironia clara no modo como ele falou *senhor meu bispo*.

De repente, Garulf pareceu perder o controle.

– Ela matou meu pai! – berrou ele, então sacou a espada e esporeou seu cavalo para fazê-lo avançar.

Os que estavam a pé saíram da sua frente. Wigbert rosnou um palavrão e sacou sua espada, mas já era tarde: Garulf já tinha passado por ele. Carwen deu um grito aterrorizado e se encolheu para trás, mas estava amarrada na sela de Wigbert e não conseguiu fugir. Garulf a alcançou em segundos. Suas mãos estavam amarradas e ela estava indefesa. A espada de Garulf reluziu ao sol quando ele a golpeou no peito. Em um impulso conjunto de cavaleiro e cavalo, o rapaz cravou fundo a lâmina na carne dela e Carwen gritou. Por um segundo, Wynstan pensou que Garulf iria levantar a menina e sair carregando-a espetada em sua arma, mas, quando o cavalo dele passou por ela, Carwen caiu de costas e ele conseguiu puxar a lâmina do seu corpo esbelto. O sangue esguichou da ferida no peito.

Entre uivos de protesto do grupo de busca, Garulf virou seu cavalo, voltou para onde Wynstan estava e puxou as rédeas, encarando os outros com a espada ensanguentada erguida, como se estivesse pronto para mais carnificina.

Wynstan falou em voz alta, mas insincera:

– Seu idiota, você não deveria ter matado a menina!

– Ela apunhalou meu pai no coração! – gritou Garulf, histérico. Wynstan o instruíra a dizer essas palavras, mas sua raiva movida pela tristeza parecia genuína, o que era estranho, pois Wynstan tinha lhe contado quem de fato havia matado Wilf.

– Vá embora! – disse Wynstan. – Nem muito devagar, nem muito depressa – acrescentou em voz baixa.

Garulf virou seu cavalo, então olhou para trás.

– A justiça foi feita! – vociferou.

Depois saiu trotando em seu cavalo na direção de Shiring.

Wynstan adotou um tom conciliador.

– Isso não deveria ter acontecido – falou, embora na verdade tudo tivesse corrido exatamente como ele queria.

Wigbert estava furioso, mas tudo que podia fazer era protestar.

– Ele assassinou a escrava!

– Então ele vai ser julgado no tribunal do condado e vai pagar a multa devida ao dono da escrava.

Todos olharam para a menina que se esvaía em sangue no chão.

– Ela viu tudo que aconteceu ontem à noite na casa de Wilwulf – afirmou Wigbert com raiva.

– Viu mesmo – confirmou Wynstan.

O canal de Edgar era um sucesso. Seguia numa linha reta da pedreira de Outhenham até o rio e tinha um metro de profundidade em toda a extensão. As laterais de argila eram firmes e levemente inclinadas.

Nesse dia ele estava trabalhando na pedreira, usando um martelo de cabo curto para golpes mais precisos e com uma pesada cabeça de ferro para intensificar o impacto. Posicionou uma cunha de carvalho numa fenda na rocha, então a martelou com golpes rápidos e potentes, fazendo a cunha penetrar mais fundo e alargando a fenda até um pedaço de pedra se soltar. Era um dia quente de verão e ele havia tirado a túnica e a enrolado na cintura para se refrescar.

Gab e os filhos estavam trabalhando ali perto.

Edgar continuava pensando na última visita de Ragna à Travessia de Dreng. "Às vezes ser amada é reconfortante" tinham sido as suas palavras, e Edgar tinha certeza de que estava se referindo ao amor dele por ela. Ela o havia deixado segurar suas mãos. Então dissera: "Será que eles vão saber o que andamos fazendo?", e ele se perguntara o que exatamente eles haviam feito.

Então Ragna sabia que ele a amava e ficava feliz com isso, e ele entendeu que ao se darem as mãos os dois tinham feito algo que ela não gostaria que os outros soubessem.

O que significava aquilo tudo? Seria possível que ela correspondesse ao seu amor? Apesar de improvável, quase impossível, o que mais aquilo poderia significar? Edgar não tinha certeza, mas o simples fato de pensar no assunto aquecia seu coração.

Havia conseguido uma grande encomenda de pedras para o priorado de Combe, onde os frades tinham permissão do rei para defender a cidade com uma muralha e uma torre de pedra. Em vez de carregar cada pedra por quase 1 quilômetro até o rio, Edgar só precisava transportá-la alguns metros até o início do canal.

A jangada agora estava quase totalmente carregada. Ele havia disposto as pedras pesadas no convés sem sobrepô-las, de modo a distribuir o peso e manter a embarcação estável. Tinha que tomar cuidado para não sobrecarregar a jangada, caso contrário ela afundaria.

Acrescentou uma última pedra e estava se preparando para partir quando escutou o ribombar distante de cavalos velozes. Olhou para o norte do povoado. As estradas estavam secas e ele viu uma nuvem de poeira se aproximando.

Seu ânimo mudou. A chegada de um grande número de homens a cavalo raramente era indicativo de boa notícia. Precavido, ele prendeu o martelo de ferro no cinto, em seguida trancou a porta de casa. Saiu da pedreira e foi andando depressa em direção ao povoado. Gab e sua família foram atrás.

Muitas pessoas tiveram a mesma ideia. Homens e mulheres abandonaram a extração de ervas daninhas de suas roças e voltaram para o povoado. Outros emergiram de suas casas. Edgar sentia a mesma curiosidade que eles, mas era mais cauteloso. Ao se aproximar do centro, encolheu-se entre duas casas para se abrigar e começou a se locomover furtivamente entre os galinheiros, macieiras e pilhas de dejetos, avançando de um quintal dos fundos a outro com os ouvidos apurados.

O barulho dos cascos diminuiu até que parou e ele escutou vozes masculinas altas e autoritárias. Olhou em volta à procura de um lugar de onde pudesse ter uma boa visão. Poderia observar de um telhado, mas seria visto. Atrás da taberna havia um velho carvalho repleto de folhas. Ele escalou o tronco até um galho baixo e se içou até o meio da folhagem. Tomando cuidado para não ser percebido, foi subindo mais até conseguir ver o telhado da taberna.

Os cavaleiros haviam parado seus cavalos no descampado entre a taberna e a igreja. Estavam sem armadura, obviamente por pensarem que camponeses não representavam um grande perigo, mas portavam lanças e adagas, e estavam evidentemente dispostos a praticar atos de violência. A maioria apeou, mas um deles continuou montado e Edgar reconheceu Garulf, o filho de Wilwulf. Os companheiros dele estavam reunindo os aldeões, o que se mostrou desnecessário, uma vez que todos eles já estavam mesmo rumando para o centro do povoado, ansiosos para descobrir o que estava acontecendo. Edgar viu os cabelos grisalhos de Seric, chefe do vilarejo, que se dirigiu primeiro a Garulf e então aos homens de Garulf, mas não obteve nenhuma resposta. Draca, o padre de cabeça raspada do vilarejo, caminhava no meio das pessoas com ar amedrontado.

Garulf ficou em pé nos estribos. Um homem em pé ao seu lado gritou "Silêncio!" e Edgar reconheceu Stiggy, o amigo de Garulf.

Alguns aldeões que continuaram falando levaram pancadas na cabeça com porretes e todos se calaram.

– Meu pai, o senhor Wilwulf, está morto – anunciou Garulf.

Um murmúrio chocado percorreu a multidão.

– Morto! Como isso aconteceu? – sussurrou Edgar para si mesmo.

– Ele morreu anteontem à noite – continuou Garulf.

Edgar se deu conta de que Ragna agora era viúva. Sentiu calor, em seguida sentiu frio. Percebeu as batidas do próprio coração.

Não faz diferença, falou para si mesmo, eu não devo me animar. Ela continua sendo nobre e eu, um construtor. Viúvas nobres desposam viúvos nobres. Nunca desposam artesãos, por melhores que eles sejam.

Mesmo assim, ficou animado.

Seric verbalizou a pergunta que havia ocorrido a Edgar:

– Como o senhor Wilwulf morreu?

Garulf ignorou o chefe do vilarejo e disse:

– Nosso novo senhor da cidade é Wigelm, irmão de Wilf.

– Isso não é possível! – gritou Seric. – Ele não pode ter sido nomeado pelo rei tão depressa.

– Wigelm me nomeou senhor do vale de Outhen – falou Garulf.

Ele continuou a ignorar o chefe, que falava em nome de todos os aldeões, e estes começaram a trocar murmúrios descontentes.

– Wigelm não pode fazer isso – falou Seric. – O vale de Outhen pertence a lady Ragna.

– Vocês também têm um novo chefe do vilarejo – continuou Garulf. – É Dudda.

Dudda era ladrão e trapaceiro, todos sabiam. Houve ruídos indignados da multidão.

Aquilo era um golpe, percebeu Edgar. O que deveria fazer?

Seric virou as costas para Garulf e Stiggy, um ato deliberado de repúdio à sua autoridade, e dirigiu-se aos moradores.

– Wigelm não é o senhor de Shiring porque não foi nomeado pelo rei – falou. – Garulf não é senhor de Outhen porque o vale pertence a lady Ragna. E Dudda não é o chefe do vilarejo porque o chefe daqui sou eu.

Edgar viu Stiggy sacar a espada.

– Cuidado! – berrou, mas bem nessa hora Stiggy cravou a espada nas costas de Seric até ela sair pela frente na sua barriga. Seric gritou feito um animal ferido e desabou no chão. Edgar se pegou ofegando, como se tivesse corrido mais de um quilômetro. Foi o choque provocado por aquele assassinato a sangue-frio.

Com toda a calma, Stiggy puxou a espada das tripas de Seric.

– Seric não é mais o chefe de vocês – anunciou Garulf.

Os soldados riram.

Edgar já tinha visto o suficiente. Estava horrorizado e com medo. Seu primeiro instinto foi contar para Ragna o que tinha visto. Ele desceu rapidamente da árvore. Ao chegar ao chão, contudo, hesitou.

Estava perto do rio. Podia atravessar a nado e chegar à estrada de Shiring em poucos minutos. Assim teria uma boa chance de escapar sem ser visto por nenhum dos homens de Garulf. Podia deixar sua jangada e o carregamento de pedras na pedreira. O priorado de Combe teria que esperar.

Só que sua égua, Pilar, estava na pedreira, bem como o dinheiro de Ragna. Edgar tinha quase uma libra de prata para ela em seu baú, a renda obtida com a venda das pedras, e ela talvez fosse precisar desse dinheiro.

Tomou uma decisão rápida. Teria que arriscar a vida ficando mais alguns minutos em Outhenham. Em vez de tomar o rumo do rio, correu na direção oposta, rumo à pedreira.

Levou apenas alguns minutos para chegar lá. Destrancou sua casa e tirou do esconderijo seu baú de dinheiro. Despejou o dinheiro de Ragna numa bolsa de couro que prendeu no cinto, então tornou a trancar a casa.

Pilar embarcou na jangada tranquilamente, pois estava acostumada a navegar.

Malhada também pulou a bordo, animada como sempre apesar da idade. Edgar então desamarrou a jangada e a impulsionou canal abaixo.

Nunca tinha reparado que a jangada navegava tão lentamente pelo canal. Como não havia correnteza para fazê-la seguir em frente, o único impulso vinha da vara que ele manejava. Ele empurrava com toda a força que tinha, mas a velocidade praticamente não aumentava.

Quando passou pelos quintais dos fundos das casas, notou que o barulho que vinha do descampado tinha aumentado de intensidade tanto em volume quanto em... raiva, pensou ele. Apesar do assassinato de Seric, os aldeões protestavam corajosamente contra os anúncios de Garulf. Ele não teve dúvidas de que haveria mais violência. Será que conseguiria escapar?

Passou na altura do carvalho onde ficara escondido e começou a ter esperança de conseguir sair dali sem chamar a atenção. Um segundo depois, essa esperança caiu por terra. Ele viu dois homens e uma mulher correndo da taberna em direção ao rio. Pelas roupas, soube que eram moradores. Um soldado vinha em seu encalço, de espada na mão, e Edgar reconheceu Bada. A briga havia começado.

Edgar praguejou. Não conseguiria ultrapassá-los: os quatro corriam mais depressa do que a jangada. Aquilo era perigoso. Se ele fosse capturado, Garulf não o deixaria sair de Outhenham. Ele era um conhecido aliado de Ragna, e no meio de um golpe isso talvez fosse motivo suficiente para Garulf matá-lo.

Um dos aldeões tropeçou e caiu. Edgar viu que ele estava com a barba escura suja de farinha: era Wilmund, o padeiro, e os outros dois que o acompanhavam eram a esposa, Regenhild, e o filho Penda, agora com 19 anos e mais alto do que nunca.

Regenhild parou e se virou para ajudar Wilmund. Quando Bada ergueu sua espada, ela partiu para cima dele, desarmada, com as mãos estendidas para arranhar seu rosto. Ele brandiu a espada no ar inutilmente e empurrou Regenhild para longe com a mão esquerda enquanto levantava a direita para tornar a tentar acertar Wilmund.

Penda então se intrometeu. Pegou uma pedra do tamanho de um punho fechado e a arremessou. A pedra acertou Bada no peito com força suficiente para fazê-lo perder o equilíbrio e seu segundo golpe de espada também errou o alvo.

A jangada chegou à mesma altura da briga.

Edgar estava com muito medo e desesperado para ir embora, mas não podia assistir sem fazer nada enquanto pessoas que conhecia corriam o risco de ser assassinadas. Largou a vara, pulou da jangada para a margem do canal e sacou do cinto seu martelo de cabeça de ferro.

Wilmund caiu de joelhos. Bada golpeou com a espada e dessa vez o acertou.

A ponta de sua lâmina penetrou fundo a parte macia da coxa do padeiro, perto do quadril. Regenhild gritou e se ajoelhou ao lado do marido. Bada levantou a espada para matá-la.

Edgar correu para cima dele, com o martelo erguido bem alto, e o acertou com toda sua força.

No último segundo, Bada se moveu para a esquerda e o martelo de Edgar o acertou no ombro. Ouviu-se um estalo quando o osso se partiu. Bada urrou de dor. Seu braço direito ficou inerte e a espada caiu da sua mão. Ele desabou no chão, gemendo.

Mas Bada não estava sozinho. Passos pesados vindos do vilarejo alertaram Edgar. Ele olhou para trás e viu outro soldado se aproximando. Era Stiggy.

Regenhild e Penda conseguiram levantar Wilmund. O padeiro gritava de dor, mas conseguiu pôr um pé na frente do outro e os três se afastaram cambaleando. Stiggy ignorou os camponeses impotentes e foi direto para cima de Edgar, que obviamente era quem tinha ferido seu companheiro Bada, visto que estava com o martelo na mão. Edgar soube que estava a poucos segundos da morte.

Virou-se e saiu correndo na direção do canal. A jangada tinha avançado vários metros. Ele ouviu passos correndo atrás de si. Ao chegar à margem, deu um pulo e aterrissou em cima das pedras.

Olhou para trás e viu a família do padeiro desaparecer no meio das casas. Eles estavam seguros, pelo menos por enquanto.

Viu Stiggy começar a catar pedras do chão.

Lutando contra o pânico, deitou-se colado nas pedras, enfiou o martelo no cinto e rolou para dentro d'água do outro lado da jangada no mesmo instante em que uma pedra grande passou voando por cima da sua cabeça. Malhada pulou no rio ao seu lado.

Ele segurou a lateral da jangada com uma das mãos e encolheu a cabeça. Ouviu uma série de pancadas e imaginou que as pedras de Stiggy estivessem acertando as da pedreira dentro da jangada. Ouviu os cascos de Pilar baterem no convés e torceu para sua égua não se machucar.

Seus pés tocaram a outra margem do canal. Ele se virou na água e empurrou a jangada na direção do rio com o máximo de força que conseguiu. Pôs a cabeça acima da superfície apenas por tempo suficiente para encher os pulmões de ar, então tornou a ficar submerso.

Sentiu a água do rio ficar mais fria e supôs que estivesse no fim do canal.

A jangada saiu do canal e ele sentiu a correnteza. Pôs a cabeça para fora... e viu Stiggy pular da margem em direção à jangada.

A distância lhe pareceu muito grande e ele se permitiu torcer para Stiggy cair dentro d'água ou, melhor ainda, errar por poucos centímetros e se machucar nas toras da jangada. Mas o rapaz conseguiu por um triz. Passou alguns segundos se equilibrando precariamente na beira da jangada, movendo os braços em círculos, e Edgar rezou para ele cair de costas no rio. Só que ele recuperou o equilíbrio e se agachou com as duas mãos espalmadas sobre as pedras da pedreira.

Então se levantou e desembainhou a espada.

Edgar sabia que estava correndo perigo, um perigo que não corria desde que havia enfrentado um viking na leiteria de Sunni em Combe. Stiggy estava em pé no convés com uma espada na mão, e ele dentro d'água com um martelo no cinto.

Pensou esperançoso que talvez Stiggy pulasse dentro do rio para se engalfinhar com ele, perdendo assim a vantagem de uma base sólida. Com os dois parcialmente submersos, o martelo de cabo curto seria mais fácil de manejar do que uma espada comprida.

Infelizmente, a estupidez de Stiggy tinha limites. Ele continuou a bordo e tentou acertar Edgar, que se esquivou da espada e foi para debaixo da jangada.

Ali Stiggy não podia machucá-lo, mas em compensação Edgar não podia respirar. Era bom nadador e conseguia prender a respiração por muito tempo, mas em algum momento seria obrigado a pôr a cabeça para fora da água outra vez.

Talvez precisasse abandonar a jangada. Ainda tinha o dinheiro de Ragna e o martelo. Nadou até o mais fundo que conseguiu, torcendo para sair do raio de alcance da espada de Stiggy, então virou as costas para a jangada e começou a nadar em direção à outra margem, temendo sentir a qualquer instante a ponta da espada nas costas. A água ficou mais rasa e ele soube que estava na beira do rio. Rolou de frente e irrompeu na superfície, aos arquejos.

Estava a vários metros da jangada. Stiggy continuava em pé no convés, de espada na mão, olhando em volta desesperado e sem conseguir ver Edgar deitado na parte rasa do rio.

Se ele conseguisse rastejar alguns metros e desaparecer mata adentro antes de Stiggy vê-lo, conseguiria escapar. Stiggy não saberia para onde ele tinha ido. Edgar ficaria triste por perder Pilar, mas a própria vida era mais valiosa. Vivo, ele poderia construir outra jangada e comprar outro cavalo.

Então Malhada saiu da água, sacudiu-se para se secar e latiu para Stiggy, que olhou para a cadela e então viu Edgar. Tarde demais, pensou ele, e pôs-se de pé.

Stiggy embainhou a espada, pegou a vara e começou a impelir a jangada em direção à margem.

Edgar não era páreo para Stiggy, que era mais alto, mais pesado e estava acostumado com violência. Entendeu que sua única chance seria atacá-lo assim que ele saltasse, sem lhe dar a chance de se equilibrar em terra firme e sacar a espada.

Edgar sacou o martelo do cinto e começou a correr pela margem do rio na mesma velocidade da jangada, que ia descendo a correnteza devagar. Stiggy a empurrou em direção à beira do rio. Eles estavam em rota de colisão.

Stiggy saltou e Edgar viu sua chance.

O soldado aterrissou na água rasa e Edgar brandiu seu martelo, mas Stiggy cambaleou e Edgar errou o golpe, conseguindo acertá-lo apenas de raspão no braço esquerdo.

Stiggy pisou na lama da margem e estendeu a mão para pegar a espada.

Edgar foi rápido. Deu um chute no joelho de Stiggy. Não foi um chute forte, mas bastou para desequilibrá-lo. Ele sacou a espada, golpeou a esmo, errou e então escorregou na lama e caiu.

Edgar pulou em cima do peito dele, aterrissou de joelhos e sentiu as costelas de Stiggy se partirem. Agora estava perto demais da espada dele.

Edgar sabia que provavelmente só teria oportunidade para um único golpe, portanto ele precisaria ser fatal.

Brandiu o martelo curto do mesmo jeito que fazia ao forçar uma cunha de carvalho numa fenda de rocha na pedreira de calcário, imprimindo toda a força do braço direito ao golpe único que precisava salvar sua vida. Seu braço era forte, a cabeça do martelo era de ferro e a testa de Stiggy era apenas pele e osso. Foi como quebrar o gelo grosso de um lago no inverno. Edgar sentiu o martelo esmigalhar o crânio e o viu mergulhar no cérebro macio logo abaixo. O corpo de Stiggy ficou inerte.

Edgar se lembrou de Seric, o sábio chefe do vilarejo, o avô carinhoso, e visualizou o modo como Stiggy havia cravado a espada no corpo daquele homem bom. Quando olhou para a cabeça esmagada do rapaz, pensou: acabei de tornar o mundo um lugar melhor.

Olhou para o outro lado do rio. Ninguém tinha visto a briga. Ninguém saberia que ele havia matado Stiggy. Garulf e seus homens não sabiam que Edgar estava nas redondezas, e os aldeões não iriam lhes dizer.

Então se deu conta de que a jangada o denunciaria. Se ele a deixasse ali, ficaria óbvio que havia matado Stiggy e fugido.

Nadou até lá acompanhado por Malhada e subiu a bordo. Deu tapinhas reconfortantes em Pilar para tranquilizar a égua, que tremia. Resgatou a vara que Stiggy deixara cair no rio.

Então afastou-se da margem e seguiu correnteza abaixo em direção à Travessia de Dreng.

O dia no complexo estava quente. Ragna pegou na cozinha uma bacia de bronze grande e rasa e a encheu com água fresca do poço. Pôs a bacia em frente à sua casa e deixou os filhos brincarem com a água. Os gêmeos de 1 ano e meio usavam as mãos para fazer a água espirrar e riam aos gritos. Osbert inventou uma brincadeira complexa usando várias canecas de madeira, que iam despejando a água umas dentro das outras. Em pouco tempo estavam todos os três encharcados e felizes.

Ao observá-los, Ragna experimentou um raro instante de felicidade. Aqueles meninos iriam crescer e virar homens como seu avô Hubert, pensou: fortes, mas não cruéis; sábios, mas não dissimulados. Se viessem a governar, fariam-no respeitando as leis, não os próprios caprichos. Amariam mulheres sem usá-las. Seriam respeitados, não temidos.

Logo acabaram com seu bom humor. Wigelm se aproximou e disse:

– Preciso falar com você.

Ele poderia ser confundido com Wilf, mas não por muito tempo. Tinha o mesmo nariz grande, o mesmo bigode louro, o mesmo queixo proeminente e o mesmo caminhar seguro. No entanto, não tinha nada do charme fácil de Wilf e parecia estar sempre prestes a fazer alguma reclamação.

Ragna estava certa de que Wigelm tinha algum envolvimento no assassinato de Wilf. Talvez nunca viesse a saber os detalhes agora que Carwen fora morta, mas não tinha a menor dúvida. Sentiu um ódio tão intenso que lhe causou náuseas.

– Não tenho vontade alguma de falar com você – respondeu ela. – Vá embora.

– Você é a mulher mais linda que eu já vi – falou ele.

Ela não acreditou.

– Do que está falando? Não seja idiota.

– Você é um anjo. Não existe ninguém igual a você.

– Isso é uma brincadeira ridícula. – Ela olhou em volta. – Seus amigos imbecis estão do outro lado da casa, escutando e rindo, torcendo para você me fazer de boba. Vá embora.

Ele tirou uma braçadeira de dentro da túnica.

– Pensei que você fosse gostar de ficar com isto.

Ele lhe estendeu a joia.

Ragna a pegou. Era de prata, gravada com um lindo desenho de duas serpentes entrelaçadas, e ela a reconheceu na hora. Era a braçadeira que comprara de Cuthbert e dera de presente a Wilf no dia do casamento deles.

– Não vai me agradecer? – perguntou Wigelm.

– Por quê? Você roubou o tesouro de Wilf e encontrou isto aqui dentro do baú. Mas a herdeira dele sou eu, então a braçadeira já é minha. Só vou lhe agradecer quando você me devolver tudo.

– Talvez isso seja possível.

Lá vem, pensou ela. Agora vou descobrir o que ele realmente quer.

– Possível? Como?

– Case-se comigo.

Ela deixou escapar uma risada curta e abrupta, chocada com aquele pedido absurdo.

– Ridículo! – exclamou.

Wigelm ficou vermelho de raiva e ela sentiu que ele queria lhe bater. Ele cerrou os punhos, mas se conteve e não os ergueu.

– Não se atreva a me chamar de ridículo.

– Você já é casado... com Milly, irmã de Inge.

– Eu a deixei de lado.

– Infelizmente eu não gosto desse costume inglês de "deixar de lado".

– Você não está mais na Normandia.

– A Igreja da Inglaterra não proíbe o casamento de uma viúva com um parente próximo? Você é meu cunhado.

– Meio-cunhado. Segundo o bispo Wynstan, é distância suficiente.

Ela percebeu que tinha escolhido a abordagem errada. Pessoas como Wigelm sempre conseguiam encontrar maneiras de burlar as regras. Exasperada, ela se limitou a dizer:

– Você não me ama! Sequer gosta de mim.

– Mas o nosso casamento vai resolver um problema político.

– Que lisonjeiro.

– Eu sou meio-irmão de Wilf e você é viúva dele. Se nos casarmos, ninguém poderá nos desafiar em relação ao domínio da cidade.

– *Nos* desafiar? Está dizendo que iríamos governar juntos? Acha que sou burra o suficiente para acreditar em você?

Wigelm exibiu uma expressão de raiva e frustração. Estava usando um argumento totalmente baseado em mentiras e não era inteligente o bastante para torná-lo sequer parcialmente honesto. Ao perceber que não era assim tão fácil enganar Ragna, não soube o que dizer em seguida. Tentou adotar um ar tão seguro e encantador quanto o de Wilf.

– Você vai aprender a me amar depois que nos casarmos – falou.

– Eu nunca vou amar você. – Teria como ela ser mais clara que isso? – Você é tudo de ruim que Wilf era e nada de bom. Eu o odeio e o desprezo, e isso nunca vai mudar.

– Vadia – resmungou ele, e foi embora.

Ragna teve a sensação de que acabara de sair de uma briga. O pedido de casamento de Wigelm tinha sido chocante e sua insistência, brutal. Ela estava se sentindo agredida e exausta. Recostou-se na parede da casa e fechou os olhos.

Osbert começou a chorar. Tinha entrado lama no seu olho. Ela o pegou no colo e limpou o rosto dele com a manga do vestido, e o menino logo se acalmou.

Ela não estava mais abalada. Era estranho como as necessidades das crianças suplantavam todo o resto, pelo menos para as mulheres. Nenhum senhor de terras inglês rude podia ser mais soberano do que um bebê.

Sua respiração voltou ao normal enquanto ela observava os filhos brincarem com a água. Mais uma vez, porém, não pôde saborear esse instante de paz por muito tempo. O bispo Wynstan apareceu.

– Meu irmão Wigelm está muito chateado – disse ele.

– Ah, pelo amor de Deus – retrucou Ragna, impaciente. – Não venha fingir que ele está sofrendo por amor.

– Nós dois sabemos que essa história não tem nada a ver com amor.

– Que bom que você não é tão burro quanto o seu irmão.

– Obrigado.

– Não foi um grande elogio.

– Cuidado – falou ele, reprimindo a raiva. – Você não está em posição de ofender a mim e à minha família.

– Eu sou a viúva do senhor de Shiring e nada que você possa fazer vai mudar isso. Estou em uma posição forte o bastante.

– Mas Wigelm tem o controle de Shiring.

– Eu ainda sou senhora do vale de Outhen.

– Garulf foi lá ontem.

Ragna ficou perplexa. Não ficara sabendo disso.

– Ele disse aos aldeões que Wigelm o havia nomeado senhor de terras de Outhen – continuou Wynstan.

– Ele nunca vai ser aceito. O chefe Seric...

– Seric está morto. Garulf nomeou Dudda o novo chefe.

– O vale de Outhen é meu! Isso está no contrato de casamento que *você* negociou!

– Wilf não tinha o direito de dá-lo a você. Ele pertence à nossa família há gerações.

– Mesmo assim ele me deu.

– Ele obviamente pretendia que fosse um presente vitalício. Enquanto durasse a vida dele, não a sua.

– Isso é mentira.

Wynstan deu de ombros.

– O que você vai fazer a respeito?

– Eu não preciso fazer nada. Quem vai nomear o novo senhor de Shiring é o rei Ethelred, não você.

– Pensei mesmo que você pudesse estar contando com essa ilusão – disse Wynstan, e seu tom sério a fez gelar. – Deixe-me lhe explicar o que está ocupando a cabeça do rei hoje. A frota dos vikings continua em águas inglesas. Eles passaram o inverno na ilha de Wight em vez de voltarem para casa. Ethelred agora negociou uma trégua com eles, no valor de 24 mil libras de prata.

Ragna ficou chocada. Nunca tinha ouvido falar numa quantia tão alta.

– Como você pode imaginar, o rei está preocupado em levantar fundos – continuou Wynstan. – Além do mais, está planejando seu casamento.

Ethelred tinha sido casado com Elgifu de York, que morrera dando à luz seu décimo primeiro filho.

– Ele vai se casar com Emma da Normandia – continuou Wynstan.

Ragna ficou chocada novamente. Conhecia Emma, a filha do conde Richard de Rouen, uma menina que tinha 12 anos quando ela deixara a Normandia cinco anos antes, ou seja, agora estava com 17 anos. Ocorreu-lhe que uma jovem normanda casada com o rei inglês poderia virar uma aliada.

Wynstan tinha outros planos.

– Com todas essas preocupações, quanto tempo você acha que o rei vai passar decidindo quem será o novo senhor de Shiring?

Ragna não disse nada.

– Muito pouco – falou Wynstan, respondendo à própria pergunta. – Ele vai ver quem está controlando a região e simplesmente ratificar essa pessoa. O governante *de facto* vai se tornar o senhor da cidade *de jure*.

Se isso fosse verdade, você não faria tanta questão que eu me casasse com Wigelm, pensou Ragna. Mas não falou isso, porque outro pensamento acabara de lhe ocorrer. O que Wynstan faria se Ragna continuasse determinada a recusar o pedido de Wigelm? Tentaria encontrar uma alternativa. Talvez já tivesse várias alternativas, mas para Ragna uma delas se destacou.

Ele poderia matá-la.

CAPÍTULO 33

Agosto de 1002

dgar agora tinha matado dois homens. O primeiro fora o viking e o segundo, Stiggy. Talvez fossem três, se Bada tivesse morrido por causa da clavícula quebrada. Ele se perguntou se era um assassino.

Soldados nunca precisavam fazer esse questionamento a si mesmos: matar era o seu ofício. Mas Edgar era construtor. O combate não era algo natural para um artesão. Apesar disso, ele havia derrotado homens violentos. Deveria estar orgulhoso: Stiggy era um assassino frio e cruel. Mesmo assim, isso o perturbava.

E a morte de Stiggy não havia solucionado problema nenhum. Garulf assumira o controle de Outhen e sem dúvida estava intensificando seu domínio sobre os moradores naquele exato momento.

Chegando a Shiring, Edgar foi direto para o complexo do senhor da cidade. Tirou os arreios de Pilar, levou-a até o laguinho para beber água e então a soltou no pasto anexo junto com os outros cavalos.

Ao se aproximar da casa de Ragna, perguntou-se se ela estaria diferente agora que era viúva. Fazia cinco anos que a conhecia e durante todo aquele tempo ela pertencera a outro homem. Será que haveria uma expressão diferente em seu olhar, um sorriso novo no rosto, uma liberdade inédita no jeito de andar? Edgar sabia que ela gostava dele, mas será que agora ela expressaria esse sentimento mais francamente?

Encontrou-a dentro de casa. Apesar do dia de sol, Ragna estava sentada num banco, olhando para o nada e pensando. Seus três filhos e as duas filhas de Cat estavam tirando seu cochilo da tarde vigiados pela própria Cat e por Agnès. Ela animou-se um pouco ao vê-lo, o que o deixou satisfeito. Ele lhe entregou a bolsa de couro cheia de prata.

– Seus lucros da pedreira. Pensei que a senhora pudesse estar precisando de dinheiro.

– Obrigada! Wigelm roubou meu tesouro. Até agora eu estava sem um tostão. Eles queriam roubar tudo de mim, inclusive o vale de Outhen. No entanto, o rei é o responsável pelas viúvas nobres e mais cedo ou mais tarde ele terá algo a dizer sobre o que Wigelm e Wynstan fizeram. E você, como vai?

Edgar se sentou no banco ao lado dela e falou em voz baixa para as criadas não escutarem:

– Eu estava em Outhen. Vi Stiggy matar Seric.

Ela arregalou os olhos.

– Stiggy morreu...

Edgar aquiesceu.

Ela articulou uma pergunta sem emitir nenhum som.

"Você?"

Ele tornou a assentir.

– Mas ninguém sabe – sussurrou.

Ragna apertou o pulso dele, como se estivesse lhe agradecendo em silêncio, e Edgar sentiu uma quentura na pele que ela tocou. Ela então voltou a falar em um tom de voz normal:

– Garulf está louco de raiva.

– Claro. – Edgar pensou na expressão de pessimismo que tinha visto no rosto dela ao chegar. – Mas e a senhora, como vai?

– Wigelm quer se casar comigo.

– Que Deus não permita!

Edgar ficou chocado. Não queria que Ragna desposasse ninguém, mas Wigelm era uma opção particularmente repulsiva.

– Isso não vai acontecer – acrescentou ela.

– Que bom, fico feliz.

– Mas o que eles vão fazer? – Ragna exibia uma expressão que Edgar nunca tinha visto antes, uma aflição tão desesperada que a vontade de Edgar era lhe dar um abraço e lhe garantir que cuidaria dela. Ela continuou: – Eu sou um problema que eles precisam resolver, e eles não vão deixar a questão a cargo do rei Ethelred. O rei não gosta deles e pode não fazer o que eles querem.

– Mas o que eles podem fazer?

– Me matar.

Edgar balançou a cabeça.

– Certamente isso causaria um escândalo internacional...

– Eles diriam que eu adoeci e morri de repente.

– Santo Deus. – Não havia lhe ocorrido que pudessem ir tão longe assim. Eram inescrupulosos o suficiente para matar Ragna, mas isso poderia lhes causar sérios problemas. No entanto, eram afeitos a correr riscos. Edgar ficou seriamente alarmado. – Precisamos dar um jeito de protegê-la! – exclamou.

– Eu agora estou sem guarda-costas. Bern morreu e os soldados transferiram sua lealdade para Wigelm.

As duas criadas agora podiam ouvir a conversa, pois eles estavam falando em volume normal, e Cat reagiu ao último comentário de Ragna.

– Bestas imundas – falou em francês normando.

Bern era seu marido.

– Acho que a senhora precisa deixar este complexo – alertou Edgar.

– Ficaria parecendo que eu desisti.

– Seria temporário, só até conseguir apresentar seu caso ao rei. Coisa que a senhora não poderá fazer se estiver morta.

– Para onde eu poderia ir?

Edgar refletiu.

– Que tal a Ilha dos Leprosos? Há um banco de refúgio na igreja das freiras. Nem mesmo Wigelm se atreveria a assassinar uma nobre lá. Todos os vassalos da Inglaterra considerariam um dever matá-lo por vingança.

Os olhos de Ragna brilharam.

– É uma boa ideia.

– Deveríamos partir agora mesmo.

– Você iria comigo?

– Claro. Quando poderia partir?

Ela hesitou e então decidiu:

– Amanhã de manhã.

Edgar achou que aquilo estava parecendo muito fácil, bom demais para ser verdade.

– Eles podem tentar detê-la.

– Tem razão. Vamos partir antes de o sol nascer.

– Até lá a senhora vai precisar ser discreta.

– Sim. – Ragna se virou para Cat e Agnès, que escutavam com os olhos arregalados. – Vocês duas, não façam nada antes do jantar. Apenas ajam como agiriam normalmente. Então, depois que escurecer, façam as malas com tudo que precisamos para as crianças.

– Seria bom levar comida – falou Agnès. – Devo ir buscar algo na cozinha?

– Não, isso iria nos denunciar. Vá comprar pão e presunto na cidade.

Ragna lhe entregou 3 *pence* de prata da bolsa trazida por Edgar.

– Não use seus cavalos – alertou Edgar. – O xerife Den lhe emprestará montarias.

– Preciso abandonar Astrid?

– Eu volto para buscá-la depois. – Ele se levantou. – Passarei esta noite na casa de Den. Falarei com ele sobre pegar os cavalos emprestados. A senhora manda me avisar quando estiver tudo pronto para a partida?

– Claro. – Ela segurou as mãos dele, o que o fez recordar a conversa extremamente íntima que os dois tinham tido na casa dele na Travessia de Dreng. Será que haveria outros momentos de intimidade no futuro? Ele quase não se atrevia a esperar por isso. – E obrigada, Edgar, por tudo. Já perdi as contas de tudo que fez por mim.

Ele quis lhe dizer que tinha sido por amor, mas não na frente de Cat e Agnès. De modo que respondeu apenas:

– A senhora merece. Merece muito mais.

Ela sorriu e soltou sua mão, e ele se virou e saiu.

– Nós poderíamos simplesmente matar Ragna – disse Wigelm. – Isso simplificaria tudo.

– Já pensei nisso, acredite – retrucou Wynstan. – Ela está nos atrapalhando.

Os dois estavam na residência episcopal, no andar de cima, bebendo sidra. Aquele clima dava sede.

Wynstan recordou a ameaça do xerife Den de matá-lo caso algo acontecesse a Ragna. Porém descartou-a. Muitas pessoas gostariam de matá-lo. Se ele temesse todas elas, nunca colocaria os pés fora de casa.

– Sem Ragna, eu não teria nenhum rival para competir pelo comando da cidade – falou Wigelm.

– Nenhum em potencial. Quem mais o rei escolheria? Deorman de Norwood é praticamente cego. Thurstan de Lordsborough é um indeciso que mal seria capaz de reger um coral, quanto mais liderar um exército. Todos os outros vassalos não passam de fazendeiros ricos. Ninguém tem a sua experiência nem as suas conexões.

– Então...

Wynstan muitas vezes se irritava por ter que explicar as coisas para Wigelm mais de uma vez, mas nessa ocasião estava também tentando encontrar uma solução para o problema na própria mente.

– Precisamos mantê-la sob controle, só isso – disse.

– Por que isso é melhor do que matá-la? Poderíamos armar tudo para outra pessoa levar a culpa, como fizemos com Wilf.

Wynstan balançou a cabeça.

– É possível, mas seria abusar da sorte. Sim, conseguimos nos safar uma vez, por pouco, embora várias pessoas continuem não acreditando que Carwen matou Wilf. Mas um segundo assassinato conveniente tão pouco tempo depois do primeiro seria altamente suspeito. Todo mundo teria certeza de que somos os culpados.

– Talvez o rei Ethelred acreditasse em nós.

Wynstan deu uma risada zombeteira.

– Ele sequer fingiria acreditar. Nós estamos exercendo as funções dele de duas formas. Primeiro o estamos obrigando a aceitar nossa escolha para senhor de Shiring. Segundo, estamos interferindo no destino de uma viúva.

– Ele com certeza está mais preocupado em arrumar suas 24 mil libras, não?

– Por enquanto, sim, mas depois que arranjar o dinheiro vai estar com tempo de sobra.

– Então precisamos manter Ragna viva.

– Se for possível, sim. Viva, porém sob controle. – Wynstan ergueu os olhos e viu Agnès entrar. – E aqui está o pequeno camundongo que vai nos ajudar a fazer isso. – Viu que ela estava carregando um cesto. – Foi às compras, meu camundonguinho?

– Mantimentos para uma viagem, senhor meu bispo.

– Venha cá, sente-se no meu colo.

Ela pareceu espantada e constrangida, mas também empolgada. Pousou o cesto no chão e sentou-se sobre os joelhos de Wynstan, com as costas empertigadas.

– Que viagem é essa? – perguntou ele.

– Ragna quer ir para a Travessia de Dreng. São dois dias de viagem.

– Eu sei quanto tempo leva. Mas por que ela quer ir para lá?

– Ela acha que o senhor pode matá-la quando perceber que ela nunca vai se casar com Wigelm.

Wynstan olhou para o irmão. Aquele era o tipo de coisa que ele temia. Que bom que ficara sabendo com antecedência. Tinha sido muito inteligente ao colocar uma espiã na casa de Ragna.

– O que a fez tomar essa decisão?

– Não sei ao certo, mas Edgar apareceu com dinheiro para ela e a ideia foi dele. Ela vai ficar morando no convento e acha que lá estará segura contra o senhor.

E provavelmente tem razão, pensou Wynstan. Ele não queria se tornar inimigo da Inglaterra inteira.

– Quando ela vai partir?

– Amanhã ao raiar do dia.

Wynstan acariciou os seios de Agnès e ela estremeceu de desejo.

– Você fez um bom trabalho, meu camundonguinho – disse ele em tom afetuoso. – Essa é uma informação importante.

– Muito me alegra ter lhe agradado – retrucou ela com a voz trêmula.

Ele deu uma piscadela para o irmão, então enfiou a mão debaixo da saia dela.
– Tão molhada já! – exclamou. – Parece que eu também a agradei.
– Sim... – sussurrou ela.
Wigelm riu.
Wynstan tirou Agnès do colo.
– Ajoelhe-se, meu camundonguinho – pediu ele. Então levantou a própria túnica. – Sabe o que fazer com isto aqui?
Ela curvou a cabeça sobre o seu baixo-ventre.
– Ah, sim... – suspirou ele. – Estou vendo que sabe.

Ao cair da noite, Ragna se esgueirou para fora do complexo. Puxou o capuz por cima da cabeça e atravessou a cidade apressadamente. Estava feliz por estar indo ao encontro de Edgar. Deu-se conta de que essa era uma sensação familiar. Sempre ficara feliz por encontrá-lo. E ele tinha sido um bom amigo que nunca lhe faltara desde que Ragna chegara à Inglaterra.

Encontrou o xerife Den e sua esposa preparando-se para ir dormir. Edgar estava numa casa vazia no complexo do xerife, disse-lhe Den, e a levou até lá. A construção estava iluminada por uma única vela de sebo. Edgar encontrava-se junto à lareira, mas o fogo não estava aceso: fazia calor.

– Seus cavalos estarão prontos assim que o dia raiar – avisou Den, sucinto.

– Obrigada – disse Ragna. Alguns ingleses são pessoas decentes e outros são porcos, refletiu. Talvez seja assim por toda parte. – O senhor provavelmente salvou minha vida.

– Estou fazendo o que acredito que seria um desejo do rei – respondeu ele, então arrematou: – E fico feliz em ajudá-la. – Ele encarou ambos com um leve sorriso. – Vou deixá-los para tomarem as últimas providências.

E saiu.

O coração de Ragna começou a bater mais depressa. Ela raramente havia ficado a sós com Edgar – tão raramente que podia se lembrar com clareza de cada uma dessas ocasiões. A primeira fora cinco anos antes, na Travessia de Dreng, quando ele a levara até a Ilha dos Leprosos remando. Ela recordava a escuridão, o barulhinho da chuva caindo no rio e o calor dos braços fortes dele quando a tinha carregado da embarcação até terra firme pela água rasa. A segunda fora quatro anos depois, em Outhenham, na casa de Edgar na pedreira, quando ela o havia beijado e ele quase havia morrido de tanto constrangimento. E a terceira fora na Travessia de Dreng, quando ele mostrara a Ragna a caixa que fabricara para o livro que ela lhe dera de presente e ela praticamente admitira que o amor dele a reconfortava.

Aquela era a quarta vez.

– Está tudo pronto – afirmou ela.

Estava se referindo à fuga.

– Aqui também.

Ele parecia pouco à vontade.

– Relaxe – falou ela. – Não vou mordê-lo.

Ele deu um sorriso tímido.

– Que pena.

Ao encará-lo à luz difusa da vela, a única vontade de Ragna era tomá-lo nos braços. Aquilo lhe parecia a coisa mais natural do mundo. Ela deu um passo à frente.

– Me dei conta de uma coisa – falou.

– De quê?

– Nós não somos amigos.

– O quê?

– Nós não somos amigos.

Edgar entendeu na hora.

– Ah, não – falou, balançando a cabeça. – Nós somos algo totalmente diferente.

Ragna levou as mãos às faces dele e sentiu a maciez dos pelos da barba.

– Que belo rosto – disse. – Forte, inteligente e bondoso.

Ele baixou os olhos.

– Estou deixando você constrangido? – perguntou ela.

– Sim, mas não pare.

Ela pensou em Wilwulf e se perguntou como podia ter amado um guerreiro. Fora um amor juvenil. O que sentia agora era o desejo de uma mulher adulta. Porém ela não podia dizer essas coisas, então o beijou.

Foi um beijo demorado, suave, os lábios se explorando com delicadeza. Ela lhe acariciou o rosto e os cabelos, e sentiu as mãos dele na sua cintura. Depois de vários segundos, interrompeu o beijo, ofegante.

– Ah, nossa – falou. – Posso repetir?

– Quantas vezes quiser – respondeu ele. – Eu vinha aguardando por isso.

Ela se sentiu culpada.

– Eu sinto muito.

– Por quê?

– Por você ter esperado tanto. Cinco anos.

– Eu teria esperado dez.

Ragna ficou com os olhos marejados.

– Eu não mereço um amor desses.

– Merece, sim.

Ela quis fazer alguma coisa para agradá-lo.

– Você gosta dos meus seios? – perguntou.

– Gosto. Por isso passei esses anos todos olhando para eles.

– Gostaria de tocá-los?

– Sim – respondeu ele com voz rouca.

Ela se abaixou, segurou a barra do vestido, puxou-o por cima da cabeça com um movimento rápido e ficou nua na frente dele.

– Ah, nossa! – exclamou ele.

Começou a acariciá-la com as duas mãos, apertando com delicadeza, tocando os mamilos com dedos leves como plumas. Estava com a respiração acelerada. Ragna pensou que Edgar parecia um homem sedento que acaba de encontrar um riacho.

– Posso beijá-los? – perguntou ele depois de algum tempo.

– Edgar, você pode beijar o que quiser – respondeu ela.

Ele abaixou a cabeça e ela acariciou seus cabelos enquanto observava à luz tremeluzente os lábios dele se moverem sobre a sua pele.

Os beijos se tornaram mais urgentes e ela falou:

– Se você sugar, vai sair leite.

Ele riu.

– Eu iria gostar?

Ragna adorou o modo como ele conseguiu rir e ser ardente ao mesmo tempo. Abriu um sorriso.

– Não sei.

Ele então ficou sério outra vez.

– Podemos nos deitar?

– Espere um instante.

Ela se abaixou, ergueu a parte de baixo da túnica dele até chegar à cintura e beijou a ponta do seu membro. Então puxou a roupa por cima da cabeça dele.

Os dois se deitaram lado a lado e ela explorou o corpo dele com as mãos, sentindo o peito, a cintura, as coxas, e Edgar retribuiu. Ragna sentiu a mão dele entre as coxas e a ponta do seu dedo na fenda molhada. Estremeceu de prazer.

De repente, Ragna ficou impaciente. Rolou por cima dele e guiou seu membro para dentro de si. No início se mexeu devagar, depois mais depressa. *Eu não sabia que ansiava tanto por isso*, pensou ela ao fitar o rosto dele. *Não era apenas a sensação, o prazer, a excitação. Era mais do que isso: a intimidade, a franqueza um com o outro. Era o amor.*

Ele fechou os olhos, mas ela não queria isso e pediu:

– Olhe para mim, olhe para mim.

Edgar abriu os olhos.

– Eu amo você – disse ela.

Então foi tragada pela pura alegria de estar fazendo aquilo com Edgar e gritou, e ao mesmo tempo o sentiu arremeter descontroladamente dentro dela. Isso durou vários segundos e Ragna então desabou sobre o peito dele, exausta de emoção.

Deitada em cima dele, as lembranças dos cinco últimos anos lhe voltaram à mente como um poema. Ela se lembrou da tempestade aterrorizante durante a travessia a bordo do *Anjo*, da fora da lei de capacete que havia roubado seu presente para Wilf, do detestável Wigelm pegando seus peitos na primeira vez em que os dois haviam se encontrado, do choque de saber que Wilf já era casado e tinha um filho, da tristeza causada por sua infidelidade com Carwen, do horror de seu assassinato e da maldade de Wynstan. E ao longo disso tudo houvera Edgar, cuja gentileza tinha se transformado em afeto e depois num amor arrebatador. Obrigada, meu Deus, por Edgar, pensou. Obrigada, meu Deus.

Depois que ela foi embora, Edgar passou muito tempo arrebatado de felicidade. Pensara estar condenado a ter dois amores impossíveis, um por uma mulher morta, outro por uma mulher inatingível. E agora Ragna tinha dito que o amava. Ragna de Cherbourg, a mulher mais linda da Inglaterra, amava o construtor Edgar.

Ele reviveu cada instante: o beijo, a hora em que ela havia tirado o vestido, seus seios, o jeito como ela havia beijado o membro dele, de leve, com afeto, de modo quase passageiro, o momento em que ela havia lhe dito para abrir os olhos e olhar para ela. Será que duas pessoas algum dia tinham aproveitado tão intensamente a companhia uma da outra? Será que duas pessoas algum dia tinham se amado tanto?

Bem, provavelmente sim, pensou, mas talvez não muitas.

Com a cabeça tomada pelos pensamentos mais agradáveis possíveis, ele pegou no sono.

O sino do mosteiro o acordou. A primeira coisa que pensou foi: eu fiz mesmo amor com Ragna? E a segunda: será que estou atrasado?

Sim, ele tinha feito amor com ela, e não, não estava atrasado. Os monges acordavam uma hora antes de o dia nascer. Ele tinha tempo de sobra.

Ele e Ragna não tinham feito planos para além dos dois dias seguintes. Sairiam de Shiring, viajariam até a Travessia de Dreng, Ragna iria se refugiar no convento e então eles pensariam no futuro. Mas agora ele não conseguia evitar ficar especulando.

A distância social entre os dois não era tão grande quanto já tinha sido. Edgar era um artesão próspero, um homem importante tanto na Travessia de Dreng quanto em Outhenham. Ragna era nobre, mas viúva, e seus recursos financeiros estavam sob controle de Wynstan. O abismo estava menor, mas ainda era enorme. Edgar não via saída para aquela situação, mas não deixaria isso estragar sua felicidade naquele dia.

Encontrou o xerife Den na cozinha, fazendo um desjejum de carne e cerveja. Estava empolgado demais para sentir fome, mas obrigou-se a comer alguma coisa. Talvez precisasse estar forte.

Den olhou para o céu pela porta e falou:

– Está amanhecendo.

Edgar franziu a testa. Não era do feitio de Ragna se atrasar para nada.

Ele foi até o estábulo. Os cavalariços estavam arreando três cavalos – para Ragna, Cat e Agnès – e preparando um animal de carga com alforjes para os mantimentos. Edgar selou Pilar.

Den apareceu e disse:

– Está tudo pronto... menos Ragna.

– Vou buscá-la – retrucou Edgar.

Atravessou a cidade apressadamente. A aurora estava despontando e saía fumaça de uma padaria, mas ele não cruzou com ninguém no caminho até o complexo do senhor da cidade.

Às vezes o portão de entrada ficava vigiado e trancado com uma barra, mas não nesse dia: nesse ano uma trégua com os vikings estava em vigor e os galeses passavam por um período de calmaria. Ele abriu o portão sem fazer barulho. O complexo estava em silêncio.

Caminhou depressa até a casa de Ragna. Bateu com força à porta, então tentou a maçaneta. A barra de dentro não tinha sido passada. Ele abriu a porta e entrou.

Não havia ninguém.

Franziu a testa, subitamente tomado por um medo terrível. O que poderia ter acontecido?

Não havia luz. Semicerrou os olhos para enxergar na penumbra. Um rato passou correndo pela lareira, que devia estar fria. Assim que seus olhos se acostumaram à luz débil que entrava pela porta aberta, ele viu que a maioria dos pertences de Ragna continuava ali: vestidos pendurados em ganchos, a caixa de queijo e de carne, canecas e tigelas – mas os berços das crianças tinham sumido.

Ela fora embora. E a lareira fria provava que partira horas antes, provavelmente não muito depois de se despedir dele no complexo do xerife Den. Àquela altura poderia estar a quilômetros de distância em qualquer direção.

Ragna devia ter mudado de ideia. Mas por que não havia lhe mandado nenhum recado? Era possível que tivesse sido impedida de fazer isso. O que sugeria fortemente que ela fora levada contra a própria vontade e estava sendo mantida incomunicável. Os responsáveis só podiam ser Wynstan e Wigelm. Ela havia sido aprisionada, portanto.

Edgar sentiu a raiva se inflamar dentro de si. Como eles se atreviam? Ela era uma mulher livre, filha de um conde e viúva de um senhor da cidade. Eles não tinham esse direito!

Se haviam descoberto que ela estava planejando fugir, quem teria lhes contado? Um dos criados do xerife, talvez, ou mesmo Cat ou Agnès.

Edgar precisava descobrir para onde a tinham levado.

Furioso, saiu da casa. Estava disposto a confrontar Wigelm ou Wynstan, mas Wigelm estava mais perto. Quando estava em Shiring, ele dormia na casa da mãe, Gytha. Edgar percorreu a grama a passos largos em direção à casa dela.

Em frente à porta havia um soldado sentado no chão com as costas apoiadas na parede, cochilando. Edgar reconheceu Elfgar, um rapaz que era grande e forte, mas também agradável. Ignorou-o e esmurrou a porta.

Elfgar se levantou num pulo, subitamente desperto e cambaleante. Vasculhou o chão ao redor de si e com certo atraso empunhou um porrete, um pedaço de carvalho nodoso grosseiramente esculpido. Parecia não saber direito o que fazer com aquilo.

A porta se abriu de supetão, e lá dentro havia outro soldado. Devia estar dormindo do outro lado da soleira. Era Fulcric, mais velho e mais cruel do que Elfgar.

– Wigelm está aqui? – perguntou Edgar.

– Quem diabo é você? – rebateu Fulcric, agressivo.

– Eu quero falar com Wigelm! – exclamou Edgar, levantando a voz.

– Se não tomar cuidado, vai acabar com a cabeça esmagada.

Uma voz dentro da casa falou:

– Não se preocupe, Elfgar, é só aquele construtorzinho da Travessia de Dreng. – Wigelm surgiu da penumbra no interior da casa. – Mas é bom ele ter um motivo muito bom para esmurrar minha porta a esta hora da manhã.

– Você sabe qual é o motivo, Wigelm. Onde ela está?

– Não se atreva a me questionar ou vai ser punido por insolência.

– E você vai ser punido por raptar uma viúva nobre, uma ofensa mais séria aos olhos do rei.

– Ninguém foi raptado.

– Então onde está lady Ragna?

Atrás de Wigelm, sua esposa Milly e a mãe dele apareceram, ambas descabeladas e com cara de sono.

– E onde estão os filhos dela? – insistiu Edgar. – O rei vai querer saber.

– Num lugar seguro.

– Onde?

Wigelm riu com desdém.

– Você não acha mesmo que tem chance de ficar com ela, acha?

– Quem a pediu em casamento foi você.

– O quê? – fez Milly.

Pelo visto ela não estava ciente do pedido feito por seu marido a Ragna.

– Mas ela o rejeitou, não foi? – continuou Edgar, destemido. Sabia que era uma tolice provocar Wigelm, mas estava enfurecido demais para ficar calado. – Foi por isso que a raptou.

– Já chega.

– É o único jeito que você tem para conseguir uma mulher, Wigelm? Por meio de um sequestro?

Elfgar deu uma risadinha sarcástica.

Wigelm avançou um passo e deu um soco na cara de Edgar. Era um homem forte cuja única habilidade era o combate, e o soco doeu. Edgar teve a sensação de que todo o lado esquerdo de seu rosto estava em chamas.

Enquanto ele permanecia atordoado, Fulcric se posicionou atrás dele e o segurou com firmeza. Wigelm então o socou na barriga. Edgar teve a apavorante sensação de que não conseguia respirar. Wigelm lhe deu um chute no saco. Edgar sorveu uma golfada de ar e urrou de dor. Wigelm lhe deu outro soco na cara.

Então o viu pegar o porrete da mão de Elfgar.

O terror dominou Edgar. Ele temeu ser espancado até a morte, e então não sobraria ninguém para proteger Ragna. Viu o porrete vindo na direção de seu rosto. Virou a cabeça e a madeira pesada o atingiu na têmpora e fez um raio de dor lhe cingir o crânio.

Wigelm então o acertou no peito, e Edgar teve a sensação de que suas costelas tinham se partido. Desabou, semi-inconsciente, sustentado apenas pelas mãos de Fulcric.

Em meio ao zumbido em seus ouvidos, ouviu Gytha dizer:

– Chega. Você não vai querer matá-lo.

– Joguem-no dentro do laguinho – ordenou Wigelm então.

Edgar foi levantado pelos punhos e tornozelos e carregado pelo complexo.

Instantes depois, sentiu-se voar pelos ares. Aterrissou na água e afundou. Experimentou a tentação de ficar ali parado e se afogar para pôr fim à dor.

Rolou e apoiou as mãos e os joelhos no fundo lamacento do laguinho, então conseguiu erguer a cabeça acima da superfície e respirar.

Aos poucos, sentindo muita dor, engatinhou feito um bebê até a borda.

Ouviu uma mulher dizer:

– Coitadinho.

Percebeu que era Gilda, a ajudante de cozinha.

Tentou se levantar. Gilda o segurou pelo braço e o ajudou. Balbuciando por entre os lábios machucados, Edgar falou:

– Obrigado.

– Que Deus amaldiçoe Wigelm – disse ela. Segurou-o pela axila e pôs um braço dele sobre os próprios ombros. – Está indo para onde?

– Para a casa de Den.

– Então vamos – afirmou Gilda. – Eu o ajudo a chegar lá.

CAPÍTULO 34

Outubro de 1002

ldred estava satisfeito com o aumento do acervo de sua biblioteca. Preferia os livros em inglês àqueles em latim, para que pudessem ser usados por todas as pessoas que soubessem ler, não apenas pelos membros instruídos do clero. Tinha um exemplar dos Evangelhos, os Salmos e alguns livros de ofícios, e todos podiam ser consultados por padres comuns de zona rural, que possuíam poucos ou nenhum livro. Seu pequeno *scriptorium* produzia cópias a baixo custo para vender. Ele tinha também algumas obras memorialistas e livros de poesia secular.

O priorado estava prosperando, recolhendo cada vez mais aluguéis da cidade e agora, enfim, recebendo doações fundiárias de nobres. Havia novos frades noviços no mosteiro e alunos residentes na escola. Numa tarde amena de outubro, os jovens alunos estavam entoando salmos no cemitério da igreja.

Tudo corria bem, tirando o fato de Ragna ter desaparecido junto com seus filhos e suas criadas. Edgar havia passado dois meses indo de cidade em cidade e de vilarejo em vilarejo, mas não conseguira encontrar nenhum sinal dela. Chegara a visitar até o novo pavilhão de caça que Wigelm estava construindo perto de Outhenham. Ninguém tinha visto Ragna. Edgar estava abalado, mas não havia mais o que fazer, e Aldred sentia pena dele.

Enquanto isso, Wigelm coletava todos os aluguéis do vale de Outhen.

Aldred tinha perguntado ao xerife Den por que o rei não tomava nenhuma atitude.

– Considere a situação do ponto de vista de Ethelred – respondera Den. – Para ele, o casamento de Ragna é ilegítimo. Ele se recusou a ratificá-lo, mas Wilwulf mesmo assim foi em frente. O tribunal real o multou por desobediência e ele não pagou a multa. A autoridade de Ethelred foi desafiada e, pior, seu orgulho foi ferido. Ele não vai se comportar como se esse fosse um casamento perfeitamente normal.

– Então ele está punindo Ragna pelos pecados de Wilwulf! – exclamou Aldred, indignado.

– O que mais ele pode fazer?

– Ele pode atacar Shiring!

– Seria uma medida extrema: reunir um exército, incendiar os vilarejos, matar os opositores, fugir com os melhores cavalos, animais de criação e joias. Isso é a derradeira arma de um rei, a ser usada somente como último recurso. Será que ele vai fazer isso por uma viúva estrangeira cujo casamento sequer sancionou?

– O pai de Ragna sabe que ela desapareceu?

– Possivelmente. Mas uma operação de resgate a partir da Normandia seria uma invasão à Inglaterra, e o conde Hubert não tem condições de fazer isso... principalmente quando a filha do seu vizinho está prestes a se casar com o rei inglês. O casamento de Ethelred com Emma da Normandia está marcado para novembro.

– O rei precisa governar aconteça o que acontecer, e um de seus deveres é cuidar das viúvas nobres.

– Você mesmo deveria dizer isso a ele.

– Está certo, vou dizer.

Aldred escreveu uma carta para o rei Ethelred.

Em resposta, o rei mandou Wigelm apresentar a viúva do irmão.

Aldred pensara que Wigelm fosse simplesmente ignorar a ordem, assim como tinha ignorado decretos reais no passado, mas dessa vez fora diferente: Wigelm havia anunciado que Ragna tinha voltado para Cherbourg.

Se fosse verdade, isso explicaria por que ninguém conseguira encontrá-la na Inglaterra. E ela naturalmente teria levado consigo seus filhos e suas criadas normandas.

Edgar tinha feito uma segunda visita a Combe e não encontrara ninguém capaz de confirmar se Ragna havia embarcado num navio ali – mas ela poderia ter zarpado de um porto diferente.

Enquanto Aldred estava preocupado pensando em Edgar, o próprio apareceu. Havia se recuperado da surra que levara, exceto pelo nariz agora ligeiramente torto e a ausência de um dente da frente. Ele se aproximou do cemitério acompanhado por duas outras pessoas que Aldred reconheceu. O homem com os cabelos cortados à moda normanda era Odo e a loura de baixa estatura era a esposa dele, Adelaide. Os dois eram mensageiros de Cherbourg que, de três em três meses, traziam para Ragna seus aluguéis de Saint-Martin. Logo atrás deles vinham três soldados, sua escolta. Eles passaram a precisar de menos guarda-costas desde a execução de Cara de Ferro.

Aldred os cumprimentou e Edgar então disse:

– Odo veio pedir um favor, prior Aldred.

– Eu farei o melhor que puder – respondeu Aldred.

– Gostaria que o senhor cuidasse do dinheiro de Ragna para ela – disse Odo com seu sotaque francês.

– Você não conseguiu encontrá-la, é claro – falou Aldred.

Odo ergueu as mãos num gesto frustrado.

– Em Shiring dizem que ela foi para Outhenham e em Outhenham dizem que ela está em Combe, mas nós viemos por Combe e ela não está lá.

Aldred aquiesceu.

– Ninguém consegue encontrá-la. É claro que posso cuidar do dinheiro dela, se é isso que você quer. Mas a nossa última informação é que ela voltou para Cherbourg.

Odo ficou pasmo.

– Mas ela não está lá! Se estivesse, não teríamos vindo à Inglaterra!

– É claro que não – concordou Aldred.

– Então onde diabo ela está? – indagou Edgar.

Ragna, Cat e seus filhos tinham sido capturados em casa, amarrados e amordaçados por Wigelm e um grupo de soldados. Sob o manto da noite, tinham sido levados para fora do complexo e então embarcados numa carroça de quatro rodas e cobertos com mantas.

As crianças tinham ficado apavoradas e, para piorar, Ragna não pudera dizer nenhuma palavra para reconfortá-las.

A carroça havia sacolejado durante horas por estradas de terra sulcadas e ressequidas. Pelo que Ragna conseguira escutar, uma escolta de seis homens a cavalo a acompanhara. Mas eles se mantiveram o mais calados possível, falando muito pouco e em voz baixa.

As crianças acabaram dormindo de tanto chorar.

Quando a carroça parou e as mantas foram retiradas já era dia. Ragna viu que eles estavam numa clareira na floresta. Agnès fazia parte da escolta, e foi nesse momento que Ragna se deu conta de que ela era uma traidora. A costureira é que devia ter revelado a Wynstan seu plano de fugir com Edgar. Durante todo aquele tempo desde a execução do marido, Offa, Agnès vinha acalentando um ódio secreto pela patroa. Ragna amaldiçoou o impulso de clemência que a fizera contratar de novo aquela mulher.

Viu então que os berços das crianças estavam na carroça junto com eles. Porém tudo estava coberto. Será que os aldeões tinham achado aquilo estranho ao ver o grupo passar? Certamente não pensaram que se tratava de um rapto, pois não era possível ver as mulheres e crianças. A julgar pela escolta armada, a própria Ragna teria suposto que as mantas escondessem uma grande quantidade de prata ou outros bens valiosos que um nobre ou religioso rico estivesse transportando de um lugar para outro.

Então, sem ninguém por perto para ver, Agnès desamarrou as crianças e deixou que urinassem na orla da clareira. Elas não iriam fugir, claro, pois isso significaria deixar as mães para trás. Ela lhes deu pão embebido em leite e em seguida tornou a amarrá-las e amordaçá-las. As mães então foram soltas, uma de cada vez, e vigiadas cuidadosamente pelos homens enquanto faziam suas necessidades e depois comiam e bebiam um pouco. Quando acabaram, os prisioneiros tornaram a ser cobertos e a carroça retomou sua viagem sacolejante.

Houve mais duas paradas, separadas por intervalos de várias horas.

Nessa noite eles chegaram ao pavilhão de caça de Wilwulf na floresta.

Ragna já estivera ali antes, nos dias felizes do início de seu casamento. Sempre havia adorado caçar, e aquilo a fizera pensar em quando tinha caçado com Wilf na Normandia e os dois tinham matado um javali juntos e em seguida se beijado apaixonadamente pela primeira vez. Mas depois que o casamento começara a dar errado ela havia perdido o gosto pela caça.

O pavilhão ficava distante e isolado, lembrou. Havia estábulos, canis, armazéns e uma casa grande. Um zelador e sua esposa viviam numa das construções menores, mas, com exceção deles, ninguém tinha motivo para ir até ali a menos que houvesse uma caçada.

Ragna e os outros foram levados até a casa grande e desamarrados. O zelador pregou tábuas nas duas janelas, tornando impossível abrir as folhas, e afixou uma barra do lado de fora da porta. Sua esposa trouxe uma panela de mingau para eles jantarem. Então foram deixados até a manhã seguinte.

Isso fazia dois meses.

Agnès sempre trazia sua comida. Eles podiam sair para esticar o corpo uma vez por dia, mas Ragna nunca tinha permissão para sair ao mesmo tempo que as crianças. Lá fora havia sempre dois dos guarda-costas pessoais de Wigelm: Fulcric e Elfgar. Até onde Ragna podia perceber, nunca havia nenhum visitante.

Wigelm e Wynstan não poderiam ter feito aquilo com uma nobre inglesa. Ela em tese teria uma família poderosa, pais, irmãos e primos com dinheiro e soldados que teriam saído à sua procura, exigido que o rei defendesse os seus direitos e, caso nada disso tivesse surtido efeito, ido a Shiring com um exército. Porém Ragna era vulnerável porque sua família estava longe demais para intervir.

Agnès gostava de trazer más notícias junto com a comida.

– Seu namorado Edgar armou um escarcéu – dissera ela nos primeiros dias.

– Eu sabia que ele faria isso – respondera Ragna.

– Ele é um amigo *leal* – acrescentara Cat.

Agnès ignorou a alfinetada.

– Ele levou uma baita surra – contara ela com uma satisfação maldosa. – Fulcric o segurou enquanto Wigelm o espancava com um porrete.

– Que Deus o proteja – sussurrara Ragna.

– Deus eu não sei, mas Gilda o levou para a casa do xerife Den. Ele passou 24 horas sem conseguir ficar em pé.

Pelo menos está vivo, pensou Ragna. Wigelm não o havia matado. Já encrencado com o rei, talvez tivesse preferido não aumentar sua lista de infrações.

Agnès era má, mas Ragna podia fazê-la revelar informações sem querer.

– Eles não vão conseguir nos manter escondidas neste lugar por muito tempo – disse ela certo dia. – As pessoas sabem que Wilwulf tinha um pavilhão de caça aqui. Em breve alguém vai aparecer procurando por nós.

– Não vai, não – afirmou Agnès com uma expressão de triunfo. – Wigelm disse às pessoas que isto aqui tinha pegado fogo. Está até construindo um novo pavilhão de caça perto de Outhenham. Diz que a caça é mais farta por lá.

Aquilo fora ideia de Wynstan, pensou Ragna, desesperada. Wigelm não era inteligente o bastante para ter imaginado uma coisa dessas.

Mesmo assim, alguém ia acabar descobrindo que havia prisioneiros ali. Pessoas viviam na floresta: carvoeiros, apanhadores de cavalos, madeireiros, mineiros e fora da lei. Eles podiam até ficar com medo dos soldados, mas era impossível impedi-los de espiar por entre os arbustos. Mais cedo ou mais tarde alguém iria se perguntar se havia alguém sendo mantido prisioneiro no pavilhão de caça.

Então começariam os boatos. As pessoas diriam que na casa havia um monstro de duas cabeças, um concílio de bruxas ou então um cadáver que ressuscitava na lua cheia e tentava abrir seu caixão por dentro. Mas também relacionariam o local à nobre desaparecida.

Em quanto tempo isso aconteceria? O povo da floresta tinha pouco contato com camponeses ou moradores de cidade comuns. Passavam meses a fio sem falar com desconhecidos. Em algum momento precisavam ir ao mercado levando cavalos recém-domados ou uma carroça carregada de minério de ferro, mas isso aconteceria mais provavelmente na primavera.

À medida que as semanas foram se transformando em meses, Ragna afundou numa depressão. As crianças viviam chorando, Cat estava sempre de mau humor e Ragna constatou que não conseguia pensar num motivo para sequer lavar o rosto de manhã.

E então descobriu que ainda estava por vir coisa muito, muito pior.

Estava fazendo riscos na parede para contar os dias, e pouco antes do dia de Todos os Santos Wigelm apareceu.

Estava escuro lá fora e as crianças já dormiam. Ragna e Cat achavam-se sentadas num banco junto ao fogo. Uma única vela de sebo iluminava o recinto. Elas só podiam acender uma por vez. Fulcric abriu a porta para Wigelm entrar e então a fechou, permanecendo do lado de fora.

Ragna observou discretamente e viu que Wigelm não estava armado.

– O que você quer? – perguntou, e na mesma hora sentiu vergonha da pontinha de medo que percebeu na própria voz.

Com um gesto do polegar, Wigelm mandou Cat se levantar e então ocupou seu lugar. Ragna escorregou pelo banco até ficar o mais longe possível do meio-cunhado.

– Você teve tempo de sobra para pensar na sua situação – começou ele.

Com esforço, ela retomou parte do seu antigo temperamento:

– Eu fui aprisionada de maneira ilegal. Não precisei de tempo nenhum para entender isso.

– Você está sem poder algum e não tem um tostão.

– Não tenho um tostão porque você roubou meu dinheiro. Aliás, uma viúva tem direito a ter seu dote devolvido. O meu foram 20 libras de prata. Como você roubou o tesouro de Wilf também, me deve 20 libras daquele dinheiro. Quando vai poder me dar?

– Se você se casar comigo, poderá ficar com tudo – respondeu Wigelm.

– E perder minha alma. Não, obrigada, só quero o meu dinheiro.

Ele balançou a cabeça como se estivesse triste.

– Por que você precisa ser essa megera? Qual é o problema em tratar um homem bem?

– Wigelm, o que você veio fazer aqui?

Ele deu um suspiro exagerado.

– Eu lhe fiz uma boa proposta. Vou me casar com você...

– Que atrevimento!

– ... e juntos pediremos ao rei que nos nomeie senhores de Shiring. Estava torcendo para você já ter entendido como seria sensato aceitar o meu pedido.

– Não, eu não entendi.

– Não vai receber nenhum outro melhor. – Ele a segurou pelo braço com firmeza. – Vamos, não pode fingir que não me acha atraente.

– Fingir? Me solte.

– Prometo que depois de trepar comigo uma vez você vai implorar por mais.

Ela soltou o braço da mão dele e se levantou.

– Nunca!

Para surpresa de Ragna, ele foi até a porta, deu uma batida de leve, então virou-se de volta para ela.

– Nunca é muito tempo – falou.

O guarda abriu a porta e ele saiu.

– Graças a Deus – disse Ragna quando a porta se fechou.

– Que bom que se safou – falou Cat.

Ela voltou para o banco e sentou-se ao lado da patroa.

– Ele em geral não desiste tão fácil – comentou Ragna.

– A senhora continua preocupada.

– Na verdade eu acho que quem está preocupado é Wigelm. Por que você acha que ele faz tanta questão de se casar comigo?

– Quem não faria?

Ragna balançou a cabeça.

– Na verdade ele não me quer como esposa. Eu dou muito trabalho. Ele prefere dormir com alguém que nunca vá enfrentá-lo.

– Por que essa insistência, então?

– Eles estão preocupados com o rei. Por enquanto controlam Shiring e também me mantêm sob controle, mas para conseguir isso desafiaram muito a autoridade de Ethelred e talvez chegue a hora em que o rei decida lhes ensinar quem manda na Inglaterra.

– Ou pode ser que não – disse Cat. – Reis gostam de uma vida tranquila.

– É verdade. Mas Wynstan e Wigelm não podem prever como Ethelred vai reagir. No entanto, teriam mais chance de conseguir o resultado que desejam se eu me casasse com Wigelm. E é por isso que continuam tentando.

A porta se abriu e Wigelm entrou outra vez.

Dessa vez vinha acompanhado por quatro soldados que Ragna não reconheceu. Devia tê-los trazido consigo. Eles pareciam algozes.

Cat deu um grito.

Dois homens agarraram cada mulher, jogaram-nas no chão e as seguraram.

Todas as crianças começaram a chorar.

Wigelm segurou a gola do vestido de Ragna e o arrancou, deixando-a nua, com os braços e pernas abertos e imobilizada nos tornozelos e pulsos.

– Pelos deuses, mas que par de pombinhos mais rechonchudos! – comentou um dos homens.

– Eles não são para o seu bico – disse Wigelm, levantando a parte de baixo da túnica. – Quando eu terminar você pode trepar com a criada, mas com esta aqui não. Ela vai ser minha mulher.

Soprava um vento frio do mar e Wynstan ficou satisfeito ao adentrar o ambiente aquecido e enfumaçado da casa de Mags em Combe, com Wigelm em seu encalço. Mags o viu na mesma hora e lhe deu um abraço.
– Meu padre preferido! – exultou ela.
Wynstan lhe deu um beijo.
– Mags, meu docinho, como vai?
Ela olhou por cima do ombro dele.
– E seu igualmente belo irmão mais novo – falou, e abraçou Wigelm também.
– Qualquer homem rico é belo para você – comentou Wigelm em tom azedo.
Ela ignorou o comentário.
– Sentem-se, caros amigos, e bebam uma caneca de hidromel. Acabou de ser fabricado. Selethryth! – Ela estalou os dedos e jarra e canecas foram trazidas por uma mulher de meia-idade, sem dúvida uma ex-prostituta agora considerada velha demais para o serviço, pensou Wynstan.
Eles tomaram a bebida extremamente doce e Selethryth serviu mais.
Wynstan correu os olhos pelas mulheres sentadas nos bancos que margeavam as paredes do recinto. Algumas estavam vestidas, outras envoltas em panos soltos e uma menina muito pálida estava nua.
– Que visão mais linda... – disse ele com um suspiro.
– É uma menina nova que venho guardando – explicou Mags. – Mas qual de vocês dois vai tirar a virgindade dela?
– Quantos homens já a tiraram até agora? – perguntou Wigelm.
Wynstan deu uma risadinha.
– Vocês sabem que eu nunca mentiria para vocês – protestou Mags. – Eu nem costumo deixá-la entrar aqui... ela fica trancada na casa ao lado.
– Deixe Wigelm ficar com a virgem – falou Wynstan. – Minha disposição pede uma mulher mais experiente.
– Que tal Merry? Ela gosta do senhor.
Wynstan sorriu para uma mulher voluptuosa de cabelos escuros e cerca de 20 anos. Ela acenou para ele.
– Sim – disse ele. – Merry seria ótima. Essa bunda grande...
Merry veio se sentar ao lado dele e Wynstan a beijou.

– Selethryth, traga a virgem para o senhor Wigelm – ordenou Mags.

Após alguns instantes, Wynstan disse a Merry:

– Deite-se na palha, querida, e vamos logo com isso.

Merry tirou o vestido por cima da cabeça e se deitou de costas no chão. Era roliça e tinha a pele rosada. Ele ficou feliz por tê-la escolhido. Ergueu a parte de baixo da túnica e se ajoelhou entre as pernas dela.

Merry deu um grito.

Wynstan se afastou na mesma hora, atônito.

– Que diabo essa mulher tem? – perguntou.

– Ele está com um cancro! – guinchou Merry.

Ela se levantou num pulo e cobriu a vagina com um gesto protetor.

– Não estou, não – rebateu Wynstan.

Mags adotou um tom de voz distinto. Seu comportamento do tipo tudo-que-você-quiser-querido de antes foi substituído por uma abordagem abrupta e autoritária.

– Deixe-me ver, bispo – exigiu, direta. – Me mostre o seu pau.

Wynstan se virou.

– Ah, meu Deus – fez Mags. – É um cancro.

Wynstan baixou os olhos para o próprio pênis. Junto à glande havia uma ferida oval com cerca de 2,5 centímetros de comprimento e um pontinho muito vermelho no centro.

– Isso não é nada – disse ele. – Nem está doendo.

A alegria de Mags desaparecera por completo e sua voz saiu fria.

– Nada uma ova – afirmou com firmeza. – Isso daí é o mal-francês.

– Impossível – rebateu Wynstan. – O mal francês causa lepra.

Mags amenizou o tom, mas só um pouco.

– Talvez o senhor tenha razão – falou, e Wynstan sentiu que ela estava dizendo isso só para agradá-lo. – Seja o que for, não posso deixar que trepe com as minhas meninas. Se qualquer tipo de doença entrar nesta casa, em dois tempos metade do clero da Inglaterra vai estar fora de combate.

– Ora, mas que bordoada. – Wynstan ficou desanimado. Uma doença significava uma fraqueza, e ele deveria ser forte. Além do mais, estava excitado e queria trepar. – O que vou fazer? – indagou.

Mags recuperou parte do ar coquete habitual:

– Vai ganhar a melhor punheta que já recebeu na vida, e quem vai lhe proporcionar isso sou eu, meu doce padre.

– Bem, se for o melhor que você puder fazer...

– Ao mesmo tempo as meninas podem se exibir para o senhor. O que gostaria de ver?

Wynstan refletiu um pouco.

– Gostaria de ver a bunda de Merry ser chicoteada.

– Então verá – disse Mags.

– Ah, não... – fez Merry.

– Não reclame – ordenou Mags. – Você recebe um adicional por apanhar e sabe disso.

Merry adotou um ar contrito.

– Desculpe, Mags. Não tive a intenção de reclamar.

– Assim está bem melhor. Agora vire de costas e se abaixe.

CAPÍTULO 35

Março de 1003

agna e Cat estavam ensinando às crianças uma cantiga de contar. Osbert, agora com quase 4 anos, já conseguia cantar canções praticamente inteiras. Os gêmeos tinham apenas 2 e balbuciavam sem parar, mas conseguiam aprender as palavras. As filhas de Cat, de 2 e 3 anos, ficavam em algum ponto entre uma coisa e outra. Todos gostavam da cantoria e, além disso, estavam aprendendo os números.

A principal ocupação de Ragna na prisão era manter as crianças ocupadas com atividades que lhes ensinassem alguma coisa. Ela recitava poemas, inventava histórias e descrevia todos os lugares que já tinha visitado. Contou-lhes sobre o *Anjo* e a tempestade na travessia do canal, sobre Cara de Ferro, a fora da lei que havia roubado o presente de casamento do pai deles, e até mesmo sobre o incêndio nos estábulos do castelo de Cherbourg. Cat não era tão boa com histórias, mas tinha um acervo sem fim de canções francesas e uma bela voz.

Divertir as crianças também impedia as mulheres de afundarem num pântano de desespero suicida.

Quando a cantiga estava terminando, a porta se abriu e um guarda olhou para dentro. Era Elfgar, o mais jovem, não tão duro quanto Fulcric e com inclinação a ser solidário. Era ele quem muitas vezes trazia notícias para Ragna. Por ele ficou sabendo que os vikings estavam atacando novamente o oeste do país, chefiados pelo temido rei Swein. A trégua que Ethelred comprara por 24 mil libras de prata não havia durado um segundo ano.

Estava quase torcendo para os vikings conquistarem o oeste do país. Ela poderia ser capturada e libertada mediante um resgate. Pelo menos talvez saísse daquela prisão.

– Hora de ir lá fora – disse Elfgar.

– Onde está Agnès? – perguntou Ragna.

– Ela não está se sentindo bem.

Ragna não sentiu pena. Detestava Agnès, a mulher que a havia traído, a responsável pelo seu sequestro.

Como a porta aberta deixava entrar o ar frio, Ragna e Cat vestiram capas nas crianças impacientes e então as soltaram para correr. Elfgar fechou a porta e recolocou a barra por fora.

Sem as crianças, Ragna se rendeu à infelicidade.

Fazia sete meses que estava ali, segundo as marcações que fizera na parede. Havia pulgas nos juncos do chão e lêndeas em seus cabelos, e ela estava com tosse. O lugar fedia: duas adultas e cinco crianças usavam um único penico para fazer as necessidades, pois não tinham permissão para sair para isso.

Cada dia passado ali era um dia roubado de sua vida, e todas as manhãs, ao acordar e constatar que ainda era mantida presa, Ragna sentia uma amargura tão lancinante quanto a ponta de uma flecha.

E Wigelm tinha aparecido de novo na véspera.

Felizmente ele vinha fazendo menos visitas agora. No início aparecia uma vez por semana e agora estava mais para uma vez por mês. Ela havia aprendido a fechar os olhos e pensar na vista das muralhas do castelo de Cherbourg, na brisa limpa batendo em seu rosto, até senti-lo se retirar como uma lesma saindo de dentro dela. Rezava para ele perder totalmente o interesse.

As crianças voltaram, com o rosto corado por causa do frio, e foi a vez de Ragna e Cat vestirem suas capas e saírem.

Elas andaram de um lado para outro para se manter aquecidas e Elfgar as acompanhou.

– O que Agnès tem? – perguntou-lhe Cat.

– Algum tipo de bexiga – respondeu ele.

– Tomara que morra disso.

Todos ficaram em silêncio e então Elfgar falou em tom casual:

– Acho que eu não devo ficar mais muito tempo aqui.

– Por quê? Lamentaríamos perder você – disse Ragna.

– Terei que combater os vikings. – Ele estava se fingindo de contente, mas Ragna detectou medo por trás da bravata. – O rei está reunindo um exército para derrotar Swein Barba Cortada.

Ragna parou de caminhar.

– Tem certeza? – indagou. – O rei Ethelred vai vir ao oeste do país?

– É o que dizem.

O coração dela se encheu de esperança.

– Então ele com certeza vai ficar sabendo sobre o nosso sequestro – disse ela.

Elfgar deu de ombros.

– É possível.

– Nossos amigos vão lhe contar: o prior Aldred, o xerife Den e o bispo Modulf.

– Sim! – exclamou Cat. – E então o rei Ethelred deve nos libertar!

Ragna não tinha tanta certeza.

– Não deve, milady?

Ela não respondeu nada.

– Essa é a nossa chance de encontrar Ragna – disse o prior Aldred ao xerife Den. – Não podemos deixar a oportunidade nos escapar por entre os dedos.

Aldred tinha ido da Travessia de Dreng até Shiring especialmente para conversar com Den sobre esse assunto. Examinou o xerife para avaliar sua reação. Den estava com 58 anos, vinte a mais do que Aldred, mas os dois tinham muito em comum. Ambos prezavam a lei. No complexo de Den havia mostras de seu apreço pela ordem: sua cerca era bem construída; as casas, enfileiradas; e a cozinha e a pilha de dejetos ficavam em cantos opostos, o mais longe possível uma da outra. A Travessia de Dreng tinha adquirido uma organização similar desde que Aldred assumira o comando. Mas também havia diferenças: Den servia ao rei. Aldred servia a Deus.

– Agora temos certeza de que Ragna nunca foi para Cherbourg – continuou Aldred. – O conde Hubert nos confirmou isso e enviou uma reclamação formal ao rei Ethelred. Wynstan e Wigelm mentiram.

Den foi cauteloso em sua resposta:

– Eu gostaria de ver Ragna sã e salva, e creio que o rei Ethelred também. Mas um rei tem necessidades múltiplas e às vezes as diferentes pressões exercidas sobre ele entram em conflito.

Wilburgh, esposa de Den, uma mulher de meia-idade com cabelos grisalhos debaixo da touca, tinha uma opinião mais radical:

– O rei deveria pôr aquele demônio do Wigelm numa prisão.

Apesar de concordar com ela, Aldred adotou uma linha de raciocínio mais prática:

– O rei dará audiências no oeste do país?

– Terá que fazer – respondeu Den. – Por onde ele passa, seus súditos o abordam com demandas, acusações e propostas. Ele não tem como não ouvi-los, e as pessoas querem decisões.

– Em Shiring?

– Se ele vier aqui, sim.

– Aqui ou em qualquer outro lugar, ele *precisa* fazer alguma coisa em relação a Ragna!

– Em algum momento, sim. Sua autoridade foi desafiada e ele não pode deixar isso passar. Mas quando ele tomará uma atitude já é outra questão.

Todas as respostas são vagas, pensou Aldred, frustrado, mas talvez isso fosse normal em se tratando da realeza. Num mosteiro, um pecado era um pecado e pronto, não havia equívoco possível.

– A rainha Emma, nova esposa de Ethelred, certamente será uma forte aliada de Ragna. As duas são aristocratas normandas, se conheceram ainda novas e ambas se casaram com nobres ingleses poderosos. Devem ter vivenciado alegrias e tristezas semelhantes em nosso país. A rainha Emma vai querer que Ethelred resgate Ragna.

– E Ethelred já teria começado os trabalhos, não fosse Swein Barba Cortada. Ele está reunindo exércitos para combater e, como sempre, depende dos senhores de terras para alistarem os homens das cidades e dos vilarejos. É uma época ruim para brigar com poderosos como Wigelm e Wynstan.

O que no fim das contas é mais uma resposta vaga, pensou Aldred.

– Existe alguma coisa capaz de influenciar a decisão?

Den refletiu por alguns instantes, então respondeu:

– A própria Ragna.

– Como assim?

– Se Ethelred encontrá-la, fará tudo que ela pedir. Ela é linda e vulnerável, e é uma viúva nobre. Ele não conseguirá se recusar a fazer justiça a uma mulher bonita que foi maltratada.

– Mas é esse o nosso problema. Não podemos levá-la até ele porque não conseguimos encontrá-la.

– Exato.

– Então qualquer coisa pode acontecer.

– Sim.

– Falando nisso, quando eu estava vindo para cá passei por Wigelm na estrada, indo na direção oposta com um grupo de soldados – contou Aldred. – O senhor por acaso não sabe para onde ele estava indo, sabe?

– É bem possível que tenha ido para a Travessia de Dreng, já que naquele trecho não existe nenhum outro lugar digno de nota.

– Espero que a intenção dele não seja me criar problemas.

Aldred voltou para casa preocupado, mas quando chegou frei Godleof lhe disse que na verdade Wigelm não tinha aparecido na Travessia de Dreng.

– Ele deve ter mudado de ideia na estrada e dado meia-volta por algum motivo – opinou Godleof.

Aldred franziu a testa.

– Suponho que sim – falou.

Aldred ouviu o exército quando ele ainda estava a quase 2 quilômetros de distância da Travessia de Dreng. De início não entendeu o que estava escutando. Era um barulho um pouco parecido com o do centro de Shiring num dia de mercado: o de centenas de pessoas, milhares talvez, conversando e rindo, gritando ordens, praguejando, assobiando e tossindo, além de cavalos relinchando e bufando, e carroças rangendo e sacolejando. Ele podia escutar também a folhagem sendo remexida de um lado e outro da estrada lamacenta à medida que homens e cavalos pisoteavam plantas e carroças passavam por cima de mato e arbustos. Aquilo só podia ser um exército.

Todos sabiam que o rei Ethelred estava a caminho, mas a sua rota não fora anunciada, e Aldred ficou surpreso que ele tivesse decidido cruzar o rio na Travessia de Dreng.

Quando ouviu o alvoroço, estava trabalhando na nova dependência do mosteiro, uma construção de pedra onde funcionariam a escola, a biblioteca e o *scriptorium*. Com uma folha de pergaminho pousada numa prancha sobre os joelhos, Aldred copiava meticulosamente o Evangelho de São Mateus na típica caligrafia em letras minúsculas usada para a literatura em língua inglesa. Trabalhava rezando, pois aquela era uma tarefa sagrada. Copiar um trecho da Bíblia cumpria um duplo objetivo: criava um livro novo, claro, mas também era um modo perfeito de meditar sobre o significado mais profundo das sagradas Escrituras.

Aldred tinha uma regra: nunca se podia deixar os acontecimentos mundanos interromperem o trabalho espiritual. Mas aquele era o rei, e ele parou o que estava fazendo.

Fechou o livro de São Mateus, tornou a arrolhar o chifre que lhe servia de tinteiro, enxaguou a ponta de sua pena numa tigela de água limpa, soprou o pergaminho para fazer a tinta secar, então guardou tudo no baú em que ficavam armazenados objetos caros como aqueles. Fez isso metodicamente, mas seu coração batia disparado. O rei! O rei era uma esperança de justiça. Shiring estava sob o controle da tirania e só Ethelred poderia mudar isso.

Aldred nunca vira o rei. Ethelred era conhecido como o Despreparado, pois se dizia que tinha como defeito seguir maus conselhos. Aldred não tinha certeza se acreditava nisso. Dizer que o rei era mal aconselhado era em geral uma forma de atacar o monarca sem parecer fazê-lo.

De todo modo, Aldred não estava convencido de que as decisões de Ethelred fossem um desastre. Ele havia se tornado rei aos 12 anos de idade e já reinava há 25 anos, o que por si só era um feito. A bem da verdade, Ethelred não conseguira infligir uma derrota decisiva aos invasores vikings, mas eles vinham saqueando a Inglaterra havia uns duzentos anos e nenhum outro rei tivera muito mais sucesso contra eles.

Aldred lembrou a si mesmo que Ethelred talvez não estivesse junto com as tropas que se aproximavam agora. Ele poderia ter se desviado para algum outro compromisso e combinado reencontrar o exército mais tarde. Reis às vezes não conseguiam seguir os próprios planos.

Quando Aldred saiu, os primeiros soldados já podiam ser vistos na outra margem do rio. A maioria era de rapazes jovens e barulhentos que portavam armas de fabricação caseira, sobretudo lanças, bem como alguns martelos, machados e arcos. Havia alguns de barba grisalha e umas poucas mulheres também.

Aldred desceu até o rio. Dreng estava lá, parecendo mal-humorado.

Blod já estava manejando a vara para atravessar com o barco. Uns poucos homens cruzaram o rio a nado na mesma hora, impacientes para chegar ao outro lado, mas a maioria não sabia nadar. O próprio Aldred nunca tinha aprendido. Um homem conduziu seu cavalo rio adentro e se agarrou na sela enquanto o animal atravessava nadando, mas a maioria era de animais de carga com muito peso no lombo. Em pouco tempo, uma multidão se juntou para aguardar a travessia. Aldred se perguntou quantos homens haveria no total e quanto tempo levaria para todos atravessarem o rio.

Se Edgar estivesse ali com sua jangada, eles atravessariam na metade no tempo, mas ele tinha ido a Combe, onde estava ajudando os monges a construírem defesas para a cidade. Ultimamente Edgar aproveitava qualquer desculpa para viajar, de modo a poder continuar sua busca por Ragna. Ele não desistia.

Blod chegou do outro lado e anunciou a tarifa. Os soldados a ignoraram e lotaram a embarcação, 15, 20, 25 pessoas. Não tinham muita ideia de quantos passageiros a embarcação podia suportar com segurança, e Aldred viu Blod discutir acaloradamente com vários antes de eles, relutantes, desembarcarem para esperar a próxima leva. Quando sobraram 15 pessoas a bordo, ela começou a travessia.

Assim que o barco chegou à outra margem, Dreng gritou:

– Onde está o dinheiro?

– Eles estão dizendo que não têm – respondeu Blod.

Os soldados desembarcaram empurrando-a para um lado.

– Você não deveria tê-los deixado embarcar se eles não iriam pagar – falou Dreng. Blod o encarou com desprezo.

– Atravesse você e veja se consegue se sair melhor.

Um dos soldados estava escutando o diálogo. Era um homem mais velho armado com uma boa espada, de modo que devia ser algum tipo de capitão. Ele falou para Dreng:

– O rei não paga pedágios. É melhor você atravessar os homens. Caso contrário, ele provavelmente vai incendiar este vilarejo inteiro.

– Não vai ser preciso usar violência. Eu sou Aldred, prior do mosteiro.

– Eu sou Cenric, um dos intendentes.

– Quantos homens tem o seu exército, Cenric?

– Uns dois mil.

– A menina escrava sozinha não vai conseguir atravessar todos eles. Essa operação vai levar um dia ou dois para ser concluída. Por que vocês mesmos não operam o barco?

– O que você tem a ver com isso, Aldred? – perguntou Dreng. – O barco não é seu!

– Cale a boca, Dreng! – disparou Aldred.

– Quem você pensa que é?

– Cale a boca, seu imbecil, senão eu corto sua língua fora e a enfio goela abaixo – disse Cenric para Dreng.

Dreng abriu a boca para responder, então pareceu se dar conta de que o soldado não estava fazendo uma ameaça vazia. Estava falando muito sério. Mudou de ideia e ficou quieto.

– Tem razão, prior, é o único jeito – falou Cenric. – Vamos fazer o seguinte: o último a embarcar leva o barco até o outro lado e depois volta com ele. Vou ficar aqui durante um tempo para garantir que eles façam assim.

Dreng olhou por cima do ombro e viu alguns dos soldados entrarem na taberna. Com uma voz assustada, falou:

– Bom, pela cerveja eles vão ter que pagar.

– Então é melhor você ir para lá servi-los – retrucou Cenric. – Vamos tentar garantir que os homens não queiram beber de graça. – E então acrescentou com sarcasmo: – Já que você foi tão prestativo em relação à travessia.

Dreng entrou apressado.

– Mais uma viagem, menina escrava, depois os homens vão assumir – avisou Cenric a Blod.

Ela subiu a bordo e iniciou a travessia.

– Queremos comprar quaisquer mantimentos que vocês monges tiverem, comida e bebida – disse Cenric para Aldred.

– Vou ver o que temos sobrando.

Cenric balançou a cabeça.

– Nós vamos comprar quer esteja sobrando ou não, prior. – Seu tom não tinha maldade, mas não deixava brecha para oposição. – O exército não aceita não como resposta.

E eles darão o preço de tudo que comprarem, pensou Aldred, e não haverá como negociar.

Ele fez a pergunta em que estivera pensando durante toda a conversa:

– O rei Ethelred está com vocês?

– Ah, sim. Está com os nobres mais importantes. Vai chegar logo, logo.

– Então é melhor eu lhe preparar uma refeição no mosteiro.

Aldred deixou a beira do rio e subiu o morro até a casa de Bucca Peixe, onde comprou todos os peixes frescos à venda prometendo pagar depois. Bucca ficou feliz em vender, temendo que caso contrário seu estoque pudesse ser confiscado ou roubado.

Aldred voltou para o mosteiro e deu ordens para o almoço. Disse aos monges que quaisquer intendentes que exigissem víveres deveriam ser informados de que tudo já estava reservado para o rei. Eles começaram a pôr a mesa e serviram vinho e pão, castanhas e frutas secas.

Ele abriu uma caixa trancada e pegou um crucifixo de prata numa correia de couro. Colocou-o no pescoço e tornou a trancar a caixa. A cruz indicaria a todos os visitantes que ele era o monge mais graduado dali.

O que diria ao rei? Depois de anos desejando que Ethelred aparecesse para resolver a situação na região praticamente sem lei de Shiring, de repente se pegou buscando as palavras de que precisaria. Os abusos cometidos por Wilwulf, Wynstan e Wigelm eram uma história longa e complexa, e muitos de seus crimes não eram fáceis de provar. Cogitou mostrar ao rei sua cópia do testamento de Wilwulf. Porém isso contava apenas parte da história e, de toda forma, o rei poderia se ofender caso lhe mostrassem um testamento que ele não havia ratificado. Aldred na verdade precisava de uma semana para redigir tudo – e depois ainda era provável que o rei não lesse: muitos nobres sabiam ler, mas em geral a leitura não era sua ocupação preferida.

Ele escutou vivas. Deviam ser para Ethelred. Saiu do mosteiro e desceu o morro apressado.

O barco da travessia estava se aproximando. Um soldado manejava a vara e a bordo havia apenas um homem de pé na proa da embarcação e um cavalo. O homem estava usando uma túnica vermelha estampada com bordados dourados e um manto azul de seda debruado. Suas perneiras de tecido eram presas por correias finas de couro e ele calçava botas de cadarço feitas de couro macio. Uma espada comprida embainhada pendia de uma faixa de seda amarela. Sem dúvida aquele era o rei.

Ethelred não estava olhando na direção do vilarejo. Sua cabeça estava virada para a esquerda e ele fitava as ruínas chamuscadas da ponte, cujas vigas enegrecidas ainda desfiguravam a beira do rio.

Quando Ethelred conduziu seu cavalo para fora do barco até terra firme, Aldred viu que o rei estava furioso.

Foi a Aldred que ele se dirigiu, pois a cruz deixava claro que ele era uma autoridade ali.

– Eu imaginei que fosse atravessar numa ponte! – disparou, em tom de acusação.

Isso explica por que ele decidiu vir por este caminho, pensou Aldred.

– Que diabo aconteceu? – exigiu saber o rei.

– A ponte foi incendiada, senhor meu rei – informou Aldred.

Ethelred estreitou os olhos de modo arguto.

– O senhor não está dizendo que ela *pegou fogo*, mas que *foi incendiada*. Por quem?

– Nós não sabemos.

– Mas desconfiam.

Aldred deu de ombros.

– Seria tolice fazer acusações que não podem ser provadas. Sobretudo para um rei.

– Eu desconfiaria do homem que opera a travessia. Como ele se chama?

– Dreng.

– Claro.

– Mas o primo dele, o bispo Wynstan, jurou que Dreng estava em Shiring na noite em que a ponte pegou fogo.

– Entendo.

– Por favor, senhor meu rei, venha comigo até nosso humilde mosteiro e aceite alguns comes e bebes.

Ethelred deixou seu cavalo para alguma outra pessoa cuidar e subiu a encosta do morro ao lado de Aldred.

– Quanto tempo meu exército vai levar para atravessar esse maldito rio?

– Dois dias.

– Que inferno!

Eles entraram. Ethelred olhou em volta, surpreso.

– Bem, o senhor falou "humilde" e estava dizendo a verdade – comentou.

Aldred lhe serviu uma caneca de vinho. Não havia nenhuma cadeira especial, mas o rei se sentou num banco sem reclamar. Aldred supôs que nem mesmo um monarca pudesse ser exigente demais quando estava na estrada com seu exército. Ao examinar o rosto dele furtivamente, deu-se conta de que, embora Ethelred não tivesse chegado aos 40 anos, parecia mais próximo dos 50.

Aldred ainda não tinha decidido a melhor forma de abordar a importante questão da tirania em Shiring, mas a conversa sobre a ponte tinha lhe dado uma ideia, e ele falou:

– Eu poderia construir uma ponte nova se tivesse dinheiro.

Isso não era de todo verdade, pois a antiga não havia lhe custado nada.

– Eu não posso pagar por ela – disse Ethelred de imediato.

– Mas poderia me ajudar a pagar – retrucou Aldred com ar pensativo.

Ethelred suspirou e Aldred entendeu que ele provavelmente ouvia coisas do tipo de metade das pessoas que encontrava.

– O que o senhor quer? – quis saber o rei.

– Se o mosteiro pudesse cobrar pedágios e organizar um mercado semanal e uma feira anual, os monges conseguiriam seu dinheiro de volta e poderiam também custear a manutenção da ponte a longo prazo.

Aldred estava falando de improviso. Não havia planejado aquela conversa, mas sabia que tinha uma oportunidade nas mãos e estava decidido a aproveitá-la. Aquela talvez fosse a única vez em sua vida que ele falaria com o rei.

– O que o impede de fazer isso? – perguntou Ethelred.

– O senhor viu o que aconteceu com a nossa ponte. Nós somos monges, somos vulneráveis.

– O que o senhor precisa que eu faça?

– Um estatuto real. No momento nós somos apenas uma célula da abadia de Shiring, formada quando a antiga colegiada foi fechada por corrupção. Eles falsificavam dinheiro aqui.

Ethelred fechou a cara.

– Eu me recordo. O bispo Wynstan negou ter qualquer conhecimento disso.

Aldred não queria entrar nesse assunto.

– Não temos nenhum direito garantido, e isso nos torna fracos. Precisamos de um estatuto dizendo que o mosteiro é independente e que tem o direito de construir uma ponte, cobrar um pedágio e organizar mercados e uma feira. Nesse caso, qualquer nobre predador hesitaria em nos atacar.

– E se eu providenciar esse estatuto o senhor vai construir uma ponte para mim?

– Com certeza – respondeu Aldred, torcendo em silêncio para Edgar se mostrar tão prestativo quanto antes. – E rápido – acrescentou, otimista.

– Então considere isso feito – determinou o rei.

Aldred só consideraria aquilo feito quando estivesse feito.

– Vou tomar providências para que o estatuto seja redigido imediatamente – falou. – As testemunhas podem assinar antes de o senhor partir amanhã.

– Ótimo – disse o rei. – Agora o que o senhor tem para eu comer?

– O rei está a caminho – disse Wigelm a Wynstan. – Não sabemos exatamente onde ele está, mas é uma questão de dias até chegar aqui.

– Sim, é provável – falou Wynstan, ansioso.

– E ele então vai ratificar a minha posição de senhor da cidade.

Eles estavam no complexo do senhor de Shiring. Apesar de nunca ter recebido a bênção do rei, Wigelm era o senhor da cidade em exercício. Os dois irmãos encontravam-se parados diante do salão nobre, com os olhos virados para leste e para a estrada que chegava à cidade, como se o exército de Ethelred pudesse surgir a qualquer momento.

Até o momento não havia nenhum sinal dele, mas um cavaleiro se aproximava e a respiração de seu cavalo, que vinha trotando, se condensava no ar frio.

– Ainda existe uma chance de ele nomear o pequeno Osbert, com Ragna no papel de regente do filho – observou Wynstan.

– Eu já reuni quatrocentos homens, e chegarão outros a cada dia – disse Wigelm.

– Ótimo. Se o rei nos atacar, o exército pode nos defender, e, se ele não nos atacar, eles podem lutar contra os vikings.

– Seja como for, eu terei demonstrado minha capacidade de reunir um exército e, portanto, de atuar como senhor de Shiring.

– Aposto que Ragna conseguiria reunir exércitos igualmente bem. Mas felizmente o rei não sabe como ela é. Com sorte, se quiser soldados ele vai pensar que precisa da nossa ajuda.

Quem deveria ter reivindicado o título de senhor de Shiring era o próprio Wynstan, mas agora era tarde demais para isso, uns 30 anos tarde demais. Wilwulf era o irmão mais velho e a mãe de Wynstan o havia direcionado com firmeza para o segundo caminho rumo ao poder: a Igreja. Só que ninguém teria como prever o futuro, e a consequência imprevista do cuidadoso planejamento de Gytha fora que o irmão mais novo e cabeça-dura, Wigelm, estava agora exercendo o papel de senhor da cidade.

– Mas nós temos um outro problema – falou Wynstan. – Não podemos impedir Ethelred de dar uma audiência nem de falar sobre Ragna. Ele vai exigir saber o paradeiro dela e vê-la, e, nesse caso, o que faremos?

Wigelm suspirou.

– Queria que pudéssemos matá-la e pronto.

– Nós já falamos sobre isso. Mal conseguimos nos safar depois de matar Wilf. Se assassinarmos Ragna, o rei vai nos declarar guerra.

Nesse momento, o cavaleiro que Wynstan tinha visto na estrada entrou trotando no complexo e ele reconheceu Dreng. Grunhiu de irritação.

– O que esse idiota puxa-saco pode querer agora?

Dreng deixou seu cavalo no estábulo e se dirigiu ao salão nobre.

– Bom dia, meus primos – falou, com um sorriso adulador. – Espero que estejam bem.

– O que o traz aqui, Dreng? – perguntou Wynstan.

– O rei Ethelred foi ao nosso vilarejo – disse o taberneiro. – O exército dele cruzou o rio na minha travessia.

– Deve ter levado algum tempo. O que ele fez enquanto esperava?

– Um estatuto para o priorado. Eles conseguiram aprovação real para uma ponte com pedágio, um mercado semanal e uma feira anual.

– Aldred está construindo sua base de poder – refletiu Wynstan. – Esses monges renunciam às coisas mundanas, mas sabem muito bem como cuidar dos próprios interesses.

Dreng pareceu decepcionado por Wynstan não ter ficado mais chocado.

– E então o exército foi embora – contou.

– Quando acha que vão chegar aqui?

– Eles não vêm para cá. Atravessaram o rio de volta.

– O quê? – Dreng não tinha ideia de que essa notícia, sim, seria interessante. – Eles deram meia-volta e seguiram para leste outra vez? Por quê?

– Chegou um recado dizendo que Swein Barba Cortada tinha atacado Wilton.

– Os vikings devem ter subido o rio de barco desde Christchurch – comentou Wigelm.

Wynstan não estava nem um pouco interessado em saber como o rei Swein tinha chegado a Wilton.

– Você não entende o que isso significa? Ethelred deu meia-volta!

– Ou seja, ele não virá a Shiring – concluiu Wigelm.

– Pelo menos não agora. – Wynstan estava profundamente aliviado. – E talvez tampouco num futuro próximo – arrematou, esperançoso.

CAPÍTULO 36

Junho de 1003

dgar estava aparelhando uma viga com uma enxó, ferramenta seme-lhante a um machado, só que com a lâmina curva e o fio perpendicular ao cabo, projetada para raspar um pedaço de madeira até que a superfície ficasse lisa e regular. Antes ele costumava se deliciar com trabalhos desse tipo. O cheiro fresco de madeira raspada, o fio aguçado da lâmina e, mais do que tudo, a visão do desenho claro e lógico da estrutura que estava criando costumavam lhe proporcionar profunda satisfação. Mas agora ele trabalhava sem alegria alguma, de maneira tão automática quanto um moinho que não para de girar.

Ele se interrompeu, aprumou as costas e tomou um grande gole de cerveja fraca. Olhou para além do rio e viu que as árvores na outra margem estavam em seu auge, verde-claras sob o sol fraco da manhã. Aquelas matas costumavam ser um lugar perigoso por causa de Cara de Ferro, mas agora os viajantes passavam por lá com menos apreensão.

Na margem mais próxima, as terras de sua família estavam passando de verdes a amarelas conforme a aveia amadurecia e ele viu ao longe as silhuetas de Erman e Cwenburg abaixados retirando ervas daninhas. Seus filhos os acompanhavam: Winnie, agora com 5 anos, tinha idade suficiente para ajudar no trabalho, mas Beorn, de quase 3, brincava com a terra sentado no chão. Mais perto de Edgar, Eadbald estava no laguinho de peixes, com água até a cintura, puxando uma armadilha para examinar seu conteúdo.

Mais perto ainda havia novas casas no vilarejo e muitas das construções mais antigas tinham ganhado anexos. A taberna tinha uma cervejaria, que nesse exato momento exalava o cheiro de levedura da cevada em fermentação. Blod assumira a fabricação da bebida após a morte de Leaf e revelara um certo talento para o ofício. Bebbe Gorda estava sentada no banco em frente à taberna saboreando cerveja de sua jarra.

A igreja agora contava com uma extensão, e o mosteiro, com uma construção de pedra anexa para abrigar a escola, a biblioteca e o *scriptorium*. A meio caminho da encosta do morro, em frente à casa de Edgar, um local ia aos poucos sendo liberado para a igreja nova e maior a ser construída ali algum dia, se os sonhos de Aldred virassem realidade.

O otimismo e a ambição do prior eram contagiosos, e a maior parte do vilarejo passara a pensar no futuro com muita expectativa. Edgar era uma exceção. Tudo que ele e Aldred haviam conquistado nos últimos seis anos tinha um gosto amargo em sua boca. Ele só conseguia pensar em Ragna definhando em algum cativeiro durante todo aquele tempo enquanto ele se via impotente para ajudá-la.

Estava prestes a retomar o trabalho quando Aldred desceu do mosteiro. A ponte estava sendo reconstruída mais rápido do que da primeira vez, mas não tanto, e Aldred estava desesperado de impaciência.

– Quando vai ficar pronta? – perguntou a Edgar.

Edgar correu os olhos pelo canteiro de obras. Havia usado seu machado viking para despedaçar o que restava da antiga ponte. Deixara as cinzas inúteis irem embora na correnteza e empilhara junto ao rio as madeiras parcialmente carbonizadas, para serem reutilizadas como lenha. Refizera os sólidos contrafortes em ambas as margens, em seguida fabricara rapidamente uma série de embarcações simples de fundo chato, que seriam presas umas nas outras e atracadas nos contrafortes para formar os pontões. Agora estava fabricando a estrutura que repousaria sobre as embarcações e sustentaria a passarela.

– Quanto tempo falta? – tentou Aldred novamente.

– Não estou fazendo corpo mole – respondeu Edgar, irritado.

– Eu não disse que você está fazendo corpo mole, só perguntei quanto tempo falta. O priorado precisa do dinheiro!

Edgar estava pouco ligando para o priorado, e aquele tom de Aldred não lhe agradou. Ultimamente ele vinha constatando que vários dos seus amigos estavam se tornando desagradáveis. Todos pareciam querer algo dele e suas demandas o deixavam irritado.

– Eu estou fazendo tudo sozinho! – exclamou.

– Posso trazer monges para ajudarem no trabalho braçal.

– Não preciso desse tipo de ajuda. A maior parte do trabalho exige perícia.

– Talvez consigamos arrumar outros construtores para ajudarem você.

– Eu devo ser o único artesão da Inglaterra disposto a trabalhar em troca de aulas de leitura.

Aldred suspirou.

– Sei que somos sortudos por ter você e sinto muito por estar importunando, mas estamos realmente ansiosos para que isso termine.

– Eu espero que a ponte esteja pronta até o outono.

– Conseguiria antecipar isso se eu desse um jeito de pagar outro artesão qualificado para trabalhar com você?

– Boa sorte para encontrar um. Muitos construtores destas bandas foram para a Normandia trabalhar por salários mais altos. Há tempos nossos vizinhos do outro lado do canal estão na nossa frente e já constroem até castelos, e agora pelo visto o jovem duque Richard está voltando sua atenção para igrejas.

– Eu sei.

Outra coisa estava deixando Edgar impaciente.

– Vi que um monge peregrino pernoitou ontem no mosteiro. Ele tinha notícias do rei Ethelred?

Depois de todos aqueles meses de busca, Edgar agora acreditava que o rei representava a única esperança de encontrar Ragna e libertá-la.

– Sim – respondeu Aldred. – Ficamos sabendo que Swein Barba Cortada saqueou Wilton e foi embora. Ethelred chegou lá tarde demais. Enquanto isso, os vikings já tinham zarpado rumo a Exeter, de modo que nosso rei e seu exército foram para lá.

– Eles devem ter pegado a estrada litorânea, já que dessa vez Ethelred não passou por Shiring.

– Correto.

– O rei deu audiência em algum lugar na região de Shiring?

– Não que eu saiba. Ele nem confirmou Wigelm como senhor da cidade nem promulgou nenhuma ordem nova relacionada a Ragna.

– Que inferno! Já faz quase dez meses que ela está desaparecida.

– Eu sinto muito, Edgar. Por ela e por você.

Edgar não queria a pena de ninguém. Olhou na direção da taberna e viu Dreng do lado de fora. Ele estava em pé junto a Bebbe, mas olhava fixamente para Edgar e Aldred.

– Está olhando o quê? – gritou-lhe Edgar.

– Vocês dois – respondeu Dreng. – Estou aqui me perguntando o que estarão tramando agora.

– Nós estamos construindo uma ponte.

– É – disse Dreng. – Mas tomem cuidado. Será uma pena se essa daí pegar fogo também.

Ele riu, deu meia-volta e entrou na taberna.

– Tomara que ele vá para o inferno – praguejou Edgar.

– Ah, ele vai, sim – falou Aldred. – Mas enquanto esperamos por isso eu tenho outro plano.

580

Aldred foi a Shiring e voltou uma semana depois com o xerife Den e seis soldados.

Edgar ouviu os cavalos e ergueu os olhos de seu trabalho. Blod saiu da cervejaria para ver. Em poucos minutos, a maior parte do vilarejo havia se reunido na beira do rio. Apesar da estação, o tempo estava fresco e soprava um vento frio. O céu estava nublado e ameaçava chover.

Os soldados tinham o semblante fechado e não disseram nada. Dois deles cavaram um buraco raso no chão em frente à cervejaria e nele cravaram uma estaca. Os aldeões fizeram perguntas, mas não receberam nenhuma resposta, o que os deixou mais curiosos ainda.

Mas todos entenderam que alguém seria punido.

Os irmãos de Edgar tinham ouvido dizer que algo estava acontecendo e apareceram com Cwenburg e as crianças.

Quando a estaca ficou firmemente enterrada, os soldados pegaram Dreng.

– Me soltem! – gritou ele, debatendo-se.

Eles tiraram suas roupas, o que fez todo mundo rir.

– Meu primo é o bispo de Shiring! – esgoelou-se ele. – Vocês todos vão pagar caro por isso!

Ethel, sua esposa sobrevivente, atacou os soldados com socos fracos enquanto dizia:

– Deixem-no em paz!

Os homens a ignoraram e amarraram seu marido na estaca.

Blod assistia a tudo com um semblante neutro.

O prior Aldred se dirigiu às pessoas reunidas:

– O rei Ethelred deu ordem para uma ponte ser construída aqui. Dreng ameaçou incendiá-la.

– Ameacei nada! – protestou Dreng.

Bebbe Gorda estava entre os presentes.

– Ameaçou, sim – disse ela. – Eu estava aqui e ouvi.

– Eu represento o rei – afirmou o xerife Den. – É proibido desafiá-lo.

Todos sabiam disso.

– Quero que cada um de vocês vá em casa, pegue um balde ou uma panela e traga de volta para cá depressa.

Os aldeões e monges obedeceram em grande alvoroço. Estavam ansiosos para ver o que iria acontecer. Entre os poucos que se recusaram a participar estavam Cwenburg, filha de Dreng, e seus dois maridos, Erman e Eadbald.

Quando todos estavam reunidos de novo, Den falou:

– Dreng ameaçou causar um incêndio. Agora nós vamos apagar o fogo dele. Todos vocês, enchem seu recipiente no rio e despejem a água em cima de Dreng.

Edgar imaginou que aquele castigo fosse uma invenção de Aldred. Era mais simbólico do que doloroso. Poucas pessoas teriam conseguido pensar em algo tão brando. Por outro lado, aquilo era humilhante, principalmente para um homem como Dreng, que adorava se gabar de ser tão bem relacionado.

E era também um alerta. Dreng já tinha se safado após incendiar a ponte uma vez porque aquela primeira ponte pertencia a Aldred, que era apenas o prior de um pequeno mosteiro, enquanto Dreng tinha o apoio do bispo de Shiring. Mas a ação do xerife nesse dia anunciava que a próxima vez seria diferente. A segunda ponte pertencia ao rei, e seria difícil até mesmo para Wynstan proteger alguém que pusesse fogo nela.

Os moradores começaram a despejar seus recipientes de água em Dreng. Ele não era um homem muito querido e as pessoas estavam visivelmente gostando daquilo. Algumas faziam questão de jogar a água bem na cara dele, o que o levava a praguejar. Outras riam e a despejavam na sua cabeça. Várias voltaram ao rio para uma segunda rodada. Dreng começou a tremer.

Edgar não encheu um balde, mas ficou assistindo de braços cruzados. Dreng nunca vai se esquecer disso, pensou.

Depois de algum tempo, Aldred gritou:

– Já chega!

Os moradores pararam o que estavam fazendo.

– Ele vai ficar aqui até o dia raiar amanhã – determinou Den. – Qualquer um que o soltar antes disso vai assumir o seu lugar.

Dreng passará frio esta noite, pensou Edgar, mas vai sobreviver.

O xerife conduziu seus soldados até o mosteiro, onde eles provavelmente iriam pernoitar. Edgar torceu para eles gostarem de feijão.

Ao ver que a diversão tinha acabado, os moradores se dispersaram devagar.

Edgar estava prestes a retomar o trabalho quando Dreng cruzou olhares com ele.

– Vamos, pode rir – falou Dreng.

Edgar não estava achando graça.

– Ouvi um boato sobre a sua preciosa dama normanda, lady Ragna – continuou Dreng.

Edgar gelou. Quis se afastar, mas não conseguiu.

– Ouvi dizer que está grávida – continuou Dreng.

Edgar o encarou.

– Agora pode rir disso – falou Dreng.

Edgar ficou pensando sobre a provocação de Dreng. Ele poderia estar inventando aquilo, claro. Ou então o boato poderia simplesmente ser falso. Muitos eram. Mas Ragna podia de fato estar grávida.

E, se estivesse, Edgar talvez fosse o pai.

Ele só havia feito amor com ela uma vez, mas uma vez era suficiente. No entanto, como a sua noite de paixão tinha sido em agosto, o bebê teria nascido em maio, e já era junho.

O bebê poderia estar atrasado. Ou talvez já tivesse nascido.

À noite, ele perguntou a Den se o xerife tinha ouvido aquele boato. Den respondeu que sim.

– Alguém disse para quando é o bebê? – quis saber Edgar.

– Não.

– O senhor encontrou alguma pista de onde Ragna pode estar?

– Não, e se tivesse encontrado teria ido até lá resgatá-la.

Edgar já tinha tido aquela conversa sobre o paradeiro de Ragna umas cem vezes. O boato da gravidez não o aproximava de uma resposta. Era apenas uma tortura a mais.

Por volta do final de junho, ele percebeu que precisava de pregos. Poderia fabricá-los na forja que tinha sido de Cuthbert, mas precisava ir a Shiring comprar o ferro. Na manhã seguinte, selou Pilar e se juntou a dois caçadores que estavam indo à cidade vender peles.

No meio da manhã, eles pararam numa taberna de beira de estrada conhecida como Taberna do Cotoco, por conta da perna amputada de seu dono. Edgar deu um punhado de cereal para Pilar comer e depois a égua bebeu água num laguinho e ficou pastando a grama ao redor. Enquanto isso, Edgar ficou sentado num banco ao sol, comendo pão com queijo junto com os caçadores e alguns homens que viviam nas redondezas.

Estava prestes a ir embora quando um grupo de homens armados passou a cavalo. Espantou-se ao ver que seu líder era Wynstan, mas felizmente o bispo não reparou nele.

Espantou-se ainda mais ao ver que fazia parte do grupo uma mulher baixa de cabelos grisalhos que ele reconheceu: era Hildi, a parteira de Shiring.

Ficou observando o grupo enquanto este se afastava em meio a uma nuvem de poeira na direção da Travessia de Dreng. Por que Wynstan estaria escoltando uma parteira? Será que o boato de que Ragna estava grávida podia ser coincidência? Talvez, mas Edgar tinha que pressupor que não era.

Se eles estavam levando a parteira para ajudar Ragna, poderiam conduzir Edgar até ela.

Ele se despediu dos caçadores, montou em Pilar e saiu trotando de volta no caminho pelo qual viera.

Não queria alcançar Wynstan na estrada, pois isso poderia causar problemas. Mas eles só podiam estar a caminho da Travessia de Dreng. Pernoitariam lá ou então seguiriam em frente, talvez até Combe. De toda forma, Edgar continuaria a segui-los, a uma distância segura, até seu destino.

Desde que Ragna desaparecera, ele tivera muitas ondas de esperança seguidas por frustrações de cortar o coração. Disse a si mesmo que aquela poderia ser mais uma. As pistas, entretanto, eram promissoras e ele não pôde evitar ser tomado por uma maré de otimismo que espantou sua depressão, pelo menos por ora.

Não viu mais ninguém na estrada antes do meio-dia, quando chegou de volta à Travessia de Dreng. Percebeu na mesma hora que Wynstan e sua comitiva não haviam parado ali: o lugar era pequeno e ele teria visto alguém do grupo em frente à taberna: homens bebendo e cavalos pastando.

Entrou na casa dos monges e encontrou Aldred, que perguntou:

– Já voltou? Esqueceu alguma coisa?

– Você falou com o bispo hoje? – disse Edgar sem rodeios.

Aldred fez cara de espantado.

– Que bispo?

– Wynstan não passou por aqui?

– Só se tiver sido bem discretamente.

Edgar estava pasmo.

– Que estranho. Ele passou por mim na estrada com sua comitiva. Eles só podiam estar a caminho daqui. Não existe mais nenhum outro lugar.

Aldred franziu a testa.

– Aconteceu a mesma coisa em fevereiro – disse ele em tom de reflexão. – Eu estava voltando de Shiring e Wigelm passou por mim na estrada no sentido contrário. Achei que ele estava vindo para cá e fiquei preocupado pensando em que maldade estaria fazendo, mas quando cheguei frei Godleof me disse que ninguém tinha visto nem sinal dele.

– Eles devem ter ido a algum lugar entre aqui e a Taberna do Cotoco.

– Mas não tem nada entre aqui e a Taberna do Cotoco.

Edgar estalou os dedos.

– Wilwulf tinha um pavilhão de caça no meio da floresta, no lado sul da estrada de Shiring.

– Aquilo lá pegou fogo. Wigelm construiu um pavilhão novo perto do vale de Outhen, onde é melhor para caçar.

– Eles *disseram* que pegou fogo – retrucou Edgar. – Pode não ser verdade.

– Ninguém desconfiou de nada, pelo menos.

– Vou lá verificar.

– Eu vou com você – disse Aldred. – Mas será que não deveríamos chamar o xerife Den para ir conosco e levar alguns soldados?

– Não estou disposto a esperar – afirmou Edgar. – Seriam necessários dois dias para chegar a Shiring, depois mais um e meio para voltar à Taberna do Cotoco. Eu não posso esperar quatro dias. Nesse meio-tempo, Ragna pode ser transferida. Se ela estiver no antigo pavilhão de caça, irei vê-la hoje.

– Tem razão – falou Aldred. – Vou selar um cavalo.

Ele pôs também um crucifixo de prata numa correia de couro. Edgar aprovou aquilo: os homens de Wynstan talvez hesitassem em atacar um frade com uma cruz no pescoço. Mas talvez não.

Alguns minutos depois, os dois estavam na estrada.

Nenhum deles conhecia o pavilhão de caça. Com ou sem incêndio, aquilo lá não era usado havia anos. Wilwulf fora à guerra e voltara gravemente ferido, e após a morte dele Wigelm passara a caçar em outras partes.

Mas eles sabiam mais ou menos onde ficava. Entre a Travessia de Dreng e a Taberna do Cotoco devia haver uma trilha que saía da estrada e entrava na floresta mais ao sul. Tudo que Edgar e Aldred precisavam fazer era encontrá-la. Se o pavilhão tivesse mesmo pegado fogo e não estivesse mais sendo usado, seria uma tarefa complicada: a entrada da trilha estaria tomada pela vegetação e seria difícil de ver. Mas, se a história do incêndio fosse uma mentira destinada a desviar as suspeitas e as pessoas ainda estivessem usando a trilha para chegar ao pavilhão levando mantimentos – e uma parteira –, então haveria uma brecha visível na lateral da estrada, onde a vegetação estaria pisoteada e as árvores menores, danificadas ou destruídas.

Edgar e Aldred fizeram várias incursões infrutíferas por trilhas que conduziam a casas isoladas e um pequeno vilarejo do qual nenhum dos dois jamais ouvira falar. Estavam quase na Taberna do Cotoco quando Edgar reparou num ponto pelo qual vários cavalos tinham passado naquele mesmo dia: havia galhos partidos recentemente entre os arbustos e estrume fresco no chão. Seu coração ficou acelerado e ele falou:

– Acho que pode ser aqui.

Eles entraram. A trilha foi ficando mais estreita, mas os indícios de uma passagem recente se intensificaram. Além de esperança, Edgar começou a ter medo também. Talvez fosse encontrar Ragna, mas nesse caso toparia também com Wynstan, e o que Wynstan faria? Ao seu lado, Aldred não parecia amedrontado, pois decerto pensava que Deus iria protegê-lo.

A mata estava repleta de brotos recentes e frondosos. A cada um ou dois minutos, Edgar via de relance um cervo se mover em silêncio pelas sombras entrecortadas, prova de que ninguém havia caçado ali recentemente. Seu avanço se tornou mais lento. Quando os galhos baixos começaram a impedir a passagem, eles foram obrigados a desmontar. Caminharam mais de um quilômetro e meio, depois novamente a mesma distância.

Então Edgar escutou vozes de crianças.

Eles amarraram os cavalos e foram avançando devagar, tentando não fazer barulho. Aproximaram-se da orla de uma clareira e pararam à sombra de um imenso carvalho.

Edgar reconheceu as crianças na hora: o menino de 4 anos era Osbert, os dois gêmeos de 2 eram Hubert e Colinan, e as meninas pequenas eram as filhas de Cat, Mattie, de 4 anos, e Edie, de 2. Embora pálidas, elas no mais pareciam bastante bem e estavam correndo atrás de uma bola.

Porém ficou chocado com a aparência de Cat. Seus cabelos pretos estavam ensebados e sem vida, e a pele, toda marcada. Na lateral de seu nariz arrebitado havia uma bolha. Pior de tudo, a centelha de travessura em seu olhar havia desaparecido e sua expressão era de letargia. Parada, com os ombros caídos, ela observava as crianças sem qualquer interesse aparente.

Edgar olhou além de Cat na direção da casa de madeira atrás dela. As janelas tinham sido fechadas com tábuas de modo a não poderem ser abertas. A porta estava presa por fora por uma barra pesada, e perto dela um guarda sentado num banco olhava para o outro lado enquanto tirava meleca. Edgar reconheceu o rapaz de Shiring chamado Elfgar. O braço esquerdo dele estava coberto por uma atadura suja.

Havia várias outras construções e um campo onde cavalos pastavam, provavelmente as montarias de Wynstan e seus homens.

– É aqui a prisão secreta – sussurrou Aldred. – Deveríamos ir embora agora, antes de sermos vistos. Podemos ir a Shiring buscar Den.

Edgar sabia que o prior tinha razão, mas agora que estava tão perto não conseguiria sair dali.

– Eu preciso ver Ragna – falou.

– Não é necessário. Já confirmamos que ela está aqui. É perigoso ficar.

– Vá você buscar Den. Eu não me importo se me aprisionarem por alguns dias.

– Não seja bobo!

Sua conversa sussurrada foi interrompida por uma voz alta vinda de trás:

– Quem diabo são vocês?

Ambos se viraram. Quem tinha falado era um soldado chamado Fulcric. Ele tinha na mão uma lança e uma adaga comprida pendia de uma bainha de madeira em seu cinto. Cicatrizes em suas mãos e no rosto mostravam que ele havia sobrevivido a muitas lutas. Edgar percebeu na hora que seria inútil resistir fisicamente.

Aldred adotou um tom de autoridade.

– Eu sou o prior Aldred e vim aqui falar com lady Ragna – disse ele.

– Vai falar com o bispo Wynstan antes de ver qualquer outra pessoa – respondeu Fulcric.

– Está bem – falou Aldred, como se tivesse escolha.

– Por aqui.

Fulcric meneou a cabeça em direção a uma casa no fundo da clareira.

Edgar se virou e saiu do meio das árvores.

– Olá, Cat – chamou em voz baixa. – Como vai?

Cat soltou um gritinho de surpresa.

– Edgar! – Ela olhou em volta com uma expressão assustada. – Aqui é perigoso para você.

– Pouco importa – retrucou ele. – Ragna está aqui?

– Sim. – Cat hesitou. – E grávida.

Então era verdade.

– Eu escutei um boato.

Ele estava prestes a perguntar para quando era o bebê quando Elfgar acordou de seu transe, levantou-se num pulo e disse:

– Ei, você aí!

– Você está quase dormindo, garoto – falou Fulcric. – Eles estavam escondidos nas árvores.

– Elfgar, você me conhece – afirmou Edgar. – Sabe que eu não represento nenhuma ameaça. O que houve com seu braço?

– Eu estava no exército do rei e fui ferido pela lança de um viking – respondeu Elfgar com orgulho. – Está cicatrizando, mas, como não consigo lutar até melhorar, eles me mandaram para casa.

– Continuem andando, vocês dois – ordenou Fulcric.

Eles atravessaram a clareira, mas antes de chegarem à casa a porta se abriu e Wynstan saiu. Ao ver Edgar e Aldred, fez cara de surpresa, mas estranhamente não pareceu surpreso.

– Quer dizer que vocês acharam o lugar! – falou, em tom alegre.

– Eu vim aqui ver lady Ragna – declarou Aldred.

– Eu mesmo ainda não a vi – comentou Wynstan. – Tenho andado... ocupado.

Ele olhou para trás pela porta aberta da casa de onde acabara de sair e Edgar pensou ter visto Agnès lá dentro.

Aquilo confirmava outro boato.

– O senhor a raptou e a aprisionou aqui contra a vontade dela – disse Edgar. – Isso é crime, e vai responder por ele.

– Pelo contrário – rebateu Wynstan com voz suave. – Lady Ragna quis se afastar dos olhos do público e prantear a morte do marido sozinha durante um ano. Eu lhe propus usar este pavilhão isolado para ela poder fazer isso sem ser incomodada. Ela aceitou agradecida a minha oferta.

Edgar o encarou com os olhos semicerrados. Viúvas às vezes se afastavam do mundo para um período de luto, mas iam para conventos, não para pavilhões de caça. Será que havia alguma chance de alguém acreditar naquele conto de fadas? Todos ali presentes sabiam se tratar de uma mentira deslavada, mas outros talvez não soubessem. Wynstan já conseguira escapar da acusação de ser falsário com uma argumentação igualmente desonesta.

– Insisto para que o senhor liberte lady Ragna agora mesmo – continuou Edgar.

– Não se trata de libertá-la – corrigiu Wynstan, ainda se fingindo de racional e afável. – Ela expressou a vontade de retornar a Shiring e eu vim para acompanhá-la até lá.

Edgar o fitou sem acreditar.

– Vai levá-la de volta para o complexo?

– Sim. Ela muito naturalmente deseja ver o rei Ethelred.

– O rei vai a Shiring?

– Assim nos disseram. Não sabemos ao certo quando.

– E o senhor vai levar lady Ragna para encontrá-lo?

– Naturalmente.

Edgar não soube o que pensar. O que Wynstan estaria tramando agora? Seu tom de boa vontade era completamente falso, claro, mas qual seria sua verdadeira intenção?

– Ela me dirá a mesma coisa? – indagou Edgar.

– Vá lá perguntar a ela – retrucou Wynstan. – Elfgar, deixe-o entrar.

Elfgar removeu a barra da porta e Edgar entrou. A porta se fechou atrás dele.

O recinto estava escuro e as folhas das janelas estavam fechadas. Um cheiro ruim pairava no ar, como nos dormitórios de escravos no complexo do senhor de Shiring, onde as pessoas não tinham permissão para ir ao banheiro à noite. Moscas voejavam ao redor de um penico coberto num canto. Os juncos do chão precisavam ser trocados com urgência. Camundongos passavam farfalhando pelo chão. O ambiente estava quente e abafado.

Assim que seus olhos se adaptaram à penumbra, Edgar viu duas mulheres sentadas frente a frente num banco, de mãos dadas. Ele obviamente havia interrompido uma conversa íntima. Uma delas era Hildi, que se levantou e se afastou na mesma hora. A outra só podia ser Ragna, mas estava quase irreconhecível. Seus cabelos exibiam um tom castanho sujo em vez do ruivo dourado e sua pele estava toda marcada. O vestido talvez tivesse sido azul um dia, mas agora era de um marrom-acinzentado salpicado de sujeira. Os sapatos estavam em frangalhos.

Edgar estendeu os braços para lhe dar um abraço, mas ela não se aproximou.

Ele havia imaginado aquele momento muitas vezes: os sorrisos de felicidade, os beijos sem fim, o corpo dela pressionado com força contra o dele, as palavras de amor e alegria murmuradas. A realidade não se parecia em nada com seu sonho.

Deu um passo na direção dela, mas Ragna se levantou e chegou para trás.

Era necessário dar um desconto, entendeu ele. A força vital dela tinha sido destruída. Ela estava fora de si. Ele precisava ajudá-la a agir dentro da normalidade.

Encontrou a própria voz e perguntou com delicadeza:

– Posso beijá-la?

Ela baixou os olhos.

– Por que não? – perguntou ele, ainda em tom baixo e carinhoso.

– Eu estou horrenda.

– Eu já a vi mais bem-vestida. – Ele sorriu. – Mas isso não importa. Você é você. Nós estamos juntos. Nada mais me importa.

Ela balançou a cabeça.

– Diga alguma coisa – pediu Edgar.

– Eu estou grávida.

– Estou vendo. – Ele examinou seu corpo. A protuberância se fazia claramente perceptível, mas não estava enorme. – Para quando é o bebê?

– Agosto.

Ele já desconfiava disso, mas a confirmação foi um baque.

– Então não é meu.

Ragna fez que não com a cabeça.

– De quem é então?

– De Wigelm. – Ela levantou enfim a cabeça. – Os homens dele me seguraram. – Ela exibiu uma expressão desafiadora. – Muitas vezes.

Edgar teve a sensação de ter sido derrubado. Mal conseguia respirar. Não era de espantar que Ragna estivesse tomada pelo desespero. Era um milagre não ter enlouquecido.

Quando ele recuperou a voz, não soube o que dizer. Por fim, conseguiu falar:
– Eu amo você.
As palavras não surtiram efeito algum.
Ragna parecia anestesiada, atordoada, como se mal estivesse consciente. Parecia uma sonâmbula. O que Edgar podia fazer? Queria reconfortá-la, mas ela parecia não assimilar nada do que ele dizia. Teria tocado nela, mas, quando ergueu as mãos, ela recuou. Poderia ter superado sua resistência e lhe dado um abraço assim mesmo, mas achou que isso só serviria para que Ragna se lembrasse do que Wigelm tinha feito. Ele se viu impotente.
– Quero que você vá embora – disse ela.
– Farei o que você quiser.
– Então vá.
– Eu amo você.
– Por favor, vá.
– Estou indo. – Ele foi até a porta. – Um dia nós vamos ficar juntos. Eu sei que vamos.
Ragna ficou em silêncio. Ele pensou ter visto um brilho de lágrimas nos seus olhos, mas o recinto estava escuro e pode ter sido a sua imaginação.
– Despeça-se de mim, pelo menos – pediu.
– Adeus.
Ele deu uma batida na porta e esta se abriu imediatamente.
– *Au revoir* – falou então. – Nos vemos em breve.
Ela virou as costas e Edgar saiu.

Ragna deixou o pavilhão de caça no dia seguinte junto com Cat e as crianças. Eles viajaram na mesma carroça que os levara. Saíram cedo e chegaram ao cair da noite. As duas mulheres estavam cansadas e as crianças, de mau humor, e todos adormeceram assim que entraram em casa.
No dia seguinte, Cat pegou uma panela grande emprestada na cozinha e elas esquentaram água no fogo. Lavaram as crianças da cabeça aos pés, depois se lavaram também. Ao vestir roupas limpas, Ragna começou a se sentir menos um animal enjaulado e mais um ser humano.
A ajudante de cozinha Gilda apareceu com um pão inteiro, manteiga fresca, ovos e sal, e todos eles se atiraram em cima da comida como se estivessem morrendo de fome.
Ragna precisava refazer seu arranjo doméstico e decidiu começar com Gilda.

– Gostaria de vir trabalhar para mim? – perguntou quando a ajudante de cozinha estava saindo. – E sua filha Winthryth também, quem sabe?

Gilda sorriu.

– Sim, milady, por favor.

– Não tenho dinheiro para lhe pagar agora, mas em breve terei.

Dali a pouco tempo um mensageiro chegaria da Normandia.

– Não tem problema, milady.

– Falarei com o chefe da cozinha mais tarde. Não comente nada com ninguém por enquanto.

Todos os bens de Ragna pareciam estar ali. Seus vestidos pendiam de ganchos nas paredes e pareciam ter sido arejados. Aparentemente, a maioria dos baús se encontrava ali, com seus pentes e escovas, óleos perfumados, cintos e sapatos, e até mesmo suas joias. A única coisa que faltava era o seu dinheiro.

Ela estava indo falar com o chefe da cozinha, um mero empregado, mas precisava assegurar sua autoridade desde o início. Pôs um vestido de seda de um belo tom marrom-escuro e amarrou uma faixa dourada na cintura. Escolheu um chapéu alto e pontudo. Prendeu o chapéu com um lenço de cabeça cravejado de pedras preciosas e pôs também um pingente e um bracelete.

Atravessou o complexo de cabeça erguida.

Todos estavam interessados em vê-la e curiosos quanto ao seu aspecto. Ela olhou nos olhos de cada um por quem passou, decidida a não parecer acovardada pelos maus-tratos de que fora vítima. De início as pessoas não souberam muito bem como reagir, mas então decidiram adotar a atitude mais segura: fazer uma mesura. Ragna conversou com várias delas e todas reagiram de modo caloroso. Imaginou que devessem recordar com nostalgia a época em que ela e Wilwulf mandavam no complexo. Era improvável que Wigelm tivesse se mostrado igualmente amigável.

O chefe da cozinha se chamava Bassa. Ela foi até ele e falou:

– Bom dia, Bassa.

O homem pareceu espantado.

– Bom dia – disse ele, e então, após uma breve hesitação, completou: – milady.

– Gilda e Winthryth vão trabalhar na minha casa – afirmou ela num tom que não deixava brecha para discussão.

Bassa se mostrou incerto, mas respondeu apenas:

– Está bem, milady.

Ninguém se metia em problemas por dizer isso.

– Elas podem começar amanhã de manhã – continuou Ragna em tom mais brando. – Assim você terá tempo para tomar suas providências.

– Obrigado, milady.

Ragna saiu da cozinha sentindo-se melhor. Estava se comportando como uma nobre poderosa e as pessoas a estavam tratando como tal.

Logo que voltou para casa, Den apareceu seguido por dois de seus homens.

– A senhora precisa de guarda-costas – disse ele.

Era verdade. Depois que a morte de Bern a deixara desprotegida, fora fácil para Wigelm raptá-la discretamente no meio da noite. Ela nunca mais queria ficar tão vulnerável.

– Vou lhe emprestar Cadwal e Dudoc até a senhora poder contratar os próprios homens – falou Den.

– Obrigada. – Algo então ocorreu a Ragna. – Mas onde vou encontrar guarda-costas para contratar?

– No outono muitos soldados vão voltar da guerra contra os vikings. A maioria vai retornar para suas fazendas e oficinas, mas alguns vão procurar emprego, e eles terão tido o tipo de experiência que um guarda-costas precisa ter.

– Bem pensado.

– Talvez a senhora precise equipá-los com armas decentes. E eu recomendaria coletes de couro bem pesados. Isso os manterá aquecidos no inverno e também lhes dará alguma proteção.

– Assim que eu receber algum dinheiro.

O dinheiro demorou mais uma semana para chegar. Veio junto com o prior Aldred, que estivera cuidando da soma trazida a cada três meses por Odo e Adelaide.

Ele trouxe também uma folha de pergaminho dobrada. Era uma cópia do testamento de Wilwulf produzida no seu *scriptorium*.

– Isso talvez ajude a senhora quando encontrar o rei Ethelred – disse ele.

– E eu por acaso preciso de ajuda? Vou acusar Wigelm de rapto e estupro. Ambos os crimes foram testemunhados por minha criada Cat. – Ela levou a mão ao ventre. – E, se for preciso mais alguma prova, tem isto aqui.

– E isso bastaria se vivêssemos num mundo regido por leis. – Aldred sentou-se num banquinho, inclinou o corpo para a frente e falou em voz baixa: – Mas, como a senhora sabe, os homens têm mais peso do que as leis.

– Com certeza o rei Ethelred deve estar mortalmente ofendido com o que Wigelm fez, não?

– É verdade. E ele pode atacar Shiring com seu exército e prender Wigelm e Wynstan. Deus bem sabe que eles fizeram por merecer isso. Mas o rei está completamente ocupado combatendo os vikings e talvez ache que é a hora errada de brigar com nobres ingleses, que são seus aliados.

– Está me dizendo que Wigelm vai sair impune depois do que fez?

– Estou dizendo que Ethelred vai ver isso como um problema político, e não uma simples questão de crime e castigo.

– Maldição! Então como ele poderia resolver o problema?

– Ele talvez pense que a solução mais simples seja a senhora desposar Wigelm.

Ragna se levantou, enfurecida.

– Nunca! – exclamou. – Certamente ele não me forçaria a casar com o homem que me estuprou... ou forçaria?

– Acho que não. E, mesmo que seja essa a inclinação dele, desconfio que a nova rainha normanda vá ficar do seu lado. Mas a senhora não vai querer entrar em conflito com o rei se puder evitar. Precisa que ele pense na senhora como uma amiga.

Ragna estava se esforçando para aceitar tudo aquilo. Recordou que costumava ser bastante astuta em matéria de política. Estava experimentando uma raiva e uma indignação arrebatadoras, mas isso não a estava ajudando a desenvolver uma estratégia. Tinha sorte por Aldred estar ali para lhe abrir os olhos.

– O que acha que devo fazer?

– Antes de Ethelred ter chance de sugerir o casamento, a senhora deveria lhe pedir para não decidir nada sobre o seu futuro antes do nascimento do bebê.

É uma ideia sensata, pensou Ragna. A situação inteira mudaria caso o bebê morresse. Ou a mãe. E ambas as coisas aconteciam com frequência.

Aldred devia estar pensando isso, mas o que disse foi outra coisa:

– Ethelred vai gostar dessa ideia porque, aceitando as coisas dessa forma, não vai ofender ninguém.

Mais importante ainda, pensou Ragna, isso lhe daria tempo para renovar sua amizade com a rainha Emma e conquistá-la como aliada. Nada era tão valioso quanto um amigo na corte real.

Aldred se levantou.

– Vou deixá-la para refletir sobre isso.

– Obrigada por cuidar do meu dinheiro.

– Edgar veio comigo. A senhora aceita vê-lo?

Ragna hesitou. Pensou com pesar no último encontro que tivera com ele. Estava paralisada demais de repulsa por si mesma para dizer qualquer coisa sensata. Ele devia ter ficado terrivelmente perturbado com a sua gravidez e foi recepcionado de uma forma que pode ter piorado isso mais ainda.

– É claro que aceito – falou.

Quando Edgar entrou, ela reparou como estava bem-vestido, com uma túnica de lã de boa qualidade e sapatos de couro. Não usava joias, mas seu cinto tinha uma fivela e uma ponteira de prata decoradas. Ele estava prosperando.

E exibia uma expressão de grande otimismo que ela conhecia bem.

Ragna se levantou e disse:

– Estou feliz em vê-lo.

Ele abriu os braços e Ragna se aproximou, deixando-se abraçar.

Edgar tomou cuidado com a barriga dela, mas abraçou seus ombros com força. Aquilo quase doeu, mas ela nem ligou, de tão satisfeita que estava por tocá-lo. Eles permaneceram assim por muito tempo.

Quando se separaram, ele sorria como um menino que acaba de ganhar uma corrida. Ela sorriu de volta.

– Como vai você? – perguntou ela.

– Bem, agora que você está livre.

– Terminou sua ponte?

– Ainda não. E você, qual é o seu plano?

– Preciso ficar aqui até o rei aparecer.

– Depois disso você iria para a Travessia de Dreng? Nosso plano ainda pode dar certo. Você poderia se refugiar no convento pelo tempo que fosse necessário. E nós poderíamos conversar à vontade sobre... o nosso futuro.

– Eu gostaria. Mas não posso fazer planos antes de falar com o rei. Ele é o responsável pelas viúvas nobres. Não sei o que ele pensaria se eu saísse daqui.

Edgar assentiu.

– Vou deixá-la por enquanto. Preciso comprar ferro. Mas você me convida para almoçar?

– Claro.

– Ficarei feliz em me sentar à mesa com as criadas e as crianças, você sabe disso.

– Sei, sim.

– Tenho mais uma pergunta. – Ele segurou as mãos dela.

– Pode falar.

– Você me ama?

– Com todo o meu coração.

– Então sou um homem feliz.

Ele a beijou nos lábios. Ragna deixou a boca encostada na dele por vários instantes. Então Edgar se foi.

CAPÍTULO 37

Agosto de 1003

rei Ethelred concedeu sua audiência na praça do mercado em frente à catedral de Shiring. Todos os moradores da cidade compareceram, assim como centenas de pessoas dos vilarejos em volta e a maior parte dos nobres e clérigos importantes da região. Os guarda-costas de Ragna abriram caminho na multidão para ela poder chegar até a frente, onde Wynstan, Wigelm e todos os outros figurões importantes aguardavam a chegada do rei. Ela conhecia a maioria dos senhores de terras e fez questão de falar com cada um deles. Queria que todos soubessem que estava de volta.

Em frente à multidão e debaixo de um toldo temporário montado para proteger a realeza do sol de agosto havia dois bancos de quatro pernas com almofadas. Num dos lados estava uma mesa com material de escrita e dois padres sentados, prontos para redigir documentos que o rei solicitasse. Eles tinham também uma balança de barra graduada para pesar grandes somas em dinheiro caso o rei aplicasse multas.

Os moradores estavam animados. Reis viajavam de cidade em cidade o tempo todo, mas mesmo assim um cidadão inglês comum raramente chegava a ver um deles em carne e osso. Todos ansiavam por ver se ele parecia saudável e que roupas sua nova rainha estaria vestindo.

O rei era uma figura distante. Em teoria era todo-poderoso, mas na prática os éditos promulgados numa corte real longínqua podiam não ser aplicados. As decisões dos mandachuvas locais muitas vezes tinham mais efeito na vida cotidiana. Porém isso mudava quando o rei aparecia na cidade. Era difícil para tiranos como Wynstan e Wigelm desafiar um édito real que houvesse sido lido diante de milhares de habitantes da região. Quando o rei fazia uma visita, as vítimas de injustiça torciam para obter compensação.

Finalmente Ethelred apareceu com a rainha Emma. Os moradores se ajoelharam e os nobres se curvaram. Todos abriram caminho para o casal real caminhar até seus lugares.

Aos 18 anos, Emma era jovem e bonita, bem parecida com a adolescente que Ragna tinha visto seis anos antes, a não ser pelo fato de agora estar grávida. Ragna sorriu e Emma a reconheceu na mesma hora. Para seu deleite, a rainha foi diretamente até ela e a beijou. Falando em francês normando, disse:

– Que maravilha ver um rosto conhecido!

Ragna ficou felicíssima por ser reconhecida como amiga da rainha diante dos homens que a haviam tratado com tanta crueldade. Respondeu no mesmo idioma:

– Parabéns pelo seu casamento. Estou muito feliz por você ser a rainha da Inglaterra.

– Nós vamos ser ótimas amigas.

– Espero que sim... se eles não me aprisionarem outra vez.

– Eles não vão fazer isso... não se eu puder evitar.

Emma virou as costas e foi até seu lugar. Disse algumas palavras a Ethelred para lhe explicar o que tinha acontecido e ele aquiesceu e sorriu para Ragna.

Aquele era um bom começo. Ragna ficou animada com a simpatia de Emma, mas relembrou com apreensão as palavras *não se eu puder evitar*. Emma obviamente não tinha certeza se conseguiria controlar os acontecimentos. E ela era jovem, talvez jovem demais para ter aprendido os truques que Ragna conhecia.

Ethelred falou em voz alta, embora mesmo assim fosse pouco provável que as pessoas mais afastadas da multidão o estivessem escutando.

– Nossa primeira e mais importante tarefa é escolher um senhor para Shiring.

Corajosamente, Aldred o interrompeu:

– Senhor meu rei, o senhor Wilwulf fez um testamento.

– Que nunca foi ratificado! – bradou Wynstan.

– Wilwulf pretendia lhe mostrar esse testamento, senhor meu rei, e pedir sua aprovação – explicou Aldred. – Mas antes de poder fazê-lo ele foi assassinado em sua cama aqui mesmo em Shiring.

– Então onde está esse testamento? – indagou Wynstan com desdém.

– Estava guardado junto com o tesouro de lady Ragna, que foi roubado poucos minutos depois de Wilwulf morrer.

– Um testamento inexistente, ao que parece.

A multidão gostou daquilo, um embate entre dois homens de Deus logo no início da audiência. Mas Ragna então tomou a palavra:

– Pelo contrário. Foram feitas várias cópias. Aqui está uma delas, senhor meu rei.

Ela tirou o pergaminho dobrado do corpete do vestido e o entregou a Ethelred. O rei o pegou, mas não o abriu.

– Pouco importa se foram feitas cem cópias, o testamento é inválido – falou Wynstan.

– Como pode ver pelo documento, senhor meu rei, o desejo do meu marido era que nosso filho mais velho se tornasse o senhor de Shiring... – interveio Ragna.

– Um menino de 4 anos de idade! – zombou Wynstan.

– ... e que eu governasse como sua representante até ele atingir a maioridade.

– Já chega! – interrompeu Ethelred. Fez uma pausa e todos permaneceram calados por alguns instantes. Uma vez que conseguira estabelecer seu poder, ele retomou: – Em épocas como esta, o senhor de uma cidade precisa ser capaz de reunir um exército e liderar os homens no combate.

Os nobres reunidos aquiesceram e concordaram aos murmúrios. Ragna percebeu que, por mais que gostassem dela, não acreditavam nela como líder militar. Não ficou de todo surpresa.

– Meu irmão Wigelm demonstrou recentemente sua habilidade nesse quesito ao reunir um exército para combater ao seu lado em Exeter, senhor meu rei – afirmou Wynstan.

– Sim – disse Ethelred.

A batalha de Exeter fora perdida e os vikings haviam saqueado a cidade e depois ido para casa, mas Ragna decidiu não dizer isso. Já estava fadada a perder aquela discussão. Imediatamente após uma vitória viking, o rei não nomearia uma mulher para liderar os homens de Shiring. Mas ela ainda tinha um pingo de esperança.

Havia perdido a primeira rodada. No entanto, talvez ainda pudesse ganhar com aquela decisão, pensou. Talvez Ethelred agora desejasse contrabalançar a concessão a Wigelm com outra a ela própria.

Percebeu que a sua capacidade de traçar uma estratégia tinha retornado. O torpor causado pelo sequestro estava se dissipando depressa. Sentiu-se revigorada.

– Senhor meu rei, Wigelm e Wynstan aprisionaram lady Ragna durante quase um ano, tomaram suas terras no vale de Outhen, roubaram sua renda e se recusaram a lhe devolver o dote ao qual ela tem direito – contou Aldred. – Peço-lhe agora que proteja essa viúva nobre da família predatória do seu finado marido.

Ragna se deu conta de que Aldred estava chegando o mais perto que podia de acusar Ethelred de não ter cumprido seu dever de cuidar das viúvas.

Ethelred encarou Wigelm. Havia um viés de raiva em sua voz quando ele perguntou:

– Isso é verdade?

Mas quem respondeu foi Wynstan:

– Lady Ragna buscou solidão para o seu luto. Nós apenas lhe proporcionamos proteção.

– Que disparate! – rebateu Ragna, indignada. – Minha porta tinha uma barra por fora! Eu era uma prisioneira.

– Havia uma barra na porta para as crianças não saírem e se perderem na floresta – rebateu Wynstan, calmo.

Era uma desculpa ruim, mas será que Ethelred iria aceitá-la?

O rei não pestanejou.

– Trancar uma mulher não é protegê-la.

Ragna percebeu que ele não se deixaria enganar com tanta facilidade.

– Antes de eu confirmar Wigelm como senhor de Shiring, exigirei tanto dele quanto de Wynstan um juramento de que não irão aprisionar lady Ragna – continuou Ethelred.

Ragna se permitiu um instante de puro alívio. Estava livre, pelo menos por ora, já que juramentos podiam ser quebrados, é claro.

Ethelred prosseguiu:

– Mas que história é essa sobre Outhen? Pensei que ela tivesse recebido essas terras como parte do contrato de casamento.

– É verdade – confirmou Wynstan. – Mas meu irmão Wilwulf não tinha o direito de lhe dar essas terras.

– Você negociou o contrato de casamento com meu pai! – exclamou Ragna, indignada. – Como pode voltar atrás agora?

– As terras pertencem à minha família desde tempos imemoriais – rebateu Wynstan com suavidade.

– Não pertencem, não – retrucou o rei.

Todos olharam fixamente para ele. Aquela fora uma intervenção inesperada.

– Meu pai deu essas terras para o seu avô – prosseguiu Ethelred.

– Pode ser que haja lendas... – começou Wynstan.

– Não é uma lenda – interrompeu o rei. – Foi a primeira escritura que eu assinei como testemunha.

Aquele foi um golpe de sorte inesperado para Ragna.

– Eu tinha 9 anos de idade quando isso aconteceu – prosseguiu Ethelred. – Não se trata de tempos imemoriais: eu tenho apenas 36 anos de idade.

Os nobres riram.

Wynstan se mostrou nauseado: ele obviamente desconhecia a história daquelas terras.

– Lady Ragna ficará com o vale de Outhen e toda a renda dele proveniente – afirmou Ethelred com firmeza.

– Obrigada – disse Ragna. – E o meu dote?

– Uma viúva tem direito a receber de volta o seu dote – declarou o rei. – Quanto foi?

– Vinte libras de prata.

– Wigelm pagará 20 libras a Ragna.

Wigelm parecia enfurecido e não disse nada.

– Agora, Wigelm – ordenou Ethelred –, vá buscar 20 libras.

– Não sei se eu tenho isso tudo – retrucou Wigelm.

– Então não é grande coisa como senhor da cidade. Talvez eu deva reconsiderar.

– Vou procurar.

Wigelm saiu pisando firme.

– E o que deve ser feito em relação à senhora e à criança que está gestando? – indagou Ethelred a Ragna.

– Eu tenho um pedido, senhor meu rei. Por favor, não tome essa decisão hoje. – Era a abordagem aconselhada por Aldred, e Ragna decidira que era sensata. Entretanto, acrescentou uma demanda extra: – Eu gostaria de ir para o convento da Ilha dos Leprosos e dar à luz lá, sob os cuidados de madre Agatha e das freiras. Partirei amanhã de manhã, se o senhor permitir. Por favor, espere o bebê nascer antes de tomar qualquer decisão sobre o meu futuro.

Ela prendeu a respiração.

Aldred tomou a palavra outra vez:

– Permita-me dizer, senhor meu rei, que qualquer plano que o senhor faça hoje pode perder a validade dependendo dos acontecimentos imprevisíveis do nascimento. Que os céus não permitam, mas a criança pode não sobreviver. Caso sobreviva, a situação mudará em função de o bebê ser menino ou menina. E, pior de tudo, a mãe pode não sobreviver à provação. Todas essas coisas estão nas mãos de Deus. Não faria sentido esperar para ver?

Ethelred não precisava ser convencido. Na realidade, pareceu aliviado por não ter que tomar uma decisão.

– Que assim seja – falou. – Reconsideraremos a questão da viúva lady Ragna depois que o bebê nascer. O xerife Den será o responsável por sua segurança na viagem até a Travessia de Dreng.

Ragna havia conseguido tudo que se atrevera a esperar. Poderia deixar Shiring na manhã seguinte com dinheiro suficiente para torná-la independente. Junto às freiras encontraria um refúgio abençoado. Consertaria as coisas com Edgar. Os dois elaborariam um plano.

Não lhe escapara à atenção que o rei não havia reagido à acusação de rapto feita por Aldred. E ninguém tinha mencionado os estupros. Mas ela já imaginava que fosse ser assim. Ethelred não podia nomear Wigelm senhor de Shiring e em seguida condená-lo por estupro, de modo que a acusação fora convenientemente esquecida. Apesar disso, as outras decisões do rei representavam um alívio tão grande para ela que estava disposta a aceitar o pacote inteiro com gratidão.

Wigelm voltou seguido por Cnebba, que vinha trazendo um pequeno baú. Ele o pousou no chão em frente a Ethelred.

– Abra – disse o rei.

O baú continha várias bolsinhas de couro com dinheiro dentro.

Ethelred apontou para a balança sobre a mesa lateral.

– Pesem as moedas.

De repente, Ragna sentiu uma pontada forte na barriga. Gelou. Havia algo conhecido naquela dor. Ela já a sentira antes e sabia o que significava.

O bebê estava chegando.

Ragna batizou o bebê de Alain. Queria um nome francês, pois um nome inglês a faria se lembrar do pai inglês do menino. E o nome rimava com "handsome", palavra celta do povo bretão que significa "belo".

Alain era um bebê bonito. Todo bebê era lindo aos olhos da mãe, mas aquele era o quarto filho de Ragna e ela se julgava capaz de alguma objetividade. O menino era saudável e tinha uma cor rosada, fartos cabelos escuros e olhos azuis bem grandes que fitavam tudo com uma expressão de assombro, como se ele não entendesse por que o mundo era um lugar tão estranho.

Ele chorava quando sentia fome, saciava-se rapidamente no peito de Ragna e adormecia em seguida, como se estivesse seguindo um cronograma que considerava perfeitamente adequado. Ao recordar como seu primogênito, Osbert, lhe parecera tão imprevisível e incompreensível, ela se perguntou se as crianças seriam mesmo tão diferentes assim. Talvez quem estivesse diferente fosse ela, mais relaxada e segura.

Apesar de não ter sido fácil, o parto fora um pouco menos doloroso e exaustivo do que os anteriores, e ela se sentia grata por isso. Até agora, o único erro de Alain fora ter chegado antes da hora. Ragna não tivera tempo de ir se recolher na Travessia de Dreng. Mas agora planejava ir para lá se recuperar e Den lhe disse que o rei Ethelred havia concordado com isso.

Cat estava tão satisfeita que parecia que ela própria tinha dado à luz. As crianças observavam Alain curiosas e um pouquinho ressentidas, como se não tivessem certeza de haver espaço para mais um na família.

Uma admiradora menos bem-vinda era Gytha, mãe de Wynstan e Wigelm. Ela foi à casa de Ragna e se derreteu com o bebê, e Ragna não se sentiu em posição de proibi-la de pegá-lo no colo: ela era avó do menino e o fato de ele ser fruto de um estupro não mudava isso.

Mesmo assim, ficou desconfortável ao ver Alain no colo de Gytha. Incomodou-se com o fato de a outra mulher estar pressupondo ter algum tipo de direito sobre o menino.

– O mais novo membro da nossa família – disse Gytha. – E como é bonito!

– Está na hora de ele mamar – avisou Ragna, e pegou-o de volta.

Levou o bebê ao seio e Alain começou a sugar vorazmente. Pensou que Gytha fosse ir embora, mas não: ela se sentou e ficou olhando, como para se certificar de que Ragna estava fazendo tudo certo. Ao parar de mamar, Alain golfou um pouco de leite e, para surpresa de Ragna, Gytha se inclinou e limpou seu queixo com a manga do seu caro vestido de lã. Foi um gesto de afeto genuíno.

Contudo, ela continuava não confiando na mulher.

Alguns minutos mais tarde, um dos guarda-costas de Ragna espichou a cabeça pela porta e perguntou:

– A senhora vai receber o senhor Wigelm?

Ele era a última pessoa no mundo que Ragna queria ver. No entanto, pensou que era melhor descobrir logo o que ele estava tramando.

– Ele pode entrar, mas sozinho... sem nenhum comparsa. E você fica comigo enquanto ele estiver aqui.

Gytha ouviu isso tudo e seu semblante se endureceu.

Wigelm entrou fazendo cara de ofendido.

– Está vendo, mãe? Eu preciso ser questionado por um guarda antes de poder ver meu próprio filho! – Ele fitou o seio exposto de Ragna.

– Pense em quanto eu precisaria ser tola para confiar em você – disse Ragna.

Afastou Alain do peito, mas o bebê não estava satisfeito e chorou, de modo que ela precisou colocá-lo de volta e suportar o olhar fixo de Wigelm.

– Eu sou o senhor de Shiring! – exclamou ele.

– Você é um estuprador.

Gytha emitiu um ruído de reprovação, como se Ragna tivesse dito algo descortês. Isso não chega nem aos pés da descortesia que o seu filho cometeu comigo, pensou Ragna. É estranho que alguém que não condenou o estupro ache ruim ouvir alguém se referir a ele, refletiu.

Wigelm pareceu prestes a continuar, então mudou de ideia e engoliu a resposta. Inspirou fundo.

– Não vim aqui bater boca.

– Então o que veio fazer?

Ele parecia nervoso. Sentou-se, então tornou a se levantar.

– Falar sobre o futuro – respondeu, vago.

O que o estava incomodando? Ragna supôs que ele simplesmente não estivesse conseguindo lidar com a política frente ao rei. Ele compreendia a intimidação e a coerção, mas a necessidade do rei de equilibrar pressões conflitantes ultrapassava a capacidade do seu intelecto. O melhor era falar com ele de modo simples:

– O meu futuro não tem nada a ver com o seu.

Wigelm coçou a cabeça, afrouxou o cinto, tornou a apertá-lo, esfregou o queixo e por fim falou:

– Eu quero me casar com você.

Ragna sentiu o medo lhe gelar o coração.

– Nunca – falou. – Por favor, nem fale uma coisa dessas.

– Mas eu a amo.

Aquilo era uma mentira tão descarada que ela quase riu.

– Você não sabe nem o que isso significa.

– Tudo vai ser diferente, eu juro.

– Quer dizer então... – Ela olhou para Gytha, em seguida tornou a olhar para ele. – Quer dizer então que não vai mandar seus soldados me segurarem para trepar comigo à força?

Gytha tornou a emitir o ruído de reprovação.

– É claro que não – respondeu Wigelm num tom indignado, como se jamais fosse cogitar uma coisa dessas.

– Esse é o tipo de promessa que uma mulher sonha escutar.

– Você não quer fazer parte da nossa família? – perguntou Gytha.

Ragna olhou perplexa para ela e respondeu:

– Não!

– Por que não?

– Como é que você pode sequer me fazer essa pergunta?

– Por que você precisa ser tão sarcástica? – rebateu Wigelm.

Ragna inspirou fundo.

– Porque eu não amo você, você não me ama e essa conversa sobre casamento é tão ridícula que eu não consigo sequer fingir estar levando você a sério.

Wigelm franziu a testa, tentando entender o que ela estava querendo dizer. Ragna já havia reparado que ele não era muito rápido para entender frases longas. Por fim, ele falou:

– Então é essa a sua resposta.

– A minha resposta é não.

Gytha se levantou.

– Nós tentamos – disse ela.

Então ela e Wigelm se retiraram.

Ragna franziu a testa. Aquilo era inesperado como frase de despedida.

Alain havia adormecido no seu seio. Ela o pôs no berço e tornou a fechar a frente do vestido. O tecido estava sujo de leite, mas ela não se preocupou: àquela altura, era até bom não estar muito atraente.

Ficou pensando nas palavras *nós tentamos*. Por que Gytha tinha dito isso? Parecia uma ameaça velada, como se ela estivesse dizendo: *Não venha nos culpar pelo que vai acontecer*. Mas o que poderia acontecer agora?

Ela não sabia, e isso a angustiou.

Wynstan e Gytha foram falar com o rei Ethelred, que estava morando no salão nobre. Wynstan não estava sentindo a mesma segurança de sempre. O rei não era previsível. O bispo em geral conseguia prever a reação das pessoas aos problemas; não era difícil adivinhar o que elas fariam para conseguir o que queriam. Mas os desafios do rei eram bem mais complexos.

Como se esperasse uma ajuda divina, ele tocou o crucifixo que levava no peito.

Quando entraram no salão nobre, Ethelred estava profundamente entretido numa conversa com um de seus assistentes. A rainha Emma não estava presente. Ethelred ergueu uma das mãos para mandar Wynstan e Gytha esperarem. Eles permaneceram a alguns passos de distância enquanto o rei encerrava sua conversa. O ajudante então se retirou e Ethelred os chamou com um aceno.

– O filho de meu irmão Wigelm e lady Ragna é um menino saudável, senhor meu rei, e parece que vai sobreviver – começou Wynstan.

– Ótimo! – disse Ethelred.

– É de fato uma boa notícia, embora ameace desestabilizar o governo de Shiring.

– Em que sentido?

– Em primeiro lugar, o senhor deu permissão para lady Ragna se retirar no convento da Travessia de Dreng. Lá ela naturalmente ficará longe da influência do senhor de Shiring. Em segundo lugar, ela está com o único filho dele. Em terceiro lugar, mesmo se o bebê morresse, Ragna tem também os três filhos pequenos de Wilwulf.

– Estou vendo aonde quer chegar – falou o rei. – Acha que ela poderia facilmente se tornar a líder de uma rebelião contra Wigelm. As pessoas poderiam dizer que os filhos dela são verdadeiros herdeiros.

Wynstan ficou satisfeito ao constatar que o rei havia entendido tão depressa.

– Sim, senhor meu rei.

– E tem alguma sugestão para resolver isso?

– Só existe uma saída. Ragna precisa se casar com Wigelm. Nesse caso, Wigelm não teria rivais.

– Isso resolveria a questão, claro – concordou Ethelred. – Mas eu não vou exigir que ela faça isso.

– Por que cargas d'água não? – disparou Wynstan.

– Em primeiro lugar, porque ela se mostrou contrária a essa ideia. Ela pode muito bem se recusar a fazer os votos.

– Pode deixar que isso eu resolvo – declarou Wynstan.

Ele sabia como levar as pessoas a fazerem o que não queriam.

Ethelred se mostrou reprovador, mas não comentou nada. Em vez disso, falou:

– Em segundo lugar, porque prometi à minha esposa não forçar o casamento.

Wynstan deu uma risadinha de homem para homem.

– Majestade, uma promessa feita a uma mulher...

– O senhor não sabe muito sobre casamentos, sabe, bispo?

Wynstan abaixou a cabeça.

– É claro que não, senhor meu rei.

– Não estou disposto a quebrar a promessa que fiz à minha esposa.

– Eu compreendo.

– Pensem em outra solução.

Ethelred lhes virou as costas, encerrando o assunto.

Wynstan e Gytha fizeram uma mesura e se retiraram.

Assim que saíram do raio de alcance do salão nobre, Wynstan falou:

– Então uma vadia normanda encrenqueira está apoiando a outra!

Gytha não disse nada. Ele encarou a mãe. Ela estava profundamente concentrada, pensando.

Os dois foram até sua casa e ela lhe serviu uma caneca de vinho.

Ele tomou um grande gole e disse:

– Não sei o que fazer agora.

– Tenho uma sugestão – falou Gytha.

Wynstan foi à casa de Ragna e falou:

– Precisamos ter uma conversa séria.

Ela o encarou desconfiada. Ele estava querendo algo, claro.

– Não me peça para casar com seu irmão – falou.

– Acho que você não está entendendo a sua situação.

Wynstan estava sendo arrogante como sempre, mas não parava de tocar o crucifixo no pescoço. Isso sinalizava uma insegurança oculta, algo inabitual nele.

– Explique para mim – pediu ela.

– Você pode ir embora daqui quando quiser.

– Assim disse o rei.

– E pode levar os filhos de Wilwulf.

Ragna demorou alguns instantes para entender a insinuação, mas, quando entendeu, ficou horrorizada.

– Eu vou levar *todos* os meus filhos! – falou. – Inclusive Alain.

– Essa opção não está disponível. – Wynstan tornou a tocar o crucifixo. – Você pode ir embora de Shiring, mas não pode levar o único filho do senhor da cidade.

– Ele é meu filho!

– Sim, e naturalmente você mesma vai querer criá-lo. É por isso que precisa se casar com Wigelm.

– Nunca.

– Então precisa deixar seu bebê aqui. Não existe uma terceira opção.

Um peso frio se acomodou no fundo do estômago de Ragna. Num movimento involuntário, ela olhou para o berço, como para se certificar de que Alain ainda estava lá. O bebê dormia profundamente.

Wynstan adotou um tom de voz meloso:

– Ele é um menino lindo. Até eu posso perceber isso.

Havia algo de tão malévolo naquele elogio insincero que Ragna sentiu náusea.

– Eu preciso criá-lo – falou. – Sou a mãe dele.

– O que não falta são mães. Gytha, minha própria mãe, está ansiosa para assumir a responsabilidade por seu primeiro neto.

Isso deixou Ragna furiosa.

– Para poder criá-lo do mesmo jeito que criou você e Wigelm? Para ele se tornar cruel, egoísta e violento?

Para sua surpresa, Wynstan se levantou.

– Leve o tempo que quiser – disse ele. – Pense no assunto. Avise-nos quando tiver tomado a sua decisão.

Ele saiu.

Ragna sabia que precisava resistir de modo imediato e firme.

– Cat, por favor, vá perguntar se a rainha Emma pode me receber assim que possível.

Cat saiu e Ragna ficou pensando. Teria ela recebido uma falsa liberação? Ser autorizada a ir embora somente se deixasse o seu bebê para trás não era liberdade, muito pelo contrário. Com certeza isso não estava implícito na autorização de Ethelred. Ou será que estava?

Imaginava que Cat fosse voltar com um recado dizendo quando ela poderia ver a rainha Emma, mas, ao voltar, a criada falou, ofegante:

– Milady, a rainha está aqui.

Emma entrou.

Ragna se levantou e fez uma mesura, e então Emma a beijou.

– Acabo de falar com o bispo Wynstan – declarou Ragna. – Ele falou que, se eu não me casar com Wigelm, eles vão tirar meu bebê de mim.

– Sim – disse Emma. – Gytha me explicou isso.

Ragna franziu a testa. Gytha devia ter ido falar com Emma ao mesmo tempo que Wynstan conversava com ela. Aquilo tinha sido planejado e coordenado.

– O rei sabe? – perguntou.

– Sim – confirmou Emma.

A expressão da rainha assustou Ragna. Ela parecia preocupada, mas não horrorizada nem sequer chocada. O que seu rosto exibia era pena. Isso era assustador.

Ragna sentiu que estava perdendo outra vez o controle da própria vida.

– Mas o rei me libertou. O que isso significa?

– Significa que você não pode ser aprisionada e o rei não vai forçá-la a se casar com um homem que odeia, mas você tampouco pode levar embora o filho do senhor da cidade. O único filho dele, creio eu.

– Mas nesse caso eu não estou livre, no fim das contas!

– Você tem uma escolha dura a fazer. Eu não previ isso. – A rainha foi até a porta. – Sinto muitíssimo.

Ela se retirou.

Ragna sentiu que estava vivendo um pesadelo. Por alguns segundos, cogitou escolher a primeira opção e abandonar seu filho para ser criado por Gytha. Qualquer coisa para evitar um casamento com o detestável Wigelm. Afinal, Alain era fruto de um estupro. Mas assim que olhou para ele, dormindo tranquilamente em seu berço, soube que não conseguiria fazer isso, nem mesmo se eles a obrigassem a se casar com cinco Wigelms.

Edgar entrou. Ela olhou para ele por entre as lágrimas. Levantou-se e ele a tomou nos braços.

– É verdade? – perguntou ele. – Todos estão dizendo que você precisa se casar com Wigelm ou abrir mão de Alain!

– É verdade – falou Ragna.

Suas lágrimas encharcaram a lã da túnica dele.

– O que você vai fazer? – quis saber Edgar.

Ragna não respondeu.

– O que você vai fazer? – repetiu ele.

– Vou abandonar meu bebê – respondeu ela.

– Não, isso não pode acontecer! – esbravejou Wynstan, furioso.

– Está acontecendo – disse Wigelm. – Edgar a está ajudando a empacotar todos os seus pertences. Ela vai deixar o bebê para trás.

– Ela ainda terá os três filhos pequenos de Wilwulf. As pessoas dirão que são eles os herdeiros legítimos. Nossa situação não melhora quase nada.

– Precisamos matá-la – falou Wigelm. – É o único jeito de nos livrarmos dela.

Eles estavam na casa da mãe e ela então os interrompeu:

– Vocês não podem matar Ragna. Não bem debaixo do nariz do rei. Ele não os deixaria impunes.

– Poderíamos pôr a culpa em outra pessoa.

Gytha balançou a cabeça.

– Ninguém acreditou muito em vocês da última vez. Não vão sequer fingir acreditar numa segunda.

– Nós agiremos depois que o rei for embora – afirmou Wigelm.

– Ragna a essa altura vai estar abrigada em segurança no convento da Ilha dos Leprosos, seu idiota – lembrou Wynstan.

– Bom, o que vamos fazer?

– Vamos todos nos acalmar – disse Gytha.

– De que isso adianta? – rebateu Wigelm.

– Você vai ver. Espere só.

Nessa noite, Edgar e Ragna dormiram juntos na casa dela. Deitaram-se abraçados por cima dos juncos, mas não fizeram amor: estavam abalados demais. Edgar se consolou abraçando Ragna. Ela pressionou o corpo no dele de um modo que pareceu amoroso, mas também desesperado.

Deu de mamar ao bebê duas vezes durante a noite. Edgar cochilou, mas desconfiou que Ragna não tivesse dormido nada. Os dois se levantaram assim que amanheceu.

Edgar foi até o centro da cidade e alugou duas carroças para a viagem. Mandou que fossem levadas até o complexo e estacionadas em frente à casa de Ragna.

Enquanto as crianças faziam o desjejum, ele colocou a maior parte das bagagens numa das carroças. Na outra pôs todas as almofadas e todos os cobertores para as mulheres e crianças se sentarem em cima. Selou Pilar e pôs uma rédea em Astrid para conduzir a égua.

Estava conseguindo aquilo que vinha querendo havia muitos anos, mas não conseguia ficar feliz. Pensava que Ragna um dia talvez conseguisse superar a perda de Alain, mas temia que fosse levar muito tempo.

Todos eles já estavam com as roupas de viagem e calçados. Gilda e Winthryth iriam acompanhá-los, bem como Cat e os guarda-costas. Todos saíram da casa, Ragna com Alain no colo.

Gytha estava esperando para pegá-lo.

Os criados e as crianças subiram na carroça.

Todos olharam para Ragna.

Ela andou até Gytha e Edgar seguiu ao seu lado. Ragna hesitou. Olhou para Edgar, em seguida para Gytha e por fim para o bebê em seu colo. Lágrimas escorriam por seu rosto. Ela deu as costas a Gytha, então tornou a se virar. Gytha estendeu as mãos para Alain, mas Ragna não a deixou pegá-lo. Ficou parada por vários segundos.

Então falou para Gytha:

– Eu não consigo.

Virou-se para Edgar e disse:

– Eu sinto muito.

Então, segurando Alain bem apertado junto ao peito, tornou a entrar em sua casa.

O casamento foi um grande acontecimento. Veio gente de todo o sul da Inglaterra. Um conflito dinástico importante tinha sido solucionado e todos queriam fazer amizade com os vencedores.

Wynstan correu os olhos pelo salão nobre com um sentimento de profunda satisfação. A mesa de cavalete estava abarrotada com os produtos de um verão quente e de uma bela safra: grandes peças de carne, pães recém-saídos do forno, pirâmides de castanhas e frutas e jarras de cerveja e vinho.

As pessoas se acotovelavam para mostrar deferência ao senhor Wigelm e sua família. Sentado ao lado da rainha Emma, Wigelm exibia um ar de superioridade. Seria um governante pouco inspirado, porém de uma firmeza brutal, e, com a orientação de Wynstan, tomaria as decisões certas.

E agora ele estava casado com Ragna. Wynstan tinha certeza de que o irmão nunca havia gostado dela, mas a desejava pelo simples fato de ela o rejeitar, algo típico dos homens. Os dois seriam infelizes juntos.

Ragna, a única ameaça ao domínio de Wynstan, tinha sido esmagada. Sentada à mesa principal ao lado do rei, com seu filho bebê no colo, ela parecia prestes a cometer suicídio.

O rei aparentava estar realizado com sua visita a Shiring. Considerando a situação do ponto de vista real, Wynstan imaginava que Ethelred estivesse satisfeito por ter nomeado o novo senhor da cidade e resolvido a questão da viúva, corrigido o erro da prisão de Ragna porém impedido que ela fugisse com o filho do senhor de Shiring, e tudo isso sem derramamento de sangue.

Havia poucos aliados de Ragna por ali. O xerife Den estava presente com cara de quem estava sentindo um cheiro ruim, mas Aldred tinha voltado para o seu pequeno priorado e Edgar, desaparecido. Ele talvez houvesse voltado para administrar a pedreira de Ragna em Outhenham, mas será que iria querer fazer isso agora que o amor da sua vida havia se casado com outro homem? Wynstan não sabia, e na verdade isso pouco lhe importava.

Havia até mesmo uma boa notícia médica. A ferida no pênis de Wynstan tinha sumido. Ele ficara com medo, sobretudo quando as putas tinham dito que aquilo poderia ser o mal francês, que causa lepra, mas obviamente fora um alarme falso e ele tinha voltado ao normal.

Meu irmão é o senhor da cidade e eu sou o bispo, pensou ele com orgulho. E nenhum de nós ainda completou 40 anos.

Nós mal começamos.

Edgar e Aldred encontravam-se em pé junto ao rio, olhando para o povoado. A feira do dia de São Miguel estava a todo vapor. Centenas de pessoas atravessavam a ponte, compravam no mercado e faziam fila para ver os ossos do santo. Todos conversavam e riam, felizes por gastar o pouco dinheiro que tinham.

– Este lugar está prosperando – comentou Edgar.

– Estou muito satisfeito – disse Aldred, mas havia lágrimas em seu rosto.

Edgar sentiu-se ao mesmo tempo constrangido e comovido. Sabia havia anos que Aldred era apaixonado por ele, embora isso nunca tivesse sido dito.

Olhou para o outro lado. Sua jangada estava amarrada na margem do rio logo abaixo da ponte. Pilar, sua égua, achava-se em pé a bordo. Na jangada estavam também seu machado viking, todas as suas ferramentas e um baú contendo alguns pertences preciosos, entre eles o livro que Ragna tinha lhe dado de presente. Sua cadela Malhada não estava a bordo: tinha morrido de velhice.

Isso fora a última gota. Ele já vinha pensando em ir embora da Travessia de Dreng, e a morte de Malhada o fizera finalmente tomar a decisão.

Aldred enxugou os olhos na manga e disse:

– Você precisa mesmo ir?

– Sim.

– Mas a Normandia fica muito longe.

Edgar planejava descer o rio de jangada até Combe e lá pegar um navio para Cherbourg. Iria procurar o conde Hubert e lhe dar a notícia do casamento de Ragna com Wigelm. Em troca, pediria ao conde para lhe indicar uma obra de grande porte. Ouvira dizer que era fácil para um bom artesão encontrar trabalho na Normandia.

– Quero estar o mais longe possível de Wigelm, de Wynstan e de Shiring... e de Ragna.

Edgar não a via desde o casamento. Havia tentado falar com ela, mas fora mandado embora por criados. Em todo caso, não sabia o que teria lhe dito. Ela fora obrigada a fazer uma escolha difícil e pusera o filho em primeiro lugar, algo que a maioria das mulheres teria feito. Edgar estava com o coração partido, mas não conseguia culpá-la.

– Ragna não é a única pessoa que o ama.

– Eu gosto de você – falou Edgar. – Mas, como você sabe, não desse jeito.

– E isso é a única coisa que me salva do pecado.

– Eu sei.

Aldred segurou a mão dele e a beijou.

– Dreng deveria vender o barco da travessia. Ragna talvez o compre para Outhenham. Eles não têm barco lá – sugeriu Edgar.

– Farei essa sugestão.

Edgar se despediu de sua família e dos moradores do povoado. Não havia mais nada para ele fazer ali.

Desamarrou a jangada, subiu a bordo e afastou a embarcação da margem.

Foi avançando e passou pela fazenda dos irmãos. Por sugestão sua, Erman e Eadbald estavam construindo um moinho d'água copiando outro que tinham visto mais abaixo no rio. Os dois eram artesãos suficientemente bons; seu pai tinha lhes ensinado bem. Eram homens prósperos e importantes no vilarejo. Eles lhe acenaram quando ele passou e Edgar reparou que ambos estavam ficando bastante corpulentos. Acenou de volta. Sentiria falta de Wynswith e Beorn, seus sobrinhos.

A embarcação ganhou velocidade. A Normandia deve ser mais quente e seca do que a Inglaterra, imaginou ele, já que fica mais ao sul. Pensou nas poucas palavras em francês que aprendera ouvindo Ragna conversar com Cat. Sabia também alguma coisa de latim das aulas que tivera com Aldred. Conseguiria se virar.

Seria uma nova vida.

Deu uma última olhada para trás. Sua ponte dominava a vista. Ela havia modificado radicalmente o povoado. A maioria das pessoas não se referia mais àquele lugar pelo antigo nome de Travessia de Dreng.

Agora todos o chamavam de Kingsbridge, a ponte do rei.

PARTE IV

A CIDADE

1005-1007 d.C.

CAPÍTULO 38

Novembro de 1005

 nave da catedral de Canterbury estava fria e escura naquela tarde de novembro. Velas iluminavam a cena com uma luz bruxuleante, lançando sombras que pareciam fantasmas irrequietos. Na capela, o local mais sagrado da igreja, o arcebispo Elfric ia morrendo aos poucos. Suas mãos pálidas apertavam uma cruz de prata que ele segurava em frente ao coração. Seus olhos estavam abertos, mas se mexiam muito pouco. A respiração, embora fraca, era regular. Ele parecia estar apreciando os cânticos dos monges à sua volta, pois franzia a testa toda vez que eles se calavam.

O bispo Wynstan passou muito tempo ajoelhado rezando aos pés do arcebispo. Ele próprio estava se sentindo mal. Sua cabeça doía e seu sono andava irregular. Embora tivesse apenas 43 anos, o cansaço lhe doía como se ele fosse um velho. E estava com um calombo feio e avermelhado na clavícula, que escondia fechando a capa bem alto no pescoço.

Sentindo-se assim tão mal, não quisera percorrer a Inglaterra de leste a oeste durante o inverno, mas tivera um bom motivo. Ele queria ser o próximo arcebispo de Canterbury. Isso o tornaria o mais importante membro do clero no sul da Inglaterra. E uma disputa de poder não podia ser travada a distância: ele precisava estar ali.

Avaliou que já tinha rezado por tempo suficiente para impressionar os monges com sua religiosidade e seu respeito. Levantou-se e de repente se sentiu tonto. Estendeu o braço e conseguiu se apoiar numa pilastra de pedra para se equilibrar. Ficou com raiva: detestava demonstrar fraqueza. Durante toda sua vida adulta havia sido um homem forte, que os outros temiam. E a última coisa que queria era que os monges de Canterbury pensassem que estava com a saúde fragilizada. Eles não iriam querer um arcebispo doente.

Depois de alguns instantes a tontura passou e Wynstan conseguiu se virar e sair andando com uma lentidão respeitosa.

A catedral de Canterbury era a maior construção que ele já vira na vida. Feita de pedra, tinha o formato de uma cruz, com uma nave comprida, transeptos laterais e uma capela curta. No topo da torre, acima do cruzamento entre a nave e os transeptos, havia um anjo dourado.

Lá dentro caberiam três catedrais de Shiring.

No transepto norte, Wynstan encontrou seu primo Degbert, arquidiácono de Shiring, e juntos os dois foram para o claustro. Uma chuva fria fustigava o gramado do pátio quadrado. Um grupo de monges abrigados sob o telhado se calou respeitosamente ao vê-los se aproximar. Wynstan primeiro fingiu não reparar neles, mas em seguida fez como se eles o tivessem despertado subitamente da sua meditação.

Falou no tom de alguém arrasado pela tristeza:

– A alma do meu velho amigo parece estar relutando em deixar a igreja que ele tanto amou.

Houve alguns segundos de silêncio, então um monge jovem e magricela perguntou:

– Elfric é seu amigo?

– Mas é claro – respondeu Wynstan. – Me perdoe, irmão, como você se chama?

– Eappa, senhor meu bispo.

– Frei Eappa, conheci nosso amado arcebispo quando ele era bispo de Ramsbury, uma cidade que não fica muito distante da minha catedral em Shiring. Quando eu era jovem, ele me abrigou sob suas asas, por assim dizer. Fiquei infinitamente grato por sua sabedoria e sua orientação.

Nada disso era verdade. Wynstan desprezava Elfric e o sentimento certamente era recíproco. Mas os monges acreditaram. Ele com frequência ficava assombrado ao ver como era fácil enganar os outros, especialmente se você tivesse algum tipo de status. Homens assim tão ingênuos mereciam tudo que lhes acontecesse.

– Que tipo de coisa ele lhe disse? – indagou Eappa.

Wynstan improvisou qualquer coisa.

– Ele disse que eu deveria escutar mais e falar menos, pois a pessoa aprende quando está escutando, mas não quando está falando. – Chega disso, pensou. – Digam-me, quem vocês acham que será o novo arcebispo?

Quem respondeu foi outro monge:

– Alphage de Winchester.

Aquele homem era conhecido. Wynstan observou-o com mais atenção. Já tinha visto aquele rosto redondo e aquela barba castanha.

– Nós nos conhecemos, não é, irmão? – perguntou, cauteloso.

Foi Degbert quem respondeu:

– Frei Wigferth visita Shiring com frequência. Canterbury tem terras no oeste do país e é ele quem recebe os aluguéis.

– Sim, claro, frei Wigferth, é um prazer revê-lo. – Wynstan lembrou que Wigferth era amigo do prior Aldred e resolveu tomar cuidado. – Por que as pessoas acham que Alphage vai ser o próximo arcebispo?

– Elfric é monge, e Alphage também – disse Wigferth. – E Winchester é a nossa principal catedral depois de Canterbury e de York.

– Isso é muito lógico, mas talvez não seja determinante – observou Wynstan.

Wigferth insistiu:

– E Alphage ordenou a construção do famoso órgão da catedral de Winchester. Dizem que o instrumento pode ser ouvido a 1,5 quilômetro de distância!

Wigferth é claramente um admirador de Alphage, pensou Wynstan. Ou talvez seja simplesmente contra o bispo de Shiring, já que é amigo de Aldred.

– Pela Regra de São Bento, os monges têm o direito de eleger seu abade, não? – indagou o bispo.

– Sim, mas Canterbury não tem abade – disse Wigferth. – Nosso líder é o arcebispo.

– Ou, para dizer de outra forma, o arcebispo é o abade.

Wynstan sabia que os privilégios dos monges não eram claros. O rei reivindicava o direito de nomear o arcebispo, assim como o papa. Como sempre, as regras não tinham tanta importância quanto os homens. Haveria uma disputa e o mais forte e mais inteligente levaria a melhor.

– De qualquer forma, será preciso um grande homem para estar à altura do exemplo dado por Elfric – continuou Wynstan. – Por tudo que ouvi dizer, ele liderou de modo sábio e justo. – Ele imprimiu um leve tom de interrogação ao final da frase.

Eappa mordeu a isca.

– Elfric tem conceitos rígidos em relação às camas – falou, e os outros riram.

– Como assim?

– Ele acha que um monge não deve ter o luxo de um colchão.

– Ah... – Monges muitas vezes dormiam sobre tábuas, ocasionalmente sem qualquer tipo de amortecimento. O ossudo Eappa devia achar isso desconfortável. – Eu sempre fui da opinião de que os monges precisam dormir bem de modo a estar inteiramente alertas na hora da sua devoção – declarou Wynstan, e os irmãos aquiesceram avidamente.

Um monge chamado Forthred, que tinha conhecimentos de medicina, discordou.

– Um homem pode dormir perfeitamente bem sobre tábuas – disse ele. – A autonegação é o nosso lema.

– Tem razão, irmão, embora haja um equilíbrio a ser encontrado, não? –

retrucou Wynstan. – Os monges não devem comer carne todo dia, é claro, mas carne bovina uma vez por semana ajuda a manter a força. Eles não deveriam agradar a si mesmos tendo animais de estimação, mas às vezes é preciso ter um gato para combater os camundongos.

Os monges emitiram murmúrios de aprovação.

Wynstan já tinha feito o suficiente num só dia para se firmar como um líder permissivo. Mais do que isso e eles poderiam começar a desconfiar que o bispo estava apenas querendo ganhar apoio – o que era verdade. Tornou a entrar na igreja.

– Precisamos fazer alguma coisa em relação a Wigferth – murmurou para Degbert assim que saíram do raio de alcance do ouvido dos monges. – Ele pode se tornar líder de uma facção anti-Wynstan.

– Ele tem esposa e três filhos em Trench – contou Degbert. – Os camponeses de lá não sabem que ele é monge, acham que é um padre normal. Se revelássemos o segredo dele aqui em Canterbury, isso diminuiria sua força.

Wynstan pensou por alguns instantes, então balançou a cabeça em negativa.

– O ideal seria que Wigferth não estivesse em Canterbury quando os monges tomarem sua decisão. Terei que pensar no assunto. Enquanto isso, devemos falar com o tesoureiro.

O tesoureiro Sigefryth era o monge mais graduado abaixo do arcebispo e Wynstan precisava dele ao seu lado.

– Ele vive na casa de madeira logo em frente à extremidade oeste da igreja – informou Degbert.

Os dois desceram a nave e saíram pela imensa porta oeste. Wynstan puxou o capuz por cima da cabeça para se proteger da chuva. Eles percorreram depressa o chão lamacento até a construção mais próxima.

O tesoureiro era um homem baixinho de cabeça grande e calva. Cumprimentou Wynstan desconfiado, mas sem medo algum.

– Não houve mudança alguma na situação de nosso amado arcebispo – começou Wynstan.

– Talvez sejamos abençoados com a sua presença por um pouco mais de tempo – falou Sigefryth.

– Infelizmente não muito – disse Wynstan. – Acho que os monges agradecem a Deus por você estar aqui para cuidar das questões de Canterbury, Sigefryth.

O monge agradeceu o elogio com um meneio de cabeça.

Wynstan sorriu e disse em tom suave:

– Sempre achei que um tesoureiro tem uma tarefa dificílima a cumprir.

Sigefryth pareceu intrigado.

– Como assim?

– Ele precisa se certificar de que sempre haja dinheiro suficiente, mas não tem nenhum controle sobre como o dinheiro é gasto!

Sigefryth por fim se permitiu um sorriso.

– É verdade.

Wynstan prosseguiu:

– Eu acho que um abade... ou um prior, ou quem quer que ocupe esse papel, deveria consultar o tesoureiro sobre as despesas, não só sobre as rendas.

– Isso evitaria muitos problemas – concordou Sigefryth.

Assim já está bom, pensou Wynstan outra vez. Ele precisava cair nas graças do tesoureiro, mas de um modo que não ficasse muito óbvio. Passou então ao problema de Wigferth:

– Este ano, especialmente, um tesoureiro tem motivos para estar preocupado. A safra fora ruim e as pessoas tinham passado fome.

– Homens mortos não pagam aluguel – afirmou Sigefryth.

Um homem pragmático, pensou Wynstan. Gosto disso.

– E o mau tempo continua. Todo o sul da Inglaterra está alagado. No caminho para cá, tive que fazer vários desvios longos.

Isso era um grande exagero. Havia chovido muito, mas a chuva só o fizera se atrasar uns poucos dias.

Sigefryth deu um muxoxo solidário.

– E a coisa parece estar piorando – continuou Wynstan. – Espero que vocês não estejam planejando nenhuma viagem.

– Não por algum tempo. Teremos aluguéis para coletar no Natal, de nossos inquilinos que ainda estiverem vivos. Vou mandar frei Wigferth para a sua região.

– Se quiser que Wigferth chegue lá no Natal, mande-o logo – alertou Wynstan. – Ele vai levar um bom tempo para chegar.

– Farei isso – disse Sigefryth. – Obrigado pelo aviso.

Tão ingênuo, pensou Wynstan com satisfação.

Wigferth partiu no dia seguinte.

Os filhos de Ragna estavam fazendo uma batalha de bolas de neve. Os gêmeos, de 4 anos, tinham se juntado para atacar Osbert, de 6. Alain, que tinha 2 anos e ainda estava aprendendo a andar, ria descontroladamente.

O pequeno grupo que morava com Ragna assistia junto com ela: Cat, Gilda, Winthryth e o guarda-costas Grimweald. Grimweald não servia para nada: como era um dos soldados de Wigelm, provavelmente não a protegeria da pessoa com maior probabilidade de atacá-la.

Apesar disso, foi um momento feliz. Todos os quatro meninos gozavam de boa saúde. Osbert já estava aprendendo a ler e escrever. Aquela não era a vida que Ragna quisera ter e ela ainda era louca por Edgar, mas tinha motivos para ser grata.

Ao se tornar senhor de Shiring, Wigelm não quisera mais ter o trabalho de administrar Combe, então Ragna havia se tornado sua representante e, na prática, chefe de Combe e de Outhen, embora Wigelm ainda visitasse as duas localidades e desse audiências.

Ele então apareceu, acompanhado por uma jovem concubina chamada Meganthryth. Os dois pararam ao lado de Ragna para ver os meninos brincarem. Ela não falou com Wigelm. Nem sequer olhou para ele. O ódio que sentia só fizera se aprofundar nos dois anos desde que tinham se casado. Ele era ao mesmo tempo cruel e burro.

Felizmente, não precisava conviver muito com ele. Na maioria das noites Wigelm se embebedava e era carregado para a cama. Quando estava suficientemente sóbrio, passava a noite com Meganthryth, que, apesar disso, não tinha lhe dado nenhum filho. De vez em quando ele recobrava o velho desejo e visitava Ragna. Ela não oferecia resistência, mas fechava os olhos e pensava em outra coisa até ele terminar. Wigelm gostava de fazer sexo contra a vontade da mulher, mas a indiferença o desagradava, então a apatia de Ragna ajudava a desencorajá-lo.

Osbert jogou uma grande bola de neve a esmo e Alain foi atingido em cheio no rosto. O menino levou um susto, começou a chorar e correu para Ragna. Ela limpou seu rosto com a manga e o consolou.

– Não seja chorão, Alain – disse Wigelm. – É só neve, neve não dói.

Seu tom ríspido fez o menino soluçar mais ainda.

– Ele só tem 2 anos – murmurou Ragna.

Wigelm não gostava de discussão. Tinha mais talento para o combate.

– Não mime o menino – falou. – Não quero um filho fracote. Ele vai ser um guerreiro, igual ao pai.

Ragna rezava todos os dias para que Alain fosse o mais diferente possível do pai. Mas não disse mais nada: era inútil bater boca com Wigelm.

– Não vá começar a ensinar o menino a ler – acrescentou Wigelm. Ele próprio era analfabeto. – Isso é para padres e mulheres.

Veremos, pensou Ragna, mas continuou em silêncio.

– Dê uma boa criação ao menino – ordenou Wigelm –, senão você vai ver.

Ele se afastou e a concubina foi atrás dele.

Ragna gelou por dentro. Como assim *você vai ver?*

Ela viu a parteira Hildi se aproximar pelo complexo coberto de neve. Sempre gostava de conversar com Hildi. Ela era uma velha sábia e suas habilidades médicas iam muito além de questões ligadas ao nascimento de crianças.

– Sei que a senhora não gosta de Agnès – começou Hildi.

Ragna se retesou.

– Eu gostava dela, sim, até ela virar uma traidora.

– Ela está morrendo e quer implorar pelo seu perdão.

Ragna suspirou. Um pedido desses era difícil de recusar, mesmo vindo da mulher que havia arruinado sua vida.

Ela pediu a Cat para vigiar os meninos e se afastou com Hildi.

Na cidade, o branco puro da neve já tinha sido maculado pelo lixo e por passos enlameados. Hildi seguiu na frente até uma pequena casa atrás do palácio do bispo. O lugar estava sujo e malcheiroso. Agnès se achava deitada na palha do chão e enrolada num cobertor. Na sua bochecha, bem ao lado do nariz, havia um calombo vermelho horrendo com uma cratera no centro coberta por uma casca de ferida.

Seus olhos percorreram o recinto como se ela não soubesse onde estava. Seu olhar recaiu sobre Ragna e ela falou:

– Eu conheço você.

Era algo estranho para Agnès dizer. Ela havia passado mais de uma década morando com Ragna, mas falava como se as duas fossem conhecidas distantes.

– Ela às vezes se confunde – avisou Hildi. – Faz parte da doença.

– Estou morrendo de dor de cabeça – reclamou Agnès.

Hildi se dirigiu a ela.

– Você me pediu que trouxesse lady Ragna para poder lhe dizer quanto está arrependida.

A expressão da doente se modificou. De repente, ela pareceu recuperar todas as faculdades mentais.

– Eu fiz uma coisa má – começou. – Milady, será que algum dia a senhora vai conseguir me perdoar por tê-la traído?

Não havia como responder não a essa pergunta.

– Eu a perdoo, Agnès – afirmou Ragna, com sinceridade.

– Deus está me punindo pelo que eu fiz – disse Agnès. – Hildi falou que eu estou com lepra das putas.

Ragna ficou chocada. Já tinha ouvido falar nessa moléstia. Ela era transmitida por contato sexual. Começava com dores de cabeça e tonturas, causava deterioração mental e acabava fazendo a vítima enlouquecer. Em voz baixa, perguntou a Hildi:

– É fatal?

– Por si só, não, mas a vítima fica tão fraca e propensa a se acidentar que a morte não demora a ocorrer por outras causas.

Ragna elevou a voz e se dirigiu a sua antiga costureira:

– Offa tinha a doença?

Hildi fez que não com a cabeça.

– Ela não pegou do marido.

– Então de quem foi?

– Eu peguei com o bispo – declarou Agnès.

– Com Wynstan?

– Wynstan tem a doença – contou Hildi. – No caso dele, está progredindo mais devagar do que com Agnès, então ele ainda não sabe, mas eu vi os sinais. Ele passa o tempo inteiro cansado e sofre de tonturas. E está com um calombo no pescoço. Tenta escondê-lo debaixo da capa, mas eu vi, e é igualzinho a esse no rosto de Agnès.

– Se ele descobrir, vai manter esse fato em sigilo total – comentou Ragna.

– Sim – concordou Hildi. – Se as pessoas souberem que está ficando louco, ele pode perder seu poder.

– Exatamente – falou Ragna.

– Eu nunca vou contar para ninguém. Tenho medo demais.

– Nem eu – disse Ragna.

Aldred sentiu-se um pouco atordoado ao olhar para as pilhas de *pence* de prata sobre a mesa.

Frei Godleof era o tesoureiro do priorado de Kingsbridge e havia trazido o baú de dinheiro do cofre da antiga oficina de Cuthbert e posto em cima da mesa. Juntos eles haviam contado as moedas de prata. Teria sido mais rápido pesá-las, mas eles não possuíam balança.

Até agora não haviam precisado de uma.

– Pensei que fôssemos ficar com pouco dinheiro este ano, depois da fome – falou Aldred.

– A vantagem disso foi que os vikings voltaram para casa – disse Godleof. – Nós arrecadamos menos do que o usual, mas mesmo assim foi bastante. Temos o pedágio da ponte, os aluguéis das pessoas que montam barracas no mercado e as doações dos peregrinos. E não esqueça que tivemos quatro doações significativas de terras nesse ano que passou e agora estamos recebendo os aluguéis desses lugares.

– Sucesso gera sucesso. Mas acho que gastamos muito também.

– Demos de comer a pessoas que estavam passando fome num raio de muitos quilômetros. Mas também construímos uma escola, um *scriptorium*, um refeitório e um dormitório para todos os novos monges que entraram para o priorado.

Era verdade. Aldred estava bem adiantado no caminho de realizar seu sonho de ter um centro de aprendizado e ensino.

– Como a maioria das construções é de madeira, nenhuma custou muito caro – prosseguiu Godleof.

Aldred olhou fixamente para o dinheiro. Tinha trabalhado duro para aumentar a renda do priorado, mas agora estava se sentindo desconfortável com tanta riqueza.

– Eu fiz um voto de pobreza – falou, meio que para si mesmo.

– O dinheiro não é seu – disse Godleof. – Pertence ao priorado.

– É verdade. Mesmo assim, não podemos simplesmente ficar sentados admirando essa pequena fortuna. Jesus nos ensinou a não acumular tesouros na Terra, mas sim no céu. Esse dinheiro nos foi dado por um motivo.

– Qual?

– Talvez Deus queira que nós construamos uma igreja maior. Com certeza precisamos de uma. Nós agora temos que fazer três missas aos domingos e a igreja fica lotada em todas elas. Mesmo nos dias de semana, os peregrinos às vezes passam horas na fila para ver os ossos do santo.

– Nossa! – fez Godleof. – Mas o que você está vendo na sua frente não basta para construir uma igreja de pedra.

– Mas o dinheiro vai continuar entrando.

– Eu certamente espero que sim, mas não podemos prever o futuro.

Aldred sorriu.

– Precisamos ter fé.

– Fé não é dinheiro.

– Não, é muito melhor. – Aldred se levantou. – Vamos trancar tudo isso e depois vou lhe mostrar uma coisa.

Eles tornaram a guardar o baú no cofre, saíram do mosteiro e subiram o morro. Havia casas novas em ambos os lados da rua e todas elas pagavam aluguel ao mosteiro, recordou Aldred. Eles chegaram à altura da casa de Edgar. Aldred poderia tê-la alugado para um novo inquilino, mas ela tinha um valor sentimental para ele, então a mantivera vazia.

Em frente à casa de Edgar ficava a praça do mercado. Aquele não era um dia de mercado, mas mesmo assim alguns comerciantes esperançosos estavam ali, apesar do tempo frio, oferecendo ovos frescos, bolos doces, castanhas silvestres e cerveja de fabricação caseira. Aldred conduziu Godleof pela praça.

Do outro lado começava a floresta, mas naquele ponto boa parte das árvores tinha sido abatida para obtenção de madeira.

– É aqui que vai ficar a nova igreja. Edgar e eu fizemos uma planta do povoado anos atrás.

Godleof observou os arbustos e tocos de árvore.

– Tudo isso vai ter que ser adequadamente desmatado.

– Claro.

– Onde conseguiríamos as pedras?

– Em Outhenham. Lady Ragna provavelmente nos deixaria pegar de graça, numa doação para a Igreja, mas teremos que contratar alguém para operar a pedreira.

– Há muito a ser feito.

– De fato. Sendo assim, quanto antes começarmos, melhor.

– Quem vai fazer o projeto da igreja? Não é como construir uma casa, é?

– Pois é. – O coração de Aldred começou a bater mais depressa. – Precisamos trazer Edgar de volta.

– Sequer sabemos onde ele está.

– Ele pode ser encontrado.

– Por quem?

Aldred sentiu-se tentado a liderar ele próprio a busca. Porém era impossível. O priorado estava prosperando, mas o líder era ele. Caso se ausentasse durante as semanas ou os meses que uma viagem à Normandia demandava, todo tipo de coisa poderia dar errado.

– Frei William poderia ir – falou. – Ele nasceu na Normandia e morou lá até os 12 ou 13 anos. E vou mandar o jovem Athulf com ele, porque Athulf vive inquieto.

– Hoje não foi a primeira vez que você pensou nisso.

– Você está certo. – Aldred não queria admitir quantas vezes havia sonhado em trazer Edgar de volta para casa. – Vamos falar com William e Athulf.

Quando eles estavam descendo o morro em direção ao mosteiro, Aldred reparou num homem vestido com um hábito de monge atravessando a ponte a cavalo. Ele lhe pareceu conhecido; quando chegou mais perto, Aldred reconheceu Wigferth de Canterbury.

Deu as boas-vindas a ele e o levou até a cozinha para comer pão e tomar cerveja quente.

– É cedo para você vir coletar seus aluguéis do Natal – comentou Aldred.

– Eles me mandaram antes para se livrar de mim – respondeu Wigferth, amargurado.

– Quem quis se livrar de você?

– O bispo de Shiring.

– Wynstan? O que ele está fazendo em Canterbury?

– Tentando virar arcebispo.

Aldred ficou horrorizado.

– Mas quem deve virar arcebispo é Alphage de Winchester!

– Eu ainda espero que seja Alphage. Mas Wynstan espertamente caiu nas graças dos monges, em especial do tesoureiro Sigefryth. Muitos deles agora estão contra Alphage. E um grupo de monges descontentes pode ser um tremendo estorvo. O rei Ethelred pode escolher Wynstan só para ter paz.

– Que os céus não permitam!

– Amém – disse Wigferth.

Uma nevasca recente deu a Ragna a chance de ensinar algumas letras às crianças. Ela entregou um graveto a cada menino e perguntou:

– Qual é a primeira letra do nome de Osbert?

– Eu sei, eu sei! – disse Osbert.

– Consegue desenhar?

– É fácil.

O menino desenhou na neve um círculo grande e irregular.

– Vocês três, desenhem a primeira letra de Osbert. Estão vendo, ela é redonda, como o formato de seus lábios quando vocês dizem o início do nome dele.

Os gêmeos conseguiram traçar algo parecido com círculos. Alain teve dificuldade, mas ele tinha apenas 2 anos e o principal objetivo de Ragna era ensinar aos meninos que palavras eram compostas por letras.

– Qual a primeira letra de Hubert? – perguntou ela.

– Eu sei, eu sei! – exclamou Osbert outra vez e desenhou na neve um H razoável.

Os gêmeos o copiaram a seu modo. A tentativa de Alain ficou parecida com três gravetos aleatórios, mas ela o elogiou mesmo assim.

Com o canto do olho, viu Wigelm. Praguejou entre dentes.

– O que está acontecendo aqui? – indagou ele.

Ragna inventou qualquer coisa. Apontou para os círculos e falou:

– Os ingleses estão aqui, nesses morros. E a toda sua volta... – Ela apontou para os outros garranchos – ... estão os vikings. O que acontece a seguir, Wigelm?

Ele a encarou desconfiado.

– Os vikings atacam os ingleses – respondeu.

– E quem ganha, meninos? – perguntou Ragna.

– Os ingleses! – gritaram todos eles.

Quem dera isso fosse verdade, pensou Ragna.

Alain então entregou qual era o jogo. Apontou para a tentativa de círculo traçada por Osbert e disse:

– Esse é o nome de Osbert.

O menino sorriu, orgulhoso, e olhou para o pai à espera de um elogio.

Que não veio. Wigelm encarou Ragna com um olhar duro.

– Eu avisei.

Ragna bateu palmas.

– Vamos entrar e fazer o desjejum – chamou.

Os meninos correram para dentro e Wigelm foi embora pisando firme.

Ragna seguiu os filhos num passo mais vagaroso. Como conseguiria educar Alain? Morar tão perto de Wigelm tornava difícil enganá-lo. Por duas vezes ele já dera a entender que confiaria a criação do filho a outra pessoa. Isso Ragna não poderia suportar, mas tampouco podia criar Alain como um ignorante, principalmente quando seus irmãos estavam aprendendo.

Quase no fim do desjejum, o prior Aldred entrou. Ele devia ter chegado de Kingsbridge na véspera e passado a noite na abadia de Shiring. Aceitou uma caneca de cerveja morna e sentou-se num banco.

– Vou construir uma igreja nova – informou. – A velha é pequena demais.

– Meus parabéns! O priorado deve estar prosperando, para o senhor planejar algo assim.

– Acho que teremos dinheiro, se Deus quiser. Mas seria de grande ajuda se a senhora continuasse nos deixando pegar pedra em Outhenham de graça.

– Será um prazer.

– Obrigado.

– Mas quem vai ser o mestre construtor?

Aldred baixou a voz para os criados não escutarem:

– Despachei mensageiros até a Normandia para que implorem a Edgar que volte.

O coração de Ragna deu um salto.

– Espero que consigam encontrá-lo.

– Eles vão pegar um navio até Cherbourg e ir primeiro até seu pai. Edgar me disse que perguntaria ao conde Hubert onde poderia encontrar trabalho.

O coração de Ragna se encheu de esperança. Será que Edgar voltaria mesmo para casa? Ele poderia não querer. Ela balançou a cabeça com tristeza.

625

– Ele foi embora porque eu me casei com Wigelm... e eu continuo casada com Wigelm.

– Estou confiante de que a perspectiva de projetar e construir a própria igreja do zero baste para convencê-lo – disse Aldred com animação.

– Pode ser que baste... Ele adoraria isso – concordou Ragna com um sorriso. Então pensou em outra possibilidade. – Ele pode ter conhecido alguma moça lá.

– Talvez.

– A esta altura pode até estar casado – completou ela, desolada.

– Precisamos esperar para ver.

– Espero que ele venha – sussurrou Ragna.

– Eu também. Mantive a casa dele vazia pensando nisso.

Aldred também o amava, Ragna sabia... embora com menos expectativas ainda do que ela.

O tom do prior se fez mais abrupto, como se ele tivesse lido seus pensamentos e quisesse mudar de assunto:

– Preciso lhe pedir outra coisa... outro favor.

– Pode falar.

– O arcebispo de Canterbury está morrendo e Wynstan está tentando sucedê-lo.

Ragna estremeceu.

– A ideia de ter Wynstan como líder moral de todo o sul da Inglaterra é simplesmente obscena.

– A senhora poderia dizer isso à rainha Emma? As duas se conhecem, ela gosta da senhora e iria escutá-la mais do que a qualquer outra pessoa.

– Tem razão, ela me escutaria – falou Ragna.

Só que havia mais uma coisa que Aldred não sabia. Ragna poderia dizer à rainha que Wynstan sofria de uma doença que o faria perder a razão aos poucos. Isso com certeza seria suficiente para impedir que ele fosse nomeado arcebispo.

Mas Ragna jamais faria isso. Não podia passar informações para Emma nem para mais ninguém. Seria fácil para Wynstan descobrir o que impedira sua nomeação e haveria represálias. Wigelm tiraria Alain de Ragna, pois sabia que essa era a punição mais severa que poderia lhe infligir.

Ragna olhou para Aldred e sentiu tristeza. O rosto do prior exibia otimismo e determinação. Ele era um homem bom, mas ela não podia lhe dar o que ele queria. Os homens maus sempre parecem levar a melhor, pensou: Dreng, Degbert, Wigelm, Wynstan. Talvez sempre seja assim neste mundo.

– Não – falou. – Tenho medo demais do que Wynstan e Wigelm fariam comigo para se vingar. Desculpe, Aldred, não posso ajudá-lo.

CAPÍTULO 39

Primavera de 1006

s artesãos que estavam trabalhando na nova igreja de pedra pararam para um intervalo no meio da manhã. Clothild, a filha do mestre pedreiro, trouxe uma jarra de cerveja e um pouco de pão para o pai. Giorgio, um construtor de Roma, molhou o pão na cerveja para amolecê-lo antes de comer.

Edgar era o ajudante principal do mestre e no intervalo geralmente ia até o alojamento, uma cabana improvisada, para decidir que ordens deveriam ser dadas no restante do dia. Após mais de dois anos falando apenas francês normando, agora era fluente nesse idioma.

Clothild havia adquirido o hábito de levar cerveja e pão para Edgar também. Ele dava um pouco do pão para seu novo cachorro, Carvão, que era preto e tinha o focinho peludo.

A igreja estava sendo erguida num trecho com inclinação de oeste a leste que por si só já representava um desafio. Para manter o piso nivelado em toda a área, uma cripta profunda com imensas pilastras atarracadas proporcionaria uma plataforma para sustentar o lado leste.

Edgar estava empolgado com o projeto de Giorgio. A nave teria duas fileiras paralelas de arcos semicirculares imensos sustentados por colunas grossas, de modo que as pessoas nos corredores laterais pudessem ver toda a extensão da igreja e uma congregação numerosa conseguisse assistir à missa. Edgar nunca havia imaginado um projeto tão ousado e tinha quase certeza de que nada parecido fora construído na Inglaterra. Os trabalhadores franceses estavam igualmente impressionados: aquilo era algo inteiramente novo.

Giorgio era um homem magro e rabugento de 50 e poucos anos, mas o mais hábil e criativo construtor que Edgar já conhecera. Sentado no chão, desenhando na terra batida com um graveto, ele explicava como as aduelas, as pedras dos arcos, seriam talhadas e moldadas de tal forma que, quando postas lado a lado, parecessem uma série de anéis concêntricos.

– Está entendendo? – perguntou.

– Sim, claro – disse Edgar. – É extremamente inteligente.

– Não diga que está entendendo a menos que seja verdade! – falou Giorgio com irritação.

O mestre construtor muitas vezes imaginava que fosse passar muito tempo explicando coisas que Edgar compreendia de imediato. Aquilo fazia Edgar se lembrar das conversas que costumava ter com o pai.

– Você descreve as coisas muito bem – elogiou, para agradar Giorgio.

Clothild lhe passou uma travessa com pão e queijo e ele comeu vorazmente. Ela se sentou na sua frente. Enquanto Edgar continuava conversando com Giorgio sobre o formato das aduelas, ela cruzou e descruzou as pernas fortes e morenas várias vezes, exibindo-se para ele.

Era uma moça atraente, extrovertida e tinha uma silhueta esbelta, e já deixara claro que gostava de Edgar. Tinha 21 anos, apenas cinco a menos do que ele. Era uma graça de moça, exceto pelo fato de não ser Ragna.

Edgar já havia percebido tempos antes que não amava como a maioria dos homens. Ele parecia se tornar quase cego para todas as mulheres, com exceção de uma. Havia permanecido fiel a Sungifu por anos depois da sua morte. E agora estava sendo fiel a uma mulher que tinha se casado com outro homem – dois outros homens, na verdade. Às vezes gostaria de ser diferente. Por que não se casava com aquela moça tão simpática? Ela o trataria com bondade e carinho, como fazia com o pai. E Edgar poderia se deitar todas as noites entre aquelas pernas morenas e fortes.

– Vamos desenhar um semicírculo no chão do mesmo tamanho do arco, traçar um raio do centro até a circunferência e então posicionar uma pedra sobre a circunferência de modo que ela fique perpendicular ao raio – instruiu Giorgio. – Mas as laterais das pedras, onde elas tocam as aduelas vizinhas, devem ser levemente oblíquas.

– Certo – disse Edgar. – Então vamos desenhar dois outros raios, um de cada lado, e eles nos indicarão a inclinação correta das laterais das pedras.

Giorgio o encarou.

– Como você sabia? – indagou ele, irritado.

Edgar precisava tomar cuidado para não ofendê-lo ao mostrar que sabia demais. Os construtores protegiam possessivamente o que denominavam os "mistérios" do seu ofício.

– Você me contou um tempo atrás – mentiu. – Eu me lembro de tudo que você me diz.

Giorgio amoleceu.

Edgar viu dois monges percorrendo o canteiro de obras. Eles olhavam em volta boquiabertos, pois nunca deviam ter visto uma igreja tão grande quanto aquela iria ser. Algo neles o fez pensar que eram ingleses. No entanto, o mais velho falou em francês normando.

– Bom dia ao senhor, mestre pedreiro – disse ele, cortês.

– O que o senhor deseja? – perguntou Giorgio.

– Estamos procurando um construtor inglês chamado Edgar.

Mensageiros de casa, pensou Edgar, e sentiu um misto de animação e medo. Seriam boas ou más notícias?

Reparou que Clothild parecia desolada.

– Sou eu – disse ele, falando o agora pouco familiar idioma dos ingleses.

O monge relaxou, aliviado.

– Levamos muito tempo para encontrá-lo – falou.

– Quem são vocês? – quis saber Edgar.

– Somos do priorado de Kingsbridge. Eu sou William e este é Athulf. Podemos conversar reservadamente?

– Claro.

Nenhum dos dois estava no mosteiro quando Edgar fora embora. O lugar deve estar se expandindo, percebeu ele. Conduziu-os pelo canteiro até uma pilha de madeira, onde havia menos barulho. Eles se sentaram sobre pilhas de tábuas.

– O que houve? – perguntou Edgar. – Alguém morreu?

– Nossa notícia é outra – respondeu William. – O prior Aldred decidiu construir uma nova igreja de pedra.

– Na metade da subida? Em frente à minha casa?

– Exatamente onde você planejou.

– A obra já começou?

– Quando partimos, os monges estavam removendo os troncos de árvore do local e estávamos começando a receber entregas da pedreira de Outhenham.

– Quem vai desenhar o projeto da igreja?

William fez uma pausa antes de responder:

– Você, é o que esperamos.

Então era isso.

– Aldred quer que você volte para casa – continuou William, confirmando a dedução de Edgar. – Ele manteve sua casa vazia. Você seria o mestre construtor. Ele nos mandou descobrir quanto um mestre ganha aqui na Normandia e lhe oferecer o mesmo. E qualquer outra coisa que você queira pedir.

Na verdade, só havia uma coisa que Edgar queria. Ele hesitou em abrir seu coração para aqueles dois desconhecidos, mas todos em Shiring deviam conhecer a história. Após alguns instantes, simplesmente cuspiu a pergunta:

– Lady Ragna continua casada com o senhor Wigelm?

Pela expressão de William, ele já esperava essa pergunta.

– Sim.

– Ainda vive com ele em Shiring?

– Sim.

A centelha de esperança no coração de Edgar se extinguiu.

– Deixem-me pensar no assunto. Vocês têm onde se hospedar?

– Há um mosteiro aqui perto.

– Amanhã lhes darei minha resposta.

– Rezaremos para que seja sim.

Os monges se foram e Edgar ficou onde estava, com o olhar perdido em direção a uma mulher musculosa que usava uma pá de madeira para mexer uma montanha de argamassa. Queria voltar para a Inglaterra? Fora embora porque não suportava ver Ragna casada com Wigelm. Se voltasse, iria encontrá-los com frequência. Seria uma tortura.

Por outro lado, estavam lhe oferecendo o melhor emprego que poderia existir. Ele seria o mestre. Caberia a ele decidir cada detalhe da nova igreja. Poderia ser o criador de algo magnífico no novo estilo radical que Giorgio havia lhe mostrado. Poderia levar dez anos, talvez vinte, possivelmente mais. Aquilo seria a sua vida.

Edgar se levantou da pilha de madeira em que estava sentado e voltou ao trabalho. Clothild tinha ido embora. Giorgio estava trabalhando numa aduela de teste e havia desenhado o semicírculo e os raios que descrevera mais cedo. Edgar estava prestes a retomar sua tarefa em curso, que era fabricar a forma, um suporte de madeira que seguraria as pedras no lugar enquanto a argamassa endurecia, mas Giorgio o deteve.

– Eles pediram para você voltar para casa – disse o mestre.

– Como você sabe?

Giorgio deu de ombros.

– Por que outro motivo viriam lá da Inglaterra?

– Eles querem que eu construa uma igreja nova.

– Você vai?

– Não sei.

Para surpresa de Edgar, Giorgio pousou suas ferramentas.

– Deixe-me lhe dizer uma coisa – falou ele. Seu tom mudou e de repente ele pareceu vulnerável. Edgar nunca o tinha visto assim. – Eu me casei tarde – contou em tom nostálgico. – Tinha 30 anos quando conheci a mãe de Clothild, que Deus a tenha. – Fez uma pausa e, por um instante, Edgar pensou que o mestre talvez fosse chorar. Ele então balançou a cabeça e retomou. – Trinta e cinco quando Clothild nasceu. Agora estou com 56. Sou um homem velho.

Cinquenta e seis anos não era tanta idade assim, mas aquilo não era hora para se ater a detalhes sem importância.

– Ando com dores na barriga – contou Giorgio.

Isso explica o mau humor, pensou Edgar.

– Nada do que eu como fica parado no estômago – continuou Giorgio. – Vivo de pão embebido em líquido.

Edgar pensava que Giorgio molhasse o pão porque gostava assim.

– Provavelmente não vou morrer amanhã, mas pode ser que tenha só mais um ou dois anos.

Eu deveria ter notado, pensou Edgar. Todos os indícios estavam presentes. Eu poderia ter adivinhado. Ragna já teria percebido há muito tempo.

– Eu sinto muitíssimo – falou Edgar. – Espero que isso não se concretize.

Giorgio descartou essa possibilidade com um gesto da mão.

– Quando penso na vida que virá depois, percebo que duas coisas neste mundo me são preciosas – declarou ele. Correu os olhos pela obra. – Uma é esta igreja. – Ele tornou a olhar para Edgar. – A outra é Clothild.

O semblante de Giorgio tornou a mudar e Edgar viu uma emoção crua estampada nele. O homem estava desnudando a própria alma.

– Quero alguém para cuidar das duas depois que eu partir – explicou Giorgio.

Edgar o encarou e pensou: ele está me oferecendo seu emprego e sua filha.

– Não volte para casa – pediu Giorgio. – Por favor.

Era um pedido sincero e difícil de rejeitar, mas Edgar conseguiu dizer:

– Preciso pensar no assunto.

Giorgio aquiesceu:

– Claro.

O instante de intimidade havia passado. Ele virou as costas e voltou ao trabalho.

Edgar passou o resto do dia e a maior parte da noite tentando decidir o que faria.

Há dias de pouco e dias de muito, pensou. Ser mestre construtor era sua maior ambição, e num mesmo dia tinham lhe oferecido duas oportunidades para realizar esse sonho. Ele poderia ser mestre pedreiro ali ou no seu país. Ambas lhe dariam profunda satisfação. Mas o que o manteve acordado foi a outra metade da escolha: Clothild ou Ragna?

Não era uma escolha de verdade. Ragna poderia passar os vinte anos seguintes casada com Wigelm. Mesmo que Wigelm morresse cedo, ela poderia ser forçada outra vez a desposar um nobre escolhido pelo rei. À medida que a aurora se aproximava, Edgar se deu conta de que na Inglaterra tinha grandes chances de passar o resto da vida ansiando por alguém que jamais poderia ter.

Passei anos demais vivendo assim, pensou. Se ficasse na Normandia e se casasse com Clothild, não seria feliz, mas talvez tivesse uma vida tranquila.

Pela manhã, disse aos monges que iria ficar.

Wigelm foi à cama de Ragna numa noite quente de primavera, quando as árvores estavam florescendo. Ela e os criados acordaram ao ouvir a porta se abrir. Ela escutou as criadas se remexerem sobre os juncos do chão e seu guarda-costas Grimweald grunhiu, mas as crianças continuaram dormindo.

Como não tinha sido avisada, não teve tempo de se besuntar de óleo. Wigelm se deitou ao seu lado e subiu sua combinação até a cintura. Ela rapidamente cuspiu na mão e umedeceu a vagina, então abriu obedientemente as pernas.

Estava resignada àquilo. Acontecia apenas umas poucas vezes por ano. Ela só torcia para não engravidar outra vez. Amava Alain, mas não queria ter outro filho de Wigelm.

Só que dessa vez foi diferente. Wigelm meteu e tirou com violência, mas pelo visto não conseguiu obter satisfação. Ela não fez nada para ajudá-lo. Sabia pelas conversas entre mulheres que, quando não havia amor, algumas delas muitas vezes fingiam estar excitadas só para fazer tudo terminar mais depressa. Ragna, porém, não conseguia se forçar a desempenhar esse papel.

Em pouco tempo ele perdeu a ereção. Após mais algumas arremetidas inúteis, se afastou.

– Você é uma vadia fria – falou, e deu-lhe um soco na cara.

Ela começou a soluçar, imaginando que fosse levar uma surra e sabendo que o seu guarda-costas não faria nada para protegê-la, mas Wigelm se levantou e saiu.

Pela manhã, o lado esquerdo de seu rosto estava inchado e sua sensação era de estar com o lábio superior imenso. Ela pensou que poderia ter sido pior.

Wigelm entrou na casa quando as crianças estavam fazendo o desjejum. Ragna reparou que, de tanto beber, seu nariz grande estava agora todo sujo de vinho, com linhas avermelhadas que pareciam formar uma teia de aranha, um traço feio que ela não tinha visto à luz do fogo na noite anterior.

Ele olhou para ela e disse:

– Eu deveria ter socado o outro lado para ficar igual.

Um comentário sarcástico veio à mente de Ragna, mas ela o reprimiu. Sentiu que ele estava com uma disposição perigosa. Foi tomada por uma apreensão gélida. Talvez sua punição não tivesse terminado. Com a boca machucada, perguntou em tom neutro:

– O que você quer, Wigelm?

– Não gosto do jeito como você está criando Alain.

Aquilo era uma conversa antiga, mas ela detectou no tom de voz dele um novo nível de maldade.

– Ele tem só 2 anos e meio – falou. – Ainda é um bebê. Há tempo de sobra para aprender a lutar.

Wigelm balançou a cabeça com determinação.

– Você quer deixá-lo com hábitos femininos... ler, escrever, essas coisas.

– O rei Ethelred sabe ler.

Wigelm se recusou a entrar num debate.

– Eu vou me encarregar da educação do menino.

O que aquilo poderia significar?

– Eu arrumo uma espada de madeira para ele – tentou Ragna, desesperada.

– Não confio em você.

Muito do que Wigelm dizia podia geralmente ser ignorado. Ele proferia ofensas e impropérios que pouco significavam e minutos depois esquecia o que tinha dito. Contudo, dessa vez Ragna teve a sensação de que ele não estava apenas fazendo ameaças vazias. Com uma voz amedrontada, perguntou:

– Aonde está querendo chegar com essa conversa?

– Vou levar Alain para morar na minha casa.

Era uma ideia tão absurda que no início Ragna sequer a levou a sério.

– Você não pode fazer isso! – exclamou. – Não tem como cuidar de uma criança de 2 anos.

– Ele é meu filho. Eu vou fazer o que quiser.

– Vai limpar o traseiro dele?

– Eu não estou sozinho.

– Está se referindo a Meganthryth? – indagou Ragna, sem acreditar. – Você vai dar o menino para Meganthryth criar? Ela tem 16 anos!

– Muitas meninas de 16 anos são mães.

– Mas ela não!

– Não, mas ela vai fazer o que eu mandar, ao passo que você ignora completamente as minhas vontades. Alain mal sabe que tem um pai. Mas eu vou fazer com que ele seja criado segundo os meus princípios. Ele precisa virar homem.

– Não!

Wigelm avançou em direção a Alain, que estava sentado diante da mesa com cara de assustado. Cat se interpôs entre eles. Wigelm segurou a frente do seu vestido com as duas mãos, levantou-a do chão e a arremessou contra a parede. Ela gritou, bateu nas tábuas de madeira e desabou no chão.

Agora todas as crianças estavam chorando.

Wigelm pegou Alain. O menino gritou aterrorizado. Wigelm o encaixou sob o braço esquerdo. Ragna segurou o braço de Wigelm e tentou soltar o filho. Wigelm lhe deu um soco tão forte na lateral da cabeça que ela perdeu os sentidos por alguns instantes.

Quando voltou a si, estava caída no chão. Ergueu os olhos e viu Wigelm saindo com Alain esperneando e gritando debaixo do braço.

Levantou-se com grande esforço e cambaleou até a porta. Wigelm estava atravessando o complexo a passos largos em direção à própria casa. Atordoada demais para correr atrás dele, Ragna sabia que de qualquer forma seria derrubada outra vez.

Voltou para dentro de casa. Cat estava sentada no chão esfregando a cabeça através do tufo de cabelos pretos.

– Está muito machucada? – perguntou Ragna.

– Acho que nada foi quebrado – disse Cat. – E a senhora?

– Minha cabeça está doendo.

Grimweald se manifestou:

– O que posso fazer para ajudar?

A resposta de Ragna foi sarcástica:

– Pode só continuar nos protegendo como de costume.

O guarda-costas saiu batendo pé.

As crianças continuavam chorando. As mulheres começaram a reconfortá-las.

– Não acredito que ele levou Alain – disse Cat.

– Ele quer que Meganthryth crie o menino para ser um idiota truculento igual ao pai.

– A senhora não pode deixá-lo fazer isso.

Ragna aquiesceu. Não podia deixar as coisas assim.

– Vou conversar com ele. Talvez consiga fazê-lo ver a razão.

Não estava otimista, mas precisava tentar.

Foi até a casa de Wigelm. Ao se aproximar, ouviu Alain chorando. Entrou sem bater.

Wigelm e Meganthryth estavam conversando e ela segurava Alain no colo e tentava acalmá-lo. Assim que o menino viu Ragna, gritou:

– Mã!

Era assim que ele sempre a tinha chamado.

Instintivamente, Ragna foi em direção a ele, mas Wigelm a deteve.

634

– Deixe o menino – ordenou.

Ragna encarou Meganthryth. A moça era baixa e roliça, e seria bonita não fosse um traço da boca que sugeria cobiça. Mesmo assim, era mulher. Será que ela iria mesmo se recusar a deixar uma criança ir ao encontro da mãe?

Ragna estendeu os braços para Alain.

Meganthryth virou-lhe as costas.

Ragna ficou horrorizada pelo fato de uma mulher ter feito uma coisa dessas e seu coração se encheu de ódio.

Com esforço, ela deu as costas a Alain e se dirigiu a Wigelm, fazendo o possível para falar de forma calma e racional:

– Precisamos conversar sobre isso.

– Não. Eu não converso. Eu digo a você como vai ser.

– Vai transformar Alain em prisioneiro e mantê-lo trancado dentro desta casa? Isso vai transformá-lo num fracote, não num guerreiro.

– É claro que não.

– Então ele vai brincar lá fora com os irmãos e vai voltar com eles quando eles forem para casa, e todos os dias você terá que fazer o que acabou de fazer. E quando não estiver aqui, o que acontece com frequência, quem vai arrastar o menino para longe da família enquanto ele espernear e gritar pela mãe?

Wigelm exibia um ar atônito. Claramente não havia pensado em nada disso. Então sua expressão se desanuviou e ele disse:

– Vou levá-lo comigo quando viajar.

– E quem vai cuidar dele na estrada?

– Meganthryth.

Ragna olhou para a moça. Ela parecia chocada. Era óbvio que não fora consultada. Apesar disso, ficou de boca fechada.

– Vou partir para Combe amanhã – continuou Wigelm. – Ele pode ir comigo. Assim vai saber como é a vida de um senhor da cidade.

– Vai levar um menino de 2 anos numa viagem de quatro dias?

– Não vejo por que não.

– E quando você vai voltar?

– Veremos. Mas ele não vai morar com você nunca mais.

Ragna não conseguiu mais se controlar e começou a chorar.

– Wigelm, por favor, eu lhe imploro, não faça isso. Esqueça de mim, mas tenha pena do seu filho.

– Eu tenho pena é de ele ser criado por um bando de mulheres e ficar afeminado. Se eu deixar isso acontecer, ele vai me odiar quando crescer. Não, ele vai ficar aqui.

– Não, por favor...
– Não vou mais escutar nada disso. Saia.
– Wigelm, pense um pouco...
– Será que vou ter que pegar você e jogar porta afora?
Ragna não suportaria apanhar mais. Baixou a cabeça.
– Não – murmurou ela.
Lentamente, virou as costas e andou até a porta. Olhou de volta para Alain, que ainda gritava histericamente com os braços estendidos para ela. Com um imenso esforço, virou as costas e saiu.

A perda do filho caçula abriu um buraco no coração de Ragna. Ela pensava nele dia e noite. Será que Meganthryth o estava mantendo limpo e alimentado? Será que ele estava bem ou sofrendo de alguma doença infantil? Será que acordava durante a noite e chorava chamando seu nome? Precisava se forçar a tirá-lo da cabeça pelo menos durante parte do dia ou então enlouqueceria.

Não tinha desistido dele; jamais desistiria. Assim, quando o rei e a rainha foram a Winchester, procurou-os e pediu a sua ajuda.

Agora fazia um mês que não via Alain. A visita de Wigelm a Combe havia se transformado numa turnê de primavera pela região e ele manteve o menino consigo. Aparentemente pretendia passar muito tempo longe de Shiring.

Wynstan continuava em Canterbury, pois o cabo de guerra para ver quem seria o novo arcebispo estava se arrastando. Portanto, nenhum dos dois irmãos compareceu à corte do rei, o que incentivou Ragna.

Mas ela preferiu não pedir ajuda numa audiência aberta. Estava abalada, mas ainda era capaz de traçar uma estratégia. Uma audiência aberta era imprevisível. Os nobres da região poderiam ficar do lado de Wigelm. Ragna preferia conversar tranquilamente com o rei e a rainha.

Após a missa solene na catedral no domingo de Páscoa, o bispo Alphage deu um jantar na sua residência para as pessoas importantes reunidas em Winchester. Ragna foi convidada e viu sua oportunidade. Cheia de esperança, ensaiou inúmeras vezes o que diria ao rei.

A Páscoa era a festa mais importante do calendário da Igreja e, como aquele também era um evento real, o jantar foi um grande acontecimento social. Todos vestiram suas melhores roupas e usaram suas joias mais caras, e Ragna fez o mesmo.

A casa do bispo era ricamente mobiliada com bancos de carvalho entalhados e tapeçarias coloridas. Alguém tinha posto no fogo gravetos aromáticos de macieira para perfumar o ambiente. A mesa estava posta com canecas de borda de prata e travessas de bronze.

Ragna foi recebida calorosamente pelo casal real, o que a encorajou. Disse-lhes imediatamente que Wigelm tinha lhe tirado Alain. A rainha Emma era mãe: tinha dado à luz um filho e uma filha nos primeiros quatro anos de seu casamento com Ethelred. Assim, sem dúvida se mostraria solidária.

Mas Ethelred interrompeu Ragna antes mesmo de ela concluir a primeira frase do discurso que havia ensaiado.

– Já fiquei sabendo – disse ele. – No caminho para cá, nós por acaso encontramos Wigelm e o menino.

Isso era novidade para Ragna. Uma novidade ruim.

– Eu conversei com ele sobre o problema – continuou Ethelred.

Ragna entrou em desespero. Estava torcendo para que sua história deixasse o rei e a rainha chocados e despertasse sua compaixão, mas infelizmente Wigelm conseguira falar com eles primeiro. Ethelred já tinha escutado a sua versão, provavelmente distorcida.

Ragna teria simplesmente de lutar contra isso. Na condição de governante experiente, Ethelred devia saber que não podia acreditar em tudo que escutava.

Falou em tom enfático:

– Senhor meu rei, não pode estar certo tirar uma criança de 2 anos de sua mãe.

– Eu achei essa atitude muito dura e falei isso a Wigelm.

– Isso mesmo – endossou a rainha. – O menino tem a mesma idade do nosso Edward e, se ele fosse tirado de mim, isso partiria meu coração.

– Não discordo, meu amor – retrucou Ethelred. – Mas não cabe a mim dizer a meus súditos como organizar suas famílias. As responsabilidades de um rei são a defesa, a justiça e uma moeda estável. A criação de filhos é uma questão particular.

Ragna abriu a boca para argumentar. O rei também era um líder moral e tinha o direito de repreender figuras importantes que se comportassem mal. Mas então viu a rainha dar um leve meneio de cabeça, indicando que concordava com ele. Fechou a boca. Após refletir por alguns instantes, entendeu que Emma estava certa. Quando um governante se pronunciava de modo tão decidido, não podia ser convencido a mudar de ideia. Se ela insistisse, tudo que conseguiria seria ganhar a antipatia de Ethelred. Foi difícil, mas controlou sua decepção e sua raiva. Inclinou a cabeça e falou:

– Sim, senhor meu rei.

Por quanto tempo ficaria separada de Alain? Não seria para sempre, seria?

Alguma outra pessoa atraiu a atenção do casal real e Ragna se virou para o lado. Tentou não chorar. Sua situação parecia não ter jeito. Se o rei não iria ajudá-la a recuperar seu filho, quem a ajudaria?

Wigelm e Wynstan tinham todo o poder, essa era a maldição. Eles podiam se safar de praticamente qualquer coisa. Wynstan era inteligente, Wigelm, truculento, e ambos estavam dispostos a desafiar o rei e a lei. Se Ragna pudesse fazer alguma coisa para enfraquecê-los, não desperdiçaria a oportunidade. Mas nada parecia capaz de detê-los.

Aldred se aproximou.

– Seus mensageiros já voltaram da Normandia? – indagou ela.

– Não – respondeu ele.

– Eles estão fora há meses.

– Devem estar com dificuldade para encontrá-lo. Construtores costumam se mudar com frequência. Precisam estar onde há trabalho.

Ela então viu que ele parecia preocupado e aflito.

– Como vai você?

– Sei que os reis evitam o conflito quando podem – disse ele com raiva –, mas às vezes um rei precisa governar!

Ragna tinha exatamente a mesma queixa, mas essas coisas deviam ser ditas em particular. Olhou em volta, nervosa. No entanto, ninguém parecia ter escutado.

– O que houve?

– Wynstan instigou todo mundo em Canterbury e agora existe uma facção anti-Alphage. Ethelred está hesitando porque não quer problemas com os monges.

– Se o senhor quer que o rei se mostre firme, então anuncie que Wynstan é inadequado para ser arcebispo e imponha Alphage independentemente da opinião dos monges.

– Eu acho que um rei deveria agir segundo a moral!

– Esses monges moram longe demais de Shiring e simplesmente não sabem tudo que nós sabemos sobre Wynstan.

– É verdade.

De repente, Ragna se lembrou de algo que poderia prejudicar Wynstan. Quase havia se esquecido, de tão angustiada que estava em relação a Alain.

– E se...

Ela hesitou. Tinha decidido guardar segredo em relação àquilo por medo das represálias. Só que Wigelm já tinha feito o pior que poderia fazer. Tinha cumprido a ameaça que vinha fazendo há tanto tempo: levou embora o filho de Ragna. E sua crueldade tinha uma consequência que ele não previra: agora não tinha mais controle sobre ela.

Ao se dar conta disso, ela se sentiu liberada. A partir dali, faria qualquer coisa que estivesse ao seu alcance para prejudicar Wigelm e Wynstan. Ainda seria perigoso, mas estava preparada para o risco. Valia a pena se arriscar para prejudicar os irmãos.

– E se o senhor conseguisse provar para os monges que Wynstan não tem condições de virar arcebispo? – perguntou ela.

Aldred de repente ficou mais alerta.

– Como assim?

Ragna tornou a hesitar. Estava ansiosa para enfraquecer Wynstan, mas ao mesmo tempo tinha medo dele. Reuniu toda a coragem que tinha.

– Wynstan está com lepra das putas.

Aldred ficou de boca aberta.

– Que Deus nos proteja! É mesmo?

– Sim.

– Como a senhora sabe?

– Hildi viu um calombo característico da doença no pescoço dele. E Agnès, que era amante dele, tinha o mesmo tipo de calombo e morreu.

– Mas isso muda tudo! – exclamou Aldred, animado. – O rei sabe?

– Ninguém sabe a não ser Hildi e eu... e agora o senhor.

– Então a senhora precisa contar a ele!

O medo a fez demorar a responder.

– Eu preferiria que Wynstan não soubesse que espalhei a notícia.

– Então eu vou contar para o rei sem mencionar seu nome.

– Espere um pouco... – Aldred se mostrava afobado, mas Ragna estava refletindo sobre qual seria a melhor abordagem. – É preciso tomar cuidado com um rei. Ethelred sabe que o senhor prefere Alphage e talvez considere a sua intervenção uma oposição à vontade dele.

Aldred adquiriu um ar frustrado.

– Nós precisamos usar essa informação!

– Claro – concordou Ragna. – Mas talvez exista um jeito melhor.

O bispo Wynstan e o arquidiácono Degbert muitas vezes participavam das reuniões na sala do capítulo, onde os monges debatiam as questões cotidianas do mosteiro e da catedral. Não era comum que forasteiros participassem, mas o frei Eappa fizera essa sugestão e o tesoureiro Sigefryth tinha se tornado um aliado de Wynstan. Eles participaram do primeiro encontro depois da Páscoa.

Após a leitura do capítulo, Sigefryth, que presidia as reuniões, falou:

– Precisamos decidir o que fazer em relação ao pasto na beira do rio. Embora ele seja nosso, outras pessoas o estão usando.

Apesar de não ter o menor interesse nesse tema, Wynstan se mostrou compenetrado. Tinha que fingir se preocupar com qualquer coisa que afetasse os monges.

O médico do mosteiro, frei Forthred, falou:

– Nós não usamos esse terreno. Não podemos culpá-los.

– É verdade – concordou Sigefryth. – Mas, se nós permitirmos que o pasto seja tratado como uma propriedade comum, poderemos ter problemas no futuro quando precisarmos dele.

Frei Wigferth, que acabara de voltar de Winchester, tomou a palavra:

– Irmãos, perdoem a interrupção, mas há algo mais importante que precisamos discutir quanto antes, creio eu.

Sigefryth não podia ignorar um anseio tão veemente de Wigferth.

– Está bem – falou.

Wynstan se empertigou, interessado. Havia hesitado muito em ir a Winchester na Páscoa. Detestava perder uma corte real tão perto de casa. Mas no fim decidira que era mais importante continuar monitorando a situação ali em Canterbury. Agora estava ansioso para saber o que tinha acontecido.

– Eu compareci à corte de Páscoa – começou Wigferth. – Muita gente conversou comigo sobre quem vai ser o próximo arcebispo de Canterbury.

Sigefryth se ofendeu.

– Por que alguém falaria disso com você? – indagou. – Você fingiu ser nosso representante? Não passa de um coletor de aluguéis!

– De fato – disse Wigferth. – Mas, se as pessoas falam comigo, eu tenho a obrigação de escutar. É uma questão de educação.

Wynstan teve uma sensação ruim.

– Isso pouco importa – falou, impaciente com aquela disputa sobre mera etiqueta. – O que eles estavam dizendo, frei... frei...?

Não conseguiu se lembrar do nome do monge que tinha ido a Winchester.

– O senhor me conhece bem, bispo. Meu nome é Wigferth.

– Claro, claro. O que as pessoas disseram?

Wigferth parecia amedrontado, porém decidido.

– As pessoas estão dizendo que o bispo Wynstan não tem condições de ocupar essa posição.

– Só isso? Não cabe às *pessoas* decidir! – exclamou Wynstan com desdém. – Quem entrega o pódio é o papa.

– Quem entrega o pálio, o senhor quer dizer – corrigiu Wigferth.

Wynstan se deu conta de ter cometido um ato falho. O pálio era uma faixa bordada que o papa dava aos arcebispos como símbolo da sua aprovação. Constrangido, ele negou seu erro.

– Foi o que eu disse, o pálio.

– Frei Wigferth, elas disseram por que têm objeção ao bispo Wynstan? – perguntou Sigefryth.

– Sim.

Fez-se silêncio no recinto e o incômodo de Wynstan aumentou. Ele não sabia o que estava por vir, e isso era um perigo.

Wigferth pareceu gostar de terem lhe feito essa pergunta. Correu os olhos pela sala do capítulo e ergueu a voz para se certificar de que todos escutariam:

– O bispo Wynstan sofre de uma doença chamada lepra das putas.

Um pandemônio teve início. Todos começaram a falar ao mesmo tempo. Wynstan se levantou num pulo e gritou:

– Mentira! É mentira!

Sigefryth se postou no meio do recinto e pediu:

– Silêncio, por favor, silêncio, todo mundo, por favor. – Esperou os monges se cansarem de gritar. Então conseguiu falar: – Bispo Wynstan, o que tem a dizer sobre isso?

Wynstan sabia que precisava ficar calmo, mas estava abalado.

– Eu digo que frei Wigferth tem uma esposa e um filho no oeste da Inglaterra, no vilarejo de Trench, e que, sendo um fornicador, não tem nenhuma credibilidade como monge.

– Mesmo que fosse verdade, essa acusação não teria influência alguma na questão da saúde do bispo – respondeu Wigferth com tranquilidade.

Wynstan se deu conta na mesma hora de que havia escolhido a tática errada. O que ele tinha dito soava como uma acusação vingativa, algo que ele poderia ter inventado na hora. Parecia estar perdendo o jeito. O que está acontecendo comigo?, pensou.

Para parecer menos nervoso, sentou-se e disse:

– Como é que essas *pessoas* podem saber alguma coisa sobre a minha saúde?

Assim que as palavras lhe saíram da boca, percebeu que tinha cometido mais um erro. Numa discussão, nunca era bom fazer uma pergunta: isso só dava mais abertura para o oponente.

Wigferth aproveitou a chance:

– Bispo Wynstan, sua amante Agnès de Shiring morreu de lepra das putas.

Wynstan ficou sem resposta. Agnès nunca tinha sido sua amante, apenas um capricho ocasional. Sabia da sua morte, pois a notícia lhe chegara numa carta do diácono Ithamar. Mas o diácono não havia mencionado a causa da morte e Wynstan não tivera interesse suficiente para perguntar.

– Um dos sintomas da doença é a confusão mental: esquecer o nome das pessoas e confundir palavras – continuou Wigferth. – Dizer *pódio* quando se queria dizer *pálio*, por exemplo. O estado mental do doente vai piorando e ele acaba enlouquecendo.

Wynstan encontrou a própria voz:

– Por acaso vou ser condenado por um simples ato fálico?

Os monges desataram a rir e o bispo se deu conta de que havia cometido mais um erro: sua intenção fora dizer *ato falho*. Sentiu-se humilhado e furioso.

– Eu não estou ficando louco! – vociferou.

Wigferth ainda não havia terminado:

– O sinal infalível da doença é um grande calombo vermelho no rosto ou no pescoço.

Wynstan rapidamente levou a mão até o próprio pescoço para cobrir o abscesso e um segundo depois percebeu que acabara de se denunciar.

– Não tente esconder, bispo – disse Wigferth.

– É só uma bolha – defendeu-se Wynstan.

Com relutância, retirou a mão.

– Deixe-me ver – pediu Forthred.

Ele se aproximou do bispo. Wynstan foi obrigado a permitir: qualquer outra coisa teria sido uma confissão. Ficou sentado sem se mexer enquanto Forthred examinava o calombo.

Por fim, Forthred se empertigou.

– Eu já vi lesões como essa – falou. – No rosto de alguns dos pecadores mais miseráveis e desafortunados desta cidade. Me desculpe, senhor meu bispo, mas o que Wigferth diz é verdade. O senhor tem lepra das putas.

Wynstan se levantou.

– Eu vou descobrir quem começou a espalhar essa mentira imunda! – berrou, e teve o pequeno consolo de ver medo no semblante dos monges. Caminhou até a porta. – E quando encontrar... vou matá-lo! Vou matá-lo!

Wynstan passou toda a longa viagem de volta a Shiring soltando fogo pelas ventas. Tratou Degbert mal, gritou com estalajadeiros, deu tapas em criadas e chicoteou seu cavalo sem dó. O fato de estar se esquecendo das coisas mais simples o deixou com mais raiva ainda.

Ao chegar em casa, segurou Ithamar pela frente da túnica, arremessou-o contra a parede e gritou:

– Alguém por aí anda dizendo que eu estou com lepra das putas! Quem é?

O rosto infantil de Ithamar ficou branco de terror. Ele conseguiu gaguejar:

– Ninguém, eu juro.

– Alguém disse isso a Wigferth de Canterbury.

– Ele deve ter inventado.

– Do que aquela mulher morreu? A esposa do antigo chefe de Mudeford... qual era mesmo o nome dela?

– Agnès? De paralisia.

– Que tipo de paralisia, seu idiota?

– Eu não sei! Ela caiu doente, então ficou com uma pústula enorme no rosto, depois enlouqueceu e morreu! Como eu poderia saber de que tipo foi?

– Quem cuidou dela?

– Hildi.

– Quem é Hildi?

– A parteira.

– Traga a parteira para falar comigo agora – ordenou Wynstan.

Depois que Ithamar saiu, apressado, Wynstan tirou as roupas de viagem e lavou as mãos e o rosto. Aquela era a maior crise de toda sua vida. Se todos acreditassem que ele tinha uma doença debilitante, o poder e a riqueza simplesmente lhe escapariam das mãos. Ele precisava acabar com os boatos, e o primeiro passo era punir quem os havia iniciado.

Ithamar voltou dali a poucos minutos com uma mulher de baixa estatura e cabelos grisalhos. Wynstan não conseguiu se lembrar de quem ela era ou do motivo pelo qual Ithamar a levara até ali.

– Hildi, a parteira que cuidou de Agnès quando ela estava morrendo – disse Ithamar.

– Claro, claro – falou Wynstan. – Eu sei quem ela é.

Então recordou que a havia conhecido quando a levara até o pavilhão de caça para acompanhar a gravidez de Ragna. Ela era sisuda, mas exalava uma segurança tranquila. Embora parecesse nervosa, não estava tão assustada quanto a maioria das pessoas ficava ao ser convocada por Wynstan. Palavras vãs e intimidação não funcionariam com aquela mulher, supôs ele.

Adotou um ar triste e falou:

– Estou de luto por nossa amada Agnès.

– Nada pôde ser feito para salvá-la – explicou Hildi. – Nós rezamos por ela, mas nossas preces não foram atendidas.

– Me diga como ela morreu – pediu ele em tom lúgubre. – A verdade, por favor. Não quero ilusões confortáveis.

– Está bem, senhor meu bispo. De início ela começou a ficar cansada e a ter dores de cabeça. Então começou a ficar desorientada. Um grande calombo apareceu no seu rosto. Por fim, ela enlouqueceu. Acabou pegando uma febre e morrendo.

A lista era aterrorizante. A maioria dos sintomas fora mencionada por Wigferth.

Wynstan reprimiu o medo que ameaçava dominá-lo.

– Alguém visitou Agnès durante a convalescença?

– Não, senhor meu bispo. As pessoas ficaram com medo de pegar a doença.

– Com quem você conversou sobre os sintomas dela?

– Com ninguém, senhor meu bispo.

– Tem certeza?

– Absoluta.

Wynstan desconfiou que ela estivesse mentindo. Decidiu surpreendê-la:

– Ela estava com lepra das putas?

Viu apenas uma centelha de medo na expressão de Hildi.

– Que eu saiba, senhor meu bispo, essa doença não existe.

Ela havia disfarçado depressa, mas ele vira sua reação e agora tinha certeza de que ela estava mentindo. Apesar disso, decidiu não dizer nada.

– Obrigado por me consolar na minha tristeza – falou. – Pode ir agora.

Hildi pareceu muito tranquila, pensou Wynstan enquanto ela saía.

– Ela não parece o tipo de mulher que espalha boatos escandalosos – comentou com Ithamar.

– Não.

– Mas ela contou para alguém.

– Ela é amiga de lady Ragna.

Wynstan balançou a cabeça como quem duvida.

– Ragna e Agnès se odiavam. Ragna condenou o marido de Agnès à morte e Agnès então se vingou me alertando sobre a sua tentativa de fuga.

– Será que pode ter havido uma reconciliação no leito de morte de Agnès?

Wynstan pensou um pouco.

– É possível – falou. – Quem poderia saber?

– A criada francesa, Cat.

– Ragna está aqui em Shiring agora?

– Não, ela foi a Outhenham.

– Então vou falar com Cat.

– Ela não lhe dirá nada.

Wynstan sorriu.

– Não tenha tanta certeza.

Ele saiu da sua residência e subiu o morro até o complexo do senhor da cidade. Sentia-se cheio de energia. Por enquanto sua mente estava livre da confusão que o vinha afligindo ultimamente. Quanto mais ele pensava a respeito, mais provável lhe parecia que Hildi e Ragna tinham feito a notícia correr de Agnès a Wigferth de Canterbury.

Wigelm continuava fora e o complexo estava tranquilo. Wynstan se encaminhou diretamente para a casa de Ragna e lá encontrou as três criadas cuidando das crianças.

– Bom dia – disse ele.

A mais bonita das três era a importante, ele sabia, mas não conseguia se lembrar do seu nome.

Ela o encarou amedrontada.

– O que o senhor deseja? – perguntou.

Seu sotaque francês o fez lembrar quem ela era.

– Você é Cat – afirmou ele.

– Lady Ragna não está.

– Que pena, porque eu vim lhe agradecer.

Cat pareceu um pouco menos amedrontada.

– Agradecer? – repetiu ela, cética. – O que ela fez pelo senhor?

– Foi visitar minha querida Agnès no seu leito de morte.

Wynstan aguardou a reação de Cat. Ela poderia dizer "Mas milady nunca foi visitá-la", e nesse caso Wynstan ficaria sem saber se ela estava dizendo a verdade ou não. Mas Cat ficou em silêncio.

– Foi muita gentileza dela – continuou Wynstan.

Seguiu-se outro silêncio e então Cat disse:

– Mais gentileza do que Agnès merecia.

Pronto. Wynstan se esforçou para não sorrir. Seu palpite estava certo. Ragna tinha ido visitar Agnès. Provavelmente vira os sintomas, que Hildi então lhe explicara. Quem estava por trás dos boatos era a vadia normanda.

Mas ele continuou a fingir:

– Sinto-me quase grato a ela, principalmente porque eu mesmo estava fora e não pude reconfortar a querida Agnès. Pode por favor informar à sua patroa o que eu disse?

– Certamente informarei – falou Cat, demonstrando incompreensão.

– Obrigado – disse Wynstan.

Não há nada de errado comigo, pensou. Estou tão afiado quanto sempre fui. Ele então se retirou.

Wigelm voltou uma semana depois e Wynstan foi falar com ele na manhã seguinte.

No complexo, viu Alain correndo para lá e para cá com os outros três filhos de Ragna, todos obviamente muito felizes por estarem juntos outra vez. Instantes depois, Meganthryth emergiu da casa de Wigelm e chamou Alain para ir almoçar.

– Eu não quero – afirmou o menino.

Ela o chamou outra vez e ele saiu correndo.

Ela foi obrigada a correr atrás dele. Como o menino ainda não havia completado 3 anos e não conseguia correr mais depressa do que um adulto saudável, ela logo o alcançou e o pegou do chão. Ele deu um ataque e começou a berrar, espernear e tentar acertá-la com os pequenos punhos.

– Eu quero mã! – gritava.

Constrangida e irritada, Meganthryth o carregou até a casa de Wigelm.

Wynstan foi atrás deles.

Wigelm estava afiando uma adaga de lâmina comprida numa pedra de amolar. Ergueu os olhos para o menino aos berros.

– Qual é o problema com essa criança? – indagou, irritado.

A resposta de Meganthryth foi igualmente mal-humorada:

– Não sei. Ele não é meu filho.

– Isso é culpa de Ragna. Por Deus, quem me dera eu nunca tivesse me casado com ela. Olá, Wynstan. Vocês, padres, fazem bem em permanecer solteiros.

Wynstan sentou-se.

– Andei pensando que talvez esteja na hora de nos livrarmos de Ragna – disse ele.

Wigelm fez uma cara animada.

– Nós podemos?

– Três anos atrás, precisávamos que ela entrasse para nossa família. Era uma forma de neutralizar qualquer oposição à sua nomeação como senhor de Shiring. Mas agora você está estabelecido. Todos já o aceitaram, até mesmo o rei.

– E Ethelred ainda precisa de mim – completou Wigelm. – Os vikings voltaram com força total e estão atacando todo o litoral sul da Inglaterra. Vai haver mais batalhas neste verão.

Meganthryth sentou Alain à mesa e pôs na sua frente pão com manteiga. O menino se acalmou e começou a comer.

– Nós não precisamos mais de Ragna – afirmou Wynstan. – Além disso, ela se transformou num estorvo. Alain não vai esquecê-la enquanto ela continuar morando neste complexo. E ela é uma espiã. Acredito que seja a responsável por espalhar os boatos de que eu tenho lepra das putas.

Wigelm baixou a voz:

– Nós podemos matá-la?

Ele nunca tinha aprendido a ser sutil.

– Isso causaria problemas – respondeu Wynstan. – Por que você simplesmente não a deixa de lado?

– Um divórcio?

– Sim. É fácil de fazer.

– O rei Ethelred não vai gostar.

Wynstan deu de ombros.

– O que ele pode fazer? Nós o desafiamos há anos. A única coisa que ele faz é cobrar multas que não pagamos.

– Eu ficaria feliz em vê-la pelas costas.

– Então faça isso. Mande-a ir embora de Shiring.

– Eu poderia me casar novamente.

– Ainda não. Dê tempo para o rei se acostumar com o divórcio.

Meganthryth entreouviu isso e perguntou a Wigelm:

– Nós vamos poder nos casar?

– Veremos – respondeu Wigelm.

– Wigelm precisa de mais filhos e você parece ser estéril – disse-lhe Wynstan.

Era uma observação cruel e ela ficou com os olhos marejados.

– Talvez eu não seja. E, se me tornar a esposa do senhor da cidade, o senhor vai ter que me tratar com respeito.

– Está bem – retrucou Wynstan. – Assim que as vacas colocarem ovos.

Ragna estava finalmente livre.

Estava triste também. Não teria Alain e não teria Edgar em sua vida. Mas tampouco teria Wigelm e Wynstan.

Sob o domínio dos irmãos havia quase nove anos, agora percebia quanto se sentira reprimida durante todo esse tempo. Na teoria, as mulheres inglesas contavam mais direitos do que as normandas – ter o controle dos próprios bens era o principal deles –, mas na prática havia se revelado difícil fazer a lei ser respeitada.

Tinha dito a Wigelm que continuaria a governar o vale de Outhen. Planejava ficar na Inglaterra pelo menos até os mensageiros de Aldred voltarem da Normandia. Quando soubesse quais eram os planos de Edgar, começaria a fazer os seus.

Escreveria para o pai contando o que havia acontecido e confiaria sua carta aos mensageiros que lhe traziam seu dinheiro quatro vezes por ano. Tinha certeza de que o conde Hubert ficaria irritado, mas não sabia que atitude ele tomaria em relação a isso.

Suas criadas fizeram as malas. As três, Cat, Gilda e Winthryth, quiseram acompanhá-la.

Ela pediu emprestados a Den dois guarda-costas para a viagem. Assim que se instalasse, contrataria os próprios.

Não lhe permitiram se despedir de Alain.

Eles carregaram os cavalos e saíram cedo de manhã, sem fazer alarde. Muitas mulheres do complexo saíram de casa para uma despedida discreta. Todas consideravam vergonhoso o comportamento de Wigelm.

Saíram do complexo e pegaram a estrada em direção a Kingsbridge.

CAPÍTULO 40

Verão de 1006

agna foi morar na casa de Edgar.
A ideia foi de Aldred. Como ele era o senhorio, ela lhe perguntou onde poderia morar no vilarejo e ele lhe disse que vinha mantendo a casa vazia na esperança de que Edgar retornasse. Nenhum dos dois tinha dúvidas de que ele iria querer morar com Ragna... se algum dia voltasse.

A casa tinha o mesmo tamanho e formato da maioria, só que era mais bem construída. As tábuas verticais, instaladas lado a lado, eram calafetadas com lã embebida em piche, como no casco de uma embarcação, para que a chuva não entrasse nem mesmo na pior das tempestades. Uma segunda porta, nos fundos, conduzia a um curral. Nas extremidades dos beirais havia buracos que tornavam o ar do lado de dentro mais agradável.

Ragna sentiu o espírito de Edgar presente ali, na combinação de meticulosidade e criatividade utilizadas na construção da casa.

Ela já estivera ali uma vez. Fora no dia em que ele lhe mostrara a caixa que havia fabricado para guardar o livro que ela lhe dera de presente. Ragna se lembrava das ferramentas bem enfileiradas, do pequeno barril de vinho, do armarinho de queijos e de Malhada abanando o rabo: tudo agora era parte do passado. Lembrou-se também de como ele havia segurado suas mãos enquanto ela chorava.

Perguntou-se onde ele estaria morando agora.

Enquanto se acomodava na casa nova, torcia todas as manhãs para aquele ser o dia em que os mensageiros voltariam com notícias dele, mas nada acontecia. A Normandia era uma região grande e Edgar talvez nem estivesse mais lá: poderia ter se mudado para Paris, ou até mesmo para Roma. Os mensageiros poderiam ter se perdido ou sido roubados e assassinados. Ou até ter gostado da França mais do que da Inglaterra e decidido não voltar.

Mesmo se encontrassem Edgar, ele talvez não quisesse voltar. Havia a chance de estar casado. Àquela altura, já deveria até ter um filho aprendendo a falar em francês normando. Ela sabia que não deveria ter muitas esperanças.

No entanto, não iria viver como uma pobre mulher rejeitada. Era rica e poderosa, e demonstraria isso. Contratou uma costureira, um cozinheiro e três guarda-costas. Comprou três cavalos e contratou um cavalariço. Solicitou que construíssem estábulos e armazéns, e uma segunda casa no terreno ao lado para todos os empregados extras. Foi a Combe e adquiriu utensílios de mesa, equipamentos de cozinha e tapeçarias para pendurar nas paredes. Enquanto estava lá, encomendou a um construtor de barcos uma barcaça para levá-la de Kingsbridge até Outhenham. Encomendou também a construção de um salão nobre em Outhenham.

Faria uma visita ao vilarejo em breve, para se certificar de que Wigelm não estava tentando usurpar sua autoridade no local, mas por ora se concentrou em sua nova vida em Kingsbridge. Na ausência de Edgar, a principal atração do vilarejo era a escola de Aldred. Osbert estava com 7 anos e os gêmeos, com 5, e todos os três tinham aulas pela manhã seis dias por semana, junto com três monges noviços e alguns meninos das redondezas. Cat não quis que as filhas se instruíssem – temia que isso as fizesse ter ambições acima da sua condição –, mas ao chegarem em casa os meninos compartilhavam com elas tudo que haviam aprendido.

Ragna nunca se acostumaria a viver sem Alain. Preocupava-se com ele o tempo inteiro: ao acordar, pensava se ele estaria com fome; à tarde, torcia para ele não estar cansado; à noite, sabia que ele em breve seria posto na cama. Esses pensamentos vãos passaram a ocupar cada vez menos sua mente, mas a tristeza estava sempre à espreita em seu íntimo. Ela se recusava a aceitar que nunca mais veria o filho. Algo iria acontecer. Ethelred talvez mudasse de ideia e mandasse Wigelm lhe devolver a criança. Wigelm poderia morrer. Todas as noites ela pensava nessas felizes possibilidades e todas as noites adormecia chorando.

Retomou o contato com Blod, a escrava de Dreng. As duas se davam bem, algo surpreendente: eram tão distantes do ponto de vista social que poderiam perfeitamente ter vivido em mundos diferentes. Mas Ragna gostava da atitude pragmática da moça em relação à vida. E as duas compartilhavam o afeto por Edgar. Na taberna, Blod agora fabricava a cerveja, preparava a comida e cuidava de Ethel, esposa de Dreng. Felizmente, como ela contou a Ragna, agora era raro ser prostituída.

– Dreng diz que estou velha demais – disse ela com sarcasmo certo dia em que Ragna foi à taberna comprar um barril de cerveja.

– Quantos anos você tem? – perguntou Ragna.

– Vinte e dois, eu acho. Mas, em todo caso, sempre fui carrancuda demais para agradar os homens. Então ele comprou outra menina, já que agora está ganhando muito dinheiro nos dias de mercado. – As duas estavam em pé em frente à taberna e Blod apontou para uma garota de vestido curto que mergulhava um balde no rio. A ausência de qualquer tipo de chapéu ou adorno de cabeça a assinalava como escrava e prostituta, mas revelava também uma farta cabeleira ruivo-escura que caía em ondas até os ombros. – Aquela dali é Mairead. Ela é irlandesa.

– Ela parece terrivelmente jovem.

– Tem uns 12 anos... a idade que eu tinha quando vim para cá.

– Pobre menina.

Blod foi de uma praticidade brutal:

– Se for para pagar por sexo, os homens querem algo que não possam ter em casa.

Ragna examinou a menina com mais atenção. Seu corpo tinha um aspecto arredondado que não parecia ser consequência de uma boa alimentação.

– Ela está grávida?

– Sim, e mais adiantada do que aparenta, mas Dreng ainda não percebeu. Ele é ignorante em relação a essas coisas, mas vai ficar uma fera. Os homens não pagam tanto por uma mulher grávida.

Apesar das palavras duras e práticas, Ragna detectou em Blod um tom de carinho por Mairead e ficou satisfeita pelo fato de a menina ter alguém para cuidar dela.

Pagou a Blod pela cerveja e ela foi buscar um barril na cervejaria. Rolou-o até o lado de fora.

Dreng saiu do galinheiro com alguns ovos dentro de um cesto. Ele estava ficando gordo e mancava mais do que nunca. Meneou a cabeça para Ragna de modo automático – não se dava mais ao trabalho de adulá-la agora que ela havia perdido o prestígio – e seguiu seu caminho. Apesar de praticamente não estar fazendo esforço, estava ofegante.

Ethel apareceu à porta da taberna. Ela também parecia doente. Estava com 20 e tantos anos, mas parecia mais velha. O motivo não era apenas uma década de casamento com Dreng. Segundo a madre Agatha, Ethel sofria de uma doença que exigia descanso.

Blod fez uma cara preocupada e perguntou:

– Está precisando de alguma coisa, Ethel?

A outra mulher fez que não com a cabeça, pegou os ovos das mãos de Dreng e então tornou a desaparecer dentro da casa.

– Eu preciso cuidar dela – contou Blod. – Ninguém mais cuida.

– E a cunhada de Edgar?

– Cwenburg? Ela jamais vai cuidar da madrasta. – Blod começou a empurrar o barril morro acima. – Vou levar isto aqui até sua casa.

É uma mulher forte, percebeu Ragna.

Em frente à casa de Ragna, Aldred supervisionava um grupo heterogêneo de monges e operários que estavam arrancando tocos de árvore e removendo os arbustos no local escolhido para a nova igreja. Ele viu Ragna e Blod e se aproximou.

– Você em breve vai ter concorrência – contou a Blod. – Estou planejando construir uma cervejaria aqui na praça do mercado e arrendá-la a um homem de Mudeford.

– Dreng vai ficar indignado – comentou Blod.

– Ele está sempre indignado com alguma coisa – retrucou Aldred. – A cidade agora tem tamanho suficiente para duas tabernas. Nos dias de mercado, poderíamos ter até quatro.

– É apropriado um mosteiro ser dono de uma taberna? – perguntou Ragna.

– Essa não vai ter prostitutas – respondeu Aldred com uma expressão severa.

– Que bom – comentou Blod.

Ragna olhou na direção do rio e viu dois monges atravessando a ponte a cavalo. Os monges de Kingsbridge viajavam muito agora que o mosteiro possuía terras por todo o sul da Inglaterra, mas algo naqueles dois fez seu coração bater mais depressa. As roupas de ambos estavam encardidas, o couro da bagagem parecia surrado e seus cavalos se mostravam cansados. Eles tinham percorrido um longo caminho.

Aldred acompanhou o olhar dela e disse, com um arrepio de animação:

– Será que aqueles ali são William e Athulf finalmente de volta da Normandia?

Se fossem eles, Edgar não os acompanhava. Ragna sentiu a dor da decepção com tanta força que se retraiu como se tivesse levado uma chibatada.

Aldred desceu depressa o morro para ir ao encontro dos monges e Ragna e Blod foram atrás.

Os dois apearam e Aldred os abraçou.

– Vocês voltaram sãos e salvos – falou. – Deus seja louvado.

– Amém – disse William.

– Encontraram Edgar?

– Sim, embora tenha sido depois de muito tempo.

Ragna mal se atrevia a ter alguma esperança.

– E o que ele achou da nossa proposta? – indagou Aldred.

– Ele recusou o convite – respondeu William.

Ragna levou as mãos à boca para conter um gemido de desespero.

– Ele deu algum motivo?

– Não.

Ragna conseguiu falar:

– Ele está casado?

– Não...

Ela detectou a hesitação.

– Então o quê?
– As pessoas da cidade em que está morando dizem que ele vai se casar com a filha do mestre pedreiro e que um dia ele próprio vai se tornar o mestre.

Ragna começou a chorar. Todos agora a olhavam fixamente, mas ela não estava ligando nem um pouco para a própria dignidade.

– Quer dizer que ele começou uma vida nova lá?
– Sim, milady.
– E não quer deixá-la.
– Assim parece. Eu sinto muito.

Ragna não conseguiu se conter e continuou aos prantos. Virou as costas e subiu depressa o morro, encontrando em meio às lágrimas o caminho até sua casa. Lá dentro, atirou-se na palha e ficou chorando copiosamente.

– Eu vou voltar para Cherbourg – disse Ragna para Blod com firmeza uma semana depois.

O dia estava quente e as crianças chapinhavam na água rasa da beira do rio. Ragna estava sentada no banco em frente à taberna, olhando-as brincar e saboreando avidamente uma caneca da cerveja de Blod. No pasto ao lado da taberna, um cão bem treinado vigiava um pequeno rebanho de ovelhas. O pastor Theodberht Pé Boto estava dentro da taberna.

Blod encontrava-se em pé ao lado de Ragna, pois havia ficado para conversar após lhe servir a bebida.

– Que pena, milady – lamentou.
– Não necessariamente.

Ragna estava decidida a não se sentir derrotada. Era bem verdade que nada saíra como ela havia planejado, mas tiraria o melhor proveito da situação. Ainda tinha a maior parte da vida pela frente e iria vivê-la plenamente.

– Quando a senhora deve partir? – quis saber Blod.
– Não seria por agora. Preciso passar algum tempo em Outhenham antes de ir. A longo prazo, minha ideia é ter duas boas casas, uma aqui e outra em Outhenham, e voltar à Inglaterra a cada um ou dois anos para ficar de olho nas minhas terras.
– Por quê? A senhora poderia encontrar outra pessoa para fazer esse trabalho de modo a poder apenas descansar e contar dinheiro.
– Eu não conseguiria fazer isso. Sempre pensei que meu destino fosse governar, fazer com que a justiça fosse cumprida, ajudar a tornar o mundo um lugar mais próspero.

– Normalmente quem governa são os homens.

– Normalmente, mas não sempre. E eu nunca gostei do ócio.

– Eu nunca o experimentei.

Ragna sorriu.

– Tenho certeza de que você não iria gostar.

Cwenburg, esposa de Erman e Eadbald, passou carregando um cesto de peixes prateados recém-tirados do laguinho, alguns ainda balançando o rabo. Ragna calculou que ela estivesse a caminho da casa de Bucca Peixe. Cwenburg sempre fora roliça, recordou, mas agora estava bastante gorda. Ainda na casa dos 20 anos, já tinha perdido o frescor vigoroso da juventude e não era mais nem remotamente atraente. Apesar disso, os irmãos de Edgar pareciam satisfeitos com ela. Era um arranjo fora do comum, mas já estava dando certo havia nove anos.

Cwenburg parou para conversar com o pai, Dreng, que estava saindo de um armazém com uma pá de madeira na mão. É sempre um pouco surpreendente ver pessoas más e desagradáveis demonstrando afeto, filosofou Ragna. Seus pensamentos então foram interrompidos por um grito irado vindo de dentro da taberna.

Segundos depois, Theodberht saiu mancando e afivelando o cinto.

– Ela está grávida! – disse ele, irritado. – Não vou pagar um *penny* sequer por uma puta grávida!

Dreng se aproximou depressa, ainda com a pá na mão.

– O que foi? – perguntou. – Qual é o problema?

Theodberht repetiu sua queixa a plenos pulmões.

– Eu não sabia! – exclamou Dreng. – Paguei uma libra por ela no mercado de Bristol, e isso não faz nem um ano.

– Devolva o meu *penny*! – exigiu Theodberht.

– Maldita garota, vou lhe ensinar uma lição.

– Dreng, a culpa por ela estar grávida é sua – afirmou Ragna. – Será que não entende isso?

O homem lhe respondeu com uma formalidade mal-humorada:

– Milady, as mulheres só engravidam quando gostam do que fazem, todo mundo sabe disso. – Ele tateou dentro da bolsinha que carregava no cinto e deu a Theodberht um *penny* de prata. – Tome mais uma caneca de cerveja, meu amigo, esqueça a puta.

Theodberht pegou o dinheiro de má vontade e se encaminhou para o pasto, dando um assobio para o cachorro.

– Ele teria bebido cinco litros de cerveja e ficado a noite inteira – comentou Dreng com amargura. – Talvez de manhã até pagasse por outra rodada com a escrava. Agora eu perdi esse dinheiro.

Ele entrou mancando.

– Que tolo – comentou Ragna com Blod. – Se ele prostitui a pobre menina, é quase certo que ela vai engravidar mais cedo ou mais tarde... será que ele não sabe disso?

– Quem disse à senhora que Dreng é um homem racional?

– Espero que ele não a castigue.

Blod deu de ombros.

– A lei diz que um homem não pode matar nem espancar um escravo além do limite do razoável – afirmou Ragna.

– Mas quem diz o que é razoável?

– Eu, geralmente.

Eles ouviram um grito de dor vindo de dentro da taberna, seguido por um grunhido de raiva e por soluços. Ambas as mulheres se levantaram, então hesitaram. Fez-se silêncio durante vários segundos.

– Se for só isso... – falou Blod.

Elas então ouviram Mairead gritar.

Entraram correndo.

Ela estava caída no chão, protegendo a barriga com os braços. Tinha um ferimento na cabeça e um sangue vermelho-vivo empapava seus cabelos ruivo-escuros. Em pé, Dreng segurou a pá com as duas mãos e a levantou acima da cabeça. Ele estava gritando de modo incoerente. Sua esposa Ethel, agachada num canto, assistia aterrorizada.

– Pare já com isso! – gritou Ragna.

Dreng desferiu a pá com força no corpo de Mairead.

– Pare com isso!

Com o canto do olho, Ragna viu Blod empunhar o balde de carvalho que ficava pendurado num gancho atrás da porta. Quando Dreng ergueu a pá para tornar a bater em Mairead, Blod levantou o pesado balde para acertá-lo. Dreng então cambaleou.

Deixou cair a pá no chão e levou uma das mãos ao peito.

Blod abaixou o balde.

Dreng gemeu e caiu ajoelhado, dizendo:

– Jesus, como dói!

Ragna ficou parada, com os olhos fixos nele. Que dor seria aquela? Ele estava aplicando uma surra, não levando uma. Seria o ato de um Deus vingativo?

Dreng caiu para a frente e desabou com a cara na base de pedra onde era aceso o fogo. Ragna deu um pulo na direção dele, segurou-o pelos tornozelos e o puxou para longe das chamas. O corpo do homem estava inerte. Ela o rolou para que ficasse de barriga para cima. Seu nariz comprido tinha se quebrado na queda e a boca e o queixo estavam cobertos de sangue.

Ele não se mexia.

Ragna levou a mão ao seu peito. Ele parecia não estar respirando. Ela não conseguiu sentir a pulsação.

Virou-se para Mairead.

– Está muito machucada? – perguntou.

– Minha cabeça está me matando – respondeu a menina. Rolou e sentou-se com uma das mãos na barriga. – Mas acho que ele não machucou o bebê.

Ragna ouviu a voz de Cwenburg da porta:

– Pai! Pai!

Ela entrou correndo, largou seu cesto de peixes e caiu ajoelhada junto a Dreng.

– Pai, fale comigo!

Dreng não se mexeu.

Cwenburg olhou por cima do ombro para Blod.

– Você o matou! – Ela se levantou num pulo. – Sua escrava assassina, vou matar você!

Então partiu para cima de Blod, mas Ragna se interpôs. Segurou Cwenburg por trás pelos dois braços para contê-la.

– Fique quieta! – ordenou.

Cwenburg parou de se debater, mas gritou:

– Ela o matou! Ela o acertou com esse balde!

Blod continuava com o balde de carvalho na mão.

– Eu não acertei ninguém – disse ela. Tornou a pendurar o balde no gancho. – A única pessoa que estava fazendo isso era o seu pai.

– Mentirosa!

– Ele usou essa pá em Mairead.

– Ela está dizendo a verdade, Cwenburg – falou Ragna. – Seu pai estava batendo em Mairead e teve algum tipo de ataque. Caiu de cara no fogo e eu o puxei. Mas ele já estava morto.

Cwenburg ficou mais relaxada. Ragna a soltou e ela se sentou abruptamente no chão, aos prantos. Era provavelmente a única pessoa que choraria por Dreng, pensou Ragna.

Vários moradores do vilarejo encheram a casa e ficaram olhando o cadáver no meio do recinto. Então Aldred entrou. Ao ver o corpo no chão, benzeu-se e murmurou uma prece curta.

Ragna era a pessoa mais importante ali presente, mas Aldred era o senhorio e em geral se encarregava da justiça. Apesar disso, não tinha o menor interesse por disputas de poder. Foi diretamente até Ragna e perguntou:

– O que aconteceu?

Ela lhe contou.

Ethel se levantou e falou pela primeira vez:

– O que eu vou fazer?

– Bom, a taberna agora é sua – disse Aldred.

Ragna não tinha pensado nisso.

Cwenburg se recuperou subitamente.

– Não é, não. – Ela se levantou. – Meu pai queria que eu herdasse a cervejaria.

Aldred franziu a testa.

– Ele deixou um testamento?

– Não, mas ele me disse.

– Isso não conta. Quem herda é a viúva.

– Ela não tem capacidade para administrar uma taberna! – exclamou Cwenburg com desdém. – Vive doente. Eu consigo, principalmente com Erman e Eadbald para me ajudar.

Ragna tinha certeza de que Edgar não aprovaria aquilo.

– Cwenburg, você, Erman e Eadbald já são ricos com seu laguinho de peixes e seu moinho d'água, e com os operários que vocês pagam para fazer todo o trabalho na sua fazenda – argumentou ela. – Você quer mesmo privar uma viúva do seu único ganha-pão?

Cwenburg ficou desconcertada.

– Mas eu não sou muito forte – falou Ethel. – Acho que não vou conseguir.

– Eu a ajudo – interveio Blod.

Ethel se aproximou dela.

– Sério?

– Vou ter que ajudar. Eu agora pertenço a você, assim como a casa.

Mairead se postou do outro lado de Ethel.

– Eu também pertenço a você.

– Eu vou libertar vocês no meu testamento, prometo. As duas.

Houve um murmúrio de aprovação dos moradores que assistiam: libertar escravos era considerado um ato piedoso.

– Várias testemunhas escutaram a sua generosa promessa, Ethel – declarou Aldred. – Se quiser mudar de ideia, provavelmente deve fazer isso agora.

– Eu nunca vou mudar de ideia.

Blod passou o braço em volta de Ethel e Mairead fez o mesmo pelo outro lado.

— Nós três podemos administrar a taberna e cuidar do bebê de Mairead – afirmou Blod. – E ganhar mais dinheiro do que Dreng jamais ganhou.
— Sim – concordou Ethel. – Talvez possamos.

Wynstan se viu num lugar estranho. Olhou em volta sem entender. Era uma praça do mercado desconhecida num dia de verão, com pessoas comprando e vendendo ovos, queijos, chapéus e sapatos à sua volta. Ele podia ver uma igreja grande o bastante para ser uma catedral. Ao seu lado havia uma boa casa. Em frente, o que parecia ser um mosteiro. Num morro atrás da praça havia um complexo rodeado por uma cerca que sugeria a residência de um rico senhor feudal, talvez o chefe de um vilarejo. Ficou com medo. Como podia ter se perdido assim? Não conseguia sequer se lembrar de como chegara ali. Começou a tremer de tanto medo.

Um desconhecido se curvou diante dele e disse:
— Bom dia, bispo.
Eu sou um bispo?, pensou ele.
O desconhecido o observou com mais atenção e perguntou:
— O senhor está bem, Reverência?
De repente, tudo se encaixou. Ele era o bispo de Shiring, a igreja era a sua catedral e a casa ao lado dela, sua residência.
— É claro que estou bem – respondeu, ríspido.
O homem, que Wynstan então viu ser um açougueiro que conhecia havia duas décadas, afastou-se rapidamente.

Sentindo-se atarantado e assustado, ele voltou depressa para casa.

Lá dentro estavam seu primo, o arquidiácono Degbert, e Ithamar, um diácono da catedral. Eangyth, a esposa de Ithamar, servia uma caneca de vinho.
— Ithamar trouxe notícias – avisou Degbert.
O arquidiácono parecia amedrontado. Não falou nada enquanto a esposa servia o vinho na mesa à sua frente.
Com raiva por causa do episódio de esquecimento, Wynstan falou, impaciente:
— Bem, vamos lá, desembuche.
— Alphage foi nomeado arcebispo de Canterbury.
Wynstan já esperava por isso. Mesmo assim, sentiu uma raiva insana brotar dentro de si. Incapaz de se controlar, pegou uma caneca em cima da mesa e jogou o conteúdo na cara de Ithamar. Não satisfeito com isso, virou a mesa. Eangyth gritou e ele então cerrou o punho e a golpeou na lateral da cabeça com a maior força que foi capaz de imprimir. A mulher caiu e ficou imóvel, e ele pensou que a

tinha matado. Ela então se mexeu, levantou-se e saiu correndo do recinto. Ithamar se retirou atrás dela, enxugando os olhos com a manga da túnica.

– Acalme-se, primo – disse Degbert, nervoso. – Sente-se. Tome uma caneca de vinho. Está com fome? Quer que eu lhe traga algo para comer?

– Ah, cale a boca – falou Wynstan, mas sentou-se e tomou o vinho que Degbert lhe deu.

Depois que ele recuperou a compostura, Degbert falou em tom de acusação:

– Você prometeu me tornar bispo de Shiring.

– Só que agora não posso, não é? – rebateu Wynstan. – A vaga não existe mais, seu idiota.

Pela expressão de Degbert, dava para ver que ele tinha achado aquilo uma desculpa ruim.

– A culpa é de Ragna – disse Wynstan. – Foi ela quem começou esse boato ridículo de que eu estou com lepra. – Sua raiva começou a voltar e ele a sentiu ferver dentro de si. – A punição dela foi leve demais. Tudo que fizemos foi lhe tirar um dos filhos. Ela ainda tem mais três para servir de consolo. Eu devia ter pensado em algo pior. Devia tê-la obrigado a trabalhar na casa de Mags até *ela* pegar lepra das putas de algum marinheiro imundo.

– Sabia que ela estava presente quando meu irmão Dreng morreu? Desconfio que ela o tenha matado. Eles espalharam que ele teve alguma espécie de convulsão quando estava espancando sua menina escrava, mas tenho certeza de que Ragna teve algo a ver com isso.

– Pouco me importa quem matou Dreng – falou Wynstan. – Ele podia ser meu primo, mas era um tolo, e você também é. Saia daqui.

Degbert saiu e Wynstan ficou sozinho.

Algo estava errado com ele. Tivera um ataque de raiva ao receber uma notícia que só confirmara suas expectativas. Quase havia matado a esposa de um padre. E pior: alguns minutos antes, esquecera não só onde estava, mas também quem era.

Eu estou ficando louco, falou para si mesmo, e esse pensamento o encheu de pavor. Não podia estar louco. Era inteligente, implacável e sempre conseguia o que queria. Seus aliados eram recompensados e seus inimigos, destruídos. A perspectiva da insanidade era tão aterrorizante que chegava a ser insuportável. Wynstan fechou os olhos com força e bateu com os dois punhos na mesa à sua frente, vociferando:

– Não, não, não!

Teve a sensação de estar caindo, como se tivesse pulado do telhado da catedral. Iria atingir o chão a qualquer instante e então se espatifar e morrer. Esforçou-se para não gritar.

Conforme o terror foi diminuindo, novamente pensou em se jogar do telhado. Iria se espatifar no chão, depois sofrer por alguns instantes uma agonia insuportável e então iria morrer. Mas qual seria sua punição pelo pecado de ter cometido suicídio?

Ele era um sacerdote sagrado, podia esperar receber o perdão. Mas por suicídio? Poderia confessar seus pecados, rezar a missa e morrer em estado de graça, não? Não, não poderia. Iria morrer condenado.

Degbert voltou trazendo a casula bordada que Wynstan usava para celebrar missas.

– Estão esperando você na catedral – falou. – A menos que prefira que eu reze a missa.

– Não, eu vou – afirmou Wynstan, e levantou-se.

Degbert pôs a peça sobre os ombros dele.

Wynstan franziu a testa.

– Alguns instantes atrás eu estava preocupado com uma coisa – falou. – Não consigo lembrar o que era.

Degbert não disse nada.

– Deixe estar – disse Wynstan. – Não devia ser nada importante.

Ethel estava morrendo.

Ragna encontrava-se sentada na taberna tarde da noite, junto com Blod, Mairead e o bebê recém-nascido da irlandesa, Brigid, bem depois de os últimos clientes cambalearem porta afora. O recinto era iluminado por uma vela de sebo que fazia bastante fumaça. Ethel estava deitada, imóvel e com os olhos fechados. Sua respiração tinha se tornado curta e seu rosto, cinza. Madre Agatha tinha dito que os anjos a estavam chamando e ela estava se preparando para ir.

Blod e Mairead planejavam criar o bebê juntas.

– Não queremos homens nem precisamos deles – disse Blod a Ragna.

Ragna não ficou surpresa com os sentimentos das duas, não depois da vida que elas tinham sido forçadas a levar, mas havia alguma outra coisa. Ela tinha a impressão de que a paixão de Blod por Edgar havia sido transferida para Mairead. Era só uma impressão, e ela certamente não iria perguntar nada.

Pouco depois de o dia raiar, Ethel morreu tranquilamente. Não houve crise: ela apenas parou de respirar.

Blod e Mairead a despiram e lavaram o corpo. Ragna perguntou às duas o que elas planejavam fazer agora. Ethel tinha dito que iria libertá-las e Aldred havia lhes garantido que ela deixara um testamento. Se quisessem, poderiam voltar para suas respectivas casas, mas parecia que pretendiam ficar juntas.

– Eu não posso viajar até a Irlanda com um bebê nos braços e sem dinheiro – explicou Mairead. – Não que fosse saber onde fica a minha casa por lá. É uma aldeia no litoral, mas isso é tudo que eu saberia lhes dizer. Se o lugar tinha nome, eu nunca soube. Não tenho certeza nem de quantos dias passei no navio viking antes de chegarmos a Bristol.

Ragna a ajudaria com um pouco de dinheiro, é claro, mas isso não resolveria o problema.

– E você, Blod? – perguntou.

A moça ficou pensativa.

– Já faz dez anos que não vejo minha casa no País de Gales. Todas as minhas jovens amigas agora já devem estar casadas e com filhos. Não sei se meus pais estão vivos ou mortos. Não tenho certeza de quanto da língua galesa consigo lembrar. Jamais imaginei algum dia dizer isso, mas eu quase sinto que este lugar aqui é o meu lar.

Ragna não se deixou convencer. Será que havia alguma outra coisa acontecendo ali? Será que Blod e Mairead tinham se afeiçoado tanto uma à outra que não queriam se separar?

A notícia da morte de Ethel se espalhou depressa e pouco depois de o dia raiar Cwenburg apareceu acompanhada pelos dois maridos. Os homens se mostraram tímidos, mas ela foi agressiva.

– Como vocês se atreveram a lavar o corpo? – perguntou. – Isso era trabalho meu... sou eu a enteada dela!

– Elas só quiseram ajudar, Cwenburg – disse Ragna.

– Pouco me importa. Esta taberna agora é minha e eu quero essas escravas fora daqui.

– Elas não são mais escravas – corrigiu Ragna.

– Se Ethel tiver cumprido o que prometeu.

– De qualquer forma, você não pode expulsá-las de casa de uma hora para outra.

– Quem falou que não?

– Eu – respondeu Ragna.

– Erman, vá chamar o prior – ordenou Cwenburg.

Erman se retirou.

– As escravas devem esperar lá fora – determinou Cwenburg.

– Talvez quem deva esperar lá fora seja você, até Aldred confirmar que a taberna agora é sua – retrucou Ragna.

Cwenburg fechou a cara.

– Ande, vá lá – falou Ragna. – Senão vai ser pior para você.

Com relutância, Cwenburg se retirou e Eadbald saiu atrás dela.

Ragna se ajoelhou junto ao corpo e Blod e Mairead fizeram o mesmo.

Aldred apareceu poucos minutos depois, usando no pescoço um crucifixo de prata numa correia de couro. Cwenburg e seus maridos entraram atrás dele. O prior fez o sinal da cruz e entoou uma oração junto ao corpo. Então tirou da bolsinha em seu cinto uma pequena folha de pergaminho e começou:

– Este é o testamento de Ethel, com seus últimos desejos. Ela ditou e eu escrevi, e dois monges assinaram como testemunhas.

Entre os outros presentes apenas Ragna sabia ler, então eles teriam que confiar em Aldred para lhes dizer o que Ethel havia escrito.

– Como ela havia prometido, tanto Blod quanto Mairead estão livres – informou ele.

Sorrindo, as duas ex-escravas se abraçaram e se beijaram. Sua celebração não foi mais expressiva por causa da presença do cadáver, mas elas estavam felizes.

– Só há mais uma outra disposição – continuou Aldred. – Ela deixa todos os seus bens terrenos, inclusive a taberna, para Blod.

A escrava ficou de boca aberta.

– A taberna é minha? – indagou, incrédula.

– Sim.

– Ela não pode fazer isso! – gritou Cwenburg. – Minha madrasta não pode roubar a taberna do meu pai e dá-la para uma escrava galesa prostituta!

– Pode, sim – falou Aldred.

– E acaba de fazer isso – reforçou Ragna.

– É antinatural!

– Não é, não – retrucou Ragna. – Quando Ethel estava morrendo, quem cuidou dela foi Blod, não você.

– Não, não!

Cwenburg saiu batendo pé, ainda gritando protestos, e Erman e Eadbald saíram atrás dela com ar constrangido.

O barulho cessou quando a filha de Dreng se afastou.

Blod olhou para Mairead.

– Você fica para me ajudar, não fica?

– Claro.

– Eu ensino você a cozinhar. Mas chega de se prostituir.

– E você pode me ajudar com o bebê.

– Claro.

Os olhos de Mairead ficaram marejados e ela aquiesceu sem dizer nada.

– Vai ficar tudo bem – afirmou Blod. Ela estendeu a mão e segurou a da menina. – Nós seremos felizes.

Ragna sentiu satisfação – e alguma outra coisa – por elas.

Após alguns instantes deu-se conta do que era.

Estava com inveja.

———◆—

De tantos em tantos meses, o mestre pedreiro Giorgio mandava Edgar a Cherboug para comprar material. A viagem durava dois dias, mas não havia nenhum outro lugar mais perto onde eles pudessem conseguir ferro para fabricar ferramentas, chumbo para as janelas e cal para a argamassa.

Quando ele partiu dessa vez, Clothild o beijou e lhe disse para voltar logo. Edgar ainda não a tinha pedido em casamento, mas todos o tratavam como se ele já fosse um membro da família de Giorgio. Na verdade, ele não estava completamente à vontade por ter se acomodado, quase sem perceber, no papel de noivo de Clothild sem uma decisão formal. Parecia-lhe uma atitude medíocre. Mas tampouco estava infeliz a ponto de querer recuar.

Algumas horas depois de ele chegar a Cherbourg, um mensageiro o encontrou e lhe ordenou que fosse falar com o conde Hubert.

Ele só tinha encontrado Hubert uma vez, ao chegar à Normandia quase três anos antes. O conde havia se mostrado gentil com ele na ocasião. Feliz por receber notícias de sua amada filha, conversara muito com Edgar sobre a vida na Inglaterra e lhe recomendara canteiros de obras nos quais ele poderia arrumar trabalho.

Edgar então subiu mais uma vez o morro até o castelo e novamente se assombrou com seu tamanho. Era maior do que a catedral de Shiring, a maior construção que ele tinha visto até então. Um criado o conduziu até um cômodo grande no andar de cima.

Hubert, agora com 50 e poucos anos, estava na outra ponta do recinto conversando com a condessa Geneviève e seu belo filho Richard, que parecia ter cerca de 20 anos.

Hubert era um homem baixo, de movimentos rápidos. O porte bem diferente de Ragna, alta e imponente, vinha da mãe. Mas Hubert tinha cabelos ruivo-dourados e olhos verdes como o mar, um certo desperdício num homem, na opinião de Edgar, mas que conferiam a Ragna um poder de atração fulminante.

O criado indicou com um gesto que ele deveria esperar perto da porta, mas Hubert cruzou olhares com ele e lhe acenou.

Edgar imaginava que o conde fosse tratá-lo de modo afável como da primeira vez, mas nesse dia, ao se aproximar dele, viu que Hubert ostentava uma expressão irritada e hostil. Perguntou-se o que poderia ter feito para enfurecer o pai de Ragna.

– Diga-me, Edgar – falou Hubert bem alto –, os ingleses acreditam ou não acreditam no casamento cristão?

Edgar não fazia ideia de que história era aquela e tudo que pôde fazer foi responder da melhor maneira possível:

– Milorde, eles são cristãos, embora nem sempre obedeçam aos ensinamentos dos padres.

Quase acrescentou *igualzinho aos normandos*, mas se segurou. Não era mais adolescente e tinha aprendido a não dar respostas engraçadinhas.

– Eles são uns bárbaros! – exclamou Geneviève. – Uns selvagens!

Edgar imaginou que aquilo devia ter alguma relação com a filha do casal. Aflito, perguntou:

– Aconteceu alguma coisa com lady Ragna?

– Ela foi deixada de lado! – vociferou Hubert.

– Eu não sabia.

– Que diabo significa isso?

– Significa um divórcio – explicou Edgar.

– Sem motivo?

– Sim. – Edgar precisava ter certeza de que havia entendido direito. – Quer dizer que Wigelm deixou Ragna de lado?

– Sim! E você está me dizendo que isso é legal na Inglaterra!

– Sim.

Edgar ficou atônito. Ragna estava solteira!

– Escrevi para o rei Ethelred exigindo que ele ordene uma compensação – contou Hubert. – Como pode permitir que seus nobres se comportem feito animais de fazenda?

– Eu não sei, milorde – disse Edgar. – Um rei pode dar ordens, mas garantir que sejam cumpridas já é outra história.

Hubert fez um muxoxo, como se considerasse aquilo uma desculpa esfarrapada.

– Sinto muitíssimo que meus conterrâneos tenham feito isso com ela – falou Edgar.

Só que estava mentindo.

CAPÍTULO 41

Setembro de 1006

agna refez sua vida e ocupou seus dias de modo a não ficar lamentando a perda nem de Edgar nem de Alain. No dia de São Miguel, foi em sua nova barcaça até Outhenham coletar seus aluguéis.

A barcaça precisava de dois remadores fortes. Ragna levou sua égua, Astrid, para poder percorrer todo o vale de Outhen a cavalo. Levou também uma criada nova, Osgyth, e um jovem soldado, um rapaz de cabelos pretos chamado Ceolwulf, ambos de Kingsbridge. Durante a viagem, eles se apaixonaram um pelo outro e ficavam se provocando e dando risadinhas na barcaça quando pensavam que Ragna não estava olhando. Desse modo, ambos se deixaram distrair um pouco das respectivas obrigações. Ragna sentiu-se inclinada a ser indulgente, pois sabia o que era estar apaixonada. Torceu para Osgyth e Ceolwulf nunca virem a conhecer a infelicidade que o amor podia causar.

Sabia que seu salão nobre de Outhenham ainda não estava pronto, então, como a antiga casa de Edgar na pedreira estava vazia, instalou-se lá com Osgyth e Ceolwulf. Aquela casa tinha um valor sentimental para ela. A única outra casa na pedreira pertencia a Gab.

Os remadores ficaram hospedados na taberna.

Ela concedeu uma audiência, mas não houve muitos acontecimentos que exigissem que ela dispensasse justiça. Aquela era uma época feliz do ano: safra nos celeiros, barrigas cheias de pão e o chão coalhado de maçãs bem vermelhas esperando para serem catadas. E nesse ano os vikings não tinham chegado tão a oeste para estragar tudo. Quando estavam felizes, as pessoas demoravam para brigar e cometiam menos crimes. Era nas profundezas desoladas do inverno que homens esganavam as esposas e esfaqueavam rivais, e era durante a fome da primavera que as mulheres roubavam dos vizinhos para dar de comer aos próprios filhos.

Ficou satisfeita ao ver que o canal de Edgar continuava em bom estado, com seus cantos retos, suas laterais sólidas. Mas ficou irritada ao ver que os moradores tinham adquirido o hábito preguiçoso de jogar lixo na água. Como não havia correnteza, o canal não se limpava sozinho como um rio fazia e alguns pontos ficavam cheirando a latrina suja. Ela instituiu uma regra rígida.

Para garantir a aplicação desse e de outros éditos, demitiu Dudda e nomeou um novo chefe, o rechonchudo taberneiro Eanfrid, um dos anciãos do vilarejo. Um taberneiro em geral era uma boa escolha para exercer essa função: sua casa já era o centro da vida local e ele próprio costumava ser uma figura dotada de autoridade extraoficial. Eanfrid era também bem-humorado e querido por todos.

Sentada em frente à taberna com uma caneca de sidra, ela conversou com ele sobre sua renda da pedreira, que havia diminuído desde a partida de Edgar.

– Edgar é simplesmente uma daquelas pessoas que fazem tudo bem – comentou Eanfrid. – Encontre-nos outro como ele e venderemos mais pedra.

– Não existe outro como Edgar – disse Ragna com um sorriso triste.

Eles começaram a conversar sobre uma morrinha que havia matado algumas ovelhas. Ragna desconfiava que isso tinha acontecido porque os animais vinham pastando em solo argiloso molhado. Porém sua conversa foi interrompida. Eanfrid inclinou a cabeça e instantes depois Ragna escutou o que havia chamado a sua atenção: o barulho de trinta cavalos ou mais se aproximando, não a meio galope nem sequer a trote, mas caminhando com um andar cansado. Era o som produzido por um nobre rico e sua comitiva numa longa viagem.

A oeste, o sol do outono estava vermelho. Os visitantes sem dúvida decidiriam passar a noite em Outhenham. O vilarejo os acolheria com sentimentos contraditórios. Viajantes traziam prata: eles comprariam comida e bebida e pagariam para se hospedar. Mas poderiam também se embriagar, importunar as moças ou provocar brigas.

Ragna e Eanfrid se levantaram. Instantes depois, os cavaleiros serpentearam por entre as casas até o centro do vilarejo.

Na sua dianteira estava Wigelm.

Ragna foi tomada pelo medo. Aquele era o homem que a havia aprisionado, estuprado e que roubara seu filho. O que teria inventado para torturá-la novamente? Ela controlou o próprio tremor. Sempre o havia confrontado. Iria fazê-lo outra vez.

Montado ao lado de Wigelm vinha Garulf, o sobrinho dele, filho de Wilwulf e Inge. Ele tinha agora 25 anos, mas Ragna sabia que não tinha ficado mais sensato do que costumava ser quando adolescente. Ele se parecia com Wilf, com a barba loura e os ombros largos dos homens da família. Ela se retraiu ao pensar que havia se casado com dois deles.

– O que Wigelm quer aqui? – murmurou Eanfrid.

– Só Deus sabe – respondeu Ragna com uma voz trêmula e então arrematou: – E Satã, talvez.

Wigelm continuou montado em seu cavalo sujo de pó.

– Não esperava ver você aqui, Ragna.

Ela ficou um pouco aliviada. O comentário indicava que ele não havia planejado aquele encontro. Qualquer mal que tentasse lhe infligir seria pensado de última hora.

– Não sei por que a surpresa – retrucou ela. – Eu sou a senhora do vale de Outhen. O que quer aqui?

– Eu sou o senhor de Shiring, estou viajando pelo meu território e pretendo pernoitar aqui.

– Outhenham lhe dá as boas-vindas, senhor Wigelm – falou Ragna de modo frio e formal. – Por favor, entre na taberna e coma e beba alguma coisa.

Ele continuou montado.

– Seu pai reclamou com o rei Ethelred – contou.

– É claro que reclamou. – Ela recuperou um pouco da sua coragem. – O seu comportamento foi abominável.

– Ethelred me multou em 100 libras de prata por ter deixado você de lado sem a sua permissão.

– Que bom.

– Mas eu não paguei a multa – retrucou Wigelm, então deu uma boa risada e apeou.

Seus homens fizeram o mesmo. Os mais jovens começaram a tirar os arreios dos cavalos, enquanto os mais velhos se acomodavam na taberna e pediam bebidas. Ragna teria preferido ir embora, mas sentiu que não podia deixar Eanfrid sozinho para lidar com aquela visita: ele poderia ter dificuldade para manter a ordem e a autoridade dela seria de grande ajuda.

Pôs-se a percorrer o vilarejo, fazendo o possível para ficar fora do campo de visão de Wigelm. Disse aos homens mais jovens para deixarem os cavalos em um pasto vizinho. Então escolheu as casas onde Wigelm e sua comitiva passariam a noite, optando pelas que pertenciam a casais mais velhos ou casais jovens com bebês pequenos, evitando aquelas onde havia meninas adolescentes. O costume era pagar ao dono da casa um *penny* para acomodar quatro homens e esperava-se que a família compartilhasse o desjejum com os hóspedes.

Draca, o padre do vilarejo, que criava vacas para abate, esquartejou um novilho e o vendeu para Eanfrid, que fez uma fogueira atrás da taberna e assou a carne em espetos. Enquanto esperavam a comida, os homens beberam cerveja; Eanfrid esvaziou dois barris e abriu um terceiro.

Eles passaram uma hora entoando canções ruidosas sobre violência e sexo, então começaram a bater boca. Bem na hora em que Ragna pensou que uma briga estivesse para ter início, Eanfrid serviu a carne com pão e cebolas, o que os fez se calarem. Depois de comer, eles começaram a se retirar em direção a seus alojamentos e Ragna avaliou que era seguro ir se deitar.

Voltou para a casa na pedreira junto com Osgyth e Ceolwulf. Eles barraram a porta com firmeza. Apesar de terem levado cobertores, ainda não fazia um frio de inverno e eles se deitaram na palha enrolados apenas em suas capas. Ceolwulf deitou-se em frente à porta, a posição costumeira de um guarda-costas, mas Ragna captou um olhar entre os dois jovens e imaginou que eles estivessem planejando chegar mais perto um do outro depois.

Ainda passou uma hora ou mais acordada, perturbada com a aparição de seu inimigo Wigelm. Por fim, porém, acabou pegando num sono inquieto.

Acordou com a sensação de não ter dormido muito. Sentou-se e olhou em volta, perguntando-se, apreensiva, o que a teria acordado. À luz do fogo, viu que Osgyth e Ceolwulf haviam sumido. Supôs que os dois tivessem se esgueirado até a mata para ficarem a sós e naquele momento deviam estar debaixo de um arbusto descobrindo o sexo à luz do luar.

Sentiu-se menos inclinada a ser indulgente agora. Eles deveriam cuidar dela e protegê-la, não sair de fininho e deixá-la sozinha no meio da noite. Ambos seriam mandados embora quando voltassem a Kingsbridge.

Ouviu um homem embriagado falando coisas incoerentes em voz alta e imaginou que fosse Gab. Devia ter acordado por causa daquela voz. Mas ela estava segura atrás de uma porta fechada com uma barra, pensou. Então se deu conta de que Osgyth e Ceolwulf tiveram que tirar a barra da porta para sair.

O bêbado chegou mais perto e ela reconheceu a voz. Percebeu com um calafrio de medo que não era Gab, e sim Wigelm.

Apesar de embriagado, ele não tivera dificuldade alguma para encontrar sua casa, pensou ela aterrorizada – bastara-lhe seguir o canal –, mas era um milagre trágico não ter caído dentro d'água e se afogado.

Levantou-se num pulo para ir barrar a porta, mas chegou um segundo tarde demais. Bem na hora em que pôs as mãos na pesada barra de madeira, a porta se abriu e Wigelm entrou. Ela recuou com um grito de medo.

Apesar do frio da noite de outono, Wigelm estava descalço e sem capa. Não usava cinto nem trazia espada ou faca, o que deu algum alívio a Ragna. Parecia ter se levantado da cama e não se dado ao trabalho de se vestir direito.

Ela sentiu um cheiro forte e azedo de cerveja.

Ele estreitou os olhos para ela à luz do fogo, como se não soubesse direito quem ela era. Estava cambaleando, e Ragna se deu conta de que estava muito embriagado. Por alguns instantes, torceu fervorosamente para ele apagar ali mesmo, mas a expressão intrigada do rosto dele se desfez e ele disse com uma voz engrolada:

– Ragna. Sim. Eu estava procurando você.

Não vou suportar isso, pensou ela. Não posso mais sofrer por causa desse homem. Eu quero morrer.

Tentou esconder o desespero que sentia.

– Vá embora, por favor.

– Deite-se.

– Eu vou gritar. Gab e a mulher dele vão me escutar.

Não tinha certeza se de fato escutariam: as duas casas ficavam muito separadas. Mas a sua ameaça foi ineficaz por outro motivo.

– O que eles vão fazer? – indagou ele com desdém. – Eu sou o senhor deles.

– Saia da minha casa.

Wigelm a empurrou com força. Pega de surpresa e espantada com a força dele apesar de estar bêbado, Ragna caiu de costas no chão. O impacto a fez perder o fôlego.

– Cale essa boca e abra as pernas – ordenou ele.

Ela recuperou o ar.

– Você não pode fazer isso, eu não sou mais sua esposa.

Ele desabou para a frente. Obviamente sua intenção era aterrissar em cima dela, mas no último segundo Ragna rolou para o lado e ele caiu de cara no chão. Ela se levantou e ficou de quatro, mas ao mesmo tempo ele se virou de barriga para cima, agarrou-a pelo braço e a puxou na sua direção.

Ao tentar recuperar o equilíbrio, Ragna mudou a perna de posição e sem querer cravou o joelho direto na barriga dele.

– Uff! – fez Wigelm, e deu um arquejo.

Ragna moveu a outra perna para ficar com os dois joelhos na barriga dele, então segurou os braços do homem e os empurrou contra o chão. Em circunstâncias normais, ele a teria derrubado facilmente, mas naquele estado não conseguiu se desvencilhar dela.

Era uma irônica inversão de papéis. Pela primeira vez na vida, Wigelm estava à mercê de Ragna.

Mas o que ela iria fazer?

Ele moveu a cabeça de um lado para outro, com os olhos fechados, e disse num arquejo:

– Não consigo respirar.

Ela se deu conta de que seus joelhos estavam pressionando os pulmões dele, mas não se moveu para aliviar a pressão porque estava apavorada com a ideia de que ele recuperasse as forças.

Wigelm pareceu ter uma convulsão e ela sentiu cheiro de vômito. O líquido transbordou um pouco pelos cantos da boca dele. Seus braços e pernas ficaram inertes.

Ragna já tinha ouvido falar em homens bêbados que desmaiavam e morriam afogados no próprio vômito. De súbito, se deu conta de que, se Wigelm morresse agora, ela teria Alain de volta: ninguém diria que o menino deveria ser criado por Meganthryth. Foi dominada por uma onda momentânea de esperança. Teria rezado para Wigelm morrer, mas uma prece dessas seria considerada blasfêmia.

Wigelm não estava morrendo. Seu nariz estava cheio de vômito liquefeito, mas o ar borbulhava por suas narinas.

Será que ela conseguiria matá-lo?

Seria um pecado, e seria perigoso. Ela seria uma assassina, e, embora não houvesse ninguém ali para ver o que ela estava fazendo, mesmo assim poderia ser descoberta.

Mas Ragna o queria morto.

Pensou no seu ano encarcerada, nos inúmeros estupros e no roubo do seu filho. Ao entrar à força na casa dela nessa noite, ele havia mostrado que essa tortura nunca teria fim, não enquanto vivesse. Ragna havia suportado tudo que podia aguentar; aquilo precisava acabar ali, agora.

Que Deus me perdoe, pensou.

Com hesitação, largou os braços dele. Ele não se mexeu.

Ela fechou sua boca, então pôs a mão esquerda por cima dos seus lábios e apertou com força.

Ele ainda conseguia respirar pelo nariz, um pouco.

Ela levou o indicador e o polegar direitos ao seu nariz e fechou suas narinas.

Agora ele não conseguia mais respirar.

Não o havia matado, não ainda. Havia tempo para mudar de ideia. Poderia rolá-lo de bruços para fazer o líquido escorrer de sua boca e lhe permitir respirar. Ele provavelmente sobreviveria.

Sobreviveria para atacá-la outra vez.

Ragna manteve sua boca e seu nariz tapados. Aguardou, observando seu rosto. Quanto tempo um homem sobrevivia sem ar? Ela não fazia ideia.

Ele se remexeu, mas parecia estar quase inconsciente e não conseguia se debater. Ragna continuou com os joelhos na barriga dele, tapando sua boca com uma das mãos e o nariz com a outra. Todos os movimentos cessaram.

Será que agora ele estava morto?

A casa estava em silêncio. As brasas do fogo não faziam barulho, e não havia nenhum farfalhar de pequenas criaturas nos juncos do chão. Ragna apurou os ouvidos, mas não escutou nada lá fora.

De repente, Wigelm abriu os olhos. O choque a fez dar um grito agudo de medo.

Ele a encarou aterrorizado. Tentou balançar a cabeça, mas Ragna se inclinou para a frente e apertou mais forte com as duas mãos para mantê-lo imobilizado.

Wigelm continuou a encará-la com um pânico semiconsciente durante vários instantes de elevada tensão. Ele estava temendo pela própria vida, mas não conseguia se mover, como num pesadelo.

– É essa a sensação, Wigelm – disse ela, com a voz tensa de ódio. – É essa a sensação de estar impotente à mercê de um assassino.

De repente, os esforços pífios de Wigelm cessaram e seus olhos se reviraram nas órbitas.

Ainda assim, Ragna continuou a segurar. Será que ele estava mesmo morto? Ela mal conseguia acreditar que o homem que a atormentara durante tanto tempo pudesse ter ido embora deste mundo para sempre.

Por fim, reuniu coragem para aliviar a pressão no nariz e na boca. O rosto dele continuou imóvel. Levou a mão ao peito do ex-marido e não sentiu pulsação.

Ela o havia matado.

– Que Deus me perdoe – rezou.

Pegou-se tremendo incontrolavelmente. Suas mãos estavam trêmulas, calafrios percorriam seus ombros e ela sentia as pernas tão fracas que sua vontade era se deitar.

Esforçou-se para controlar o próprio corpo. Agora precisava se preocupar com a reação dos homens. Ninguém iria acreditar na sua inocência. O senhor de Shiring, seu grande inimigo, havia morrido no meio da noite sem ninguém presente, exceto ela. Os indícios eram incriminadores.

Ela era uma assassina.

Por fim, parou de tremer e se levantou.

Ainda não tinha acabado. O que mais a incriminaria era o corpo ali ao seu lado. Ela precisava tirá-lo da casa. Mas onde colocá-lo? A resposta era óbvia.

No canal.

Os companheiros embriagados de Wigelm iriam supor que ele tinha saído para urinar. No estado em que se encontrava, lhe teria sido fácil desmaiar, cair no canal e se afogar antes de recuperar os sentidos. Esse era exatamente o tipo de coisa que tolos embriagados faziam.

Só que ninguém poderia vê-la se livrar do corpo. Ela precisava agir depressa, antes que Osgyth e Ceolwulf se cansassem de namorar e voltassem, antes de um dos homens semiconscientes de Wigelm começar a se perguntar por que ele estava demorando tanto e resolver sair à sua procura.

Segurou uma de suas pernas e puxou. Foi preciso mais esforço do que imaginava. Arrastou-o por um metro e parou. Aquilo era demais para ela. Ele era um homem pesado e literalmente um peso morto.

Não podia se deixar derrotar por um problema tão simples. Sua égua Astrid estava num pasto ali perto. Se necessário, ela iria buscá-la para arrastar o corpo, embora isso fosse levar tempo e aumentar o risco de ser descoberta. Seria mais fácil se pudesse pôr Wigelm em cima de alguma coisa, como uma tábua. Lembrou-se dos cobertores.

Pegou um deles e o estendeu no chão ao lado dele. Com um esforço considerável, fez o corpo rolar para cima do tecido. Então segurou a ponta do cobertor que ficava do lado da cabeça e começou a puxar. Não foi fácil, mas era possível, e ela o arrastou pelo chão e porta afora.

Olhou em volta ao luar e não viu ninguém. A casa de Gab estava escura e silenciosa. Osgyth e Ceolwulf ainda deviam estar na mata e não havia qualquer sinal de um grupo de busca à procura de Wigelm. Apenas os habitantes da noite a cercavam: uma coruja piando nas árvores, um pequeno roedor que passou correndo tão depressa que ela só o viu com o rabo do olho, o movimento distinto do sobrevoo de um morcego silencioso.

Ela decidiu que conseguiria se virar sem Astrid, por pouco. Foi arrastando Wigelm lentamente pela pedreira. O corpo foi produzindo o ruído de algo sendo arrastado, mas não alto o suficiente para ser ouvido na casa de Gab.

Depois da pedreira, o solo subia num leve aclive e seu trabalho ficou mais árduo. Ela já estava ofegante de tanto esforço. Descansou por um minuto, então se obrigou a retomar. Não faltava muito agora.

Finalmente chegou ao canal. Puxou Wigelm até a borda e o rolou para dentro. Ao cair na água, o corpo fez um barulho que lhe pareceu alto e um cheiro de lixo e coisas podres subiu do canal remexido. A superfície então se acalmou e Wigelm ficou parado de bruços. Ela viu um esquilo morto flutuando junto à cabeça dele.

Descansou, ofegante e exausta, mas após alguns instantes se deu conta de que aquilo não iria bastar. O cadáver ainda estava próximo demais da sua casa e poderia levantar suspeitas. Ela precisava afastá-lo.

Se tivesse uma corda, poderia tê-la amarrado nele e então ir andando pela margem do canal puxando o corpo pela água. Só que ela não tinha uma corda.

Pensou nos arreios de montaria. Astrid estava num pasto, mas sua sela e os outros arreios ficavam dentro da casa. Ragna voltou lá. Dobrou o cobertor que tinha usado para arrastar o corpo e o pôs debaixo da pilha de roupa suja, torcendo para que demorassem muitos dias para reparar naquela sujeirada toda. Então soltou as rédeas do bridão.

Voltou para o canal. Ainda não havia ninguém à vista. Estendeu a mão por cima da superfície e segurou o cadáver pelos cabelos. Puxou-o na sua direção, então prendeu a correia de couro ao redor do pescoço. Levantou-se, puxou a correia e começou a andar pela beira do canal em direção ao vilarejo.

Uma parte dela exultava ao pensar que Wigelm estava agora tão impotente que ela podia conduzi-lo como se ele fosse um animal estúpido.

Avançava olhando para todos os lados, estreitando os olhos para discernir as sombras sob as árvores, com medo de topar com algum andarilho noturno a qualquer segundo. À luz da lua, viu um par de olhos amarelos que lhe deram um leve susto até ela perceber que era só um gato.

Ao se aproximar do vilarejo, ouviu pessoas falando alto. Praguejou. Pelo visto a ausência de Wigelm tinha sido notada.

Ainda não estava suficientemente longe da pedreira para evitar suspeitas. Para descansar o braço, mudou de mão e começou a andar de costas, mas não conseguia ver para onde estava indo e, após dar dois tropeços, voltou a usar o braço cansado. Suas pernas também começaram a doer.

Viu luzes se movendo entre as casas. Os homens de Wigelm provavelmente estavam à procura dele. Bêbados demais para conduzirem uma busca organizada, seus chamados uns para os outros eram incoerentes. Mesmo assim, um deles poderia vê-la. E, se ela fosse pega arrastando o cadáver de Wigelm pelo canal, não haveria qualquer dúvida em relação à sua culpa.

Continuou andando. Um dos que procuravam veio em direção ao canal com um lampião. Ragna parou, abaixou-se rente ao chão e ficou observando os movimentos sacolejantes da luz. O que faria se ele chegasse mais perto? Que história poderia contar para explicar o cadáver de Wigelm e sua correia?

Mas a luz seguiu na direção oposta e se apagou. Ao vê-la desaparecer, Ragna se levantou e recomeçou a andar.

Passou pelos fundos de uma das casas do vilarejo, depois por outra, e decidiu que já tinha ido longe o suficiente. Como Wigelm estava sem condições de andar em linha reta, as pessoas iriam supor que ele não tinha pegado o caminho mais direto para chegar ao canal, mas sim cambaleado de modo aleatório ao se dirigir para lá.

Ela se ajoelhou, levou as mãos até dentro d'água e soltou a correia do pescoço dele. Então empurrou o corpo para o meio do canal.

– O inferno é por ali – murmurou.

Virou-se e voltou depressa para a pedreira.

Não havia movimento algum perto das casas de Gab e Edgar. Ela torceu para os pombinhos não terem voltado durante a sua ausência: não saberia explicar o que tinha feito.

Atravessou a pedreira com passos silenciosos e entrou na casa. Não havia ninguém.

Ragna ocupou seu lugar na palha e fechou os olhos.

Acho que consegui me safar, pensou.

Sabia que deveria estar cheia de culpa, mas só conseguia se regozijar.

Não dormiu. Ficou revivendo aquela noite em pensamento, desde o instante em que escutara a voz arrastada de Wigelm até sua volta apressada pela margem do canal. Perguntou-se se tinha feito o suficiente para que a morte parecesse um acidente causado pelo excesso de bebida. Será que não havia nada no cadáver capaz de despertar suspeita? Será que ela tinha sido vista por alguém? Sua ausência de casa teria sido notada de alguma forma?

Ouviu a porta ranger e supôs que fossem Osgyth e Ceolwulf voltando. Fingiu estar num sono profundo. Uma leve pancada soou quando a barra foi posta no lugar – tarde demais, pensou, ressentida. Ouviu passos leves, risadinhas abafadas e um leve farfalhar quando eles se deitaram. Imaginou que Ceolwulf tivesse reassumido sua posição de guarda deitado em frente à porta, para que ninguém pudesse entrar sem acordá-lo.

Os dois jovens logo estavam respirando num ritmo regular.

Eles claramente não faziam ideia do drama ocorrido naquela noite. E então Ragna viu que a negligência dos dois funcionaria a seu favor. Se interrogados, eles jurariam que haviam passado a noite inteira na casa, protegendo a patroa como era o seu dever. A desonestidade dos jovens daria um álibi a Ragna.

Em breve um novo dia ia raiar, um dia feliz, seu primeiro num mundo sem Wigelm.

Mal se atrevia a pensar em Alain. Com Wigelm morto, com certeza lhe devolveriam seu filho, não? Ninguém iria querer que Meganthryth o criasse agora que Wigelm não estava mais lá para intimidá-los... ou será que iria? Não fazia sentido, mas poderia ser feito só por maldade. Embora Wigelm estivesse morto, Wynstan, seu irmão cruel, ainda estava vivo. Diziam que estava ficando louco, mas isso só o tornava ainda mais perigoso.

Ela pegou num sono agitado e foi despertada por uma batida à porta, três toques firmes e educados, porém urgentes. Uma voz falou:

– Milady! É Eanfrid.

E agora vem o desfecho, pensou Ragna.

Levantou-se, limpou a poeira do vestido e ajeitou os cabelos, então falou:

– Deixe-o entrar, Ceolwulf.

Quando a porta foi aberta, viu que o dia estava raiando. Eanfrid entrou, com o rosto vermelho e a respiração acelerada por causa do esforço de sujeitar seu volume considerável a uma caminhada rápida. Sem preâmbulos, ele disse:

– Wigelm sumiu.

Ragna se mostrou de uma eficiência abrupta:

– Onde ele estava quando você o viu pela última vez?

– Quando eu adormeci, ele estava na minha taberna, ainda bebendo com Garulf e os outros.

– Alguém procurou por ele?

– Os homens da comitiva passaram metade da noite circulando por aí chamando o nome dele.

– Eu não escutei nada. – Ragna se virou para seus criados. – Vocês ouviram?

– Nada, milady – respondeu Osgyth depressa. – A noite toda foi bem tranquila.

Ragna queria fazer os dois se comprometerem com a mentira.

– Algum de vocês saiu durante a noite, mesmo que para urinar ou algo assim? – perguntou.

Osgyth fez que não com a cabeça e Ceolwulf disse com firmeza:

– Eu não saí do meu lugar junto à porta.

– Certo. – Ela estava satisfeita. Agora seria difícil para eles mudar sua história. – Já é dia, então precisamos organizar uma busca.

Eles foram até o povoado. Passar pelo canal trouxe pensamentos sombrios, mas Ragna os empurrou para o fundo da mente. Foi até a casa do padre e bateu com força à porta. A igreja não tinha campanário, mas Draca tinha um sino manual. O religioso de cabeça raspada apareceu e ela foi logo dizendo:

– Me empreste o seu sino, por favor.

Ele o trouxe e Ragna o tocou vigorosamente.

As pessoas que já estavam acordadas se dirigiram imediatamente ao descampado entre a igreja e a taberna. Outras chegaram em seguida, afivelando os cintos e esfregando os olhos. A maioria dos integrantes da comitiva de Wigelm parecia bem afetada pelos excessos da véspera.

O sol já estava nascendo quando todos se reuniram. Ragna falou de modo que todos pudessem escutar, num tom que não deixava margem para discussão:

– Vamos formar os grupos de busca. – Apontou para o padre. – Draca, pegue três moradores e vá olhar no pasto oeste. Dê a volta no perímetro e vá até a margem do rio. – Em seguida apontou para o padeiro, um homem forte e confiável. – Wilmund, pegue três soldados e vá procurar no campo leste. Certifique-se também

675

de vascular a área inteira e de ir até o canal. – Se fosse meticuloso, Wilmund encontraria o cadáver. Por fim, ela se virou para Garulf, que desejava tirar do caminho. – Garulf, leve todos os outros para a mata norte. Lá é o lugar mais provável para o seu tio estar. Meu palpite é que ele estava tão bêbado que se perdeu. Vocês provavelmente vão encontrá-lo dormindo debaixo de um arbusto. – Os homens riram. – Certo, então podem ir!

Os três grupos partiram.

Ragna sabia que precisava agir normalmente.

– Eu bem que comeria alguma coisa – falou para Eanfrid, embora na verdade ainda estivesse tensa demais para sentir fome. – Sirva-me um pouco de cerveja, pão e um ovo.

Ela seguiu na frente e entrou na taberna.

A esposa de Eanfrid lhe trouxe uma jarra e um pão inteiro e cozinhou rapidamente um ovo. Ragna bebeu a cerveja e se forçou a comer. Depois sentiu-se melhor, apesar de ter dormido pouco.

O que os soldados diriam quando o corpo fosse encontrado? Durante a noite, Ragna supusera que eles fossem chegar à conclusão óbvia: Wigelm tinha morrido por acidente porque estava bêbado. Agora, porém, percebia que havia outras possibilidades. Será que eles desconfiariam de alguma coisa estranha? E, em caso afirmativo, o que poderiam fazer a respeito? Felizmente ali não havia ninguém importante o suficiente para desafiar sua autoridade.

Conforme ela imaginara, o grupo de Wilmund encontrou o corpo.

O que ela não esperava era o choque que sentiu ao ver o cadáver do homem que havia matado.

Wigelm foi levado até o vilarejo por Wilmund e Bada, um dos membros da comitiva dele. Assim que Ragna o viu, começou a sentir o horror do que tinha feito.

Na noite anterior, sentira-se dominada pelo medo até Wigelm morrer, depois fora inundada de alívio pelo fato de ele estar morto. Agora lembrava que o tinha sufocado e que ficara olhando para o seu rosto enquanto a vida abandonava seu corpo segundo a segundo. Na hora não experimentara nada além de terror, mas agora, ao recordar a cena, chegou a ter um mal-estar de tanta culpa.

Já tinha visto gente morta várias vezes, mas aquilo era diferente. Sentiu que ia desmaiar, cair em prantos ou então começar a gritar.

Lutou para permanecer calma. Precisava conduzir um inquérito com muito cuidado. Não podia parecer ansiosa demais para chegar ao veredito óbvio nem demonstrar medo algum.

Ordenou aos homens que pusessem o corpo sobre uma mesa de cavalete dentro da igreja e despachou mensageiros para chamar de volta os outros grupos de busca.

Todos se aglomeraram dentro da pequena igreja, falando em sussurros numa demonstração de respeito, fitando o rosto pálido de Wigelm e vendo a água do canal pingar de suas roupas para o chão.

Ragna começou falando com Garulf, o mais graduado da comitiva de Wigelm.

– Ontem à noite você foi um dos últimos a deixar a taberna – disse-lhe ela. Sua voz lhe soou estranhamente calma, mas ninguém reparou. – Viu Wigelm pegar no sono?

Garulf parecia chocado e amedrontado, e teve dificuldade para responder à pergunta simples:

– Hã, não sei. Espere, não. Eu acho que fechei os olhos antes dele.

Ragna continuou a guiá-lo:

– Tornou a vê-lo depois disso?

Ele coçou o queixo coberto de barba por fazer.

– Depois que eu peguei no sono? Não, eu estava dormindo. Mas espere. Sim. Ele deve ter se levantado, porque tropeçou em mim e isso me fez acordar.

– Você viu o rosto dele?

– À luz do fogo, sim, e escutei sua voz.

– O que ele disse?

– Ele disse: "Vou mijar no canal do Edgar."

Alguns dos homens riram, então se calaram abruptamente ao perceber como isso era inadequado.

– E então ele saiu?

– Sim.

– O que aconteceu depois?

Garulf estava recuperando o autocontrole e começando a se fazer entender.

– Algum tempo depois, alguém me acordou e disse: "Essa mijada de Wigelm não está demorando muito?"

– E o que você fez?

– Voltei a dormir.

– Tornou a vê-lo?

– Vivo, não.

– O que você acha que aconteceu?

– Acho que ele caiu no canal e se afogou.

Um murmúrio percorreu a multidão quando todos concordaram. Ragna ficou satisfeita. Conseguira conduzi-los ao resultado que desejava fazendo-os pensar que tinha sido a sua própria conclusão.

Correu os olhos pela igreja.

– Alguém viu Wigelm depois que ele saiu da taberna no meio da noite?

Ninguém respondeu.

– Tudo leva a crer, portanto, que a causa da morte foi um afogamento acidental.

Para sua surpresa, Bada, o soldado que havia ajudado a carregar Wigelm do canal até a igreja, discordou.

– Eu não acho que ele se afogou – falou.

Ragna estava temendo algo desse tipo. Ocultou seu nervosismo e ostentou uma expressão interessada.

– O que o faz dizer isso, Bada?

– Eu já tirei afogados da água. Quando você retira o corpo, sai muito líquido pela boca. É a água que a pessoa aspirou, a água que a matou. Mas quando tiramos Wigelm não saiu nada.

– Isso é curioso, mas não sei se nos leva a algum lugar. – Ragna se virou para o padeiro. – Você viu isso, Wilmund?

– Não reparei – respondeu ele.

– Mas eu sim – insistiu Bada.

– O que você acha que isso significa, Bada?

– Isso mostra que ele estava morto antes de cair na água.

Ragna se lembrou de tapar a boca e o nariz de Wigelm para ele não poder respirar. Essa imagem não lhe saía da cabeça, por mais que ela tentasse afastá-la. Com esforço, pensou na pergunta seguinte:

– Então como ele morreu?

– Talvez alguém o tenha matado, depois jogado o corpo no canal. – Bada correu os olhos pela igreja com uma expressão desafiadora. – Alguém que o odiava, talvez. Alguém que se sentisse injustiçado por ele.

Ragna estava sendo indiretamente acusada. Todos sabiam que ela odiava Wigelm. Se a acusação fosse feita abertamente, tinha certeza de que os aldeões seriam leais e ficariam do seu lado, mas não queria que as coisas chegassem a esse ponto.

Deu a volta no corpo de modo lento e pausado. Com dificuldade, falou com voz calma e segura:

– Chegue mais perto, Bada. Olhe com atenção.

O silêncio tomou conta do recinto.

Bada fez o que ela pediu.

– Se ele não se afogou, então como foi morto?

O homem não disse nada.

– Está vendo algum ferimento? Algum sangue? Um hematoma, talvez? Porque eu não vejo.

De repente, um novo pensamento a deixou assustada. A correia que havia usado para puxar o cadáver pelo canal poderia ter deixado uma marca no pescoço dele. Discretamente, examinou com atenção a pele do pescoço, mas, para seu alívio, não havia nada.

– Então, Bada?

Bada apenas fechou a cara.

– Qualquer um de vocês – disse Ragna aos presentes. – Cheguem tão perto quanto quiserem. Examinem o corpo. Procurem sinais de violência.

Várias pessoas se aproximaram e observaram Wigelm com atenção. Um a um, balançaram a cabeça e recuaram. Ragna continuou:

– Às vezes um homem simplesmente cai morto, sobretudo se tiver passado anos se embriagando todas as noites. É possível que Wigelm tenha tido algum tipo de convulsão enquanto estava urinando no canal. Talvez ele tenha morrido e depois caído na água. Talvez nunca venhamos a saber. Mas não há sinal algum de que a morte dele tenha sido causada por algo além de um acidente, não é?

Mais uma vez, os presentes concordaram com um murmúrio coletivo.

Bada se mostrava obstinado:

– Ouvi dizer que, se o assassino toca o corpo da vítima, ela volta a sangrar – falou ele.

Ragna sentiu um arrepio percorrer seu corpo. Ela também tinha ouvido dizer isso, embora nunca tivesse visto acontecer e, na realidade, não acreditasse. Mas agora seria obrigada a testar a verdade por trás daquela superstição.

– Quem você gostaria de ver tocar o corpo? – perguntou a Bada.

– A senhora – respondeu ele.

Ragna lutou para ocultar o medo que sentia. Fingindo total segurança, falou:

– Observem, todos vocês.

Infelizmente não pôde suprimir por completo o tremor na própria voz. Ergueu o braço direito bem alto, então o baixou devagar.

Na versão que havia escutado, quando ela tocasse o corpo, Wigelm começaria a verter sangue pelo nariz, pela boca e pelos olhos.

Finalmente pousou a mão sobre o coração do cadáver.

Manteve-a ali por um longo tempo. O silêncio na igreja era completo. O corpo estava horrivelmente frio. Ela se sentiu tonta.

Nada aconteceu.

O cadáver não se mexeu. Nenhum sangue apareceu. Nada.

Com a sensação de que sua vida fora salva, Ragna retirou a mão e todos os presentes deram um suspiro de alívio.

– Alguém mais de quem você desconfie, Bada? – indagou.

O soldado fez que não com a cabeça.

– Wigelm morreu bêbado no canal – declarou Ragna. – É esse o veredito e este inquérito está encerrado.

As pessoas começaram a deixar a igreja conversando entre si. Ragna escutou o tom dos murmúrios e notou que todos estavam convencidos daquele desfecho.

Mas aquelas não eram as únicas pessoas que ela precisava convencer. A cidade de Shiring era muito mais importante. Precisava se certificar de que a sua versão dos acontecimentos, conforme sustentada pelo veredito de Outhenham, fosse aquela repetida no dia seguinte nas tabernas e nos bordéis.

E para isso precisava chegar lá primeiro.

As duas pessoas com maior probabilidade de lhe criar problemas eram Garulf e Bada. Pensou num jeito de garantir que eles ficassem ali em Outhenham.

Convocou-os.

– Vocês dois ficam responsáveis pelo corpo do senhor de Shiring. Vão agora falar com o carpinteiro Edmund e digam que eu lhe ordenei fabricar um caixão para Wigelm. Ele deve conseguir terminar hoje à noite ou amanhã de manhã. Depois disso vocês devem escoltar o corpo até Shiring para ser enterrado no cemitério da catedral. Está claro?

Bada olhou para Garulf.

– Sim – disse Garulf.

O rapaz parecia feliz por ter alguém para lhe dizer o que fazer.

Já Bada não se mostrou tão receptivo.

– Está claro, Bada? – perguntou Ragna.

Ele foi forçado a ceder:

– Sim, milady.

Ela partiria imediatamente, mas sem avisar. Em voz baixa, falou:

– Ceolwulf, vá encontrar os remadores e leve-os até a pedreira.

O guarda-costas era jovem o suficiente para ser petulante.

– Para quê? – perguntou.

Ela imprimiu à voz um tom frio e severo:

– Não se atreva a me questionar. Apenas faça o que estou mandando.

– Sim, milady.

– Osgyth, venha comigo.

De volta à casa na pedreira, ela disse à jovem criada para fazer as malas. Quando Ceolwulf chegou, ordenou-lhe que selasse Astrid.

– Nós vamos voltar para Kingsbridge? – quis saber um dos remadores.

Ragna não queria dar a ninguém a oportunidade de revelar seus planos.

– Vamos – falou.

Era uma meia verdade.

Quando todos ficaram prontos, ela seguiu montada pela margem do canal, enquanto seus criados a acompanharam a pé. Na beira do rio, todos entraram na barcaça.

Ela então pediu aos remadores que a levassem até a margem oposta. Depois de terem escutado Ceolwulf receber uma resposta ríspida por ter sido insolente, nenhum deles a questionou.

Eles amarraram a barcaça e Ragna puxou Astrid até a margem.

– Ceolwulf e Osgyth, venham comigo – falou. – Vocês dois, levem a barcaça de volta até Kingsbridge e esperem por mim lá.

Então virou sua égua na direção de Shiring.

Ragna estava ansiosa para reencontrar o filho.

Fazia seis meses que não via Alain, um tempo longo na vida de uma criança pequena. Ele já estava com 3 anos. Será que agora achava que sua mãe era Meganthryth? Será que ainda se lembrava de Ragna? Quando ela o levasse embora, será que ele choraria por Meganthryth? Ragna deveria lhe dizer que o seu pai tinha morrido?

Não precisou responder essas perguntas a si mesma imediatamente após chegar. Estava escuro. Como a busca e o inquérito em Outhenham tinham ocupado a maior parte da manhã, ela chegou a Shiring no início da noite, quando as crianças pequenas já estavam dormindo, e os adultos, preparando o jantar. Ela não iria acordar Alain. Quando era casada com Wigelm, ele às vezes cismava de ir visitar o filho tarde da noite e sempre insistia para acordar o menino. Alain ficava choramingando de sono até ser novamente posto para dormir e então Wigelm acusava Ragna de virar o filho contra ele. Mas o erro era todo de Wigelm. Ragna não faria a mesma coisa. Só visitaria o complexo do senhor da cidade pela manhã.

– Vamos passar esta noite com o xerife Den – falou para seus criados.

Encontrou Den sentado com a esposa, Wilburgh, enquanto o jantar era preparado no seu salão nobre.

– Acabei de chegar de Outhenham – começou Ragna. – Wigelm morreu lá ontem à noite.

– Que o céu seja louvado – disse Wilburgh.

Den fez a pergunta-chave:

– Como ele morreu?

– Ficou bêbado, caiu no canal e se afogou.

– Não é de espantar. – Den meneou a cabeça. – Uma pena que a senhora estivesse lá. As pessoas devem estar desconfiando.

– Eu sei. Mas não havia sinais de violência no corpo e os aldeões ficaram convencidos de que foi um acidente.

– Ótimo.

– Preciso passar a noite aqui no seu complexo.

– Claro. Vamos acomodá-la, depois a senhora e eu precisamos conversar sobre o que vai acontecer agora.

Den lhe atribuiu uma casa vazia. Talvez tenha sido a mesma na qual ela havia se deitado com Edgar pela primeira e única vez, quatro anos antes. Ragna se lembrava de cada detalhe desse encontro amoroso, mas não sabia ao certo em que casa tinha acontecido. Desejou poder fazer amor com ele outra vez.

Deixou Osgyth e Ceolwulf encarregados de acender o fogo e tornar o lugar confortável e voltou para a casa de Den.

– Amanhã de manhã vou pegar meu filho Alain de volta – contou. – Não há motivo para ele ficar com a concubina de Wigelm.

– É o que eu penso também – disse Wilburgh.

– Concordo – falou Den.

– Sente-se, por favor, milady – pediu Wilburgh.

Ela trouxe uma jarra de vinho e três canecas.

– Espero que o rei Ethelred me apoie – comentou Ragna.

– Acredito que vá apoiar – afirmou Den. – Em todo caso, essa vai ser a menor das preocupações dele.

Ragna não havia pensado nos outros problemas do rei.

– Como assim?

– A principal questão será quem vai se tornar senhor da cidade agora.

Até o momento Ragna tivera coisas demais com que se preocupar: o corpo, o inquérito, chegar primeiro a Shiring e, acima de tudo, Alain. Mas agora que Den havia tocado nesse assunto viu que se tratava de uma questão da mais extrema urgência. Aquilo afetaria profundamente o seu futuro. Desejou ter pensado melhor no assunto.

– Eu vou dizer ao rei que só existe uma solução prática – declarou Den.

Ragna foi incapaz de adivinhar a que ele estava se referindo.

– Diga-me.

– A senhora e eu temos que governar Shiring juntos.

Ragna ficou estarrecida. Passou um longo tempo sem dizer nada. Por fim, conseguiu perguntar:

– Por quê?

– Pense um pouco – pediu Den. – Seu filho Alain é o herdeiro de Wigelm. Ele vai herdar a cidade de Combe. E o rei decretou que Wigelm era o herdeiro de Wilwulf, de modo que todas as terras de Wilwulf também vão passar para Alain. – Ele fez uma pausa para que Ragna assimilasse essa parte, então retomou: – O seu pequeno é agora um dos homens mais ricos da Inglaterra.

– É claro! – Ragna sentiu-se burra. – Eu simplesmente não tinha pensado a respeito.

– Ele tem 2 anos, não é?

– Acho que são 3 – corrigiu Wilburgh.

– Sim – disse Ragna. – Ele tem 3 anos.

– De modo que milady será a senhora das terras dele pelo menos durante a próxima década. Isso sem falar no vale de Outhen.

– Dependendo da aprovação do rei.

– É verdade, mas não consigo imaginar que ele vá pensar em outra alternativa. Todos os nobres da Inglaterra estarão atentos para ver como Ethelred vai resolver essa questão. Eles gostam de ver a riqueza transmitida de pai para filho, pois querem que os próprios filhos herdem seus bens.

Pensativa, Ragna tomou um gole do vinho.

– O rei não precisa fazer tudo que os nobres querem, claro, mas, se não o fizer, eles podem criar problemas.

– Exato.

– Mas quem será nomeado o novo senhor de Shiring?

– Se pudesse ser uma mulher, Ethelred a escolheria. A senhora é rica, tem status e é conhecida por ser uma juíza imparcial. As pessoas a chamam de Ragna, a Justa.

– Mas uma mulher não pode ocupar esse posto.

– Não. Nem reunir exércitos e liderá-los para ir combater os vikings.

– Então o senhor fará isso.

– Vou propor ao rei que me nomeie regente até Alain ter idade suficiente para governar. Ficarei responsável pela defesa de Shiring contra os ataques vikings e continuarei coletando impostos para o rei. A senhora dará audiências em nome de Alain em Shiring e Combe, além de Outhenham, e administrará todos os tribunais menores. Desse modo, tanto o rei quanto os nobres vão conseguir o que querem.

Ragna ficou animada. Não tinha ganância por riqueza, talvez por quase nunca na vida ter lhe faltado dinheiro, mas estava ansiosa para obter o poder de fazer o bem. Havia tempos sentia ser esse o seu destino. E agora estava prestes a governar Shiring.

Deu-se conta de que desejava muito o futuro que Den estava pintando para ela. Começou a pensar em como poderia garantir que ele se concretizasse.

– Nós deveríamos fazer mais – apontou ela. Seu raciocínio estratégico tinha retornado. – Lembra o que Wynstan e Wigelm fizeram depois de matar Wilwulf? Eles assumiram o controle logo no dia seguinte. Ninguém teve tempo para pensar num jeito de impedi-los.

Den refletiu um pouco.

– Tem razão. Eles ainda precisaram pedir a aprovação do rei, claro, mas, uma vez instalados, ficou difícil para Ethelred desalojá-los.

– Deveríamos organizar uma audiência amanhã de manhã... no complexo do senhor da cidade, em frente ao salão nobre. Anunciar aos moradores da cidade que o senhor e eu estamos assumindo o controle. Não, que nós *já* assumimos o controle, dependendo apenas da decisão do rei. – Ela pensou um pouco. – A única oposição virá de Wynstan.

– Ele está doente e perdendo a razão, e as pessoas já sabem disso – observou Den. – Não tem mais o poder que tinha antigamente.

– Vamos nos certificar disso – insistiu Ragna. – Quando formos ao complexo, o senhor deve levar todos os seus homens, integralmente armados, para dar uma demonstração de força. Wynstan não tem soldados. Nunca precisou ter, porque seus irmãos tinham muitos. Agora ele não tem mais irmãos nem soldados. Pode até protestar quando fizermos nosso anúncio, mas não vai poder fazer nada em relação a isso.

– Tem razão – disse Den.

Então a encarou com um sorrisinho esquisito.

– O que foi? – perguntou ela.

– A senhora acaba de provar que eu escolhi o lado certo – respondeu ele.

Pela manhã, Ragna mal podia esperar para ver Alain.

Forçou-se a não se apressar. Aquele era um evento público extremamente importante e ela já aprendera tempos antes a importância de passar a impressão correta. Lavou-se com esmero de modo a ficar com o cheiro de uma nobre. Deixou Osgyth fazer um penteado rebuscado nela, com um chapéu alto para torná-la ainda mais imponente. Vestiu-se com todo o cuidado e escolheu as roupas mais elegantes que tinha, de modo a transmitir a imagem de maior autoridade possível.

Mas então não conseguiu mais se conter e seguiu antes do xerife Den.

Os moradores já começavam a subir o morro em direção ao complexo do senhor da cidade. Era óbvio que a notícia já havia circulado por Shiring. Sem dúvida Osgyth e Ceolwulf tinham falado na noite anterior sobre o acontecido em Outhenham e quando a manhã chegou metade dos moradores já havia escutado a história – a versão de Ragna. Estavam ansiosos para saber mais.

Den escrevera para o rei na noite anterior antes de ir se deitar e seu mensageiro já tinha partido. A resposta levaria algum tempo para chegar: o xerife não sabia ao certo onde Ethelred estava e o mensageiro poderia demorar semanas para encontrá-lo.

Ragna foi direto para a casa de Meganthryth.

Viu Alain na mesma hora. Ele estava sentado à mesa comendo mingau com uma colher, vigiado pela avó Gytha, por Meganthryth e duas criadas. Ragna levou um susto ao perceber que ele não era mais um bebê. Mais alto, seus cabelos escuros estavam ficando compridos e o rosto tinha perdido o aspecto rechonchudo. Ele estava começando a exibir o nariz e o queixo que caracterizavam os homens da família de Wigelm.

– Ah, Alain, como você mudou! – exclamou ela, e começou a chorar.

Tanto Gytha quanto Meganthryth se viraram, espantadas.

Ragna foi até a mesa e sentou-se ao lado do filho. Ele a encarou pensativo com seus grandes olhos azuis. Ela não soube dizer se a estava reconhecendo ou não.

Gytha e Meganthryth assistiam sem dizer nada.

– Lembra-se de mim, Alain? – perguntou Ragna.

– Mã – disse ele em tom neutro, como se houvesse procurado a palavra certa e estivesse contente por tê-la encontrado.

Então levou à boca outra colherada de mingau.

Ragna foi invadida por uma onda de alívio.

Enxugou as lágrimas e olhou para Meganthryth e Gytha. A primeira estava com os olhos vermelhos e congestionados, e a outra com os olhos secos, mas seu semblante se mostrava pálido e contraído. Elas obviamente já haviam recebido a notícia e estavam ambas dominadas pela tristeza. Wigelm havia sido um homem mau, mas era filho de Gytha e amante de Meganthryth, então nada mais natural do que chorar a perda dele. Mas Ragna sentiu pouca compaixão. Elas tinham sido cúmplices na crueldade monumental de lhe tirar Alain. Não mereciam solidariedade alguma.

– Vim pegar meu filho de volta – disse Ragna com firmeza.

Nenhuma das duas protestou.

Alain largou a colher e virou a tigela para mostrar que estava vazia.

– Acabei – falou.

Então tornou a pousar a tigela sobre a mesa.

Gytha exibia um ar derrotado. Todas as suas maquinações no fim das contas não tinham dado em nada. Ela parecia muito mudada.

– Fomos cruéis com você, Ragna – declarou. – Foi maldade nossa tirar seu filho de você.

Aquilo foi uma reviravolta chocante, e Ragna não estava disposta a aceitá-la de primeira.

– Agora você reconhece – retrucou. – Depois de perder o poder de mantê-lo aqui.

Gytha insistiu:

– Não vai ser tão má quanto nós, vai? Por favor, não me impeça de ver meu único neto.

Ragna não respondeu. Tornou a prestar atenção em Alain. Ele a observava com atenção.

Ela estendeu os braços para ele e o garotinho fez o mesmo para ganhar colo. Ela o suspendeu. Alain estava mais pesado do que ela se lembrava – não conseguiria mais passar metade do dia com ele no colo. Ele se aconchegou a ela, descansou a cabeça no seu peito e ela sentiu o calor de seu corpinho através da lã do vestido. Afagou seus cabelos.

Ouviu o barulho de um grupo grande de pessoas vindo lá de fora. Den está chegando com sua comitiva, pensou. Levantou-se com Alain no colo. Então saiu.

O xerife vinha marchando pelo complexo à frente de um grande batalhão de soldados. Ragna foi até ele e pôs-se a caminhar ao seu lado. Uma multidão reunida em frente ao salão nobre os aguardava.

Os dois pararam diante da porta e se viraram de frente para as pessoas.

Todos os homens importantes da cidade estavam na primeira fila. Ragna viu Wynstan entre eles e ficou chocada com a sua aparência. Ele estava magro e curvado e suas mãos tremiam. Parecia um velho. O rosto que a encarou era uma máscara de ódio, mas ele parecia enfraquecido demais para tomar qualquer atitude em relação a isso e sua fraqueza parecia alimentar sua raiva.

O capitão Wigbert, braço direito do xerife Den, bateu palmas bem alto.

A multidão se calou.

– Nós temos um anúncio a fazer – começou Den.

CAPÍTULO 42

Outubro de 1006

 rei Ethelred concedeu uma audiência na catedral de Winchester diante de uma multidão de figuras importantes envoltas em peles de animais para se proteger do frio cortante do inverno que se aproximava.

Para deleite de Ragna, ele ratificou tudo que o xerife Den havia proposto.

Garulf protestou e seu resmungo indignado ecoou pelas paredes de pedra da nave.

— Eu sou filho do senhor Wilwulf e sobrinho do senhor Wigelm — disse ele. — Den não passa de um xerife sem sangue nobre.

Teria sido de se pensar que os senhores feudais ali reunidos fossem concordar com isso, pois todos queriam que os próprios filhos também viessem a governar, mas a reação deles foi discreta.

— Você perdeu metade do meu exército numa única batalha estúpida em Devon — falou Ethelred para Garulf.

Os reis têm boa memória, pensou Ragna. Ela escutou o rumor dos nobres concordando. Eles também se lembravam da derrota de Garulf.

— Isso nunca mais vai acontecer — prometeu o rapaz.

O rei não se deixou comover.

— Não vai porque você nunca mais vai liderar o meu exército. O senhor de Shiring agora é Den.

Garulf pelo menos tinha o bom senso de saber quando estava derrotado e calou a boca.

Não era apenas pela batalha, refletiu Ragna. A família de Garulf tinha desafiado a liderança do rei repetidamente durante uma década, desobedecendo a ordens e se recusando a pagar multas. Parecia que conseguiriam se safar indefinidamente, mas agora, por fim, sua insurreição tinha terminado. A justiça havia sido feita, afinal. Pena que tivesse demorado tanto a chegar.

Sentada ao lado do rei num banquinho com almofada parecido com o dele, a rainha Emma se inclinou e murmurou no ouvido dele. Ethelred assentiu e se dirigiu a Ragna:

– Lady Ragna, creio que o seu filho lhe foi devolvido.

– Sim, Majestade.

Ele se dirigiu aos presentes:

– Ninguém deverá tirar de lady Ragna qualquer um de seus filhos.

Apesar de aquilo já ser um *fait accompli*, ela ficou feliz por ter o apoio do rei confirmado em público. Isso lhe dava segurança para o futuro.

– Obrigada – falou.

Depois da audiência, o novo bispo de Winchester ofereceu um banquete. O ex-bispo Alphage, que tinha vindo de Canterbury, também compareceu. Ragna ficou feliz em poder falar com ele. Já estava mais do que na hora de Wynstan ser removido de seu cargo, e a única pessoa com autoridade para dispensá-lo era o arcebispo de Canterbury.

Perguntou-se como poderia conseguir um encontro, mas Alphage resolveu a questão vindo abordá-la.

– Da última vez que estivemos aqui, acredito que a senhora tenha me ajudado – começou ele.

– Não sei bem a que o senhor está se referindo...

– A senhora revelou discretamente a informação sobre a doença vergonhosa do bispo Wynstan.

– Tentei guardar segredo quanto à minha participação nisso, mas parece que Wynstan conseguiu descobrir a verdade.

– Bem, fico muito agradecido, pois a senhora pôs fim à tentativa dele de se tornar arcebispo de Canterbury.

– Fico muito feliz por ter podido ajudá-lo.

– Então agora está morando em Kingsbridge? – perguntou ele, mudando de assunto.

– Lá é a minha base, mas eu viajo muito.

– E tudo vai bem no priorado de lá?

– Muitíssimo bem. – Ragna sorriu. – Passei por lá nove anos atrás e aquilo era um povoado com cerca de cinco construções chamado Travessia de Dreng. Hoje em dia é uma cidade movimentada e próspera. Tudo graças ao prior Aldred.

– Um homem e tanto. Ele foi o primeiro a me alertar sobre as maquinações de Wynstan para se tornar arcebispo.

Ragna queria pedir a Alphage para dispensar Wynstan, mas precisava tomar cuidado com onde pisava. O arcebispo era homem, e todos os homens detestavam que uma mulher lhes dissesse o que fazer. Ao longo da sua vida ela às vezes esquecera esse fato e vira seus desejos se frustrarem por causa disso. Então falou:

– Espero que o senhor vá a Shiring antes de voltar para Canterbury.

– Algum motivo em especial?

– A cidade ficaria empolgada com uma visita sua. E o senhor talvez queira observar Wynstan.

– Como vai a saúde dele?

– Mal, mas na verdade não cabe a mim opinar – disse ela com falsa humildade. – Seu próprio julgamento sem dúvida será melhor.

Era raro algum homem duvidar da própria capacidade de fazer um bom julgamento.

Alphage assentiu.

– Está bem – falou. – Visitarei Shiring.

Conseguir que o arcebispo fosse a Shiring foi apenas o começo.

Como Alphage era monge, ficou hospedado na abadia de Shiring. Isso desapontou Ragna, pois ela queria que ele tivesse ficado na residência do bispo e dado uma boa olhada de perto em Wynstan.

Wynstan deveria ter convidado Alphage para almoçar com ele. No entanto, Ragna ficou sabendo que o arquidiácono Degbert tinha transmitido um recado explicitamente insincero dizendo que Wynstan adoraria receber o arcebispo, mas que não o convidaria por medo de atrapalhar suas devoções monásticas. Ao que parecia, Wynstan não estava louco o tempo inteiro, e quando raciocinava direito podia ser tão dissimulado como sempre.

Ragna fez com que o xerife Den convidasse o arcebispo para jantar no seu complexo de modo que Den pudesse falar sobre Wynstan, mas daí veio outra decepção: Alphage recusou. Ele era um verdadeiro asceta e realmente preferia comer enguia ensopada com feijão na companhia de outros monges enquanto escutava a leitura da história da vida de São Swithun.

Ragna teve medo de que Wynstan e Alphage não se encontrassem, o que acabaria com seu plano. Só que todos os arcebispos celebravam missas na catedral no domingo da sua visita e, como Wynstan era obrigado a estar presente, para alívio dela os dois finalmente se encontraram.

A cidade inteira compareceu. Wynstan havia se deteriorado até mesmo desde que ela o vira no dia seguinte à morte de Wigelm. Seus cabelos estavam ficando grisalhos e ele caminhava com o auxílio de uma bengala. Infelizmente, isso não bastava para ser removido do cargo. Metade dos bispos que Ragna já vira era de velhos, grisalhos e com dificuldades de locomoção.

Ela acreditava na fé cristã e agradecia a Deus por sua influência civilizatória, mas não passava muito tempo pensando no assunto. Apesar disso, a missa sempre a emocionava e a fazia sentir que tinha um lugar na Criação que fazia sentido.

Parte da sua atenção se concentrou na missa e a outra em Wynstan. Ela agora estava preocupada que ele conseguisse passar pela celebração sem revelar sua insanidade. Ele executava os gestos de modo mecânico, quase distraído, mas não estava cometendo nenhum erro.

Ela observou a elevação da hóstia com uma atenção maior do que a que costumava dispensar. Jesus havia morrido para que os pecadores fossem perdoados. Ragna confessara seu assassinato para Aldred, que além de monge também era padre. Ele a havia comparado à heroína do Antigo Testamento Judite, que cortara a cabeça do general assírio Holofernes. A história provava que até mesmo uma assassina podia ser perdoada. Aldred tinha lhe imposto jejum como penitência e lhe concedido a absolvição.

A missa prosseguiu sem qualquer manifestação da loucura de Wynstan. Ragna se sentiu frustrada. Tinha algum crédito com Alphage, mas agora parecia que talvez o tivesse usado em vão.

Os padres iniciaram a procissão em direção à saída. De repente, Wynstan deu um passo de lado e se agachou. Alphage o olhou estarrecido. Wynstan ergueu a saia de suas vestes sacerdotais e defecou no chão de pedra.

A expressão de Alphage era um retrato do horror.

Tudo levou apenas alguns segundos. Wynstan se levantou, tornou a arrumar as vestes e disse:

– Agora sim.

Então voltou a se juntar à procissão.

Todos ficaram olhando fixamente para o que ele havia deixado para trás.

Ragna deu um suspiro de satisfação.

– Adeus, Wynstan – falou.

Ragna retornou a Kingsbridge na companhia do arcebispo Alphage, que estava voltando para Canterbury. Foi uma alegria conversar com ele: Alphage era inteligente, bem-educado, sincero em sua religiosidade, mas intolerante em relação a qualquer dissidência. Conhecia até mesmo a poesia romântica em latim de Alcuíno, que Ragna adorava quando era mais jovem. Percebeu então que havia perdido o hábito de ler poesia, expulsa de sua vida pela violência, pelo nascimento dos filhos e pelo encarceramento. Talvez em breve chegasse o momento em que voltaria a ler seus versos.

Alphage havia dispensado Wynstan imediatamente. Sem saber ao certo o que fazer com o bispo louco, fora se aconselhar com Ragna e ela recomendara trancafiar Wynstan durante algum tempo no pavilhão de caça onde passara um ano prisioneira. A ironia a havia deixado assustadoramente satisfeita.

Entrar em Kingsbridge lhe deu a sensação de estar chegando em casa, o que era esquisito, pensou, já que havia passado uma parte relativamente pequena da vida ali. Por algum motivo, porém, sentia-se segura. Talvez pelo fato de Aldred governar a cidade. Ele respeitava a lei e a justiça e não julgava cada questão segundo os próprios interesses, nem sequer segundo os interesses do priorado. Quem dera o mundo inteiro fosse assim.

Reparou num imenso buraco no chão no local destinado à nova igreja. Grandes pilhas de madeira e pedra se erguiam em volta dele. Aldred estava claramente seguindo em frente sem Edgar.

Ela agradeceu a Alphage pela companhia e dobrou em direção à própria casa, bem em frente ao canteiro de obras, enquanto o arcebispo seguia mais um pouco em frente até o conjunto de construções que formavam o priorado.

Havia decidido não se mudar para a casa de Wilwulf em Shiring. Podia morar em qualquer lugar da região, mas preferia Kingsbridge.

Ao chegar perto de seu lar – que estava se parecendo cada vez mais com o complexo de um senhor da cidade –, ouviu Astrid resfolegar satisfeita ao reconhecer a casa e segundos depois as crianças saíram correndo ao seu encontro, os quatro meninos de Ragna e as duas meninas de Cat. Ela pulou da sela e abraçou todos eles.

Foi dominada por uma estranha emoção que não reconheceu a princípio. Após alguns instantes, percebeu que estava feliz.

Fazia muito tempo que não se sentia assim.

A construção de madeira onde antes ficava a colegiada era agora a residência e o local de trabalho de Aldred. Ele recebeu o arcebispo Alphage, que apertou sua mão de modo caloroso e lhe agradeceu mais uma vez pela sua ajuda na obtenção do arcebispado.

– Queira me perdoar, senhor meu arcebispo, se eu disser que fiz isso por Deus, não pelo senhor.

– O que é ainda mais lisonjeiro – retrucou Alphage com um sorriso.

Ele se sentou, recusou uma caneca de vinho e se serviu de uma tigela de castanhas.

– O senhor estava coberto de razão em relação a Wynstan – falou o arcebispo. – Ele agora está completamente louco.

Aldred arqueou uma das sobrancelhas.

– Ele defecou na catedral de Shiring durante a missa – contou Alphage.

– Na frente de todo mundo?

– De todo o clero e de várias centenas de fiéis.

– Que Deus nos proteja! – exclamou Aldred. – Ele deu alguma desculpa?

– Disse apenas: "Agora sim."

Aldred deixou escapar uma risada que pareceu um latido e em seguida se desculpou:

– Eu sinto muito, arcebispo, mas chega a ser quase engraçado.

– Eu o dispensei. O arquidiácono Degbert está ocupando o cargo como interino.

Aldred franziu a testa.

– Não tenho muito boa opinião de Degbert. Ele era o deão quando isto aqui era uma colegiada.

– Eu sei, e nunca tive grande consideração por ele. Avisei-lhe que não esperasse ser promovido a bispo.

Aldred ficou aliviado.

– Então quem vai ocupar o lugar de Wynstan?

– O senhor, espero eu.

Aldred ficou estarrecido. Por essa ele não esperava.

– Eu sou monge – falou.

– Eu também – rebateu Alphage.

– Mas... quero dizer... meu trabalho está aqui. Eu sou o prior.

– Talvez seja da vontade de Deus que siga em frente.

Aldred desejou ter tido mais tempo para se preparar para aquela conversa. Ser nomeado bispo era uma grande honra... e uma oportunidade extraordinária para continuar realizando o trabalho de Deus. Mas ele não suportava a ideia de abandonar Kingsbridge. E a igreja nova? E o crescimento da cidade? Quem assumiria o seu lugar?

Pensou em Shiring. Será que lá conseguiria realizar seu sonho de transformar a catedral da cidade num centro de aprendizado de nível mundial? Primeiro teria que lidar com um grupo de padres que, sob a liderança de Wynstan, haviam se tornado ociosos e corruptos. Talvez pudesse dispensar todos eles e substituí-los por monges, seguindo o exemplo de Elfric, antecessor de Alphage em Canterbury. Só que os monges de Shiring estavam sob a autoridade do abade Hildred, seu antigo inimigo. Não: uma mudança para Shiring atrasaria seu projeto em muitos anos.

– Sinto-me honrado e lisonjeado, além de surpreso, senhor meu arcebispo – disse ele. – Mas peço para ser dispensado. Não posso ir embora de Kingsbridge.

Alphage pareceu contrariado.

– Isso é uma grande decepção – falou. – O senhor é um homem de potencial incomum. Um dia poderia até ocupar o meu lugar. Mas nunca vai progredir na hierarquia eclesiástica se permanecer como prior de Kingsbridge.

Mais uma vez Aldred hesitou. Poucos membros do clero ficariam indiferentes à possibilidade que lhe estava sendo oferecida. Mas um outro pensamento lhe ocorreu.

– Senhor meu arcebispo – disse, pensando em voz alta. – Seria impossível transferir a sé da diocese para Kingsbridge?

Alphage foi pego de surpresa. Obviamente essa era uma ideia nova para ele também. Quando falou, foi com hesitação:

– Eu com certeza tenho poder para fazer isso. Mas vocês não têm uma igreja grande o suficiente aqui.

– Estou construindo outra bem maior. Vou lhe mostrar o canteiro de obras.

– Reparei nisso quando cheguei a cavalo. Mas quando ela vai ficar pronta?

– Podemos começar a usá-la muito antes de ela ser concluída. Já iniciei as obras da cripta. Poderemos celebrar missas lá daqui a cinco anos.

– Quem é o responsável pelo projeto?

– Eu convidei Edgar, só que ele recusou. Mas eu quero um mestre pedreiro normando. Eles são os melhores.

Alphage parecia estar em dúvida.

– Enquanto isso, o senhor estaria disposto a ir a Shiring em todas as principais festas? Páscoa, Pentecostes, Natal... seis vezes por ano, digamos?

– Sim.

– Então eu posso lhe dar uma carta prometendo fazer de Kingsbridge a sé do bispado assim que o senhor puder começar a usar a nova igreja?

– Sim.

Alphage sorriu.

– O senhor é um negociante nato. Está bem.

– Obrigado, senhor meu arcebispo.

Aldred estava exultante. Bispo de Kingsbridge! Ele tinha apenas 42 anos.

Alphage tornou a exibir um ar pensativo.

– O que será que faço com Wynstan?

– Onde ele está agora?

– Trancado no antigo pavilhão de caça de Wilwulf.

Aldred franziu a testa.

– Não fica bem um bispo preso.
– E há sempre o perigo de Garulf ou Degbert tentarem libertá-lo.

A expressão de Aldred se desanuviou.

– Não se preocupe – falou. – Eu conheço o lugar perfeito para ele.

Antes de ir se deitar, Ragna foi até a ponte de Edgar, onde ficou parada escutando o murmúrio onipresente do rio e vendo um sol vermelho se pôr correnteza abaixo, recordando o dia em que chegara ali pela primeira vez, com frio, toda molhada, suja de lama e infeliz, e olhara consternada para o povoado onde precisaria pernoitar. Que mudança.

Em pé na margem da Ilha dos Leprosos, imóvel feito uma lápide, uma garça espreitava a água com intensa concentração. Enquanto Ragna observava a ave, uma embarcação surgiu subindo a correnteza depressa. Ela estreitou os olhos por causa do sol para tentar distingui-la melhor. Era um barco impulsionado por quatro remadores, com um passageiro em pé na proa. Seu destino só podia ser Kingsbridge – já era tarde para ir mais além.

O barco se aproximou da margem em frente à taberna. Ela viu um cão preto a bordo, sentado imóvel na proa olhando para a frente, em silêncio porém alerta. Ragna identificou algo familiar no passageiro e sentiu o coração bater com força no peito. Ele se parecia com Edgar. Não conseguiu ver direito, já que o sol estava batendo em seus olhos. Talvez fosse apenas seu desejo de que fosse ele.

Avançou depressa pela ponte. Ao descer a rampa até a margem, adentrou a comprida sombra de árvores distantes e então pôde enxergar o viajante com mais clareza. Ele saltou do barco seguido pelo cão e se abaixou para amarrar uma corda num poste, e ela então teve certeza.

Era ele.

Num lampejo de compreensão tão delicioso que chegou a doer, reconheceu a silhueta de ombros largos, o modo seguro como ele se movimentava, a habilidade natural daquelas mãos largas, a forma de abaixar a cabeça grande. E sentiu-se tão repleta de alegria que mal conseguiu respirar.

Começou a andar na direção dele, resistindo ao impulso de correr feito louca. Então parou, fulminada por um pensamento terrível. Seu coração estava lhe dizendo que seu amado tinha voltado e tudo ia ficar bem – mas sua cabeça lhe dizia outra coisa. Ela se lembrou dos dois monges de Kingsbridge que haviam encontrado Edgar na Normandia. O mais velho, William, contara: "As pessoas na cidade em que está morando dizem que ele vai se casar com a filha do mestre pedreiro e que um dia ele próprio vai se tornar o mestre." Teria isso acontecido? Era possível. E Ragna conhecia Edgar e tinha certeza de que ele não abandonaria uma mulher após se casar com ela.

Mas, se ele estava casado, por que tinha voltado?

Seu coração agora estava disparado de medo, não de alegria. Ela voltou a andar na direção dele. Viu que sua capa era feita de um tecido de lã de boa qualidade tingido de um vermelho outonal, nitidamente caro. Ele havia continuado a prosperar na Normandia.

Edgar terminou de amarrar a embarcação e ergueu os olhos. Ragna agora estava perto o suficiente para ver a tão conhecida e maravilhosa cor de avelã de seus olhos. Olhou para o rosto dele tão fixamente quanto a garça observando a água. De início viu nervosismo nos olhos dele e deu-se conta de que Edgar devia estar se perguntando, assim como ela, se o amor poderia ter sobrevivido a três anos de separação. Ele então leu o semblante dela e compreendeu na hora o que Ragna estava sentindo. Por fim, abriu um sorriso que lhe iluminou o rosto inteiro.

Um segundo depois, ela estava nos seus braços. Ele a apertou com tanta força que chegou a doer. Ela pressionou as palmas das mãos nas suas faces e o beijou na boca com paixão, sorvendo seu cheiro e seu gosto tão conhecidos. Segurou-o com força por muito tempo, saboreando a extasiante sensação do corpo dele encostado com força no seu.

Por fim, relaxou o aperto e disse:

– Eu amo você mais do que a vida.

– Fico muito feliz – respondeu ele.

Nessa noite, eles fizeram amor cinco vezes.

Edgar não sabia que isso era possível, fosse para ele ou para qualquer outra pessoa. Amaram-se uma vez, depois uma segunda, então cochilaram um pouco e tornaram a se amar. No meio da noite, Edgar mergulhou em devaneios e pensou em arquitetura, em Kingsbridge e em Wynstan e Wigelm. Então lembrou que estava finalmente com Ragna e que ela estava nos seus braços e quis fazer amor outra vez, e ela também quis, então eles se amaram pela quarta vez.

Em seguida ficaram conversando em voz baixa para não acordar as crianças. Edgar contou a Ragna sobre Clothild, a filha do mestre pedreiro.

– Eu agi mal com ela, embora nunca tenha tido essa intenção – falou com tristeza. – Deveria ter lhe contado sobre você desde o início. Eu nunca me casaria com ela, nem se me oferecessem o emprego de rei. Mas vez ou outra fui tolo o bastante para fingir para mim mesmo que isso poderia acontecer, então olhei para ela com carinho e ela interpretou isso como mais do que de fato era. – Ele examinou o rosto de Ragna à luz do fogo. – Talvez eu não devesse estar contando isso a você.

– Nós temos que contar tudo um para o outro – retrucou ela. – O que o fez voltar para casa?

– O seu pai. Ele ficou uma fera por Wigelm ter deixado você de lado. Esbravejou comigo como se o responsável fosse eu. Eu só estava feliz por você ter se divorciado.

– Por que levou tanto tempo para chegar?

– Meu navio foi desviado da rota e fui parar em Dublin. Tive medo de os vikings me matarem por causa da minha capa, mas eles acharam que eu fosse um homem rico e tentaram me vender escravos.

Ela o abraçou com força.

– Que bom que eles deixaram você vivo.

Edgar reparou que estava amanhecendo lá fora.

– Aldred vai nos repreender. Pelos padrões dele, nós somos fornicadores.

– Pessoas que dormem no mesmo recinto não estão necessariamente fazendo sexo.

– Não, mas no nosso caso nem Aldred nem qualquer outra pessoa em Kingsbridge vai ter a menor dúvida.

Ela deu uma risadinha.

– Acha que somos tão óbvios assim?

– Acho.

Ela tornou a ficar séria.

– Meu amado Edgar, quer se casar comigo?

Ele riu, feliz.

– Sim! Claro! Vamos fazer isso hoje.

– Eu quero a aprovação de Ethelred. Não quero ofender o rei. Sinto muito mesmo.

– Mandar um recado para ele e receber uma resposta pode levar semanas. Está dizendo que teremos que viver separados até lá? Eu não vou suportar.

– Não, acho que não. Se estivermos prometidos um ao outro e todos souberem, ninguém vai esperar que cada um durma em um lugar diferente, exceto Aldred. Ele vai continuar reprovando, mas não acho que vá criar problemas.

– O rei vai responder sim ao seu pedido?

– Eu acho que sim. Ajudaria se você fosse um pequeno nobre.

– Mas eu sou construtor.

– Você é um homem rico e um cidadão proeminente, e eu poderia lhe conceder algumas terras com um complexo residencial de modo a transformá-lo num pequeno senhor de terras. Thurstan de Lordsborough morreu recentemente; você poderia assumir o lugar dele.

– Edgar de Lordsborough.

– Essa ideia o agrada?

– Não tanto quanto você – respondeu ele.

E então se amaram pela quinta vez.

CAPÍTULO 43

Janeiro de 1007

 canteiro de obras da catedral estava movimentado. A maioria dos operários cavava alicerces e empilhava materiais. Os artesãos, contratados por Edgar na Inglaterra, na Normandia e em lugares ainda mais distantes, estavam construindo seus alojamentos, cabanas improvisadas nas quais poderiam aparelhar madeira e pedra qualquer que fosse o clima. As paredes começariam a subir no dia da Anunciação, 25 de março, quando o risco de uma geada durante a noite congelar a argamassa já seria pequeno.

Edgar havia construído seu chão de desenho. Pergaminho era caro demais para desenhar projetos, mas existia uma alternativa barata. Ele havia embutido tábuas no chão para formar uma caixa rasa medindo cerca de 4 x 2 metros e preenchido o recipiente com uma camada de argamassa. Os riscos na argamassa ficavam brancos. Com uma régua, uma ponta de ferro afiada e um compasso, ele conseguia desenhar todos os arcos e colunas de que precisava. Como o branco desbotava com o tempo, novos desenhos podiam ser feitos por cima dos antigos, embora algumas marcas dos riscos permanecessem por anos.

Ele construíra o próprio alojamento acima do chão de desenho, apenas um telhado grande sustentado por quatro postes, de modo a poder continuar trabalhando quando chovesse. Estava ajoelhado ali, olhando para uma janela que havia desenhado, quando Ragna apareceu e o interrompeu.

– Chegou um mensageiro do rei Ethelred – avisou ela.

Edgar se levantou, com o coração aos pulos.

– O que o rei diz em relação ao nosso casamento?

– Ele diz sim – respondeu Ragna.

Aldred estava com madre Agatha enquanto os leprosos recebiam sua refeição do meio-dia. Irmã Frith deu graças pela comida e então os homens e mulheres debilitados se aglomeraram em volta da mesa com suas tigelas de madeira.

– Sem empurrar, sem esbarrar! – gritou Frith. – Tem comida para todo mundo. O último vai receber a mesma coisa que o primeiro!

Ninguém lhe deu atenção.

– Como ele está? – perguntou Aldred.

Agatha deu de ombros.

– Imundo, infeliz e louco... igual à maioria aqui.

Ao virar bispo, Aldred tinha dispensado todos os clérigos de Wynstan da catedral de Shiring, inclusive o arquidiácono Degbert, que acabara padre de aldeia em Wigleigh, sem um tostão. Tinha substituído os homens de Wynstan por monges de Kingsbridge sob a supervisão do frei Godleof. No caminho de volta para casa, fora buscar o ex-bispo Wynstan no pavilhão de caça onde ele estava preso e o levara para a Ilha dos Leprosos. Agora Wynstan estava ali junto com os outros, esperando sua refeição.

Estava bem magro e com os ombros caídos, vestido com trapos e sujo desde o rosto até os pés descalços. Devia estar com frio, mas não dava mostras disso. A freira encheu sua tigela com um ensopado encorpado feito de aveia e toucinho, e ele comeu tudo depressa usando os dedos sujos.

Ao terminar, ergueu os olhos, que fitaram Aldred com uma centelha de reconhecimento.

Aproximou-se dele e de Agatha.

– Eu não deveria estar aqui – falou. – Houve um erro terrível.

– Erro nenhum – retrucou Aldred, sem saber ao certo até que ponto Wynstan conseguia entender. – Você cometeu pecados horrorosos: assassinato, falsificação de dinheiro, fornicação, rapto. Está aqui por causa dos seus erros.

– Mas eu sou o bispo de Shiring. Vou me tornar arcebispo de Canterbury. Está tudo planejado! – Ele olhou em volta, atarantado. – Onde estou agora? Como vim parar aqui? Não consigo me lembrar.

– Eu o trouxe para cá. E você não é mais bispo. O bispo sou eu.

Wynstan começou a chorar.

– Não é justo – choramingou ele. – Não é justo.

– É, sim – disse Aldred. – É muito justo.

Ragna e Edgar se casaram em Shiring.

O anfitrião da festa foi Den, o senhor da cidade. Como nessa época do ano havia pouca comida fresca, ele mandou trazer imensos estoques de carne salgada e feijão e dezenas de barris de cerveja e sidra.

Todos os homens importantes do oeste da Inglaterra compareceram e a cidade inteira se reuniu no complexo no alto do morro. Edgar andava entre as pessoas recebendo convidados, aceitando congratulações, cumprimentando gente que não encontrava havia anos.

Todos os quatro filhos de Ragna estavam na festa. Quando o dia de hoje terminar eu terei uma esposa e quatro enteados, pensou ele. Foi estranho pensar isso.

O zum-zum das conversas se modificou e ele ouviu ruídos de surpresa e admiração. Olhou na direção de onde vinha o barulho e viu Ragna, e por alguns segundos não conseguiu respirar.

Ela estava usando um vestido de um amarelo-escuro bem vivo, com as mangas largas arrematadas por um bordado trançado, e por cima outro vestido sem mangas de lã verde-escura. Seu adorno de cabeça feito de seda tinha o mesmo marrom das castanhas, sua cor preferida, e o tecido era entremeado por fios de ouro. Sua gloriosa cabeleira ruiva e dourada escorria atrás dela feito uma cascata. Nesse instante Edgar teve certeza de que ela era a mulher mais linda do mundo.

Ela foi até ele e segurou-lhe as duas mãos. Ele fitou seus olhos verdes da cor do mar e se sentiu incapaz de acreditar que ela era sua. Falou:

– Eu, Edgar de Kingsbridge e de Lordsborough, aceito você, Ragna de Cherbourg e de Shiring, como minha esposa e prometo amá-la, protegê-la e ser-lhe fiel pelo resto dos meus dias.

Ragna respondeu em voz baixa e sorrindo:

– Eu, Ragna, filha do conde Hubert de Cherbourg e senhora de Shiring, de Combe e do vale de Outhen, aceito você, Edgar de Kingsbridge e de Lordsborough, como meu marido e prometo amá-lo, protegê-lo e ser-lhe fiel pelo resto dos meus dias.

Trajando suas vestes de bispo e com um grande crucifixo peitoral de prata, Aldred disse uma bênção em latim para o casamento.

Depois disso, o normal era o casal se beijar. Edgar havia pensado naquilo durante anos e não ia apressar as coisas. Eles já tinham se beijado antes, mas agora pela primeira vez iriam fazê-lo como marido e mulher, e seria diferente, pois haviam prometido se amar para sempre.

Encarou-a por um longo momento. Ragna pressentiu o que ele estava sentindo – isso acontecia com frequência – e aguardou sorrindo. Ele se inclinou devagar na sua direção e encostou os lábios nos seus. Houve uma onda de aplausos.

Edgar a enlaçou com os dois braços e a puxou com toda a delicadeza para si, sentindo seus seios contra o peito. Ainda com os olhos abertos, encostou os lábios nos dela. Ambos abriram a boca e fizeram suas línguas se tocarem de modo hesitante, como se fosse a primeira vez, como dois adolescentes. Ele sentiu os quadris de Ragna se moverem na direção dos seus. Ela o enlaçou com os dois braços e o puxou com mais força, e ele ouviu a multidão rir e gritar palavras de incentivo.

Foi inundado de mais paixão do que podia suportar. Quis tocá-la com cada centímetro de seu corpo, e podia sentir que o mesmo acontecia com ela. Por um segundo, esqueceu a plateia e a beijou como se os dois estivessem sozinhos, mas isso fez o povo ficar em polvorosa e ele por fim interrompeu o beijo.

Seus olhos não desgrudaram dos dela. De tão emocionado, ele estava quase chorando. Repetindo as últimas palavras dos votos, murmurou:

– Pelo resto dos meus dias.

Viu lágrimas surgirem nos olhos de Ragna e ela respondeu:

– E dos meus, meu amor. E dos meus.

Agradecimentos

A Idade das Trevas deixou poucos vestígios. Pouca coisa foi registrada, poucas imagens sobreviveram e quase todas as construções eram de madeira e já se deterioraram há mil anos ou mais. Isso deixa espaço para suposições e controvérsias, mais do que em relação ao período anterior do Império Romano e do que à Idade Média subsequente. Em consequência disso, embora eu agradeça a meus consultores de história, devo acrescentar que nem sempre segui seus conselhos.

Feita essa ressalva, recebi grande ajuda de John Blair, Dave Greenhalgh, Nicholas Higham, Karen Jolly, Kevin Leahy, Michael Lewis, Henrietta Leyser, Guy Points e Levi Roach.

Como de costume, minhas pesquisas tiveram o auxílio de Dan Starer, da Research for Writers em Nova York.

Em minhas viagens de pesquisa, sou grato pelo gentil auxílio de: Raymond Ambrister, da Saint Mary's Church, em Seaham; Véronique Duboc, da catedral de Rouen; Fanny Garbe e Antoine Verney, do Museu da Tapeçaria de Bayeux; Diane James, da Holy Trinity Minster Church, em Great Paxton; Ellen Marie Naess, do Viking Ship Museum; e Ourdia Siab, Michel Jeanne e Jean-François Campario, da abadia de Fécamp.

Gostei particularmente de ter conhecido Jenny Ashby e a sociedade The English Companions.

Meus editores foram Brian Tart, Cherise Fisher, Jeremy Trevathan, Susan Opie e Phyllis Grann.

Entre os parentes e amigos que comentaram versões preliminares do livro estão John Clare, Barbara Follett, Marie-Claire Follett, Chris Manners, Charlotte Quelch, Jann Turner e Kim Turner.

CONHEÇA OUTRO TÍTULO DO AUTOR

Coluna de fogo

Em 1558, as pedras ancestrais da Catedral de Kingsbridge testemunham o conflito religioso que dilacera a cidade. Enquanto católicos e protestantes lutam pelo poder, a única coisa que Ned Willard deseja é se casar com Margery Fitzgerald. No entanto, quando os dois se veem em lados opostos do conflito, Ned escolhe servir à princesa Elizabeth da Inglaterra.

Assim que Elizabeth ascende ao trono, a Europa inteira se volta contra a Inglaterra e se multiplicam complôs de assassinato, planos de rebelião e tentativas de invasão. Astuta e decidida, a jovem soberana monta o primeiro serviço secreto do país, para descobrir as ameaças com a maior antecedência possível.

Ao longo das turbulentas décadas seguintes, o amor de Ned e Margery não arrefece, mas parece cada vez mais fadado ao fracasso. Enquanto isso, o extremismo religioso cresce, gerando uma onda de violência que se alastra de Edimburgo a Genebra. Protegida por um pequeno e dedicado grupo de talentosos espiões e corajosos agentes secretos, Elizabeth tenta se manter no trono e continuar fiel a seus princípios.

Coluna de fogo é um dos livros mais emocionantes e ambiciosos de Ken Follett, uma história de espiões ambientada no século XVI que vai encantar seus fãs de longa data e servir como o ponto de partida perfeito para quem ainda não conhece seu trabalho.

CONHEÇA OS LIVROS DE KEN FOLLETT

Os pilares da Terra (e-book)
Mundo sem fim
Coluna de fogo
Um lugar chamado liberdade
As espiãs do Dia D
Noite sobre as águas
O homem de São Petersburgo
A chave de Rebecca
O voo da vespa
Contagem regressiva
O buraco da agulha
Tripla espionagem
Uma fortuna perigosa
Notre-Dame
O crepúsculo e a aurora

O Século

Queda de gigantes
Inverno do mundo
Eternidade por um fio

Para saber mais sobre os títulos e autores da Editora Arqueiro,
visite o nosso site e siga as nossas redes sociais.
Além de informações sobre os próximos lançamentos,
você terá acesso a conteúdos exclusivos
e poderá participar de promoções e sorteios.

editoraarqueiro.com.br